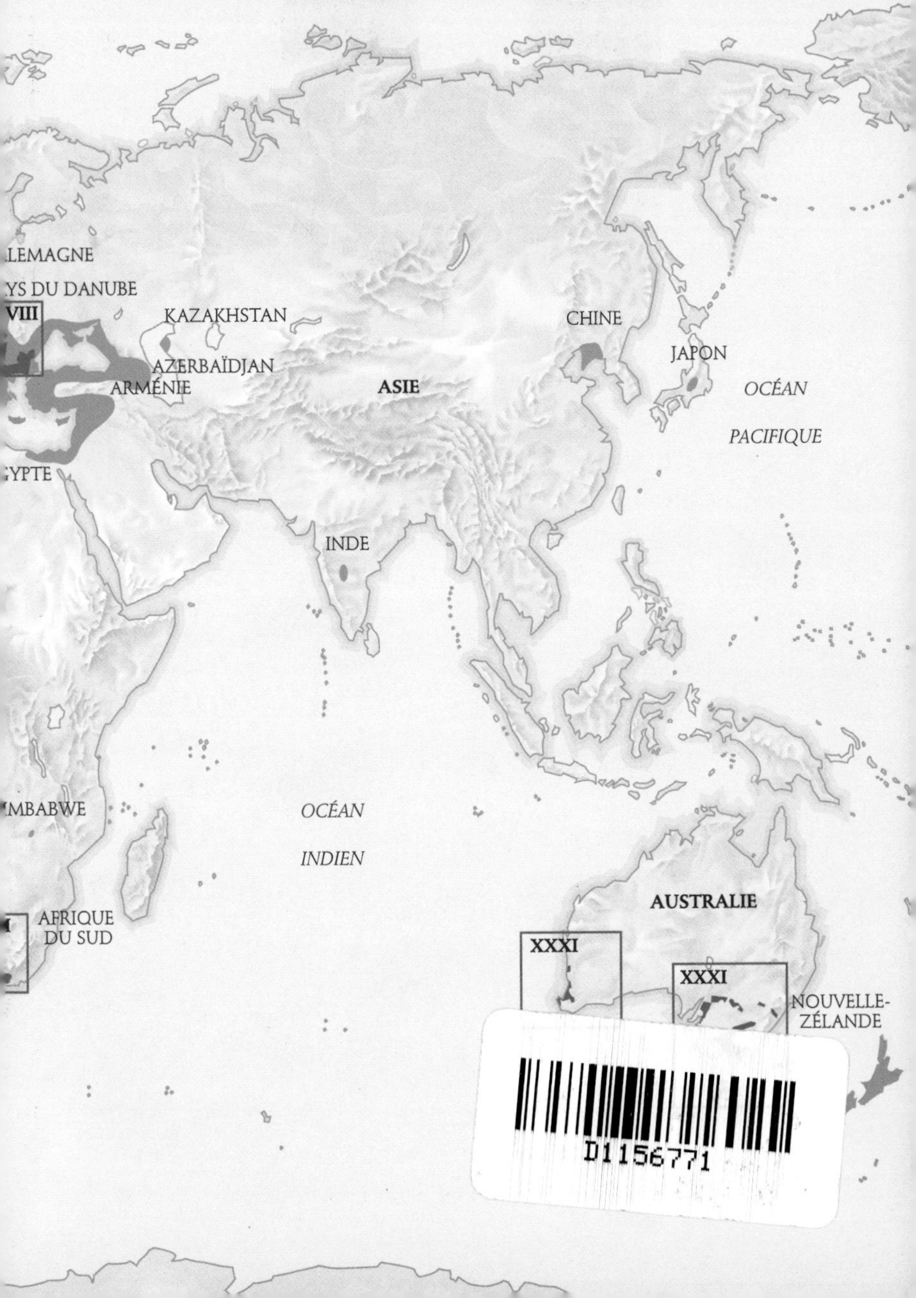

LEMAGNE
YS DU DANUBE
VIII
KAZAKHSTAN
AZERBAÏDJAN
ARMÉNIE
CHINE
JAPON
ASIE
OCÉAN
PACIFIQUE
YPTE
INDE
MBABWE
OCÉAN
INDIEN
AFRIQUE
DU SUD
AUSTRALIE
XXXI
XXXI
NOUVELLE-
ZÉLANDE

PETIT LAROUSSE des vins

PETIT LAROUSSE des vins

CONNAÎTRE • CHOISIR • DÉGUSTER

21, RUE DU MONTPARNASSE 75283 PARIS CEDEX 06

Direction de la publication
Marie-Pierre Levallois

Direction éditoriale
Colette Hanicotte

Coordination éditoriale
Ewa Lochet

Cet ouvrage a été réalisé avec la collaboration de Rupert Hasterok

Rédaction
« Choisir, reconnaître et servir le vin » :
Michel Dovaz
Mathilde Hulot
Georges Lepré
Valérie de Lescure *(rédaction et conseil)*
Martine Willemin

« Tous les vignobles du monde » :
textes extraits du *Larousse des vins*

Direction artistique
Emmanuel Chaspoul
assisté de Olivier Caldéron

Création graphique
Daniel Leprince

Mise en page
Studio Primart

Illustrations
Sylvie Rochart

Adaptation des cartes de vignobles
Laurent Blondel

Lecture-correction
Annick Valade
assistée de Tristan Grellet

Fabrication
Annie Botrel

Couverture
Véronique Laporte

Crédits photographiques
p. 24-25 © Japack Compagny/Corbis/T ;
p. 264-265 : © J. Guillard/Scope ;
p. II-IV : © Larousse/Diaf Studiaphot/Hervé Geyssels ;
p. V-VI : droits réservés

Distributeur exclusif au Canada :
Messageries ADP, 1751 Richardson, Montréal (Québec).

ISBN 2-03-560278-5

SOMMAIRE

LES VIGNOBLES DU MONDE

→ p. 840

CAHIER ENCARTÉ ENTRE LES PAGES 512 ET 513

Le plaisir du vin

Depuis le jour où les hommes ont su tirer profit du fruit de la vigne pour le transformer en vin, ils vouèrent à cette boisson un goût et une curiosité que les siècles n'ont pas démentis. De génération en génération, ils se sont attaché à en percer les mystères et à en améliorer la qualité. À cet égard, le XXe siècle a joué un rôle fondamental dans l'histoire du vin grâce à l'apparition et au développement de l'œnologie. Cette science, qui est en même temps une technique, a vu le jour dans les années 1950 sous l'impulsion de passionnés du vin qu'étaient les chimistes Émile Peynaud et Jean Ribereau-Gayon, dans le Bordelais, et les professeurs Jaumes et Flandry, à Montpellier. Outil formidable pour le vigneron, elle l'a aidé à mieux comprendre la nature du vin, à maîtriser les différentes étapes de son élaboration et de son élevage. Et, contrairement à la crainte qu'elle a suscitée, elle n'a pas eu pour conséquence la standardisation des vins, mais a apporté au vigneron davantage de confort, en lui laissant une plus grande marge de liberté pour définir le style de ses vins. Les résultats sont probants : jamais les vins n'ont été aussi bons et aussi divers. Les amateurs du troisième millénaire ont de quoi se réjouir : s'ils boivent moins, ils boivent désormais mieux, privilégiant la qualité à la quantité. Pour eux, le vin n'est plus la «boisson la plus hygiénique» prônée par Pasteur, mais bien une «boisson de plaisir». Curieux et ouverts d'esprit, ils apprennent à goûter, n'hésitent pas à poser des questions et aiment partager leurs émotions avec leurs amis. Que ce livre soit pour eux, amateurs débutants ou plus aguerris, un guide dans cette palpitante aventure qu'est la découverte du vin.

Du grand et du bon vin

Tout amateur de vins a le même souci : boire bien et, si possible, toujours mieux. Selon son degré de plaisir, il jugera un vin mauvais, bon ou excellent. Seulement, chacun ayant ses propres goûts, les avis peuvent être partagés. Existe-t-il alors une définition universelle du bon, du grand et du mauvais vin ? Et si oui, comment peut-on reconnaître la qualité et le niveau de qualité d'un vin ?

La qualité, une affaire de goût ?

La notion de goût désigne à la fois l'un de nos cinq sens et la saveur d'un aliment (sucré, salé, etc.). Mais elle renvoie également à une appréciation de ce qui est bon ou mauvais. Lors de la dégustation d'un vin, la perception du goût, ou des saveurs, s'accompagne en effet toujours d'un jugement qui reflète les préférences de chacun. À cette dégustation purement hédoniste, qui reflète le plaisir (ou déplaisir) ressenti spontanément par le dégustateur, s'oppose la dégustation au sens technique, dont le but est de juger de la qualité d'un vin. Elle procède par une analyse détaillée des sensations selon une grille de lecture bien précise (voir p. 116), mais s'appuie également sur une bonne connaissance du vin et de son élaboration. Juger de la qualité n'est donc pas une simple affaire de goût. C'est un exercice qui repose sur un apprentissage et sur la diversité des expériences gustatives. Mieux l'amateur de vins le maîtrise,

LES VINS MYTHIQUES

Chaque siècle a son lot de millésimes réussis et ses vins de légende. Au panthéon du XXe siècle, ce sont : Ch. Margaux 1900, Bollinger 1911, La Romanée 1921, Ch. d'Yquem 1921, Salon 1928, Ch. Latour 1928, Ch. Mission Haut-Brion 1929, La Tâche 1937, Ch. Mouton-Rothschild 1945, Ch. Cheval Blanc 1947, Ch. de Fesles 1947, Musigny 1949, Ch. Lafite-Rothschild 1959, Ch. Latour 1961, Clos des Goisses 1975, Rayas 1978, Pétrus 1982, Ch. Le Pin 1982, Ch. Léoville-Las-Cases 1982, Dom Pérignon 1985, Ch. Haut-Brion 1989.

DU « MAUVAIS » VIN

Il est beaucoup plus facile d'expliquer ce qu'est un mauvais vin que de définir ce qui est un bon ou un grand vin. Le mauvais vin est celui qui affiche d'emblée des défauts qui le rendent désagréable, voire impropre, à la consommation. L'amateur de vins, même débutant, le décèle assez facilement. Un vin trouble, un nez pas propre, aux odeurs déplaisantes, une acidité agressive, un alcool brûlant, une astringence importante, un mauvais goût... ce sont quelques exemples dont tout le monde a déjà fait au moins une fois l'expérience. Les causes les plus fréquentes en sont une vendange pourrie ou précoce, une vinification non soignée, un élevage bâclé ou inadapté à la qualité de la matière première. Mais l'absence de défaut n'est pas la seule condition pour donner un bon vin. Un vin techniquement bon peut s'avérer banal parce qu'incapable de susciter le moindre plaisir, la moindre émotion chez l'amateur.

mieux il sera en mesure de comprendre le vin et d'en évaluer les qualités et les défauts. Les dégustateurs professionnels le prouvent parfaitement, en reconnaissant – presque toujours à l'unanimité – les grands, les bons et les mauvais vins.

Juger de la qualité du vin

Juger un vin, c'est faire preuve d'esprit critique pour en évaluer le degré de qualité. Les critères gustatifs de qualité d'un vin sont l'équilibre, l'harmonie, la complexité et la persistance.

L'équilibre est le premier critère de base. Difficile à définir en termes positifs, disons qu'il se traduit dans la bouche par une non-agression. Pas de sensation d'agressivité, due à un excès d'acidité, ni de brûlure en raison d'un alcool dominant, ni, dans le cas du vin rouge, d'une forte astringence donnant l'impression aux gencives de se « dénuder ». Au contraire, il faut que le vin donne l'impression de « couler » sans heurt. Sans équilibre, un vin ne saurait être ni bon, ni grand.

L'harmonie d'un vin découle de la concordance entre l'impression olfactive qu'il offre lorsqu'on le respire et les sensations tactiles et aromatiques perçues lors de la dégustation. Elle permet de juger de l'élégance et de la finesse du vin.

La complexité devient vite compréhensible par analogie, avec la musique, par exemple. Plus il y a d'instruments dans un orchestre, plus le son est complexe. Dans le verre, cela s'exprime par une intensité aromatique due à la présence de plusieurs familles d'arômes et, à la dégustation, par des saveurs subtiles qui se développent de façon crescendo dans la bouche. Du degré de complexité découle directement le niveau de qualité du vin. Un grand vin se distingue par une plus grande complexité.

Il en est de même de la persistance, ou longueur en bouche. Elle se traduit par la durée savoureuse qui persiste dans la bouche, une fois le vin avalé. Elle est l'ultime critère qui permet de différencier les grands vins du monde des bons vins. Enfin, un dernier critère permet de reconnaître un grand vin. C'est sa capacité à bien vieillir. Un grand vin réclame du temps pour révéler toute l'originalité et le caractère unique de sa personnalité.

LE RAPPORT PLAISIR/PRIX

La qualité a un prix et le vin ne fait pas exception à cette règle. Tel vin produit en grande quantité et vendu quelques mois après les vendanges, n'a pas le même coût de revient que tel autre, issu de faible rendement et élevé plus d'un an dans des barriques neuves. Mais cela n'implique pas forcément que le premier sera « mauvais » et le second « excellent ». Leur différence de prix met surtout en avant un style de vin différent, l'un simple, sans prétention, à boire rapidement, l'autre plus complexe et doué d'une capacité de vieillissement. Chacun est susceptible de plaire, à condition, bien sûr, qu'il présente le minimum de qualité requise pour sa catégorie. Un vin pas cher qui n'est pas bon est encore trop cher. Pour cette raison, le rapport qualité/prix s'avère simpliste et on lui préférera celui de plaisir/prix. Or il y a des grands plaisirs et des plaisirs plus simples. L'amateur ne peut exiger le même degré de qualité quand il achète une bouteille à 3 € que lorsqu'il en dépense 30. Mais, dans chaque catégorie de prix, il existe des vins susceptibles de lui plaire.

Le « grand vin » vu par les professionnels

MICHEL BETTANE, critique français collaborant à *la Revue du vin de France* et co-auteur du Guide Bettane-Desseauve : « Le grand vin provoque une émotion forte, de l'ordre de l'esthétique. Il possède un caractère gustatif original et unique qui lui vient de ses origines. Il allie la puissance à la finesse. Dans la tradition européenne, il n'y a pas de grand vin sans grand terroir ni grand millésime. L'homme est aussi un facteur important dans la naissance d'un grand vin, car il est le révélateur de la personnalité du terroir. Le grand vin a besoin de temps pour affirmer toute sa beauté. Jeune, il doit se déguster dans la perspective de son apogée. Le grand vin, c'est la somme collective de la mémoire de tous ceux qui l'ont dégusté au cours des années. »

OLIVIER POUSSIER, « Meilleur sommelier du Monde » en 2000 : « Un grand vin est une conjugaison de complexité, de finesse, d'équilibre et de persistance qui procure un grand plaisir chez le dégustateur. Avec le temps, il doit gagner en saveurs et en arômes. Sa grandeur d'expression lui vient plus de son terroir que de son cépage et/ou de son millésime. Il n'y a pas de grand vin sans un homme qui, par son intelligence du terroir, saura en révéler toute la quintessence. »

MICHEL ROLLAND, œnologue bordelais prodiguant ses conseils dans le monde entier : « Un grand vin est la somme de plusieurs facteurs dont le plus essentiel est le terroir qui donne sa typicité au vin. Pour révéler ses qualités, l'homme est un maillon indispensable par son travail constant dans les vignes et celui dans les chais qu'il adaptera selon les circonstances. L'âge du vignoble, son équilibre et le rendement sont aussi importants. Un grand vin se bonifie avec l'age grâce à son aptitude au vieillissement. »

JEAN-CLAUDE BERROUET, vinificateur de Pétrus : « Produit de la nature dont il subit les lois, le grand vin est avant tout une exception. Il naît de la rencontre d'un sol privilégié planté de cépages parfaitement choisis et d'un climat remarquable. Il en est l'expression la plus aboutie. La part du vigneron reste modeste. Il sublime le produit par son talent, sans faire acte de création. Les hommes passent, les terroirs demeurent. Un grand vin, c'est une source d'émotion rare. »

ANGELO GAJA, œnologue et vigneron italien ; ses Barbaresco et Barolos sont parmi les vins les plus prestigieux d'Italie : « Un grand vin procure de grandes émotions. Il est toujours l'addition d'un grand terroir, d'un millésime d'exception et de cépages de qualité et, souvent, d'un vigneron de talent. Il offre une personnalité unique et incomparable. Bien que rare, il est de moins en moins le fait du hasard en raison du savoir actuel des hommes. »

PAUL DRAPER, œnologue et vigneron californien, signe un des plus grands vins américains, le Monte Bello Cabernet-Sauvignon de Ridge Vineyard : « Un grand vin est le fruit de la nature et non l'œuvre de l'homme qui doit être plus visionnaire qu'interventionniste. Pour cette raison, il ne peut être issu que d'un grand terroir, de ou des cépages en parfaite adéquation avec ce dernier et d'un millésime de grande maturité. Par son caractère unique, sa texture savoureuse, ses arômes complexes et intenses, il procure une émotion intense. Un vin ne se juge grand qu'avec le temps. »

QU'EST-CE QU'UNE APPELLATION D'ORIGINE CONTRÔLÉE ?

La notion d'appellation d'origine contrôlée (AOC) découle directement de celle de terroir. Elle est née en France officiellement au début du XXe siècle dans l'idée de préserver la typicité d'un vin selon son origine, afin d'éviter les fraudes. Cependant la notion d'appellation existait de façon plus empirique dans les siècles précédents. Les vignerons parlaient alors de « vins loyaux, constants et marchands » en approuvant leur qualité en fonction de leur origine. Sous contrôle de l'Institut national des appellations d'origine, chaque appellation d'origine a été dotée d'un décret qui fixe des règles bien précises que tout vigneron doit respecter sous peine d'être sanctionné. Cette réglementation porte autant sur les limites de l'aire d'appellation et le choix des cépages – obligatoires et autorisés – que sur les méthodes culturales et de vinification : rendement à l'hectare, degré minimal de sucre dans le raisin, degré minimal et maximal d'alcool du vin. Avant d'être commercialisé, tout vin d'AOC est en outre soumis à une dégustation d'agrément.

Les acteurs de la qualité

Quelle que soit son origine, son style ou encore sa couleur, la qualité d'un vin dépend toujours des mêmes acteurs. En premier lieu, il faut citer la trilogie terroir, climat et cépage. De leur adéquation parfaite découle la qualité du raisin. Puis il y a l'Homme. C'est lui qui, par la qualité de son travail, de la vigne à la cave, a le pouvoir de transcender la matière première et de donner naissance à un vin de qualité.

Le terroir

Attachée au vignoble français où elle est née, la notion du terroir est aujourd'hui universelle. Elle englobe tous les paramètres naturels liés à un vignoble donné, c'est-à-dire la nature géologique du sol et du sous-sol, la configuration géographique et l'environnement naturel proche, qui lui confèrent une identité unique.

La qualité d'un terroir se juge à sa capacité plus ou moins grande à favoriser la bonne croissance de la vigne et l'obtention de raisins mûrs et concentrés. Les ennemis de la qualité étant les forts rendements, l'excès d'alimentation en eau, et le manque de maturité, les meilleurs terroirs ont des sols pauvres, bénéficiant d'un bon drainage et d'une bonne exposition. Pour ces raisons, de tout temps ont été privilégiés les sols de graviers, de cailloux ou de sable à ceux de limon, les coteaux aux plaines et les orienta-

ÉLÉGANCE ET FINESSE DES VINS EUROPÉENS

À cépages et vinification équivalents, nos vins européens montrent souvent plus de finesse et d'élégance que ceux du Nouveau Monde. Le climat en est la cause. En effet, la longueur de nos étés, avec leurs variations de température diurne et nocturne, favorise la longue maturité des raisins sans brûler les substances aromatiques et tanniques contenues dans la peau des baies. Les vignerons français l'ont depuis longtemps constaté : c'est à la limite septentrionale de sa culture que chaque cépage acquiert son caractère le plus fin.

LES CÉPAGES À LA MODE

Vins de Chardonnay et de Cabernet-Sauvignon en Californie, de Merlot au Chili, de Syrah en Australie... certains cépages semblent avoir plus la cote que d'autres. Effet de mode, mondialisation du vin ou réelle universalité de certains cépages ? Pour répondre, il faut remonter dans le temps, jusqu'aux années où les pays du Nouveau Monde ont misé sur la viticulture. Tout naturellement, pour choisir les cépages, ils prirent comme référence les vignobles européens les plus prestigieux : la Bourgogne avec le Chardonnay et le Pinot Noir, le Bordelais avec le Merlot et le Cabernet-Sauvignon, etc. Si certains de ces cépages, comme le Pinot Noir, donnèrent peu de résultats satisfaisants, d'autres, en revanche, s'adaptèrent parfaitement aux nouvelles donnes climatiques. Baptisés du nom de leur cépage (*varietal* en anglais), ces nouveaux vins ne tardèrent pas à remporter un vif succès auprès d'un nouveau public. Ces consommateurs satisfaits devenant tous les jours plus nombreux, la demande pour ces vins augmenta, confirmant la côte de ces cépages au détriment d'autres, à caractère souvent plus local.

tions sud ou sud-est avec un ensoleillement long et progressif. De façon plus subtile, l'environnement naturel peut créer un microclimat favorable : la proximité d'une forêt offre une barrière naturelle contre les vents et les nuages, la présence d'un plan d'eau atténue les écarts de température, le passage de courants d'air influe sur la maturation du raisin en asséchant l'atmosphère, etc.

Le climat

Sans négliger l'effet des variantes annuelles (le millésime) sur la qualité du raisin, on ne saurait trop insister sur le rôle du climat. Pour assurer la bonne croissance de la plante et la maturité maximale de ses fruits, la vigne exige de la chaleur, de la lumière, de l'eau, le tout en un savant dosage. Les limites de sa culture sont généralement situées entre les 35° et 50° de latitude. Pour cette raison, l'Europe, avec ses climats tempérés, de type océanique, méridional ou continental, jouit d'une situation privilégiée. Elle

UN MÊME MILLÉSIME MAIS DES QUALITÉS DIFFÉRENTES SELON LES RÉGIONS

L'influence du millésime sur la qualité finale du vin est réelle. Il y en a des meilleurs et des moins bons. Seulement, cette notion donne souvent lieu à des généralisations hâtives. Or il existe des différences d'une région à l'autre. Par exemple, 1992 a une mauvaise réputation justifiée à Bordeaux, dans les vallées du Rhône et de la Loire, mais non fondée en Bourgogne où les blancs ont affiché une très belle qualité et les rouges un bon niveau général. De même, au sein d'une même région, il peut exister des variantes dans un même millésime. C'est souvent le cas dans le Bordelais, entre la rive droite (Saint-Émilion) privilégiant le Merlot, cépage précoce, et la rive gauche (Médoc) où domine le Cabernet-Sauvignon, beaucoup plus tardif. Les 1995 sont ainsi plus réussis sur la rive gauche qu'en face où, en revanche, ils affichent une qualité bien au-dessus en 1994.

offre des saisons alternées permettant à la vigne un cycle végétatif de mars à septembre, avec un été suffisamment long et sec pour favoriser la longue maturation des raisins, suivi d'un hiver long et froid, lui apportant un repos vital. La somme des températures s'avère primordiale pour sa culture mais aussi pour le choix des cépages. Quant à l'eau, la vigne en réclame, mais sans excès et de façon intermittente. Ses besoins se situent entre 500 et 700 mm par an. Ces conditions climatiques sont essentielles, même si, dans certains cas, l'homme peut y remédier : dans les pays chauds, comme l'Australie, par l'irrigation, ou dans les pays trop froids, comme la Suisse, en favorisant les zones où les microclimats sont propices à la viticulture.

Le cépage

Chaque cépage possède ses propres caractéristiques aromatiques et gustatives. Les uns se distinguent par leur fruité exubérant qui les rend facilement reconnaissables, comme le Gewürztraminer en blanc ou le Pinot Noir en rouge. D'autres s'imposent par leur personnalité tannique, tel le Cabernet-Sauvignon ou la Syrah.

Cependant, le cépage ne détermine pas à lui seul la personnalité du vin. Cela serait compter sans la force du terroir qui nuance son expressivité. Le Chardonnay, par exemple, donne en Bourgogne des expressions aussi différentes que le Meursault, le Chablis ou le Pouilly-Fuissé, sans parler des vins d'un tout autre style, nés dans les marnes jurassiennes. Cependant, le climat a une influence encore plus grande. Ce n'est pas un hasard si le Pinot Noir, qui, en Bourgogne, donne quelques-uns des plus Grands Crus du monde, n'est pas cultivé dans le Bordelais, dont les vins ne sont pas moins prestigieux, mais où le climat est trop humide pour donner un fruit de qualité à ce cépage. A contrario, un Cabernet-Sauvignon, grand cépage du Médoc, n'arriverait jamais, ou rarement, à maturité sous le climat bourguignon.

L'Homme

Dernier acteur responsable de la qualité du vin, l'Homme ! Sans lui, le vin resterait à l'état primaire de raisin. C'est lui qui soignera la vigne jusqu'au fruit mûr et qui élèvera le vin. Mais son rôle ne

DES VIGNERONS « OUTSIDERS »

Après des générations de vignerons silencieux dont seuls les vins quittaient l'anonymat, on a vu ces dernières années certains sortir du fond de leurs caves et devenir des personnages très en vue.

Ces vignerons, bien sûr, ne ressemblent pas aux autres, ou, disons plutôt, que leurs vins se distinguent du lot commun, ce qui revient au même ! Ils ont en commun la volonté de produire des vins de grande qualité et n'ont pas hésité à bouleverser la tradition pour se laisser une plus grande part de création. Choix de cépages non autorisés, expérimentation de nouvelles méthodes culturales et de vinification, ils ont revu la copie des anciens et, vins à l'appui, ont souvent prouvé qu'ils avaient raison. Certains, mis à l'index par l'INAO, ont dû déclasser leurs vins en vin de pays. Mais, loin d'être boudés par le public, ces vignerons « outsiders » sont devenus de véritables vedettes et leurs vins des valeurs reconnues.

se résume pas seulement au travail dans les chais. Il commence déjà en amont, dans les vignes. À l'écoute de la plante pendant dix mois, il va suivre étape par étape sa croissance, intervenant quand il le juge nécessaire, de façon à obtenir un fruit de qualité, sans pour autant pouvoir s'annexer les bons auspices de la météo. Ensuite, dans les chais, il donnera la pleine mesure de son talent de vinificateur pour élaborer un vin qui portera sa marque. Car un vigneron élabore toujours un vin selon sa personnalité. Ne voit-on pas dans une même appellation des vins de styles différents, l'un plus jovial que l'autre, l'autre plus austère que l'un ?

Être vigneron, c'est assurer en même temps le rôle de jardinier et celui de cuisinier, posséder à la fois la connaissance de la terre pour obtenir les plus beaux fruits possible et le talent d'un chef pour en révéler au mieux toutes les qualités. C'est parce qu'il allie à la fois la tradition et la création que le métier de vigneron diffère de tous ceux de l'agriculture, lui conférant aujourd'hui ses lettres de noblesse auprès du grand public.

Le vin commence dans la vigne

Le vin, c'est d'abord des raisins. Plus ils sont beaux, sains, mûrs, concentrés, goûteux, plus le vin sera bon. Bien sûr, la pluie et le beau temps sont responsables en grande partie de la qualité du fruit, mais il ne faut pas négliger la part des méthodes culturales dans la qualité de la vendange. Leur choix est désormais devenu un important enjeu dans les débats actuels qui préoccupent le monde de la viticulture.

Le retour à la terre

Dire que la qualité du vin commence dans la vigne semble une évidence. Cependant, c'est presque une réalité nouvelle pour beaucoup de vignerons. Avec l'arrivée de l'œnologie dans les années 1950 et l'entrée dans une période de prospérité florissante, certains avaient oublié petit à petit l'importance de la culture de la plante, quitte à avoir recours au talent des chimistes pour pallier dans la cave ce que le raisin perdait en qualité dans la vigne.

Évidemment, de telles pratiques ont fini par nuire à la qualité générale des vins. Trop d'amendements, de traitements chimiques ont eu souvent raison de la qualité du raisin en remettant en cause son équilibre. La plante fragilisée développait alors toutes sortes de carences. Des rendements trop élevés ont donné des fruits dilués, rarement mûrs.

Il a fallu le talent de quelques hommes, la crise du marché, avec l'arrivée des vins du Nouveau Monde, et l'intérêt croissant d'amateurs de plus en plus avertis pour retrouver ce souci du bon fruit et ce respect du terroir. Rééquilibrer les sols, réguler la plante, augmenter ses défenses naturelles, contrôler les rendements… autant de secrets pour obtenir de meilleurs raisins et pour produire de meilleurs vins. Plusieurs méthodes se sont développées, chacune apportant sa réponse. La plus courante est celle de la culture dite raisonnée qui utilise des produits de synthèse jugés moins toxiques pour la plante et le sol et qui permet de limiter les traitements en les rendant plus efficaces. Parallèlement, la viticulture biologique ou en biodynamie (voir encadré ci-dessous) ont vu le nombre de leurs adeptes augmenter sensiblement. Toutes ces nouvelles techniques n'ont pas encore fait leurs preuves, et le débat bat son plein sur les avantages et risques qu'elles sont susceptibles d'engendrer (voir p. 233).

Mais quelle que soit la méthode adoptée, le vigneron est seul responsable de ses choix et de ses prises de risques. Seule la qualité du raisin parle pour lui.

LA PHILOSOPHIE BIO

Les vignerons adeptes de la viticulture biologique ou en biodynamie adoptent une démarche de respect des sols et de la plante. Ils ont banni tout engrais de synthèse et pesticides au profit de composts naturels et de produits phytosanitaires. Ils pratiquent des méthodes culturales, tels que le labour et l'enherbement des sols, qui favorisent l'activité microbienne des sols et renforcent les défenses naturelles de la plante. Ce qui les différencie ? Le premier croit à la Terre, le second à l'influence des astres sur le monde tellurique.

Vinification et élevage : une approche personnelle

Si la qualité du vin commence bien dans la vigne, le style du vin naît dans les chais ! C'est là que le vigneron dévoile son talent de vinificateur, mais surtout sa propre vision du vin. De ses choix découlent directement la personnalité, l'originalité du vin. Ne dit-on pas que le vin est à l'image du vigneron ?

Du technicien à l'homme de l'art

Une fois la vendange rentrée dans les chais, la marche à suivre est toujours la même. Elle commence par l'étape de la vinification et, si les méthodes diffèrent, elles ont un même but : extraire le meilleur du fruit. Elle se poursuit par l'élevage au cours duquel le vin va affiner et développer sa personnalité. Être bon technicien s'avère indispensable pour maîtriser ces deux processus. Une erreur ou une négligence risque d'être fatale au vin. Fort heureusement, cela n'arrive pratiquement plus, grâce à l'œnologie et à un équipement très bien adapté.

Mais ne qualifie-t-on pas certains vins de « technologiques » ? Ils ne présentent aucun défaut mais manquent de cachet, qui les distingue du lot. Vinifiés et élevés de la même façon, ces vins – « tristement bons ! » selon la formule d'un grand sommelier – offrent le même goût d'un bout à l'autre de la planète. Pour sortir des rangs, le vigneron-technicien doit se faire homme de l'art, soucieux de traduire au mieux la personnalité du terroir dont il est dépositaire. Le vigneron de talent est celui qui possède une vraie philosophie du vin, qui prône la différence, l'unicité et l'originalité de son vin.

Des styles du vin

Il en est des styles de vin comme des différentes interprétations en musique. À l'instar d'un chef d'orchestre qui doit respecter la partition, le vigneron exprime sa propre sensibilité tout en respectant le terroir et le millésime. Ses musiciens à lui seraient, par analogie, les raisins. À lui de les faire chanter ! De ses choix dans les chais va dépendre la qualité de l'interprétation, le style du vin. Il y en a des fins et des corpulents, des rustiques et des élégants, des sévères et des séduisants. Évidemment s'impose à lui la qualité intrinsèque de sa matière première. Un Gamay, léger et fruité par essence, ne donnera jamais un vin tannique et puissant à l'image de celui issu de la Syrah ou du Cabernet-Sauvignon. De même, certaines années produiront des vins plus légers que d'autres. Au vigneron de respecter ces données, en adaptant les techniques et le choix du matériel vinaire. Durée de la macération pour les rouges, fermentation des blancs en cuve ou en barrique, utilisation de levures de synthèse ou non, élevage dans des barriques neuves ou non, etc. – sur le plan technique, les combinaisons sont multiples. Elles laissent au vigneron une marge d'interprétation où il peut révéler toute sa personnalité et son talent et qui se traduit in fine par le style du vin. Cela ne va pas sans prise de risques de sa part, que minimisent l'expérience, une bonne intuition et, bien sûr, les nombreuses dégustations faites en cours de vinification et d'élevage.

LES VINS DE CONCOURS

Lors des dégustations professionnelles, il existe un style de vin qui sort souvent en tête. Il s'agit de vins qui présentent une très grande concentration de fruits, d'alcool et de tanins. Comparés aux autres, ils se démarquent par leur corpulence qui en met « plein la bouche », et, de ce fait, impressionnent le jury ! Pour cette raison, on les dénomme « vins de concours ». Très soignés sur le plan technique (longue macération, élevage dans du bois neuf), ils sont souvent issus de petits rendements et de raisins très concentrés. Primés, ils l'emportent auprès des dégustateurs sur des vins plus classiques, dont l'élégance passe pour de la légèreté à côté d'eux. Seulement, ces vins se montrent rarement aussi agréables lorsqu'on les boit à table. Leur richesse devient alors lourdeur. Ils ne peuvent remplir leur vocation première, qui est de désaltérer. Il n'est pas rare de voir alors les mêmes dégustateurs qui se sont laissé impressionner les délaisser pour leur préférer des vins plus classiques.

Choisir, reconnaître et servir le vin

Du bon choix d'un vin

Pour l'amateur débutant, faire le bon choix dans l'immense variété des vins qui lui sont proposés dans les grandes surfaces ou chez le caviste peut paraître compliqué. Devant des centaines de vins, français et du monde entier, les raisons d'hésiter ne manquent pas : peur de choisir un vin trop jeune ou trop vieux, difficulté d'évaluer la part de risque entre deux prix différents, crainte du bon accord avec le menu prévu et souci de faire plaisir aux convives.

Il est plus facile de choisir une bouteille si l'on se souvient que les vins peuvent être classés selon leur style. Certains vins ont un style léger, d'autres un style puissant et généreux. Les caractéristiques d'un vin, qu'il soit rouge, rosé ou blanc, sont toujours déterminées par le cépage, le terroir, la vinification, l'élevage et le vieillissement. On a déterminé ainsi 14 familles ou styles de vins.

Le choix d'un style de vin dépend à la fois du contexte gastronomique et du goût de chacun. Ainsi, pour accompagner un simple casse-croûte, il vaut mieux un vin souple, fruité, à la qualité rafraîchissante, qu'un vin puissant, charpenté et tannique, plus indiqué avec une cuisine riche en saveurs. D'aucuns recherchent le fruité des vins jeunes plutôt que les arômes qui se développent au cours du vieillissement. D'autres apprécient des vins complexes et racés, souvent élevés dans du bois neuf, avec une importante trame tannique pour les rouges.

Dans tous les cas, qu'il s'agisse d'un vin modeste ou d'une bouteille exceptionnelle, ce qui compte avant tout, c'est le plaisir de la dégustation.

Les familles de vins

À l'heure du choix, il peut être utile de se référer au classement par familles, présenté ci-dessous, qui regroupe les différents styles de vins selon leur couleur et leur personnalité gustative. Précisons qu'un même cépage peut s'illustrer dans plusieurs familles à la fois, puisque, selon son origine, il donne des expressions différentes.

Les vins rouges légers et fruités

Ce sont avant tout des vins de plaisir immédiat que l'on peut aussi qualifier de gouleyants et faciles. Leur structure tannique légère est compensée par une agréable acidité, leur finale est simple et désaltérante.

CÉPAGES. Issus de cépages tels que Cabernet Franc, Gamay, Pinot Noir ou Trousseau, ils vont en restituer toute l'expression aromatique avec des arômes primaires fruités et floraux.

APPELLATIONS. On peut citer dans cette catégorie les appellations suivantes : Anjou, Beaujolais, Bourgogne générique, Bourgueil, Côtes-du-Jura, Coteaux-du-Lyonnais, Hautes-Côtes-de-Beaune, Hautes-Côtes-de-Nuits, Pinot Noir d'Alsace, Saint-Nicolas-de-Bourgueil, Sancerre rouge, Saumur-Champigny et, pour l'Italie, Valpolicella.

ACCORDS. Ces vins rouges légers et fruités s'accordent avec une cuisine simple ou une cuisine d'été, et accompagnent agréablement cochonnailles, quiches, pâté à la viande, terrine de lapin, fromage de chèvre ou de vache assez crémeux (type saint-marcellin).

SERVICE. Servis frais, entre 12 et 14 °C, ces vins s'apprécient surtout jeunes, pendant les deux premières années de bouteille, trois au maximum.

Les vins rouges charnus et fruités

Tout en restant des vins simples, ils se distinguent des précédents par une bouche plus charnue, des tanins un peu plus présents mais sans agressivité. Généralement, ils n'ont pas été élevés dans le bois neuf, préservant ainsi leur caractère fruité. Ces vins développent des arômes de fruits rouges, avec des notes souvent épicées.

CÉPAGES. Cabernet Franc, Carignan, Grenache, Merlot, Mondeuse, Pinot Noir, Syrah et, pour l'Italie, Sangiovese sont des cépages utilisés pour l'élaboration de ces vins.

APPELLATIONS. On trouve ces vins rouges charnus et fruités sous les appellations Bergerac, Bordeaux Supérieur, Buzet, Chinon, Côte-de-Castillon, Côte chalonnaise, Côtes-de-Provence, Côtes-du-Rhône-Villages, Coteaux champenois, Fronton, Saint-Joseph et, pour l'Italie, Chianti.

ACCORDS. Ces vins se marient bien avec une savoureuse cuisine de terroir : petit gibier à poil et à plume, pâté de campagne, viande en sauce (bœuf bourguignon, par exemple), viande rouge rôtie, grillades ; ainsi qu'avec les fromages à pâte pressée non cuite de type tomme ou saint-nectaire.

SERVICE. Il est préférable de boire ces vins après une à deux années de vieillissement en bouteille, et de les servir à une température comprise entre 15 et 17 °C.

Les vins rouges complexes, puissants et généreux

Ces vins présentent un caractère plus affirmé et une forte personnalité avec une texture suave construite sur une matière riche en alcool et en tanins qui demandera un peu de temps pour se

COULEUR DU VIN : SOURCE D'INFORMATIONS

La palette des vins rouges va du rubis très clair au grenat sombre, voire violacé. Un vin présentant une robe (ou couleur) intense, sombre est associé à une idée de concentration. A contrario, un vin plus clair suggère une bouche plus légère, plus fluide, moins tannique. Ainsi, par simple observation visuelle, le dégustateur peut-il déjà se faire une idée de la personnalité gustative du vin et même avoir une petite idée de l'origine du vin. Une robe grenat violacé signe plus certainement un vin de Bordeaux ou du sud de la France que celle d'un Beaujolais, voire celle d'un Bourgogne.

fondre. Le plus souvent élevés dans des barriques, ils montrent des arômes plus complexes, avec des notes boisées, voire épicées, associées à celles de fruits noirs très mûrs. À la dégustation se dégage une impression de puissance, qu'il s'agisse de vins « de soleil » (provenant du Languedoc ou du Roussillon, par exemple) ou d'appellations plus classiques comme celles du Libournais. Ils offrent une finale complexe de bonne persistance.

Les vins à forte proportion de Merlot, comme on les élabore à Pomerol et à Saint-Émilion (voir p. 327 et 336), présentent une chair au grain particulièrement velouté. Ce sont les plus chers de cette catégorie.

VINIFICATION ET STYLES DES VINS ROUGES

La méthode normale pour faire du vin rouge commence par l'égrappage des baies et le foulage d'une partie plus ou moins importante des raisins récoltés pour permettre aux levures contenues dans la peau du raisin de lancer la fermentation dans la cuve. En fonction du style de vin qu'il souhaite obtenir, le vinificateur contrôlera ensuite la température dans la cuve ainsi que la durée et l'intensité de l'extraction (le contact entre le jus et les matières solides). Il peut ainsi élaborer un vin plus ou moins corsé, privilégier le fruit d'un vin ou, au contraire, lui donner la charpente nécessaire à un vin de garde (voir p. 246).

Pour obtenir la meilleure extraction aromatique de certains cépages, comme le Gamay dans le Beaujolais, les vignerons ont parfois recours à une autre forme de vinification, la macération carbonique. Dans ce cas, les raisins ne sont ni foulés ni éraflés, mais placés entiers dans la cuve, qui est ensuite scellée et saturée de gaz carbonique. Privée d'oxygène, la fermentation traditionnelle n'y peut avoir lieu. Mais, sous l'effet du gaz carbonique, il se produit à l'intérieur des cellules des baies intactes une fermentation enzymatique. Celle-ci entraîne la formation d'une petite quantité d'alcool, engendre des arômes spécifiques et colore le jus. Une telle macération donne des vins très floraux et souples, avec des arômes de banane et de bonbon anglais, mais qu'il faut boire jeunes, car il leur manque des tanins.

CÉPAGES. Ces rouges sont issus de cépages tels qu'Auxerrois, Cabernet Franc, Carignan, Grenache, Malbec, Merlot, Mourvèdre, Syrah, Tannat.

APPELLATIONS. On les retrouve, entre autres, sous les appellations suivantes : Cahors, Châteauneuf-du-Pape, Corbières, Côtes-de-Bourg, Côtes-de-Blaye, Côtes-du-Roussillon-Villages, Coteaux-du-Languedoc, Fronsac, Gigondas, Madiran, Minervois, Lalande-de-Pomerol, Pomerol, Saint-Émilion Cru classé. À l'étranger, ce sont les vins de la Rioja en Espagne, les Merlots du Chili, les Shiraz d'Australie.

ACCORDS. Ces rouges complexes, puissants et généreux appellent des mets riches en saveurs et en gras : cassoulet, confit de canard, champignons (truffes, en particulier), escalope de foie gras, plats en sauce avec vin rouge (daube), viande rouge grillée ou rôtie, gros gibier à poil ou à plume ; et des fromages à pâte pressée non cuite de type tomme ou cantal.

SERVICE. Ces vins se boivent après un minimum de trois ans de bouteille. Jeunes, ils gagnent à être transvasés en carafe, et servis à une température entre 15 et 17 °C.

Les vins rouges complexes, tanniques et racés

Ces rouges, racés et distingués, se situent dans une gamme de prix élevés. Ils demandent une certaine attention de la part du dégustateur et s'apprécient après plusieurs années de bouteille. En raison de leur importante charge tannique, ils se révèlent souvent un peu austères dans leur jeunesse. Avec le temps, les tanins se fondent et donnent une chair ferme, élégante, dense avec un grain plus velouté. Le plus souvent élevés dans des barriques de chêne neuf, ils en présentent les notes boisées, toastées, épicées qui se marient avec celles de fruits rouges et noirs très mûrs. Mais c'est lors de leur maturité qu'ils révèlent toute leur complexité aromatique. Ils se distinguent par leur finale longue et racée.

CÉPAGES. Ces vins sont issus de cépages comme le Cabernet-Sauvignon, le Mourvèdre, la Syrah ou le Nebbiolo (Italie).

APPELLATIONS. On peut citer les appellations françaises suivantes : Bandol, Cornas, Côte-Rôtie, Graves, Haut-Médoc, Hermitage, Margaux, Pauillac, Pessac-Léognan, Saint-Estèphe,

Saint-Julien. À l'étranger, ce sont le Barolo (Italie) et le Cabernet-Sauvignon de Californie.

ACCORDS. Les rouges complexes, tanniques et racés s'accordent avec des mets riches en saveurs mais pas trop gras tels que truffes, gibier à poil et à plume, magret, viandes rôties (agneau de Pauillac, par exemple) ainsi qu'avec des fromages à pâte pressée non cuite de type cantal ou saint-nectaire.

SERVICE. Il est conseillé de déguster ces vins après un minimum de cinq ans de bouteille, de les décanter et de les servir entre 16 et 17 °C.

Les vins rouges complexes, élégants et racés

Cette catégorie ne concerne que les vins de Premier et Grand Cru de Bourgogne. Leur production limitée en fait des vins rares et exceptionnels. Ces vins rouges se caractérisent par la puissance de leurs arômes de petits fruits rouges, de fleurs (telle la rose) qui, avec le temps, se marient avec des notes élégantes de sous-bois et de gibier. Leur bouche soyeuse et leur finale persistante en sont les autres signes distinctifs.

CÉPAGE. Comme tous les rouges de Bourgogne, ces vins ont en commun un unique cépage : le Pinot Noir.

APPELLATIONS. S'y retrouve le meilleur de la Bourgogne. Citons en particulier quelques-uns des célèbres Premiers et Grands Crus de la Côte d'Or qui se situent sur les communes de Gevrey-Chambertin, Morey Saint-Denis, Chambolle-Musigny, Vougeot, Vosne-Romanée pour la Côte de Nuits, Corton, Pernand-Vergelesses, Beaune, Volnay et Pommard pour la Côte de Beaune. En Amérique du Nord, on peut mentionner les meilleurs Pinots Noirs d'Oregon.

ACCORDS. Ces rouges élégants et racés s'accordent à merveille avec des plats mitonnés : coq au vin, œuf en meurette, viandes rôties, petit gibier à poil et à plume, et avec des fromages à pâte molle et à croûte fleurie pas trop forts comme le brie et le coulommiers.

SERVICE. Après un minimum de cinq ans de vieillissement en bouteille, ces grands vins se dégustent à une température de service entre 16 et 17 °C.

Les vins rosés vifs et fruités

Ces vins de soif se boivent jeunes. Ils sont très désaltérants, légèrement acidulés, avec une expression aromatique très fruitée. On les obtient en général par pressurage direct de raisins rouges.

CÉPAGES. Les principaux cépages utilisés sont : Cabernet Franc, Carignan, Cinsaut, Grenache, Poulsard, Tibouren.

APPELLATIONS. On retrouve ces rosés vifs et fruités sous de nombreuses appellations parmi lesquelles Bellet, Coteaux-d'Aix, Coteaux varois, Côtes-du-Lubéron, Côtes-de-Provence, Côtes-du-Jura, Irouléguy, Palette, Rosé-de-Loire.

ACCORDS. Ces vins accompagnent parfaitement une cuisine estivale légère, comprenant notamment crudités, salades composées, pâtes aux légumes, tartes salées aux légumes, tapenade, anchoïade, pizzas, fromage de chèvre frais ou un peu sec.

SERVICE. Ces vins se boivent dans leur première année et se servent assez frais, entre 8 et 10 °C. Attention, un froid excessif empêche d'apprécier les arômes fruités et floraux.

Les vins rosés vineux et corsés

Tout en gardant le côté désaltérant du rosé, ces vins ont une expression moins acidulée, plus proche des fruits rouges, parfois épicée, avec une bouche plus ronde, plus vineuse avec une légère structure tannique. Leur couleur est plus soutenue que celle des précédents. Ce sont souvent des rosés « de saignée » (voir encadré ci-dessous).

LES ROSÉS : DEUX MÉTHODES, DEUX STYLES

Il existe deux façons d'élaborer du vin rosé. La première consiste à presser le raisin rouge après un léger foulage, puis la vinification continue comme pour le vin blanc. Pour la seconde, appelée « saignée », on utilise une partie du jus destiné à l'élaboration de vin rouge, après une courte macération, dont la durée conditionne la couleur plus ou moins soutenue du vin rosé.

CÉPAGES. Citons les cépages Carignan, Grenache, Merlot, Mourvèdre, Négrette, Pinot Noir, Syrah.

APPELLATIONS. Les rosés des appellations suivantes illustrent parfaitement cette catégorie : Bandol, Bordeaux Clairet, Coteaux-du-Languedoc, Côtes-du-Rhône, Lirac, Marsannay, Rosé des Riceys, Tavel.

ACCORDS. Ces rosés vineux et corsés se marient avec des plats d'été, forts en goût, à base d'huile d'olive, de légumes et de poisson tels qu'aïoli, bouillabaisse, tian d'aubergine, ratatouille, rougets, et avec des grillades et du fromage de chèvre affiné.

SERVICE. Ces vins, servis frais entre 8 et 10 °C, se boivent pendant les deux premières années de bouteille.

Les vins blancs secs légers et nerveux

Ce sont des vins vifs, faciles et désaltérants, qui développent des arômes simples et peu complexes de fleurs et de fruits.

CÉPAGES. Leurs cépages les plus courants sont Aligoté, Chasselas, Chardonnay, Gros-Plant, Jacquère, Melon de Bourgogne, Pinot Blanc, Sauvignon, Sylvaner.

LES STYLES DES VINS BLANCS

Le goût et la structure des vins blancs sont déterminés par le cépage, leur provenance, l'état de maturité du raisin au moment de la vendange, et les divers procédés de vinification. Rappelons que les vins blancs sont élaborés à partir de raisins blancs ou de raisins rouges à pulpe incolore, sans macération des parties solides de la grappe. Il en résulte une absence de tanin qui les rend plus désaltérants que la plupart des vins rouges. Leur acidité, très rafraîchissante, fait des vins blancs les partenaires privilégiés des produits de la mer. Très agréables à l'heure de l'apéritif, ces vins s'accordent également très bien avec de nombreux fromages. D'ailleurs, lorsque cela est possible, il est judicieux d'associer un vin blanc et un fromage issus du même terroir. Secs ou moelleux, aux arômes plus ou moins exubérants, les blancs peuvent être classés en cinq familles.

APPELLATIONS. Les appellations qui illustrent le mieux cette famille sont Bourgogne Aligoté, Cheverny, Crépy, Entre-deux-Mers, Mâcon-Villages, Muscadet, Petit Chablis, Pinot Blanc d'Alsace, Sylvaner d'Alsace, Apremont, Fendant pour la Suisse, et Vinho Verde pour le Portugal.

ACCORDS. Ils s'accommodent d'une cuisine simple, peu sophistiquée, aux saveurs peu complexes : fruits de mer dont les huîtres, légumes crus ou cuits, escargots, cuisses de grenouille, poissons en terrine, grillés ou en friture, charcuterie et fromages de chèvre.

SERVICE. Ces vins secs légers et nerveux se boivent très jeunes (moins de deux ans) et frais, à environ 8 °C.

Les vins blancs secs, souples et fruités

Ces vins se caractérisent par leurs arômes très fruités, souvent marqués par les agrumes, une chair assez souple et leur agréable fraîcheur.

CÉPAGES. Ces blancs proviennent de cépages tels qu'Altesse, Chardonnay, Chenin, Clairette, Gros-Manseng, Mauzac, Rolle, Sauvignon, Sémillon, Ugni Blanc et, pour l'Italie, Vermentino.

APPELLATIONS. On peut citer les appellations suivantes : Bandol, Bellet, Cassis, Chablis, Côtes-de-Blaye, Coteaux-d'Aix, Côtes-de-Provence, Gaillac, Graves, Jurançon sec, Pouilly Fumé, Pouilly-Fuissé, Montlouis, Roussette de Savoie, Saint-Véran, Sancerre, Vins de Corse.

ACCORDS. Ces vins s'accordent avec une cuisine variée, simple ou plus élaborée, comprenant coquillages crus ou cuits, pâtes aux fruits de mer, mousseline de poisson, poissons crus ou grillés, charcuterie, en particulier rillettes et rillons, et avec des fromages de chèvre demi-secs ou secs.

SERVICE. Ces blancs peuvent se boire jusqu'à leur troisième année de bouteille. On les sert frais, entre 8 et 10 °C.

Les vins blancs secs amples et racés

Plus complexes que les précédents, ils se distinguent par leur matière plus riche, plus grasse qui donne une sensation de volume dans la bouche. Ils présentent néanmoins une agréable acidité qui les rend désaltérants. Leur finale s'avère longue, persistante et, dans le meilleur des cas, racée. Pour ces vins souvent élevés ou vinifiés dans des barriques, des notes boisées, légèrement vanillées, voire crémées, s'additionnent à celles de fruits bien mûrs, d'herbes aromatiques et de fleurs blanches.

CÉPAGES. Ces blancs racés sont issus de cépages plus nobles : Chardonnay, Chenin, Marsanne, Riesling, Roussanne, Sauvignon, Sémillon.

APPELLATIONS. Ce sont bien évidemment les grandes appellations en blanc de Bourgogne comme Chablis Premier et Grand Cru, Corton-Charlemagne, Meursault, Chassagne-Montrachet, Puligny-Montrachet, Montrachet ; celles de la Vallée de la Loire comme Montlouis, Vouvray, Savennières ; mais aussi l'appellation bordelaise Pessac-Léognan et, dans le meilleur des cas, les vins de Chardonnay du Nouveau Monde (Californie, Chili…).

ACCORDS. Ces vins se destinent tout naturellement à la grande cuisine, c'est-à-dire à la gastronomie. Ils aiment les coquilles Saint-Jacques, le homard, le turbot mais aussi le foie gras poêlé, les

ÉLEVAGE ET STYLES DES VINS BLANCS

À la différence de la vinification en rouge, celle des vins blancs nécessite davantage de précautions. Une fois foulés et égrappés, les raisins doivent être pressurés délicatement et le jus séparé rapidement des matières solides avant même le début de la fermentation. Car un contact prolongé entre les deux, responsable de la teinte des vins rouges et de leurs tanins, risquerait de nuire aux arômes subtils caractéristiques des blancs et de donner au jus une teinte ambrée, due à l'oxydation. Plus fragiles que les rouges puisque presque sans tanins, la majorité des blancs sont ensuite fermentés dans des cuves thermorégulées en acier inoxydable et doivent être bus jeunes. Seuls quelques cépages se prêtent à l'élaboration de vins de garde : le Chenin Blanc (Vouvray, etc.) et le Riesling, parce que leur forte acidité protège le vin contre l'action des bactéries, ou le Chardonnay, parce qu'un élevage en fût donne au vin la structure (et les tanins) indispensable pour un vin de garde.

champignons sauvages, les viandes blanches à la crème mais aussi les fromages très crémeux de type saint-félicien, saint-marcellin et certains chèvres affinés tel le picodon.

SERVICE. Ils révèlent toute la bonté de leur caractère après trois à cinq ans de bouteille et, surtout, ne se servent pas trop frais, entre 10 et 12 °C.

Les vins blancs secs très aromatiques

Ces blancs se distinguent par l'exubérance de leurs arômes et leur forte personnalité gustative. Ce sont des vins très typés, aux arômes très caractéristiques qui permettent d'identifier le cépage par simple olfaction.

CÉPAGES. C'est le cas du Gewürztraminer avec ses notes de fruits très exotiques et de loukoum, du Viognier qui fleure bon la pêche ou l'abricot, du Muscat pour ses arômes justement très muscatés, du Pinot Gris offrant un nez à la fois de fumé, d'épices et de miel ou encore du Riesling au caractère très minéral qui rappelle souvent le pétrole. Le Savagnin, cépage du Vin jaune du Jura, tout comme le Palomino, cépage d'Andalousie qui donne le Xérès et le Fino, offrent aussi des arômes très distincts de froment, de fruits secs, de cale de noix et d'épices que leur mode d'élevage particulier (ce sont des vins de voile) magnifie.

APPELLATIONS. Les appellations les plus réputées sont Vin Jaune et Château-Chalon dans le Jura, Condrieu, Château-Grillet dans la Vallée du Rhône. En Alsace, elles portent simplement le nom de leur cépage à la mode germanique, soit Gewürztraminer, Muscat, Riesling, Pinot Gris. En Espagne, c'est plus particulièrement le Fino dans la famille plus large des Xérès (voir la famille des Vins Doux Naturels, p. 40).

ACCORDS. Leur originalité réclame une cuisine particulière, très aromatique, utilisant des épices tel le curry ou des herbes. Curry de viande ou de fruits de mer, poulet à la crème et aux morilles, homard à l'américaine pour les vins issus de Savagnin ou de Palomino ; saumon à l'aneth mais aussi poisson fumé avec les Rieslings et les Pinot Gris. Du côté des fromages, les pâtes pressées cuites de type beaufort et comté, ou au goût prononcé de type munster leur conviennent particulièrement bien.

SERVICE. Ces vins se boivent assez jeunes et assez frais, entre 8 et 10 °C pour les vins issus de Muscat et de Viognier, ou après trois à cinq ans de bouteille pour les autres, servis entre 10 et 12 °C.

Les vins blancs demi-secs, moelleux, liquoreux

Ces vins se caractérisent par la présence, plus ou moins importante, de sucres résiduels contenus naturellement dans le jus de raisin et qui n'ont pas été transformés en alcool. Des raisins naturellement riches en sucres peuvent être obtenus soit par surmaturation du raisin qui, en perdant une partie de son eau, donne un jus très concentré – cela implique des vendanges tardives –, soit par l'intervention d'un micro-organisme sur la baie, le *Botrytis cinerea* (voir encadré p. 236) ou pourriture noble. Dans le premier cas, les vins seront demi-secs ou moelleux selon leur teneur finale en sucre ; dans le deuxième cas, ils sont dits liquoreux car extrêmement riches en sucres. Ces vins se définissent par leur saveur sucrée dominante, leur chair moelleuse, voire visqueuse dans le cas des liquoreux, équilibrée par une bonne acidité, des arômes extrêmement riches et complexes de fruits, de miel, et leur finale longue et très persistante.

CÉPAGES. Seuls certains cépages sont susceptibles de donner ces vins. Les plus connus sont le Chenin dans la Vallée de la Loire, le Petit-Manseng, le Sauvignon, le Sémillon et la Muscadelle dans le Sud-Ouest, le Muscat, le Gewürztraminer, le Riesling et le Pinot Gris en Alsace.

APPELLATIONS. Les principales appellations sont : Gewürztraminer Vendanges tardives et Sélection de grains nobles, Pinot Gris Vendanges tardives et Sélection de grains nobles, Riesling Vendanges tardives et Sélection de grains nobles en Alsace ; Bonnezeaux, Coteaux-de-l'Aubance, Coteaux-du-Layon, Quarts-de-Chaume, Montlouis et Vouvray pour la Loire ; Cérons, Jurançon, Monbazillac, Sainte-Croix-du-Mont et Sauternes pour le Sud-Ouest.

ACCORDS. Très appréciables à l'apéritif, ces vins blancs s'accordent aussi traditionnellement avec des plats riches en gras et en personnalité gustative : foie gras, poulet à la crème, canard à l'orange, des fromages à pâte persillée de type roquefort, des tartes aux fruits jaunes et des desserts à base de crème (sabayon, crème brûlée). Pas trop riches en sucres, ils s'allient aussi avec une cuisine plus exotique, épicée, alliant le salé au sucré.

SERVICE. C'est après trois à cinq ans minimum de bouteille qu'ils s'apprécient le mieux. Ils doivent être servis frais, mais pas glacés, entre 8 et 10 °C.

Les vins effervescents

Vins de fête par excellence, les effervescents composent une large famille dont les Champagnes sont les plus illustres représentants. Mais pratiquement toutes les régions viticoles produisent ce type de vin, comme les Crémants, les Blanquettes, etc. La présence de gaz leur donne une bouche vive et légère, de grande qualité rafraîchissante. Leurs arômes sont délicats, de fruits, de fleurs et, parfois, de viennoiserie. Selon leur dosage (voir p. 113), ils portent une mention qui renseigne sur leur saveur plus ou moins sucrée. Les extra-bruts et bruts sont plus vifs par définition que les secs et demi-secs. Quant aux doux, ils affichent une saveur sucrée très prononcée.

CHAMPAGNE, CRÉMANTS, BLANQUETTES...

Bien que regroupés ici en une seule famille, les vins effervescents ne présentent pas moins une grande variété. Le Champagne y occupe une place de choix, mais d'autres vignobles produisent également des vins mousseux d'une excellente qualité. Certains sont élaborés selon la même méthode de la seconde fermentation en bouteille, tels que les Crémants d'Alsace, de Bourgogne et de Loire, la Blanquette de Limoux, le Vouvray ou le Seyssel, mais aussi le Cava d'Espagne ; d'autres selon une méthode locale, comme la Clairette de Die ou certains Mousseux de Gaillac. Issus de cépages au goût plus neutre que ceux du Champagne, ils sont souvent plus légers et parfois plus fruités. Dans la catégorie des Mousseux légers et aromatiques, on trouve le Moscato d'Asti, l'Asti Spumante et le Prosecco italien, mais aussi le Sekt allemand.

CÉPAGES. Les principaux cépages sont Cabernet Franc, Chardonnay, Chenin, Clairette, Mauzac, Merlot, Muscat, Pinot Blanc, Pinot Noir, Pinot Meunier, Sauvignon, Savagnin.

APPELLATIONS. On les trouve sous les appellations Blanquette de Limoux, Champagne, Clairette de Die, Crémant d'Alsace, Crémant de Bourgogne, Crémant du Jura, Gaillac, Montlouis, Saumur, Vouvray, ainsi que Cava en Espagne, Asti Spumante et Prosecco en Italie.

ACCORDS. Très appréciés en apéritif, les vins effervescents peuvent aussi être servis tout au long d'un repas (pour un exemple, voir p. 51). Les bruts pourront accompagner fruits de mer, terrine de poisson, poissons grillés, fumés ou servis avec une crème légère, fromages à pâte molle et à croûte fleurie (camembert, par exemple) ; les secs et demi-secs conviendront à ces mêmes fromages et aux desserts aux fruits, à une meringue ou à une crème anglaise. Il faut savoir qu'un mets sucré fait ressortir exagérément l'acidité d'un Champagne brut. C'est pourquoi on choisira de préférence un demi-sec.

SERVICE. Les vins effervescents se boivent jeunes. Ils doivent impérativement être servis frais, entre 8 et 10 °C en apéritif et entre 9 et 12 °C avec des plats chauds.

Les Vins Doux Naturels et les Vins de Liqueur

Cette famille regroupe des vins d'exception riches en alcool et en sucres avec une forte personnalité aromatique. Ils sont élaborés à partir de méthodes qui leur sont particulières.

Les Vins Doux Naturels (VDN) sont issus de mutage. Ce procédé consiste à rajouter de l'alcool neutre en cours de fermentation de façon à préserver une partie des sucres naturels du raisin tout en augmentant leur force alcoolique (ils titrent entre 14 et 18 % vol.). Ils bénéficient ensuite de méthodes d'élevage (voir encadré p. 42) qui vont fortement influencer leur caractère gustatif. Il y a celle dite oxydative qui consiste à élever les vins en contact avec l'air de façon à leur donner un caractère évolué ou oxydé avec des teintes fauves et des arômes de type rancio. L'autre méthode s'apparente à celle des vins traditionnels, qui a lieu à l'abri de l'air. Elle préserve ainsi les arômes primaires fruités et floraux et, pour les rouges, toute leur force tannique. Tous avouent une bouche gourmande, très suave et une finale aromatique persistante.

Les VDN sont produits dans des régions chaudes comme le Languedoc, le Roussillon, le sud de la Vallée du Rhône, la Corse et, bien sûr, le Portugal.

Les Vins de Liqueur résultent d'assemblage de jus de raisin peu ou pas fermenté avec de l'eau-de-vie. Ils titrent entre 16 et 22 % vol. L'alcool le dispute à la saveur particulièrement fruitée.

CÉPAGES. Les cépages principaux utilisés pour l'élaboration des VDN sont en rouges Grenache Gris et Noir, Maccabeo, pour les blancs Grenache Blanc, Malvoisie et Muscat. Quant aux Vins de Liqueur, ils sont principalement issus de Folle-Blanche, Colombard, Ugni Blanc pour les blancs, de Merlot, Cabernet-Sauvignon et Cabernet Franc pour les rosés et les rouges. Les cépages jurassiens (voir p. 456) donnent le Macvin.

APPELLATIONS. Les appellations sont Porto, Banyuls, Rivesaltes, Maury, Rasteau et Muscat de Beaumes-de-Venise. Muscat du Cap Corse, Muscat de Frontignan, Muscat de Mireval, et Muscat de Rivesaltes. Xérès, Madère, Málaga et Marsala rentrent aussi dans cette catégorie des vins mutés malgré des différences dans leur élaboration notables (voir p. 253).

Parmi les Vins de Liqueur, le Pineau des Charentes, le Floc de Gascogne et le Macvin du Jura relèvent d'une AOC. Parmi les autres, citons le Ratafia de Champagne.

ACCORDS. Les Vins Doux Naturels s'apprécient à l'apéritif, mais trouvent aussi leur place à table. Selon leur mode d'élevage, ils appellent des mets différents. Les blancs élevés en milieu oxydatif s'accordent bien avec le foie gras frais ou en terrine. Les autres blancs appellent des desserts aux fruits, comme des tartes aux abricots, mais se marient aussi très bien avec les fromages à pâte persillée, tel le roquefort. Les rouges élevés à l'abri de l'air, en raison de leur force tannique et de leur fruité, accompagnent fort bien les gibiers et des plats mariant le sucré et le salé comme le canard aux figues, aux cerises, voire le canard laqué. Mais ils font aussi le bonheur des fromages à pâte persillée. C'est le cas des Banyuls Rimage et des Portos Vintage. Les rouges obtenus selon la méthode oxydative, en raison de leurs arômes, sont les complices évidents des desserts au chocolat, au moka et aux fruits secs.

Les Vins de Liqueur, compte tenu de leur forte teneur en sucre, et en alcool, sont plus à l'aise à l'apéritif, mais ils peuvent aussi accompagner une escalope de foie gras poêlé.

SERVICE. Les VDN issus de Muscats se boivent très jeunes, sur leur fruit comme les Vins de Liqueur. Les VDN blancs et rouges élevés en milieu oxydatif peuvent s'apprécier rapidement mais aussi se garder, contrairement aux précédents. En revanche, les autres méritent trois à cinq années de bouteille pour avouer toute leur bonté.

LES VINS DOUX NATURELS : DES GOÛTS ET DES COULEURS !

La famille des Vins Doux Naturels est une famille nombreuse où la diversité est de mise ! Il y a autant de personnalités gustatives qu'il y a de couleurs et de modes d'élaboration. Les Muscats de Beaumes-de-Venise, de Frontignan, de Mireval, de Rivesaltes et de Saint-Jean-de-Minervois, sans oublier ceux du Cap Corse, sont mis en bouteilles rapidement après un court élevage à l'abri de toute oxydation afin de préserver leurs fruits. D'un bel or, ils offrent des notes gourmandes d'abricot, de melon, de miel, de fleurs et de menthe fraîche. Les Rivesaltes, la plus forte production des VDN, majoritairement blancs, gardent leur robe claire et leurs arômes de fleurs blanches, de miel lorsqu'ils sont élevés à l'abri de l'air et mis en bouteilles tôt. Élevés en milieu oxydatif, ils prennent des teintes plus sombres qui vont du tuilé à l'ambre et offrent des notes d'amande, de noisette et d'agrumes confits. Il en est de même pour les Banyuls, essentiellement rouges, et les Maurys. Un élevage à l'abri de l'air dans des fûts régulièrement ouillés préserve leur force tannique et leurs arômes de fruits très mûrs et d'épices. Dans le cas d'une année exceptionnelle, ils ont droit à la mention rimage ou vintage. Élevés en milieu oxydatif, dans des fûts non pleins ou des bonbonnes en verre et entreposés à l'extérieur, ils évoluent rapidement. Leur robe se pare de teintes fauves. Leur bouche gagne en complexité et leurs arômes virent vers le rancio avec des notes de fruits secs, de pruneau, de café, de cacao et de tabac.

MENU ENTRE COPAINS

Le plaisir est grand de se retrouver à table entre copains d'une même génération. Dans ce cas, c'est la simplicité qui l'emporte. Bien souvent, c'est un plat unique, complet et convivial, qui va resserrer les liens : un chili con carne avec du pain de maïs, ou des spaghettis avec une savoureuse garniture bolognaise, ou encore une paella bien garnie. Après un somptueux camembert, on finira par une glace.

Dans les deux premiers cas un vin rouge frais et friand, Beaujolais Villages ou Côte Roannaise, fera l'affaire pour l'ensemble du repas. Un autre choix conviendra aux trois propositions : un rosé, de Provence, des Côtes du Rhône ou du Languedoc, selon la saison... et l'humeur.

présenter un degré qualitatif indiscutable. Parmi les blancs, on ouvrira un des crus de la Côte de Beaune, un Hermitage, un Pessac-Léognan, un Savennières, un Condrieu, un Château-Chalon, un Grand Cru d'Alsace, un Vin jaune du Jura. Parmi les blancs moelleux et liquoreux, c'est enfin le moment de servir un vin de Vendanges tardives ou une Sélection de grains nobles, un Sauternes, un Vouvray moelleux. Les bons vins rouges sont légion mais, faut-il le dire, d'un prix élevé. On choisira en particulier les grandes familles de Pomerol, de Saint-Émilion, les Crus classés de Médoc ou de Graves, les Côte-Rôtie, les Premiers et les Grands Crus de Bourgogne.

Les vins et les saisons

Notre goût pour le vin est inconsciemment soumis à l'influence climatique. Par une admirable organisation de la nature, il se trouve qu'arrivent sur notre table des plats riches et nourrissants par temps de froidure et que les légumes et les fruits frais abondent dès les premières chaleurs. Pour les vins, il en va de même. Qu'ils soient blancs, rosés ou rouges, ils trouvent agréablement leur place dès que les rayons du soleil se montrent insistants. Cela est évident pour les blancs et les rosés. Quant aux rouges, nos préférences vont à des vins qui offrent le plus de fruit et une bonne vivacité. Cette dernière est perçue par la fraîcheur diffusée, qui est due à une acidité bien sensible et à une toute petite présence de tanins très tendres. Ces vins rouges de soif peuvent se servir rafraîchis autour de 12 °C : les Beaujolais, les Côtes-du-Forez, les Coteaux-du-Lyonnais, les Côte Roannaise, le Pinot d'Alsace, les Anjou, le Bourgueil, les Bordeaux et Bordeaux Supérieurs.

L'été, les vins rosés connaissent un grand succès. Certains s'adaptent à tous les plats estivaux. D'autres, plus vineux, conviennent à des préparations plus élaborées : Bandol, Bordeaux Clairet, Côtes-du-Rhône, Lirac, Marsannay, Tavel, Rosé des Riceys, Coteaux-du-Languedoc. Il en va de même avec les blancs, dont le pouvoir désaltérant est indiscutable. Si l'on souhaite des vins vifs et fringants, on ira du côté de l'Aligoté, du Cheverny, du Crépy, de l'Entre-deux-Mers, du Mâcon-Villages, du Saint-Pourçain, du Sylvaner ou des Vins de Savoie. Dès lors que les recettes sont plus sophistiquées, il faut se diriger vers les Blancs de Blancs de Champagne, les Pouilly Fumé, les Sancerre, les Chablis, les Graves, les Rieslings.

Les longues soirées d'hiver sont propices aux vins structurés, charpentés et riches. Blancs ou rouges, ils sont un régal pour le

UN VIN POUR UN ENCAS

Un vin et un encas, cela va de pair, et rien ne vaut la production locale quand il s'agit de se régaler en grignotant. Avec un Beaujolais, un Beaujolais-Villages, un Côte Roannaise, un Côtes-du-Forez, un Coteaux-du-Lyonnais ? Toutes les charcuteries lyonnaises (et les autres) sont au rendez-vous. Avec un Vin jaune du Jura ? Rien n'égale le Comté, avec quelques cerneaux de noix pour un peu plus de plaisir. Avec un prestigieux Banyuls ? On peut vivre un grand moment grâce à un bon fromage de brebis sans oublier la cuillerée de confiture de cerise noire. Avec un verre de Gewürztraminer ? On dépose sur une tranche de pain de campagne un morceau de Munster bien à point. Avec la joyeuse Clairette de Die ? La fête sera complète avec une simple brioche. Sans oublier qu'avec un Champagne demi-sec rien ne vaut quelques boudoirs.

palais. Côté cuisine, les sauces s'épaississent, les épices se mélangent, les coquillages et les crustacés réapparaissent, les pièces de viande et les gibiers s'installent. C'est la grande saison des sauces au vin et d'aucuns apprécient les flambages qui ajoutent force et saveur.

Les vins blancs prennent du corps et du gras. Pour accompagner poissons nobles et crustacés, coquillages et viandes blanches, on retrouve avec plaisir les Corton-Charlemagne, Meursault, Puligny-Montrachet, Savennières, Gewürztraminer, Pinot Gris, Châteauneuf-du-Pape.

Belle saison où les vins rouges se corsent, se structurent de fruit et de tanins. Autant d'éléments qui les renforcent pour s'accorder aux recettes d'hiver : civets et rôtis, volailles et viandes rouges, gibiers à plume et à poil.

Combien de vins servir ?

Au cours d'un repas, on peut ne boire qu'un seul vin, ou bien changer de vin à chaque plat. On peut aussi ne pas boire de vin du tout. Beaucoup d'amateurs de vin, travaillant la semaine, évitent toute forme de boisson alcoolisée à l'heure du déjeuner. Ils ont fait le choix de boire de façon épisodique mais en privilégiant la qualité. Cela dit, le nombre de vins servis varie totalement selon qu'il s'agit d'un déjeuner ou d'un dîner, d'un repas en famille ou entre connaisseurs.

Le repas en famille implique la simplicité. Un vin unique, bien fait et modeste, conviendra, la couleur restant une affaire de goût. Les vins cités précédemment autorisent des mariages parfois hardis.

Le dimanche et entre amis, c'est l'occasion de se permettre un choix de vins adapté au menu. Hormis l'apéritif – qui peut d'ailleurs être le vin prévu pour le premier plat – trois à quatre vins peuvent se succéder raisonnablement. Un vin blanc pour le premier plat, un vin rouge pour le plat de résistance, un autre vin pour les fromages, enfin un vin de dessert.

Si le repas est spécialement orienté vers la dégustation de vins de haut niveau, on peut doubler la sélection. Au-delà, pour des amateurs non avertis, la confusion et donc le gâchis sont assurés.

N'oublions pas que ces nombreux vins seront bus et non recrachés comme dans une dégustation professionnelle. Il faut savoir que le danger ne réside pas dans la variété des vins servis mais plutôt dans une quantité excessive de boisson absorbée.

L'ordre de service des vins

Aucune règle précise n'est établie dans ce domaine, mais la simple logique s'impose. Le vin servi ne doit pas faire regretter le précédent, ni annihiler le suivant. C'est tout un art ! On peut donner quelques exemples. Pour commencer un repas, il faut mettre les papilles en éveil sans les fatiguer. On choisira donc un vin blanc bien vif et fruité de type Muscadet ou de cépages tels que le Sauvignon, le Sylvaner, l'Aligoté ou le Chardonnay. Il est d'ailleurs de plus en plus fréquent de garder le vin d'apéritif avec le premier plat servi. La solution la plus élégante consiste à proposer une flûte de Blancs de Blancs de Champagne. En effet, ces vins ont un haut niveau d'acidité naturelle qui a pour effet de déclencher une forte salivation. Servis à basse température, ils ont le pouvoir d'étancher agréablement la soif. De plus, ils ont l'avantage de ne pas perturber le palais. Pour ces mêmes raisons, les Anglais commencent souvent le repas par un verre de Xérès Fino bien frais.

Pour la suite du repas, il est bon de rappeler quelques préceptes : le blanc sec doit être servi avant le rouge, le vin rouge jeune avant le vieux, le vin le plus léger avant le plus corsé, le vin le plus simple avant le plus complexe.

Il faut également savoir que le Champagne brut s'accorde plutôt mal avec les desserts – le sucre le durcit – alors qu'il a une place de choix en apéritif ou au cours du repas avec les poissons, les crustacés, les viandes et les volailles blanches. Avec les desserts, il faut choisir délibérément les vins qui leur sont réservés. Depuis longtemps, on leur a donné l'appellation de « vins de dessert ».

Les principes d'accord des mets et des vins

Plusieurs mots sont utilisés pour évoquer cet accord délicat : mariage, alliance, harmonie… Il faut avant tout rappeler que nos papilles sont sensibles à quatre goûts de base : le sucré, le salé, l'acide et l'amer. Dans la nourriture, on trouve ces quatre éléments à divers degrés de perception. Dans les vins, il est admis que le salé n'existe pratiquement pas. Pour une alliance réussie avec des vins de qualité, il est souhaitable que les mets qu'ils accompagnent ne recèlent pas en excès l'un des quatre goûts fondamentaux.

AVEC LE SALÉ, il faut veiller à ce que l'excès de sel (salaisons, charcuteries, poissons salés tels que la morue, etc.) ne blesse pas l'expression totale de vins complexes, vieux et assagis, qu'il s'agisse de rouges ou de blancs. Avec des plats plutôt salés, il vaut mieux servir des vins très jeunes, très fruités, acidulés, au fort pou-

FROMAGES ET VINS ROUGES : MARIAGE OU DIVORCE ?

Combien de fois avons-nous vu la meilleure bouteille de la soirée proposée avec le plateau de fromages ? S'est-on seulement posé la question de savoir s'il y avait, dans l'assortiment, un seul fromage qui lui soit favorable ?

Les vins blancs, secs ou doux, souvent jeunes, s'accordent en règle générale bien avec la nature salée du fromage, son goût souvent prononcé et sa texture plus ou moins dense. La fraîcheur apportée par l'acidité de ces vins contrebalance en effet la saveur salée du fromage, tandis que leur fruité répond à sa forte personnalité gustative. L'absence de tanin dans les vins blancs justifie aussi cet accord. À noter que l'accord régional entre fromage et vin blanc est souvent une très bonne solution : crottin de Chavignol et Sancerre, Munster et Gewürztraminer, etc.

Les vins rouges, par contre, se marient plus difficilement, car leurs tanins sont cruellement accentués par le sel contenu dans les fromages. Plusieurs fromages font cependant exception à cette règle. Les fromages à pâte molle et à croûte fleurie (brie, Brillat-Savarin, camembert ou coulommiers) s'accordent bien avec un Côte-de-Beaune, un Côtes-du-Rhône, un Pomerol, un Saint-Émilion ou un Sancerre. Quant aux fromages à pâte pressée non cuite (cantal, édam, gouda, mimolette, saint-nectaire, tomme de Savoie), ils s'accompagnent avec des grands Bordeaux matures tels que Médoc, Pomerol, Saint-Émilion, Pessac-Léognan (voir aussi p. 70).

DES MENUS POUR DES VINS D'EXCEPTION

GRAND CRU CLASSÉ DE BORDEAUX

Pour savourer un Grand Cru, la cuisine doit parfois s'adapter. Les nobles et nombreux tanins d'un grand Bordeaux s'accordent mal avec les desserts, hormis celui qui est proposé ici.

Pour les autres mets, les accords garantissent une belle harmonie et permettront au vin de se révéler complètement dans sa complexité et sa race. Attention, de l'ail avec l'agneau, certes, mais point trop n'en faut.

Salmis de palombe
Gigot d'agneau rôti pommes forestière
Mimolette vieille étuvée
Fruits frais macérés au vin de Bordeaux

SAUTERNES

Vin opulent, gras et dominateur, le Sauternes demande, pour l'accompagner, des plats savoureux, riches et épicés. L'accord avec le foie gras, le roquefort et le pithiviers est un classique. Le canard qui s'accommode si bien avec les fruits est ici entouré de pêches. Avec le Sauternes, l'accord se révélera parfait, pour le grand plaisir des convives.

Foie gras d'oie
Canard rôti aux pêches et aux épices
Roquefort
Pithiviers

BANYULS

Vin opulent, puissant, suave, le Banyuls se marie bien avec des plats savoureux, épicés, bien mar-

voir désaltérant, comme par exemple le Muscadet, le Saint-Véran ou les vins de Savoie.

AVEC LE SUCRÉ, il faut savoir que certaines préparations, par exemple, qui contiennent des fruits (pêche, cerise, pruneau, figue, ananas, coco), durcissent exagérément tout vin sec, le rendant trop astringent s'il est rouge, et très mordant s'il est blanc. Ces plats nécessitent donc des vins très fruités, moelleux ou riches en alcool et très aromatiques. Ainsi le fameux canard à l'orange s'accorde parfaitement avec l'exceptionnel Vin jaune du Jura.

AVEC L'ACIDITÉ d'un plat, on risque de désavantager tout vin tannique ou mature. Avec une vinaigrette, par exemple, il n'y a pas d'autre boisson possible que l'eau. Avec un plat légèrement

qués. Sa richesse alcoolique s'équilibre avec le fruit et la fraîcheur. Le menu proposé ici lui conviendra sans problème. Ce sera l'occasion de démontrer sa bonne réputation en face d'un dessert au chocolat parfumé au café.

Foie de canard mi-cuit
Tajine de pigeon aux amandes et raisins secs
Stilton
Gâteau opéra

CHAMPAGNE MILLÉSIMÉ

Un menu tout blanc va mettre en valeur ce grand Champagne. Les saveurs iodées, la finesse de la volaille, les crèmes, la délicatesse des champignons, le Chaource et la pêche Melba sauront escorter le vin de joie. Couleurs et textures sont en harmonie totale, pour fêter un événement heureux.

Terrine de coquilles Saint-Jacques
Volaille de Bresse à la crème et aux girolles
Chaource crémeux
Pêche Melba

VIN JAUNE

Le vin jaune, aux saveurs uniques et très persistantes, sera en parfaite harmonie avec chacun des plats proposés. Il est utile cependant de prévenir les participants de l'originalité de ce vin.

Asperges vertes sauce vinaigrette au vinaigre balsamique
Coq au vin jaune
Comté
Gâteau aux noix

acide, il faut choisir un vin blanc ou rosé, très jeune, même simple et modeste, plutôt qu'un vin rouge, surtout s'il est très tannique et patiemment vieilli. Ce serait un double crime : pour le vin et pour le plat !

AVEC L'AMER, on a affaire à une saveur d'abord rejetée au stade de l'enfance, mais qui a été progressivement acceptée au fil des années. L'amer se cache dans bien des aliments et principalement dans certains légumes : artichauts, asperges, endives, épinards. L'amer existe aussi dans le café, le thé et le chocolat, souvent édulcorés par l'apport de sucre. Les vins s'accordent mal avec les aliments au goût amer qui les rend durs et asséchants. Quelques vins précis font exception : le Muscat d'Alsace, le vin jaune, et le

Xérès pour les légumes. Quant au chocolat, nous verrons plus loin que les Vins Doux Naturels lui sont particulièrement destinés.

Les accords classiques

Une fois précisées ces distinctions entre les différents goûts, présentons un certain nombre d'accords entre les mets et les vins qui, parmi l'éventail des possibilités, ont largement fait leurs preuves et contribué à la réputation de la gastronomie française. La tradition veut que l'on choisisse d'abord les plats qui composent le menu avant de se déterminer sur le vin.

Pour accompagner avec rondeur un repas savoureux, le Saint-Émilion, un Bergerac ou un Cru de Beaujolais doué de personnalité (Saint-Amour ou Morgon) feront l'affaire. Si un vin blanc s'avère nécessaire, on choisira un Chardonnay de la Côte de Beaune ou du Mâconnais. Si le repas est simple, on peut se satisfaire d'un vin rouge léger et pimpant, rafraîchissant avant tout : un Bourgueil, un Saint-Nicolas-de-Bourgueil, un Fleurie ou un Brouilly, ou bien un Côtes-de-Provence servi un peu frais. Avec des fruits de mer, il faut se diriger vers un Muscadet, un Entre-deux-Mers, un Sancerre, un Cassis, un Saint-Véran ou bien un Bourgogne Aligoté.

MENU DE TRADITION

Huîtres
Chablis
Canard rôti aux petits légumes
Saint-Émilion Grand Cru
Roquefort
Saint-honoré
Muscat de Beaumes-de-Venise

Dans ce cas, c'est la tradition et le respect qui priment. Il faut faire plaisir tout en montrant que l'on connaît ses classiques, sans ostentation. Le choix délibéré d'une cuisine bourgeoise est confirmé avec le Chablis sur les huîtres, le réconfortant Saint-Émilion Grand Cru sur le canard rôti et une remarquable harmonie des saveurs avec le mariage parfait du Roquefort et du Muscat de Beaumes-de-Venise. Ce dernier reste sur la table avec le très crémeux saint-honoré.

Pour une grande occasion, rien ne vaut un Bordeaux rouge, avec un agneau rôti garni de cèpes, par exemple. À la saison du gibier, il faut retenir de grands Bourgognes rouges, un Côte-Rôtie, un Hermitage, un Châteauneuf-du-Pape ou un Bandol. Avec les poissons nobles accompagnés d'une sauce ou avec les crustacés, il faut privilégier les Bourgognes blancs Premiers et Grands Crus ou les rares Hermitages blancs. À noter que l'Alsace est prodigue en grands vins blancs secs ou moelleux, les Grands Crus étant exceptionnels.

Les vins de dessert sont légion et pourront être servis dès l'arrivée des fromages à pâte persillée (bleu de Bresse, fourme d'Ambert, roquefort, stilton, gorgonzola). Le choix est large : Bonnezeaux, Quarts-de-Chaume, Vouvray, vins de Vendanges tardives, Sélections de grains nobles, Jurançon, Monbazillac, Sauternes. Rappelons que ces vins sont également délicieux en apéritif et avec le foie gras.

On ne peut terminer cette rapide énumération sans citer les remarquables Vins Doux Naturels blancs (Muscat de Mireval, Muscat de Rivesaltes, Muscat de Beaumes-de-Venise) ou rouges (Rasteau, Rivesaltes, Banyuls, Porto) réputés pour accompagner à merveille les foies gras, les plats à base de fruits, les desserts et, en particulier, le chocolat sous toutes ses formes.

MENU POUR UNE GRANDE OCCASION

Foie gras frais de canard
Sauternes
Agneau de lait rôti aux cèpes
Mimolette vieille étuvée de 10 ans d'âge
Cru classé du Médoc
Gâteau au chocolat
Banyuls

Sérieux et raffiné, voici un menu pour dix convives, que l'on peut réussir chez soi sans risque d'erreur, et susceptible de rester dans les mémoires. Accords parfaits et délicats : le foie gras avec un liquoreux, c'est un classique ; l'agneau, les cèpes et la mimolette semblent naturellement faits pour le grand Médoc. Quant au chocolat, toujours très apprécié, il présente peu d'affinités avec les vins, excepté un Vin Doux Naturel comme le remarquable Banyuls.

L'harmonisation des textures et des arômes

Il existe des vins fluides (Beaujolais, Muscadet), des vins gras (Bourgogne, Côtes-du-Rhône), des vins astringents (Sud-Ouest, Bordeaux). Ces caractéristiques peuvent jouer un rôle complémentaire avec celles de certains aliments. Des huîtres bien iodées, dans leur eau salée, seront mises en valeur par l'acidité d'un vin blanc tel que l'Entre-deux-Mers ou le Sancerre. Un pot-au-feu avec ses légumes s'accordera bien avec un Beaujolais-Villages bien fruité et vif qui va atténuer la texture filandreuse du bœuf et les saveurs marquées des légumes. De la même manière, en accompagnant la cuisine du Sud-Ouest, les vins de la région, Madiran, Cahors, Tursan, Côtes-du-Brulhois, bien charpentés, verront leurs tanins adoucis par le gras et par la riche saveur des mets.

La température de service des vins est très importante. Les vins blancs, les vins rosés et les vins rouges de l'année doivent être servis frais, ce qui favorise l'étanchement de la soif. Les saveurs acidulées atténuées par la basse température permettent à ces vins de contrer la lourdeur de certaines recettes.

Il faut aussi savoir marier les textures et harmoniser les puissances : un plat à consistance molle avec un vin léger peu tannique, un plat gras à la texture souple avec un vin rond. À la puissance savoureuse d'un mets doit répondre un vin de force et de caractère. Par exemple, avec une mousseline de poissons on choisira un Muscadet ou un Sancerre, avec un poisson en sauce un Savennières ou un Graves blanc, et avec un poisson meunière un Riesling. Avec un cassoulet ou une daube, on servira de préférence un Madiran, un Côtes-du-Rhône-Villages ou un Cahors. Avec une volaille crémée on optera pour un Meursault et avec une viande grillée pour un Médoc ou un rouge de la Côte de Nuits.

S'agissant des fromages, leur saveur naturelle lactique et salée s'accorde plutôt mieux avec les vins blancs qu'avec les vins rouges (voir encadré p. 49). Bien que la tradition soit fortement ancrée, il n'est pas impératif de servir le meilleur vin de sa cave sur un plateau de fromages dont l'assortiment, souvent hétéroclite, n'est pas obligatoirement compatible avec tel ou tel cru.

Pour finir, il faut retenir deux points importants concernant les rapports harmonieux entre les mets et les vins.

LES ACCORDS DIFFICILES

Loin de n'avoir que des amis, le vin rencontre aussi des ennemis qui, parfois, lui sont fatals. On a vu que le vinaigre le tue impitoyablement. Du côté des viandes, des volailles, des gibiers, des poissons et des crustacés, il y a peu de risques. C'est plutôt du côté des garnitures et, plus précisément, des légumes que les choses se compliquent. Il s'agit ici évidemment de vins de qualité à la saveur délicate et complexe, car, avec un vin modeste ou un simple vin de soif, le drame s'atténue considérablement. L'asperge, c'est connu, présente très peu d'affinités gustatives avec les vins. Seuls le Muscat d'Alsace, le Xérès et le vin jaune peuvent figurer. Encore que tout se complique à nouveau si l'asperge est servie avec une vinaigrette ravageuse. Il vaudra donc mieux privilégier une sauce mousseline. Les fonds d'artichauts, les endives et les épinards, dont la saveur est amère, déforment les vins dangereusement, au point de les rendre durs et métalliques. Les petits pois et les carottes, par leur douceur naturelle, déprécient les vins rouges tanniques.

D'une manière générale, les cuisines très épicées (orientales, par exemple) et les saveurs aigres-douces (de Chine et d'Extrême-Orient) ne s'accordent qu'avec des vins blancs très structurés et aromatiques comme le Gewürztraminer, les Côtes-du-Rhône blancs et les Vins Doux Naturels. Peu de rouges leur conviennent.

Premièrement, un vin doit, avant tout, désaltérer mais, du plus modeste au plus prestigieux, du plus jeune au plus vénérable, il doit aussi procurer du plaisir. C'est pourquoi la température de service est tellement importante : trop froid pour les vins blancs ou trop chambré pour les vins rouges et voilà que tout est raté !

Deuxièmement, n'accordons pas trop d'importance à ces crus mythiques aux millésimes historiques dont la valeur est déterminée par une spéculation effrénée sans rapport avec leur valeur intrinsèque. Goûtons des vins simples, également appréciables pour la modestie de leur prix. Le plus sage est d'envisager un repas en fonction de son budget, sachant qu'on peut éprouver, dans une très large gamme de prix, des plaisirs vrais et d'authentiques émotions gustatives.

LE MARIAGE DES METS ET DES VINS

Le tableau suivant propose des accords mets et vins classiques et régionaux mais aussi des associations découvertes au gré des dégustations. Cependant, il n'existe pas de règles immuables en matière d'accord, le goût et la culture de chacun influençant fortement l'appréciation des saveurs.

HORS-D'ŒUVRE	
Anchois frais	Banyuls blanc, Châteauneuf-du-Pape blanc, Collioure rosé, Coteaux-d'Aix rosé, Xérès.
Artichaut barigoule	Coteaux-d'Aix rosé, Côtes-de-Provence rosé, Lirac rosé.
Asperge blanche	Pinot Blanc d'Alsace, Muscat d'Alsace.
Asperge verte	Viognier vin de pays, Muscat sec, Muscat d'Alsace, Vin de pays du Roussillon, Xérès.
Avocat	Côtes-de-Provence rosé, Mâcon-Villages, Sancerre.
Caviar	Champagne Blancs de Blancs, Riesling sec d'Alsace ou d'Allemagne (Vodka glacée).
Foie gras en terrine	vin liquoreux type Sauternes, Coteaux-du-Layon, Jurançon, Monbazillac, Pinot Gris SGN, Gewürztraminer SGN ou vin muté type Banyuls Vintage, Porto.
Gaspacho	Collioure rosé, Côtes-du-Rhône-Villages rosé, Tavel.
Guacamole	Cabernet-Sauvignon mexicain ou Chardonnay californien.
Melon	Vin Doux Naturels, Muscat de Beaumes-de-Venise, Muscat de Rivesaltes, Banyuls, Rivesaltes, Porto Ruby, Madère Sercial ou Bual.
Œufs mimosa	Chinon rosé, Côtes de Provence blanc, Mâcon-Villages.
Salade auvergnate	Beaujolais-Villages, Côtes-d'Auvergne, Côtes-du-Forez.
Salade d'endives aux noix	vin du Jura à base de Savagnin, Arbois, Côtes-du-Jura, L'Étoile.

Salade niçoise	Bandol rosé, Bellet blanc, Cassis blanc, Coteaux-d'Aix rosé.
Tarama	Pouilly Fumé, Riesling d'Alsace.
ENTRÉES CHAUDES	
Cuisses de grenouille	Aligoté de Bourgogne, Petit Chablis, Mâcon-Villages.
Escargot à la bourguignonne	Aligoté de Bourgogne, Beaujolais blanc, Chablis, Mâcon-Villages.
Foie gras frais chaud	vin riche en liqueur type Banyuls Vintage, Sauternes ; vins rouges corsés (Madiran, Cahors).
Garbure	Cahors, Irouléguy, Madiran.
Petits farcis provençaux	Bandol rosé, Bellet blanc ou rosé, Côtes-du-Rhône-Villages rouge, Tavel.
Pizza	Coteaux-d'Aix rouge ou rosé, Côtes-du-Lubéron rouge ou rosé, Chianti, Valpolicella.
Quenelle de brochet	Chablis, Pouilly-Fuissé, Saint-Véran, Roussette de Savoie.
Quiche au lard	Pinot Blanc d'Alsace, Pinot Gris d'Alsace, vins blancs de Savoie ou vins rouges légers (Beaujolais, Bourgueil, Pinot Noir d'Alsace).
Tarte à l'oignon	Pinot Blanc d'Alsace, Sylvaner d'Alsace.
Soufflé au poisson	Chablis, Graves blanc, Pessac-Léognan blanc, Pouilly Fumé, Fumé Blanc de la Napa.
Soufflé au comté	vin du Jura à base de Savagnin, Arbois, Côtes-du-Jura, Château-Chalon.
Soupe à l'oignon	Beaujolais-Villages, Entre-deux-Mers, Mâcon-Villages.
Vol-au-vent	Vin jaune du Jura, grand Chardonnay (Corton-Charlemagne, Meursault, Montrachet, Chardonnay de Californie).

CHARCUTERIE	
Andouille	Mâcon-Villages, Sancerre, Savennières.
Boudin noir	Chinon, Crozes-Hermitage, Saint-Joseph, Saumur-Champigny.
Chorizo pimenté	Cahors, Irouléguy, Rioja.
Jambon cru	Collioure, Irouléguy, Pinot Grigio dell'Alto-Adige, Soave Classico, Riesling du Rheingau *trocken*, Xérès ou Manzanilla, jeune rouge espagnol.
Jambon cuit	Beaujolais-Villages ou cru, Mercurey, Mâcon-Villages.
Jambon fumé	Riesling Vendanges tardives, *Spätlese* allemand.
Jambon persillé	Beaujolais blanc ou rouge, Chablis, Mercurey blanc, Pouilly-Fuissé, Saint-Romain blanc.
Mousse de foie de volaille	Beaujolais cru, Beaune blanc, Ladoix blanc, Meursault.
Pâté de campagne	Beaujolais, Chinon, Coteaux-du-Lyonnais, Côtes-du-Rhône-Villages, Crozes-Hermitage, Saint-Joseph, Saumur-Champigny.
Terrine de gibier	Bergerac, Châteauneuf-du-Pape, Mercurey, Gevrey-Chambertin, Pomerol, Saint-Émilion, Vacqueyras, Garrafeira du centre du Portugal.
Terrine de lapin	Bourgueil, Cheverny, Cour-Cheverny, Saint-Nicolas-de-Bourgueil, Morgon, Moulin-à-Vent.
Rillettes	Montlouis, Sancerre, Vouvray.
Salami	Irouléguy, Tavel, Vin de Corse rosé, vin rouge ou rosé de Navarre, Barbera, Chianti, Montepulciano d'Abruzzo, Rosso Cònero, Xérès.
Saucisse de porc	Buzet, Côtes-du-Rhône, Gigondas, Dolcetto d'Alba, Merlot, Rioja.
Saucisson sec	Crozes-Hermitage, Côtes-du-Rhône-Villages, Hautes-Côtes-de-Beaune, Hautes-Côtes-de-Nuits, Saint-Joseph, Sancerre rouge.

ŒUFS	
Brouillade de truffes	Hermitage blanc, Montrachet.
Œufs brouillés	vins rouges légers et fruités (Beaujolais, Gamay de Touraine).
Œufs en gelée	vins jeunes et fruités de la Côte de Beaune (Santenay, Maranges).
Œufs en meurette	Beaujolais Crus, Mâcon rouge, Pinot Noir de la Côte de Beaune et de la Côte chalonnaise.
Œufs de saumon	Chablis, Riesling d'Alsace, Vouvray.
Omelette nature	Beaujolais-Villages, Coteaux-du-Lyonnais, Côtes-du-Forez.
Omelette au fromage	vin blanc issu de Chardonnay et de Savagnin du Jura.

COQUILLAGES ET CRUSTACÉS	
Coquille Saint-Jacques	Champagne Blancs de Blancs, Châteauneuf-du-Pape blanc, Hermitage blanc, Pessac-Léognan, Riesling sec d'Alsace ou d'Allemagne.
Crabe	Cassis blanc, Chablis, Entre-deux-Mers, Gros-Plant, Muscadet.
Crevette	Bergerac blanc, Cassis blanc, Petit Chablis, Entre-deux-Mers, Gros-Plant, Muscadet, Picpoul-de-Pinet.
Crevettes à l'aigre-doux	Pinot Gris, Muscat d'Alsace, Tavel, Bellet rosé.
Écrevisse à la nage	Condrieu, Châteauneuf-du-Pape blanc, Riesling sec d'Alsace.
Homard grillé	Corton-Charlemagne, Hermitage blanc, Pessac-Léognan, Meursault, Riesling d'Alsace, Savennières, Verdicchio dei Castelli di Jesi.
Homard à l'américaine	Pinot Gris d'Alsace, Vin jaune du Jura, Vouvray demi-sec.
Huître	Chablis, Entre-deux-Mers, Gros-Plant, Muscadet, Picpoul-de-Pinet, Riesling d'Alsace.

Huître chaude	Champagne Blancs de Blancs, Graves blanc, Riesling d'Alsace, Savennières, Vouvray.
Langouste grillée	Chablis Premier ou Grand Cru, Hermitage blanc, Pessac-Léognan, Riesling d'Alsace.
Langoustine mayonnaise	Pouilly Fumé, Sancerre, Chablis.
Moule à la crème	Bergerac blanc, Côte-de-Blaye blanc, Pouilly-Fuissé, Rully blanc.
Moule marinière	Entre-deux-Mers, Muscadet, Sauvignon de Touraine, Vinho Verde.
Paella	Yecla blanc (Espagne), Chardonnay (Vin du pays d'Oc), Côtes-du-Roussillon rosé, rosé de Corse, et, de façon générale, les vins de la famille des blancs secs très aromatisés.
POISSON	
Anguille à la bordelaise	Bergerac rouge, Bordeaux Supérieur rouge, Graves, satellites de Saint-Émilion.
Bar (ou loup) **grillé**	Bellet blanc, Châteauneuf-du-Pape blanc, Côtes-de-Provence blanc, Chablis Premier ou Grand Cru.
Bouillabaisse	Bandol rosé, Cassis, Côteaux-d'Aix rosé, Tavel.
Brandade de morue	Cassis, Hermitage blanc, Saint-Joseph blanc.
Colin froid à la mayonnaise	Mâcon-Villages, Pinot Blanc d'Alsace, vin de Savoie blanc, Sylvaner d'Alsace.
Friture	Aligoté de Bourgogne, Gros-Plant, Mâcon, Muscadet, Vinho Verde.
Morue à l'aïoli	Bandol blanc ou rosé, Cassis, Côtes-de-Provence blanc ou rosé, Collioure rosé, Irouléguy rosé.
Poisson à l'huile (espadon, hareng, maquereau, sardine, thon)	Aligoté de Bourgogne, Gros-Plant, Muscadet, Sancerre, Sauvignon de Touraine, Sylvaner, Dão blanc, Vinho Verde.
Poisson blanc grillé	Chenin Blanc sec, Coteaux-d'Aix blanc, Côtes-de-Provence blanc, Soave, Verdicchio, Vin de Corse blanc.

Poisson blanc au beurre blanc	Champagne Blanc de Blancs, Vouvray sec ou demi-sec, Meursault, Pessac-Léognan, Puligny-Montrachet, Savennières, vins de Moselle.
Poisson cru	Chablis Premier Cru, Meursault, Graves blanc, Chardonnay de Nouvelle-Zélande.
Poisson d'eau douce	Chablis, Chasselas de Suisse, Graves blanc, Mercurey blanc, Montlouis, Rully blanc, Sancerre, Vouvray.
Poisson frit	Beaujolais, Entre-deux-Mers, Gamay de Touraine, Gros-Plant, Muscadet, Roussette de Savoie, vins blancs du Jura à base de Chardonnay et de Savagnin, Pinot Grigio du Frioul, Frascati Superiore.
Poisson fumé	Chablis Premier Cru, Champagne Blanc de Blancs, Pouilly Fumé, Sancerre, Riesling d'Alsace, Pinot Gris d'Alsace, *Spätlese* allemand.
Poisson nature	vins blancs plus ou moins légers selon que le poisson et sa garniture sont gras ou non, du petit vin de pays aux Grands Crus de Bourgogne, de Bordeaux ou d'Alsace. Vins rouges, surtout s'ils ne sont pas trop tanniques (issus de Cabernet Franc de Loire ou de Gamay du Beaujolais).
Rouget	Bandol rosé ou rouge, Collioure, Côtes-de-Provence rouge ou blanc.
Saumon fumé	Champagne Blanc de Blancs, Riesling d'Alsace, Sancerre (ou Vodka, Whisky single malt tourbé).
Saumon à l'oseille	Condrieu, Châteauneuf-du-Pape blanc.
Saumon poché	blanc : Bourgogne blanc, Sancerre, Savennières, Vouvray sec, Vin blanc de Sicile ; rouge : Beaujolais-Villages, Bourgueil, Pinot Noir d'Alsace.
Sardine grillée	Côtes-de-Provence, Côtes-du-Rhône-Villages blanc, Coteaux-du-Languedoc blanc, Coteaux-d'Aix blanc.
Sole meunière	Bellet blanc, Chablis Premier ou Grand Cru, Sancerre, Riesling d'Alsace.

Sushi	Mâcon, Muscadet, Saint-Véran, Menetou-Salon, Sauvignon de Californie.
Terrine de poisson	Aligoté de Bouzeron, Chablis, Graves blanc, Mâcon-Villages, Muscadet, Sancerre, Sylvaner d'Alsace.
Thon basquaise	Collioure rouge ou rosé, Coteaux-du-Languedoc rouge ou rosé, Côtes-du-Rhône-Villages rouge, Irouléguy rosé, Tavel.
Tourte de poisson (avec une sauce à la crème)	Mâcon-Villages, Pouilly-Fuissé, Pinot Gris d'Alsace, Bianco di Custoza, Pfälzer Sylvaner, Nahe Müller-Thurgau, Chardonnay de la Napa.
Turbot sauce hollandaise	Corton-Charlemagne, Hermitage blanc, Meursault, Pessac-Léognan.
AGNEAU	
Agneau rôti	vins rouges complexes et racés comme les crus du Bordelais (Graves, Margaux, Pauillac, Pomerol, Saint-Émilion), Bandol dans un bon millésime ; Rioja Reserva, Ribera del Duero, Cabernets-Sauvignons américains, australiens, chiliens et italiens.
Carré d'agneau	Graves, Médoc, Pauillac, Pessac-Léognan, Saint-Julien, Cabernets-Sauvignons californiens, chiliens et italiens.
Couscous d'agneau	Cahors, Côtes-du-Rhône-Villages, Madiran, Gigondas.
Curry d'agneau	Bergerac, Côtes-de-Castillon, Côtes-de-Francs, Côtes-du-Rhône-Villages, Lalande-de-Pomerol.
Épaule d'agneau rôtie	Haut-Médoc, Médoc, Cabernets-Sauvignons américains, australiens, chiliens et italiens.
Gigot aux herbes et/ou à l'ail	vins rouges généreux et puissants (Bandol, Châteauneuf-du-Pape, Côtes-du-Roussillon-Villages, Coteaux-du-Languedoc, Saint-Chinian, Vacqueyras).
Gigot à la ficelle	Pinot Noir de la Côte de Beaune, Bourgueil, Chinon, Saint-Nicolas-de-Bourgueil.

Méchoui	Coteaux-du-Languedoc rouge, Bandol, Shiraz d'Australie, Coteaux-de-Mascara rouge (Algérie)
Navarin d'agneau	Pinot Noir de la Côte de Beaune et de la Côte chalonnaise, Beaujolais Crus.
Sauté d'agneau à la provençale	Coteaux-d'Aix rouge, Côtes-de-Provence rouge, Côtes-du-Rhône-Villages.
Selle d'agneau	Côte-Rôtie, Hermitage, Médoc, Pomerol, Saint-Émilion.
Tajine d'agneau aux abricots	Bonnezeaux, Coteaux-de-l'Aubance, Coteaux-du-Layon, Quarts-de-Chaume, Montlouis moelleux, Vouvray moelleux.
BŒUF	
Bœuf bourguignon	Chinon, Corbières, Côtes-du-Rhône-Villages, Mercurey, Minervois, Rully, Saint-Amour, Saumur rouge.
Bœuf en croûte	vins de Bordeaux, du Médoc ou du Libournais, Pinot Noir de Bourgogne.
Bœuf rôti	vins rouges puissants avec de la structure et de la générosité (vins de la Côte de Nuits, Margaux, Pauillac, Pomerol, Saint-Émilion, Merlots américains, australiens et chiliens).
Carpaccio	vins de la Côte chalonnaise, Chianti Classico ou Rufina.
Chateaubriand	Gevrey-Chambertin, Graves, Pomerol, Pommard, Saint-Émilion.
Chili con carne	Malbec rosé du Chili, Zinfandel de Californie, Saint-Chinian, Cahors.
Couscous aux boulettes	Gris de Boulaouane (Maroc), Fitou, Coteaux-de-Mascara rouge (Algérie), Côtes-du-Rhône, Cairanne rosé et, de façon générale, des rosés vifs et fruités ou des rosés vineux et corsés.
Daube	Cahors, Corbières, Côtes-du-Rhône-Villages, Côtes-du-Roussillon-Villages, Madiran.
Entrecôte à la bordelaise	Bergerac, Bordeaux Supérieur, Côtes-de-Blaye, Côtes-de-Castillon, Fronsac, Graves.

Entrecôte grillée	vins issus de Cabernet-Sauvignon, Médoc de millésimes récents, Vin de Pays d'Oc, ou vin généreux jeune (Châteauneuf-du-Pape, Cornas, Gigondas, Vacqueyras).
Pot-au-feu	Anjou rouge, Beaujolais Cru, Bourgueil, Côtes de Bordeaux, Saumur-Champigny, Pinot d'Alsace, Sancerre rouge.
Steak grillé	Chénas, Côtes du Frontonnais, Cornas, Moulin-à-Vent, Chianti Riserva.
Steak au poivre	Côtes-du-Rhône rouge, Fronton, Zinfandel californien, Shiraz australien.
Steak tartare	Buzet, Cahors, Crozes-Hermitage, Merlot chilien, Shiraz australien.
PORC	
Andouillette à la crème	Beaujolais blanc, Chablis, Pouilly-Fuissé, Rully blanc, Saint-Véran.
Andouillette grillée	vins rouges légers (Anjou rouge, Beaujolais-Villages, Gamay de Touraine, Pinot Noir d'Alsace, Sancerre rouge), vins blancs secs et fruités (Chablis, Gaillac, Saumur blanc).
Choucroute	Tokay-Pinot Gris d'Alsace, Riesling d'Alsace, Sylvaner d'Alsace.
Grillade de porc	vins charnus et fruités, Bergerac, Crozes-Hermitage, Saint-Joseph, Saumur-Champigny.
Palette de porc	vins blancs légers (Anjou blanc, Mâcon-Villages, Pinot Blanc d'Alsace, Sylvaner d'Alsace), rouges fruités et légers (Beaujolais, Mâcon-Villages, Pinot Noir d'Alsace).
Porc au curry	Tokay d'Alsace, Gewürztraminer, Lirac blanc, Hermitage blanc et, de façon générale, des blancs secs très aromatisés.
Potée aux choux	Brouilly, Mâcon-Villages, Sancerre rouge.
Rôti de porc	Crozes-Hermitage, Côte-de-Beaune, Côtes-du-Rhône-Villages, Saint-Joseph.

VEAU	
Blanquette de veau	Beaujolais-Villages, Mâcon-Villages, Mercurey blanc, Givry blanc, Sancerre rouge.
Côte de veau	Grands Crus du Médoc (Pauillac, Saint-Estèphe), crus de la Côte de Nuits (Gevrey-Chambertin, Chambolle-Musigny).
Escalope normande	Bourgogne blanc, vin du Jura à base de Chardonnay et de Savagnin, Chardonnay de Californie.
Escalope panée	Beaujolais Crus, vins rouges de la Côte de Beaune, Graves rouge.
Foie de veau	Chinon, Pomerol, Saint-Émilion, Sancerre rouge.
Osso-buco	Barbera, Barbaresco, Chianti Classico, Valpolicella.
Paupiette de veau	Beaujolais Crus, Bourgueil, Pinot Noir de Bourgogne, Saint-Nicolas-de-Bourgueil.
Ris de veau à la crème	grand Bourgogne blanc type Corton-Charlemagne, Meursault, Montrachet, Château-Chalon, Vin jaune du Jura, Pinot Gris d'Alsace, Vouvray demi-sec.
Rognon de veau poêlé à la moutarde	vin rouge charnu pas trop vieux (Chinon, Pomerol, Saint-Émilion) ; Chinon, Morgon, Saint-Amour, Pinot Noir de la Côte chalonnaise.
Rôti de veau	Beaujolais Crus, Pinot Noir de la Côte de Beaune.
Tête de veau	Beaujolais Crus, Pouilly-Fuissé, Sancerre rosé, Tavel.
Veau Marengo	Côtes-du-Rhône-Villages, Costières-de-Nîmes, Côtes-du-Ventoux, vin rouge du Dão.
Veau Orloff	Grand Bourgogne blanc de type Chassagne-Montrachet, Corton Charlemagne, Meursault mais aussi des vins rouges fruités mais profonds de type Bourgogne rouge de la Côte de Beaune.

CANARD, OIE, PIGEON	
Canard à l'orange	vins liquoreux pas trop vieux, Cérons, Loupiac, Monbazillac, Sainte-Croix-du-Mont, Sauternes, Vin jaune du Jura.
Canard aux figues ou aux cerises	vins riches et puissants (Bandol, Châteauneuf-du-Pape), vins mutés jeunes (Banyuls, Maury, Rivesaltes).
Canard laqué	Gewürztraminer d'Alsace, Pinot Gris d'Alsace, Arbois, Château-Chalon, Vin jaune du Jura.
Canard aux olives	Côtes-du-Rhône-Villages, Gigondas, Vacqueyras.
Canard rôti	vins à base de Merlot, Lalande-de-Pomerol, Pomerol, Saint-Émilion, crus de la Côte de Nuits.
Confit de canard	Bergerac, Buzet, Cahors, Châteauneuf-du-Pape, Madiran, Pécharmant.
Magret de canard	bons millésimes du Bordelais (Médoc et Libournais).
Cassoulet	Cahors, Côtes-du-Brulhois, Madiran.
Oie rôtie	vins rouges mûrs de Côte-Rôtie, Côtes-de-Nuits, Madiran, Margaux, Saint-Émilion, Grands Crus en Pinot Gris Vendanges tardives d'Alsace.
Pigeon rôti	bon millésime de Bourgogne rouge, du Médoc et du Libournais, Bandol, Châteauneuf-du-Pape, Hermitage, Merlot du nord-est de l'Italie.
Pastilla de pigeon	vin muté (Banyuls, Muscat de Beaumes-de-Venise, de Rivesaltes ou du Cap Corse), Costières-de-Nîmes rouge, Rioja, Muscat d'Alsace, Gris de Boulaouane (Maroc).
Salmis de palombes	Pomerol, Saint-Émilion, Merlots du Chili et d'Italie.

COQ, DINDE, POULARDE, POULE, POULET	
Coq au vin	Pinot Noir de Bourgogne, Moulin-à-Vent.
Dinde farcie	vins généreux (Châteauneuf-du-Pape, Hermitage, Pomerol, Madiran, Saint-Émilion, Merlots américains et chiliens).

Dinde aux marrons	Pinot Noir de la Côte chalonnaise (Mercurey, Givry) et de la Côte de Beaune (Savigny-les-Beaune, Volnay).
Poularde aux truffes	grands Chardonnays de la Côte de Beaune (Corton-Charlemagne, Meursault, Montrachet), Hermitage blanc, Arbois, Château-Chalon, Vin jaune du Jura.
Poule au pot	Beaujolais, Mâcon blanc, Pouilly-Fuissé, Rully blanc.
Poulet basquaise	Bordeaux Supérieur, Corbières, Coteaux-du-Languedoc, Fronton.
Poulet à la crème et aux morilles	Arbois, Château-Chalon, Vin jaune du Jura, Pinot Noir ou grands Chardonnays de la Côte de Beaune.
Poulet au gingembre	Vins blancs demi-secs, moelleux ou liquoreux (Jurançon), Gewürztraminer Vendanges tardives, Kefraya (Liban).
Poulet rôti	Pinot Noir de la Côte de Beaune et de la Côte chalonnaise, Moulin-à-Vent.
Poulet au vinaigre	Anjou-Villages, Bourgueil, Chinon, Saint-Nicolas-de-Bourgueil, Saumur-Champigny.
LAPIN	
Lapin chasseur	Beaujolais-Villages, Bourgueil, Côte chalonnaise, Saumur-Champigny.
Lapin à la moutarde	Chénas, Chinon, Mercurey, Sancerre rouge, Saint-Joseph.
Lapin rôti au thym	Coteaux-des-Baux, Coteaux-d'Aix, Palette, Vin de Corse rouge.
Lapin aux pruneaux	Bergerac, Buzet, Côtes-de-Saint-Mont, Gaillac rouge, Pécharmant.
GIBIER	
Gibier	en règle générale, les meilleurs millésimes rouges, à leur apogée, des Grands Crus de Bourgogne, de Bordeaux, de la Vallée du Rhône.
Civet de lièvre	Bandol d'une grande année, Côte-Rôtie, Grands Crus de la Côte de Nuits, Châteauneuf-du-Pape, Hermitage, Pomerol, Saint-Émilion.

Cuissot de sanglier rôti	Châteauneuf-du-Pape, Côtes-du-Roussillon-Villages, Corbières, Saint-Chinian.
Petit gibier à plume (bécasse, faisan, perdreau)	Pinot Noir de la Côte de Beaune et de la Côte de Nuits.
Petit gibier à poil (lapin de garenne, lièvre)	Pinot Noir de la Côte chalonnaise, Médoc, Saint-Émilion.
Gibier en marinade	Cahors, Châteauneuf-du-Pape, Madiran, Gigondas, Vacqueyras.
Gigue de chevreuil grand veneur	Côte-Rôtie, Hermitage, Corton, Châteauneuf-du-Pape.
LÉGUMES cf. aussi hors-d'œuvre	
Aubergine	Coteaux-d'Aix rouge, Coteaux-du-Languedoc, Côtes-de-Provence rouge; vins rouges grecs (Xinomavro de Naoussa ou Retsina).
Champignon	vins issus de Merlot et de Pinot Noir à leur apogée comme les rouges de Bourgogne et du Libournais.
Chou farci	Beaujolais-Villages, Gamay de Touraine, Pinotage d'Afrique du Sud.
Chou-fleur	Côtes-du-Lubéron, Dolcetto, Sauvignon de Touraine.
Haricot vert	Sancerre blanc ou rosé, Coteaux-d'Aix rosé, Côtes-de-Provence blanc.
Gratin dauphinois	vins blancs du Jura issus de Chardonnay et de Savagnin type Arbois blanc, vins blancs de Savoie à base de Roussette.
Pâtes	vins légers blancs, rosés ou rouges selon les ingrédients de la sauce.
Pâtes à la tomate et au basilic	Côtes-du-Rhône-Villages rosé, Lirac rosé, Coteaux-d'Aix rosé.
Pâtes aux fruits de mer	Chablis, Mâcon-Villages, Sancerre, Sauvignon de Touraine, vins blancs secs d'Italie.
Pâtes avec une sauce à la viande	Beaujolais-Villages, Bourgueil, Coteaux-du-Tricastin, Mâcon-Villages, Pinot Noir d'Alsace, Chianti, Valpolicella.

Légumes crus	vins blancs secs, Aligoté de Bourgogne, Petit Chablis, Sauvignon de Touraine, ou vins rouges légers issus de Gamay.
Risotto	vins blancs secs et fruités italiens (Pinot Grigio, Bianco di Custoza, Trebbiano d'Abruzzo), vins rouges italiens (Chianti) ou espagnols (de la Rioja et de La Mancha).
Truffes	**Grands Crus de Pomerol et de Saint-Émilion ainsi que de la Vallée du Rhône nord Côte-Rôtie, Hermitage.**
DESSERTS	
Charlotte aux fruits	**Champagne demi-sec, Vins Doux Naturels issus de Muscat (Muscat de Beaumes-de-Venise, Muscat de Rivesaltes, Moscatel de Valence).**
Crème brûlée	Vins Doux Naturels à base de Muscat (Muscat de Rivesaltes, Muscat de Saint-Jean-de-Minervois), Jurançon, Pacherenc de Vic-Bilh.
Entremets	Champagne sec ou demi-sec, Clairette de Die, Vins Doux Naturels issus de Muscat.
Dessert à base de chocolat	vins mutés rouges (Banyuls, Maury, Málaga, Porto, Rivesaltes).
Dessert à base d'épices	vins aromatiques et riches en sucres (Pinot Gris VT ou SGN, Jurançon).
Île flottante	Champagne rosé demi-sec, Vins Doux Naturels issus de Muscat.
Sabayon aux fruits	vins liquoreux du Sauternais, VT et SGN de Tokay-Pinot Gris et de Gewürztraminer.
Tarte au citron	vins liquoreux (Cérons, Jurançon, Sainte-Croix-du-Mont, Sauternes).
Tarte aux fruits rouges	Champagne rosé sec ou demi-sec. Clairette de Die, Gaillac effervescent, Vins Doux Naturels issus de Muscat.
Tarte Tatin	vins moelleux de Loire type Bonnezeaux, Coteaux-du-Layon, Coteaux-de-l'Aubance, Montlouis moelleux, Quarts-de-Chaume.

LE MARIAGE DES FROMAGES ET DES VINS

Le mariage du fromage et du vin n'est pas forcément évident. Le fromage, par sa nature salée, son goût souvent très prononcé, sa texture plus ou moins dense, demande une approche nuancée. La règle d'usage qui veut qu'un vin rouge, souvent vieux, soit servi au moment du fromage se révèle souvent une erreur, le goût subtil du vin étant masqué par celui plus fort du fromage. À l'inverse, les vins blancs secs ou plus doux, le plus souvent jeunes, se révèlent des compagnons faciles pour les fromages. Leur acidité apporte la fraîcheur nécessaire pour contrebalancer la saveur salée du fromage, tandis que leur fruité répond à leur forte personnalité gustative. L'absence de tanins dans les vins blancs explique aussi cet accord. En effet, ces derniers, surtout dans les vins rouges jeunes, sont cruellement accentués par le sel contenu dans les fromages. Dans le choix de l'association vin/fromage, le stade d'affinage du fromage compte autant que le stade de maturité du vin. L'accord régional est dans l'ensemble une valeur sûre.

Les grandes familles de fromages et leurs accords

Le tableau suivant présente les 7 grandes familles de fromages avec leurs principales caractéristiques, leurs représentants les plus connus et leurs accords classiques. Il se complète par une liste présentant par ordre alphabétique les fromages avec leurs vins de prédilection (voir p. 73).

FROMAGES FRAIS ET FROMAGES BLANCS	
Noms	tous fromages frais et blancs de vache ou de chèvre, comme le fontainebleau, le petit-suisse.
Caractéristiques	de consistance molle, au fort goût de lait plus ou moins salé avec une acidité assez présente.
Type d'accord	servis avec du sucre ou mieux avec du miel, vins riches en sucres comme les Vins Doux Naturels à base de Muscat, Muscat de Rivesaltes, Muscat de Mireval ou les vins moelleux aromatiques, Gewürztraminer VT, Pinot Gris VT, Jurançon ; servis avec des herbes, du sel et du poivre, vin blanc sec et aromatique comme Condrieu, Pinot Gris d'Alsace, Viognier vin de pays.

FROMAGES DE CHÈVRE ET DE BREBIS	
Noms	broccio, chabichou, charolais, crottin de Chavignol, pélardon, pouligny-saint-pierre, saint-félicien, saint-marcellin, selles-sur-cher, valençay.

Caractéristiques	la densité de la pâte dépend de leur degré d'affinage, frais, demi-sec ou très sec. Plus le fromage est sec, plus son goût sera salé et fort.
Type d'accord	vins blancs secs souples et fruités tels Chablis, Jurançon sec, Pouilly-Fuissé, Vouvray sec avec une nette préférence pour les vins issus de Sauvignon comme Sancerre et Pouilly Fumé ; mais aussi des vins blancs demi-secs de Vouvray ou de Montlouis et des vins rouges légers très peu tanniques issus de Gamay comme Beaujolais, Gamay de Touraine, de Cabernet Franc tels Bourgueil, Saint-Nicolas-de-Bourgueil ou même de Pinot Noir comme Hautes-Côtes-de-Beaune, Hautes-Côtes-de-Nuits, Pinot Noir d'Alsace.

FROMAGES À PÂTE MOLLE ET À CROÛTE FLEURIE	
Noms	brie, brillat-savarin, camembert, chaource, coulommiers.
Caractéristiques	pâte onctueuse, au goût qui peut aller du doux crémeux au fort et puissant.
Type d'accord	éviter les vins rouges jeunes et tanniques, miser plutôt sur les vins rouges fruités pas trop tanniques ni boisés comme Bourgogne de la Côte chalonnaise et de la Côte de Beaune, Coteaux champenois, Côtes-du-Rhône rouge, Pomerol, Saint-Émilion, Sancerre rouge ; mais aussi des Champagnes Blancs de Blancs jeunes.

FROMAGES À PÂTE MOLLE ET À CROÛTE LAVÉE	
Noms	époisses, livarot, pont-l'Évêque, langres, maroilles, mont d'or, munster, reblochon, vacherin.
Caractéristiques	pâte onctueuse avec une saveur affirmée voire puissante.
Type d'accord	éviter les vins rouges puissants et corsés ; privilégier en revanche les vins blancs très aromatiques comme le Gewürztraminer d'Alsace, sec ou en VT, Meursault à son apogée, Riesling d'Alsace mûr, Vin jaune du Jura ainsi que les Champagnes mûrs.

FROMAGES À PÂTE PERSILLÉE	
Noms	bleu d'Auvergne, bleu de Bresse, fourme d'Ambert, roquefort.
Caractéristiques	pâte onctueuse souvent grasse avec une saveur à la fois salée et puissante.
Type d'accord	vins riches en sucres comme les Vins Doux Naturels blancs ou rouges tels Muscat de Beaumes-de-Venise, Banyuls, Rivesaltes, et les vins liquoreux tels Coteaux-du-Layon, Quarts-de-Chaumes, Cérons, Sauternes.

FROMAGES À PÂTE PRESSÉE NON CUITE	
Noms	cantal, édam, gouda, mimolette, morbier, saint-nectaire, tomme de Savoie.
Caractéristiques	souvent présentés sous forme de tomme avec une pâte onctueuse pour certains, relativement dense pour d'autres, au goût relativement doux.
Type d'accord	vins rouges de Bordeaux arrivés à maturité comme le Médoc, Pauillac, Pomerol, Saint-Émilion ; mais aussi, pour les tommes, les vins blancs du Jura et de Savoie.

FROMAGES À PÂTE PRESSÉE CUITE	
Noms	appenzell, comté, emmenthal, fribourg, gruyère.
Caractéristiques	pâte dure, à la saveur relativement salée et au goût souvent prononcé.
Type d'accord	vins blancs secs assez aromatiques de préférence issus de Savagnin comme les Vins jaunes du Jura ; mais aussi des vins blancs opulents et mûrs comme Meursault.

Les fromages de A à Z et leurs accords

Il y a, de toute évidence, une étroite parenté entre certains fromages et certains vins. Souvent, un tel accord parfait est de nature régionale. Le tableau suivant présente, par ordre alphabétique, une sélection de fromages avec les vins qui leur conviennent le mieux.

FROMAGES	VINS
Abbaye de Cîteaux	Beaujolais-Villages, Côtes Chalonnaise, Fleurie.
Appenzell	Château-Chalon, Vin jaune du Jura.
Banon	Côtes-du-Rhône-Villages rouge, Côtes-de-Provence blanc, Coteaux-d'Aix blanc.
Beaufort	Château-Chalon, Vin jaune du Jura.
Bleu d'Auvergne	Loupiac, Maury, Sainte-Croix-du-Mont, Sauternes jeune.
Bleu de Bresse	Monbazillac, Rivesaltes blanc.
Bleu des Causses	Banyuls Vintage, Barsac.
Bleu de Gex	Cérons, Maury, Loupiac.
Boursault	Bouzy, Coteaux Champenois, Mâcon rouge, Rosé des Riceys.
Bouton de culotte	Beaujolais, Hautes-Côtes-de-Beaune blanc ou rouge, Mâcon blanc ou rouge.
Brebis basque et corse	Jurançon sec, Muscat de Corse.
Brie de Meaux et de Melun	Champagne, Pomerol, Saint-Émilion, Sancerre rouge.
Brillat-Savarin	Champagne Blancs de Blancs.
Brin d'Amour	Vin de Corse rouge, Côtes-de-Provence blanc ou rouge.
Broccio de Corse	Vins blancs de Corse secs ou Muscat
Camembert	Cidre doux, Champagne, Coteaux champenois.
Cantal	Côtes-d'Auvergne rouge, Mercurey, Pomerol, Saint-Émilion.
Chabichou	Menetou-Salon blanc, Sancerre blanc.
Chaource	Champagne rosé, Coteaux champenois.
Charolais	Chablis, Mâcon-Villages, Saint-Véran.

FROMAGES	VINS
Chèvre sec	Beaujolais, Mâcon-Villages, Pouilly-Fuissé.
Comté	Château-Chalon, Meursault mûr, Vin jaune du Jura.
Coulommiers	Champagnes Blancs de Blancs jeunes, Coteaux champenois.
Crottin de Chavignol	Pouilly Fumé, Sancerre blanc.
Édam	Chinon, Médoc, Pauillac.
Emmenthal	Roussette de Savoie, Vin blanc de Savoie.
Époisses	Bandol rouge, Gewürztraminer corsé.
Fontainebleau	Muscat de Beaumes-de-Venise, Muscat de Mireval.
Fourme d'Ambert	Banyuls, Rivesaltes, Porto.
Fribourg	Château-Chalon, Meursault mûr, Vin jaune du Jura.
Gouda	Médoc, Madiran, Saint-Estèphe.
Gruyère	Chasselas suisse mûr, Roussette de Savoie, Roussette du Bugey.
Laguiole	Bergerac rouge, Côtes-du-Frontonnais.
Langres	Champagne un peu vieux, Marc de Champagne.
Livarot	Gewürztraminer VT, Pinot Gris VT.
Maroilles	Gewürztraminer corsé, Pinot Gris VT.
Mimolette étuvée vieille	Graves, Médoc, Pomerol, Saint-Émilion.
Morbier	Vin blanc de Savoie.
Mont d'Or	Chasselas suisse mûr (Dézaley), Mâcon-Villages, Roussette de Savoie.
Munster	Gewürztraminer d'Alsace sec ou VT.
Neufchâtel	Cidre, Champagne, Coteaux Champenois.
Ossau-Iraty	Jurançon, Irouléguy blanc.
Pélardon	Châteauneuf-du-Pape blanc ou rouge, Condrieu, Viognier vin de pays.
Pérail de brebis	Corbières, Coteaux-du-Languedoc, Côtes-du-Roussillon, Faugères, Saint-Chinian.
Picodon	Côtes-du-Rhône-Villages rouge, Saint-Joseph blanc ou rouge.
Pont-l'Évêque	Chassagne-Montrachet, Meursault, Riesling d'Alsace mûr.

FROMAGES	VINS
Pouligny Saint-Pierre	Cheverny, Reuilly blanc, Sancerre blanc, Sauvignon de Touraine.
Reblochon	Pouilly-Fuissé, Crépy, Roussette de Savoie.
Rocamadour	Jurançon sec, Xérès.
Roquefort	Banyuls Vintage, Porto, Rivesaltes Rancio, Sauternes.
Saint-Félicien	Beaujolais blanc ou rouge, Saint-Joseph blanc.
Saint-Marcellin	Beaujolais rouge, Châteauneuf-du-Pape blanc, Saint-Joseph blanc.
Saint-Nectaire	Chinon, Médoc, Pauillac.
Sainte-Maure	Bourgueil, sec ou demi-sec.
Salers	Côtes-du-Rhône-Villages rouge, Mercurey, Pomerol, Saint-Émilion.
Selles-sur-Cher	Pouilly Fumé, Sancerre blanc.
Stilton	Banyuls, Maury, Porto Vintage ou LBV, Rivesaltes.
Tomme d'Abondance	Chasselas suisse, Roussette de Savoie, Saint-Joseph blanc.
Tomme d'Auvergne	Côtes-d'Auvergne, Côtes-du-Rhône-Villages rouge, Mâcon-Villages.
Tomme des Pyrénées	Madiran mûr.
Tomme de Savoie	Bourgueil, Chinon, Vin blanc et rouge de Savoie dont Roussette de Savoie.
Vacherin	Chasselas suisse mûr (Dézaley), Meursault mûr, Roussette de Savoie.
Valençay	Quincy, Reuilly blanc ou rosé, Sancerre blanc.
Vieux Gris de Lille	Bière du Nord, eau de vie de genièvre.
Vieux Pané	Anjou rouge, Saint-Nicolas-de-Bourgueil, Touraine rouge.

Où et comment acheter son vin ?

Aujourd'hui, il existe une telle variété de vins qu'il est toujours difficile de fixer son choix. Le prix peut être un critère important, car, de nos jours, la gamme proposée recouvre tous les niveaux de prix. Mais la cherté d'un vin est-elle toujours signe de qualité ? Existe-t-il des vins bon marché de qualité ? Il est également possible de se décider en fonction d'un style de vin (voir p. 28-42). Tout achat répond en outre à un objectif précis : s'agit-il d'un vin pour la consommation quotidienne, d'une bonne bouteille pour un repas entre amis ou d'un Grand Cru pour une occasion exceptionnelle ? Le vin est-il destiné à être bu rapidement ou à vieillir en cave ? L'amateur de vin a ensuite le choix parmi de nombreuses façons d'acheter du vin, depuis l'achat direct auprès du producteur jusqu'au caviste de quartier et aux rayons d'hypermarché. Sans oublier les offres de vente par correspondance et les clubs de vin. On peut même acheter du vin dans les ventes aux enchères. Comment s'y prendre pour bénéficier du meilleur rapport qualité/prix ? Faut-il privilégier les vins des petits producteurs ? Peut-on trouver des Grands Crus dans un hypermarché ? Comment se procurer un vieux millésime ? Pour étudier la vaste offre, les guides de vin et la presse spécialisée constituent de précieux outils, à condition d'en faire un bon usage et de ne pas oublier de se fier à son propre palais. Enfin, les étiquettes de vin donnent davantage de renseignements que celles de la plupart des autres produits. Savoir déchiffrer les informations qui y figurent – sur l'origine du vin, qui l'a élaboré, en quelle année, et d'après quels cépages – permet de se faire, en amont même de l'achat, une idée précise de la qualité et de la valeur du vin.

Le prix du vin

S'il existe bien une fourchette de prix correspondant aux différents niveaux de qualité, rien ne permet de prédire avec précision le prix d'une bouteille particulière. Des aléas de la météorologie jusqu'aux phénomènes de mode, une multitude de facteurs contribuent à déterminer le coût d'un vin au moment où celui-ci est proposé au consommateur.

La cote des appellations

À chaque appellation, ou zone viticole, correspond un prix de référence, fixé par le marché du vin. Il s'agit du prix au tonneau ou à l'hectolitre auquel se font les tractations entre les producteurs et les négociants. La cote d'une appellation, qui est affichée dans le journal local, est fondée sur son prestige, sa cote antérieure et la quantité de vin disponible. Si le vin d'une appellation est très demandé, la cote de cette dernière peut grimper. Mais, malgré quelques variations, la plupart des cotes resteront bon an mal an dans une même fourchette de prix (voir tableau p. 85). Il arrive toutefois que la cote d'une appellation, grâce aux efforts de l'ensemble des vignerons, d'un groupe dynamique ou d'une association qui peut inclure le distributeur, réussisse à monter en gamme et à gagner ses lettres de noblesse au fil des années. Beaucoup plus rarement, de tels efforts donnent naissance à une nouvelle appellation, plus restreinte, ou à l'autorisation pour les vignerons d'ajouter le nom de leur village à celui de l'appellation.

En règle générale, un vin issu d'une appellation plus vaste, telle une appellation régionale (Bourgogne, Côtes-du-Rhône), est moins cher que celui d'une appellation plus restreinte au sein de la même région, comme, par exemple, les appellations communales de Vacqueyras ou de Rasteau dans les Côtes du Rhône ou celle de Puligny-Montrachet en Bourgogne. De la même façon, le prix d'un vin de pays, issu d'un vignoble plus large, est inférieur à celui d'un vin d'appellation ; le prix d'un vin de table, à celui d'un vin de pays. Il existe donc une hiérarchie des catégories de vin qui, dans l'ordre croissant, va des vins de table jusqu'aux Grands Crus classés (voir p. 291). Les prix peuvent toutefois se chevaucher pour les vins commercialisés sous une marque commerciale ou de distributeur (élaborés par l'enseigne elle-même), selon qu'il s'agit de vins d'appellation ou de vins de cépage, à savoir de vins issus d'un seul cépage et classés vins de pays.

La qualité du millésime

Le prix d'un vin peut aussi varier en fonction de son millésime. Contrairement aux pays du Nouveau Monde comme le Chili ou l'Australie, dont le climat plus stable permet d'élaborer des vins d'une grande régularité d'une année à l'autre, la France, et d'autres pays, subissent des aléas météorologiques pouvant entraîner des variations parfois extrêmes (gelées, sécheresses, pluies torrentielles, etc.) qui nuisent à la qualité du vin, tout comme, dans les meilleures années, ils peuvent donner naissance à d'excellents vins. Si l'œnologie moderne permet de pallier, dans une certaine mesure, les défauts d'un vin dus à une mauvaise année, il n'en reste pas moins que les vins de certaines régions viticoles connaissent parfois d'importantes fluctuations dans leur qualité et dans leur prix. Ce constat s'applique avant tout aux Grands Crus de Bordeaux et aux vins liquoreux (voir plus loin).

LES APPELLATIONS MÉCONNUES

La France possède aujourd'hui plus de 430 appellations de vin, et nombre d'entre elles, petites, et parfois de création récente, sont encore mal connues du grand public bien que la qualité de leurs vins n'ait cessé de s'améliorer. Ces appellations offrent au consommateur l'occasion d'acquérir des vins séduisants peu chers et d'un bon rapport qualité/prix, à condition qu'il respecte un certain seuil de prix (environ 1,80 €). Citons, à titre d'exemple, les appellations de Coteaux-du-Giennois et de Coteaux-de-l'Aubance, pour la Loire, celles de Coteaux-du-Languedoc, de Saint-Chinian, de Coteaux-de-Pierrevert, de Côtes-de-la-Malepère et de Minervois-la-Livinière, pour le Languedoc, et celles de Vacqueyras et de Beaumes-de-Venise (rouge), pour les Côtes du Rhône.

Le talent du vigneron

Le décret légal qui régit le cadre dans lequel sont produits les vins d'une appellation (encépagement, rendements, etc.) a pour but premier d'assurer la « typicité » des vins issus d'un terroir. Il laisse néanmoins une certaine marge de manœuvre aux vignerons individuels. Pour améliorer la qualité de leurs vins, certains n'hésitent pas à déployer de gros efforts ou à consacrer d'importants investissements dans la vigne et dans le chai : baisse des rendements, élevage en fût de chêne, replantation des vignes, renouvellement du matériel de vinification, etc. Si le pari réussit, le vigneron peut espérer vendre son vin plus cher, ce qui reflète en général le coût plus élevé de son élaboration. Mais l'augmentation des prix n'est pas systématique, permettant à l'amateur de vins de réaliser parfois de belles affaires.

Les noms de ces vignerons talentueux figurent souvent dans les guides d'achat et les palmarès des concours. Avec leur réputation grandissante, ces vins deviennent plus difficiles, voire impossibles, à trouver sur le marché et leur prix peut, par conséquent, monter en flèche. Enfin, certains vignerons préfèrent élaborer leurs vins sans se soumettre aux contraintes d'une appellation, au prix toutefois de renoncer au droit d'apposer l'étiquette de cette dernière sur leurs bouteilles (voir encadre ci-contre).

Quel prix pour le consommateur ?

Selon la façon dont il est commercialisé, le même vin n'est pas proposé au même prix. L'achat direct auprès d'un vigneron, surtout en quantité importante, reste un des moyens les plus courants pour se procurer un bon vin à un prix intéressant. Mais tous les producteurs ne pratiquent pas cette forme de vente et certains la découragent même en alignant leurs prix dits « au caveau », c'est-à-dire à la propriété, sur ceux des cavistes, pour ne pas leur faire une concurrence déloyale.

Grâce à ses puissantes centrales d'achat, la grande distribution est à même d'offrir, elle aussi, des prix très avantageux pour une vaste gamme de vins, y compris des crus renommés. Certains cavistes et clubs de vente offrent conseils et services, prestations qui justifient des prix légèrement plus élevés (d'environ 10 à 20 % en moyenne). On y trouvera en outre des vins provenant de petites appellations mal connues ou de petits producteurs. Car il faut savoir que tous les vins ne sont pas disponibles partout. Il arrive aussi que le même vin soit vendu sous différentes étiquettes.

Enfin, certaines catégories de vins privilégient un système de vente spécifique, comme la « vente en primeur » (voir encadré p. 84) pour les Crus classés du Bordelais, ou la vente aux enchères (voir p. 97) pour des vins rares et des vieux millésimes ou encore les magasins et importateurs spécialisés, pour les vins étrangers. Il n'existe donc pas de méthode simple permettant d'obtenir le meilleur rapport qualité/prix. Ce n'est qu'en étudiant attentivement les prix du marché et en multipliant les dégustations que l'amateur de bonnes affaires pourra espérer trouver son bonheur.

DES VINS DE PAYS PLUS CHERS QUE DES VINS D'APPELLATION

Il est toujours bon de rappeler que les appellations d'origine contrôlée (AOC) ne certifient en aucun cas la qualité d'un vin, mais visent seulement à garantir sa « typicité » grâce à une réglementation qui, pour un terroir donné, spécifie les cépages obligatoires et/ou autorisés et le taux maximal de rendement. Or, certains vignerons, en France comme à l'étranger, jugent trop contraignante cette législation et souhaitent élaborer leurs propres styles de vin, en utilisant des cépages non autorisés. Leurs vins se voient alors reclassés en vins de pays. Dès lors que ces vins sont d'excellente qualité, ils trouvent facilement preneurs sur le marché, souvent à des prix plus élevés que ceux pratiqués pour les vins d'AOC. Certains d'entre eux, dont le choix des cépages s'appuie sur des recherches historiques, ont même acquis la réputation d'exprimer mieux la « typicité » du terroir que les vins produits en conformité avec la réglementation officielle.

Ce phénomène a connu, dès les années 1980, un grand essor en Italie, d'abord en Toscane, puis dans d'autres régions, où les *vini da tavola* (vins de table) ont parfois atteint un niveau de qualité (et de prix) qui correspond à celui d'un grand vin d'appellation.

Vins liquoreux et Champagne : des vins prestigieux trop chers ?

Associés généralement aux fêtes et aux grands repas, les vins liquoreux et le Champagne sont vendus à des prix qui peuvent paraître élevés. Faut-il y voir une sorte de prime due au prestige et au passé glorieux de ces vins ? Ce serait oublier que leur élaboration, lorsqu'elle se fait dans les règles de l'art, est régie par des conditions particulièrement difficiles, pour les premiers, et par un processus long et coûteux, pour le second.

Qu'il s'agisse d'un liquoreux de l'Anjou, comme le Coteaux-du-Layon, du Bordelais, comme le Sauternes ou le Barsac, ou de l'Alsace (Vendanges tardives ou Sélection de grains nobles), la production des vins liquoreux comporte un grand risque pour le vigneron : pour obtenir la surmaturité du raisin, nécessaire à ces vins, il faut qu'il retarde autant que possible les vendanges, s'exposant ainsi au risque de perdre toute sa récolte, si le temps se dégrade. Quand, au contraire, il sera récolté plus tôt, le raisin don-

LES « SECONDS VINS » DU MÉDOC

Pour élaborer leur « grand vin » ou « premier vin », les châteaux du Médoc, producteurs de Grands Crus, procèdent à une sélection rigoureuse qui ne retient pour l'assemblage que les meilleures cuvées, ou lots de vin, provenant des différentes parcelles de la propriété. Les autres cuvées servent à produire un « second vin », voire, plus rarement, un troisième ou un quatrième, qui sont vendus sous une étiquette différente (par exemple, Les Forts de Latour pour le second vin de Château Latour). La qualité de ces vins, qui ne sont soumis à aucune réglementation, dépend du degré de leur maturité, de l'âge des vignes dont ils sont issus et du millésime, mais aussi des critères de sélection, plus ou moins rigoureux selon les producteurs. Dans un grand millésime, il est possible de trouver des « seconds vins » dignes des « premiers », mais à un prix bien plus abordable. Moins concentrés que les « grands vins », ils doivent être bus plus rapidement. Voir aussi encadré p. 294-295.

nera un vin moelleux, mais sans le parfum caractéristique d'un bon liquoreux. Seule la formation de la pourriture noble, due à l'action d'un champignon, le *Botrytis cinerea* (voir encadré p. 263), garantit, dans les bonnes années, des raisins dits rôtis qui, peu à peu, se concentrent et atteignent une richesse en sucres très élevée, sans que l'acidité ne soit trop forte. Les vendanges sont d'ailleurs effectuées par tris successifs où l'on ne ramasse que les grains ayant atteint le mûrissement souhaité. Les rendements sont bas et la main d'œuvre importante, ce qui en fait des vins rares et recherchés.

Quant au Champagne, il exige également des soins particuliers dès les vendanges : cueillette manuelle, tris successifs des raisins, etc. Suivent alors une longue élaboration qui transforme le vin tranquille en vin effervescent (voir p. 250) et un vieillissement qui peut se prolonger pendant plusieurs années pour un bon Champagne millésimé, c'est-à-dire issu d'une seule bonne année. À cela s'ajoutent, pour les grandes maisons comme Moët ou Taittinger, les frais liés à la promotion de leur image de marque dans un marché international. Nombre d'amateurs français leur préfèrent donc les Champagnes de vigneron (ou de coopérative), souvent moins complexes parce que généralement issus d'un seul vignoble, mais aussi moins chers et dotés parfois d'un cachet individuel. Enfin, à l'approche des fêtes de fin d'année, on voit fréquemment apparaître des « cuvées spéciales » ou des coffrets, dont la présentation entraîne une hausse des prix.

Les Crus classés de Bordeaux : un monde à part

Les prix des grands vins de Bordeaux ont de tous temps connu des fluctuations en dents de scie. Ces vins sont élaborés par un petit nombre de châteaux, qui représentent moins de 5 % de la production vinicole de la région, et leur commercialisation, la « vente en primeur » au printemps qui suit les vendanges, est régie par la « place », un marché dominé traditionnellement par les courtiers et les sociétés de négoce. Il s'agit d'un achat par souscription, par lequel les acquéreurs prennent une option sur un vin qui se trouve encore en fûts ; les bouteilles ne seront livrées que 12 à 18 mois plus tard (pour savoir comment acheter « en primeur », voir encadré p. 84). Dans les années qui vont suivre, ces vins peuvent voir monter leur prix, parfois prodigieusement, ou bien, plus rarement, perdre en valeur. Il est en effet très difficile de prédire l'évolution de la qualité d'un vin et de son prix.

Grâce à une forte demande, française comme internationale, les Grands Crus classés du Bordelais ont connu depuis les années 1980 une extraordinaire flambée de prix qui n'était d'ailleurs pas toujours justifiée, car certains millésimes – par exemple, au début des années 1990 – se sont révélés décevants par la suite. Lors de sa sortie, le millésime 2000, excellent selon les experts, ainsi que le chiffre rond du millénaire ont fait rêver spéculateurs et collectionneurs, certains Premiers Crus classés ayant atteint des prix s'élevant à plus de 300 € par bouteille.

ACHETER « EN PRIMEUR » : UNE BONNE AFFAIRE ?

La vente « en primeur » – à ne pas confondre avec les vins « primeurs », comme le Beaujolais Nouveau – est pratiquée avant tout pour les Grands Crus classés et certains Crus bourgeois de Bordeaux. Généralement, elle a lieu au printemps qui suit la récolte. Tel lot de vins est alors proposé, par l'intermédiaire de négociants ou de cavistes, au prix fixé au moment où le vin est encore en fût. L'acquéreur paie une avance et s'acquittera du solde quand les bouteilles lui seront livrées 12 à 18 mois plus tard. Ces ventes ont désormais acquis un caractère hautement spéculatif : la cote d'un vin, voire d'un millésime entier, peut tout aussi bien monter en flèche que s'effondrer par la suite. Il peut en outre arriver qu'un négociant fasse faillite et ne soit plus en mesure de livrer les bouteilles à ses clients. À l'acheteur potentiel, il est donc vivement conseillé de bien se renseigner dans la presse spécialisée sur la qualité du millésime et l'évolution des prix. Seul un bon millésime permet de réaliser des économies importantes.

Ces dernières années, la vente par souscription s'est étendue à d'autres vignobles (Bourgogne, Rhône, Alsace et même le Languedoc). Pour se renseigner sur les ventes « en primeur », on peut s'adresser aux négociants, cavistes ou clubs de vente ou bien directement à la propriété.

LE PRIX DES VINS PAR FAMILLES

Le tableau suivant donne, à titre indicatif, une fourchette de prix pour quelques appellations françaises, classées selon leur appartenance à l'une des grandes familles de vins (voir p. 28). Tout en proposant plusieurs catégories de prix pour chaque famille ou style de vin, la liste des appellations est loin d'être exhaustive : il existe plus de 430 appellations d'origine de vin – AOC et AOVDQS – en France. Il faut en outre savoir que le vin d'un producteur renommé peut se vendre à un prix très supérieur à celui indiqué ici pour une appellation (voir p. 80).

VINS ROUGES LÉGERS ET FRUITÉS

Côtes-du-Forez	– de 5€	Hautes-Côtes-de-Beaune	5 à 10€
Coteaux-du-Lyonnais	– de 5€	Hautes-Côtes-de-Nuits	5 à 10€
Anjou	5 à 10€	Saint-Nicolas-de-Bourgueil	5 à 10€
Arbois	5 à 10€	Vin de Savoie	5 à 10€
Beaujolais	5 à 10€	Bourgogne	10 à 20€
Bourgueil	5 à 10€	Pinot Noir d'Alsace	10 à 20€
Côtes-du-Jura	5 à 10€	Sancerre	10 à 20€

VINS ROUGES CHARNUS ET FRUITÉS

Bergerac	– de 5€	Côtes-du-Frontonnais	5 à 10€
Bordeaux	– de 5€	Gaillac	5 à 10€
Bordeaux Supérieur	5 à 10€	Premières-Côtes-de-Blaye	5 à 10€
Bourgueil	5 à 10€	Saint-Nicolas de Bourgeuil	5 à 10€
Buzet	5 à 10€	Touraine	5 à 10€
Chinon	5 à 10€	Coteaux-d'Aix	10 à 20€
Côtes-de-Bourg	5 à 10€	Crozes-Hermitage	10 à 20€
Côtes-de-Castillon	5 à 10€	Saint-Joseph	10 à 20€
Côtes-de-Provence	5 à 10€	Coteaux champenois	+ de 20€
Côtes-du-Rhône-Villages	5 à 10€		

VINS ROUGES COMPLEXES, PUISSANTS ET GÉNÉREUX			
Cahors	5 à 10€	Saint-Chinian	5 à 10€
Corbières	5 à 10€	Vacqueyras	5 à 10€
Côtes-du-Roussillon-Villages	5 à 10€	Gigondas	10 à 20€
Coteaux-du-Languedoc	5 à 10€	Madiran	10 à 20€
Minervois	5 à 10€	Saint-Émilion	10 à 20€
Minervois-la-Livinière	5 à 10€	Châteauneuf-du-Pape	+ de 20€
Pécharmant	5 à 10€	Pomerol	+ de 20€

VINS ROUGES COMPLEXES, TANNIQUES ET RACÉS			
Graves	10 à 20€	Pessac-Léognan	+ de 10€
Haut-Médoc	10 à 20€	Saint-Émilion Grand Cru	+ de 10€
Bandol	+ de 10€	Saint-Estèphe	+ de 10€
Cornas	+ de 10€	Saint-Julien	+ de 10€
Médoc	+ de 10€	Côte-Rôtie	+ de 20€
Pauillac	+ de 10€	Hermitage	+ de 20€

VINS ROUGES COMPLEXES, ÉLÉGANTS ET RACÉS			
Mercurey	10 à 20€	Corton	+ de 20€
Chambolle-Musigny	+ de 20€	Pommard	+ de 20€
Gevrey-Chambertin	+ de 20€	Volnay	+ de 20€
Vosne-Romanée	+ de 20€		

VINS ROSÉS VIFS ET FRUITÉS			
Côtes-de-Provence	– de 5€	Baux-de-Provence	5 à 10€
Côtes-du-Jura	– de 5€	Coteaux-d'Aix	5 à 10€
Rosé de Loire	– de 5€	Coteaux-Varois	5 à 10€
Côtes-du-Lubéron	3 à 10€	Irouléguy	5 à 10€
Bellet	5 à 10€	Palette	5 à 10€

VINS ROSÉS VINEUX ET CORSÉS

Côtes-du-Rhône	– de 5 €	Marsanney	5 à 10 €
Corbières	– de 5 €	Tavel	5 à 10 €
Coteaux-du-Languedoc	3 à 10 €	Bandol	10 à 20 €
Bordeaux Clairet	5 à 10 €	Rosé des Riceys	10 à 20 €
Lirac	5 à 10 €		

VINS BLANCS SECS LÉGERS ET NERVEUX

Cheverny	– de 5 €	Pouilly-sur-Loire	3 à 10 €
Saint-Pourçain	– de 5 €	Sylvaner d'Alsace	3 à 10 €
Bourgogne Aligoté	3 à 10 €	Vin de Savoie	3 à 10 €
Crépy	3 à 10 €	Bergerac	5 à 10 €
Entre-deux-Mers	3 à 10 €	Cour-Cheverny	5 à 10 €
Gros-Plant	3 à 10 €	Petit Chablis	5 à 10 €
Pinot Blanc d'Alsace	3 à 10 €		

VINS BLANCS SECS SOUPLES ET FRUITÉS

Arbois (Chardonnay ou Savagnin)	3 à 10 €	Quincy	5 à 10 €
Côtes-de-Provence	3 à 10 €	Roussette de Savoie	5 à 10 €
Bandol	5 à 10 €	Roussette du Bugey	5 à 10 €
Cassis	5 à 10 €	Ruilly	5 à 10 €
Premières-Côtes-de-Blaye	5 à 10 €	Saint-Véran	5 à 10 €
Coteaux-d'Aix	5 à 10 €	Sancerre	5 à 10 €
Gaillac	5 à 10 €	Saumur	5 à 10 €
Graves	5 à 10 €	Vins de Corse	5 à 10 €
Jurançon sec	5 à 10 €	Bellet	10 à 20 €
Picpoul-de-Pinet	5 à 10 €	Chablis	10 à 20 €
Montlouis sec	5 à 10 €	Pouilly Fumé	10 à 20 €
Muscadet	5 à 10 €	Pouilly-Fuissé	+ de 20 €

VINS BLANCS SECS AMPLES ET RACÉS			
Chablis Premier Cru	10 à 20 €	Chablis Grand Cru	+ de 20 €
Savennières	10 à 20 €	Chassagne-Montrachet	+ de 20 €
Vouvray	10 à 20 €	Corton-Charlemagne	+ de 20 €
Châteauneuf-du-Pape	10 à + de 20 €	Hermitage	+ de 20 €
Meursault	10 à + de 20 €	Montrachet	+ de 20 €
Pessac-Léognan	10 à + de 20 €	Puligny-Montrachet	+ de 20 €

VINS BLANCS SECS TRÈS AROMATIQUES			
Gewürztraminer d'Alsace	5 à 10 €	Xérès	10 à 20 €
Muscat d'Alsace	5 à 10 €	Château-Chalon	+ de 20 €
Pinot Gris d'Alsace	5 à 10 €	Condrieu	+ de 20 €
Riesling d'Alsace	5 à 10 €	Vin jaune du Jura	+ de 20 €
Manzanilla	10 à 20 €		

VINS BLANCS DEMI-SECS, MOELLEUX OU LIQUOREUX			
Cadillac	5 à 10 €	Barsac	+ de 20 €
Pacherenc-de-Vic-Bilh	5 à 10 €	Bonnezeaux	+ de 20 €
Cérons	10 à 20 €	Gewürztraminer VT	+ de 20 €
Coteaux-de-l'Aubance	10 à 20 €	Gewürztraminer SGN	+ de 20 €
Coteaux-du-Layon	10 à 20 €	Pinot Gris SGN	+ de 20 €
Loupiac	10 à 20 €	Quarts-de-Chaume	+ de 20 €
Monbazillac	10 à 20 €	Riesling SGN	+ de 20 €
Montlouis moelleux	10 à 20 €	Sauternes	+ de 20 €
Pinot Gris VT	10 à 20 €	Tokay de Hongrie	+ de 20 €
Riesling VT	10 à 20 €	Vouvray	+ de 20 €
Sainte-Croix-du-Mont	10 à 20 €		

VINS EFFERVESCENTS			
Blanquette de Limoux	5 à 10€	Gaillac	5 à 10€
Clairette de Die	5 à 10€	Montlouis	5 à 10€
Crémant d'Alsace	5 à 10€	Saumur	5 à 10€
Crémant de Bordeaux	5 à 10€	Vouvray	5 à 20€
Crémant de Bourgogne	5 à 10€	Champagne	+ de 10€
Crémant du Jura	5 à 10€		

VINS DOUX NATURELS ET VINS DE LIQUEUR			
Muscat de Mireval	5 à 10€	Pineau des Charentes	10 à 20€
Muscat de Rivesaltes	5 à 10€	Rasteau	10 à 20€
Macvin du Jura	10 à 20€	Banyuls	+ de 10€
Maury	10 à 20€	Porto	+ de 10€
Muscat de Beaumes-de-Venise	10 à 20€	Rivesaltes	+ de 10€
Muscat de Frontignan	10 à 20€		

Où acheter son vin ?

Grande surface, caviste, achat direct à la propriété, vente par correspondance ou par Internet, ventes aux enchères… Chaque point de vente essaie d'attirer une clientèle définie : certains se spécialisent dans le conseil et le service ; d'autres se concentrent sur le meilleur prix et la rotation de leurs stocks ou permettent d'acquérir des vins rares ou produits en petite quantité. Rien n'empêche l'amateur de bénéficier des avantages de chacune de ces filières.

Les grandes surfaces : vaste choix et prix avantageux

La grande distribution (hypermarché, supermarché, supérette, etc.) est aujourd'hui responsable de plus de 70 % du marché des ventes de vin à emporter en France, et même de plus de 80 % en Belgique. Son atout majeur est indéniablement le prix auquel elle peut offrir, grâce au pouvoir de ses centrales d'achat et à un faible coût logistique, un vaste choix de vins, qui va des vins de table ordinaires (autour de 1 €), des vins dits « de premier prix » (autour de 1,50 €) et des vins de cépage (à partir de 2 €) jusqu'aux Grands Crus, dans le cas des hypermarchés, et aux vins de gamme moyenne, pour les supermarchés.

Or, cette force fait aussi sa faiblesse, car il n'est pas toujours facile de réconcilier le volume avec la qualité et la variété, qui caractérise notamment le paysage vinicole français. Certains petits vignobles, comme ceux de la Bourgogne ou de la Loire, sont ainsi moins bien représentés sur les rayons, puisqu'ils ne produisent pas de lots de vin en quantité suffisamment importante. Il peut aussi arriver qu'un bon vin découvert un jour au hasard ne soit plus disponible quelques semaines plus tard. Pour faire face à la demande croissante, la grande surface a créé des marques de distributeur. Il s'agit de vins de diverses provenances, élaborés par des coopératives ou des négociants et embouteillés directement pour le compte d'une enseigne ; leur qualité est parfois cautionnée par des experts (Club des sommeliers, Pierre Chanau, etc.). Ces vins peuvent être bons comme insipides, et nombre d'entre eux ne représentent pas toujours le meilleur d'une appellation.

LES FOIRES AUX VINS

Réputées jadis pour écouler des vins qui ne trouveraient preneur nulle part ailleurs, les foires aux vins, organisées chaque automne par la grande distribution, sont devenues au fil des années des rendez-vous incontournables. Si l'on y trouve toujours quantité de bouteilles médiocres et sans intérêt, on peut dénicher, en cherchant bien, des lots intéressants. Les meilleures affaires restent les Grands Crus des bons millésimes ainsi que certains vins étrangers et quelques vins de producteur. Il faut se méfier des millésimes moins réussis, des crus inconnus et des petits châteaux dont le nom et la belle étiquette peuvent cacher un vin bien ordinaire. À éviter aussi les appellations très connues (Beaujolais, Muscadet, Sancerre) et les vins à très bas prix. Pour réussir : se munir d'un guide ou du numéro de septembre ou hors-série, que la presse hebdomadaire et spécialisée consacre à cet événement, et se rendre sur les lieux dès les premiers jours, voire obtenir une invitation pour la soirée d'ouverture pour y être en avant-première.

Par ailleurs, le choix proposé devient source d'embarras lorsque l'amateur de vins se retrouve devant d'interminables rayons où le pire côtoie le meilleur, sans autre distinction que la couleur du vin, son prix et sa provenance. Les conditions dans lesquelles les bouteilles sont entreposées sont parfois loin d'être idéales. Mais, grâce au renouvellement rapide des stocks, les bouteilles ne restent pas longtemps dans les rayons. Et la plupart des vins ne sont pas des produits fragiles, ce sont surtout les rosés et certains Champagnes, vendus dans une bouteille de verre blanc, qui risquent de souffrir de la lumière crue des néons.

Ces ombres au tableau disparaissent lorsqu'un magasin consacre des efforts pour améliorer la présentation de ses vins (bouteilles couchées, à l'abri d'une lumière trop crue et à température adéquate ; Grands Crus protégés dans une armoire ; mise en place d'un coin caviste). Telle enseigne s'est dotée d'experts qui la conseilleront dans sa politique d'achat, telle autre a signé des contrats avec des négociants ou même avec toute une appellation pour donner naissance à une « filière de qualité ».

Aujourd'hui, la plupart des magasins offrent donc au consommateur une vaste gamme de vins à des prix très compétitifs. Il ne faut certes pas chercher à y dénicher le vin de tel petit domaine, et certains bons producteurs préfèrent ne pas commercialiser leur vin de cette façon. Mais les ventes spéciales comme les foires aux vins sont d'excellentes occasions pour acquérir, par exemple, un cru bordelais au meilleur prix (voir encadré p. 91).

Le caviste : conseils et service

Le caviste de quartier reste, lorsqu'on est citadin, le principal intermédiaire entre le producteur et le consommateur. Un bon caviste – il existe même un diplôme de caviste, mais qui ne bénéficie pas d'une reconnaissance officielle – doit avant tout aimer le vin et se rendre régulièrement dans le vignoble ou dans les salons pour dénicher de bons vins qu'il se fera un plaisir de faire découvrir à ses clients. Dans sa cave logent aussi bien de grands classiques, de petits crus méconnus et de vieux millésimes que des vins de saison et des alcools de référence, des vins que l'on boit le soir même et des vins de garde, destinés à vieillir. Mais son rôle va beaucoup plus loin : tel un sommelier, il aidera ses clients à trouver l'équilibre entre la qualité du vin qu'ils recherchent et le prix qu'ils sont prêts à mettre, de même qu'il les conseillera pour marier les mets d'un repas avec les vins qui leur conviennent. Tel un conseiller intime, il peut initier le néophyte aux secrets du vin et proposera régulièrement des dégustations dans sa boutique. Les services d'un bon caviste valent largement les prix légèrement supérieurs qu'il exige de ses clients. Malheureusement, tous les cavistes ne présentent pas ce profil idéal et les cavistes individuels tendent à disparaître. Il incombe donc à l'intéressé de découvrir celui qui répond au mieux à ses besoins.

À mi-chemin du caviste et de la grande distribution, la chaîne de cavistes (Nicolas, Repaire de Bacchus, etc.) tente d'allier les services inestimables du premier aux prix compétitifs de la seconde. Si les prix sont assurés par un achat centralisé, la qualité de l'accueil et des services dans un magasin particulier reste tributaire de la compétence du gérant et de son équipe. Installés généralement dans les grandes villes, ces magasins offrent un bon choix de vins de tous les styles et dans presque toute la gamme de prix. La plupart organisent également des dégustations et des ventes promotionnelles, comme les foires aux vins. Certains proposent en outre des catalogues détaillés ou des services particuliers, telle la possibilité d'acheter des vins « en primeur » ou des vins de garde, vendus parfois moins cher qu'à la propriété ou chez un négociant, ou celle d'envoyer dans la journée une bouteille à des amis à l'autre bout du pays.

L'achat à la propriété : vins originaux et prix intéressants

L'achat à la propriété reste souvent un bon moyen pour se procurer à un prix raisonnable des vins de qualité qui ne sont pas ou peu diffusés. Souvent, car nombre de producteurs ne pratiquent en effet pas cette forme de vente ou la découragent (voir p. 80). Si la chance lui sourit, l'amateur dénichera un vigneron dont le vin est excellent et n'a pas subi une hausse de prix due à une réputation déjà faite. Par ailleurs, le propriétaire n'hésite pas, en général, à réserver à ses clients fidèles un plus grand nombre de bouteilles d'un bon millésime.

L'ACHAT EN VRAC

L'achat de vin « en vrac », c'est-à-dire non logé en bouteilles, est pratiqué pour les vins de consommation courante ou de qualité moyenne par des coopératives, certains négociants ou vignerons ainsi que quelques détaillants (« vente à la tireuse »). Le vin est alors vendu dans un contenant plus ou moins grand (bonbonne de verre, Cubitainer en plastique, fûts de différentes tailles…). Acheminé à domicile, il doit être embouteillé dans un délai relativement bref (voir p. 192). L'achat en vrac permet en général de payer un litre de vin au prix d'une bouteille de 75 cl. Certains producteurs équipés et cavistes proposent également un conditionnement en « bag-in-box » de 5, 10 ou 20 litres. Il s'agit d'un sac en plastique rempli sous vide et logé dans une boîte en carton, munie d'un robinet. Même une fois entamé, le vin se conserve alors au moins 5 mois.

Pour que la visite soit réussie, il vaut mieux prendre rendez-vous (hors la saison des vendanges), ce qui donnera sans doute droit à une dégustation sérieuse. Si l'on a apprécié le vin, il convient d'en prendre au moins quelques bouteilles ; si le vin a paru mauvais, il faut avoir l'honnêteté d'en dire les raisons. Comme il est bien difficile de se faire une opinion immédiate, il est préférable de réunir un échantillonnage de vins d'une même région, que l'on goûtera tranquillement une fois rentré chez soi, avant de passer une commande importante. Tel vin délicieux

LE TRANSPORT DU VIN

Qu'il soit blanc, rosé ou rouge, le vin ne supporte pas les changements brusques de température. Pour transporter ou se faire livrer du vin, il vaut donc mieux éviter les périodes de grande chaleur et de grand froid. De plus, le vin est lourd : une caisse de 12 bouteilles pèse environ 16 kg – davantage si les caisses sont en bois ou si le domaine utilise du verre lourd et épais (notamment pour le Champagne). Quelques caisses dans une voiture déjà bien chargée pour les vacances peuvent endommager la suspension. Une fois le vin arrivé à bon port, on inspectera l'état des bouteilles, et notamment le niveau du vin dans la bouteille, et on les placera directement dans la cave. Avant de boire le vin, il est nécessaire de le laisser reposer une à deux semaines, et jusqu'à plusieurs mois pour un grand vin âgé.

Le transport du vin est strictement réglementé : une capsule-congé doit être apposée au sommet de chaque bouteille ; le vin acheté en vrac et les bouteilles sans capsules doivent être accompagnés d'un congé délivré par le vigneron ou par la recette-perception la plus proche. Sur ce document figurent le nom du vendeur et du cru, le volume et le nombre de récipients, le destinataire ainsi que le mode et la durée du transport.

Pour une livraison, le prix du transport peut être compris (prix « franco de port ») ou s'ajouter au prix « départ cave ». Les frais de transport varient en fonction du vignoble, du transporteur et du poids des bouteilles. Il faut compter environ 1,5 € par bouteille pour de petites quantités, et entre 0,60 et 1,20 € par bouteille à partir de 48 bouteilles.

dégusté dans l'ambiance d'une petite cave pendant les vacances pourra se révéler insipide par la suite. La certitude d'avoir fait le bon choix compensera bien le prix du transport.

La visite chez le vigneron est une bonne occasion de s'informer sur la façon dont celui-ci élabore ses vins. La bonne tenue et l'hygiène de la cave sont en général de bon augure. À défaut de pouvoir se déplacer, on peut profiter de salons et de journées de portes ouvertes pour rencontrer des vignerons et leur acheter du vin.

L'achat à la propriété demande quelques formalités et précautions. Il faut d'abord s'assurer que le vin a été mis en bouteilles par le propriétaire lui-même ou a été vinifié séparément s'il a été mis en bouteilles à la coopérative. Dans ce dernier cas, l'étiquette porte alors tout à fait légalement la mention « mise en bouteille à la propriété (ou au château) ». Dans plusieurs régions, les propriétaires apportent leur raisin à une coopérative et bénéficient en retour d'une part de la production de la coopérative sous forme de vin en bouteilles. Un tel vin peut être honnête, mais il n'aura pas grand-chose à voir avec un vin de producteur : il vaut alors mieux aller directement à la coopérative où les prix risquent d'être plus bas pour le même vin. Ne jamais prendre livraison de vin sans facture. Les bouteilles doivent être bien étiquetées et chacune comporter une capsule-congé (voir encadré ci-contre). Évitez de vous rendre complice de techniques frauduleuses qui consistent à vous offrir un vin d'appellation avec une étiquette de vin ordinaire. Ces pratiques courantes dans certaines régions, comme la Bourgogne, peuvent vous coûter cher.

La vente par correspondance : un service de qualité à distance ?

Lorsqu'elle est de qualité, la vente par correspondance (VPC) ou, plus récemment, par Internet peut jouer un rôle analogue à celui du caviste ou de la chaîne de cavistes, en particulier pour l'amateur de vins qui habite loin des centres urbains. Elle apportera alors à ses clients un catalogue raisonné, des publications périodiques sur l'évolution d'un vignoble, des informations sur les millésimes et leur potentiel de vieillissement, la possibilité de découvrir de nouveaux bons producteurs, etc.

Les meilleurs représentants de cette forme de vente sont généralement les clubs de vins (Savour Club, Club des vins de France), qui proposent des services plus complets. Le Savour Club offre ainsi à ses clients des vins vendus sous l'étiquette du club et sélectionnés par des œnologues et dégustateurs de renom. Il permet à ses adhérents de participer à des stages de formation à la dégustation et propose régulièrement des offres spéciales. Les points de vente installés dans les grandes villes fonctionnent selon le système *cash-and-carry*. Si les vins d'appellations génériques sont vendus plus cher que dans la grande distribution, l'amateur pourra trouver en revanche des Grands Crus et des vins de propriété à des prix inférieurs à ceux pratiqués par les cavistes.

La vente par correspondance peut aussi être pratiquée par un négociant installé dans une région viticole, qui peut être lui-même producteur, vendre les vins d'autres producteurs, voire avoir le monopole de leur distribution. Il arrive aussi qu'il élève des vins à partir de ceux fournis par différents producteurs, tout en commercialisant des vins provenant d'autres vignobles.

Pour bénéficier des avantages de ce type de vente, il est essentiel de bien comparer l'offre et les conditions de vente : la qualité et la gamme des vins proposés, le prix de la bouteille, qui peut être hors taxes ou non, la quantité minimale à l'achat, les frais de transport qui peuvent être très élevés, la qualité du service après-vente en cas de réclamation. Lorsqu'une commande est passée, il

L'ACHAT GROUPÉ

Afin de pouvoir bénéficier de prix réservés habituellement aux professionnels, il peut être avantageux de recourir à un achat groupé. Que ce soit au sein d'un club d'amateurs ou simplement entre amis, il est vivement conseillé de préparer bien la commande et la réception de la marchandise (lots de vin à commander, remise de chèques dès la prise de commande, possibilité d'entreposer les bouteilles, etc.). Cette solution permet en général de faire des économies sur les frais de transport, mais est également un bon moyen pour acheter « en primeur » (voir encadré p. 84).

faut veiller à préciser la date exacte de livraison, prévoir un lieu où peuvent être entreposées les bouteilles, s'il s'agit d'un achat groupé, et vérifier, dès réception, l'état de la marchandise en cas d'erreur ou de bris. Pour repérer de bonnes adresses, on peut consulter la presse spécialisée. La même prudence est de mise pour un achat par le biais d'un site Internet, qui doit en outre disposer d'un système de paiement sécurisé.

La vente aux enchères : à l'affût de bonnes affaires

Les ventes aux enchères ne se limitent pas aux seules bouteilles rares et célèbres, dont les prix battent tous les records. Si elles sont parfois la seule occasion pour un collectionneur de trouver le millésime rare ou ancien qui lui fait défaut, l'amateur de vins pourra y acquérir une caisse de vins d'un bon millésime, certes sans grande réputation, mais qu'il paiera à un prix avantageux. La plupart des vins vendus aux enchères datent des vingt dernières années : les millésimes sont prêts à être bus ou le seront bientôt ; ils n'ont donc pas besoin de vieillir dans une cave. Pour faire une bonne affaire, il vaut mieux éviter les vins trop prestigieux (grands liquoreux, crus de Bordeaux, etc.). Le néophyte fera appel à un expert, qui peut être un ami ou un caviste, pour repérer les offres intéressantes. Pour ne pas, dans l'euphorie des ventes, acheter un vin à un prix beaucoup trop élevé, il est préférable de se procurer au préalable une cote pour les grands vins, établie par des experts.

Pour se renseigner sur les ventes en France, on peut consulter *la Gazette de Drouot,* disponible en kiosque, qui annonce toutes les ventes à venir, à Paris et en province. Il faut ensuite s'adresser au commissaire-priseur pour obtenir un catalogue détaillé des lots et de leur estimation ainsi que des informations sur les conditions de conservation et l'état des bouteilles : préservation de l'étiquette, état du bouchon, niveau du vin dans la bouteille (voir p. 183), caisse d'origine ou non. Sans oublier d'étudier les conditions de vente : au prix de l'enchère s'ajoutent en général la commission, des taxes, et les frais d'expédition et d'assurance. Il est également possible de participer à une vente sans se déplacer, en communiquant l'ordre d'achat au commissaire-priseur au moins 24 heures à l'avance, ou d'enchérir par téléphone, voire par Internet.

Sélectionner son vin

Il existe, dans le monde entier, tant de producteurs et un tel nombre de vins différents que le meilleur spécialiste ne peut prétendre les connaître tous au cours de sa vie. Une tâche d'autant plus difficile que chaque millésime offre des différences et que les millésimes précédents sont en perpétuelle évolution. Placé devant cet immense choix, comment l'amateur de vins peut-il mettre à profit les outils qui lui sont offerts pour sélectionner les vins destinés à lui plaire ?

Les guides d'achat : peut-on s'y fier ?

L'intérêt croissant du grand public pour les vins de qualité s'est accompagné ces dernières années d'une prolifération de guides d'achat, publiés annuellement à l'occasion de la mise sur le marché des nouveaux millésimes. Pour le seul vignoble français, il existe ainsi une bonne dizaine de guides qui s'attachent tous à sélectionner pour leurs lecteurs les vins qui présentent le meilleur rapport qualité/prix. Tandis que certains s'efforcent de présenter les meilleurs domaines ou les meilleurs vins pour chaque appellation ou terroir, d'autres privilégient les vins « à petits prix » ou ceux disponibles dans les grandes surfaces. Il existe même un guide pour les vins élaborés avec des raisins issus de l'agriculture biologique.

Outre par la gamme de prix et le nombre de vins retenus, ces guides se distinguent avant tout par leur schéma de présentation et leur méthode d'analyse. Les uns privilégient dans leur description les commentaires des vins et des cuvées, les autres les producteurs, domaines ou châteaux. Tel guide repose sur l'expertise de dégustateurs de renom (Robert Parker, Michel Bettane et Thierry Desseauve), tel autre sur celle d'un jury composé de sommeliers ou d'œnologues qui dégustent à l'aveugle les vins.

Peut-on se fier aux palmarès de ces guides ? Les sélections qui y sont proposées reposent sur l'avis d'experts, ce qui garantit généralement leur sérieux. Il n'en reste pas moins que tout jugement d'un vin comporte, au-delà des compétences techniques incontes-

QUELQUES GUIDES D'ACHAT

Le Guide Parker des vins de France, Éditions Solar. Le dégustateur américain Robert Parker y annonce clairement ses goûts pour 7 300 vins et leur donne des notes très attendues par les producteurs.

Le Guide Hachette des vins, Éditions Hachette, présente une sélection de plus de 9 000 vins dans toute la gamme de prix, grâce à des dégustations à l'aveugle effectuées par des jurys.

Le classement des meilleurs vins de France, Éditions de *la Revue du vin de France*, est l'œuvre de deux grands palais français, Michel Bettane et Thierry Desseauve. Ils présentent plus de 900 des meilleurs domaines de France et décrivent (et notent) les vins disponibles en vente (y compris des millésimes plus anciens).

Mes meilleurs vins au meilleur prix, Éditions Le Cherche-Midi, est le résultat d'une sélection sévère due à Éric Mancio, chef sommelier du restaurant Guy Savoy à Paris. L'ouvrage décrit chaque domaine ainsi que le style des vinifications.

Le Guide des sommeliers, Éditions Criterion Fleurus, propose deux types d'entrées : par domaine (2 200), avec des indications pour s'y rendre, et par vin (5 500 vins sélectionnés). Chaque vin est commenté et noté. D'autres informations portent sur l'année de sa maturité, son service et d'éventuels accords avec certains mets.

Le guide des meilleurs vins à petits prix, Éditions de *la Revue du vin de France*, par Gerbelle et Maurange, note et décrit brièvement 1 550 vins.

Le Guide des vins bio, Éditions du Rouergue, de Julien Fouin et Jean-Christophe Estève, mérite l'attention pour sa sélection critique de 200 vins issus de raisins de l'agriculture biologique.

tables en jeu, une part subjective, qui reflète les préférences de chaque dégustateur. Il a ainsi été reproché à certains producteurs de faire conformer leurs vins au goût du célèbre dégustateur américain Robert Parker afin de figurer dans le palmarès de ce dernier et de bénéficier de la promotion qui y est associée. Il faut également savoir qu'au vu du nombre de producteurs et de négociants, aucun tour d'horizon de la production vinicole ne saurait prétendre à l'exhaustivité. Le fait que le nom d'un vin ne figure pas dans un guide particulier, voire n'apparaît dans aucun guide, ne signifie pas pour autant que ce vin est de mauvaise qualité. Certains jurys ne jugent d'ailleurs que les cuvées qui leur sont proposées par les producteurs. En dernière instance, il appartient à l'amateur de vins de choisir le vin qu'il aura plaisir à déguster.

Malgré ces quelques réserves, les guides d'achat restent de précieux outils, à condition de ne pas les considérer comme de simples conseils d'achat. De toute façon, le grand nombre de vins retenus – entre plusieurs centaines et près de dix mille selon les guides – permet tout au plus une première sélection pour séparer le bon grain de l'ivraie. À l'amateur d'y repérer les vins qui lui conviendront par leur style, leur prix ou leur aptitude au vieillissement en cave ou de s'en servir pour préparer, par exemple, un voyage de tourisme viticole. Par ailleurs, il arrive fréquemment que les vins loués par tel guide pour leur excellent rapport qualité/prix soient rapidement épuisés chez le producteur. L'amateur peut encore espérer les retrouver chez son caviste ou au restaurant, mais plus nécessairement au même prix.

LES VINS MÉDAILLÉS

Ces distinctions ne sont pas toujours une garantie pour la qualité du vin. Tous les ans, les régions viticoles françaises organisent plus de 80 concours, et les cinq principales manifestations distinguent, à elles seules, près de 10 000 vins. Il existe bien des concours très sérieux, comme les concours internationaux du Mondial de Bruxelles, des Vinalies internationales de Paris ou des Sélections internationales, mais aussi la Coupe des Crus bourgeois du Médoc ou la Sélection Saint-Bacchus pour les vins du Roussillon. Mais beaucoup d'autres manquent de rigueur dans leur organisation. Les jurys ne sont pas toujours composés de dégustateurs professionnels : tel échantillon d'un vin, parfois encore en cours d'élevage, ne tiendra pas ses promesses ultérieurement. Et la prolifération des médailles et des prix rend quelquefois caduque la distinction. La réglementation officielle permet en effet de récompenser jusqu'au tiers des vins présentés. Une certaine prudence s'impose donc lors de l'achat de ces vins primés qui constituent environ 10 % des bouteilles vendues en grande surface, voire plus lors de foires aux vins.

Guides et presse spécialisée : un tour d'horizon annuel

Or, il ne faut pas oublier qu'au-delà de leur fonction primaire ces guides constituent une mine d'informations sur l'évolution générale des prix et sur les développements récents dans les différents vignobles, tels que l'émergence de nouveaux producteurs de qualité, les phénomènes de mode ou les changements des pratiques vinicoles qui influent sur les styles de vin d'une appellation. Ces mêmes informations se retrouvent d'ailleurs dans les numéros spéciaux que la presse hebdomadaire ou mensuelle consacre aux vins début septembre, moment où les guides d'achat apparaissent dans les librairies. Destinés au grand public, les articles que l'on y trouve sont en général plus accessibles au néophyte. On y trouvera également des conseils d'achat pour les foires aux vins organisées à la même époque. L'amateur éclairé pourra, quant à lui, consulter à ce titre la presse spécialisée, comme *la Revue du vin de France*.

La dégustation : l'expérience sur le vif

Pour mieux connaître le vin, mais aussi ses propres goûts, rien ne remplace cependant la dégustation. Il est en effet extrêmement difficile de se faire une idée précise du style d'un vin à partir de sa seule description. On ne saurait donc trop conseiller à l'amateur de profiter des multiples occasions qui lui sont offertes pour déguster des vins. Outre la visite chez un vigneron, c'est plus particulièrement la fréquentation des journées de portes ouvertes, organisées régulièrement par les syndicats d'une appellation, et des salons viticoles qui constituent un excellent moyen pour faire son choix parmi les meilleurs producteurs d'un vignoble. À cela s'ajoutent les dégustations que les cavistes et les négociants proposent à leurs clients, souvent le samedi, ainsi que les clubs de vin destinés à initier le néophyte ou à procurer un apprentissage approfondi à l'amateur passionné. Sans oublier les vins goûtés chez des amis ou au restaurant au cours d'un dîner. Il est alors utile de noter sur un calepin les références d'une bonne bouteille découverte. Mais un guide peut être aussi en chair et en os, et il ne faut pas hésiter à bénéficier des conseils d'un ami connaisseur, d'un sommelier ou d'un caviste pour être mis sur la bonne voie.

Lire une étiquette

Savoir déchiffrer une étiquette, c'est connaître dans ses grandes lignes un vin avant même de l'avoir goûté. Garant de l'authenticité, l'étiquette permet aux services de contrôle de l'État de vérifier la conformité d'un vin avec la législation en vigueur. Pour le producteur ou négociant, elle est aussi destinée à inciter à l'achat. Au consommateur, elle doit fournir tous les éléments nécessaires pour un choix éclairé.

L'étiquette : la carte d'identité du vin

L'étiquetage du vin obéit à une réglementation stricte établie par les pouvoirs publics en accord avec les instances professionnelles. Il répond à un double objectif : rendre la bouteille légale et informer le consommateur.

L'étiquette certifie tout d'abord l'authenticité d'un vin, à savoir le fait que celui-ci a été élaboré selon les lois viticoles et vinicoles en vigueur pour un vignoble et une catégorie de vins donnée. La Direction générale de la Concurrence, de la Consommation et de la Répression des fraudes (DGCCRF) peut ainsi être amenée à vérifier si un vin provient bien de la région viticole dont le nom figure sur l'étiquette ou si sa vinification a respecté les règles spécifiées par la législation. En France, par exemple, la chaptalisation – ajout de sucre de betterave ou de jus de raisin non fermenté pour pallier la maturité déficiente du raisin (voir encadré p. 241) – est autorisée dans certaines régions viticoles (Alsace, Champagne, Bordeaux, Bourgogne, Val de Loire), mais interdite ailleurs.

La plupart des bouteilles sont coiffées d'une capsule-congé dotée d'une vignette fiscale. Celle-ci indique le statut du producteur et la région de production et atteste que les droits de circulation ont été acquittés. Les autres bouteilles doivent être accompagnées d'un congé (voir encadré p. 94).

Pour décourager les fraudes, certains producteurs recourent à l'étampage des bouchons, sur lesquels figurent alors l'origine du vin (nom du producteur ou nom d'appellation) et le millésime. Pour les vins mousseux d'appellation, le nom de l'appellation doit apparaître obligatoirement sur le bouchon.

Des informations utiles

La lecture de l'étiquette et, lorsqu'elle existe, de la contre-étiquette fournit au consommateur une série d'informations utiles. Elle lui permet, par exemple, de connaître, à travers l'origine du vin, son millésime et le nom du producteur, le style d'un vin de qualité. Il faut toutefois savoir que seules certaines mentions, qu'elles soient obligatoires ou facultatives, bénéficient d'une protection légale. D'autres n'engagent que le producteur ou négociant qui a élaboré le vin, voire revêtent un caractère purement publicitaire.

La législation régissant les étiquettes est en perpétuelle évolution. La Communauté européenne est ainsi en train d'étudier la possibilité d'introduire une réglementation pour les vins dits biologiques (voir plus loin). Par ailleurs, plusieurs associations de consommateurs, ainsi que certains vignerons, souhaitent que figurent sur l'étiquette les « additifs » utilisés lors de la vinification, et qui ne proviennent pas du raisin. Aux États-Unis, par exemple, le législateur exige que l'étiquette porte la mention « contains sulfites » si un vin contient du dioxyde de soufre (SO_2), un produit susceptible de donner des maux de tête à certaines personnes.

Les informations qui figurent sur les étiquettes de bouteilles de vin varient d'un vignoble à l'autre. Le lecteur trouvera un descriptif précis pour certains vignobles français ainsi que pour les vignobles étrangers dans les chapitres correspondants de la deuxième partie de l'ouvrage. Les informations légales non spécifiques sont listées ci-dessous. Elles sont illustrées par trois étiquettes (p. 106, 108 et 114). Les exemples cités proviennent du vignoble français.

Les mentions obligatoires

LA DÉNOMINATION CATÉGORIELLE. En France, elle indique l'appartenance d'un vin à l'une des quatre catégories suivantes : Vin de Table, Vin de Pays, Appellation d'Origine Vin Délimité de Qualité Supérieure (AOVDQS, anciennement VDQS), Appellation d'Origine Contrôlée (AOC). Dans le cas des vins de table, seul le nom du pays, France, figure sur l'étiquette. Pour les vins de pays, la mention « Vin de pays » doit être suivie du nom de la zone géographique (par exemple « Vin de pays d'Oc »). Pour les autres vins, le nom de l'appellation doit apparaître sur l'étiquette. Il peut s'agir d'une région, comme l'Alsace ou la Champagne, ou d'une zone plus délimitée. En Bourgogne, les AOC recouvrent ainsi toute la région, puis des communes situées à l'intérieur de la région, et ainsi de suite, telle une série de poupées russes dont la dernière serait un vignoble de quelques ares (voir encadré p. 344). Dans ce cas, le consommateur est supposé savoir qu'Échezeaux, par exemple, est un petit mais prestigieux vignoble bourguignon.

Pour bénéficier de la mention d'appellation d'origine, tout vin doit être agréé : le producteur est tenu à déclarer sa récolte et, si le rendement maximal n'a pas été respecté, tout surplus est obligatoirement destiné à la distillation ou à la fabrication de vinaigre. Si la parcelle dont provient ce vin fait partie d'une appellation plus vaste, le vigneron peut toutefois revendiquer cette dernière. On parle alors de « repli ». Sinon, le vin peut être vendu en vin de table, puisque celui-ci n'a besoin d'aucun agrément. Il peut également arriver qu'un vin d'appellation fasse l'objet d'une procédure de déclassement sous l'égide des services de la Répression des fraudes, par exemple, lorsqu'il présente un vice de fabrication. Un tel vin déclassé peut être vendu en vin de table.

LE NOM ET L'ADRESSE DE L'EMBOUTEILLEUR. Dernier intervenant dans l'élaboration d'un vin, l'embouteilleur est légalement responsable du contenu de la bouteille en cas d'infraction (vins frauduleux ou de mauvaise qualité). L'étiquette précise généralement, mais non de façon obligatoire, si le vin a été mis en bouteilles dans le même lieu où il a été vinifié. Dans ce cas, elle peut porter légalement la mention « mise en bouteille à (ou de) la propriété (au/du domaine ou au/du château) ». Mais il faut savoir que la loi française considère la coopérative comme une extension de l'exploitation viticole. Si les vins d'un producteur ont été vinifiés séparément et embouteillés par une coopérative, ils auront droit à cette mention. On peut également trouver du vin élaboré par un seul producteur chez les négociants qui se chargent de la mise en bouteilles, bien que, le plus souvent, ces derniers procèdent à des assemblages de vins différents, issus de la même appellation, afin d'obtenir un meilleur équilibre de leurs cuvées. Les mentions telles que « mise en bouteilles dans nos chais (ou par nos soins) » signifient en général qu'il s'agit d'un vin de négoce. La mention « mis en bouteilles par les producteurs réunis » indique généralement que le vin est issu du raisin de plusieurs producteurs et a été vinifié par une coopérative.

Le nom, la raison sociale et l'adresse de l'embouteilleur ne doivent pas induire en erreur le consommateur. Pour cette raison, ils doivent être codés s'ils comportent tout ou partie d'un nom d'appellation. Sur l'étiquette des vins de table, on trouve ainsi parfois un simple code d'embouteillage. Les deux premiers chiffres donnent le numéro du département où le vin a été mis en bouteilles – mais pas nécessairement produit. Cela permet de se faire une idée de son style : de nombreux négociants sont situés dans le Bordelais (33, Gironde), la Loire (44 pour le Pays nantais, 49 pour Angers et Saumur). 21 indique la Côte d'Or, 71 le Mâconnais et Chalon-sur-Saône, 69 le Beaujolais et 89 le Chablis.

LA CONTENANCE. Mention exprimée en litres, centilitres ou millilitres. La contenance est couramment de 75 cl, mais on trouve presque toujours la demi-bouteille (37,5 cl) et le magnum (1,5 l). Certains vins doux (Vin de paille, Vendanges tardives, etc.) sont parfois commercialisés en bouteilles de 33 cl ou de 50 cl. Le clavelin (62 cl) est réservé au Vin jaune du Jura (voir encadré p. 458). Dans les restaurants, certains Beaujolais sont parfois vendus en fillette (50 cl).

Pour les Bordeaux et les Champagnes, il existe en outre les contenances suivantes : 20 cl (quart, Champagne), 2,5 l (marie-jeanne, Bordeaux), 3 l (double magnum, Bordeaux, et jéroboam, en Champagne), 4,5 l (jéroboam, à Bordeaux, et réhoboam, en Champagne), 6 l (impérial, à Bordeaux, et mathusalem, en Champagne), 9 l (salmanazar, en Champagne), 12 l (balthazar, en Champagne), 15 l (nabuchodonosor, en Champagne).

LE DEGRÉ D'ALCOOL. Mention exprimée en pourcentage d'alcool, en volume, par rapport au liquide total. La plupart des vins ont une teneur en alcool qui varie entre 11 et 13 % vol., mais certains peuvent être beaucoup plus faibles en alcool, comme le Moscato d'Asti italien (6 % vol.), ou beaucoup plus forts, comme, par exemple, les Vins Doux Naturels (le Banyuls peut atteindre plus de 20 % vol.). En France, on tient peu compte du degré alcoolique dans le choix du vin. Il a pourtant une incidence sur la

ÉTIQUETTE D'UN VIN DE BORDEAUX

Grand vin de Château Latour. « Grand vin » signifie qu'il s'agit du premier vin du château : beaucoup de Bordeaux possèdent également un « second vin » (voir encadrés p. 82 et p. 294-295). Château Latour est le nom qui est mis en valeur.

Premier Grand Cru classé consacre le statut du vin, suivant la classification du Médoc de 1855 (voir encadré p. 288-289).

Pauillac est le nom de l'appellation (voir p. 103). Ce nom figure en plus petits caractères.

1990 est le millésime.

Mise en bouteille au château signifie que le vin a été mis en bouteilles sur le lieu de production (voir p. 104).

Produce of France est une mention obligatoire pour les vins destinés à l'exportation.

12,5 % vol. et 750 ml sont des mentions obligatoires.

Société civile du vignoble de Château Latour mentionne le nom de celui qui a procédé à la mise en bouteilles. Il est suivi de son adresse.

dégustation : plus un vin est alcoolisé, plus il a une saveur douce et paraît rond. Un vin à degré alcoolique très élevé provoque cependant une sensation de « brûlure ». Le niveau d'acidité élevé d'un vin blanc peut toutefois masquer un fort degré alcoolique.

LE NOM DU PAYS PRODUCTEUR. Cette mention (« Produit de France » ou « Produce of France ») est obligatoire pour les vins destinés à l'exportation.

Les principales mentions facultatives

LE MILLÉSIME. La mention de l'année de production, qui figure parfois sur une collerette apposée au goulot de la bouteille, est interdite pour les vins de table et facultative pour les autres vins. Si le millésime est mentionné, le vin doit provenir exclusivement de l'année indiquée. La qualité du millésime a une influence sur celle du vin ; elle varie d'une région viticole à l'autre. Un bon millésime dans le Bordelais ne signifie pas un bon millésime en Bourgogne et, au sein d'une même région, un bon millésime pour un vin liquoreux n'est pas forcément idéal pour un vin blanc tranquille. (Voir tableau des millésimes, p. 896.) Par ailleurs, l'assemblage de vins issus de millésimes différents permet d'obtenir parfois un vin plus équilibré.

LE NOM DE MARQUE. Il peut s'agir d'une marque commerciale simple (par exemple, d'un nom propre suivi du signe®) ou complexe (nom d'exploitation et lieu-dit, tels que « Domaine X », « Château Y », « N. N. »). Les termes « château », « clos » ou « abbaye » ne peuvent être utilisés que pour les vins d'AOC et doivent correspondre à une réalité (vérifiable sur le cadastre). Leur emploi n'est pas forcément un indice de la qualité du vin ainsi désigné. Les termes « domaine » et « mas » sont réservés aux vins d'appellation et aux vins de pays, mais sont interdits pour les vins de table. Il faut en outre noter que certains producteurs-négociants commercialisent parfois leurs vins de négoce sous un nom proche de celui issu de leur propre vignoble (par exemple, « Méo-Camuzet » pour les vins de négoce, et « Domaine Méo-Camuzet ») pour les vins issus du domaine ; seule la mention « mise en bouteille à la propriété » ou l'un de ses équivalents garantit qu'il s'agit d'un vin de producteur.

ÉTIQUETTE D'UN VIN DE BOURGOGNE

SOCIÉTÉ CIVILE DU DOMAINE DE LA ROMANÉE-CONTI
PROPRIÉTAIRE A VOSNE-ROMANÉE (COTE-D'OR) FRANCE

ROMANÉE-CONTI

APPELLATION ROMANÉE-CONTI CONTROLÉE

5.043 Bouteilles Récoltées

BOUTEILLE N°

ANNÉE 1991

LES ASSOCIÉS-GÉRANTS

Henri-Frédéric Roch
A. de Villaine

Mise en bouteille au domaine

Romanée-Conti est le nom de l'appellation, qui doit figurer en gros caractères sur l'étiquette. Il s'agit d'un Grand Cru de la Côte de Nuits, qui forme une appellation à part entière. Il est situé sur la commune de Vosne-Romanée.

Appellation Romanée-Conti contrôlée est le titre complet de l'AOC. Il apparaît en caractères plus petits.

5 043 bouteilles récoltées indique le volume de vin élaboré à partir de ce Grand Cru de la Côte de Nuits, dont le Domaine de la Romanée-Conti est l'unique propriétaire. Cette mention est suivie d'une numérotation de la bouteille et de la signature en fac-similé des associés-gérants du Domaine de la Romanée-Conti.

Année 1991 est le millésime.

Mise en bouteille au domaine signifie que le vin a été mis en bouteilles sur le lieu de production.

Société civile du Domaine de la Romanée-Conti indique le nom de la personne – ici, une personne morale – qui a procédé à la mise en bouteilles. Ce nom est suivi de l'adresse.

Les autres mentions obligatoires – le titre alcoométrique et la contenance – doivent figurer sur la contre-étiquette.

LE CLASSEMENT. Les termes « Cru classé », « Premier Cru », « Grand Cru » et « Cru » sont des mentions traditionnelles attachées à un nombre limité de vins et définies par la législation. Les Crus classés du Bordelais se réfèrent à un classement hiérarchique de propriétés viticoles (voir p. 288-299, pour le Médoc ; p. 309, pour le Pessac-Léognan ; p. 317, pour le Sauternes ; p. 328-329 pour le Saint-Émilion). Les Premiers Crus et Grands Crus de Bourgogne (voir p. 346), ainsi que les Grands Crus d'Alsace (voir p. 406), correspondant, eux, à un classement de lieu-dit et de terroir : il s'agit d'une zone ou parcelle délimitée, soumise à des conditions de production restrictives dans le cas de crus bourguignons. Pour la Champagne, voir encadré p. 395. Les Crus classés de Provence datent des années 1950 et concernent des exploitations de l'AOC Côtes-de-Provence.

LA MENTION D'UN CÉPAGE. En France, un vin doit provenir à 100 % du cépage indiqué sur l'étiquette (voir aussi l'encadré p. 110). Dans d'autres pays, un pourcentage minimal (par exemple, 85 % en Autriche) est défini par la législation.

LE STATUT DE L'EXPLOITATION. Les mots « propriétaire », « propriétaire-récoltant », etc. constituent une mention facultative. (Pour la Champagne, voir encadré p. 393.)

Autres mentions facultatives

« VENDANGES MANUELLES ». Pour que cette mention puisse figurer sur l'étiquette, le vigneron doit avoir vendangé à la main les raisins dont est issu le vin. Sinon, il s'agit d'une publicité mensongère, qui peut être poursuivie comme un délit. Par ailleurs, l'utilisation de la machine à vendanger est interdite dans certaines régions viticoles, comme en Champagne et dans le Beaujolais. Les vendanges manuelles ne sont pas nécessairement un gage de qualité. Cependant, force est de constater qu'un grand vin est toujours élaboré avec des raisins récoltés à la main : la cueillette manuelle, lorsqu'elle est soignée, permet de mieux préserver les baies, et les techniques de tri ont fait d'énormes progrès. En revanche, l'un des avantages de la machine à vendanger est la vitesse à laquelle elle travaille : on peut rentrer la vendange à maturité optimale en un temps très court.

« CUVÉE NON FILTRÉE ». Cette mention certifie que le vin n'a pas été filtré, mais a seulement bénéficié de soutirages. Ces deux opérations servent à stabiliser et à clarifier le vin nouveau, en en éliminant certaines matières solides (cellules de levure, particules de peau et de pulpe, etc.) pour éviter le déclenchement d'une seconde fermentation. Dans le premier cas, on utilise des filtres ; dans le second, on transvase (à l'aide d'une pompe ou de la pesanteur) le vin d'une cuve ou d'un fût à un autre, après avoir provoqué, par le biais d'un produit comme le blanc d'œuf ou le sang, une précipitation des matières solides vers le fond de la cuve ou du fût (collage). Le soutirage permet également d'aérer le vin, qui offre ainsi plus d'arômes, de pureté et de matière. Le dépôt plus important d'un vin non filtré ne nuit en aucun cas à la dégustation du vin.

LES VINS DE CÉPAGE

S'inspirant du succès commercial des vins du Nouveau Monde et de leur étiquetage, les producteurs français proposent désormais, eux aussi, des vins de cépage, à savoir des vins issus d'un seul cépage (« monocépage ») ou, plus rarement, de deux cépages (« bicépage »). Ces cépages sont, pour l'essentiel, le Cabernet-Sauvignon, le Merlot, la Syrah et le Gamay, pour les rouges, et le Chardonnay, le Sauvignon et le Viognier, pour les blancs ; d'autres cépages ne s'y prêtent pas. Faciles d'accès à la dégustation, ces vins ont rencontré un grand succès auprès des nouveaux consommateurs qui parviennent facilement à associer un goût particulier avec le nom du cépage qui figure sur l'étiquette. Aux producteurs, ils permettent d'obtenir une meilleure qualité et un meilleur prix (voir encadré p. 81) que pour les simples vins de pays. En France, la catégorie « vin de cépage » n'est pas officiellement reconnue, et l'Institut national des appellations d'origine, qui voit d'un mauvais œil cette pratique, aimerait que la mention du cépage, déjà proscrite pour les vins de table, ne figure pas sur l'étiquette des vins d'appellation, mais seulement sur leur contre-étiquette. Certains vignobles français, comme l'Alsace et le Val de Loire (Muscadet), devraient cependant bénéficier d'une dérogation.

« ÉLEVAGE SUR LIES », « ÉLEVÉ SUR LIES » OU « SUR LIE ». Cette mention est plus particulièrement réservée aux Muscadets du Pays nantais. Une fois la fermentation des vins blancs terminée, on procède généralement au soutirage (voir ci-dessus) pour éliminer les lies, résidus solides de la fermentation. Dans certaines régions, comme le Pays nantais, on laisse le vin « sur lie » jusqu'à la mise en bouteilles. Grâce à la présence de ces lies, le vin contient encore du gaz carbonique que l'on ressent comme un léger picotement sur la langue, accentuant la vivacité et la fraîcheur du vin.

« VIEILLI EN FÛT (DE CHÊNE) ». L'élevage en fût de chêne permet de mieux aérer le vin et lui confère des notes de vanille, boisées ou grillées. L'intensité de ces arômes dépend de facteurs comme la durée de l'élevage en fût ainsi que la taille du fût, son âge et la provenance du bois dont il est fait. Généralement plus chers, ces vins ne sont pas toujours d'une meilleure qualité, car les notes apportées par le bois peuvent « écraser » les autres arômes apportés par le cépage et le terroir. En effet, seuls les vins issus d'un petit nombre de cépages (Cabernet-Sauvignon, Chardonnay, Syrah, etc.) – il s'agit en général de vins de garde – s'améliorent grâce à un passage en barrique de chêne. La récente prolifération de vins élevés en fût de chêne est en partie due à un phénomène de mode ; certains producteurs utilisent d'ailleurs un tel élevage pour masquer les défauts de leur vin. L'utilisation de copeaux de chêne, pratique courante en Australie, est interdite en France.

LES DISTINCTIONS OFFICIELLES. Si un vin a été récompensé lors d'un concours (par exemple, par une médaille en or, en argent ou en bronze), cette distinction peut légalement figurer sur l'étiquette. Une telle mention est cependant réservée aux vins d'appellation et aux vins de pays. Pour la valeur de ces distinctions, voir encadré p. 100.

Les mentions non réglementées

« VIEILLES VIGNES ». Les vignes âgées donnent en général un vin plus concentré, puisque issu de rendements plus faibles, et donc meilleur. Mais, en l'absence d'un âge spécifique, il est difficile de prédire la qualité d'un tel vin : aux États-Unis, les vignes sont considérées comme vieilles à 20 ans ; en France, à environ 60 ans.

« CUVÉE SPÉCIALE », « RÉSERVE EXCEPTIONNELLE », « GRANDE CUVÉE », ETC. Ces mentions sous-entendent que ces vins se situent en haut de la gamme d'un producteur par leur qualité (et leur prix), parce que la cuvée provient soit d'une parcelle particulière, soit de raisins particulièrement mûrs. Cependant, seule la bonne foi du producteur est ici engagée, et il doit pouvoir la justifier.

« CRÈME DE TÊTE ». Expression appliquée aux vins de Sauternes issus du premier tri des vendanges. Élaborés à partir de raisins « confits », ils sont particulièrement liquoreux.

« GRAND VIN DE (SUIVI DU NOM D'UNE RÉGION) ». Cette mention revêt, outre son caractère localisant, un caractère largement publicitaire. Ne pas confondre avec le « grand vin » d'un château bordelais Cru classé, qui désigne un vin de grande qualité (voir encadré p. 294).

COMMENT RECONNAÎTRE UN VIN BIOLOGIQUE ?

La législation française et européenne ne connaît pas la catégorie « vin biologique ». Seule la culture de la vigne est régie par un cahier des charges européen pour l'agriculture biologique, qui interdit les traitements chimiques systématiques (pesticides, insecticides, etc.) au profit du travail mécanique (voir p. 234). La vinification, quant à elle, n'est pas réglementée. Pour cette raison, un vin ne peut porter jusqu'à présent le label vert « AB », utilisé pour les produits issus de l'agriculture biologique. Seules les mentions « vin issu de raisins cultivés en agrobiologie » ou « vin issu de l'agriculture biologique » bénéficient d'une reconnaissance légale, lorsque la conformité au cahier des charges a été certifiée par un des organismes agréés par l'État, comme Ecocert. On peut donc juste supposer qu'un vigneron pratiquant la viticulture biologique ou en biodynamie (voir p. 235) cherchera également à respecter des règles analogues pour la vinification. Il existe d'ailleurs plusieurs cahiers des charges pour la vinification (Nature et Progrès, Biodynamie Demeter, Unia), mais aucun n'est reconnu au niveau européen.

L'étiquette des vins effervescents

Le terme « vin effervescent » désigne un vin en bouteille contenant du gaz carbonique sous pression qui se détend avec effervescence au moment du débouchage. Par ordre croissant d'effervescence, on distingue les vins perlants (ou perlés), pétillants et mousseux (ces derniers comprennent le Champagne et les Crémants). Ces vins peuvent être des trois couleurs, mais la majorité sont des blancs. Leur élaboration est décrite p. 250. L'étiquetage des vins perlants ou pétillants ne relève d'aucune réglementation particulière. Quant aux Mousseux, leur étiquette porte des mentions spécifiques à cette catégorie de vin, hormis celles évoquées ci-dessus.

LE DOSAGE. Cette mention indique la teneur en sucres résiduels, exprimée en grammes par litre, c'est-à-dire la concentration de sucres de la « liqueur d'expédition » (vin et sucres), ajoutée avant la mise en bouteilles définitive et qui donne au Mousseux un goût plus ou moins sucré. Selon la teneur en sucres résiduels, le vin est qualifié de « doux » (plus de 50 g), « demi-sec » (entre 33 et 50 g), « sec » (entre 17 et 35 g), « extra-dry » (entre 12 et 20 g), « brut » (moins de 15 g) ou « extra-brut » (moins de 6 g). Pour une teneur de moins de 3 g, on peut également trouver les mentions « brut nature », « non dosé » ou « dosage zéro ».

LA MÉTHODE D'ÉLABORATION. La grande majorité des vins mousseux de qualité est élaborée selon la méthode de la seconde fermentation en bouteille, utilisée d'abord en Champagne. L'étiquette peut alors porter la mention « méthode traditionnelle », terme qui a remplacé celui de « méthode champenoise ». Dans certaines régions viticoles, on pratique une autre méthode pour élaborer un vin moins effervescent et plus doux : les vins jeunes sont mis en bouteilles avant que les sucres résiduels n'aient été transformés en alcool, et la fermentation continue en bouteille, libérant du gaz carbonique. C'est le cas à Gaillac, à Limoux (Blanquette) et en Savoie. Sur l'étiquette peut alors figurer la mention « méthode ancestrale » ou « méthode rurale ». Une variante légèrement différente de cette méthode est employée pour la Clairette de Die (« méthode dioise »).

Il faut noter qu'un Champagne est toujours un vin d'appellation d'origine contrôlée, même si ces mots ne figurent pas sur

ÉTIQUETTE D'UN VIN EFFERVESCENT

Château Moncontour est le nom du vin. L'utilisation du terme « château » est réservée aux vins d'appellation d'origine contrôlée. Le vin doit être issu de raisins provenant d'une exploitation précise (voir p. 104).

Méthode traditionnelle indique que ce vin mousseux a été élaboré selon la méthode de la seconde fermentation en bouteille, telle qu'elle a été d'abord pratiquée en Champagne (voir page précédente).

Vouvray est le nom de l'appellation, qui doit figurer en gros caractères.

Appellation Vouvray contrôlée est une mention qui doit suivre le nom de l'appellation. Elle désigne la dénomination catégorielle et figure en caractères plus petits.

2000 est une mention facultative, précisant le millésime. Si elle est utilisée, le vin doit provenir exclusivement de l'année indiquée.

Vin brut indique le dosage et signifie que la teneur en sucres résiduels de ce vin effervescent est de moins de 15 grammes par litre.

Élaboré par SA Vignoble du Château Moncontour indique le nom du producteur, ici une Société anonyme, suivi de son adresse.

750 ml précise la contenance. C'est une mention obligatoire.

12 % alc./vol., une mention obligatoire, indique le degré alcoolique.

Produit de France – Produce of France est une mention obligatoire pour les vins destinés à l'exportation.

l'étiquette. La marque et le nom (ou la raison sociale) de l'élaborateur et son statut (voir encadré p. 393) doivent être précisés obligatoirement ; ils renvoient généralement à un style de Champagne. Seules les bonnes années donnent naissance à des bouteilles « millésimées », dont le vin doit provenir exclusivement de l'année indiquée et avoir vieilli au moins 3 ans. Plus rarement, l'étiquette informe sur la commune d'origine ou la cotation (« Premier Cru » ou « Grand Cru ») du raisin dont est issu le vin. Enfin, elle porte la mention « Blanc de Blancs », lorsque la cuvée a été élaborée uniquement avec du Chardonnay, et « Blanc de Noirs », quand elle est issue de Pinot Noir, de Pinot Meunier ou des deux. Les mentions de type « cuvée réservée », « tête de cuvée » ou « carte noire » sont de nature commerciale.

La contre-étiquette

Bien qu'elle ne soit pas obligatoire, la contre-étiquette constitue fréquemment une riche source d'informations sur le vin. Apposée sur la paroi opposée de la bouteille, elle apporte un éclaircissement sur des aspects aussi variés que les cépages ou les caractéristiques de la parcelle dont est issu le vin, le type et la durée de l'élevage que le vin a subis, la température idéale de service ou encore des suggestions pour marier le vin avec certains mets.

Très répandue dans les pays anglo-saxons, la contre-étiquette est malheureusement peu utilisée en France où tant les producteurs que les consommateurs considèrent, souvent à tort, qu'ils n'ont pas besoin d'un éclairage supplémentaire sur le vin. Plus récemment, les associations professionnelles, comme le Bureau interprofessionnel des vins de Bourgogne, ont cependant commencé à inciter fortement leurs membres à recourir à cette manière d'informer les consommateurs.

Certains producteurs utilisent la contre-étiquette pour y faire figurer les mentions obligatoires et facultatives, tandis que l'étiquette sert à attirer l'attention du consommateur par un graphisme imagé, telle la reproduction d'une peinture, ou par un nom de cuvée grandiose. Mais ce procédé est également utilisé parfois pour les vins de table, afin de cacher leur origine modeste et leur image peu valorisée.

Déguster et apprécier un vin

Goûter un vin procure des sensations qui ne laissent pas indifférent. Sa couleur, ses arômes, ses saveurs, sa texture parlent à nos sens. Cependant, le plus souvent, l'amateur néophyte est démuni pour décrire ses sensations et ne sait comment les décrypter en fonction des différents composants du vin. Pour cette raison, apprendre à déguster s'avère une étape fondamentale. La dégustation est avant tout un exercice technique à la portée de tous. Elle se déroule selon une méthode bien précise avec trois étapes successives. Chacune d'elles met en scène un de nos trois sens qui entrent en jeu : la vue, l'odorat et le goût. À chaque étape correspond un vocabulaire précis et analytique permettant de décrire chacune des observations et des perceptions. Mais la dégustation est aussi un exercice de la mémoire. Au fur et à mesure de ses expériences, l'amateur enregistre des couleurs, des arômes et des goûts qui lui permettront de se constituer une bibliothèque de références. Aussi, plus l'amateur déguste, plus il sera en mesure d'identifier les caractéristiques sensorielles d'un vin et, par comparaison, d'en juger les qualités. À cela doivent s'ajouter quelques connaissances théoriques sur la viticulture et la vinification, car un vin ne saurait jamais être soustrait de son contexte d'origine. Enfin, la dégustation demande un minimum de conditions requises pour être performante. Elles concernent autant le bon choix des verres, du lieu que le bon état physique du dégustateur. Un vocabulaire de la dégustation aidera l'amateur de vins à mieux décrire les caractéristiques d'un vin.

L'œil du vin

Le premier contact avec le vin est visuel. À peine servi, l'œil en a saisi la couleur et l'éclat. Dans le verre, le vin raconte déjà son histoire au dégustateur attentif. En observant avec attention sa robe, c'est-à-dire sa couleur, sa brillance, son disque, ses jambes, l'on récolte des indices précieux relatifs à son origine, son âge, sa personnalité, voire même sa qualité. Pour cette raison, l'examen visuel conditionne l'approche olfactive et gustative.

La robe : teinte, intensité et limpidité

Dans un premier temps, le dégustateur s'attache à définir la couleur de la robe, à savoir sa teinte et son intensité, ainsi que sa limpidité. Pour bien les observer, il doit tenir le verre devant un fond clair (par exemple, un mur blanc) ou le placer au-dessus d'une surface blanche, dans une source de lumière.

LA TEINTE. La couleur d'un vin s'évalue selon deux paramètres, sa teinte et son intensité. Le vocabulaire utilisé pour décrire la première emprunte ses termes au monde des pierres précieuses (rubis, topaze), des métaux (or, cuivre), des fleurs (rose, pivoine) et des fruits (citron, cerise).

L'INTENSITÉ. Mais les nuances étant nombreuses, il est important de qualifier la teinte par son intensité. Elle va de pâle à dense en passant par claire, foncée, sombre, intense, profonde. Certains mots employés donnent déjà une idée de la qualité comme pauvre, légère et faible.

Pour observer la robe du vin, à savoir sa teinte, son intensité et sa limpidité, il faut placer le verre contre une surface blanche.

LA LIMPIDITÉ de la robe s'observe en même temps, le verre toujours placé dans une source lumineuse. Elle doit être parfaite et n'être troublée par aucun corps étranger en suspension, tels des poussières, des flocons, des voltigeurs (résidu de collage ou levures mortes en suspension dans le verre, donnant l'impression de « voltiger »). Sinon,

LA COULEUR DES VINS ET SON VOCABULAIRE

VINS ROUGES : pivoine, rubis clair, rubis, rubis profond, vermillon, grenat, grenat intense, carmin, pourpre. Lorsqu'ils sont âgés : tuilé, roux, marron, acajou.

VINS ROSÉS : gris pâle, rose très pâle, rose, framboise, œil de perdrix, fraise, cerise, rose saumoné, pelure d'oignon. Plus vieux : saumon, orangé, brique, cuivre.

VINS BLANCS : translucide, jaune pâle, jaune à reflets verts, or pâle, or vert, or jaune, citron, or paille, topaze. Après quelques années de vieillissement : vieil or, bronze, cuivre, ambre, acajou.

le vin est décrit comme bourbeux, opalescent, trouble, floconneux, voilé. Signes de mauvaise vinification ou de maladie du vin, ces troubles rendent le vin impropre à la consommation. Heureusement, en raison des progrès de l'œnologie, ces accidents sont de plus en plus rares.

Que déduire de la robe d'un vin ?

La couleur d'un vin ne renseigne pas seulement sur sa catégorie – blanc, rouge ou rosé –, mais aussi sur son cépage, son millésime, son âge, et éventuellement sur son mode d'élevage.

La matière colorante d'un vin provient des pigments contenus dans la peau des raisins. Peu présents dans les raisins blancs, ils sont en revanche importants dans les raisins rouges, mais d'intensité différente selon les cépages. Un vin issu du cépage Gamay montre une robe d'un joli rubis, très distincte de celle d'un Cabernet-Sauvignon, grenat sombre. La maturité de la peau conditionnant celle des pigments, l'intensité colorante d'un vin dépend également de la qualité du millésime. Cela se vérifie facilement, en comparant les vins d'un même domaine dans des millésimes de qualité différente. Ainsi un Médoc de 1994 montre-t-il une robe moins intense que celle, plus concentrée, d'un 1996, année plus chaude. De la même façon, les vins blancs offrent une robe de teinte plus sombre lorsque les raisins ont été ramassés dans des années très chaudes, qui favorisent une légère surmaturité. Puis, l'intensité colorante résulte du rendement que le vigneron a obtenu des vignes. Plus le rendement est élevé, moins les raisins seront concentrés et les jus colorés. A contrario, plus il est faible, plus le vin gagne en intensité. C'est le cas des vieilles vignes, peu chargées en raisins, qui donnent des vins d'une robe toujours très soutenue. Enfin, la qualité sanitaire du raisin joue, elle aussi, son rôle. Issu d'une vendange pourrie, le vin montre peu d'intensité colorante quels que soient son cépage et son rendement.

Pour les rouges et, dans une moindre mesure, les rosés, l'observation de la teinte peut permettre d'évaluer l'âge du vin. Très jeunes, ils affichent une nuance bleutée; qui donne souvent des reflets violacés à la robe. Avec le temps, celle-ci se pare de reflets plus orangés en raison du jaunissement des pigments et des tanins (voir p. V du cahier encarté entre les p. 512 et 513). Les blancs possédant peu de tanins, leur robe évolue beaucoup plus lentement.

La vinification et l'élevage influencent à leur tour la teinte des robes. Pour les rouges, une longue macération permet une meilleure extraction de la matière colorante (voir p. 246). Les rosés, selon leur mode de vinification par pressurage ou par saignée (voir encadré p. 249), présentent des robes de nuances différentes, assez pâles dans le premier cas, plus foncées dans le second. Enfin, la barrique neuve, parce qu'elle favorise une meilleure combinaison des matières colorantes, intensifie les teintes. Ainsi, un même vin, blanc ou rouge, élevé dans des barriques avoue une robe plus sombre que lorsqu'il n'a vu que des cuves.

Pour observer le disque et la frange, il faut se placer juste au-dessus du verre (vue plongeante), puis pencher ce dernier dans un rayon de lumière (vue latérale).

Le disque et la frange

LE DISQUE est la surface plane du vin. Pour bien l'observer, le dégustateur se place d'abord juste au-dessus du verre – c'est la vue plongeante – puis penche le verre dans un rayon de lumière – c'est la vue latérale. Pour mieux la décerner, il prendra toujours soin de manipuler son verre au-dessus d'une surface blanche, neutre par excellence.

EXAMEN VISUEL DES VINS EFFERVESCENTS

À l'instar d'un vin tranquille, un effervescent se juge d'après sa teinte, sa limpidité et sa brillance. À cela s'ajoute l'observation de la mousse et des bulles, dues à la présence de gaz carbonique. Leur aspect visuel est important, car il permet d'évaluer la qualité de l'effervescent.

Dans un premier temps, le dégustateur observe la mousse qui se forme spontanément dans le verre lors du service du vin. Elle se juge selon sa générosité, sa tenue dans le temps et par la taille de ses bulles. Une belle mousse est assez abondante, persistante, aérienne, composée de petites bulles. À l'inverse, elle se montre grossière, fugace, peu ou trop abondante. Une fois disparue, elle doit laisser place à un anneau de bulles s'accrochant à la paroi du verre, le cordon. À ce stade, le dégustateur examine les bulles, leur taille et leur durée de vie. Elles doivent être fines, monter régulièrement du fond du verre en une colonne continue dite cheminée, et nourrir le cordon. De grosses bulles venant mourir immédiatement à la surface du verre, l'absence de cordon et une moindre effervescence ne prêchent pas pour la qualité du vin.

Il est bon de savoir que la température de service et le choix du verre conditionnent la bonne formation des bulles et de la mousse. Le froid bloque l'effervescence et la chaleur la précipite.

Le dégustateur privilégiera la flûte à la coupe, qui nuit à la bonne effervescence du vin.

Le disque se juge selon sa brillance, son éclat, c'est-à-dire par la façon dont il renvoie la lumière. Son observation doit confirmer la qualité de la limpidité de la robe. Un vin montrant des troubles de limpidité présentera un disque avec les mêmes défauts. Il est décrit comme mat, terne, voilé, trouble, opaque, ce qui doit le rendre suspect aux yeux du dégustateur. Dans le meilleur des cas, le disque est qualifié de brillant, éclatant, lumineux, chatoyant. Pour les vins blancs et rosés, l'éclat est un signe de qualité important et fondamental. Pour les rouges, ce paramètre est à nuancer en raison de la nouvelle tendance qui prône l'absence de filtration – opération réalisée juste avant la mise en bouteilles et visant à augmenter la limpidité et la brillance des vins (voir p. 261). Dans ce cas, le vin perd en éclat, mais, en revanche, gagne en intensité colorante.

LA FRANGE. Durant l'observation du disque des vins rouges et, dans une moindre mesure, des vins rosés, le dégustateur examinera plus particulièrement son bord extérieur, appelé la frange. En raison de la moindre épaisseur du vin à cet endroit, la teinte de la robe y est plus visible. Légèrement bleutée, elle est le signe d'un vin encore très jeune. Lorsqu'elle montre des teintes plus terre cuite ou tuilées, elle avoue un vin qui prend de l'âge. Cette évolution de la teinte est due au vieillissement des tanins et des pigments qui prennent une teinte jaune avec le temps. Comme la teinte de la robe, la frange doit traduire l'âge que le vin affiche sur l'étiquette de sa bouteille. En effet, si celui-ci est supposé encore jeune mais montre une frange déjà évoluée, ce n'est pas un signe de bonne qualité. Dans ce cas, la robe sera qualifiée d'usée, de vieille, de fatiguée. Dans le cas inverse, c'est-à-dire d'un vin âgé avec une frange peu évoluée, le dégustateur notera la jeunesse de sa couleur.

Les larmes ou les jambes

L'observation des larmes ou des jambes du vin est la dernière étape de l'examen visuel. Elle se fait en imprimant au verre un mouvement rotatif de façon à faire glisser doucement le vin sur les parois internes du verre. En plaçant le verre dans une source de lumière, le dégustateur observe alors des gouttes d'un liquide transparent coulant plus lentement que le reste du vin. Ce sont les larmes ou les jambes du vin. Elles résultent d'un double phénomène dû à des tensions physiques entre l'eau et l'alcool et à la conjugaison de l'alcool, des sucres et des glycérols contenus dans le vin. Elles traduisent le gras du vin, sa viscosité, son épaisseur tactile. Des larmes épaisses, grasses, bien dessinées, coulant

Les larmes du vin sont les coulées transparentes plus ou moins épaisses que le vin laisse sur les parois internes du verre.

LES VRAIS ET FAUX DÉFAUTS VISUELS

Il est aujourd'hui de plus en plus rare de rencontrer un vin montrant un voile graisseux à sa surface, des flocons ou des filaments en suspension, conséquences d'une mauvaise vinification. Grâce au progrès de l'œnologie, le vigneron maîtrise parfaitement la limpidité et la brillance de ses vins. Il arrive cependant que certains vins jeunes, parce que peu ou non filtrés, montrent un léger trouble dû à la présence de lies fines en suspension. Avec le temps, elles vont se déposer dans la bouteille et former un dépôt tout à fait naturel. De même, il est tout à fait normal de trouver des dépôts dans les vieux vins. Autre phénomène naturel et parfaitement inoffensif, la présence de petits cristaux dans certaines bouteilles. Ils proviennent de la précipitation d'un composant du vin, l'acide tartrique, lors d'un brusque changement de température. Les vrais défauts visuels que le dégustateur peut aujourd'hui rencontrer sont le manque d'intensité colorante et les robes prématurément tuilées, le plus souvent dus à une vendange pourrie ou insuffisamment mûre, à un rendement trop élevé, à une vinification trop courte ou mal conduite.

doucement dans le verre sont le signe d'un vin supposé riche en alcool et/ou en sucres résiduels. À l'inverse, un vin peu riche en alcool et/ou en sucres montre des larmes fines, peu nombreuses, fluides, très coulantes.

Pour décrire ce phénomène, on parle de la fluidité ou, au contraire, de la viscosité du vin. Les termes employés sont aqueux, liquide et fluide pour un vin titrant peu d'alcool, et gras, sirupeux, onctueux ou pleurant pour évoquer le contraire.

Les larmes sont rarement interprétées comme un signe de bonne ou mauvaise qualité du vin. Elles renseignent davantage sur sa personnalité ou sur son appartenance à l'une des grandes familles de vins (voir p. 28). Un vin blanc montrant des larmes abondantes, assez grasses, « collant » au verre, renvoie plus à un vin riche en sucres, de type moelleux, doux ou liquoreux (par exemple, un Sauternes ou un Jurançon) qu'à un vin blanc sec. Lors d'une dégustation à l'aveugle, où l'appellation du vin est inconnue, leur observation donne des indices précieux au dégustateur.

Le nez du vin

Humer un verre de vin, identifier les différents arômes qui le distinguent, en saisir la complexité, la subtilité est un des grands plaisirs de la dégustation. À ce stade, le vin révèle beaucoup de sa personnalité. Cependant, cet exercice déconcerte le plus souvent le dégustateur néophyte qui a du mal à nommer telle ou telle odeur. Une petite phase d'apprentissage s'avère alors utile pour «réveiller» la mémoire olfactive que chacun de nous possède.

Comment lire le nez d'un vin

Le terme «nez» regroupe l'ensemble des odeurs qui caractérisent le vin. Pour une bonne analyse olfactive du vin, le dégustateur choisira un verre en forme de tulipe (voir p. 145) qu'il ne remplira qu'au tiers de sa contenance. Il sera attentif à la température de service du vin – entre 8 °C et 18 °C selon la couleur et leur origine (voir p. 201) –, qui affecte la bonne volatilité des composants aromatiques du vin. Trop froid, les arômes ont du mal à passer à l'état gazeux et, trop chaud, ils s'évaporent trop vite et sont dominés par les vapeurs d'alcool. D'autre part, le bulbe olfactif (voir encadré p. 126) saturant vite, il est conseillé de humer son verre à plusieurs reprises, sans trop insister, de façon à éviter l'anesthésie, et d'attendre un peu entre chaque inhalation. L'analyse du nez du vin se décompose en trois étapes :

LE PREMIER NEZ est le premier contact olfactif avec le vin. Le dégustateur se penche sur son verre et en respire les premières odeurs. Cela lui permet, d'une part, de s'assurer que le vin n'est pas pollué par des odeurs non désirables (mauvais bouchon, par exemple) et, d'autre part, de sentir les odeurs hautement volatiles du vin qui disparaissent rapidement dès

Pour juger le premier nez du vin, le dégustateur se penche sur son verre et respire les premières odeurs, hautement volatiles.

son service. Cette étape donne déjà une première idée de la personnalité aromatique du vin.

Avant de juger le deuxième nez du vin, le dégustateur saisit le verre par le pied et lui imprime un mouvement rotatif afin d'oxygéner le vin.

LE DEUXIÈME NEZ pousse plus loin l'exploration olfactive du vin et a pour but d'en identifier la personnalité aromatique. Pour cela, le dégustateur saisit le verre par le pied, lui imprime un mouvement de rotation afin d'oxygéner le vin et d'accélérer la volatilisation de ses différents composants aromatiques. (Pour plus de facilité, il peut poser le verre sur la table tout en l'agitant.) Puis, il inspire plusieurs fois en plongeant quelques secondes son nez dans le verre. À ce stade il est en mesure de juger la force, l'intensité et la richesse du nez, tout en essayant d'identifier les différentes odeurs qui le composent.

LE TROISIÈME NEZ est l'expression du vin après une longue oxygénation dans le verre. En contact avec l'air, les différents constituants aromatiques évoluant différemment selon le degré de volatilité de chacun, il est intéressant de replonger son nez dans le verre sans l'agiter après l'avoir laissé reposer sur un coin de table. Le dégustateur note alors l'évolution des arômes, leur persistance et leur intensité.

Décrire le nez d'un vin

Pour décrire le nez d'un vin, il est conseillé de procéder par étapes, en partant d'une impression globale avant d'analyser les différentes odeurs, ou arômes, présentes dans le vin.

LA PERSONNALITÉ AROMATIQUE. Dans un premier temps, le dégustateur s'attache à décrire de façon générale la personnalité aromatique du vin (voir p. 28) en jugeant de son intensité en termes de force ou de faiblesse avec les gradations intermédiaires. Le vocabulaire couramment usité est : expressif, intense, puissant, généreux, exubérant ou, dans le cas contraire, peu expressif, faible, pauvre, léger. Il arrive parfois que le vin ne s'exprime pas du tout dans le verre, c'est le cas lorsqu'il vient juste d'être embouteillé ou

COMMENT FONCTIONNE L'ODORAT ?

De nos sens sollicités, l'odorat est celui qui joue le rôle le plus important dans l'appréciation du vin. Il intervient non seulement lors de l'étape purement olfactive, mais aussi lors de la dégustation proprement dite. En effet, une bonne partie de ce que nous goûtons est en réalité « senti ». La preuve en est que, lorsque nous sommes enrhumés, boissons et aliments ont perdu leur goût !

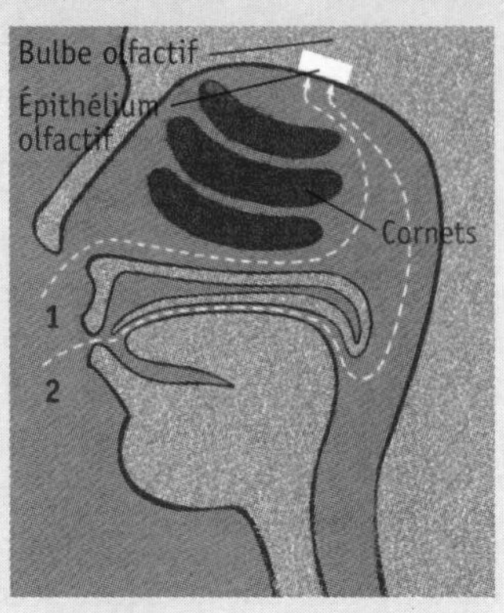

Voies nasale (1) et rétronasale (2).

Le bulbe olfactif est l'organe qui confère à notre odorat une précision et une sensibilité remarquables. Situé dans la boîte crânienne, juste au-dessus de la cavité nasale, il se prolonge de l'autre côté de l'os par une muqueuse mince et lisse, l'épithélium olfactif, recouvert par une multitude de minuscules cils olfactifs. Ceux-ci captent les molécules aromatiques, qui sont à l'état gazeux, pour les transmettre ensuite au bulbe olfactif par l'intermédiaire du nerf olfactif.

Voie nasale et voie rétronasale. Les molécules aromatiques s'acheminent vers le bulbe olfactif par deux chemins : la voie nasale, qui passe directement par les narines lorsque nous inspirons, et la voie rétronasale, plus indirecte, qui relie la bouche au nez via la gorge lorsque nous expirons. C'est donc au moment de la dégustation pure que le dégustateur complète son analyse olfactive du vin en découvrant certains arômes non perceptibles directement par le nez. En effet, certains arômes, en raison de leur moindre qualité volatile, ont besoin d'être chauffés dans la bouche pour passer de leur état liquide à celui gazeux. À ce stade, saveurs et arômes se mêlent en se juxtaposant. Par exemple, ce que nous reconnaissons comme le goût de fraise est en réalité plus l'odeur de fraise. Le goût est donc une somme de sensations tant olfactives (les arômes) que gustatives (les saveurs), ce que traduit assez bien le terme de « flaveur », mot de l'ancien français, qui a survécu dans le mot anglais *flavor*.

qu'il est servi trop froid ; le nez est alors dit « fermé ». À ce vocabulaire purement descriptif et objectif peuvent se mêler des termes plus subjectifs tels que : plaisant, joli, agréable, élégant, racé, ou, à l'inverse, banal, ordinaire, simpliste, sans complexité, vulgaire.

L'IDENTIFICATION DES DIFFÉRENTS ARÔMES. Cette étape de l'analyse relève d'un exercice plus difficile (voir encadré ci-contre). Plutôt que de tenter d'identifier une odeur particulière, il est souvent plus facile d'identifier la famille ou série d'arômes à laquelle elle appartient. On parle ainsi de séries florales, fruitées, végétales, minérales, épicées, balsamiques, empyreumatiques et chimiques (voir tableau p. 130-131).

Outre par leur appartenance à une série particulière, les arômes peuvent également être distingués en fonction de l'origine, de l'âge et du mode d'élaboration du vin, certaines de ces séries pouvant l'emporter sur d'autres.

LES ARÔMES PRIMAIRES, dits aussi variétaux, expriment le caractère fruité propre à chaque cépage dont est issu le vin. De type floral, fruité, végétal, minéral et épicé, ils prédominent lorsque le vin est très jeune, surtout s'il n'a été élevé que dans des cuves.

LES ARÔMES SECONDAIRES proviennent de la fermentation, c'est-à-dire du processus qui transforme le raisin en vin. Pour cette raison, ils sont aussi appelés arômes fermentaires. Ils dépendent de la nature des levures et du mode de vinification, et appartiennent à la famille des odeurs chimiques : amyliques (banane, vernis à ongles), fermentaires (levure, mie de pain) ou lactées (beurre, lait, crème). Signes de jeunesse d'un vin, ils disparaissent après quelques années de bouteille.

LES ARÔMES TERTIAIRES apparaissent lors de l'élevage des vins dans des barriques de chêne (surtout si elles sont neuves) et après quelques années de vieillissement en bouteille. Ceux provenant de l'élevage appartiennent aux séries balsamiques et empyreumatiques (ou de « brûlé »). Dominant souvent les arômes fruités d'un vin dans ses toutes premières années, ils doivent se fondre avec le temps. Les arômes tertiaires, résultat d'un long vieillissement, se montrent plus complexes et mêlent les séries animales, épicées, végétales avec celles empyreumatiques. À ce stade, on parle volontiers du bouquet d'un vin pour exprimer toute la richesse aromatique que celui-ci révèle à son apogée.

Que déduire du nez d'un vin ?

Tout comme la robe, le nez d'un vin livre d'importants renseignements sur sa personnalité et sa qualité. Une bonne intensité et une large palette d'arômes plaident en faveur de sa qualité finale tout en réjouissant le dégustateur. Mais plus encore ses arômes dominants, primaires ou tertiaires, c'est-à-dire fruités, d'élevage ou d'évolution (les arômes secondaires sont rarement dominants ou, alors, par défaut), donnent de précieux indices sur le ou les cépages, l'âge du vin, le mode d'élaboration, voire même le millésime et le rendement.

LA MATURITÉ DU FRUIT. En effet, la qualité des arômes contenus dans la peau des raisins dépend de la maturité du fruit. Un Sauvignon peu mûr et dilué exprime des arômes peu complexes d'herbe, légèrement citronnés, et, dans le pire des cas, de « pipi de chat ». Plus mûr et issu de rendement faible, il montre des arômes plus complexes d'ananas et de zeste de pamplemousse rose.

L'ORIGINE DU VIN joue aussi un rôle capital. Un Chardonnay né à Chablis offre un nez frais, minéral, de fleurs blanches très

LA MÉMOIRE OLFACTIVE

L'odorat est un de nos sens les plus sollicités, mais, paradoxalement, le moins éduqué. Chez le nouveau-né, l'odorat est le sens le plus développé. Adultes, nous réagissons toujours aux odeurs, mais de façon instinctive et primaire en les acceptant ou en les rejetant, rarement en les analysant. D'où souvent l'embarras du dégustateur lorsqu'il doit identifier les arômes caractéristiques d'un vin. Il en reconnaît certains, mais a du mal à les nommer. Déguster, c'est un peu « dépoussiérer » notre mémoire, une sorte de plongeon dans notre vécu qui fera ressurgir des souvenirs liés à des odeurs particulières. Pour s'aider, le dégustateur s'exercera à sentir tous les produits odorants qui l'entourent (fleurs, fruits, épices, mais aussi les odeurs de campagne, de cuisine…), avec la volonté de les enregistrer et de les cataloguer dans chacune des familles d'odeurs. C'est un exercice facile, amusant et non dénué de plaisir.

LES DÉFAUTS OLFACTIFS

Les défauts les plus courants du vin sont ceux inhérents à son élaboration. Un manque d'hygiène dans les chais donne des odeurs sales, de moisi, de croupi. Un vin qui n'a pas été assez soutiré, c'est-à-dire oxygéné, présente des nez de réduit, de renfermé. À l'inverse, trop d'oxygène nuit au vin et se traduit par un nez oxydé, madérisé. Un mauvais dosage de soufre a aussi des conséquences fâcheuses. Présent en trop grande quantité, le soufre se révèle par une odeur âcre, piquante. Mal combiné, il donne une odeur d'œuf pourri, dite de mercaptan. Mais un défaut olfactif peut aussi provenir d'un facteur externe, tel un mauvais bouchon qui donne une odeur de liège impropre. Plus récemment, certains produits de traitement du bois utilisé pour les charpentes des chais et les palettes de stockage ont contaminé les vins en leur communiquant une odeur de liège, proche de celle d'un bouchon défectueux.

différent de celui d'un Meursault, plus opulent avec ses notes d'amande et de noisette ou encore de celui né sous le soleil du Languedoc, plus lourd, aux notes de fruits mûrs.

LE VIEILLISSEMENT DU VIN. Mais c'est avec le temps que le vin exprime au mieux toute sa complexité. Car les différents arômes d'un vin – arômes primaires, secondaires et tertiaires – évoluent pendant l'élevage en cuve ou en fût, puis pendant son vieillissement en bouteille (voir encadré p. 168). Dans le meilleur des cas, le vin conjugue les arômes d'évolution où s'exprime la quintessence du terroir, tout en gardant le souvenir de son fruité originel.

Le nez du vin doit conforter l'analyse visuelle. Un vin à la robe jeune doit ainsi présenter des arômes jeunes sur le fruit, un grand vin rouge de garde ayant atteint son apogée des arômes plus complexes. Si ce n'est pas le cas, il souffrira d'une disharmonie et d'un déséquilibre que devrait confirmer l'analyse gustative (voir p. 138). Pour conclure, le dégustateur note la complexité et l'harmonie de l'expression aromatique du vin en le qualifiant de racé, de séveux, de distingué, ou, dans le cas opposé, de banal, ordinaire, simple, sans harmonie, sans race ou encore vulgaire.

TABLEAU RÉCAPITULATIF DES FAMILLES D'ARÔMES

Ce tableau présente les différentes familles d'arômes (florale, végétale, fruitée, minérale, etc.), par couleurs et par catégories (primaires, secondaires, tertiaires).

SÉRIE AROMATIQUE	VINS ROUGES ET ROSÉS
SÉRIE FLORALE	
Arômes primaires	iris, pivoine, rose, violette.
Arômes tertiaires	fleurs séchées, rose fanée.
SÉRIE FRUITÉE	
Arômes primaires	petits fruits rouges et noirs (cassis, cerise, fraise, framboise, griotte, groseille, mûre), fruits compotés, olive noire, pruneaux.
Arômes secondaires	banane, bonbon anglais.
Arômes tertiaires	fruits cuits, pruneaux.
SÉRIE VÉGÉTALE	
Arômes primaires	bourgeon de cassis, humus, poivron vert, tomate verte.
Arômes tertiaires	champignon, humus, truffe, sous-bois.
SÉRIE MINÉRALE	
Arômes primaires	
SÉRIE ÉPICÉE	
Arômes primaires	garrigue, laurier, poivre, thym.
Arômes tertiaires	clou de girofle, réglisse, zan.
SÉRIE CHIMIQUE	
Arômes secondaires	acétone, banane, levure, soufre, vernis à ongles.
SÉRIE ANIMALE	
Arômes tertiaires	cuir, fourrure, gibier, jus de viande, venaison.
SÉRIE BALSAMIQUE	
Arômes tertiaires	bois neuf, chêne, pin, résine, térébenthine, vanilline.
SÉRIE EMPYREUMATIQUE	
Arômes tertiaires	cigare, fumé, goudron, grillé, tabac, suie, thé, pain toasté.

SÉRIE AROMATIQUE	VINS BLANCS
SÉRIE FLORALE	
Arômes primaires	acacia, aubépine, fleur d'oranger, fleurs séchées, genêt, géranium, rose, tilleul.
Arômes tertiaires	camomille, fleurs séchées.
SÉRIE FRUITÉE	
Arômes primaires	agrumes (citron, orange, pamplemousse), abricot, ananas, banane, coing, fruits confits, fruits exotiques (litchi, mangue, papaye), fruits secs (amande, noisette, noix), figue, melon, pêche, poire, pomme verte, pomme cuite.
Arômes secondaires	ananas.
Arômes tertiaires	tous les fruits secs, miel.
SÉRIE VÉGÉTALE	
Arômes primaires	bourgeon de cassis, buis, champignon, fenouil, fougère, foin, herbe fraîche, menthe fraîche, paille, pipi de chat.
Arômes tertiaires	
SÉRIE MINÉRALE	
Arômes primaires	craie, iode, pétrole, pierre à fusil, silex.
SÉRIE ÉPICÉE	
Arômes primaires	
Arômes tertiaires	cannelle, girofle, vanille.
SÉRIE CHIMIQUE	
Arômes secondaires	beurre frais, brioche, crème, ferment, lait, levure, pain, soufre.
SÉRIE ANIMALE	
Arômes tertiaires	
SÉRIE BALSAMIQUE	
Arômes tertiaires	bois neuf, chêne, pin, résine, térébenthine, vanille.
SÉRIE EMPYREUMATIQUE	
Arômes tertiaires	grillé, moka, thé, pain toasté, torréfaction.

La bouche du vin

Dernière et ultime étape, la dégustation ! Le vin va enfin dévoiler toute sa personnalité gustative avec ses saveurs, sa texture, sa structure, son équilibre. Mais le dégustateur ne l'aborde pas sans déjà avoir une idée « a priori » de ce qu'il va goûter, grâce aux indices qu'il a récoltés précédemment. La bouche doit confirmer ses observations tout en les complétant et bien sûr, dans le meilleur des cas, parfaire son plaisir.

Déguster : un exercice pas si simple !

Qui n'a pas vu des dégustateurs à l'œuvre ? Ils font la grimace, émettent du bruit en faisant glouglouter le vin dans leur bouche avant de le recracher, le tout avec une mine inspirée ! Loin d'être du cinéma, cette « mise en bouche » s'avère indispensable pour une bonne appréciation du vin. Elle s'explique par le nombre d'acteurs qui rentrent en jeu lors de la dégustation. Il y a la langue qui détecte les quatre saveurs principales, mais aussi l'ensemble de la bouche – gencives, joues, langue et palais – qui enregistre les sensations d'ordre thermique (la température), d'ordre tactile (la consistance ou texture) et d'ordre chimique (l'astringence et l'effervescence éventuelle). Enfin, le vin se « sentant » autant qu'il se goûte, le bulbe olfactif intervient aussi pour identifier les différents arômes du vin. La grimace du dégustateur a pour but de solliciter au maximum chacun de ses outils gustatifs. Mais, si la technique est simple, l'art de la dégustation s'avère plus difficile. En effet, en un temps très court (moins d'une minute), le dégustateur expérimente plusieurs sensations qui se combinent et s'additionnent entre elles et, de fait, rendent l'analyse relativement complexe. La meilleure méthode pour procéder est de se poser les bonnes questions relatives à la structure, l'équilibre, l'harmonie et la complexité des saveurs. L'exercice de dégustation réclame beaucoup d'attention et de concentration. Avec un peu de pratique et de curiosité, elle est cependant à la portée de tous, comme le prouvent certains amateurs qui montrent un niveau de compétence comparable à celui de vrais professionnels.

Pour juger le « milieu de bouche », le dégustateur fait tourner une gorgée du vin dans la bouche pendant quelques secondes, donnant l'impression de « mâcher » le vin...

Les trois étapes de la dégustation

Si, dans la pratique, l'exercice de la dégustation se déroule en un seul temps, l'analyse procède, elle, par trois phases successives.

L'ATTAQUE. Elle correspond à la toute première impression que le vin fait naître sur la langue lorsque le dégustateur prend une petite gorgée de vin. D'emblée, il perçoit la température, la présence éventuelle du gaz, mais il se forme aussi une idée de la personnalité gustative du vin. Une attaque de qualité doit être franche, nette, précise, mais peut aussi s'avérer ample, aromatique, fruitée. Si ce premier contact n'enclenche aucune sensation chez le dégustateur, l'attaque est dite faible, fuyante, aqueuse, ou, au contraire, agressive quand elle provoque une réaction gustative forte et déplaisante.

LE « MILIEU DE BOUCHE ». Cette étape correspond à l'épanouissement du vin dans la bouche. Pour ce faire, le dégustateur fait tourner une gorgée de vin dans la bouche pendant quelques secondes, donnant l'impression de « mâcher », puis inspire un filet d'air par la bouche afin d'accélérer l'acheminement des molécules aromatiques vers le bulbe olfactif via la voie rétronasale (voir encadré p. 126). À ce stade, il appréhende toutes les saveurs et odeurs, la texture et la structure inhérentes au vin. Or, ces sensations olfactives, tactiles et thermiques, qui s'additionnent et se combinent entre elles, livrent une impression globale. La tâche du dégustateur est alors d'essayer de les différencier successivement afin de les analyser et de juger de l'équilibre du vin (voir plus loin).

... puis il aspire un filet d'air par la bouche pour accélérer le cheminement des molécules aromatiques vers le bulbe olfactif.

LA FINALE. Cette dernière étape correspond à la persistance aromatique, ou « longueur en bouche », du vin dans la bouche, une fois celui-ci avalé (ou recraché). Elle donne une idée de la « grandeur » du vin. Plus un vin est long, plus grande sera sa qualité. Cette persistance se mesure en secondes ou caudalies (du latin *cauda*, « queue »), dans le langage du dégustateur. Elle peut aussi être décrite comme longue, épanouie, et, dans le meilleur des cas, on parlera de queue de paon. A contrario, elle est dite inexistante, fugace, brève ou courte. La difficulté consiste à ne pas confondre la persistance aromatique avec les sensations engendrées par l'acidité, l'alcool ou les tanins – soit une sensation de brûlure, de chaleur ou d'astringence –, qui tendent souvent à la masquer. Le plus simple est de se concentrer sur l'arôme dominant et, une fois le vin avalé (ou recraché), de le suivre jusqu'à disparition.

Enfin, il ne saurait y avoir de dégustation sans conclusion ! Une rapide synthèse s'impose concernant non seulement la qualité du vin à cet instant T de la dégustation mais aussi son éventuel devenir (voir encadré p. 166). Et puis, bien sûr, c'est le moment pour le dégustateur d'exprimer son propre goût !

QUATRE SAVEURS PRINCIPALES

Il existe une multitude de saveurs, mais nous en reconnaissons principalement quatre : le sucré, le salé, l'acide et l'amer. Contrairement à une idée répandue, les papilles gustatives, réparties sur la langue, ne sont pas spécialisées et perçoivent chacune l'ensemble des saveurs. Pour la dégustation, il est important de réaliser que les saveurs interfèrent entre elles en s'opposant ou en s'annulant : le salé renforce l'amertume, le sucré domine le salé mais surtout diminue la perception de l'acidité et retarde celle de l'amertume. De fait, lors de l'exercice de la dégustation, il est important de juger de l'harmonie des saveurs entre elles et plus exactement de celles sucrées d'une part avec celles acides et amères de l'autre, car elle témoigne directement de l'équilibre du vin (voir p. 138). Enfin, précisons que chaque individu possède sa propre sensibilité avec des seuils de perception pour chaque saveur.

LES DÉFAUTS GUSTATIFS

Certains défauts olfactifs se retrouvent lors de la dégustation. Les odeurs sales, de moisi, de croupi se traduisent par un « mauvais goût », proche de celui de végétaux en décomposition ou d'écurie. Un vin trop soufré présente une bouche dissociée, sans harmonie, qui s'exprime par un goût d'ail, de caoutchouc ou d'œuf pourri (mercaptan). Un vin oxydé offre une bouche à la saveur excessivement acidulée pour les blancs, et d'aigre-doux ou de rancio (pruneaux, fruits à l'eau-de-vie) pour les rouges. Un vin à l'odeur de bouchon aura un goût de liège impropre. D'autres défauts sont inhérents au mauvais équilibre du vin et ne sont pas toujours perceptibles à l'olfaction. Une sensation de « brûlant » traduit un excès d'alcool ou d'acidité. Un important taux de sucres non équilibré par l'alcool et une juste acidité donne une bouche pâteuse, lourde et sans finesse. Des tanins pas assez mûrs induisent une sensation forte d'âpreté dans un vin jeune et de sécheresse dans un vin plus âgé.

L'analyse des saveurs et des arômes

Les saveurs proviennent des différents constituants du vin. L'acide est induit des différents corps acides ; le sucré provient d'éventuels sucres résiduels mais aussi de l'alcool qui a une saveur douce et sucrée ; l'amertume est liée à la présence de tanins ; le goût salé, plus rare, existe pourtant à faible dose et découle de ses différents corps salés. Lors de la dégustation, ces saveurs se combinent entre elles en s'opposant ou en s'annulant (voir encadré p. 134), tout comme elles s'additionnent aux arômes. La présence de ces derniers, qui ont déjà été identifiés en partie lors de l'analyse olfactive, doit être confirmée, voire leur identification être complétée, lors de l'exercice de la dégustation. Un vin rouge qui offre des notes de fruits rouges très mûrs au nez doit aussi « goûter » les fruits rouges. Épaulé par une saveur sucrée, ce goût n'en sera que plus évident. En revanche, la prédominance de la saveur acide indiquera un déséquilibre entre saveur et arômes, qui ne plaidera pas en faveur du vin. De même, pour un vin blanc sec aux arômes dominants d'agrumes (citron, pamplemousse...), la saveur qui doit

LES TANINS

Présents uniquement dans les cépages rouges, les tanins sont extraits des peaux lors de la macération des raisins. Leur qualité et leur quantité dépendent de plusieurs facteurs : la maturité du fruit, la durée de la macération, mais aussi le cépage (le Gamay est peu tannique contrairement au Cabernet-Sauvignon ou à la Syrah). Les tanins sont responsables de la structure du vin, de sa charpente. Dans la bouche, ils se perçoivent par la sensation d'astringence (ou de sécheresse). C'est la « mâche » du vin, plus ou moins prononcée selon l'origine du vin, sa qualité et son âge. Les tanins sont qualifiés (de peu à beaucoup) par les termes : râpeux, âpres, fermes, ronds, fins. Ils jouent un rôle essentiel dans le vieillissement des vins.

dominer en bouche est celle, fraîche, de l'acidité. L'interaction harmonieuse des saveurs et des odeurs est donc un point essentiel, qui permettra de juger de la qualité et de l'équilibre d'un vin.

L'analyse des sensations tactiles

Parallèlement aux sensations aromatiques et olfactives, l'ensemble de la bouche, dont les muqueuses, expérimente différentes sensations tactiles :

LE MOELLEUX. La sensation de moelleux est provoquée par l'alcool, qui a une saveur douce et légèrement sucrée. Elle est renforcée par la présence éventuelle de sucres résiduels. L'alcool est l'agent de douceur des vins blancs secs et, dans les rouges, il donne cette impression de gras du vin.

L'ACIDITÉ. La sensation d'acidité provient des différents corps acides présents dans le vin. Moins perceptible dans les vins rouges en raison des tanins, elle est plus évidente dans les blancs et les rosés élaborés par pressurage, dont elle assure la fraîcheur.

L'ASTRINGENCE. Provoquant une sensation de dessèchement dans la bouche, elle est induite par les tanins (voir encadré ci-dessus) et se perçoit donc essentiellement dans les vins rouges, mais aussi dans les rosés issus de macération. Les tanins sont responsables de la charpente ou de l'ossature des vins.

Chacune de ces sensations peut être analysée séparément bien que, le plus souvent, la perception soit de nature globale. Dans un vin blanc sec ou moelleux ainsi que dans les rosés élaborés par pressurage, c'est le couple acidité/moelleux qui donne sa personnalité tactile au vin. Pour les rouges et les rosés de macération, c'est le trio acidité/moelleux/astringence. Il existe autant de combinaisons possibles que de vins. Mais le résultat doit être harmonieux et n'engendrer aucune sensation désagréable due à l'excès d'un des composants, telle l'impression de brûlure liée à un excès d'alcool ou d'acidité, de sécheresse et de dureté induite par des tanins insuffisamment mûrs ou par manque de moelleux du vin (voir p. 138). De la somme de ces sensations tactiles résulte la notion de texture du vin, appelée aussi corps, chair ou encore trame. Le vocabulaire pour la décrire emprunte autant au monde du tissu que de l'anatomie. La comparaison avec des figures géométriques est aussi assez courante (voir encadré ci-dessus).

LA TEXTURE D'UN VIN

La texture découle de l'ensemble des sensations tactiles perçues par la bouche. Elle s'apprécie d'emblée par l'amateur avant même qu'il n'en analyse les différents axes d'équilibre (voir p. 138) et dépend du rapport entre les principaux constituants du vin : alcool, acidité, tanins et sucres. Pour la décrire, le vocabulaire emprunte souvent au monde du tissu. On dira d'une texture qu'elle est souple, caressante, satinée, veloutée, soyeuse, ou, à l'inverse, granuleuse, grossière, rêche, rustique. L'analogie avec le corps humain est également fréquente. La « chair » du vin est ainsi décrite comme charnue, grasse, épaisse, ferme, ou, au contraire, mince, maigre, sèche. D'autres termes comme suave, onctueux, visqueux, sirupeux sont aussi couramment employés pour commenter la texture des vins blancs riches en sucres résiduels. Mais la qualité de la texture doit également être appréhendée dans le contexte de l'appellation. On n'attend pas d'un vin du Médoc, où domine le Cabernet-Sauvignon, riche en tanins, un grain aussi velouté que celui d'un Pomerol où le Merlot majoritaire, riche en alcool, « habille » les tanins.

La synthèse

Après avoir vérifié les trois étapes précédentes, il est temps de juger de la qualité des vins, qui peut se résumer en trois mots : équilibre, harmonie et plaisir. L'équilibre s'apprécie directement lors de la dégustation. L'harmonie synthétise toutes les données récoltées, tant gustatives, aromatiques que visuelles. Quant au plaisir, une fois compris les mystères du vin, il n'en sera que plus grand chez l'amateur.

Équilibre et harmonie

Lorsqu'on juge de la qualité d'un vin au-delà du plaisir qu'il peut procurer, on se réfère généralement à deux notions : l'équilibre et l'harmonie.

L'ÉQUILIBRE. La notion d'équilibre est utilisée pour désigner un vin dont les différents groupes de saveurs – acidité, moelleux, dans les vins blancs ; tanins, acidité, moelleux, dans les vins rouges – se compensent de façon satisfaisante, sans émergence ou déficience de l'un d'eux, créant subjectivement une impression d'équilibre. Cette notion, qui est structurale et quantitative, doit être distinguée de celle d'harmonie, qui est esthétique et qualitative.

L'HARMONIE. Un vin peut être considéré comme harmonieux lorsque ses différents constituants comportent entre eux un minimum d'accord. Chacun des groupes de saveurs, considéré en lui-même, ne comporte alors aucun facteur intrinsèque de désagrément : par exemple, tanin amer, ou acidité aigrelette, ou moelleux trop alcoolique, qui nuise à l'impression globale de l'ensemble. En effet, chacun d'entre eux doit être dans un rapport favorable avec les deux autres, de façon à créer une impression de style de relation esthétique. Cette situation est obtenue rarement par l'égalité des groupes de saveurs (équilibre est différent d'harmonie), mais plus souvent par une hiérarchie graduée des trois groupes. Produit de l'éducation et des pratiques culturelles, le concept d'harmonie est donc sujet à variation dans le temps et d'un pays à l'autre.

ÉQUILIBRE DES VINS BLANCS SECS

La représentation graphique des composants des vins blancs secs peut s'imaginer en fonction de deux axes, l'un figurant le niveau d'alcool, l'autre celui de l'acidité. Leur croisée symbolise l'équilibre du vin. Des nuances existent cependant, permettant de définir les différents styles de vin. Une faible acidité pour un niveau normal d'alcool se traduit par la fraîcheur, la vivacité, la nervosité du vin. Présente à l'excès, l'acidité devient agressive et entraîne la maigreur. Une augmentation de l'alcool pour un même niveau d'acidité engendre progressivement la souplesse, la rondeur, le gras, puis la lourdeur. La dominante simultanée d'acidité et d'alcool traduit jusqu'à un certain point la richesse du vin sans briser son harmonie. Au-delà, le vin se révélera dur et vineux. À l'opposé, le retrait simultané des deux donnera des vins plats et légers.

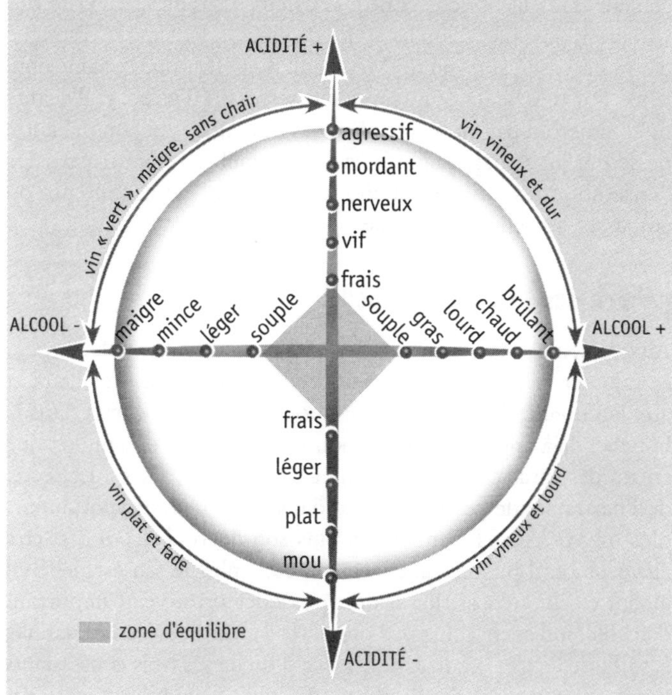

L'équilibre des vins blancs secs

Dans le jugement de l'équilibre d'un vin, celui des vins blancs secs est le plus simple à analyser. Il se résume au rapport de l'acidité et de l'alcool, responsables respectivement de la sensation acide et de celle de moelleux. La première apporte la fraîcheur, la vivacité. C'est en quelque sorte l'ossature du vin. Le second lui transmet son moelleux, sa douceur, c'est-à-dire sa chair, son gras. Dans la bouche, ces deux sensations doivent s'équilibrer. Pour comprendre leur articulation, il est simple de les schématiser par deux axes perpendiculaires. Plus le vin est proche de leur croisée, plus il sera jugé équilibré. Un vin de forte acidité et de peu d'alcool se montrera agressif, maigre, sans matière. Inversement, celui trop chargé en alcool, ne possédant pas l'acidité nécessaire pour le contrebalancer, sera lourd et entraînera une désagréable sensation de chaleur dans la bouche. Entre ces deux extrêmes, il existe des variations possibles selon les styles de vin. Un Riesling se distingue par sa nervosité alors qu'un Meursault doit offrir une certaine opulence. Sur ce schéma, leurs montants respectifs d'alcool et d'acidité ne se situeront pas au même niveau. Pour autant, ni l'un ni l'autre ne seront jugés déséquilibrés. À leur équilibre respectif participe l'ensemble des saveurs et des arômes, qui vont soutenir ou émousser les sensations tactiles.

L'équilibre des vins blancs moelleux

Aux deux axes, acidité et alcool, présents dans tout vin blanc, vient se rajouter celui des sucres résiduels spécifique aux moelleux et aux liquoreux. Il renforce la sensation tactile de moelleux dans la bouche, déjà apportée par l'alcool. L'équilibre est obtenu lorsque aucun des caractères ne prédomine sur les deux autres. Le secret de l'harmonie de ces vins réside dans deux règles importantes : plus un vin est riche en sucres, plus son degré d'alcool doit être élevé, sinon il paraîtra pâteux, sirupeux ; plus le vin est riche en alcool et en sucres, plus il doit posséder un niveau important d'acidité, indispensable pour préserver la fraîcheur de l'ensemble. Il suffit de l'excès ou de la déficience d'un de ses trois constituants pour entraîner le déséquilibre du vin. Cependant, certains

ÉQUILIBRE DES VINS BLANCS MOELLEUX ET LIQUOREUX

L'équilibre des vins blancs moelleux s'analyse suivant trois axes représentant les montants d'acidité, d'alcool et de sucres résiduels. Le cœur du diagramme symbolise l'équilibre des vins. Il met en évidence deux règles importantes : plus un vin est riche en sucres, plus son degré alcoolique doit être élevé ; plus ses deux composantes sont élevées, plus le niveau d'acidité doit l'être de façon à ramener l'équilibre au centre. La déficience d'un des composants entraîne aussitôt un déséquilibre. Par exemple, la seule dominante sucres donnera un vin sirupeux ; associée à un niveau élevé d'alcool, elle rendra le vin lourd, etc.

Au cœur même de l'équilibre, il existe des nuances de texture – tendre, suave, onctueux – qui traduisent la richesse des vins et définissent des styles différents.

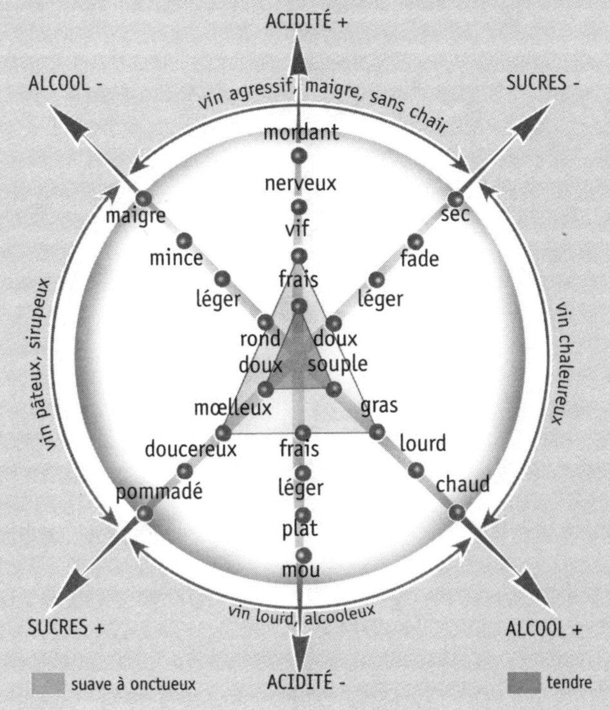

ÉQUILIBRE DES VINS ROUGES

L'équilibre d'un vin rouge se juge en fonction de trois axes : celui des tanins, de l'alcool et de l'acidité. Au centre, là où ils se croisent se trouve le point d'équilibre théorique. Plus on s'éloigne du cœur, plus le vin affirmera son style jusqu'au point où il y aura rupture d'harmonie en raison du retrait d'une ou de deux des dominantes : un fort niveau de tanins avec un niveau moyen d'acidité et d'alcool donnera ainsi un vin charpenté, tannique, mais, si les deux autres composantes s'avèrent vraiment faibles, le vin se montrera dur, austère, astringent; inversement, un vin riche en acidité et en alcool, mais pauvre en tanins, semblera jusqu'à un certain point gouleyant, puis, tendant vers un déséquilibre plus grand, il se révélera maigre, si l'acidité l'emporte, ou, au contraire, lourd, si c'est l'alcool qui domine. Et ainsi de suite...

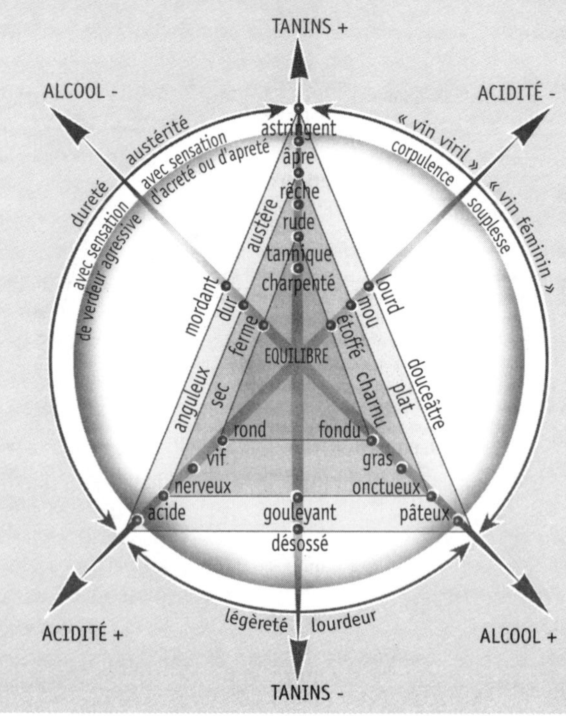

moelleux montrent une acidité importante qui, loin d'être jugée agressive, apporte une agréable nervosité au vin. C'est le cas des moelleux de Loire, comme les Coteaux-du-Layon et Vouvray, issus du cépage Chenin. Lors de la dégustation, l'amateur appréciera particulièrement la texture des moelleux, qui, selon la richesse du vin, se qualifie de tendre, suave, onctueuse, ou, dans les cas extrêmes, de légère ou de sirupeuse. Il tiendra aussi compte de la puissance des arômes et des saveurs qui doivent renforcer et confirmer la richesse du vin.

L'équilibre des vins rouges

L'équilibre des vins rouges est un exercice plus difficile en raison de la présence des tanins, responsables de la sensation d'astringence. Il s'articule autour de trois axes, représentant respectivement l'alcool, l'acidité et les tanins. À leur croisée se situe le point d'équilibre idéal avec des nuances possibles relatives au style du vin. Charpenté si les tanins dominent un peu le couple alcool/acidité, rond et fondu dans le cas inverse. Plus on s'éloigne de ce point, plus on constate la rupture d'harmonie due à un excès ou à un retrait d'un des trois composants.

Plus un vin possède de tanins, plus la sensation d'astringence sera perçue désagréablement, si elle n'est pas compensée par une acidité et un alcool de niveau équivalent. De tannique, le vin deviendra progressivement rude, rêche, âpre, astringent. Associé à l'alcool, le vin gagne en moelleux. C'est le cas des Bordeaux issus principalement de Merlot dont la dominante alcool enrobe les tanins pour leur donner un charnu plaisant.

Si, parallèlement au couple tanins/alcool, il y a un net retrait de l'acidité, le vin gagnera en souplesse si le moelleux domine et en structure si l'astringence l'emporte. À ces deux tendances correspondent deux styles de vins couramment appelés féminin dans le premier cas, viril dans le second.

Lorsque les axes dominants sont celui des tanins et de l'acidité, le vin gagne en fermeté jusqu'au point où, avec le retrait de la sensation moelleuse, il s'avère austère, raide, mordant. Ce cas s'illustre assez bien avec les vins issus de Cabernet-Sauvignon, très riche en tanins. Mûrs, ils montrent une certaine austérité dans leur jeunesse qui s'émoussera avec le temps. Pas assez mûrs, donc avec une acidité importante, ils se révéleront plus anguleux et engendreront une sensation irritante mêlant astringence et amertume. Dans le cas de certains vins, les Beaujolais et les vins primeurs en général, un taux d'acidité un peu élevé s'avoue nécessaire pour compenser leur faible montant de tanins.

Dans l'analyse d'un vin rouge, il est important de tenir compte de la qualité de ses arômes. Un caractère tannique important à la limite de la rupture d'équilibre sera agréablement compensé dans un vin qui montre un fruité important. Dans ce cas, on peut augurer de la bonne évolution du vin. A contrario, la sensation d'astringence s'en trouvera renforcée et la qualité définitive du vin remise en cause.

L'équilibre des vins effervescents

La famille des vins effervescents est vaste aussi bien en raison de la diversité des cépages qui peuvent rentrer dans sa composition (cépages blancs et rouges) que de ses différents modes d'élaboration (voir p. 250). Cependant, ils se rapprochent structurellement des vins blancs, les bulles en plus. Ils s'équilibrent autour de deux axes, celui acide et celui moelleux induit par l'alcool et les sucres (résiduels ou rajoutés selon la méthode). S'ajoute l'effervescence qui joue un rôle mécanique important en renforçant ou en atténuant la sensation acide. L'appréciation du gaz se fait dès l'attaque selon l'abondance et la finesse de la bulle. Elle donne le « ton » du vin en se révélant plus ou moins agressive, plus ou moins subtile. Un vin qui mousse abondamment dans la bouche est un mauvais signe. Les bulles doivent être légères, aériennes et d'emblée faire corps avec le vin. Ensuite la bouche réalise la dualité acidité/moelleux. Dans un effervescent, l'acidité montre souvent un taux plus élevé que dans un blanc sec. Elle est garante de leur vivacité propre à leur catégorie, mais, excessive, elle donnera une sensation de mordant désagréable. Les bulles doivent l'adoucir tout autant que le moelleux sans pour autant l'affadir, la ramollir. La finale est symptomatique de l'équilibre. Elle doit être fraîche et aromatique et non pas garder l'empreinte brûlante de l'acidité ou la saveur douceâtre d'un dosage mal équilibré.

Organiser une dégustation

L'apprentissage du vin passe par l'incontournable pratique de la dégustation. S'il existe plusieurs organismes ou associations de dégustation ouvertes au grand public, l'amateur peut aussi organiser de son côté une dégustation entre amis. À la portée de tous, cela nécessite juste un peu de rigueur et de vérifier quelques conditions de départ, matérielles et physiques.

Préparer une dégustation

Bien choisir la pièce est important. Elle doit être claire, bénéficier d'une bonne lumière du jour ou, à défaut, d'un éclairage neutre et suffisant (ampoule fluorescente et abat-jour de couleur à bannir). Aucune odeur de cuisine, de fleurs, de tabac, d'eaux de toilette (ou d'après-rasage)… ne doit «polluer» l'atmosphère. La température idéale est entre 18° et 20 °C, ce qui correspond à la notion de «chambrer» du temps où le chauffage n'existait pas. La table sera recouverte d'une nappe blanche, ou, à défaut, les verres seront posés sur une feuille de papier blanc.

LES VERRES. Leur choix est encore plus important tant il influe sur les perceptions visuelles et aromatiques. Le verre à pied transparent et en forme de tulipe est incontournable. Le verre de couleur est à bannir. L'idéal est le verre à dégustation dit INAO, conçu spécialement par les professionnels. (Il se trouve facilement dans tous les grands magasins.) Le dégustateur prendra soin de le sentir avant usage pour s'assurer qu'il n'a pas d'odeur pirate (poussière, carton, torchon…). On pourra le rincer avant avec de l'eau ou, mieux, l'aviner avec le premier vin de la dégustation. L'idéal est de proposer un verre par vin dégusté afin de suivre son évolution dans le verre. Sinon, on prévoira deux verres minimum par dégustateur de façon à lui permettre de comparer les vins.

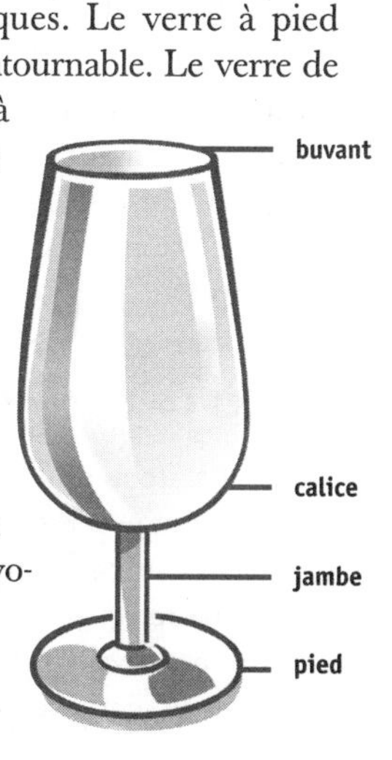

POURQUOI CRACHER ?

Pour l'amateur débutant, cracher lors d'une dégustation semble anormal, sans parler de la frustration qu'il ressent à ne pouvoir avaler le vin. Les raisons sont évidentes. La première est une question d'hygiène physique. Les dégustations se déroulant en dehors des repas, avaler veut dire absorber de l'alcool alors que l'individu est à jeun. Il prend alors des risques et, sans forcément atteindre l'état d'ébriété, il perd en pouvoir de concentration et en acuité des sens. La deuxième tient à la physiologie du goût. Avaler le vin n'apporte aucun critère de jugement supplémentaire puisque tout se joue entre le nez et la bouche.

LES CRACHOIRS. Ce sont des accessoires indispensables. Ils permettent à chacun d'y vider son verre et de cracher. Boire systématiquement les vins pendant une dégustation comporte quelques risques ! À défaut d'un crachoir, on peut se servir d'un autre récipient, tel qu'un pot, un seau à Champagne ou un vase.

Les vins seront préparés et disposés par ordre de dégustation dans la pièce (voir p. 200). Ceux entreposés dans une cave à l'horizontale seront remontés la veille de façon à ce que les sédiments éventuels se déposent au fond de la bouteille. Ils seront débouchés au moins une heure avant et, si nécessaire, décantés ou transvasés dans une carafe, selon leur âge. Les blancs seront rafraîchis dans un seau à glace ou entreposés dans le réfrigérateur pendant quelques heures mais sortis une demi-heure avant la dégustation, pour qu'ils aient la température adéquate, et aussitôt ouverts.

Les bonnes conditions physiques

Le dégustateur doit être en forme, frais et dispos. Il est évident qu'une fatigue physique a des conséquences sur l'acuité du jugement par l'inconfort qu'elle suscite. A fortiori, un rhume est un grand handicap puisqu'il nuit à la bonne perception des arômes perçus directement par le nez et, indirectement, par la bouche. Idéalement, le meilleur moment pour déguster est le matin lorsque les sens sont en éveil et la concentration à son maximum. À défaut, les amateurs se réuniront en début de soirée, avant de dîner, lorsque le corps est de nouveau en appétence. À proscrire absolument, les après repas, les sens étant alors « saturés » et le corps « occupé » à digérer. Avant une dégustation, l'amateur s'abstiendra de boire un café ou de fumer une cigarette pour ne pas se « gâcher » son palais. Dans le même souci, on préférera le pain, aliment neutre, au fromage ou biscuits salés pour se « refaire » le palais entre les vins particulièrement tanniques ou acides.

Lors de la dégustation, un certain silence est à respecter. Cette règle favorise la concentration. Il est bien sûr, intéressant d'échanger ses réflexions, mais il faut le faire dans l'ordre. Le responsable de la dégustation peut ainsi proposer de faire le point sur les vins dégustés après chaque série de x bouteilles. Chacun aura noté au fur et à mesure ses commentaires sur une feuille de dégustation prévue à cet effet (pour quelques exemples, voir pages suivantes). Il est indispensable de se plier à cet exercice parce qu'il aide le dégustateur à étayer son jugement. Ses notes lui serviront de base de données utile pour le développement de son goût et le suivi de l'évolution des vins.

Dernière règle : honnêteté, modestie et respect de l'autre sont des vertus à pratiquer même en dégustant ! En matière de goût, il n'y a ni « bon goût », ni « mauvais goût » par excellence. Chacun a le sien et doit pouvoir le défendre en l'argumentant, tout en respectant celui des autres.

LA DÉGUSTATION À L'AVEUGLE

Déguster à l'aveugle consiste à déguster un vin sans en connaître l'identité. Pour ce faire, la bouteille est recouverte de papier ou d'une chaussette prévue à cet usage. En effet, quel que soit le niveau de compétence et de connaissance du dégustateur, il y a toujours un risque de se laisser influencer par l'étiquette. Un vin de grande réputation est toujours abordé avec un a priori déjà positif et inversement. À l'aveugle, seule la qualité intrinsèque du vin plaide pour lui. La dégustation se déroule alors en toute objectivité.

FICHE DE DÉGUSTATION
Vin n° 1

PROVENANCE	
Région :	Alsace
Appellation :	Gewürztraminer Fronholtz Vendanges Tardives
Domaine :	Domaine Ostertag
Millésime :	2000
EXAMEN VISUEL	
Couleur :	Robe d'un bel or soutenu, bonne limpidité.
Disque :	Éclatant.
Jambes :	Belles jambes, nombreuses et épaisses.
EXAMEN OLFACTIF	
Intensité :	1er nez fermé qui s'ouvre un peu à l'aération.
Qualité :	Élégant mais reste encore assez discret.
Arômes :	Jolies notes de rose un peu épicées, de fruits exotiques, de raisins très mûrs.
EXAMEN GUSTATIF	
Attaque :	Souple et douce.
Milieu de bouche :	Chair suave, tapissant bien la bouche, saveur sucrée bien présente mais sans lourdeur avec une bonne fraîcheur, joli gras, arômes de rose bien présents.
Finale :	Longue et savoureuse.
Équilibre :	Très bon équilibre sans lourdeur, les sucres sont bien intégrés.
CONCLUSION	
Qualité :	Très joli vin d'un équilibre parfait, montrant autant de délicatesse que de gourmandise subtile.
Évolution :	Trop jeune pour l'instant, il demande 3 ans pour mieux exprimer son potentiel. Il vieillira facilement au moins 10 ans. À carafer si l'on veut l'apprécier dans ses 3 premières années.

FICHE DE DÉGUSTATION

Vin n° 2

PROVENANCE	
Région :	Languedoc
Appellation :	Corbières rosé
Domaine :	Domaine du Grand Arc cuvée « La Tour Fabienne »
Millésime :	2001
EXAMEN VISUEL	
Couleur :	Rosé assez soutenu, couleur framboise, d'une bonne limpidité.
Disque :	Brillant.
Jambes :	Belles jambes coulantes, peu nombreuses.
EXAMEN OLFACTIF	
Intensité :	Expressif.
Qualité :	D'un joli fruité gourmand.
Arômes :	Notes prononcées de fruits rouges, fraise, framboise et gelée de groseille avec des arômes poivrées soutenues et une touche florale de réséda.
EXAMEN GUSTATIF	
Attaque :	Bonne attaque, tout en souplesse.
Milieu de bouche :	Bouche ronde, ample et généreuse avec des saveurs fruitées et poivrées bien présentes.
Finale :	Moyennement longue, aromatique avec une légère amertume agréable.
Équilibre :	Alcool et acidité s'équilibrent parfaitement.
CONCLUSION	
Qualité :	Rosé de type vineux, avec une chair généreuse mais sans déséquilibre.
Évolution :	À boire frais dans les 2 ans à venir. À marier avec des grillades ou des viandes blanches.

FICHE DE DÉGUSTATION
Vin n° 3

PROVENANCE	
Région :	Espagne
Appellation :	Rioja Reserva
Domaine :	Contino
Millésime :	1986
EXAMEN VISUEL	
Couleur :	Robe rubis clair, encore fraîche et limpide.
Disque :	Début d'évolution, une frange légèrement tuilée.
Jambes :	Jambes fines, coulantes.
EXAMEN OLFACTIF	
Intensité :	De bonne intensité.
Qualité :	Élégant, fin avec de jolies notes d'évolution.
Arômes :	Notes légèrement viandées associées à celles plus fondues de boisé et de grillé. À l'aération, on perçoit encore des notes de fruits cuits et épicés.
EXAMEN GUSTATIF	
Attaque :	Souple, assez moelleuse.
Milieu de bouche :	Bouche moyennement ample, dessinée sur des tanins fins et bien fondus. Caractère fruité bien présent avec des notes de fruits cuits à noyau.
Finale :	Bonne persistance avec cependant une légère note alcooleuse en finale.
Équilibre :	Équilibre correct.
CONCLUSION	
Qualité :	Vin qui a très bien évolué illustrant un style sudiste élégant.
Évolution :	Arrivé à son apogée, ce vin est à boire aujourd'hui et dans les 2 à 3 ans à venir. Décantation recommandée juste avant le service pour une meilleure expression des arômes fruités.

FICHE DE DÉGUSTATION
Vin n° 4

PROVENANCE	
Région :	Champagne
Appellation :	Champagne
Domaine :	Veuve Clicquot Ponsardin Cuvée « La Grande Dame »
Millésime :	1990
EXAMEN VISUEL	
Couleur :	Robe dorée à pâles reflets verts.
Effervescence :	Première mousse fine et aérienne. Présence du cordon.
Aspect des bulles :	Bulles très fines, montant en cheminée jusqu'au cordon. Effervescence continue dans le verre.
EXAMEN OLFACTIF	
Intensité :	De bonne intensité.
Qualité :	Élégant, frais et complexe.
Arômes :	Notes florales de fleurs blanches se mariant à celles de fruits blancs mûrs (pêche) et de touches d'agrumes (zeste de pamplemousse). Puis viennent des notes légères d'amandes grillées et de moka.
EXAMEN GUSTATIF	
Attaque :	Fraîche et crémeuse.
Milieu de bouche :	Bouche ample et riche, tout en souplesse, alliant fraîcheur et vinosité. Saveurs fruitées dominant, avec en arrière-plan le caractère grillé et torréfié.
Finale :	Très persistante et savoureuse.
Équilibre :	Très bien équilibré.
CONCLUSION	
Qualité :	Très grande cuvée dans un millésime riche et très mature.
Évolution :	À déguster entre amateurs dès aujourd'hui, à l'apéritif avec des amuse-gueules au paprika et au parmesan. Mérite aussi de mûrir 2 à 3 ans dans une bonne cave.

Décrire le vin

La bonne maîtrise des techniques de la dégustation implique également celle de la description des sensations observées. Pour mieux comprendre le vocabulaire utilisé par les dégustateurs professionnels, il est bon de se rappeler qu'il repose sur quelques principes simples.

Le vocabulaire de la dégustation

Il n'existe pas de terminologie officielle de la dégustation, mais un certain nombre de termes élémentaires, énumérés ci-dessous par ordre alphabétique avec leur définition, ont été consacrés par l'usage pour qualifier les arômes, le caractère et la structure d'un vin. Beaucoup de ces termes procèdent par analogie : les arômes d'un vin sont ainsi décrits en référence à des odeurs familières (de fruits, d'épices, etc.) qu'ils rappellent, sa texture (la sensation tactile qu'il provoque dans la bouche) en évoquant, par exemple, la qualité d'un tissu (« soyeux », « velouté »), sa structure en la comparant parfois avec celle du corps humain (« maigre », « gras »). De la même façon, on parlera de la personnalité d'un vin, qui peut être « simple » ou « complexe », « rustique » ou « élégant ». Par le jeu des analogies, le dégustateur peut donc créer un vocabulaire presque infini pour décrire et analyser ses sensations.

D'autres termes ont un sens qui ne peut pas toujours être défini de façon précise. Un qualitatif comme « acide », par exemple, repose sur une perception sensorielle dont l'interprétation et la description varient d'un dégustateur à l'autre, reflétant le goût de chacun, mais aussi l'imprécision du langage. Pour les dégustateurs professionnels, la maîtrise du vocabulaire de la dégustation tient en effet davantage à la possibilité de la rendre en quelque sorte « objective », car un œnologue, par exemple, doit pouvoir décrire avec précision le goût ou style qu'il souhaite obtenir grâce à une intervention technique particulière.

À ces termes associés à la dégustation proprement dite du vin s'ajoutent les mots techniques liés à son élaboration. Ils sont décrits dans le Glossaire (p. 908) et dans les chapitres La vigne (p. 216 à 237) et Du pressoir au chai (p. 238 à 263).

ABRICOT Caractère aromatique de certains vins blancs, notamment dans la vallée du Rhône, lié au cépage Viognier quand il est bien mûr.

ACACIA L'odeur, très agréable, de la fleur d'acacia participe fréquemment à l'arôme de jeunesse des vins de Chardonnay ou de Chasselas, lorsque leur acidité est modérée.

ACERBE Caractère assez fortement « mordant », résultant d'une acidité sensible aggravée par la présence de tanins non mûrs.

ACIDITÉ Ressentie par la langue, mais aussi par la sécrétion de salive qu'elle suscite et par l'impression corrosive qu'elle laisse sur les muqueuses du palais, des joues et des gencives, l'acidité joue un rôle primordial dans la tenue du vin en bouche et dans l'équilibre général des saveurs (voir p. 135).

AGRESSIF Caractère du vin qui donne l'impression d'agresser les muqueuses par excès d'acidité ou d'astringence, ou des deux.

AIGRE Caractère lié le plus souvent à un début d'altération du vin.

AIMABLE Caractère attribué à un vin qui plaît, mais sans prétention.

ALCOOL Principal constituant du vin après l'eau, l'alcool perd son caractère brûlant et desséchant que l'on rencontre dans les eaux-de-vie, et prend un goût sucré très marqué, qui constitue en majeure partie la composante de moelleux des vins secs.

AMANDE OU AMANDIER L'odeur de la fleur d'amandier a été décelée parfois dans des vins blancs de Sauvignon, de Sylvaner et autres. L'arôme de l'amande sèche, proche de la vanilline, est assez fréquent sur les Chardonnays vieillissants. Le caractère d'amande amère est une composante de nombreux crus blancs de primeur, et fait partie du goût discret de noyau que l'on trouve sur certains vins rouges vieux. L'arôme d'amande grillée fait le charme et la distinction de vins blancs d'un certain âge.

AMBRE De très grande distinction, l'odeur d'ambre, à l'état discret, appartient parfois à quelques grandes cuvées de Chardonnay (Champagne, Chablis, Côte d'Or) et quelques grands vins liquoreux du Sud-Ouest.

AMBRÉ L'aspect ambré appartient aux vins liquoreux d'un certain âge, mais aussi aux vins blancs secs ou peu sucrés de grands millésimes aptes à vieillir sans s'oxyder ou se dessécher.

AMER L'amertume n'existe pas dans le vin, sinon dans quelques rouges, à l'état transitoire et léger. Autrement, elle devient une anomalie.

AMPLE Terme appliqué aux vins qui « remplissent bien la bouche », mais sans caractère de lourdeur.

ANANAS Caractère odorant que l'on peut trouver dans un grand nombre de vins blancs lorsque les vendanges ont atteint une très bonne maturité physique et aromatique.

ANIMAL Terme générique pour désigner une famille d'odeurs de type animal (fourrure, gibier, cuir, etc.) caractéristiques des vins rouges adultes. Présentes dans les vins jeunes, ces odeurs sont alors souvent désagréables, mais disparaissent en général à l'aération.

ANIS Arôme que l'on trouve à l'état de trace dans le bouquet de certains vins blancs arrivés à bonne maturité.

ÂPRE ET ÂPRETÉ L'âpreté qualifie une conjonction d'astringence et de verdeur, jointe à une certaine grossièreté plus ou moins répulsive.

ASTRINGENCE Sensation de sécheresse due aux tanins, présents notamment dans les vins rouges. Pendant le vieillissement des vins, l'astringence s'adoucit au fur et à mesure que le tanin « s'use » et perd en intensité, en acuité et en épaisseur.

ATTAQUE Voir p. 133.

AUBÉPINE Caractère aromatique assez répandu sur des vins blancs jeunes, très secs et un peu verts.

AUSTÈRE Qualificatif appliqué à des vins rouges où domine le tanin avec support acide en l'absence d'un bouquet qui apporterait du charme.

B

BADIANE Arôme proche de l'anis, à odeur plus intense.

BALSAMIQUE Odeurs plus ou moins résineuses (pin, cèdre, genièvre, bois de chêne neuf, etc.) présentes dans tous les vins jeunes élevés dans des barriques neuves. Elles signent aussi les grands vins rouges mûrs.

BANANE Odeur fréquemment développée sur les vins nouveaux ou primeurs et plus intense dans les vins issus de macération carbonique. Elle doit être tempérée par d'autres arômes floraux et fruités, comme dans le Beaujolais ou le Mâcon blanc, sinon le nez du vin évoque le vernis à ongles ou la confiserie de bon marché.

BERGAMOTE Essence à odeur très agréable que l'on trouve dans des vins aromatiques à un certain stade de leur vieillissement en bouteille.

BEURRE Dans les vins blancs, cette nuance aromatique se rencontre parfois dans des lots bien mûrs, peu acides et riches en moelleux.

BIÈRE Une odeur comparable à celle de la bière se rencontre parfois sur des vins blancs de Chasselas quand ils commencent à perdre leur fraîcheur.

BOISÉ Arôme appartenant à la famille d'odeurs balsamiques, présent dans les vins élevés dans des barriques neuves (voir p. 255).

BOUCHE En langage raccourci, le mot « bouche » désigne l'ensemble des sensations qui y sont éprouvées.

BOUCHON Dans l'acception commune, le « goût de bouchon » désigne le caractère très désagréable de liège altéré et moisi qu'un mauvais bouchon a communiqué au vin.

BOUQUET Familièrement, l'ensemble des caractères aromatiques d'un vin mûr, dans la mesure où ils constituent un tout cohérent et homogène. Ces diverses nuances se succèdent en se chevauchant en un ensemble subtil et agréable.

BRILLANCE Terme qualifiant la luminosité d'un vin, c'est-à-dire sa faculté à renvoyer la lumière. Le manque de brillance, la matité, est considéré comme un défaut.

BRÛLÉ Voir Empyreumatique.

C

CACAO Nuance aromatique qu'on trouve parfois dans des vins à bouquet fruité et épicé dans les années de forte maturité.

CAFÉ Nuance odorante qui se développe dans le bouquet des vins rouges de qualité (Côte de Nuits, etc.).

CANNELLE Son odeur se retrouve parfois (par analogie ou non) dans des Grands Crus de vins blancs liquoreux (Jurançon, Sauternes) ou secs (Pouilly-Fuissé, Corton-Charlemagne).

CAPITEUX Caractère des vins dont la richesse de substance se double d'un degré alcoolique élevé.

CARAMEL Caractère aromatique et banal de vins blancs usés et oxydés ou intentionnellement madérisés.

CASSIS L'arôme du fruit et du jus de cassis fait corps en toute circonstance avec le bouquet du Pinot Noir, en quelque pays qu'il soit récolté, mais on le trouve aussi occasionnellement dans le fruité d'un grand nombre de cépages rouges (Merlot, Cinsaut, Syrah, Mourvèdre, etc.) quand ils arrivent à leur maturité gustative.

CAUDALIE Terme servant d'unité à la mesure de la persistance gustative du vin. Une caudalie = une seconde.

CERISE Les arômes de diverses variétés de cerises entrent fréquemment en composition dans le bouquet de toutes sortes de vins rouges.

CHAIR Nom attribué à l'ensemble des substances moelleuses de vin (alcool, glycérine, sucre), particulièrement dans les vins rouges, lorsque ce groupe de substances est légèrement dominant et mis en valeur par un retrait de sensations dures.

CHALEUREUX Ce terme exprime une sensation de chaleur éprouvée dans la bouche sous l'effet d'une certaine richesse alcoolique.

CHAMPIGNON Odeur plaisante, proche du champignon de Paris, souvent perçue dans les vins évolués. Elle peut être désagréable, proche du pourri, lorsque le vin a été élaboré avec des raisins atteints de pourriture grise.

CHARPENTÉ Se dit des vins rouges possédant une bonne teneur d'un tanin assez dur, sur un support équilibré de moelleux et d'acidité.

CHÈVREFEUILLE Caractère aromatique de certains vins blancs de Chardonnay, de Sauvignon, et de cépages aromatiques légers.

CIRE L'odeur de cire, vierge ou de couvain d'abeilles, est assez fréquente dans certains Grands Crus issus de

Chardonnay (Pouilly-Fuissé, Chablis, etc.), dans les Graves blancs et certains vins de Loire moelleux.

CITRON (CITRONNELLE) Caractère aromatique assez fréquent dans les vins blancs jeunes, acides et légers. Le caractère de citronnelle, plus fin que le précédent, se trouve parfois dans des rouges de primeur légers.

COING Arôme décelé dans des vins blancs riches en moelleux, secs ou sucrés, en relation avec d'autres arômes de fruits bien mûrs ou confits.

CORPS Les mots « corps », « corsé » ou « corpulence » s'appliquent à des vins marqués de façon sensible par la double dominante tanin + moelleux. L'adjectif « corsé » implique aussi une certaine richesse alcoolique.

COULANT Ce terme s'applique à un vin facile à boire : par absence d'astringence et par la juste proportion d'une acidité fraîche et d'un moelleux exempt de lourdeur.

CUIR Des odeurs de cuir de diverses catégories se rencontrent assez souvent dans certains crus rouges ayant quelques années d'âge (Bandol, Châteauneuf-du-Pape, Madiran, Corton, Hermitage, Chambertin…).

D-E

DÉCHARNÉ Qualificatif appliqué aux vins rouges lorsque, littéralement, ils ont perdu leur chair, c'est-à-dire leur moelleux, résultat d'un vieillissement excessif ou défectueux.

DÉLICAT Qualificatif appliqué aux vins qui ont les structures fines, mais sans manquer d'attrait ou de caractère.

DESSÉCHÉ On dit qu'un vin est desséché lorsque, après son apogée, il s'est amaigri en vieillissant, en prenant de l'âpreté par son tanin.

DOUCEUR Caractère des vins légèrement sucrés dans lesquels cette saveur donne de la souplesse, sans que le sucre soit perçu comme tel.

DUR Caractère attribué à des vins rouges où domine une synergie tanin + acidité à forte dose, donnant à la fois de l'astringence et de l'agressivité. La faiblesse ou l'insuffisance de la composante de moelleux aggrave encore ce caractère. On le trouve parfois sur des vins blancs récemment logés dans des fûts neufs non dégorgés.

ÉGLANTINE Arôme qui se manifeste parfois sur des vins légers et très fins.

ÉLÉGANT Outre l'idée de charme et d'esthétique formelle, ce qualitatif implique surtout l'absence de lourdeur et une certaine originalité.

EMPYREUMATIQUE Appartiennent à cette catégorie les odeurs de goudron, de suie, de bois brûlé, de caramel, de pain brûlé, et aussi, sur un mode plus atténué, de thé, de café, de cacao, de tabac, da biscotte, etc. À ce terme, on préfère souvent les qualificatifs grillé, brûlé ou fumé.

ÉPAIS Caractère de vins rouges où domine fortement le moelleux associé au tanin, dans un contexte excluant finesse et harmonie.

ÉPANOUI Qualificatif appliqué à un vin ayant atteint sa plénitude, son apogée. Il offre alors une parfaite expression de sa personnalité olfactive et gustative.

ÉPICES Nuances aromatiques très nombreuses, incluant peu à peu toute la gamme des épices de cuisine et de pâtisserie qu'on trouve de façon non systématique dans divers vins blancs et rouges ayant atteint une bonne maturité gustative.

ÉQUILIBRE Voir p. 138.

ÉTOFFÉ Se dit d'un vin rouge suffisamment fourni en moelleux et en tanin, mais sans excès pour donner une bonne impression de consistance et de richesse substantielle.

ÉVENT Odeur caractéristique qui se forme souvent sur les vins restés en vidange sans protection. Elle s'accompagne en général de la perte des autres caractères aromatiques du vin.

FAIBLE Ce qualificatif implique d'une part une certaine carence en alcool, d'autre part une pauvreté de constitution qui laisse augurer une certaine fragilité et une conservation difficile.

FANÉ Un vin fané a perdu sa fraîcheur, sa brillance, et une partie de ses meilleurs arômes.

FATIGUÉ Se dit d'un vin soumis à des épreuves (transport, secousses) qui lui ont fait perdre momentanément sa cohérence et son tonus.

FAUVE Nuance animale qui peut marquer le bouquet des vins rouges vieux à des degrés divers. Au niveau le plus léger, on a seulement l'odeur de fourrure naturalisée. Plus corsée est l'odeur de sauvagine, ou celle de renard sur des Pinots Noirs vieux, dont on dit justement qu'ils renardent. Quelques-uns se diversifient dans les nuances plus variées de venaison, tandis que d'autres évoluent jusqu'au caractère scatologique qu'on appelle ventre de lièvre. Les odeurs formées par réduction disparaissent assez rapidement par aération du vin.

FENOUIL Cette connotation aromatique se retrouve quelquefois dans des vins blancs secs bien mûrs.

FERMÉ Ce terme qualifie un vin dont le bouquet ne s'extériorise pas, sur un fond de saveurs peu euphoriques.

FERMENT Le goût de ferment est une odeur peu appréciée, proche de la vitamine B1, et provenant de la décomposition des levures pendant le séjour des vins sur lie.

FERMETÉ Caractère d'un vin rouge ferme, c'est-à-dire marqué par une légère dominante tanin + acidité.

FIGUE L'arôme de figue sèche, fréquemment conjoint à celui de fraise cuite ou confite, est une composante habituelle des vins de liqueur rouge du genre Porto ou Banyuls, mais aussi des vins rouges secs déjà vieux issus de millésimes très mûrs.

FLORAL Caractère d'un bouquet de vin où dominent des arômes de fleurs.

FOIN COUPÉ Nuance aromatique propre aux vins rouges qui se manifeste surtout dans la phase où ils passent des arômes de fermentation aux arômes de maturité gustative.

FONDU Se dit d'un vin surtout rouge dans lequel un moelleux légèrement dominant enrobe toutes les autres sensations.

FOUGÈRE Caractère aromatique propre à des vins blancs de grande qualité, qui concourt à leur donner un bouquet aérien et très sélect.

FOURRURE Nuance d'odeurs, propres à des vins rouges déjà évolués, dans la série des arômes dits animaux.

FRAIS Par analogie, on appelle frais les arômes (menthe, citronnelle), qui créent les sensations assimilées à du froid ou à un effet rafraîchissant.

FRAISE La nuance aromatique de fraise des bois est fréquente dans les vins rouges de primeur. La nuance de fraise cuite ou confite se trouve souvent associée au caractère de la figue sèche dans les vins de liqueur et autres vins rouges secs vieux.

FRAMBOISE L'arôme de framboise est une composante de bouquet très importante dans le fruité des vins de Pinot Noir de la Côte de Beaune, et aussi dans de nombreux vins rouges aromatiques de primeur ou non (Beaujolais, Côtes-du-Rhône, etc.).

FRUITÉ Premier stade du bouquet du vin, après la fermentation alcoolique ; les arômes sont dominés par des caractères de fruits frais. Ce qualificatif s'applique plus souvent aux rouges et rosés, bien que les blancs possèdent aussi des odeurs de fruit bien marquées : pomme, citron, banane, etc.

FUMÉE Odeur évoquant la suie de cheminée, presque constante dans les crus de Pessac-Léognan rouges et dans certains crus de la Côte de Nuits.

FÛT (GOÛT DE) Mauvais goût donné au vin par un défaut d'entretien du bois des fûts pendant une période de vacuité : moisissure, piqûre, croupi…

G

GARRIGUE Par analogie, ce mot peut servir à désigner les odeurs d'herbes sèches et aromatiques que l'on trouve souvent dans les vins rouges méditerranéens.

GÉNÉREUX Qualificatif appliqué surtout à des vins riches en alcool.

GENÊT La fleur jaune de genêt d'Espagne a une odeur suave et forte, assez proche de celle de la giroflée, qui entre en composition dans les beaux arômes de Chardonnay et des vins liquoreux.

GENIÈVRE Caractère aromatique présent essentiellement dans les baies de ce végétal. On le trouve parfois dans certains crus aromatiques.

GIBIER (ODEUR DE) Caractère animal assez prononcé, mais pas toujours désagréable, qui rappelle celui de la viande de gibier. Il se rencontre dans les vins rouges évolués comme ceux de Pinot Noir de Bourgogne.

GIROFLE On en retrouve l'odeur dans les crus rouges de la vallée du Rhône ayant quelques années d'âge.

GIROFLÉE Petite crucifère ornementale dont l'odeur a quelques analogies avec les meilleurs arômes de Chardonnay et du Chenin.

GOULEYANT Mot désignant un vin facile et agréable à boire.

GRAPPE OU RAFLE (GOÛT DE) Goût peu agréable, à caractère acerbe et plus ou moins herbacé, provoqué par la macération prolongée, en vinification, de rafles dilacérées.

GRAS Ce terme qualifie le moelleux d'un vin lorsqu'il commence à être sensible, et qu'aucune autre sensation ne vient en modifier la perception.

GRENADINE Caractère aromatique des vins rosés des Côtes du Rhône et de Provence.

GRILLÉ Nuance particulière de certaines notations aromatiques : on trouve le caractère «pain grillé» dans certains crus rouges ; et «l'amande grillée» est un des arômes sélects des grands vins blancs lorsqu'ils amorcent leur phase de réduction en bouteille.

GROSEILLE Caractère aromatique qu'on trouve parfois dans des vins clairets ou des rouges de primeur.

HARMONIE Voir p. 138.

HAVANE Odeur de tabac vert dont l'analogie a été observée, à l'état de trace, dans des vins rouges très fins.

HERBACÉ Caractère gustatif rappelant l'odeur du gazon tondu, ou des organes verts des végétaux, et considéré comme une nuance désagréable.

HUMUS Caractère aromatique, désigné aussi comme sous-bois ou feuille morte, qu'on rencontre dans des vins rouges assez fins et déjà vieux.

IODE, IODÉ Qualificatifs donnés par analogie à des vins dont l'odeur évoque celles des bords de mer ou des marais salants.

JACINTHE Odeur florale fréquemment rencontrée dans les cépages blancs aromatiques, après quelques années de bouteille (Sauvignon, cépages rhénans, Muscats fins).

«JAMBES» (OU «LARMES») Gouttes incolores qui ruissellent le long des parois internes du verre après agitation du verre. Voir p. 122.

JEUNE On considère comme jeune tout vin qui a conservé une bonne partie des arômes fruités et des saveurs fraîches issus de sa vinification.

LACTIQUE (ODEUR) Odeur provenant d'une évolution défectueuse de la fermentation lactique ou de combinaisons indéterminées tirant plus ou moins sur une odeur de fromage frais ou fermenté.

LAURIER Arôme épicé qui caractérise certains cépages méridionaux, notamment la Syrah et le Grenache, après plusieurs années de bouteille.

LICHEN Caractère aromatique présent dans certains vins rouges.
LIÉGEUX Odeur désagréable de liège humide et moisi, due soit à un bouchon défectueux, soit à un manque d'hygiène dans la cave.
LIERRE L'odeur de feuille de lierre est un caractère olfactif qu'on trouve par analogie dans de nombreux vins de Cabernet dans leur arôme primitif postfermentaire.
LIMPIDITÉ Voir p. 118.
LONG Se dit d'un vin qui laisse une longue persistance aromatique en bouche après consommation.
LOURD Caractère d'un vin chargé de substances pour l'ensemble de ses constituants, et plus particulièrement en tanin et en moelleux, ce qui lui ôte toute légèreté, souplesse ou fraîcheur.

MADÉRISATION Oxydation par laquelle un vin blanc prend la couleur brune et le goût du Madère. Ce caractère est une phase normale de l'évolution des vins jaunes.
MAIGRE Se dit de vins qui manquent fortement de gras (ou de moelleux) dans un contexte peu étoffé.
MÉLISSE Proche de celle du zeste de citron, mais plus aérienne et moins acide, cette nuance aromatique se retrouve dans de vins blancs jeunes.
MENTHE On en connaît deux nuances : la menthe poivrée et la menthe fraîche. On trouve ce caractère aromatique à l'état de trace dans certains vins blancs, comme composante de fraîcheur et de vivacité du bouquet.
MERCAPTAN Odeur sulfurée très forte et très désagréable (voir p. 129).
MIEL Indépendamment des essences butinées par les abeilles, l'odeur du miel est surtout marquée par celle de la cire vierge dans laquelle il a été élaboré. Elle se retrouve fréquemment par analogie dans les cépages blancs aptes à un certain vieillissement (Sauvignon, Chardonnay, etc.).
MINCE Qualificatif appliqué à un vin de faible consistance relativement pauvre en ses divers éléments.
MIRABELLE Caractère aromatique qui se retrouve dans des vins blancs de millésimes très mûrs, ayant un ensemble aromatique assez riche, et qui apporte une note très alléchante dans le bouquet.
MOELLEUX Parmi les vins blancs et rosés, l'usage désigne comme moelleux ceux qui ont un reliquat sensible de sucres dont découle un effet gustatif de douceur (voir p. 136).
MOLLESSE ET MOU Caractère des vins qui manquent d'acidité lorsque par ailleurs leur teneur en moelleux et en tanin est normale.
MORDANT Se dit d'un vin qui possède une légère dominante acidité + tanin, donnant une pointe d'agressivité.
MÛRE SAUVAGE Caractère aromatique qu'on trouve par analogie dans les vins rouges issus d'une bonne maturité, et dotés d'un fruité riche et varié.

MUSCADE Épice aromatique dont on retrouve des analogies dans les vins blancs liquoreux d'un certain âge et dans certains vins rouges.

MUSQUÉ ET MUSC Caractère aromatique d'une sécrétion animale légèrement fétide à l'état de réduction, mais très agréable à l'état aéré, qui se retrouve par analogie dans divers Grands Crus rouges d'un certain âge.

MYRTILLE Arôme très souvent associé à la mûre sauvage et qui se rencontre dans les mêmes conditions.

NERVEUX Caractère physique attribué surtout aux vins blancs, accessoirement aux vins rouges, lorsque de fortes teneurs respectives en acidité et en moelleux créent une impression d'opposition et de tension.

NET Se dit d'un vin dont les sensations aromatiques et gustatives sont franches et précises, sans ambiguïté.

NEZ L'ensemble des caractères olfactifs d'un vin (voir p. 124)

NOISETTE Caractère aromatique assez fréquent dans des vins blancs de qualité ayant quelques années d'âge, et notamment dans le Chardonnay.

ŒILLET Nuance aromatique qu'on trouve par analogie dans certains vins rouges de bouquet un peu austère.

OIGNON (ODEUR D') Caractère aromatique provoqué par la réduction chimique et qu'on peut trouver dans des vins rouges très vieux.

ONCTUEUX Caractère physique d'un vin qui a une viscosité élevée suite d'un moelleux bien fourni, dans un ensemble où le tanin et l'acidité ne se font pas remarquer.

ORANGE (ZESTE D') Légèrement desséchée, cette substance a une odeur très flatteuse, dont on retrouve des similitudes dans les vins blancs jeunes issus de vendanges bien mûres.

ORANGER (FLEUR D') Caractère aromatique du bouquet de certains Sauvignons et autres cépages blancs aromatiques.

PAMPLEMOUSSE Caractère aromatique qui se retrouve par analogie dans des vins blancs mousseux lorsqu'ils sont très acides et non encore dépouillés de leurs ferments. Il disparaît avec les fermentations secondaires et la clarification du vin.

PÂTEUX Se dit de vins assez épais, dont la lourdeur est aggravée par une bonne dose d'astringence.

PÊCHE Goût et arôme de la pêche blanche ou jaune, et de son noyau souvent présents dans les vins rouges des Côtes du Rhône, dans les crus de Beaujolais et certains vins blancs aromatiques.

PÊCHER (FLEUR DE) Nuance aromatique très délicate, proche de l'odeur de pistache ou d'amande amère, qui se retrouve parfois dans les vins blancs aromatiques jeunes et frais.

PERSISTANCE La persistance gustative est l'impression de présence ou de rémanence que laisse le vin dans la bouche (voir p. 134).

PIERRE À FUSIL On désigne par goût de pierre à fusil (ou éclat de silex) un caractère odorant propre à quelques vins blancs vifs et légers (Sauvignon, Muscadet, Aligoté, Jacquère).

PIN Caractère aromatique qu'on retrouve par analogie dans certains rouges très fins et de grande classe.

PISTACHE Odeur très fine proche de l'amande amère, mais plus délicate, qu'on trouve parfois dans des vins rouges au bouquet nuancé et subtil.

PIVOINE L'odeur un peu poivrée de cette fleur se retrouve aussi dans les vins qui ont cette couleur.

PLEIN Se dit d'un vin qui donne l'impression de remplir la bouche par sa richesse substantielle équilibrée, d'où une impression de plénitude.

POIRE La nuance aromatique de diverses variétés de poires se retrouve assez souvent dans des vins blancs souples au bouquet fruité.

POIVRE Nuance aromatique très fréquente dans de nombreux vins rouges de qualité, dans la phase la plus aérienne et subtile du nez, et dans la phase finale de la bouche, où elle se prolonge jusqu'à l'arrière-goût.

POIVRON Nuance aromatique perceptible surtout par voie buccale, propre aux cépages rouges riches en tanin et dont le fruité de jeunesse est peu accentué.

POMME Les diverses variétés de pommes ont des arômes particuliers qu'on retrouve à des intensités diverses dans de nombreux vins blancs (Muscadet, Sauvignon, etc.).

PRUNEAU Nuance aromatique appelée aussi rancio, qui est définie par des notes de fruits cuits tels que le pruneau. Typique du Porto et des VDN rouges, elle est considérée comme un défaut dans les vins rouges jeunes.

R-S

RACÉ Se dit, par analogie, d'un grand vin d'une élégance et distinction hors pair.

RÂPEUX Caractère astringent excessif lorsque le tanin « râpe » les muqueuses de la bouche avec une intensité et une persistance exagérées.

RÊCHE Degré élevé d'astringence.

RÉGLISSE Caractère aromatique qui se trouve fréquemment en fin de bouche dans certains vins rouges.

RÉSINE Caractère aromatique de nature balsamique qui entre en composition dans les bouquets de vins rouges fins et distingués.

ROBE Nom attribué, dans un sens imagé, à la couleur du vin.

ROND Qualificatif applicable aux vins dépourvus d'angulosité, c'est-à-dire dominés par le moelleux, mais dans la souplesse et sans lourdeur.

ROSE Nuance d'arôme primaire caractéristique de diverses variétés de Muscats. La nuance rose fané est une nuance délicate du bouquet de certains vins rouges fins et vieux.

SEC Qualificatif appliqué aux vins blancs dépourvus de sucre. On désigne comme sec un vin blanc dont le moelleux est discret ou légèrement récessif, sans porter atteinte à l'harmonie de l'ensemble.

SÈVE Terme professionnel d'origine bordelaise qui exprime le caractère d'expansion des arômes et de plénitude des saveurs pendant le passage du vin dans la bouche.

SÉVÈRE Vin qui, sous la double dominante tanin + acidité, possède des arômes austères et dépourvus de jovialité.

SOUPLE Caractère gustatif lié à un certain retrait du tanin et de l'acidité, laissant émerger le moelleux naturel du vin, sans excès.

SOYEUX Mot exprimant la finesse de contact du vin dans la bouche.

T-V

TABAC Des effluves de tabac vert ou non brûlé, voisins de la nuance havane des parfumeurs, se retrouvent parfois dans des vins rouges très fins et de grande classe.

TANIN Substance extraite des peaux de raisins, qui donne aux vins rouges leur caractère. Voir p. 136.

TENDRE Se dit d'un vin qui n'offre aucune résistance dans la bouche, par la modicité de ses tanins et le bon mariage du moelleux et de l'acidité.

THYM Nuance aromatique qu'on retrouve assez souvent dans les vins de Provence et de Haute-Provence.

TILLEUL (FLEUR DE) Nuance aromatique qu'on retrouve dans certains vins blancs au bouquet très fin.

TRUFFE Nuance aromatique de très grande classe qu'on rencontre dans des vins rouges vieux de haute qualité. La variété « truffe blanche » se trouve dans certains millésimes de vins blancs âgés ou liquoreux.

TUILÉ Aspect d'un vin rouge dont la couleur fortement brunie rappelle celle de la tuile vieillie.

VANILLE Arôme qui est un élément de fond, que l'on retrouve dans le bouquet de nombreux vins blancs et rouges. Il provient naturellement des parties ligneuses du raisin ou du bois de chêne des futailles.

VÉGÉTAL Se dit aussi bien des arômes qui rappellent ceux du monde végétal (herbe, feuille) que des tanins qui avouent alors une certaine astringence due à un manque de maturité ou à une extraction forte.

VELOUTÉ Se dit, par analogie, d'un vin dont le contact dans la bouche évoque le toucher du velours.

VENAISON Voir Gibier (odeur de).

VERT ET VERDEUR Se dit, par analogie avec les fruits verts, d'un vin blanc, rouge ou rosé très acide, dont le moelleux faible laisse cet excès d'acidité à découvert (voir p. 137).

VINEUX Se dit d'un vin dont la richesse en alcool ressort exagérément.

Composer et gérer sa cave

Faut-il avoir une cave à vin ? Si chaque amateur de vins rêve sans doute d'avoir une belle cave remplie de précieux flacons qu'il aura su réunir au gré de ses découvertes, la réponse à cette question n'est pas aussi simple. Il peut y avoir le plaisir de disposer chez soi d'une bouteille pour toute occasion, mais la cave devient une nécessité dès que l'on souhaite conserver du vin au-delà de quelques semaines ou mois. Une fois mis en bouteilles, le vin ne cesse en effet d'évoluer, et, dans ce cas, il faut pouvoir l'entreposer dans de bonnes conditions. Certes, de nombreux vins, comme les primeurs ou les Champagnes, sont mis sur le marché au moment où ils sont prêts à être bus, mais d'autres ne parviendront à leur apogée qu'au bout d'un vieillissement en cave de plusieurs années, voire décennies. Souvent, les meilleurs crus de ces vins dits de garde ne seront alors plus disponibles dans le commerce ou seulement à un prix très élevé. En revanche, si l'on peut les faire vieillir dans sa cave, on peut réaliser parfois de belles affaires. Or, la conservation et, davantage encore, le vieillissement du vin exigent le strict respect des conditions d'un bon stockage (température constante, humidité élevée, absence d'odeurs et de vibrations, etc.), sous peine de voir le vin perde ses meilleures qualités ou même s'abîmer. Heureusement, la possibilité de garder ou de faire vieillir du vin n'est pas réservée aux seuls propriétaires d'une cave à l'ancienne, car il existe aujourd'hui des solutions adaptées à toutes les situations et à presque tous les budgets.

La garde des vins

Le vin vieillit et change de nature avec le temps. Les vins bien nés peuvent se bonifier au cours d'une lente évolution, alors que d'autres sont conçus pour être bus dans leur plus tendre jeunesse. Chaque vin se développe en effet selon son propre rythme. Connaître les principes de cette mutation permet de mieux comprendre quand un vin atteindra son apogée et de le boire au bon moment.

Le vieillissement et la conservation du vin

La qualité d'un grand vin se juge aujourd'hui par sa capacité à vieillir. Il n'en était pas toujours ainsi. Pendant des siècles, on a considéré que le vin était bien meilleur au cours de son plus jeune âge, en primeur, le plus tôt possible après sa vinification. En effet, le risque de voir le vin vieux d'un an se transformer en vinaigre était grand. À la lueur des analyses scientifiques d'aujourd'hui, il est facile de comprendre que le vin est un liquide instable. La présence d'oxygène transforme l'alcool en acide acétique, c'est-à-dire en vinaigre, grâce à une bactérie connue sous le nom d'*Acetobacter aceti*. Or, autrefois, on laissait faire des fermentations aléatoires dans des fûts ou des cuves d'une propreté relative et, surtout, il était très difficile de garder le vin à l'abri de l'air. Pendant longtemps, seule une forte teneur en alcool du vin pouvait pallier les piètres conditions sanitaires de son élaboration.

Pour une meilleure conservation du vin, il a fallu attendre le développement, au cours des derniers siècles, de certaines techniques, tels le mutage (l'ajout d'alcool en cours de fermentation), le sulfitage (l'ajout de dioxyde de soufre pour combattre le développement bactérien) ou l'ouillage (l'adjonction constante de vin pour remplir le fût qui fuit ou qui transpire, afin que le vin ne soit pas en contact avec l'air). Mais, lorsque le vin était tiré, il fallait le boire. Seule l'apparition de la bouteille de verre et du bouchon de liège, tels qu'on les connaît aujourd'hui, a permis aux particuliers de conserver le vin chez eux ; auparavant, il vieillissait en fût chez les négociants. Et il devint également possible de garder certains vins jugés imbuvables à leur sortie du chai, tant ils étaient tanniques, acides et concentrés, en attendant qu'ils s'assouplissent et atteignent leur apogée, ce stade où les différents arômes du vin s'épanouissent et que ses différents composants (tanins, acidité, etc.) s'équilibrent (voir p. 138). La notion de vin de garde était née.

L'évolution du vin en bouteille

Les travaux de Pasteur, au XIXe siècle, ont démontré que le vin se dégradait par oxydation lorsqu'il était exposé à l'air, oxydation qui altère la couleur des vins rouges et blancs en marron, comme celle d'une banane ou d'une pomme épluchée. Mais comment expliquer que le vin s'oxyde en bouteille étant donné que le bouchon ne laisse pas entrer d'air (ou très peu) ? On peut admettre que l'oxygène dissous dans le vin continue de provoquer de lentes réactions en milieu réducteur qui entraînent le développement des bactéries et des levures ainsi que d'autres composants chimiques du vin : il en existe plus de 400 répertoriés et le décompte n'est pas fini.

Les réactions chimiques qui se passent à l'intérieur d'une bouteille sont complexes et mal identifiées. Néanmoins, certaines recherches ont permis d'expliquer les changements de couleur et d'arôme. Les tanins ainsi que les autres composants aromatiques qui proviennent essentiellement des peaux des raisins (et donnent aux vins leur couleur), mais aussi des rafles (la partie ligneuse de

GOÛTER POUR SUIVRE L'ÉVOLUTION DU VIN

Pour savoir à quel moment un vin atteint son apogée, on peut consulter le producteur, un caviste ou, dans le cas d'un grand vin, se référer à un tableau des millésimes (voir p. 896). Mais, les conditions de stockage des bouteilles étant différentes d'un lieu à l'autre, ces indications ne fournissent qu'une moyenne générale. Mieux vaut alors ouvrir de temps en temps une bouteille, à condition de disposer au moins d'une caisse. Cette pratique permet également de découvrir ses goûts et de savoir à quel stade on préfère déguster un vin. Les divers arômes d'un vin apparaissent ou dominent en effet à des moments différents de son évolution (voir encadré p. 168).

JEUNESSE, MATURATION ET APOGÉE DU VIN

Qu'il soit de primeur ou de longue garde, chaque vin parcourt le même cycle de vie en bouteille. Celui-ci peut se diviser en trois phases. Après la « maladie de la mise en bouteille » (0-A), le vin retrouve progressivement son goût initial et perd le caractère « brut » de sa prime jeunesse (A-B) : les arômes secondaires (de fermentation) et tertiaires d'élevage s'estompent au profit de ses arômes primaires fruités. Puis il entre dans sa phase de maturation (B-C), caractérisée souvent par une courte période de repli, sorte d'âge ingrat, pendant laquelle il se referme. Avec la maturation, le vin a accompli son évolution principale et entre dans sa période d'apogée (C-D) : sa texture est alors plus souple et son bouquet complexe mêle des arômes fruités à ceux empyreumatiques et épicés. Cette période peut durer plusieurs années pour certains Grands Crus avant que le déclin (D-E) ne s'annonce lentement. Le vin perd alors de sa couleur, de son fruit, avoue des notes plus évoluées de type animales et de sous-bois, et sa bouche se fait plus mince et plus acide. Puis il finit par mourir et devient imbuvable.

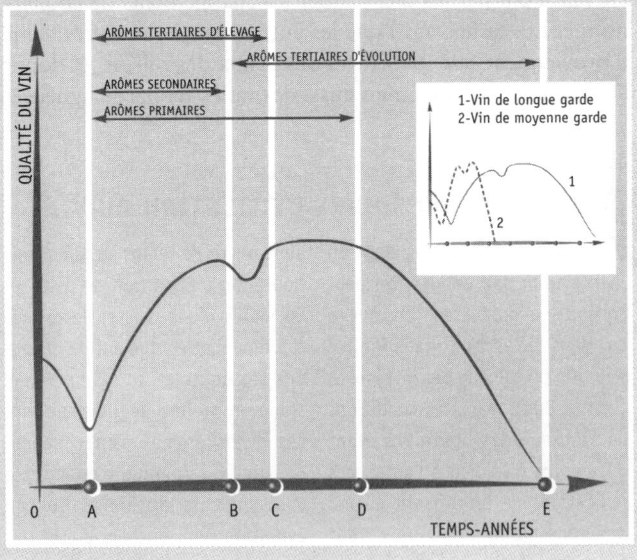

la grappe) et du bois des fûts, se transforment. Ils s'associent entre eux (par polymérisation) et tombent au fond de la bouteille (par sédimentation), ce qui explique pourquoi un vin vieillit plus lentement dans une bouteille de magnum que dans une bouteille ordinaire. Le vin d'un rouge pourpre devient rouge rubis pour ensuite s'éclaircir et prendre une teinte rouge brique (voir p. V du cahier encarté entre les p. 512 et 513). L'acidité du fruit vert, astringente, s'assouplit. L'agressivité du vin jeune disparaît pour laisser place à une rondeur, un velouté, qui s'exprime par des arômes complexes. Tous les vins sont affectés par ce vieillissement, sauf les petits vins trop filtrés ou stabilisés par pasteurisation.

Qu'est-ce qu'un vin de garde ?

Les vins se développent chacun à leur rythme. Certains comme le Beaujolais, ou de nombreux vins blancs, sont précoces : ils atteignent rapidement leur apogée et retombent vite. D'autres vins – tels les Grands Crus de Bordeaux rouges – mettent plus longtemps à atteindre leur apogée, y demeurent longtemps et déclinent doucement (voir encadré ci-contre). Ce sont des vins de garde. Les différentes qualités de vieillissement sont déterminées en partie par le vinificateur, mais surtout par le cépage, le terroir (voir p. 16), la

CHOISIR LE BON MILLÉSIME

Les meilleurs terroirs feront toujours les meilleurs vins, même (et surtout) dans les millésimes difficiles. Mais, pour obtenir un grand vin de garde, il est nécessaire d'avoir de beaux raisins, bien mûrs. Pour cela, la Nature doit donner ce qu'il faut de soleil et de pluie au bon moment. Pour connaître la qualité d'un millésime et le potentiel de garde d'un vin particulier ou d'une appellation, on peut s'adresser au producteur ou à un spécialiste (caviste, sommelier), ou bien consulter une publication spécialisée. Rappelons que le millésime diffère d'une région à l'autre : un Bordeaux rouge de 1997 était à boire jeune, alors que le Sauternes de la même année mérite de vieillir encore des années en cave.

FAUT-IL LAISSER VIEILLIR LE CHAMPAGNE ?

Les Champagnes bruts sans année sont à boire dans l'année qui suit leur dégorgement. Seuls les Champagnes millésimés sont aptes à vieillir. De façon générale, les grandes maisons champenoises mettent sur le marché des Champagnes qu'elles estiment être à leur apogée et donc prêts à être bus : ainsi, le 1990 dès 1995, et le 1988, excellent millésime, dès 1999. Mais on peut garder ces vins en cave pendant 3 à 4 ans. Quant à leur dégustation au-delà de cette période, les avis sont partagés. Les uns soutiennent que le Champagne perd alors sa qualité essentielle, qui est son effervescence. D'autres font valoir que ce manque est compensé par l'apparition d'arômes tertiaires de champignons et de minéralité. Au fond, c'est une affaire de goût. À noter que seuls les grands Champagnes issus d'un bon millésime se prêtent à une telle expérience gustative.

nature et l'âge des vignes ainsi que par les conditions climatiques du millésime (voir encadré page précédente).

LES CÉPAGES APTES À VIEILLIR. La nature du cépage peut conférer plus ou moins de longévité au vin. Ainsi, le Cabernet-Sauvignon, austère et droit, tout comme le Merlot, soyeux et puissant (du vignoble bordelais), ou le Pinot Noir, ferme et riche (du vignoble bourguignon), donneront des vins beaucoup plus concentrés que les Gamays légers et fruités du Beaujolais. Pour les rouges, il faut ajouter Cabernet-Franc, Grenache, Mourvèdre, Syrah, Tannat (Madiran), Petit Verdot, Carignan, Tempranillo d'Espagne, et Nebbiolo et Sangiovese d'Italie. Pour les blancs, ce sont Gewürztraminer, Riesling, Roussanne, Chardonnay, Grenache Blanc, Chenin Blanc, Sémillon et Muscadelle, les quatre derniers étant vinifiés en liquoreux ou en Vins Doux Naturels.

VINIFICATION ET ÉLEVAGE. Le potentiel d'un vin de garde tient également à son élaboration. Pour les vins rouges, le vinificateur doit veiller à obtenir une bonne extraction des tanins (voir p. 246) pour donner au vin la charpente nécessaire à une capacité de vieillissement. Pour les vins blancs qui ne sont pas issus d'un cépage avec une forte acidité, l'élevage en barrique, pour un Chardonnay par exemple, favorise le potentiel de garde.

DURÉE MOYENNE DE CONSERVATION DE QUELQUES VINS

L'évolution des vins en bouteille varie considérablement en fonction de leur style, des appellations, des producteurs et des millésimes. Le tableau suivant indique une moyenne de temps de garde pour les vins des principales appellations françaises et étrangères. La maturation, au cours de laquelle le vin acquiert ses meilleures qualités gustatives, est distinguée de son apogée, période plus ou moins longue (de quelques années à plusieurs décennies), pendant laquelle il garde ses qualités, avant de commencer à décliner lentement. À noter que les vins de garde en provenance de l'Amérique, de l'Australie et de l'Afrique du Sud sont encore trop jeunes pour qu'on puisse déterminer leur longévité. Pour les millésimes des Grands Crus français et étrangers, le lecteur pourra se référer au tableau des millésimes (voir p. 896).

APPELLATION	MATURATION	APOGÉE
BORDELAIS		
VINS BLANCS SECS		
Entre-deux-Mers	1 à 2 ans	3 ans
Graves	3 à 6 ans	10 ans
VINS BLANCS LIQUOREUX		
Sainte-Croix-du-Mont, Loupiac	6 à 15 ans	20 ans
Sauternes, Barsac	8 à 20 ans	Plusieurs décennies
VINS ROUGES		
Bordeaux, Bordeaux supérieur	2 à 5 ans	6 à 8 ans
Médoc	4 à 10 ans	15 ans
Haut-Médoc	5 à 15 ans	20 ans
Saint-Julien, Saint-Estèphe	8 à 20 ans	Plusieurs décennies
Pauillac, Margaux	8 à 30 ans	Plusieurs décennies
Graves rouge	5 à 15 ans	Plusieurs décennies
Saint-Émilion	7 à 15 ans	Plusieurs décennies
Pomerol	6 à 15 ans	Plusieurs décennies
BOURGOGNE		
VINS BLANCS		
Vins blancs secs, légers, fruités (Chablis, Mâcon blanc, Saint-Véran, Rully blanc, Montagny, etc.)	1 à 3 ans	À boire jeunes

APPELLATION	MATURATION	APOGÉE
Pouilly-Fuissé, Chablis Premier Cru, Mercurey blanc, Côte-de-Beaune-Villages (et AOC communales)	2 à 4 ans	5 à 10 ans
Premiers Crus et Grands Crus de la Côte de Beaune et de la Côte de Nuits	4 à 8 ans	6 à 15 ans
VINS ROUGES Beaujolais, Beaujolais-Villages	3 à 18 mois	À boire jeunes
Crus du Beaujolais	1 à 4 ans	4 à 10 ans
Appellations communales de la Côte de Beaune	4 à 6 ans	12 ans
Appellations communales de la Côte de Nuits	5 à 8 ans	15 ans
Premiers Crus et Grands Crus de la Côte de Beaune	6 à 10 ans	15 à 20 ans et plus
Premiers Crus et Grands Crus de la Côte de Nuits	8 à 12 ans	20 à 30 ans et plus
CHAMPAGNE		
Pour les Champagnes il n'y a pas de période de maturation (voir p. 251).		
NON MILLÉSIMÉS	1 an	À boire jeunes
Blancs de Blancs	1 an	1 à 3 ans
Vins rosés	1 an	À boire jeunes
Vins de structure plus riche ou Blancs de Noirs	1 an	1 à 3 ans
MILLÉSIMÉS Récemment dégorgés (RD) :	1 à 2 ans	1 à 3 ans
Blancs de Blancs	1 à 3 ans	3 à 5 ans
Vins rosés	1 à 3 ans	3 à 1 ans
Blancs de Noirs	1 à 4 ans	4 à 6 ans
ALSACE		
Muscat, Pinot blanc, Sylvaner	6 à 12 mois	3 à 4 ans
Gewürztraminer, Riesling, Pinot Gris	1 à 5 ans	10 ans et plus

APPELLATION	MATURATION	APOGÉE
Gewürztraminer, Riesling, Pinot Gris issus de Vendanges tardives et de la Sélection de Grains nobles	10 ans et plus	20 à 30 ans et plus
LOIRE		
VINS BLANCS SECS Légers et fruités : Muscadet, Sancerre, Pouilly Fumé, etc.	6 à 12 mois	2 à 4 ans
Coulée de Serrant	4 à 6 ans	10 ans et plus
VINS BLANCS MOELLEUX ET LIQUOREUX Anjou et Saumurois : Bonnezeaux, Côteaux-du-Layon, Côteaux-de-l'Aubance, Quarts-de-Chaume	4 à 10 ans	10 à 30 ans et plus
Touraine : Vouvray, Montlouis	4 à 10 ans	10 à 30 ans et plus
VINS ROUGES Légers et désaltérants : Touraine, Anjou, Sancerre, Chinon, etc.	4 à 18 mois	2 à 5 ans
Saumur-Champigny	1 à 2 ans	3 à 10 ans
Chinon, Bourgueil	2 à 4 ans	5 à 25 ans
RHÔNE		
VINS BLANCS Hermitage blanc, Château-Grillet	1 à 2 ans 2 à 3 ans	À boire jeunes 10 ans et plus
VINS ROSÉS	1 à 2 ans	À boire jeunes
VINS ROUGES Côtes-du-Rhône-Villages	1 à 2 ans	3 à 5 ans
Cornas, Châteauneuf-du-Pape	3 à 8 ans	10 à 15 ans
Côte-Rôtie, Hermitage	5 à 10 ans	20 à 30 ans
JURA ET SAVOIE		
VINS BLANCS SECS DU JURA (l'Étoile…)	2 à 3 ans	10 à 15 ans

APPELLATION	MATURATION	APOGÉE
VINS JAUNES	6 à 10 ans	100 ans et plus
VINS DE PAILLE	3 à 5 ans	Plusieurs décennies
VINS ROSÉS	2 à 3 ans	5 à 6 ans
VINS ROUGES	5 à 10 ans	20 à 30 ans
VINS BLANCS DE SAVOIE Roussette (ou Altesse)	12 à 18 mois 2 à 3 ans	3 ans 5 ans
VINS DE LA MÉDITERRANÉE		
VINS BLANCS Provence, Cassis, vins de Corse…	1 à 2 ans	À boire jeunes
VINS ROSÉS	1 à 2 ans	3 à 4 ans
VINS ROUGES Côtes-de-Provence, Fitou, Minervois, vins de Corse, Côtes-du-Roussillon	2 à 3 ans	5 ans à 10 ans
Bandol rouge	3 à 5 ans et plus	20 ans et plus
VINS DOUX NATURELS BLANCS Muscat de Beaumes-de-Venise, Muscat de Rivesaltes	2 à 3 ans	5 ans
VINS DOUX NATURELS ROUGES Maury, Banyuls	3 à 5 ans 5 à 10 ans	10 ans et plus 20 à 30 ans
SUD-OUEST		
VINS BLANCS SECS Jurançon, Gaillac, etc.	1 à 2 ans	3 à 5 ans
VINS BLANCS MOELLEUX ET LIQUOREUX Jurançon, Pacherenc, Monbazillac	3 à 5 ans	15 à 20 ans et plus
VINS ROUGES Madiran, Cahors	5 à 8 ans	10 à 20 ans
Gaillac rouge	6 à 12 mois	3 ans
Pécharmant	2 à 8 ans	15 ans
Buzet	3 à 10 ans	20 ans

APPELLATION	MATURATION	APOGÉE
ITALIE		
Chianti	2 à 5 ans	entre 5 et 10 ans
Barolo	5 à 10 ans	entre 10 et 40 ans
Barbaresco	4 à 10 ans	entre 10 et 40 ans
Brunello di Montalcino	4 à 10 ans	entre 10 et 40 ans
Lambrusco	6 à 12 mois	À boire jeune
Valpolicella	1 à 2 ans	À boire jeune
ESPAGNE		
Priorat	2 à 5 ans	entre 5 et 30 ans
Penedès	2 à 5 ans	entre 5 et 20 ans
Rioja	2 à 5 ans	entre 5 et 30 ans
Ribera del Duero	2 à 5 ans	entre 5 et 30 ans
Pedro Ximénez	2 à 10 ans	50 ans et plus
PORTUGAL		
Porto Vintage	5 à 15 ans	30 ans et plus
ALLEMAGNE		
Trockenbeerenauslese	5 à 20 ans	50 ans et plus
Auslese	3 à 10 ans	30 ans et plus
Riesling sec	2 à 5 ans	entre 5 et 15 ans
AUTRICHE		
Eiswein (vin de glace)	5 à 20 ans	50 ans et plus
HONGRIE		
Tokay Aszú	5 à 20 ans	50 ans et plus
NOUVEAU MONDE		
Cabernet-Sauvignon de Californie	3 à 10 ans	(inconnu)
Pinots Noirs d'Oregon	2 à 8 ans	(inconnu)
Merlots de Chili et d'Argentine	2 à 8 ans	(inconnu)
Shiraz de Barossa Valley et de Hunter Valley (Australie)	3 à 10 ans	(inconnu)

Les stratégies d'achat

Une cave se constitue progressivement, au rythme d'achats planifiés et spontanés qui reflètent les goûts de l'amateur de vins, de sa famille et de ses invités. Quelques conseils et exemples pourront vous aider à composer une cave qui répond à vos besoins et vos envies.

Quels vins choisir pour la cave ?

La cave du particulier peut paraître un luxe inutile. Certes, il est agréable de disposer chez soi de bouteilles pour chaque occasion ou de pouvoir acheter une ou plusieurs caisses de vin à un prix avantageux – auprès d'un producteur ou lors d'une vente promotionnelle, par exemple –, et il faut alors être en mesure de stocker le vin dans de bonnes conditions, en attendant qu'il soit bu. Mais la principale raison d'être d'une cave tient à la possibilité d'y entreposer des vins de garde qui, lorsqu'ils atteindront leur maturité, ne se trouveront plus dans les circuits commerciaux traditionnels et de s'assurer de leur vieillissement dans les meilleures conditions (voir p. 166).

Au-delà de ces motivations reste la question essentielle : quels sont les vins qui méritent d'être gardés en cave ? Il n'est pas facile d'y répondre tant la qualité des vins peut varier, ne serait-ce que d'un millésime à l'autre pour un même vin d'un même cru (voir p. 169). Pour le vignoble français, les vins de garde concernent principalement les vins rouges de Bordeaux, de Bourgogne, de Côte-Rôtie, de Châteauneuf-du-Pape, de Cahors, de Madiran, et certains vins blancs de Bourgogne, de Pessac-Léognan et de Graves ainsi que tous les vins liquoreux. Parmi les vins étrangers, on peut citer pour l'Italie le Barolo et le Barbaresco du Piémont ainsi que le Chianti Classico et le Brunello di Montalcino de la Toscane ; pour l'Espagne, les vins de la Rioja et de Ribera del Duero ; pour le Portugal, les Porto Vintages ; pour l'Allemagne, les blancs liquoreux de la Moselle et du Rhin ; pour la Hongrie, le Tokay ; et pour le Nouveau Monde, le Cabernet-Sauvignon de Napa, le Pinot Noir de l'Orégon, les Merlots chiliens et argentins, et les Shiraz des vallées de Hunter et de Barossa, en Australie. Tous ces vins sont commercialisés deux ou trois années après leur récolte – ou lors de ventes en primeur pour certains (voir p. 84) –, alors que leurs meilleurs crus, dans leurs meilleurs millésimes, méritent d'attendre quelques années ou quelques décennies afin d'atteindre leur apogée. Or, il est rare que ces vins soient gardés en propriété et plus rare encore que les négociants aient les moyens financiers de les conserver longtemps. Les vins les plus réputés peuvent se trouver, quelques années plus tard, en vente aux enchères (voir p. 97), mais les appellations moins connues restent souvent introuvables.

Estimer ses besoins

Enfin, la constitution d'une cave nécessite une bonne programmation des achats. À cette fin, il s'avérera utile pour l'amateur de vins d'estimer sa consommation pour les années à venir, en prenant en considération les différents styles et couleurs de vin. Boit-il du vin tous les jours ou de façon occasionnelle, lors de dîners familiaux ou entre amis, voire lors de grandes occasions ? Quel type de cuisine le vin doit-il accompagner ? La cave doit-elle accueillir les grands classiques de Bordeaux et de Bourgogne ou permettre de découvrir des grands vins internationaux ? Pour orienter le choix, quelques exemples de cave lui seront proposés p. 179-181.

LA CAVE : OBJET DE SPÉCULATION ?

Au cours des dernières décennies, la spéculation autour du vin s'est largement développée. Les prix de certains Grands Crus bordelais se sont ainsi multipliés par deux, trois, voire dix, à partir du moment où ils étaient mis sur le marché, lors de ventes en primeur (voir p. 84). L'année 2000 a même vu le lancement du vin comme valeur boursière – mais ce fut un échec. Même pour les experts, il est en effet difficile de prévoir l'évolution des prix sur le marché. En règle générale, l'amateur de vins préférera donc sans doute réserver à sa propre consommation les vins qu'il garde dans sa cave et de ne les vendre que s'il y est contraint.

VENDRE SA CAVE

Il peut arriver qu'un particulier souhaite vendre toute ou partie de sa cave ou qu'il y soit contraint. Pour réaliser une plus-value, une telle vente doit bien se préparer. L'évaluation de la valeur des bouteilles peut se faire en commandant une expertise ou grâce à une comparaison entre plusieurs cotes de vins. Elle doit en tout cas tenir compte de l'état des bouteilles : niveau du vin (voir encadré p. 183), état de conservation des étiquettes, etc. Dans le cas d'une vente publique, le commissaire-priseur ou un expert chargé à vos frais par la salle des ventes examinera les bouteilles pour garantir la qualité des lots et leur authenticité. Mais il est également possible de s'adresser à un caviste spécialisé ou de vendre à un particulier.

Combien de vin acheter ?

Combien de bouteilles doit-on conserver en cave ? Pour les vins de garde d'une certaine qualité, la réponse est simple : le plus possible. Lorsqu'on estime en avoir trop, il est relativement facile de les revendre, ne serait-ce que par l'intermédiaire des ventes aux enchères (voir encadré ci-dessus).

Les vins de longue garde ont besoin de plus d'espace en cave que ceux dont la longévité n'est pas assurée. Ainsi, un Grand Cru de Bordeaux, par exemple, qui risque de ne pas atteindre son apogée avant huit ou dix ans et qui reste bon à boire pendant une dizaine d'années, mérite une commande de trois caisses de douze bouteilles, en comptant sur une consommation de trois bouteilles par an. Si un autre vin, un petit Bourgogne par exemple, promet d'être mûr au bout de quatre ans et de se maintenir à son apogée pendant trois ou quatre ans seulement, une seule caisse de douze bouteilles suffit.

Ce choix difficile se pose rarement, tout simplement parce que les plus beaux rêves d'un amateur de vins doivent faire face aux réalités : un budget et une cave qui ne sont pas extensibles. Une certaine rationalité peut s'accompagner d'un classement en trois types de vins : les vins à consommer au jour le jour, les grands vins bons à boire et les vins à laisser vieillir.

TROIS EXEMPLES D'UNE CAVE DE BASE

Classique ou éclectique, simple ou raffinée, une cave sera toujours le reflet des préférences gustatives de son propriétaire, mais celles-ci doivent prendre en considération les contraintes budgétaires que l'amateur de vins doit ou veut s'imposer. Pour un même nombre de bouteilles et un même style de vin – la famille des vins effervescents, par exemple –, on choisira donc une appellation moins prestigieuse (Crémant d'Alsace ou de Bourgogne), dans le cas d'un budget modeste, un Champagne non millésimé de vigneron, lorsqu'on dispose de moyens financiers plus importants, et un Champagne millésimé d'une Grande Marque, quand la sélection n'est pas limitée par le prix du vin. Il est, bien entendu, possible d'obtenir un panache différent, en privilégiant tel style de vin à tel autre ou en réduisant la taille d'un lot en faveur d'un vin d'un niveau de qualité supérieur. Voici trois exemples d'une cave bien équilibrée, qui correspondent à trois budgets différents.

La cave simple (environ 500 €)

QUALITÉ	NBRE	P. U.	TOTAL	NOMS DES VINS
Vins blancs secs légers ou fruités	6	5 €	30 €	Bourgogne Aligoté, Cheverny, Entre-deux-Mers, Pinot Blanc d'Alsace, Côtes-de-Provence, vins de Corse.
Vins blancs secs amples et racés	12	15 €	180 €	Chablis Premier Cru, Meursault, Savennières, Vouvray, Gewürztraminer.
Vins blancs liquoreux	4	10 €	40 €	Sainte-Croix-du-Mont, Cérons, Coteaux-de-l'Aubance, Monbazillac.
Vins rouges fruités	18	7 €	126 €	Beaujolais, Hautes-Côtes-de-Beaune, Anjou, Côtes-de-Forez, Coteaux-du-lyonnais, Saint-Nicolas-de-Bourgueil, Bordeaux, Côtes-du-Rhône-Villages, Vins de pays d'Oc.
Vins rouges complexes	12	10 €	120 €	Bordeaux Supérieur, Haut-Médoc, Saint-Émilion, Graves, Cahors, Buzet, Minervois-la-Livinière, Pécharmant, Mercurey.
Vins rosés	4	5 €	20 €	Côtes-de-Provence, Côtes-du-Lubéron, Côtes-du-Jura, Corbières, Lirac, Tavel.
Vins effervescents	6	6 €	36 €	Blanquette de Limoux, Clairette de Die, Gaillac, Saumur, Vouvray, Crémant de Bourgogne, Crémant d'Alsace.

La cave conviviale (environ 1 100 €)				
QUALITÉ	NBRE	P. U.	TOTAL	NOMS DES VINS
Vins blancs secs légers ou fruités	12	5 €	60 €	Muscadet, Entre-deux-Mers, Bordeaux, Petit Chablis, Sylvaner d'Alsace, Côtes-de-Provence.
Vins blancs secs amples et racés	12	20 €	240 €	Pessac-Léognan, Graves, Chablis Grand Cru, Meursault, Puligny-Montrachet, Condrieu.
Vins blancs liquoreux	6	15 €	90 €	Loupiac, Sainte-Croix-du-Mont, Coteaux-du-Layon, Montlouis, Pinot Gris d'Alsace Vendanges tardives, Riesling d'Alsace Vendanges tardives, Jurançon.
Vins rouges fruités	18	8 €	144 €	Bordeaux, Bordeaux supérieur, Hautes-Côtes-de-Nuits, Saumur-Champigny, Bourgueil, Vin de Savoie, Côtes-du-Rhône-Villages.
Vins rouges complexes	18	20 €	360 €	Haut-Médoc, Médoc, Pauillac, Saint-Estèphe, Saint-Julien, Saint-Émilion, Pessac-Léognan, Volnay, Vosne-Romanée, Crozes-Hermitage, Saint-Joseph, Bandol.
Vins rosés	6	8 €	48 €	Bordeaux Clairet, Marsannay, Coteaux-du-Languedoc, Irouléguy, Palette.
Vins effervescents	6	15 €	90 €	Champagne brut sans année de vigneron.
Vins Doux Naturels	6	10 €	60 €	Banyuls, Muscat de Rivesaltes, Muscat de Beaume-de-Venise, Porto.

La cave raffinée (environ 1 600 €)				
QUALITÉ	**NBRE**	**P. U.**	**TOTAL**	**NOMS DES VINS**
Vins blancs secs légers ou fruités	12	8 €	96 €	Premières-Côtes-de-Blaye, Bordeaux, Graves, Bandol, Bellet, Cassis, Coteaux-d'Aix, Saint-Véran, Sancerre, Roussette de Savoie, Jurançon sec.
Vins blancs secs amples et racés	18	20 €	360 €	Pessac-Léognan, Puligny-Montrachet, Chassagne-Montrachet, Meursault, Chablis Grand Cru, Savennières, Vouvray, Château-Châlon, Condrieu, Riesling d'Alsace.
Vins blancs liquoreux	5	25 €	125 €	Crus classés de Sauternes, Bonnezeaux, Gewürztraminer Sélection de Grains nobles, Riesling Sélection de Grains nobles, Vouvray, Tokay de Hongrie.
	3	10 €	30 E	Loupiac, Sainte-Croix-du-Mont, Coteaux-du-Layon, Montlouis, Jurançon.
Vins rouges fruités	18	8 €	144 €	Bordeaux, Crus du Beaujolais, Hautes-Côtes-de-Nuits, Saumur-Champigny, Bourgueil, Saint-Nicolas-de-Bourgueil, Vin de Savoie, Côtes-du-Rhône-Villages.
Vins rouges complexes	24	20 €	480 €	Haut-Médoc, Crus classés du Médoc, Saint-Émilion Grand Cru, Pomerol, Pommard, Volnay, Chambolle-Musigny, Gevrey-Chambertin, Côte-Rôtie, Hermitage, Cornas, Bandol.
Vins rosés	6	8 €	48 €	Bordeaux Clairet, Marsannay, Coteaux-du-Languedoc, Irouléguy, Palette, Côtes-de-Provence.
Vins effervescents	6	25 €	150 €	Champagnes d'une Grande Marque, Champagnes millésimés de vigneron.
	6	7 €	42 €	Saumur, Vouvray, Clairette de Die.
Vins Doux Naturels	5	25 €	125 €	Porto, Rivesaltes, Banyuls, Maury, Rasteau.

La cave idéale

La vieille cave de rêve au charme romantique n'est pas forcément le meilleur endroit pour entreposer les précieuses bouteilles d'un vin de garde. Pour un vieillissement optimal du vin, il est plus important de respecter quelques principes de base.

La température : une fraîcheur constante

Le vin doit être gardé à une température constante entre 8 °C et 18 °C, l'idéal étant 10 à 12 °C. En dessous, il ne se bonifiera plus, même si l'on peut encore le boire pendant des mois, voire des années. Une température trop élevée, au-delà de 20 °C, lui nuit davantage, car il vieillira prématurément et surtout mal, perdant sa couleur et la fraîcheur de ses arômes. Mais ce sont principalement les fluctuations brutales de température qu'il faut surveiller : si la cave passe doucement de 12 °C en hiver à 18 °C en été, peu importe. Par contre, une telle variation en une journée – ou même une semaine – peut devenir source de problèmes. Le vin se dilate et se contracte dans les bouteilles, le bouchon souffre. Puis le vin s'infiltre autour du bouchon, laissant un dépôt poisseux sur la capsule.

Lorsque vous choisissez une cave, prenez les températures maximales et minimales en divers endroits et notez-les pour repérer les endroits les plus frais. Si possible, localisez les sources de chaleur et neutralisez-les en isolant, par exemple, les conduites d'eau chaude. Bouchez les sources d'air très froid. Isolez les portes menant à des parties chauffées de la maison avec du polystyrène extrudé (voir aussi p. 187). Le but est d'obtenir une température constante. Continuez de noter les températures jusqu'à ce que vous maîtrisiez leurs fluctuations sur un an.

La lumière : l'ennemi du vin

La lumière abîme le vin, surtout les vins blancs et les Mousseux. Assurez-vous que la cave est sombre ; masquez toute lumière extérieure, même si elle provient d'un ventilateur sur un mur ensoleillé. Pour pouvoir circuler dans la cave, installez une ampoule à faible puissance (25 ou 40 Watts) et évitez les lampes fluorescentes ou halogènes. Prenez soin de toujours éteindre en sortant de la cave.

Une humidité élevée

L'humidité idéale est de 75 à 80 %. Une trop grande humidité peut affecter les étiquettes, qui se décollent (voir p. 190), et les bouchons, en provoquant des moisissures. Plus dangereux est un manque d'humidité : il desséchera les bouchons (voir encadré ci-dessous). Si le sol de la cave n'est pas en terre battue, on augmentera l'humidité en couvrant le sol d'une couche de gravier que l'on arrosera.

SURVEILLER LE NIVEAU DES BOUTEILLES

Il est tout à fait normal qu'une petite partie du vin s'évapore par le goulot avec l'âge. À Bordeaux, on parle ainsi du « niveau » de la bouteille. Pour un vin jeune, ce niveau doit se situer dans le goulot. Après quelques années en cave, il arrive généralement à la base du goulot. Un niveau en haut de l'épaule est acceptable pour les vins de plus de 20 ans et rare pour les vins plus âgés. La mi-épaule caractérise les vins de plus de 30 ans ; chez un vin plus jeune, ce niveau est signe d'un problème lié au bouchon, dû à un mauvais bouchage ou, si le phénomène est général, à un excès de chaleur ou à une humidité insuffisante dans la cave. On parle d'une bouteille couleuse ou qui pleure. Quand le niveau atteint le bas de l'épaule, il y a raison de s'inquiéter de l'état du vin. Il aura en tout cas perdu de sa valeur financière. Quant à la « vidange » (en dessous de mi-épaule), elle signifie presque toujours que le vin est devenu imbuvable.

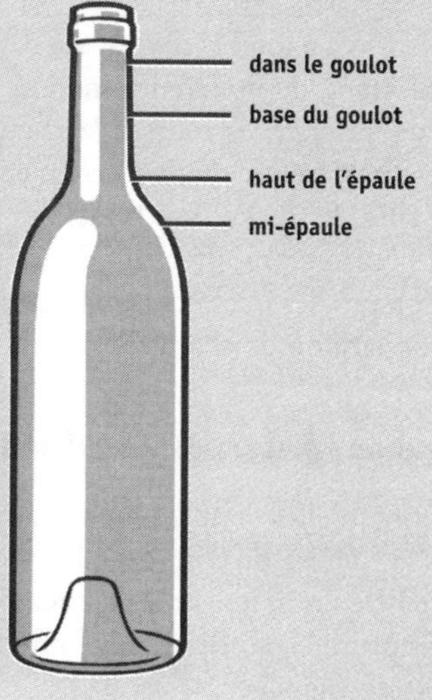

Mais, en France, l'humidité naturelle, dans un local bien isolé, est généralement suffisante. Les déshumidificateurs peuvent empêcher une humidité excessive, mais ce sont des appareils coûteux, qui ne valent la peine d'être installés que dans de très grandes caves. Dans une petite cave, on peut améliorer la ventilation et isoler certaines sources d'humidité (murs qui suintent, par exemple).

Une bonne ventilation, mais sans courants d'air

La circulation d'air est essentielle, bien qu'elle puisse faire monter la température. Une bonne cave devrait posséder des prises d'air ou des ventilateurs permettant à l'air extérieur de pénétrer et de circuler. Il faut pouvoir les neutraliser (par obstruction) lorsqu'il fait très froid ou très chaud, afin d'éviter des courants d'air nuisibles. Si la cave est orientée nord-sud, placez les ventilateurs aussi bas que possible du côté nord et très haut du côté sud. Sous l'effet de la convection, l'air chaud sort par l'aération haute côté sud. Il est remplacé au fur et à mesure par de l'air frais entrant côté nord.

La propreté : gare aux mauvaises odeurs !

Nettoyez à fond la cave avant d'y entreposer le vin. Utilisez un désinfectant, de préférence inodore, pour tuer moisissure et insectes. Puis peignez les murs à la chaux : cette peinture poreuse sur les murs de brique ou de pierre n'empêche pas la ventilation naturelle. Évitez de stocker vos bouteilles à côté d'essence de peinture, dont les émanations affectent le vin, même à travers le bouchon, et de légumes, les matières végétales ou alimentaires pouvant provoquer l'apparition de champignons ou d'insectes nuisibles.

Le calme : éviter les vibrations

Lorsqu'elles sont fréquentes, les vibrations fortes peuvent nuire à la qualité du vin, qu'elles viennent de l'intérieur (d'un appareil électroménager, par exemple) ou de l'extérieur (une route empruntée par des poids lourds, le passage à proximité du métro ou de trains).

Aménager une cave

Si l'on garde du vin plus de quelques semaines, il faut l'entreposer dans de bonnes conditions. L'aménagement d'une cave pour conserver ou faire vieillir du vin doit tenir compte du volume de bouteilles et du type de vin à stocker, mais aussi – fait plus important – de l'espace dont dispose l'amateur de vins. Que celui-ci habite en ville ou à la campagne, il existe des solutions pour toutes les situations et tous les budgets.

Une cave adaptée à vos besoins

Le projet d'aménagement d'une cave mérite bien quelques réflexions en amont de sa réalisation. Mal conçu, il risque d'entraîner des frais exorbitants, sans rapport avec la valeur des bouteilles stockées, ou de ne pas remplir sa vocation première, qui est d'offrir les meilleures conditions pour laisser vieillir le vin. Aussi est-il fortement conseillé d'évaluer de façon aussi précise que possible les besoins en termes de stockage, afin de pouvoir choisir la solution qui convient le mieux à l'espace disponible pour aménager une cave et au budget que l'on souhaite y consacrer.

En premier lieu, il importe d'estimer le nombre et le type de bouteilles à entreposer. Une centaine de bouteilles d'un même type de vin n'occuperont pas le même espace que dix lots de flacons provenant d'appellations différentes. La cave sera-t-elle destinée au seul stockage du vin ou également à la dégustation ? Puis, il faudra s'assurer que l'espace envisagé (sous-sol, box, jardin, etc.) répondra bien aux critères requis d'une bonne cave (voir p. 182). L'utilisation d'un local inadapté pourra nécessiter l'installation d'appareils coûteux (par exemple, d'un climatiseur pour maintenir la cave à bonne température) et alourdir considérablement la facture d'électricité. À moins de faire appel à une société spécialisée, il vaut mieux élaborer un cahier des charges précis, qui devra être respecté scrupuleusement par le bricoleur ou l'entrepreneur chargé de l'exécution des travaux. Enfin, une cave de valeur doit être aussi protégée en cas d'inondation ou d'incendie, ou contre un éventuel cambriolage, en particulier si elle se trouve dans le sous-sol d'un immeuble collectif. Une telle protection pouvant être très onéreuse (porte blindée, assurance, etc.), il est parfois préférable de se décider en faveur de l'achat d'une cave d'appartement ou de la location d'une cave (voir encadré ci-contre).

La cave clé en main

L'aménagement d'une cave doit tenir compte d'un nombre important de paramètres (configuration du terrain, choix des matériaux, etc.) pour assurer son bon fonctionnement. Si l'on n'est pas bricoleur, il peut être judicieux de bénéficier de l'expertise d'une

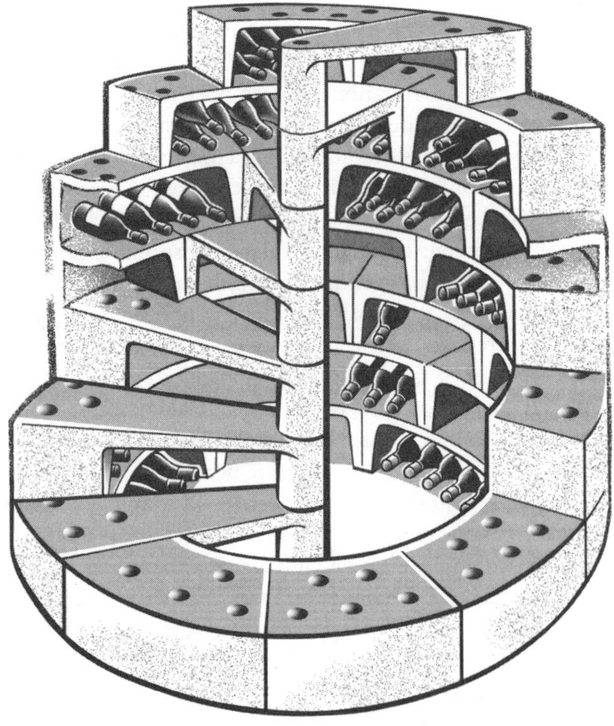

Cave en spirale. C'est une construction modulaire en béton doublée d'une membrane étanche qui est enterrée dans un trou creusé dans le sol. On y accède par une trappe, de préférence située à l'intérieur de la maison.

société spécialisée pour faire installer soit un cellier préfabriqué, logé dans le sol (cave voûtée, en spirale ou en béton), soit une cave sur mesure dans le box d'un pavillon ou d'un immeuble, dans le sous-sol d'une habitation ou même à l'intérieur d'un appartement. Pour la première solution, comptez environ 5 000 € pour une cave en spirale enterrée, capable d'abriter 600 bouteilles, et jusqu'à 15 000 € pour un stockage de 1 500 bouteilles. À cela peuvent s'ajouter des frais de terrassement, de protection (antivol, para-incendie) et d'assurance.

Transformer un local en cave

À condition de bien étudier le terrain avant d'entamer des travaux, la transformation d'un local déjà existant en cave peut être une solution à la fois avantageuse et facile à réaliser.

LA CAVE AU SOUS-SOL. Il est indispensable de vérifier la température et l'humidité à différents moments et de s'assurer d'une bonne ventilation (soupirail). En cas d'humidité insuffisante, on recouvrira le sol de gravier, de mâchefer ou de sable de rivière (voir p. 183). Les conduites d'eau chaude ou du chauffage doivent être isolées. Une faible isolation thermique pourra être compensée par une paroi en brique, séparée du mur par un vide. L'installation d'un climatiseur s'avérera nécessaire dans certains cas.

LOUER UNE CAVE

Pour les citadins des grandes agglomérations, qui ne peuvent ou ne veulent stocker leurs précieux flacons chez eux, il existe la possibilité de louer un espace cave, généralement situé en banlieue. Selon les formules, le vin est entreposé sur des palettes ou dans un coin cave réservé au client. Comptez environ 60 € par mois pour 400 bouteilles. Idéale pour prévenir les risques de vol, la location d'un tel espace demande cependant de respecter certains horaires pour venir chercher ou déposer les bouteilles. Il est donc recommandé d'aménager une cave du jour chez soi, qui permettra de conserver le vin pendant quelques jours dans de bonnes conditions.

LA CAVE DANS LE BOX. Qu'il occupe tout ou partie d'un box, un tel cellier nécessite généralement une très bonne isolation thermique. Pour séparer un coin cave, il est conseillé de monter un mur en parpaing. Les murs et la porte seront isolés avec du polystyrène extrudé, le plafond avec une double couche du même matériau ou de la laine de verre. En l'absence d'un soupirail, il peut être nécessaire d'équiper l'espace d'un climatiseur et d'un humidificateur.

LA CAVE DANS L'APPARTEMENT. Une pièce exposée au nord ou à l'est peut servir de cave, à condition de ne pas laisser entrer de lumière et de veiller à une bonne température et ventilation. Difficiles à réaliser, ces conditions exigent souvent l'installation d'un climatiseur, rendant l'opération coûteuse. Mieux vaut se servir d'un tel cellier pour entreposer des bouteilles destinées à une consommation dans un proche avenir (un an tout au plus), car le vin n'y vieillira pas bien. Il en est de même pour les volumes plus petits, même bien isolés, tel un espace sous l'escalier, un placard ou une armoire dans une chambre. Évitez notamment les vibrations, la lumière, la chaleur et une mauvaise aération.

Armoire à vins. Il s'agit d'une armoire à contrôle de température, maintenue à température constante.
Elle est idéale pour les appartements qui sont dépourvus de cave.

L'armoire à vins

À défaut de disposer d'une cave appropriée bien protégée, maint amateur de vins préférera acheter une armoire à vins, en particulier si le volume de vin à stocker reste modeste (en dessous de 300 bouteilles). Il existe une vaste gamme de modèles de toutes les tailles (à partir de 40 bouteilles), allant de la cave à vins simple, qui permet de conserver mais non pas de vieillir le vin (à partir de 500 €), jusqu'aux modèles sophistiqués à double ou triple température, avec des compartiments différents pour la conservation, le chambrage ou le rafraîchissement,

ASSURER SA CAVE

Comme toutes les dépendances, la cave est couverte par les contrats d'assurance pour les habitations. Il faut toutefois veiller à déclarer son existence et son contenu pour pouvoir être remboursé en cas de sinistre, sachant qu'une police ordinaire limite la couverture à un plafond d'environ 7000 à 8000 €. Pour une cave de valeur, il est donc préférable de conclure un contrat spécifique, qui tiendra compte de la protection des lieux et du type de vin. Dans tous les cas, il est fortement conseillé de préserver autant de preuves que possible (factures, photographies, etc.) sur les vins.

voire aux caves d'appartements, aux dimensions plus importantes. Les armoires à vins peuvent être équipées d'un simple circuit de refroidissement ou d'un double système qui assure également le réchauffement, si l'armoire est placée dans un endroit non chauffé l'hiver. En cas de panne, un bon modèle doit garantir un réchauffement ou un refroidissement très progressif.

Ranger les bouteilles

DISPOSITION ET EMPLACEMENT DES BOUTEILLES. À l'exception des bouteilles de Porto, de Vins Doux Naturels et de vins de liqueur qu'il faut conserver debout, les bouteilles doivent reposer couchées (pour que le vin reste en contact avec le bouchon), en quinconce ou non, mais facilement identifiables pour éviter toute manipulation inutile. L'air étant plus frais près du sol, l'emplacement des bouteilles se fait selon le style du vin, de bas en haut : vins effervescents, blancs liquoreux et moelleux, blancs secs, rosés, rouges de petite garde, rouges de longue garde et crus rouges prestigieux. Un livre de cave (voir p. 193), toujours tenu à jour, ou un logiciel de gestion de cave permettra de suivre l'évolution du vieillissement et de la consommation.

LES RANGEMENTS. Pour ranger les bouteilles et les maintenir en sécurité, casiers et étagères doivent être stables et facilement accessibles. Ils peuvent être en métal inoxydable ou en bois (exotique ou dur), traité marine contre les insectes et l'humidité.

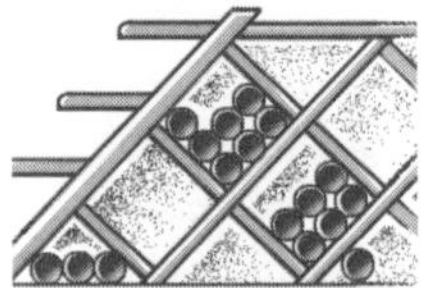

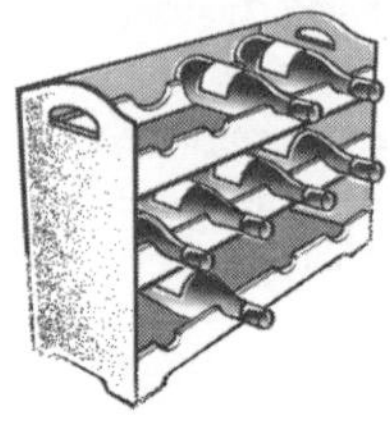

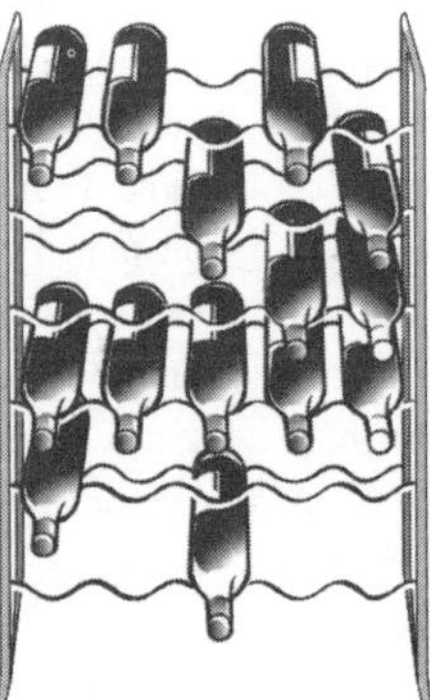

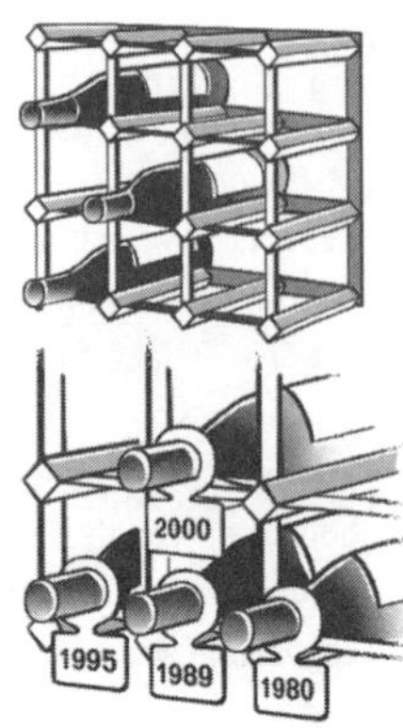

Sous l'escalier. Cette forme de stockage est astucieuse, si la température convient.
Les petits casiers. Ils doivent être rangés à l'abri de la lumière et dans un endroit isolé des vibrations.

Les caisses mobiles. Elles peuvent être en bois (à gauche) ou en fil de fer et recouvertes de plastique (ci-dessus). Elles sont conçues pour maintenir les bouteilles légèrement inclinées.

Les casiers fixes. Pour les fixer au mur, prévoyez des vis ou des pitons très solides, car les bouteilles sont lourdes.
Les étiquettes. Elles permettent de marquer les différentes bouteilles.

Lorsque les lots sont petits (moins de 6 bouteilles), on préférera les alvéoles, conçues pour protéger le vin contre les chocs thermiques, l'humidité et les vibrations, et qui réservent une place à chaque bouteille. Les cartons sont à proscrire : humides, ils dégagent des odeurs nuisibles au vin. Quant aux papiers de soie, ils peuvent coller à l'étiquette et la teinter. En revanche, on peut laisser les bouteilles dans leur caisse en bois d'origine, si l'on ôte le couvercle pour les laisser respirer et sans les poser à même le sol. Mais ils favorisent le développement d'insectes et de parasites et facilitent le travail d'un voleur.

LES ÉTIQUETTES. Leur emplacement doit permettre de repérer facilement les différents lots. Sinon, on pourra attacher des petites étiquettes autour du goulot. Pour garder intactes les étiquettes, on peut entourer la bouteille d'un film alimentaire ou l'emballer dans un sac plastique (mais le bouchon doit respirer). Pour les décoller, il suffit de les détacher délicatement à l'aide d'un adhésif transparent ou de tremper la bouteille remplie d'eau froide dans de l'eau chaude.

LE LIVRE DE CAVE

Un livre de cave bien conçu ne se limite pas à simplement enregistrer les entrées et sorties de la cave, mais gardera également la trace de vos expériences gustatives et de vos achats, facilitant ainsi le suivi du vieillissement du vin et la préparations de futures acquisitions. Le lecteur trouvera ci-dessous l'exemple d'une fiche de cave, qu'il pourra modifier selon ses propres besoins.

IDENTITÉ DU VIN	
Nom du vin	Château Sociando-Mallet
Appellation	Médoc
Région	Bordeaux
Couleur	rouge
Millésime	1990
Lieu d'achat	en primeur par l'intermédiaire d'un caviste
Date d'achat	mai 1991 (livraison en juin 1992)
Prix d'achat	74,34 francs (soit 11,33 €)
Producteur	Jean Gautreau
Adresse	(achat uniquement en primeur)

GESTION DES BOUTEILLES STOCKÉES	
Nombre de bouteilles acquises	une caisse de 12 bouteilles
Solde	11, 10
À boire avant	2010

NOTES DE DÉGUSTATION

Servi le 3 décembre 1997 : 1 bouteille (avec Michel, Sabine, Andrée et Xavier). Encore sur la réserve avec des tanins bien présents, même si déjà très veloutés. Le bois doit se fondre encore. Le nez s'exprime peu aujourd'hui. Peut-être dans son âge ingrat ? À attendre encore.

Servi le 31 janvier 1999 : 1 bouteille avec Éric et Sabine. Carafé juste avant de passer à table. Plein de fruits qui explosent dans la bouche avec une matière très fondue. Superbe et encore d'une incroyable jeunesse. Parfait avec le magret de canard au cinq-épices.

Mettre en bouteilles son vin

La mise en bouteilles artisanale d'un vin « en vrac » par l'amateur peut être à la fois une activité plaisante et un bon moyen de se procurer à vil prix un excellent petit vin, à condition de respecter quelques règles élémentaires.

Bien choisir et préparer le matériel

LES BOUTEILLES. Elle doivent être d'un verre assez épais, pour ne pas casser lors d'une manipulation ultérieure, et teintées, afin que le vin n'acquière pas un « goût de lumière » (voir p. 182). Quant à leur contenance, il est préférable de choisir la bouteille de 1 litre ou le magnum, dans lesquels le vin évoluera plus lentement et surtout mieux. En nombre suffisant, elles doivent être soigneusement nettoyées à l'aide d'un goupillon, puis rincées à plusieurs reprises à l'eau chaude, avant de sécher, le goulot en bas, à l'abri de la poussière. La veille du remplissage, on les descendra dans la cave pour qu'elles soient à la bonne température.

LES BOUCHONS. Il en existe de plusieurs longueurs, selon le temps de garde prévu (le bouchon en liège massif est destiné aux grands vins de garde). Leur prix étant modeste, on sélectionnera plutôt un bouchon de qualité supérieure (49 ou 54 mm), et, en tout cas, au profil lisse, de forme cylindrique et d'un diamètre supérieur de 6 mm à celui du goulot. La taille du bouchon est la même pour une demi-bouteille ou un magnum. Juste avant le remplissage, on trempera les bouchons dans l'eau chaude du robinet pendant environ 30 minutes, puis on les refroidira en les plongeant dans de l'eau froide. Un bouchage à sec risque de provoquer la cassure de la bouteille.

Le tirage du vin et le bouchage

La mise en bouteilles, tout comme le transport du vin, s'effectuera en général pendant le printemps ou l'automne, mais en aucun cas un jour de pluie ou d'orage. Le vin en vrac sera entreposé dans l'endroit où il sera embouteillé, dans un bref délai, s'il est conditionné en Cubitainer, et après quelques semaines de repos, lorsqu'il a été transporté dans un tonneau. Afin de réussir dès la première opération, mieux vaut une tireuse à amorçage et à vanne, dans laquelle la bouteille sera placée au bon endroit. Pour empêcher le vin de s'éventer, le tirage est suivi immédiatement du bouchage. L'aide d'une deuxième personne s'avère alors utile. Prévoyez des gants à usage unique pour l'embouteillage des vins rouges très tanniques, dont les pigments peuvent déteindre sur la peau.

Pour remplir les bouteilles, on fera couler le vin très doucement le long de la paroi de la bouteille qu'on tiendra légèrement inclinée, en évitant de mouiller le goulot (le bouchon adhérera mieux). La bouteille est remplie jusqu'à l'endroit où viendra se loger le bouchon : mieux vaut perdre quelques gouttes de vin que de laisser entrer des bulles d'air. À noter que tout choc est préjudiciable à la qualité du vin.

Le bouchage pourra se faire à l'aide d'un appareil simple à levier (en vente à partir de 30 €), qui doit permettre de bien caler la bouteille. Le débutant procédera à quelques essais avant de commencer l'opération, pour ajuster le mécanisme de bouchage : le haut du bouchon doit se trouver à 1 ou 2 mm au-dessous du goulot. Une fois les bouteilles bouchées, on peut les étiqueter. Il est conseillé de les laisser reposer quelques heures debout avant de les ranger dans les casiers ou étagères et de ne pas consommer le vin avant plusieurs semaines (voir p. 168).

QUELS VINS METTRE EN BOUTEILLE ?

Presque tous les vins – sauf ceux issus des Grands Crus et destinés à la garde – se prêtent à une mise en bouteilles artisanale. Pour obtenir un vin de qualité, on choisira de préférence une appellation régionale (Bordeaux, Côtes-du-Rhône, etc.), que l'on pourra laisser vieillir en cave jusqu'à 2 ans (dans une bouteille magnum). Vendu par certains cavistes, producteurs et coopératives, le vin « en vrac » est généralement conditionné en Cubitainer (15 ou 33 litres) ou en *bag-in-box* (de 3 à 200 litres). Comptez environ 2 à 3 € par litre pour un vin commercialisé à 5 € dans une bouteille de 75 cl.

Le vin à table

Depuis le lointain vignoble qui l'a vu naître, le vin terminera sa mission dans un verre et sera, dans l'immense majorité des cas, servi à table, dans le cadre d'un repas. Ce dernier acte est au moins aussi important que tout ce qui a précédé. Il suffit parfois d'un manquement quelconque au service du vin pour que le plaisir de le goûter se trouve gâché. Dans le service du vin, surtout lorsqu'il s'agit d'un Grand Cru, chaque détail compte et apporte une réalité tangible au plaisir de la dégustation. Une fois le choix du vin arrêté en fonction des circonstances et des mets que l'on servira, il convient tout d'abord, avant de présenter le vin, d'en contrôler attentivement l'état. Le vin est-il arrivé à bonne maturité ? La température de service lui convient-elle ? Comment ouvrir ensuite une bouteille sans accroc, surtout s'il s'agit d'un vin délicat ? Faut-il décanter ou non ? Les verres sont-ils adéquats ? L'hôte se doit de montrer de la compétence dans tous ces aspects dont aucun n'est mineur. La plupart des principes indispensables qui régissent ce que l'on appelle dans les métiers de la restauration « la mise en place » sont dictés par le bon sens. En observant ces précautions qui peuvent paraître contraignantes, l'amateur de vins trouvera non seulement tout le temps nécessaire de se consacrer à ses convives, mais bénéficiera aussi d'une aisance et d'un savoir reconnus par tous. La même attention doit présider au choix et à la dégustation du vin dans un restaurant. Si celui-ci dispose d'une bonne cave, faut-il privilégier le choix du vin ou celui des mets ? Comment déchiffrer une carte de vin ou bénéficier des conseils d'un sommelier ou du restaurateur ? Que faire si le vin n'est pas bon ou n'est pas servi dans les bonnes conditions ?

Les verres

Lors de dégustations comparatives, il a été maintes fois observé que le même vin goûté dans des verres de forme différente n'avait pas le même goût. Devant l'infini choix que nous proposent les fabricants, il importe en effet de choisir des verres qui seront à la fois un outil précieux pour l'appréciation des vins et un reflet de notre goût. Le facteur esthétique, loin d'être négligeable, fait souvent alliance avec le souci gustatif. À cela vient s'ajouter la tradition : presque chaque région vinicole possède son type de verre, parfois de couleur, qu'elle considère comme idéal pour déguster ses vins.

Le choix des verres

Pour favoriser la dégustation, le verre doit à la fois satisfaire les exigences de l'œil, du nez et de la bouche. Le goût du vin est différent, et meilleur, lorsqu'on le boit dans un verre approprié. Les éléments à prendre en compte dans le choix du verre sont, par ordre d'importance, sa forme, sa taille et son matériau.

LA FORME. Le calice d'un verre à vin doit tout d'abord être convexe, en forme de tulipe fermée. Son bord doit s'incurver vers l'intérieur, afin de capter les arômes du vin et de les canaliser vers le nez. Un verre dont le « ventre » est peu profond offrira une trop grande surface de vin à l'air et ne pourra retenir les arômes. La moitié du plaisir de la dégustation en sera perdue. Il faut ensuite que sa tige soit suffisamment longue pour que l'on puisse le tenir sans que les doigts ne touchent le calice. En effet, un verre de vin blanc frais se réchauffe rapidement au contact de la main.

LA TAILLE. Il doit être assez grand pour que l'on puisse y verser du vin en quantité suffisante sans pour autant le remplir plus qu'au quart ou au tiers. Si le verre est trop petit ou trop plein, on ne pourra faire tourner le vin pour libérer ses arômes et on ne pourra le pencher pour l'observer. La quantité de vin normalement servie est d'environ 9 cl (le

Verre à Bourgogne

huitième d'une bouteille) ; la contenance idéale d'un verre est de 28 cl au moins. Dans certains restaurants, on en trouve de bien plus grands : évitez-les, chez vous, pour vous épargner la désagréable impression d'avoir juste une goutte de vin au fond de votre verre. Ces verres ont du reste un but spécial : leur large surface aide à faire volatiliser les arômes d'un vin jeune, mais il ne faut pas les utiliser pour des vins vieux et délicats. En revanche, un grand verre, d'une capacité de 35 cl, est nécessaire pour les meilleurs vins rouges servis à leur apogée.

LE MATÉRIAU. Il doit être transparent, lisse, sans facettes. Les lourds verres en cristal taillé ou dorés à l'or fin sont, certes, agréables à regarder mais nuisent à l'appréciation du vin et au plaisir de la dégustation. Les verres de couleur empêchent d'admirer la robe du vin, sa couleur et son intensité. Le matériau idéal est le cristal le plus fin. Le cristal donne une clarté optimale et sa finesse permet de voir sans aucune déformation ce que vous avez dans votre verre.

Ces critères paraissent simples, mais comment expliquer scientifiquement pourquoi il est plus agréable de goûter un vin dans du cristal fin que dans un verre ordinaire ? Des dégustations comparatives ont convaincu les experts que la finesse du verre contribue au plaisir gustatif. Néanmoins, le matériau a moins d'importance que la forme ou la taille, et de nombreux amateurs de vin renoncent aux coûteux verres en cristal fin : la peur de les casser finit par gâcher leur plaisir.

À chaque vin son verre ?

À côté de ces verres standardisés, il en existe d'autres, traditionnels (voir encadré) ou conçus spécialement pour mettre en valeur un type particulier de vin. Parfois inspirés de verres traditionnels, les grands cristalliers comme Riedel ou Spiegelau ont ainsi, après des années de recherche, créé une série de verres destinés à optimiser la dégustation des vins des grandes appellations du monde. Il n'est cependant pas indispensable d'avoir un verre à vin par appellation, et, d'une manière convenue, les verres à vin blanc sont moins grands que les verres à vin rouge (voir page précédente). La forme en tulipe prime tout.

Pour les vins effervescents, on utilisera de préférence une flûte (voir encadré p. 199). À ces verres classiques, on peut éventuellement ajouter un verre à Bourgogne et un autre pour le Porto, le Xérès et les vins de liqueur (voir page précédente). Seul le verre à eau peut être libre dans sa forme et sa matière.

Il existe aussi des verres spéciaux pour la dégustation (comme le verre INAO ou la gamme des Impitoyables). À l'usage des professionnels, ces verres de haute technicité ont pour qualité essentielle de faire ressortir les défauts d'un vin (voir p. 145).

LES VERRES TRADITIONNELS

Dans la majorité des régions viticoles, il existe un verre jugé idéal pour la dégustation du vin local. Émouvants parce qu'ils appartiennent à une tradition locale, ces verres ont indéniablement un charme incomparable. Lorsqu'on les utilise, le souci premier est de respecter le passé et, quelquefois, de se montrer original. Il s'agit souvent de mettre en fête des vins de soif sans grand souci œnologique. Le plus connu de tous est le verre à vin d'Alsace, petit ballon monté sur une longue jambe teintée en vert. Celle-ci a pour but de colorer légèrement le vin blanc en lui conférant des reflets de même couleur et, par là même, de visualiser la fraîcheur du vin servi. Il est évident que les vins d'Alsace de grande qualité n'ont absolument pas besoin d'un tel support.

QUEL VERRE POUR LE CHAMPAGNE ?

Pour des raisons historiques douteuses, la coupe de Champagne est restée longtemps le type de verre associé à ce vin. Sur le plan de la dégustation, c'est une pure fantaisie. Sa large ouverture fait que le bouquet du vin se dissipe aussitôt et que la mousse se disperse instantanément. Pour le Champagne et, de façon plus générale, pour tous les vins effervescents, seule la flûte convient. De forme allongée, elle est remplie aux trois quarts. Sa hauteur permet aux bulles de se former sans peine et de rester persistantes, son ouverture étroite de ne rien perdre du bouquet délicat.

L'entretien des verres

Nombreuses sont les dégustations gâchées par des verres sales. La saleté n'est pas nécessairement visible : les détergents (ou les produits de rinçage) peuvent laisser un film indiscernable à l'œil ou au nez, quand le verre est vide, mais pouvant réagir au contact du vin (ou de l'eau) et lui donner un mauvais goût.

Les verres accrochent et retiennent les odeurs : elles peuvent provenir du lavage, du séchage ou du placard, mais toutes sont faciles à éviter. Mieux vaut ne pas passer les verres à vin au lave-vaisselle. On les lavera à la main dans une grande quantité d'eau chaude, avec, si nécessaire, un peu de liquide à vaisselle doux. Mais, en temps normal, l'eau chaude pure suffit, surtout si les verres sont lavés tout de suite après usage. Ils doivent ensuite être abondamment rincés à l'eau chaude, que l'on changera régulièrement. Pendant qu'ils sont encore chauds et humides, il faut les essuyer et les faire briller avec un torchon de coton ou de lin, qui a lui-même été rincé après lavage, sous peine de leur transmettre une odeur de détergent ou d'assouplisseur. Évitez les torchons neufs qui risquent de laisser des fils ou des peluches sur les verres.

Le meilleur endroit pour ranger les verres est un placard fermé situé en dehors de la cuisine. Posez-les debout ou glissez-les par le pied sur des porte-verres. Si vous les posez à l'envers, ils prendront l'odeur de l'étagère. Enfin, pensez à les sortir bien à l'avance pour qu'ils s'aèrent.

Servir le vin

Le calme relatif avant le repas est propice à l'attention que nécessitent et méritent les bouteilles soigneusement choisies qu'il faudra mettre en valeur au cours du repas. Une préparation minutieuse doit précéder leur service. Les vins sélectionnés pour l'occasion seront vérifiés attentivement, car, de votre cave jusqu'au moment où ils seront dégustés, le moindre détail prend de l'importance, et la négligence peut décevoir tous les espoirs.

Avant l'ouverture des bouteilles

En premier lieu, il convient de choisir les vins qui seront servis selon les circonstances et les mets qui constitueront éventuellement le repas (voir p. 43). Prévoyez en moyenne une bouteille de 75 cl pour trois ou quatre personnes.

Si les vins de consommation courante et les vins rosés peuvent être débouchés et bus sans délai, les autres vins exigent davantage de soins en fonction de leur style et de leur âge. Dès que votre choix est arrêté, deux jours avant le repas, allez à la cave pour vérifier les bouteilles sélectionnées, que vous aurez bien entendu pris l'habitude de stocker couchées, l'étiquette vers le haut. De la sorte, vous êtes assuré que le dépôt sera parfaitement localisé, à l'opposé de l'étiquette. Manipulez les bouteilles lentement, sans à-coups, en les maintenant dans le sens où elles se reposaient et vérifiez, à l'aide d'une bonne pile électrique, si le vin est bien limpide et si le dépôt est important.

Les vins blancs secs et jeunes peuvent être mis à rafraîchir quelques heures avant le repas, au bas du réfrigérateur. Les vins blancs âgés qui présenteraient un dépôt seront mis debout la veille, avant d'être rafraîchis. Les vins rouges jeunes déposent généralement très peu ; il suffit de les mettre debout le matin pour le soir. Les vins rouges vieux qui auront du dépôt seront mis lentement debout deux jours à l'avance, avant d'être décantés, si besoin est.

Si ces mêmes vins doivent être servis « à l'improviste », l'utilisation d'un panier est indispensable et l'ouverture de la bouteille sera plus délicate (voir plus loin).

La mise à température

Le seau à glace est le moyen le plus rapide (et le plus sûr) de rafraîchir un vin. Il est essentiel d'ajouter de l'eau à la glace et d'immerger la bouteille autant que possible afin que tout le vin soit à la même température : il faut compter 10 à 15 minutes pour passer de 20 °C à 8 °C. Un réfrigérateur mettra entre une heure et demie et deux heures pour aboutir au même résultat, voire davantage par temps chaud. Mais, si le délai est trop court, le

LA TEMPÉRATURE DE SERVICE

Quelle influence la température a-t-elle sur le goût du vin? La chaleur permet aux composants aromatiques de se volatiliser, ce qui signifie, plus simplement, qu'elle permet au bouquet agréable du vin de s'exprimer. Les arômes variant d'un vin à l'autre, les vins donnent le meilleur d'eux-mêmes à des températures différentes.

En règle générale, les vins blancs se servent plus frais que les rouges, mais l'échelle des températures est mobile dans les deux cas. Le principe «vin blanc à la température du réfrigérateur et vin rouge à température ambiante» est quelque peu sommaire. Il incite à servir les vins blancs trop frais et les vins rouges trop chauds. En fait, à chaque style de vin blanc correspond une température différente, et bien des rouges, sinon tous, doivent être servis à quelques degrés au-dessous de la température ambiante (voir p. 28-42).

Le vin pâtit infiniment plus de la chaleur que du froid. Un grand vin rouge peut perdre son équilibre s'il est servi à 22 °C. La chaleur accentuant l'acidité, les vins blancs doivent en général être servis très frais pour se montrer moins durs. Lorsque la bouteille est fraîche, l'acidité s'allie au fruit du vin et le rend agréable et rafraîchissant, ce qu'on est en droit d'attendre de tout vin blanc. Mais servir trop frais des Grands Crus de vin blanc est une erreur, car ce qui fait leur intérêt, au nez comme en bouche, pourra se révéler davantage s'ils sont moins frais.

Par temps chaud, servez les vins un peu plus frais qu'à l'ordinaire; par temps froid, en revanche, ne refroidissez pas trop un jeune vin rouge, même s'il se déguste frais.

contenu de la bouteille ne sera pas uniformément à la même température, et, s'il est trop long, le vin sera trop froid. De même, les manchettes de refroidissement ne garantissent pas toujours un rafraîchissement homogène. Évitez en tout cas de placer la bouteille dans le congélateur ou dans le bac de congélation du réfrigérateur, bien trop froid ; en outre, la bouteille risque de se casser en cas d'oubli.

Pour réchauffer un vin, l'idéal est de laisser la bouteille pendant deux à trois heures dans une pièce tempérée (18 °C). Ne placez jamais le vin près d'une source de chaleur, comme une cheminée, un radiateur ou un four, qui risque de donner un « coup de chaud » au vin et d'affecter son goût définitivement.

Le recours à un thermomètre pour déterminer si le vin est bien à la température peut avoir son utilité. Cela dit, un ou deux degrés de plus ou de moins ne gâcheront pas la plupart des vins. Faites donc le test du thermomètre deux ou trois fois pour mémoriser l'impression que donne une bouteille à, disons, 10 °C, puis mettez le thermomètre au fond d'un tiroir et fiez-vous à vos sens.

Une fois que le vin a atteint la température de consommation, il suffit d'ajouter quelques cubes de glace dans l'eau du seau pour maintenir la fraîcheur, sachant qu'il faut éviter tout excès de froid. Il en va de même avec une brique à vin ou un seau isotherme. Les vins effervescents seront servis de la même façon.

L'ouverture de la bouteille

Au moment de l'ouverture, la bouteille doit être à la température adéquate. L'extrait du bouchon doit se faire sans recours à la force, car le vin est sensible au changement brutal de pression. Les étapes de l'ouverture d'une bouteille de vin tranquille sont décrites de façon détaillée p. II dans le cahier encarté entre p. 512 et 513.

Certains bouchons, en particulier ceux des vieux Bordeaux, sont très longs et quelquefois fragiles. Il faudra donc procéder en deux mouvements. Quand toute la mèche du tire-bouchon a pénétré, commencez à extraire le bouchon de quelques millimètres, puis donnez à la mèche un tour supplémentaire et procédez à l'extraction complète, en veillant à ce que la mèche ne transperce pas le bouchon de part et d'autre.

Une bouteille délicate (par exemple, un vieux Bourgogne) exige des soins particuliers. Depuis la cave, où elle a été placée précautionneusement dans un panier, jusqu'au service, elle doit rester dans la position couchée dans laquelle elle reposait. Tout au long de la préparation, il faut éviter le moindre mouvement brusque, y compris lors de l'ouverture.

Les bouchons récalcitrants

Il arrive que certains bouchons résistent avec entêtement. Voici quelques solutions.

LORSQUE LE BOUCHON COLLE, chauffez le goulot de la bouteille en le passant sous l'eau chaude, afin de mouiller et faire gonfler le verre, mais non le bouchon, ou bien vissez le tire-bouchon en le tenant légèrement incliné.

SI LE BOUCHON S'EST CASSÉ, vissez le tire-bouchon avec précaution, en le tenant incliné, dans le morceau restant du bouchon. Si cette manipulation ne réussit pas, poussez le bouchon dans la

LE TIRE-BOUCHON

Le choix d'un tire-bouchon de bonne qualité doit répondre à deux critères. Tout d'abord, la partie qui pénètre dans le bouchon doit avoir la forme adéquate. Seule une spirale bien pointue et suffisamment longue et large aura une bonne prise sur le bouchon. Il convient ensuite d'étudier le mécanisme de traction. Les modèles les plus simples, à poignée en forme de T, sollicitent trop les muscles du bras et de l'épaule : un bouchon très serré risquera de vous résister. Choisissez plutôt un tire-bouchon muni d'un système de levier, qui se bloque contre le goulot de la bouteille. Il existe une vaste gamme de modèles, depuis le « couteau-sommelier » jusqu'au tire-bouchon doté d'un mécanisme de contre-vis ou à double action (voir page suivante). Enfin, il est vivement déconseillé d'utiliser des appareils à gaz ou à air : non seulement la pression de gaz peut abîmer le vin, mais si la bouteille présente un défaut de fabrication, elle risque d'éclater ou d'exploser au moment de son ouverture.

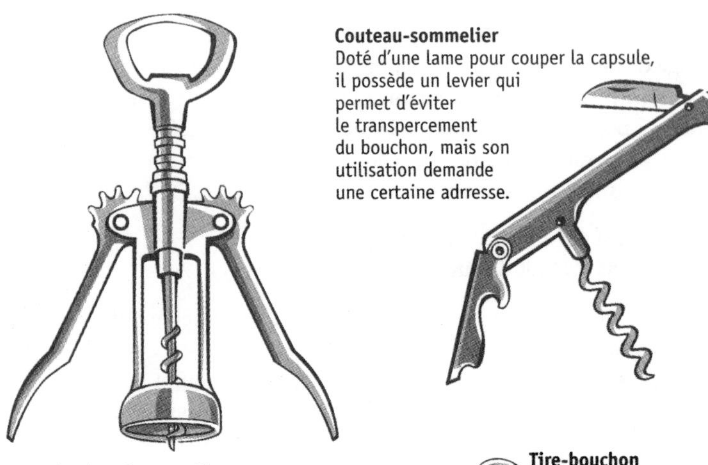

Couteau-sommelier
Doté d'une lame pour couper la capsule, il possède un levier qui permet d'éviter le transpercement du bouchon, mais son utilisation demande une certaine adrresse.

Tire-bouchon papillon
Très répandu, il demande peu d'effort physique pour déboucher sans à-coups, mais sa hauteur le rend encombrant.

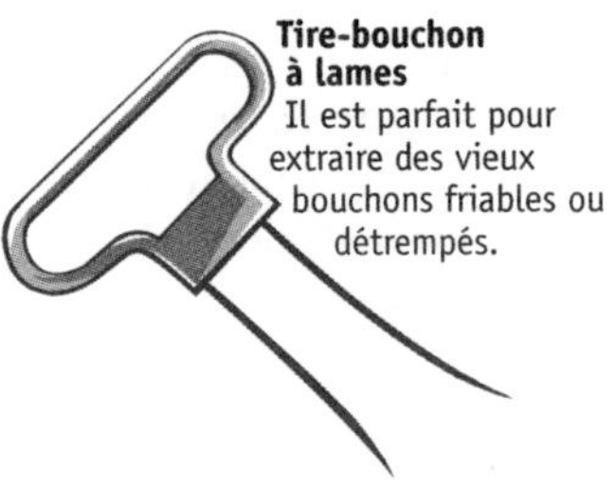

Tire-bouchon à lames
Il est parfait pour extraire des vieux bouchons friables ou détrempés.

Screwpull® continu
D'une grande simplicité, il garantit une extraction en douceur. Il suffit de le poser sur le goulot et de tourner la manche.

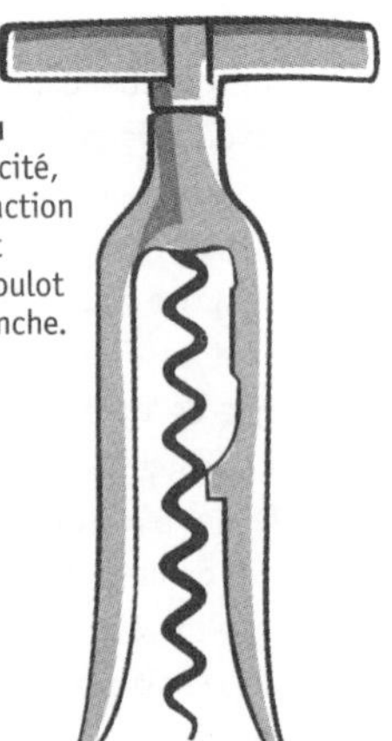

Tire-bouchon à contre-vis
Son principe assure une extraction sans à-coups, avec un minimum d'effort physique, mais son encombrement nuit à sa maniabilité.

bouteille. En versant le premier verre, tenez le bouchon éloigné du goulot à l'aide de la mèche du tire-bouchon ; il flottera ensuite à la surface du vin. Quelques morceaux de liège tombés dans le vin ne nuisent pas au goût. Mais, s'il y en a trop, vous pouvez décanter le vin dans une bouteille propre, une carafe ou un pichet.

Pour ou contre la décantation ?

La plupart des vins peuvent parfaitement être servis directement de la bouteille, mais certains gagnent à être transvasés dans une carafe ou un pichet. La décantation peut améliorer le vin de deux façons : elle le débarrasse d'éventuels morceaux de bouchon ou de dépôt et lui permet de s'oxygéner, ce qui peut accélérer sa maturation. Dans presque tous les cas, un vin présentant un dépôt doit être décanté. Quant aux autres vins, cela dépend de leur âge et du temps qu'ils passeront en carafe (voir encadré p. 207).

Les adeptes de la décantation affirment qu'en une heure, voire plusieurs heures, un vin jeune décanté devient plus moelleux, plus rond et généralement plus agréable au goût. Mais il est vrai que, s'il reste trop longtemps en carafe, il risque de perdre de sa fraîcheur et de sa vitalité. La décantation peut vivifier les vieux millésimes mais également les durcir et leur faire perdre quelques-uns de leurs précieux arômes. Il ne faut pas oublier que le vin continue à s'aérer en passant de la carafe au verre, et encore davantage si on le fait doucement tourner dans le verre.

Comment décanter ?

On peut transvaser le vin dans une carafe, une cruche ou un pichet, mais il faut tenir compte de la forme du récipient et de sa taille afin d'assurer, après décantation, plus ou moins de surface de vin en contact avec l'air. En effet, outre le choc de l'oxygénation d'un vin qui a toujours été en milieu réducteur, il se produit dans les heures qui suivent une évolution des arômes plus ou moins rapide en fonction de l'exposition du vin à l'air. Ainsi, pour des vins jeunes d'une grande extraction, on préférera une carafe plate dont la base est très évasée pour favoriser les échanges entre le vin et l'air, tandis que, pour les vins vieux et fatigués, il sera prudent de choisir une

LE DÉPÔT : QUALITÉ OU DÉFAUT ?

Certains vins blancs jeunes et légers présentent parfois un dépôt de cristaux. Il s'agit du bitartrate de potassium qui se précipite à la suite d'une baisse brutale de la température. Malgré leur apparence, ces cristaux sont absolument sans danger pour la santé et n'affectent en rien le goût du vin. Il suffit de mettre la bouteille debout et, en quelques secondes, le dépôt est rassemblé. En versant attentivement, il est très facile de l'éviter. Un vin rouge qui vieillit produit un dépôt naturel, résultat de tanins oxydés et de matières colorantes qui se décomposent dans le vin. Ce dépôt est plutôt léger et nécessite donc une manipulation très précautionneuse de la bouteille. La décantation s'impose, sauf si le vin est devenu trop fragile (par exemple, les vins de Bourgogne). C'est dès l'ouverture de la bouteille et après avoir aussitôt goûté le vin que l'on prendra la décision : un vin fermé et un peu dur profitera de la décantation, un vin parfaitement épanoui et délicieux n'en aura pas besoin.

carafe qui ne laisse que très peu d'air en surface du vin, en s'assurant de bien la remplir et de replacer le bouchon après l'opération. Assurez-vous que la carafe est bien propre en la rinçant et l'égouttant avant la décantation. Si vous utilisez un entonnoir ou un filtre en tissu, lavez-les aussi au préalable.

LA DÉCANTATION DES JEUNES VINS est simple. Son but est d'aérer le vin, de le laisser s'assouplir tout en réveillant son parfum. Il suffit d'ouvrir la bouteille et d'en verser le contenu dans une carafe propre. Le vin peut être versé assez vite : s'il éclabousse les bords de la carafe, il ne s'en aérera que davantage. Puis il faut le laisser reposer au moins une heure avant de le boire, sans boucher la carafe, dans la pièce où il sera servi. Cela lui permettra d'atteindre progressivement la température ambiante.

LA DÉCANTATION D'UN VIN VIEUX est une opération délicate qui demande beaucoup de patience et de souplesse. Elle se fait juste avant le service et la carafe doit être rebouchée. Si la bouteille est restée deux jours debout dans la cave, le dépôt aura glissé le long de la paroi pour s'accumuler au fond. Une fois le bouchon retiré, il suffit de verser lentement et très progressivement le vin

QUELS VINS DÉCANTER ?

VINS ROUGES AVEC UN DÉPÔT

Les vins rouges énumérés ci-après ont tendance à présenter un dépôt; mieux vaut les décanter.

Bordeaux : Premiers Crus, Grands Crus, Crus classés, Grands Crus de Saint-Émilion, grands Pomerols.

Côtes-du-Rhône : Hermitage et autres vins du nord de la région, ainsi que les Châteauneuf-du-Pape.

Autres vins français : les meilleurs vins de Provence, le Madiran.

Vins italiens : Barolo, grands *vini da tavola* tels que le Sassicaia.

Espagne : Vega Sicilia et les meilleurs Penedès. Quelques Riojas présentent un dépôt.

Portugal : Portos Vintages et Crusted. Les Portos Late-Bottled et Tawny n'ont pas besoin d'être décantés.

Nouveau Monde : les Cabernets-Sauvignons et les Shiraz de Californie, d'Australie et du Chili.

VINS ROUGES JEUNES

Les rouges plus jeunes tireront généralement profit de l'aération apportée par la décantation.

Bordeaux : les petits châteaux de Bordeaux d'un bon millésime.

Bourgogne : les crus de Beaujolais et les appellations communales de la Côte d'Or.

Côtes-du-Rhône : tous les vins rouges.

Autres vins français : Cahors, Côtes-de-Bordeaux et tous les vins vinifiés de façon traditionnelle qui font l'objet d'une grande concentration.

VINS BLANCS

Certains vins blancs s'améliorent si on les décante juste avant de servir : vieux blancs de la Loire, Graves blancs à maturité, vins d'Alsace de Vendanges tardives, grands vins du Rhin et de la Moselle, bons Riojas blancs vieillis en fûts de chêne.

LES VINS À NE PAS DÉCANTER

Certains vins ne gagnent pas à être décantés : les très vieux Bordeaux et Bourgognes rouges (voir p. 203), les vins blancs à maturité sauf ceux cités ci-dessus, les blancs jeunes, les vins de Champagne et autres Mousseux.

de la bouteille dans une carafe à décanter. Une source de lumière (bougie ou pile électrique), placée sous l'épaule de la bouteille, permettra d'observer parfaitement l'arrivée des premiers dépôts. Dès que les premières particules apparaissent à hauteur du goulot, il faut relever d'un coup la bouteille (voir p. IV dans le cahier encarté entre les p. 512 et 513).

POUR UN DÉCANTAGE IMMÉDIAT, l'utilisation d'un panier-verseur est indispensable. Depuis le retrait de la bouteille du casier, il faut observer la plus grande douceur dans tous vos mouvements et déplacements. La bouteille restant toujours couchée dans la même position, le bouchon est retiré en respectant les mêmes règles. Puis sortez la bouteille très lentement de son panier et procédez comme indiqué ci-dessus. Il existe des paniers à décanter. Leur dégagement au niveau du col permet de voir au travers de l'épaule de la bouteille sans avoir à la sortir, évitant ainsi une manipulation supplémentaire.

L'ouverture des vins effervescents

Les vins effervescents ont un bouchon spécial et demandent une manipulation différente. Le vin étant sous pression, une ouverture maladroite de la bouteille risque de faire sauter violemment le bouchon et de laisser échapper beaucoup de mousse, sans compter les dégâts que le bouchon peut occasionner sur sa trajectoire. Il faut donc commencer par rafraîchir le vin en prenant soin de ne pas

L'ENTRETIEN DES CARAFES

Les carafes doivent être propres et lavées avec le même soin que les verres, avec beaucoup d'eau chaude afin de les rincer le mieux possible. Pour sécher une carafe, essuyez d'abord la partie externe à l'aide d'un torchon propre, puis placez la carafe à l'envers afin de laisser s'écouler l'eau résiduelle. La meilleure façon d'égoutter une carafe consiste à la placer sur un pied spécial – un support équipé d'un pied lesté qui assure une bonne stabilité – et de déposer l'ensemble dans un endroit qui dispose d'une bonne aération. Il n'est pas toujours bon de la garder vide et close trop longtemps et, dans tous les cas, il faut la rincer abondamment à l'eau chaude avant tout nouvel usage.

Avec le temps, les carafes se patinent. On peut utiliser alors du gros sel et du vinaigre afin de les décaper ou bien un produit comme celui qui sert au nettoyage des dentiers, en ayant soin de bien la rincer après l'opération.

OUVRIR UN PORTO MILLÉSIMÉ

Parce qu'il vieillit longtemps en bouteille, le Porto millésimé peut être difficile à déboucher : un vieux bouchon est souvent friable. La solution consiste en général à utiliser une longue pince à Porto, dont les branches s'adaptent au goulot. Les extrémités sont préalablement rougies au feu, puis serrées sur le col de la bouteille. Au bout d'une minute, on applique un chiffon humide et le col se casse net à la base du bouchon. Cette méthode requiert de l'expérience.

remuer la bouteille afin de ne pas augmenter la pression du gaz. Sa température doit se situer entre 6 et 9 °C ; un Champagne servi plus froid perd toute sa saveur. On évitera par ailleurs de laisser une bouteille trop longtemps au réfrigérateur. Il est préférable, à la sortie de la cave, de la faire rafraîchir quelque temps dans un seau contenant un mélange d'eau et de glace ; toute tentative de refroidissement accéléré ne peut qu'être préjudiciable au vin.

Le secret de l'ouverture consiste à bien maintenir le bouchon d'une main et, de l'autre, à faire tourner doucement la bouteille, légèrement inclinée (voir p. VII dans le cahier encarté entre les p. 512 et 513). L'élégance suprême est de retenir le bouchon au dernier moment afin de ne laisser échapper qu'un « soupir d'aise ». L'ouverture d'un vin mousseux se fait toujours devant les invités.

Goûter avant de servir

Dès que les bouteilles sélectionnées ont été ouvertes, et éventuellement décantées, il est temps de vérifier le vin. Contrôlez d'abord scrupuleusement chaque bouchon en le reniflant afin de détecter d'éventuels défauts, puis procédez à une dégustation de contrôle. Certains « nez de moisi » se dissipent très vite. Plus grave est le « nez de bouchon ». Si l'odeur de moisi est très légère, seul le premier verre risque d'être altéré et, souvent, une simple aération suffit. Si elle est persistante, mieux vaut passer à une autre bouteille. Dans le doute, il ne faut pas hésiter de changer. Chaque bouteille vérifiée est ensuite rebouchée et remise à température de service.

Servir le vin

Lors de la mise en place, les verres seront rangés dans l'ordre de service, de gauche à droite, face à l'assiette. Pour éviter de laborieuses manipulations pendant le repas, il vaut mieux disposer d'emblée sur la table tous les verres nécessaires. Le verre à eau sera, lui, placé derrière les verres à vin. Si d'aventure plusieurs bouteilles du même Grand Cru mémorable étaient servies au cours d'un même repas, il faut prévoir de changer les verres à chaque bouteille ouverte, car il peut y avoir de grandes différences d'un flacon à l'autre.

Au cours du repas, le rôle de sommelier est dévolu au maître de maison qui assurera lui-même le service des vins. Devant les invités, par courtoisie, il goûtera de nouveau chaque bouteille avant de verser. Il veillera à ce que les vins restent autant que possible à la température de service et que chaque verre soit rempli au tiers pendant le repas.

Champagnes et vins blancs seront mis dans un seau contenant de l'eau et quelques glaçons pour rester suffisamment frais. Quant aux vins rouges, il est souhaitable de les servir un ou deux degrés plus frais que prévu : dès qu'ils sont versés dans le verre, ils acquièrent aussitôt un degré.

QUE FAIRE D'UNE BOUTEILLE ENTAMÉE ?

En général, une bouteille entamée devrait être terminée durant le repas. Mais il arrive parfois que tout le vin ne soit consommé. Dans ce cas, il faut reboucher la bouteille aussitôt, la conserver au frais et la terminer sous quarante-huit heures, car l'oxydation provoquée par le contact avec l'air est toujours néfaste pour le vin. Un vin décanté doit être bu dans la journée, la carafe rebouchée aussitôt. Les vins effervescents seront remis aussitôt au réfrigérateur, rebouchés aussi hermétiquement que possible – il existe des bouchons spéciaux – et bus dans les quarante-huit heures. Un vin qui ne mérite plus d'être bu peut encore faire merveille en cuisine. Les fonds de vin peuvent également servir à produire un vinaigre savoureux.

Le vin au restaurant

Un restaurant se choisit par la qualité de sa cuisine, son décor, la sélection de ses vins et… son niveau de prix. Face à une carte des vins importante, il n'est pas toujours facile de se retrouver, mais, d'un rapide coup d'œil, on pourra se faire une idée précise des sélections et de leur valeur ou, le cas échéant, recourir aux conseils du sommelier. Il faut être à la fois prudent, patient et confiant. La cotation d'un restaurant dans les guides est tout à fait fiable, car la cave et le service participent à l'évaluation générale de l'établissement. Les commentaires le précisent souvent.

Le choix du vin

Le choix du vin repose sur quelques critères qui, s'ajoutant, donnent une idée précise de l'attention que le restaurateur porte aux vins. Il vaut mieux une sélection courte et judicieuse qu'une accumulation de crus dont la rotation n'est pas toujours assurée. La carte reflétera le style de la cuisine servie, et l'influence de la région, surtout si elle est viticole, se remarquera avec intérêt. La présence d'un sommelier confirmera que toute l'attention sera portée sur la sélection, le stockage et le service.

Jamais un maître d'hôtel ne s'offusquera s'il lui est demandé en même temps le menu et la carte des vins. Cela indiquera aussitôt l'intérêt que le client porte à l'un et à l'autre. Dans un restaurant que l'on visite pour la première fois, il est difficile de savoir si l'on commandera d'abord la nourriture et ensuite les vins ou le contraire. Une cuisine créative se doit d'être explicitée, car au simple énoncé des ingrédients le choix des vins en sera orienté. S'il est impossible de résister à un plat dont la composition pourrait affecter le vin, il vaut mieux demander conseil au sommelier. À l'inverse, si un vin très précis retient l'attention, le maître d'hôtel ou le sommelier saura le plat idéal qui lui conviendra. Lorsque la carte propose une « cuvée de patron », il s'agit en général d'un vin honnête sélectionné en fonction du style de la cuisine servie, mais ce ne sera jamais un grand vin.

La carte des vins

Par sa simple présentation, la carte des vins reflète l'efficacité du sommelier. Elle doit être claire et le client comprendra aussitôt la méthode de lecture. Généralement les vins se classent par appellations, les couleurs étant bien séparées. La contenance des bouteilles doit être clairement indiquée. À l'intérieur des appellations, les vins peuvent être présentés par millésime, par sous-appellation ou par prix. Quel que soit le choix établi, il sera le même tout au long de la carte. Pour chaque vin doit figurer, sans faute d'orthographe, le cru, le village, le climat, le clos, le nom du propriétaire et le millésime. Le sommelier saura à tout instant apporter les précisions complémentaires souhaitées : la qualité du millésime, les cépages, les techniques particulières, la localisation exacte du domaine, etc. Il n'est cependant pas bon d'accaparer le sommelier indéfiniment, son travail consiste aussi à s'occuper d'autres tables, à préparer verres et bouteilles et à servir…

Le sommelier

Perplexe et perdu devant des pages serrées de crus de différentes origines et aux prix fort divers, le client aura volontiers recours au conseil d'un professionnel. Bien qu'il soit extrêmement délicat d'évoquer le prix devant les invités, le sommelier de talent comprendra vite à mille détails jusqu'où ne pas aller. Il n'y aura d'embarras pour personne si, pour une quelconque raison, une suggestion ne convenait pas, il suffit d'en demander une autre en étant aussi précis que possible. Si l'idée du sommelier est respectable, le client reste le maître et ne doit se sentir gêné en aucune manière. Qu'un sommelier connaisse les vins qu'il propose est la moindre des choses, mais tout cela s'efface devant les goûts du client et les règles du service qu'il se doit d'assurer impeccablement.

Le service

La commande prise, le sommelier prépare les verres nécessaires, et s'enquiert des bouteilles choisies. Le service proprement dit commence. Chaque bouteille commandée est présentée au client, celui-ci vérifie appellation, millésime, propriétaire et acquiesce. Le sommelier procède alors bien en évidence à l'ouverture des bouteilles, renifle les bouchons et goûte chaque vin. Les vins le nécessitant sont décantés et maintenus à température.

C'est à la personne qui a commandé de donner le signal du service du vin, suivant qu'il y a ou non un apéritif de servi avant. Le sommelier la servira en premier afin qu'elle goûte elle-même. Ce contrôle permet de vérifier la qualité intrinsèque du vin et sa température. Si le client approuve, le service se poursuit en

LES MEILLEURS SOMMELIERS DU MONDE

Très recherché, le titre Meilleur Sommelier du Monde résulte d'un long processus de sélection et couronne une somme considérable de connaissances et une expérience pratique sans faille. Les sujets abordés lors de ce concours représentent les contraintes qu'un chef sommelier dans une grande maison rencontre dans l'exercice de ses fonctions. Sur le plan théorique, les candidats doivent faire preuve d'une profonde connaissance de l'œnologie, de l'ampélographie, de la législation de chaque pays, des appellations, des millésimes et de la dégustation. Le volet pratique exige une excellente présentation, une élocution claire, une grande aisance des règles de préséance, du tact, de la modestie, de la sobriété, de l'organisation, la pratique des langues étrangères, une connaissance approfondie de la cuisine et de la pâtisserie, ainsi que le sens du commandement et des règles sur l'accord des mets et des vins.

1969 : Arnaud Melkonian (France)
1978 : Giuseppe Vaccarini (Italie)
1983 : Jean-Luc Pouteau (France)
1986 : Jean-Claude Jambon (France)
1989 : Serge Dubs (France)
1992 : Philippe Faure-Brac (France)
1995 : Shinya Tasaki (Japon)
1998 : Markus Del Monego (Allemagne)
2000 : Olivier Poussier (France)

respectant les préséances et en n'oubliant pas de resservir la personne qui a goûté en premier. C'est par la droite que s'effectue le service des boissons avec la possibilité, pour chaque convive, de jeter un œil, s'il le souhaite, sur l'étiquette, le sommelier pouvant discrètement lui rappeler le nom et le millésime du vin.

Le sommelier emplira les verres au tiers et veillera sans cesse à ce que chaque convive ne manque de rien. Il s'acquittera également du service des eaux minérales. À tout instant, il répondra à toute demande du client. S'il arrivait que le client ne trouve pas le vin conforme à ses désirs ou avec un défaut qualitatif (goût de bouchon) ou un problème de température, il est en droit de le faire remarquer et d'exiger de changer de bouteille.

La question de la température de service des vins au restaurant se trouve résolue dans les maisons sérieuses qui, grâce à des armoires à températures régulées ou à la cave du jour, présentent les vins comme il se doit. Si le vin blanc, rosé ou le Champagne sont réfrigérés, les faire retirer aussitôt du seau. Si le vin rouge est trop chaud, même s'il est en carafe, demander à le mettre dans un seau avec quelques glaçons.

LE VIN N'EST PAS BON : QUE FAIRE ?

Le vin servi présente un défaut : éventé, madérisé, oxydé, éteint, plat, acide, bouchonné... Autant de défauts qui auraient dû être notés par le patron, le maître d'hôtel ou le sommelier quand ils ont goûté eux-mêmes le vin. Auquel cas la bouteille aurait dû être changée. Mais s'il y a le moindre doute, il est en faveur du client qui demandera une autre bouteille. Certains restaurants préviennent clairement que les bouteilles rarissimes et de tel vieux millésime sont commandées aux risques du client et facturées quoiqu'il arrive.

Le vin servi ne plaît pas. Recommandé chaudement par le patron ou le sommelier, le vin ne présente aucun défaut mais ne correspond pas au goût du client pour une quelconque raison. Celui-ci en fait la remarque et le patron se doit de faire aussitôt une autre proposition aux goûts de la personne qui paie. Le risque étant pris, le restaurateur se doit de se montrer à la fois grand seigneur et modeste.

VIN ET SANTÉ

Aujourd'hui, chacun sait que « l'abus d'alcool est dangereux pour la santé » et que le vin est « à consommer avec modération ». L'abus d'alcool est en effet responsable de nombre de cirrhoses, cancers et, indirectement, accidents de la route. Pourtant, malgré ce constat alarmant, le vin compte toujours autant d'amateurs, qui font de cette boisson bon usage, et lui attribuent même quelques vertus.

Le « paradoxe français ». Publiée dans une revue scientifique américaine, en 1992, une étude menée par un médecin français indiquait que la mortalité due aux maladies cardiovasculaires en France était une des plus faibles du monde alors que l'alimentation, riche en graisses, prédisposait à ce type de maladies. Pour l'auteur de l'étude, il fallait y voir l'effet bénéfique de la consommation régulière de vin à table. Cette révélation eut une portée retentissante, surtout aux États-Unis où elle entraîna une forte progression des ventes de vin.

Une boisson complexe. Il faut dire que le vin n'a pas encore livré tous ses secrets. Des analyses ont permis de dénombrer des centaines de composants mais, au plan diététique, le vin contient surtout de l'eau et de l'alcool éthylique. Cet alcool fournit l'essentiel de l'apport calorique (de 500 à 700 kcal dans une bouteille de 75 cl). Sachant que l'organisme assimile l'alcool avec production d'énergie et transformation en graisse, le vin est déconseillé aux personnes atteintes de surcharge pondérale. En revanche, il est aujourd'hui prouvé que ce même alcool peut effectivement être « bon pour le cœur ».

Les effets bénéfiques. La dernière expertise collective (septembre 2001) de l'Institut national de la santé et de la recherche médicale (INSERM) met en avant l'effet protecteur de l'alcool sur le système cardiovasculaire des personnes de plus de 45 ans. Globalement, le risque de survenue d'une maladie coronarienne (infarctus du myocarde, par exemple) diminue entre 10 et 50 % à condition que la consommation d'alcool ne dépasse pas 20 g par jour chez l'homme (soit 2 verres de vin de 15 cl) et 10 à 20 g chez la femme. La consommation modérée d'alcool – vin ou autre boisson alcoolisée – augmenterait les concentrations sanguines de HDL-cholestérol (High Density Lipoproteins), qualifié dans le langage courant de « bon » cholestérol, dont les protéines auraient un effet protecteur sur les artères.

La vigne

Au fil des temps, après avoir domestiqué la vigne, les hommes ont opéré des sélections pour obtenir de meilleurs cépages, tout en améliorant la culture des vignobles. Aujourd'hui, on dénombre plusieurs milliers de cépages. Seules quelques dizaines assurent l'essentiel de la production viticole, et certains, comme le Cabernet-Sauvignon et le Chardonnay, sont devenus mondialement célèbres. Chaque cépage possède des spécificités qui confèrent au vin son caractère. Dans certaines régions, les vins sont issus d'un seul cépage (le Pinot Noir pour tout le Bourgogne rouge de Côte d'Or, par exemple) alors que dans d'autres, tel le Bordelais, ils résultent d'un assemblage de plusieurs cépages qui donne au vin diverses nuances. À côté de l'encépagement, le terroir joue également un rôle : un même cépage donnera des vins différents – couleur, arômes, goût – selon la nature du sol et les conditions climatiques. Puis, il faut savoir que la qualité d'un vin dépend beaucoup des soins apportés aux nombreux travaux de la vigne, en particulier l'entretien du sol et la taille des sarments. Enfin, la date des vendanges est cruciale pour la qualité des raisins ; elles ne doivent avoir lieu ni trop tôt ni trop tard. C'est dire l'importance du savoir-faire du vigneron, qui doit concilier le respect des techniques régionales traditionnelles, la lutte contre les maladies et les parasites (comme le redoutable mildiou) et la connaissance des pratiques viticoles innovantes, dans un même souci de préservation de l'environnement et d'amélioration de la qualité du vin qu'il élabore.

Les cépages

Aux temps préhistoriques, l'Homme mangeait les fruits de la lambrusque, une vigne primitive grimpante qui pousse encore dans certaines forêts d'Europe. Vitis vinifera, espèce de vigne domestiquée originaire d'Asie Mineure, est à l'origine de l'ensemble des cépages cultivés depuis des siècles, et de tous les vins que nous buvons aujourd'hui.

Qu'est-ce qu'un cépage ?

La vigne cultivée a pour lointain ancêtre une plante sauvage poussant en forêt et grimpant autour des arbres. Cela peut encore s'observer dans le Caucase, et on fait toujours pousser de la vigne le long des arbres et sur des treilles en Italie, dans le nord de l'Espagne et au Portugal. L'arbuste sévèrement taillé qu'est le cep actuel ne ressemble guère à cette plante sauvage, mais le patrimoine génétique peut être établi, même si le cep originel de *Vitis vinifera* a évolué depuis. Du fait de mutations naturelles, des croisements et des sélections opérées par la main de l'Homme, cette espèce originelle de vigne s'est en effet diversifiée en plusieurs milliers de variantes différentes, ou cépages, auxquels on a donné des noms : Cabernet, Chardonnay, Pinot, Riesling, etc. (voir encadré ci-dessous).

L'AMPÉLOGRAPHIE : LA SCIENCE DES CÉPAGES

L'ampélographie poursuit plusieurs buts : la mise au point de techniques d'identification, le recensement des divers cépages, l'étude et la description de leur cycle végétatif, de leurs aptitudes et de leurs défauts. En effet, depuis qu'elle a vu réellement le jour au XIXe siècle, on a déterminé qu'un même nom peut s'appliquer à des cépages différents, de même que de multiples désignations peuvent se référer à un seul et même cépage. On compte aujourd'hui dans le monde environ 5 000 cépages cultivés qui, avec les traductions, peuvent porter pas moins de 40 000 noms !

Depuis la crise du phylloxéra au XIXe siècle (voir plus loin), les ceps des vignobles sont composés d'un porte-greffe (la racine) soudé à un greffon (partie aérienne de la plante). Ce dernier est toujours un *Vitis vinifera,* alors que le porte-greffe est presque toujours d'une autre espèce, résistante au phylloxéra.

Les cépages se différencient par des caractères morphologiques (couleur, forme et volume des grappes et des baies, découpure des feuilles) et physiologiques (floraison, maturité, sensibilité aux maladies, mais aussi teneur en sucres, tanins, substances aromatiques, etc.). Le vigneron choisit des cépages spécifiques selon des critères portant sur les conditions de culture (sol, climat, etc.) et sur la qualité du vin recherchée (voir p. 223).

La crise du phylloxéra et ses conséquences

En piquant la vigne à ses racines, un puceron nommé phylloxéra, introduit par mégarde des États-Unis en Europe, fut à l'origine du ravage des vignobles de l'Europe entre 1860 et 1880. On parvint à sauver les cépages de *Vitis vinifera* en les greffant sur des racines de vignes sauvages américaines résistantes au parasite. Actuellement, tous les vignobles du monde sont constitués de plants greffés, à l'exception du vignoble chilien, toujours épargné par le phylloxéra, et des vignobles plantés dans le sable (le phylloxéra ne parvient pas à se déplacer dans le sable).

Un porte-greffe (racine qui alimente le greffon) doit satisfaire à plusieurs conditions : résister au phylloxéra, être adapté au terroir d'accueil (sol, climat), être compatible avec le greffon et conforme aux souhaits du vigneron quant au rythme et à la puissance végétative.

De nos jours, chaque pays de l'Union européenne établit une liste de porte-greffes recommandés (les autres étant interdits). En France, quelques dizaines de porte-greffes ont ainsi été sélectionnés pour leur résistance à la sécheresse et au calcaire (qui provoque la chlorose, maladie entraînant le jaunissement des feuilles), et pour leur rythme végétatif accéléré. Ce dernier favorise malheureusement le rendement, au détriment de la qualité et de la robustesse. Ces porte-greffes sont tous d'origine américaine (Riparia, Rupestris, Berlandieri).

Protéger et améliorer les cépages

L'amélioration des cépages, dans le but d'obtenir une meilleure qualité des raisins et de rendre la plante résistante aux différentes maladies, recourt aujourd'hui pour l'essentiel à deux formes de sélections.

LA SÉLECTION MASSALE est pratiquée en agriculture depuis des siècles. Elle consiste à sélectionner visuellement, voire gustativement, les végétaux les plus appropriés aux buts recherchés. Dans le domaine de la vigne on retient, à des fins reproductives, les plants les plus fructifères, les plus feuillus, ceux présentant les bois les plus forts ou encore les baies les plus grosses ou les plus petites selon le type de vignoble souhaité. La sélection massale privilégie la diversité du patrimoine génétique mais n'offre pas de garanties sanitaires.

LA SÉLECTION CLONALE, pratiquée depuis 1960 par les pépiniéristes, répond à cette lacune. Elle consiste à choisir un pied de vigne particulièrement apte, à vérifier son état sanitaire (par des tests virologiques), à l'améliorer au besoin (par thermothérapie) et à le faire agréer par le service compétent. Le pépiniériste procède alors à une reproduction à l'identique par clonage (bouturage ou

LES CÉPAGES DITS AMÉLIORATEURS

Le terme « améliorateur » n'a rien de scientifique. Le législateur a ainsi désigné des cépages dont il autorise la plantation bien qu'ils ne soient pas historiquement implantés dans la région concernée. Ce sont des cépages complémentaires que l'on associe aux cépages locaux. Les décrets d'application en limitent le pourcentage afin qu'ils demeurent minoritaires et que les caractères locaux des vins soient protégés. Les cépages améliorateurs sont les cépages qui ont fait leurs preuves dans les grandes régions traditionnelles et que l'on baptise parfois « cépages internationaux ». Ce sont principalement, en blanc, le Chardonnay et, en rouge, le Cabernet-Sauvignon, le Merlot, la Syrah, ainsi que le Mourvèdre. Cette pratique concerne essentiellement les vignobles méditerranéens.

LES CÉPAGES RETROUVÉS

Les cépages n'échappent pas aux modes, encore que celles-ci soient souvent la conséquence de difficultés ou d'améliorations des conditions de production. Ainsi le Mourvèdre, dont l'avenir semblait incertain après la dernière guerre, car les greffons reprenaient mal, est de nos jours en constante progression. Le Viognier est aussi un cépage miraculé. Réduite à une vingtaine d'hectares, affectée par un mauvais état sanitaire, sa production était irrégulière. Aujourd'hui, dans la Vallée du Rhône et dans le Midi, on vinifie quantité de vins de Viognier. Ainsi, on redécouvre peu à peu un patrimoine viticole oublié. Même le Carignan retrouve des défenseurs, sans parler des vins étiquetés « Vignes oubliées »...

greffage) et, de ce matériel végétal de base, il obtient le matériel certifié. La pérennité du vignoble suppose l'éradication des maladies, la sélection clonale permet d'atteindre ce but.

Mais les sélectionneurs n'ont pas toujours tenu compte de certains facteurs. La sélection clonale implique une parfaite identité génétique. Or la qualité d'un vin n'est pas tributaire de la parfaite similitude des ceps, mais plutôt des très légères différences qui existent entre les individus d'une même variété. D'autre part, les pépiniéristes, qui ne sont pas des vinificateurs mais des cultivateurs, ont privilégié l'aspect visuel du fruit. Les « beaux » raisins sont des gros raisins, mais les grands vins naissent de petites baies (la proportion de peau étant plus importante). Les gros grains permettent aussi d'obtenir des gros rendements, ce qui va à l'encontre de la qualité du vin. Aujourd'hui, les pépiniéristes réagissent doublement : en proposant plusieurs clones de la même variété et en procédant à des sélections dont la finalité est la qualité du vin et non celle du fruit. Mais cela prendra du temps.

Un certain nombre de grandes propriétés, en particulier dans le Bordelais, préfèrent miser sur la diversité génétique, donc sur la sélection massale. Toutefois, la coexistence des deux systèmes de sélection est parfaitement possible, y compris la plantation de ceps sélectionnés selon les deux procédés dans le vignoble d'une même exploitation.

La création de nouvelles variétés de cépages

À la lueur des études génétiques, on constate que tous les cépages sont des hybrides, dans la mesure où ils sont nés de croisements. Lorsque le phylloxéra a détruit les *Vitis vinifera,* les vignerons ont tenté de les remplacer par des « hybrides producteurs directs », tels que le Noah ou le Clinton, deux cépages issus de croisements d'espèces américaines (Labrusca x Riparia). La résistance au phylloxéra était excellente, mais les baies développaient des goûts grossiers et « foxés » (goût de renard, typique des plants américains) rendant les vins peu attrayants, et même toxiques (ces cépages sont interdits, de même que les hybrides Othello, Isabelle, Jacquez et Herbemont). Aujourd'hui les hybrides ne sont utilisés que comme porte-greffes.

La création d'hybrides est infinie : si l'on croise dix fois deux espèces déterminées, on obtient dix hybrides différents. On peut recroiser l'hybride avec l'un de ses géniteurs, ou avec une troisième espèce, ou avec un autre hybride. Ce qui est possible pour les croisements interspécifiques l'est également si l'on croise des cépages de *Vitis vinifera,* ce qui revient à croiser des métis. Les stations de recherches s'y emploient. En Allemagne ont été conçus le Müller-Thurgau (Riesling x Sylvaner, devenu N0 1), le Scheurebe (géniteurs identiques), le Kerner (Trollinger x Riesling), le Bacchus, ou encore le Dornfelder (rouge), etc. En Autriche le Neuburger,

CÉPAGES ET OGM

Les microbiologistes sont évidemment tentés par la manipulation du patrimoine génétique des cépages dans le but de renforcer les défenses de la vigne ou, plus ambitieusement, dans celui d'obtenir des baies plus performantes sur le plan gustatif. Avant de s'engager dans l'aventure des organismes génétiquement modifiés (OGM), les producteurs viticoles devront s'assurer que de telles interventions ne présentent aucun risque pour la santé et l'environnement et qu'elles garantissent la permanence du caractère du cépage obtenu (et de la qualité du vin qui en sera issu).

le Bouvier ; en Suisse, le Gamaret (Reichensteiner x Gamay), le Diolinoir (Diolly x Pinot noir), etc. En France, le Portan (Grenache x Portugais), le Chassan (Chardonnay x Listan), etc.

La défense des cépages locaux

Le respect des usages locaux est le fondement des appellations d'origine contrôlée (AOC ; voir encadré p. 15). Le législateur précise que ces usages doivent être « locaux, loyaux et constants ». Usage loyal signifie bon usage, constant veut dire « depuis longtemps ». Au fil du temps, dans chaque région, des cépages se sont naturellement imposés. Il se peut qu'à la suite de mutations ou de sélections locales ils en soient originaires ; il se peut aussi qu'ils aient été importés et se soient retrouvés en milieu favorable. Ainsi, des types de vin marqués par leurs cépages ont été, en quelque sorte, consacrés par une AOC. Rappelons que, dans certaines régions viticoles, les vins sont issus d'un seul cépage et que, dans d'autres, ils résultent de l'assemblage de plusieurs cépages aux aptitudes complémentaires.

La législation des AOC, qui fixe les règles de l'encépagement, distingue deux catégories de cépages : les cépages recommandés, qui sont les grands cépages traditionnels des régions classiques (comme le Pinot et le Chardonnay en Bourgogne), et les cépages autorisés dont la proportion est limitée pour ne pas atrophier la typicité des appellations.

On a reproché à cette disposition réglementaire d'être trop rigoureuse, de nuire à toute évolution des vignobles et de fixer des types de vin. Il est exact que l'admission de nouveaux cépages est aussi lente que difficile, mais les producteurs ont toujours la ressource d'opter pour l'étiquette « vin de pays » (voir encadré p. 81), catégorie plus libérale quoique commercialement pénalisante.

Les principaux cépages rouges

Les vins rouges sont obtenus à partir de raisins rouges à jus incolore. C'est pendant la période de macération que les parties solides de la baie (pellicule) diffusent leurs pigments, ce qui confère au vin sa coloration.

CABERNET-SAUVIGNON. L'analyse de son génome montre que le cépage le plus célèbre du monde est né du croisement d'un Sauvignon Blanc et d'un Cabernet Franc. Cette fécondation s'est produite il y a trois siècles environ, quelque part en Gironde. Le Cabernet-Sauvignon est toujours un cépage traditionnel en Médoc. Ses baies sont petites avec une peau épaisse. Il est planté dans tous les vignobles du monde où l'ensoleillement dépasse 1 500 heures par an. Lorsque son rendement est contrôlé, le vinificateur en tire un grand vin, fin, tannique, épicé, qui peut et doit vieillir. Dans les assemblages, il est majoritaire dans les Bordeaux (rive gauche) et complémentaire avec des cépages de type méditerranéen.

CABERNET FRANC. Ce cépage est proche du précédent, sans en avoir le panache. Il est localisé dans le Bordelais dès le XVe siècle, mais il y était peut-être déjà présent, sous le nom de Vidure, au IVe siècle, du temps du poète Ausone. Sa précocité permet de le planter plus au nord que le Cabernet-Sauvignon, en particulier sur les rives de la Loire. Il produit des vins fruités que l'on peut boire jeunes. Les grands millésimes sont de longue garde.

MERLOT. Le Merlot, qui est peut-être originaire du Bordelais, n'est répertorié qu'au XIXe siècle. Sa terre d'élection est située sur la rive droite de la Garonne, à Saint-Émilion et Pomerol, sur des sols frais, argilo-calcaires. Il est sujet à la coulure (accident lors de la floraison, qui empêche la fécondation), et la peau fine et fragile de ses baies craint la pourriture grise. Le vin issu du Merlot est souple, fruité, avec des arômes de cassis et de prune. Il peut se boire jeune. Le Merlot est mondialement cultivé et utilisé pour son amabilité en assemblage, principalement dans les Bordeaux.

PINOT(S). Ce plant très ancien, qu'on peut supposer d'origine bourguignonne, est décrit par Columelle au début du Ier siècle. Génétiquement instable, le Pinot est à l'origine d'une famille nombreuse : Noir, Meunier, Gris (ou Beurot), Blanc, etc. Le Pinot Noir, précoce et assez délicat, offre la particularité d'être, de tous les cépages, le plus fin et le plus sensible au terroir. C'est pour cela qu'en Bourgogne il peut produire un vin différent tous les 500 mètres, toujours un grand vin, car les terres pauvres et calcaires ainsi que le climat frais lui conviennent. On le retrouve en Champagne, en Oregon (États-Unis), et dans la fraîcheur des vignobles d'Australie et de Nouvelle-Zélande. Le Pinot Meunier (raisin noir), surtout planté en Champagne, donne des vins souples et fruités. Le Pinot Gris, descendant le plus intéressant du Pinot Noir, ne se distingue de ce dernier que par la couleur de ses baies (rose grisâtre au bleu grisâtre). Il est à l'origine des vins blancs riches et gras d'Alsace et d'Allemagne. Apparu postérieurement au précédent, le Pinot Blanc est très apprécié en Italie et en Californie. On en tire un vin blanc droit, parfois simple.

SYRAH. La légende de l'origine persane de la Syrah, cépage du Rhône qui fait la gloire de l'Hermitage et autres Côte-Rôtie, s'est effondrée lorsque son génome a révélé, parmi ses ascendants, la Mondeuse, cépage savoyard. La Syrah donne un vin noir, poivré, structuré, aux arômes de violette. On l'utilise comme améliorateur des vins méditerranéens. On trouve de grands vins de Syrah (ou Shiraz) en Australie. À noter que la Petite Sirah californienne n'est pas une Syrah, mais l'obscur cépage français Durif, lequel est fils de Syrah et de Peloursin, non moins obscur cépage français.

GRENACHE. Ce cépage d'origine espagnole, implanté en France dès le XIVe siècle, ne parvint à Châteauneuf-du-Pape que trois siècles plus tard. Le vin à base de Grenache est riche en alcool et d'une faible acidité. Sa faculté à s'oxyder est exploitée dans l'élaboration des Vins Doux Naturels (Banyuls, Maury, Rivesaltes). Le Grenache est souvent assemblé avec le Mourvèdre et la Syrah.

GAMAY. L'origine de ce cépage est incertaine mais très ancienne (sans doute antérieure au XIIIe siècle), peut-être beaujolaise. Le Gamay est un plant précoce qui affectionne les terrains granitiques. Il est peu tannique et souvent acide. Le Beaujolais primeur a assuré sa popularité. Les crus du Beaujolais, vinifiés traditionnellement, exaltent son fruité floral. Le Gamay s'est développé dans la vallée de la Loire, dans quelques vignobles du centre de la France, et en Suisse.

NEBBIOLO. Il est probable qu'à l'époque romaine le Nebbiolo était déjà implanté dans la région piémontaise. Aujourd'hui, ce cépage classique italien produit des grands vins acides et tanniques : le Barolo et le Barbaresco. D'une longévité proverbiale, ils doivent passer un certain temps en bouteille afin que leur bouquet se développe.

TEMPRANILLO. Le Tempranillo est considéré comme le plus noble des cépages espagnols. Il doit son nom à sa maturation précoce (*temprano* signifie « tôt »). Il est à l'origine des grands vins de la Rioja et du Ribera del Duero, puissants et harmonieux. Souvent associé à d'autres cépages, le Tempranillo aime le calcaire et la fraîcheur.

ZINFANDEL. Appelé familièrement « Zin » aux États-Unis, ce cépage, champion de Californie, est cultivé dans les Pouilles (Italie) depuis la fin du XVIIIe siècle sous le nom de Primitivo. Certaines concordances génétiques portent à croire qu'il est originaire de la Côte dalmate. Souvent soumis à des rendements excessifs, cet excellent cépage est riche en sucre et en arômes fruités. Il est polyvalent : on en tire des Blancs de Noirs, des rosés, des vins de table et des vins rouges de garde. En général, il est vinifié seul, mais il est également assemblé au Cabernet-Sauvignon et au Merlot.

AUTRES CÉPAGES ROUGES IMPORTANTS

Les cépages énumérés ci-dessous sont d'importance inégale. Certains sont liés exclusivement à une appellation.

Barbera. Très répandue en Italie (Piémont) et en Californie. Vins généreux, d'une belle acidité.

Carignan. Cépage le plus communément cultivé en France (Midi) et dans les pays méditerranéens. Vin robuste, corsé, tannique, acide, demi-fin.

Cinsaut (ou Cinsault). Cépage de qualité moyenne, aimant la chaleur, utilisé en assemblage (Midi, Liban, Afrique du Nord). Apporte au vin souplesse et légèreté.

Malbec (ou Cot, ou Auxerrois). Principal cépage de l'AOC Cahors. Remarquable en Argentine. Vin fruité et souple.

Mondeuse. Cépage le plus caractéristique de la Savoie, apparenté à la Syrah. Vin structuré et tannique.

Mourvèdre. Utilisé en assemblage dans le Rhône, en Provence et dans le Midi (AOC Bandol). Vin tannique, corsé, épicé, de garde.

Négrette. Cépage assez rare. Spécificité du Fronton. Apporte des arômes de violette et de réglisse. Moyenne garde.

Sangiovese. Cépage du Chianti et d'autres régions d'Italie. Vin fruité et équilibré.

Les principaux cépages blancs

Les vins blancs sont obtenus à partir du pur jus de raisins blancs. Mais les raisins noirs, pressurés dans des conditions particulières, peuvent également donner des vins blancs. C'est le cas en Champagne, dont la plus grande partie de la production est issue de cépages rouges (Pinot Noir et Pinot Meunier).

CHARDONNAY. Le Chardonnay est en blanc ce que le Cabernet-Sauvignon est en rouge : un cépage international. Si sa date de naissance est inconnue, ses géniteurs sont formellement identifiés : un médiocre cépage médiéval du Jura et de Franche-Comté, le Gouais Blanc, et le Pinot Noir. Cette fusion historique aurait eu lieu en Bourgogne ou dans le Mâconnais. Cépage prestigieux du Montrachet et de tous les grands Bourgognes blancs ainsi que des Champagnes Blancs de Blancs, il est aussi doué d'une grande plasticité, capable de s'adapter à des sols et des climats variés, d'où son succès planétaire.

Le Chardonnay peut présenter de puissants arômes : dans les pays plus chauds, les arômes de brioche, de beurre frais, de noisette et de pain grillé des Chardonnays de Bourgogne feront place à des arômes d'agrumes, d'ananas et de fruits exotiques. Les plus grands vins de Chardonnay, comme les Bourgognes blancs, vieillissent bien. D'autres, surtout ceux qui n'ont pas été élevés dans le bois, sont faits pour être bus rapidement. Dans le cas du Chardonnay, tout dépend de la stratégie du vinificateur.

CHENIN. Déjà cultivé au IXe siècle à l'abbaye de Glanfeuil en Anjou, le Chenin est encore très présent dans sa région d'origine, la Loire. Mais il est cultivé partout hors de France, en particulier en Afrique du Sud sous le nom de Steen. Ce cépage polyvalent s'adapte à tous les sols et à tous les climats pour produire des vins très différents, du Crémant au Vin Doux Naturel, du sec au liquoreux, de l'acide au mou, du banal à l'exceptionnel.

RIESLING. Ce cépage très ancien est d'origine germanique, mais, selon quelques spécialistes, il aurait été introduit par des légionnaires romains. Pour certains œnophiles, le Riesling rivalise en qualité avec le Chardonnay. Mais il n'en a pas la plasticité. Il se cantonne aux schistes et à l'argilo-calcaire, mais plutôt dans le Nord, sur des coteaux bien exposés. Très présent en Allemagne,

AUTRES CÉPAGES BLANCS IMPORTANTS

Les cépages énumérés ci-dessous sont d'importance inégale. Certains sont liés exclusivement à une appellation.

Aligoté. Cépage bourguignon, à l'origine de vins secs, assez acides (AOC Bourgogne Aligoté).

Chasselas. Raisin de table et de cuve, vinifié à Pouilly-sur-Loire, en Alsace, en Savoie, en Allemagne (Gutedel) et en Suisse. Vin fruité.

Clairette. Cépage très ancien du Midi. Vin sec, floral, un peu mou.

Colombard. Cépage du Sud-Ouest, présent aussi en Californie et en Afrique du Sud. Vins frais, acides, à boire jeunes.

Folle Blanche. À l'origine du Gros-Plant et des Armagnacs les plus fins.

Malvoisie. Très ancien cépage méditerranéen. Parfois synonyme de Pinot Gris. Voir Vermentino.

Marsanne. Cépage du nord du Rhône, proche de la Roussanne, plus souple avec moins de finesse.

Mauzac. Ce cépage ne pousse qu'à Limoux (Blanquette de Limoux), dans l'Aude, et à Gaillac, dans le Sud-Ouest. Saveur de pomme, parfois mou.

Melon de Bourgogne. En Pays nantais, ce cépage s'appelle Muscadet. Vin sec, facile à boire.

Müller-Thurgau. Croisement du Riesling et du Sylvaner, cultivé en Moselle et en Allemagne. Vin robuste, légèrement musqué.

Muscadelle. Ce cépage fragile apporte une touche aromatique à certains liquoreux du Sud-Ouest.

Petit-Manseng. Cépage gascon à peau épaisse. Il intervient dans l'élaboration du Pacherenc-du-Vic-Bilh, et dans celle du Jurançon moelleux.

Roussanne. Cépage du nord du Rhône, avec plus d'expression aromatique que la Marsanne. Vin fin et équilibré, de garde.

Sylvaner. Typique du vignoble alsacien, mais aussi allemand. Bon rendement. Vin simple, floral et nerveux.

Ugni Blanc/Trebbiano. Utilisé pour le Cognac, l'Ugni Blanc est aussi à la base de blancs de Provence et du Languedoc. Son équivalent, le Trebbiano, est dominant en Italie. Vins acides, assez neutres.

Vermentino (ou Malvoisie). Principal cépage blanc en Corse, également présent en Italie. Vin rond et riche.

Welschriesling. Il ne s'agit pas d'un Riesling. Vins fruités et légers, que l'on retrouve en Autriche, dans le nord de l'Italie, et dans tout le sud-est de l'Europe.

le Riesling se limite, en France, à l'Alsace, au service de vins secs, fins, élégants, citronnés, et de grands liquoreux nerveux, complexes, et de garde.

MUSCAT(S). Les Muscats forment une grande famille, très ancienne, probablement venue d'Asie Mineure, qui comprend des raisins de table et de cuve, allant du blanc au noir, et dont on fait des vins secs en Alsace et des Vins Doux Naturels très aromatiques et capiteux. Le Muscat d'Alexandrie est le plus répandu, le Muscat à petits grains est jugé le meilleur. Le Muscat Ottonel, né d'un croisement de Muscat et de Chasselas réalisé par Moreau-Robert dans la Loire, au XIXe siècle, a trouvé asile en Alsace, en Autriche et en Europe de l'Est. L'Aleatico, raisin noir muscaté cultivé dans plusieurs régions d'Italie, est sans doute un parent des Muscats.

GEWÜRZTRAMINER. Le Traminer aromatique *(Gewürz* signifie « épice » en allemand), importé du Palatinat, est cultivé en Alsace depuis 1870. Le Traminer, qui est en fait le Savagnin Blanc, cépage du Jura, comprend deux versions roses, l'une qui n'est pas aromatique (Klevener de Heiligenstein) et l'autre, le Traminer musqué ou Gewürztraminer. On en tire un vin aux arômes de roses, muscatés, exotiques, faibles en acidité. Vendangé tardivement, ce vin devient voluptueux, riche jusqu'à la lourdeur.

SAUVIGNON. Cultivé depuis des siècles dans la Loire et le Bordelais, ce cépage s'est développé dans le monde entier, produisant un vin blanc sec, à boire jeune, direct, parfois simple, typé, avec des arômes de groseilles à maquereau, de buis, voire de « pipi de chat ». Seul, il assure la réputation des Sancerres, Pouillys et autres Quincys, parfois des Bordeaux blancs. Dans le Bordelais, le Sauvignon est souvent assemblé au Sémillon, que le vin soit sec ou liquoreux. Le Sauvignon aime le calcaire et la fraîcheur.

SÉMILLON. Natif du Sud-Ouest, le Sémillon y reste cantonné. Il n'a pas les faveurs de la mode, car il est discret et ne s'affirme qu'avec le temps. Associé au Sauvignon Blanc, il prend bien la « pourriture noble » et donne du gras et du corps à tous les vins liquoreux, en particulier le Sauternes. Il entre aussi dans l'assemblage des vins blancs secs. Les pays « nouveaux producteurs » l'exploitent également, seul, pour des blancs de garde.

Le travail dans la vigne

Depuis longtemps, la vigne et l'Homme font bon ménage. Cette liane, contrainte d'abandonner les arbres sur lesquels elle foisonnait autrefois, s'est retrouvée alignée, taillée, choyée et sélectionnée pendant des générations, afin que ses baies développent tout leur fruité.

Le sol, le climat, le terroir

Les hommes ont vite constaté que la vigne pouvait pousser presque partout, mais pas partout. En effet, les zones humides et les sols compacts lui conviennent mal, et, si elle peut croître dans des contrées froides, ses fruits ne parviennent pas à mûrir. Mais les terres pauvres et caillouteuses, les schistes, les granites, les grès, les sables non salés et les terrains les plus divers accueillent les ceps. Les raisins de cuve, c'est-à-dire ceux destinés à la vinification, ont une exigence unique en agriculture : naître d'un sol pauvre. Certes, la vigne se porte bien en plaine, sur des alluvions récentes et riches, mais les grosses baies obtenues ne produisent que des vins délavés.

L'IMPORTANCE DU DRAINAGE

Ceps et humidité ne font pas bon ménage. Les sols filtrants, drainés naturellement, sont favorables à la culture de la vigne. Ce n'est pas le cas des terres compactes, à la granulométrie très fine, qui s'opposent à l'écoulement de l'eau. Sans aucun doute, c'est un sol de graves, c'est-à-dire comprenant cailloux, graviers et sables mêlés à l'humus, qui convient le mieux à la vigne (voir aussi p. 16). Si le drainage naturel est insuffisant, il peut être amélioré par la pose de drains. Le procédé n'est pas nouveau : dès 1817 les « moulières » de Château Latour sont drainées, et, peu après, cent kilomètres de drains sont enfouis au Château d'Yquem. Les drains, autrefois en poterie, sont aujourd'hui en plastique.

Pour qu'un vignoble donne son meilleur, il doit être planté sur un coteau où l'eau s'écoule facilement ou bien sur des graves (graviers) de plaine. Cette condition est nécessaire mais pas suffisante pour définir ce que l'on nomme un « terroir ». C'est le terroir, à savoir le sol et le climat, qui détermine le type du vin produit, son style et sa qualité. À cela s'ajoutent deux autres facteurs : le matériel végétal et l'homme.

Les différents sols résultent de la structure géologique (glaciations, tracé des rivières, érosion). Le climat dépend de la latitude, de l'altitude, de la pluviométrie, de l'ensoleillement, du régime des vents et des configurations particulières pouvant créer un microclimat. Le choix du matériel végétal, c'est-à-dire les porte-greffes et les greffons, est déterminé en fonction du sol, du climat et du type de vin souhaité. Quant à l'Homme, il intervient à toutes les étapes, de la préparation du sol à la création du vignoble, de la culture à la vinification.

Le cycle végétatif de la vigne

La vigne est une plante pérenne, sa durée de vie peut atteindre plusieurs dizaines d'années. Au début du printemps, la sève monte dans la plante, et se produit le débourrement, c'est-à-dire l'éclosion des bourgeons. C'est à ce moment que l'on plante de jeunes vignes. À la fin mai ou début juin arrive la floraison. Si les conditions climatiques sont favorables, elle se termine par la fécondation, ou nouaison, et les fleurs vont donner naissance à des petits fruits. En cas de mauvais temps, la nouaison est compromise et il n'y aura que peu ou pas de raisins. Le volume de la récolte d'un vignoble s'évalue en grande partie à ce stade du cycle de la vigne. Si la vigne est trop généreuse, on effectue des « vendanges en vert ». Au cours de l'été, les baies vont se développer jusqu'à la véraison, au mois d'août, qui marque la fin de leur croissance. La véraison est le stade physiologique qui correspond à un fort dépôt des sucres dans les baies. C'est le début de la maturation. Le degré de maturité, qui détermine la date des vendanges, est fixé en fonction de la nature du vin recherché (voir p. 236). Enfin, à l'automne démarre la chute des feuilles qui annonce la fin du cycle végétatif annuel de la vigne et le début du repos hivernal ou dormance.

RENDEMENTS LIMITÉS, GAGE DE QUALITÉ

Un pied de vigne peut produire une quantité de raisins très différente selon la volonté du vigneron. Celui-ci est cependant tenu de respecter la réglementation qui régit son vignoble. Les experts s'accordent à penser que, pour produire des vins de qualité, il est primordial de limiter le rendement des vignobles. À cette fin, un usage minimal des amendements s'impose. La taille d'hiver rigoureuse permet aussi de maîtriser le développement de la plante : plus la vigne est taillée court, moins les raisins sont nombreux. La taille d'été, appelée également taille en vert ou vendanges vertes, qui élimine les grappes excédentaires, permet aux raisins restants de gagner en concentration et en maturité. L'ébourgeonnage et l'épamprage (voir p. 234) à la fin du printemps peuvent également contribuer à l'abaissement du rendement à l'hectare d'un vignoble.

Les travaux de la vigne

« Le bon vigneron passe 36 fois par an dans sa vigne », dit un proverbe. Au fil des temps, le calendrier des travaux de la vigne a peu évolué, mais certaines tâches peuvent varier en fonction du mode de viticulture adopté. Dans la plupart des grands vignobles, on continue de travailler le sol de façon traditionnelle : labour de buttage (pour protéger le pied de vigne), labour de débuttage (pour dégager le pied), décavaillonnage (enlèvement de la terre entre les ceps), binage. Les adeptes de la non-culture et de l'enherbement (voir plus loin) n'ont pas à effectuer ces travaux. Viennent s'ajouter d'éventuelles fumures, ainsi que l'apport de fertilisants et de divers amendements. La bouillie bordelaise (voir encadré p. 233) et les autres traitements préventifs sont appliqués à plusieurs reprises sur le greffon, la tige et les rameaux. Entre décembre et mars, ils subissent une taille d'hiver, suivant des techniques propres à chaque région et selon les cépages, afin de limiter leur expansion. Les bons vignerons s'imposent, en plus, juste avant les vendanges, une taille d'été (voir encadré ci-dessus) : effeuillage, écimage (suppression de l'extrémité des rameaux au moment de la floraison), rognage.

Pour ou contre la viticulture chimique

Depuis le XIXe siècle, le vignoble a été victime d'une succession de maladies qui ont nécessité la mise en œuvre de nouveaux traitements. On a vu les dégâts causés par l'invasion du phylloxéra. Vers la même époque, des maladies cryptogamiques (dues à des champignons microscopiques), également originaires du Nouveau Monde, sont apparues successivement : oïdium, mildiou, black-rot. Depuis, d'autres maladies de la vigne se sont répandues. Pour sauver le vignoble, il a fallu inventer des fongicides, des insecticides et des acaricides. Mais on n'a pas toujours mesuré les conséquences de leur utilisation systématique, et cette négligence a suscité des réactions justifiées mais parfois abusives.

LA NON-CULTURE. L'apport de la chimie dans le traitement de la vigne a donné naissance à de nouvelles pratiques, comme la non-culture, très en vogue dans les années 1970 et toujours largement appliquée. La non-culture, comme son nom l'indique, tend à la suppression des travaux traditionnels du sol et à leur remplacement par la seule action de désherbants. Des économies sont réalisées, l'érosion provoquée par le ruissellement est combattue,

LA BOUILLIE BORDELAISE EN QUESTION

Le mildiou, redoutable maladie de la vigne due à un champignon qui attaque les feuilles et les grappes, apparut dans le Bordelais vers 1878. On découvrit rapidement son antidote : la bouillie bordelaise. C'est un fongicide de couleur bleue préparé avec du sulfate de cuivre et de l'eau de chaux, que l'on pulvérise sur la vigne. Autrefois, les viticulteurs préparaient eux-mêmes leur bouillie bordelaise. Le résultat était peu efficace et il fallait donc en utiliser de grandes quantités. De nos jours, la bouillie bordelaise est moins toxique et se dégrade mieux dans le temps. Les quantités utilisées à l'hectare ont été considérablement réduites, mais l'usage du cuivre qui s'accumule dans le sol est de plus en plus critiqué, à tel point qu'une directive de l'Union européenne a décidé son interdiction à l'avenir. Les laboratoires expérimentent des produits de substitution.

mais la terre devient dure et compacte (« un boulevard », disent les détracteurs de la non-culture), le sol se stérilise, la microflore et la microfaune disparaissent. Le terroir est modifié, altéré et, à terme, il pourrait devenir impropre à toute culture, ce qui nécessiterait des recompositions à la fois chimique et biologique.

L'ENHERBEMENT. Une autre technique limitant les travaux dans le vignoble s'est développée : l'enherbement permanent contrôlé. Cette méthode, préconisée par certains viticulteurs « bio », permet de lutter également contre l'érosion des sols. L'herbe « pompe » une partie de l'eau, ce qui peut contribuer à réduire la vigueur exagérée des ceps, mais n'est pas souhaitable en région sèche. L'enherbement partiel, qui est une pratique intermédiaire, tend à se développer.

La viticulture biologique

Il ne faut pas confondre la viticulture biologique avec la biodynamie, même si la seconde se réclame des principes appliqués par la première (voir plus loin).

Il n'existe pas de vins officiellement « bio » mais, plus précisément, des « vins issus de raisins provenant de l'agriculture biologique », comme le mentionnent les étiquettes (voir encadré p. 112). Cette méthode biologique, dont l'application est réglementée et contrôlée par des organismes agréés, est similaire à celle pratiquée par les agriculteurs, les maraîchers… L'usage des produits chimiques de synthèse est interdit, qu'il s'agisse d'engrais ou de produits de traitement. Les seuls produits « chimiques » tolérés sont le cuivre et le soufre, ce qui autorise l'usage de la bouillie bordelaise (voir encadré p. 233).

La viticulture biologique repose sur une double exigence : obtenir des raisins exempts de tout résidu « chimique » et protéger le milieu de tout ce qui pourrait l'appauvrir ou le modifier. Pour régénérer le sol, on utilise des fertilisants naturels (fumier, compost, marc de raisin, algues, etc.) ou de l'engrais vert (végétaux semés ou déposés entre les rangs de vigne et qui vont se décomposer en favorisant le développement des micro-organismes).

Par un travail supplémentaire sur la vigne – épamprage (suppression des jeunes rameaux indésirables), taille, ébourgeonnage, palissage –, on cherche également à combattre les maladies de la vigne sans utiliser de produits chimiques. Pour détruire les parasites, on a recours aux pièges à phéromones, qui exploitent les signaux sexuels odorants émis par les insectes. Dans le même esprit, le vigneron a mis à son service des prédateurs de prédateurs, en les stimulant et en les réintroduisant au besoin (par des lâchers de coccinelles contre les pucerons, par exemple).

La culture biologique peut apporter une réponse aux préoccupations écologiques qui animent la société. Sans se réclamer de la culture «bio», beaucoup de viticulteurs pratiquent la culture «raisonnée» : usage limité des produits chimiques, lutte contre l'érosion grâce à l'enherbement, et emploi d'insectes prédateurs.

La biodynamie

Forme radicalisée de l'agriculture biologique, la biodynamie est fondée sur une réflexion d'ordre spiritualiste. Les écrits de son fondateur, Rudolf Steiner (1861-1925), exposent des doctrines et des techniques que ses adeptes suivent scrupuleusement.

Pour «dynamiser» le sol et traiter son vignoble, le biodynamiste doit concocter des préparations à base de plantes et d'autres éléments (ortie, valériane, pissenlit ; bouse, poudre de corne, etc.). Pour les appliquer, il doit veiller à ce que certaines configurations planétaires, lunaires et solaires soient réalisées, afin que la «dynamisation» soit la plus forte. D'où la publication annuelle d'un calendrier précisant la date et le moment de la journée favorables à tels ou tels travaux dans le vignoble (labours, plantations, pulvérisations, etc.).

Il est inutile de préciser que l'efficacité de ces méthodes ne peut être vérifiée scientifiquement, mais nul ne peut contester le soin extrême que les adeptes de la biodynamie apportent à la culture de la vigne. Le viticulteur biodynamiste ne recherche pas les forts rendements. Il court des risques lorsque les conditions atmosphériques sont défavorables, car ses moyens d'intervention sont restreints.

À ce jour, aucune dégustation à l'aveugle n'a permis de démontrer la supériorité des vins issus de raisins cultivés selon telle ou telle méthode. Il en est d'excellents, il en est de médiocres, depuis toujours…

La date des vendanges ou ban des vendanges

La décision de commencer les vendanges en évaluant le moment exact où le raisin est à son meilleur niveau de maturité est toujours difficile. Les divers cépages atteignent leur maturité respective à des moments différents. De plus, les raisins issus d'un même cépage mais plantés en différents endroits d'un vignoble ne mûrissent pas forcément en même temps.

LA MATURITÉ ALCOOLIQUE. Lorsque le raisin mûrit, le sucre s'accumule dans les baies. Au cours de la maturation, le taux de sucre s'accroît régulièrement, jusqu'au moment où il se stabilise. Dans le même temps, l'acidité du raisin diminue progressivement, pour se stabiliser également. À ce stade, le raisin est mûr, et on parle alors de « maturité alcoolique ». Les mesures de la maturité, fondées sur le rapport sucre/acidité, peuvent être établies par des laboratoires publics ou syndicaux. Le vigneron peut aussi effec-

LE *BOTRYTIS CINEREA*

Le *Botrytis cinerea* est un champignon qui se développe dans la peau des raisins gonflés par la maturation. Ce parasite est responsable de la pourriture grise, ou « vulgaire », dont la présence dans les grappes modifie la couleur du vin et lui communique des goûts désagréables de moisi. Une forme particulière de *Botrytis cinerea* conduit à la formation de pourriture brune ou « pourriture noble ». Dans ce cas, le champignon envahit la baie sans la blesser. On obtient des raisins « rôtis », qui se dessèchent et se concentrent en sucres. Ce processus favorise le développement d'arômes caractéristiques. La vendange s'opère exclusivement par tris successifs, seuls les grains ayant atteint la surmaturation souhaitée devant être cueillis. La pourriture noble, qui nécessite des conditions climatiques particulières, est recherchée dans les vignobles destinés à la production des grands vins blancs liquoreux du Bordelais et du Sud-Ouest (Sauternes, Monbazillac), ou des vins moelleux du Val de Loire (Vouvray, par exemple) et d'Alsace. Ces derniers ont droit à la mention « Sélections de Grains nobles ».

tuer des mesures individuelles. Après pressurage des grains prélevés, le moût est dosé à l'aide du mustimètre ou du réfractomètre.

LA MATURITÉ PHÉNOLIQUE. Il s'agit d'un nouveau critère de maturité pour les raisins noirs, qui tient notamment compte de la couleur et du goût des pépins. Une bonne maturité phénolique permet de vinifier des vins rouges aux tanins mûrs et agréables, à l'opposé des vins herbacés et rêches, dont on excusait les défauts en disant qu'ils étaient « bus trop tôt ».

LES PETITES ANNÉES. Il peut arriver que le vigneron doive avancer la date des vendanges, soit volontairement, soit qu'il y soit contraint. En cas de dégradation de l'état sanitaire des baies ou de prévisions météorologiques désastreuses, plutôt que de perdre sa récolte, il préférera ne pas attendre la maturité idéale. Ce sera une « petite année ». De même, dans le cas d'une année très chaude, l'acidité des raisins blancs, indispensable à l'équilibre du vin, chutant trop rapidement, il peut être nécessaire de vendanger plus rapidement que prévu.

LES VENDANGES PAR TRIS. En revanche, si l'on envisage de vinifier un vin blanc liquoreux, la surmaturité, ou la transformation obtenue par l'action de la « pourriture noble » (voir encadré p. 236), sera recherchée. Dans ce but, des vendangeurs qualifiés ne cueilleront que les grappes, voire les grains, ayant atteint le stade désiré. Ils devront effectuer plusieurs passages dans la vigne. C'est ce qu'on appelle les vendanges par tris.

VENDANGES MÉCANIQUES OU MANUELLES ?

Depuis les années 1970, la mécanisation des vendanges n'a cessé de progresser. Les baies sont récoltées par secouage, les feuilles étant éliminées par un ventilateur. Grâce aux progrès technologiques, il est pratiquement impossible de faire la différence entre des vins de vendanges manuelles ou mécaniques. S'agissant des vignobles prestigieux, ils sont le plus souvent vendangés manuellement. Les grappes sont transportées délicatement en petites cagettes, puis déposées sur un tapis de tri. Seules les baies exemptes de défauts poursuivent leur chemin jusqu'à l'érafloir-fouloir.

Du pressoir au chai

Après la vendange, c'est au vinificateur d'accomplir sa mission : transformer le raisin en vin. De la grappe à la bouteille étiquetée, des opérations complexes vont se succéder, qui associent aujourd'hui le progrès technique et l'analyse scientifique à des pratiques régionales ancestrales. Au cœur de la vinification se trouve le processus de fermentation, c'est-à-dire la transformation des sucres du raisin en alcool. Or chaque type de vin – blanc, rouge, rosé, effervescent ou muté – a ses propres techniques, auxquelles s'ajoutent de nombreuses variantes locales. Brut de fermentation, jeune, le vin nouveau, qui est en cuve, a un caractère encore rustique et astringent. C'est l'art de l'élevage – essentiel, surtout lorsqu'il doit s'appliquer à l'élaboration de grands vins – qui va affiner et développer ses qualités. Ultime étape, la mise en bouteilles n'est pas moins technique. Elle comporte en particulier un stade crucial pour la longévité du vin : le choix du bouchon. Faire du vin n'est pas difficile, mais faire du bon vin à chaque millésime relève de l'exploit. Dès le départ et à chaque étape, le vigneron ou Maître de chai doit intervenir et faire ses choix, selon qu'il a décidé de produire un vin de garde ou un vin à boire jeune, un vin concentré ou un vin léger. Le vinificateur avertissait que les trois approches – techniques régionales traditionnelles, décisions innovantes et analyse scientifique – ont chacune un rôle à jouer si l'on veut éviter de produire des vins techniquement parfaits mais sans originalité ni caractère.

La fermentation

C'est par la fermentation alcoolique que le jus de raisin devient du vin. Cette fermentation est la transformation en alcool, sous l'action des levures (petits champignons microscopiques) et des sucres naturels (glucose et fructose), présents dans la pulpe. La fermentation malolactique survient plus tard, sous l'action de certaines bactéries.

Le processus de la fermentation

La fermentation est à la fois une réaction chimique complexe et un processus totalement naturel. Les raisins fermentent une fois la peau des grains fendue : les sucres contenus à l'intérieur du fruit mûr entrent alors en contact avec les levures présentes sur la fine pellicule qui recouvre chaque grain, et la fermentation commence. Le vinificateur se contente de fournir le récipient (la cuve) qui contient le jus et de fouler les raisins.

Sous l'action des levures de fermentation, petits champignons microscopiques, la fermentation produit d'abord du gaz carbonique et de l'éthanol, qui est l'alcool du vin. D'autres substances résultant de ca processus sont le glycérol, qui rend le vin onctueux, les esters ou composés aromatiques, des alcools supérieurs, servant de supports d'arômes, des aldéhydes et des acides. Les produits secondaires issus de la fermentation alcoolique contribuent en effet largement au goût du vin et participent notamment aux arômes dits de « fermentation » (voir p. 127).

Lorsque les levures ont converti tout le sucre en alcool, la fermentation s'arrête. Parfois, la teneur en sucres est si élevée que l'alcool atteint un degré qui inhibe l'action des levures : cela donne un vin puissant, mais doux, contenant encore des sucres résiduels (non fermentés). Si la température ambiante est insuffisante, les levures peuvent cesser de travailler avant d'avoir transformé le sucre : le vin aura alors un degré d'alcool inférieur à ce que la maturité des raisins aurait permis. La fermentation alcoolique se termine généralement au bout de deux à trois semaines. Le vin jeune est alors très trouble, car chargé des lies maintenues en suspension par la présence du gaz carbonique.

LA CHAPTALISATION

En 1801, Jean-Antoine Chaptal, chimiste et ministre de l'Agriculture de Napoléon Ier, publie *l'Art de faire les vins.* Curieusement, on ne retiendra de cet ouvrage que la « chaptalisation », procédé dont l'auteur ne revendique nullement la paternité. L'ajout de sucre à un moût pour augmenter le degré alcoolique du vin n'était pas une nouveauté. En 1772, déjà, l'abbé Rozier conseillait de renforcer les moûts avec du moût concentré, ce que l'on pratique encore dans certaines régions. Heureusement, le législateur veille. L'enrichissement par sucrage est interdit dans le sud de la France. Plus au nord, il est autorisé dans des proportions limitées, mais ne peut dépasser 2,5°. L'apport de sucre augmente le degré d'alcool mais n'ajoute au vin aucune qualité organoleptique. La seule nouveauté dans le domaine de la chaptalisation réside dans la possibilité de mesurer, par des procédés scientifiques, la quantité de sucre apporté.

LES LEVURES. La fermentation alcoolique est due à l'action des levures, présentes sur la peau des raisins ou dans l'air. Parmi les premières, seule la plus répandue, de l'espèce *Saccharomyce cerevisiae,* peut provoquer la réaction avec les sucres du raisin afin de produire de l'alcool. Chaque genre de levures a des caractéristiques particulières quant à la production d'alcool, la résistance à l'alcool ou à la température, la formation de substances aromatiques, le rythme de fermentation, etc. Pour maîtriser mieux la fermentation, certains vinificateurs, notamment du Nouveau Monde, préfèrent employer des levures sélectionnées (ou cultures de levures). Cette pratique – autorisée – va toutefois à l'encontre du respect du terroir. Les producteurs de grands vins l'ont bien compris, en décidant que rien ne surpasse les levures naturelles, ou indigènes, pour obtenir une plus grande complexité aromatique et gustative.

LE CONTRÔLE DES TEMPÉRATURES. Si la température dépasse 12 °C, le moût commence à fermenter. Une fois engagé, le processus génère des calories et s'auto-entretient. Le moût chauffe, et la fermentation devient « tumultueuse », bouillonnant sous l'action du gaz carbonique. Vers 35-37 °C, les levures sont tuées par la chaleur et la fermentation cesse. Aujourd'hui, les cuves en acier

LES CUVES : BOIS OU ACIER INOXYDABLE

Plusieurs solutions s'offrent au Maître de chai pour fermenter sa vendange : cuve en bois, en métal émaillé, en acier inoxydable, en béton et même en plastique. Chacune a ses avantages et ses inconvénients. Très répandu, l'acier inoxydable est plus facile à nettoyer, et il simplifie le refroidissement. Mais on peut également réguler la température dans les cuves en bois, qui présentent une inertie thermique qu'ignore l'acier. Plus larges et moins hautes que les premières cuves en acier inoxydable, les cuves en bois offrent une plus grande surface de contact des matières solides avec le moût liquide, ce qui favorise l'extraction de la couleur, des tanins et des autres composés aromatiques. C'est une des raisons pour lesquelles, après avoir sacrifié à la mode de la « cuve Inox », beaucoup de grands Châteaux sont revenus vers la cuve en bois.

sont pourvues d'un système qui permet de refroidir et, le cas échéant, de réchauffer le moût. La régulation de la température des cuves est l'une des grandes avancées de la vinification. Le gain qualitatif est important, et les altérations dues aux arrêts de fermentation sont supprimées.

La fermentation malolactique

L'acide malique, contenu en forte teneur dans les raisins verts, se reconnaît à son goût de pomme verte. Une fois la fermentation alcoolique achevée, l'acide malique résiduel, sous l'action de bactéries lactiques, se transforme en acide lactique et en gaz carbonique (fermentation malolactique ou secondaire). L'acide lactique (au goût de yaourt) ayant un goût moins âpre que l'acide malique, le vin devient plus souple. Cette dégradation de l'acide malique en acide lactique est systématiquement recherchée pour obtenir un vin rouge de qualité (ainsi que quelques blancs). Pour qu'elle se produise, il faut une certaine chaleur (20 °C). On chauffe le chai si nécessaire, ou bien on fait circuler de l'eau chaude dans les circuits normalement prévus pour le refroidissement des cuves. Il arrive que l'on ait recours à l'ensemencement (ajout de bactéries lactiques).

La vinification en blanc

À l'exception des vins de Champagne, pour lesquels la proportion de raisins noirs est prédominante, les vins blancs sont obtenus à partir de raisins blancs. Le principe de la vinification en blanc, qui comporte de nombreuses variantes, repose sur la fermentation du pur jus de raisin, le plus souvent sans macération alcoolique des parties solides des baies.

Vendanges, pressurage et macération

Au cours des vendanges, on privilégie le ramassage et le transport des raisins en caissettes plutôt que dans de grands récipients où ils seraient écrasés. Les raisins blancs s'abîmant rapidement une fois récoltés, la rapidité et l'hygiène sont primordiales. Ces raisins doivent être conservés entiers pour éviter toute macération (contact entre le jus et les peaux) ainsi que toute oxydation du jus. On les verse parfois par grappes entières dans le pressoir mais, le plus souvent, ils passent d'abord par le fouloir pour briser les peaux. Pour vinifier en blanc, il est également possible d'utiliser des raisins noirs de qualité, comme en Champagne.

LA MACÉRATION PELLICULAIRE. Dans certains cas, avant le pressurage, le vinificateur laisse les raisins écrasés macérer à froid pendant quelques heures dans une cuve afin d'extraire un maximum d'arômes des pellicules des baies, mais cette technique peut assombrir la couleur du vin après quelques années en bouteille. La macération pelliculaire, ou préfermentaire, est notamment employée pour les cépages Sémillon, Sauvignon, Muscat, Riesling et, parfois, Chardonnay.

LE PRESSURAGE. Les raisins à demi écrasés sont ensuite transférés dans le pressoir pour en extraire le jus. Le pressurage, dont la durée doit être relativement courte, est l'une des opérations les plus délicates de la vinification en blanc. La masse de pulpe semi-liquide doit être maintenue à basse température pour éviter un départ précoce de la fermentation (rappelons que celle-ci ne peut avoir lieu qu'entre 12 et 36 °C environ). Le jus de raisins blancs est aussi fragile que les raisins eux-mêmes.

CENTRIFUGATION OU STABILISATION. À la sortie du pressoir, le moût contient des éléments solides, les bourbes, qu'il faut éliminer. Pour ce faire, on peut passer le jus à la centrifugeuse, appareil rapide et efficace, mais que certains accusent d'appauvrir le futur vin. C'est pourquoi on emploie cette technique surtout dans les exploitations produisant de très gros volumes de vins ordinaires. L'autre procédé, la stabilisation par le froid (à près de 0 °C) présente plus d'avantages : le jus est protégé pendant que les bourbes tombent naturellement au fond de la cuve.

LE SULFITAGE. À ce stade, on pratique le sulfitage, c'est-à-dire qu'on ajoute au jus du dioxyde de soufre pour empêcher l'oxydation et neutraliser tout développement de micro-organismes. Mais, utilisé à l'excès, ce procédé risque de masquer tous les arômes du vin. Le dioxyde de soufre possède en effet un arôme désagréable (de soufre), auquel certains individus sont particulièrement sensibles (voir p. 103). Il est surtout présent dans les vins moelleux de Loire, du Bordelais et d'Allemagne.

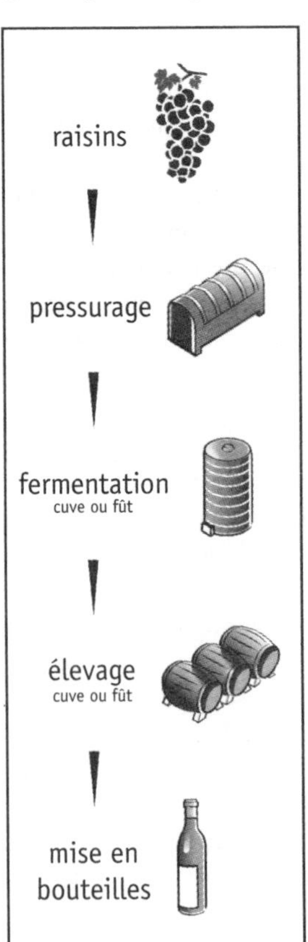

La fermentation

Le jus est ensuite versé dans des cuves thermorégulées en acier inoxydable, dans lesquelles il fermente lentement entre 12 et 15 °C. La fermentation est éventuellement stimulée par un apport de levures. La température détermine l'importance de la fermentation alcoolique et donc le style de vin souhaité. La vinification en barriques de chêne (voir encadré p. 245) est une pratique traditionnelle qui s'applique aux grands vins de garde.

LA FERMENTATION MALOLACTIQUE (voir aussi p. 242) n'est pas obligatoire pour les vins blancs. Elle contribue à arrondir les vins acides mais peut nuire aux vins fruités des régions chaudes. Pour l'éviter, le vinificateur traite le vin afin d'éliminer les bactéries susceptibles de la provoquer. À cette fin, il peut à nouveau sulfiter le vin légèrement, le passer en centrifugeuse, ou pratiquer une micro-filtration suivie d'une mise en bouteilles stériles.

Le soutirage et le contact des lies

Une fois la fermentation achevée, on transvase généralement le vin hors de la cuve tandis que les lies restent au fond. Cette opération s'appelle le soutirage. Elle a lieu une première fois après la fermentation, mais est généralement répétée à plusieurs reprises au cours de l'élevage (voir p. 255). Dans certaines régions, comme le Pays nantais, on laisse le vin « sur lies » jusqu'à sa mise en bouteilles. Le contact entre le jus et les lies provoque d'importantes modifications gustatives des vins blancs. En Bourgogne, on pratique le « bâtonnage » (voir encadrés ci-dessous et p. 259).

LA VINIFICATION EN BARRIQUES

De tout temps, les Bourguignons ont vinifié les grands vins blancs en « pièces » (l'équivalent des barriques bordelaises). Par un heureux hasard, le volume de la pièce (environ 225 litres) est idéal pour vinifier un vin blanc sans régulation de température. Celle-ci s'élève assez fortement, jusqu'à 25 °C, sans les dépasser, ce qui convient aux vins blancs riches et ambitieux, destinés à un long vieillissement. Le bois des pièces leur communique une saveur particulière. De plus, le vin demeure sur ses lies (qui forment un dépôt au fond du fût), ce qui le protège de l'oxydation et l'enrichit en même temps. Les vignerons le savent bien. Régulièrement, à l'aide d'un « bâton », ils remettent ces lies en suspension afin de donner au vin complexité et gras (voir encadré p. 259). Le Chardonnay convient fort bien à ce type de vinification, qui est de plus en plus appliqué à d'autres cépages et en d'autres régions.

La vinification en rouge

Il est plus facile de faire du vin rouge que du vin blanc : le travail du vinificateur consiste à guider le déroulement d'un processus naturel très simple dans son principe, bien qu'il comporte de nombreuses variantes selon les régions viticoles. Toutefois, la vinification des grands vins rouges exige un soin extrême et beaucoup de talent.

Macération et fermentation

Comme pour les vins blancs, il s'agit de transformer le moût sucré en alcool. La particularité de la vinification en rouge repose sur la macération. Au cours de cette étape, par un phénomène d'infusion, la matière colorante, les tanins et les nombreux composés aromatiques contenus dans les parties solides du raisin sont dissous dans le jus, donnant au vin sa couleur et son caractère.

LA MACÉRATION CARBONIQUE

Cette technique de vinification, assez largement répandue dans le Beaujolais, consiste à placer les raisins non foulés dans une cuve fermée que l'on emplit de gaz carbonique. Sous l'effet de ce gaz, un phénomène particulier nommé « fermentation intracellulaire » se produit. Il entraîne, à l'intérieur des baies intactes, la formation d'une petite quantité d'alcool et une dégradation de l'acide malique. Cette fermentation s'accompagne de la production de substances aromatiques typiques. Une cuvaison courte, de quatre à six jours, permet d'obtenir des vins très floraux, dont la souplesse est immédiatement acquise. Par la suite, le gaz carbonique est chassé et la fermentation alcoolique se poursuit normalement. La macération carbonique a fait ses preuves pour les vins de cépage Gamay commercialisés jeunes, comme les Beaujolais primeurs, et elle est maintenant très largement appliquée pour l'élaboration de vins de garde, en particulier dans le vignoble méditerranéen.

Les raisins rouges sont d'abord foulés et éraflés, c'est-à-dire éclatés pour libérer leur jus et détachés de la partie solide de la grappe. On transfère ensuite le moût, masse juteuse des raisins foulés, dans des cuves en bois ou en acier inoxydable thermorégulées. Les matières solides se rassemblent dans le haut des cuves pour former le « chapeau » (ou « gâteau de marc »). Durant la période de macération, qui se déroule conjointement à la fermentation alcoolique, caractérisée par le bouillonnement provoqué par le gaz carbonique, les matières colorantes et l'ensemble des composés contenus dans le chapeau, vont se dissoudre dans le jus. Cette extraction est favorisée par la chaleur due à la fermentation, celle-ci étant limitée par le vinificateur aux environs de 30 °C. Deux techniques sont utilisables pour faciliter l'extraction.

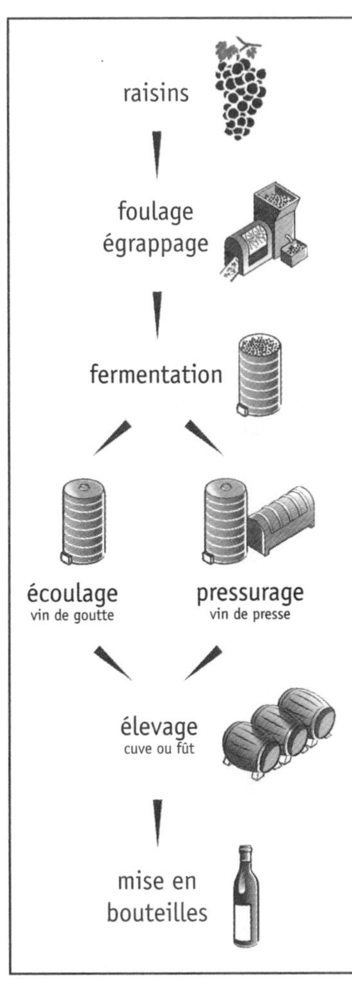

PIGEAGE OU REMONTAGE. La première technique consiste à enfoncer le chapeau dans le moût, à l'aide d'un bâton, d'une palette en bois, de vérins hydrauliques ou encore avec les pieds ; la seconde à immerger le chapeau et à « remonter » doucement le jus du bas de la cuve pour en arroser le chapeau de marc. Dans les deux cas, l'opération est délicate car il faut extraire fortement pigments et arômes, mais sans excès.

LA DURÉE DE CUVAISON peut aller de quelques jours à trois semaines, selon le style du vin. Après la fermentation, lorsque la température redescend lentement, certains vignerons pratiquent une macération postfermentaire. Une longue macération apporte au vin sa couleur et sa structure tannique, mais toute extraction excessive peut entraîner le développement d'arômes végétaux qui ne sont pas toujours plaisants. Pour l'élaboration des vins de primeur, seule une extraction très partielle est recherchée, car on privilégie les arômes primaires. Il en est de même lorsque le raisin est naturellement riche, comme dans les vignobles méditerranéens.

Écoulage et pressurage

L'ÉCOULAGE. Lorsque le vinificateur juge la durée de la macération optimale, que la fermentation soit achevée ou non, il provoque l'écoulage. L'ouverture d'un des robinets du bas de la cuve permet alors d'écouler la partie liquide, définitivement séparée des éléments solides de la vendange. Cette opération arrête la phase de macération.

LES « VINS DE GARAGE »

L'expression « vins de garage » n'a rien d'officiel. Elle concerne des minuscules cuvées pouvant tenir dans le garage d'une maison. Indépendamment de l'effet de mode qui a fait s'envoler leur prix, les vins de garage sont d'excellents vins, presque tous en provenance de Saint-Émilion (le premier vin de garage est né à Château de Valandraud), encore que le Médoc commence à en produire. En effet, vin de garage n'est pas une indication d'origine, mais se rapporte plutôt à l'état d'esprit de son producteur. Un vin de garage est produit en très petite quantité, à partir de petits vignobles au rendement volontairement réduit et de raisins parfaitement mûris et triés. Ce vin est vinifié avec un soin extrême privilégiant l'égrappage à la main, une fermentation de trois semaines en cuve Inox, le pigeage du moût, la mise en barriques de chêne neuf pour la fermentation malolactique et un élevage pendant deux ans.

LA VINIFICATION EN ROSÉ

Il existe deux méthodes pour produire les vins rosés (ainsi que les vins gris et les Clairets).

La méthode de la saignée consiste à prélever d'une cuve destinée à la vinification en rouge, par écoulement, une certaine proportion de jus, au bout de quelques heures de macération seulement (avant de remplir la cuve à nouveau). La partie prélevée, la saignée, va ensuite fermenter séparément, pour donner un vin rosé.

La méthode de pressurage consiste à presser directement des raisins rouges, ou de couleur à peine rose, ce qui est suffisant pour colorer le moût, puis à poursuivre la vinification sans longue macération, comme pour les vins blancs.

Dans tous les cas, on cherche à réaliser l'accord parfait entre le jus de raisin, presque incolore, et la peau, qui concentre les arômes et les matières colorantes naturelles. Le pressurage direct donne des vins fins et subtils, alors que la saignée, effectuée sur des rouges, les rend plus vineux et charpentés. Sauf exception, un rosé se boit dans l'année ou dans les deux ans qui suivent sa mise en bouteilles.

VIN DE GOUTTE ET VIN DE PRESSE. Le jus d'écoulage, qui constitue la partie la plus noble et la plus fine du vin, est appelé vin de goutte. Ensuite, on presse (ou pressure) les marcs et les lies, éléments solides contenant encore du liquide, pour en extraire le jus restant et obtenir le « vin de presse », qui représente de 8 à 15 % du volume total. Son assemblage éventuel avec le vin de goutte dépend de critères gustatifs et analytiques.

Les vins de goutte et de presse sont ensuite placés dans d'autres cuves. À ce stade, le vinificateur procède à une analyse complète du vin pour connaître, entre autres, le degré d'alcool et le degré d'acidité. À la fermentation alcoolique succède une seconde fermentation, la fermentation malolactique (voir encadré p. 245).

Les techniques de vinification en rouge varient selon les cépages et le climat. La Bourgogne conserve ses traditions propres, et le Beaujolais a mis au point la macération carbonique. Le Barolo et le Chianti italiens ainsi que le Rioja espagnol sont élaborés selon la coutume locale, parfois modernisée aujourd'hui.

La vinification des effervescents

Toute fermentation produit du gaz carbonique dont les bulles remontent à l'air libre. Emprisonné dans une bouteille épaisse, ce gaz provoque l'effervescence du vin. Les vins effervescents, dont les célèbres vins de Champagne, sont obtenus grâce à une seconde fermentation résultant d'un apport de sucre et de levures à un vin blanc déjà vinifié.

Effervescence et seconde fermentation en bouteille

Le mot effervescent est destiné à remplacer l'ancien terme « mousseux » qui est dépourvu d'équivalence dans les langues étrangères européennes. Historiquement, les premiers vins mousseux furent obtenus par la « méthode rurale », dite aussi ancestrale ou dioise (voir encadré ci-contre). Par la suite, les Champenois ont mis au point la « méthode champenoise », appelée « méthode traditionnelle » ailleurs. Les vins effervescents dans le style des Champagnes requièrent une seconde fermentation qui s'opère en ajoutant à un vin blanc tranquille, vinifié traditionnellement et appelé « vin de base », du sucre et des levures. Cette fermentation, qui se fait en bouteille, va rendre le vin effervescent.

L'élaboration du Champagne

Les étapes complexes de l'élaboration du Champagne – chaque « maison » possède ses secrets – en font un vin inégalé, de qualité constante. Avant tout, le choix des raisins est essentiel. Il s'agit de raisins noirs (Pinots Noir et Meunier) et blancs (Chardonnay), cultivés sur une aire d'appellation bien délimitée, avec un rendement maximal autorisé. Très tôt après la cueillette des raisins, le pressurage, limité à un certain volume, est effectué avec rigueur, afin d'obtenir un jus propre, dont le contact avec la peau des baies n'a permis d'extraire que peu de tanins et pas de couleur.

L'ASSEMBLAGE. La première fermentation a lieu en cuves de bois ou en cuves d'acier inoxydable. Par la suite, on procède à l'assemblage : dans chaque exploitation, les responsables goûtent les vins de chaque cuvée, issus de terroirs, de cépages et de parcelles distincts. L'objectif est d'assembler un vin qui reflète le style de la maison et d'obtenir le même goût et le même niveau de qualité d'une année sur l'autre. Les vins des années précédentes, dits vins de réserve, peuvent participer à l'assemblage.

LA SECONDE FERMENTATION. On ajoute ensuite au vin la «liqueur de tirage», mélange de sucre, de levures et de vins, puis on l'embouteille dans d'épaisses bouteilles de verre, fermées par des capsules métalliques, que l'on stocke horizontalement dans la partie la plus sombre et la plus fraîche des caves. La seconde fermentation démarre alors, ce qui va entraîner la production de gaz carbonique : c'est la «prise de mousse». Le vin est ensuite conservé au frais dans les crayères, caves crayeuses typiques de la Champagne. Le vieillissement, dont la durée légale est de 15 mois minimum (et de trois ans pour les cuvées millésimées), laisse un dépôt de levures mortes. Afin d'éliminer ce dépôt, les bouteilles sont placées, goulot vers le bas, sur des «pupitres» inclinés.

MÉTHODE RURALE, OU ANCESTRALE, OU DIOISE

Si l'on met du vin en bouteilles avant que sa fermentation alcoolique ne soit achevée, celle-ci va se poursuivre dans la bouteille, et le gaz carbonique emprisonné sera dissous dans le vin. C'est le principe de la méthode rurale, ou méthode ancestrale, utilisée pour produire les vins mousseux, sans ajout de liqueur. Ces vins sont particulièrement délicats à élaborer car le vinificateur doit interrompre, par le froid, la fermentation en cuve avant que la totalité du sucre ne soit transformée en alcool, et il n'a que peu de moyens d'intervention une fois le vin mis en bouteille. Il y a du déchet, certaines bouteilles explosent en cours de fermentation. Après un an de cave, les dépôts sont éliminés (ou non) par filtrage ou par dégorgement. Cette méthode est toujours pratiquée, par quelques producteurs, dans trois régions : Die, Limoux et Gaillac. Les vins ainsi élaborés portent diverses appellations (AOC) : à Die, Clairette de Die Tradition (à base de Muscat), à Limoux, Blanquette méthode ancestrale et à Gaillac, méthode gaillacoise (ces deux derniers à base de Mauzac).

Pendant deux ou trois mois, l'inclinaison des bouteilles est accentuée progressivement et les bouteilles sont manipulées, deux par deux, par des cavistes expérimentés, les « remueurs », ou bien elles sont actionnées en nombre par un procédé mécanique, le Gyropalette.

DÉGORGEMENT ET DOSAGE. La prochaine étape, le dégorgement, consiste à évacuer les lies qui se sont déposées dans le goulot des bouteilles. À cette fin, celui-ci est trempé dans un liquide réfrigérant qui congèle les sédiments. La bouteille est ensuite ouverte et, sous la pression du gaz, le dépôt est éjecté. Il est remplacé par la « liqueur d'expédition », mélange de Champagne et de sucre de canne. Cette étape, appelée dosage, détermine si le Champagne est brut, sec ou demi-sec. Enfin, les bouteilles sont bouchées avec leur bouchon traditionnel, maintenu par un muselet métallique.

En règle générale, les bouteilles ainsi préparées ne sont pas mises en vente immédiatement, mais stockées pendant quelques semaines par le producteur, pour que la liqueur de dosage puisse se marier avec le vin.

Cette technique d'élaboration est largement utilisée dans d'autres régions : en Val de Loire (Vouvray, Saumur, Crémant de Loire), en Bourgogne (Crémant de Bourgogne), dans le Bordelais (Crémant de Bordeaux), en Alsace (Crémant d'Alsace), dans le Rhône (Clairette de Die), dans le Midi (Blanquette et Crémant de Limoux), etc. En Europe, on peut citer, parmi les Mousseux les plus connus, le Cava en Espagne.

Les autres méthodes

D'autres vins effervescents, moins coûteux, sont produits selon des méthodes différentes. Avec le procédé Charmat, la seconde fermentation, après l'ajout de la liqueur de tirage, a lieu non pas en bouteille, mais en « cuve close ». Puis le vin est refroidi, filtré et transvasé sous pression dans une deuxième cuve, adouci avec la liqueur d'expédition et mis en bouteilles. Ces vins manquent de finesse et de complexité. Quant à la gazéification, c'est une méthode primitive par laquelle on injecte du gaz carbonique dans le vin avant la mise en bouteilles. Les Mousseux ainsi obtenus n'ont droit à aucune appellation.

L'élaboration des vins mutés

La vinification des vins mutés se caractérise par une adjonction d'alcool, qui arrête l'action des levures et bloque la fermentation alcoolique, préservant ainsi une partie du sucre provenant des raisins. Cette opération s'appelle le mutage. Ces vins très particuliers sont riches à la fois en sucre, en arômes et en alcool.

L'élaboration du Porto

Les Portos sont mutés pendant la fermentation ou, plus exactement, la fermentation est arrêtée par l'adjonction d'alcool. La méthode traditionnelle, encore pratiquée dans quelques propriétés aujourd'hui, consiste à écraser et à érafler les raisins puis à les verser dans de vastes récipients ouverts en pierre, appelées *lagares*, où ils sont foulés au pied, le meilleur moyen d'extraire la couleur des raisins à peau épaisse des cépages de Porto sans prendre le risque d'écraser les pépins. Le jus fermente dans les *lagares* entre 24 et 36 heures, et non des semaines comme les vins rouges. Le vinificateur vérifie constamment le niveau d'alcool et la douceur du vin en cours de fermentation. Quand il a atteint le niveau désiré (environ 9 % vol. d'alcool), on verse le vin nouveau dans des fûts (ou cuves) et l'on y ajoute de l'*aguardiente* (eau-de-vie de raisin). La quantité d'alcool correspond à 25 % du volume du vin, ce qui porte le niveau d'alcool du Porto à environ 18 % vol., degré auquel l'activité des levures est neutralisée. Le sucre non converti en alcool reste dans le vin, qui est alors du Porto. Le résultat obtenu est un vin de robe rouge foncé, d'une agréable douceur, avec un fort goût d'alcool. Les Portos ont besoin de temps pour que l'alcool se fonde dans le vin. Au cours du premier printemps, le vinificateur déguste le vin et le classe selon ses qualités (voir encadré p. 630).

Le Xérès

Les Xérès sont plus faciles à élaborer que les Portos : leur complexité provient de leurs assemblages et de leur vieillissement. Vinifié comme tout autre vin blanc, le vin nouveau est versé dans un tonneau en bois qu'on ne remplit pas complètement. Quelques mois plus tard, dans certains fûts, apparaît une moisissure particulière, appelée *flor*, à la surface du vin. Le Xérès est alors divisé en différentes catégories et muté à l'eau-de-vie de raisin en fonction de son style, puis il subira un élevage en *solera* (p. 613).

Les Vins Doux Naturels français

Ces Vins Doux Naturels sont mutés à l'alcool vinique à 96 % vol., dans une proportion de 5 à 10 % du volume du moût en cours de fermentation. Cette méthode de vinification est une tradition bien implantée dans le sud de la France, que ce soit pour les vins blancs ou pour les vins rouges (voir p. 484). Selon les cépages, la maturité des raisins, le procédé de mutage, la durée de macération et le mode de vieillissement, on obtiendra des Vins Doux Naturels sensiblement différents en couleur et en arômes (voir p. 41). Les blancs sont vinifiés comme les vins blancs (voir p. 243). Pour les rouges, on procède à une macération courte (2 à 3 jours), puis au décuvage (extrait du marc des cuves), afin d'opérer le mutage sur la phase liquide. Cependant dans quelques cas, à Banyuls et à Maury notamment, on pratique le mutage sur le marc. Il s'accompagne d'une longue macération sous alcool de 10 à 15 jours, ce qui donne des vins plus riches en matière colorante, en tanins et en arômes. Les Muscats, vinifiés en blanc, sont aussitôt mis en bouteilles à l'abri de l'oxydation, pour préserver leurs arômes de fruits.

LES VINS DE LIQUEUR

La production des vins de liqueur est beaucoup plus limitée que celle des Vins Doux Naturels. Leur titrage est compris entre 16 et 22 % vol. Ces vins sont obtenus par addition à des jus de raisin, avant ou en cours de fermentation, d'alcool neutre, d'eau-de-vie de vin, de moût de raisin concentré ou d'un mélange de ces produits. C'est le cas, par exemple, du Pineau des Charentes, alliance de Cognac et de jus de raisin provenant du même domaine, du Floc de Gascogne muté à l'Armagnac et du Macvin du Jura, muté au marc.

L'art de l'élevage

La vinification, au sens strict du mot, est terminée lorsque le moût a été transformé en vin. Commence alors l'élevage, qui s'achèvera au moment de la mise en bouteilles. Cette période d'élevage peut être extrêmement courte pour les vins «primeurs», quelques semaines, voire quelques jours. Elle atteint deux ans et plus pour les grands vins de garde. De plus en plus, vinification et élevage sont fortement imbriqués.

Le but de l'élevage

En élevant son vin, le Maître de chai poursuit deux objectifs. Le premier est d'ordre technique, la clarification du vin, et le second d'ordre sensoriel, son parfait mûrissement.

Après la vinification, le vin présente un trouble plus ou moins important, imputable aux minuscules particules de raisin, aux levures et aux bactéries encore en suspension. Ces lies fines jouent un rôle à la fois protecteur et enrichissant pour les vins rouges, mais aussi pour les vins blancs, comme en témoigne l'exemple bien connu du Muscadet «sur lies» (voir p. 111).

Les lies finissent par se déposer au fond du fût ou de la cuve d'élevage. On les élimine grâce à des soutirages successifs. Le soutirage consiste à décanter le vin, en le transvasant d'un récipient à un autre. Il permet aussi de libérer le vin du gaz carbonique dissout résultant de la fermentation et, éventuellement, de l'oxygéner et de l'assouplir. Le rythme des soutirages est de deux à quatre par an, selon le type de vin et l'année d'élevage. Le soutirage peut être complété par un filtrage.

Pour protéger le vin du contact de l'air à sa surface, ce qui peut provoquer l'oxydation, les récipients doivent être totalement remplis. Pour compenser l'évaporation, il faut pratiquer fréquemment l'ouillage, c'est-à-dire compléter le remplissage à l'aide d'une grosse pipette appelée ouillette. La qualité du vin servant à l'ouillage doit être égale à celle du vin élevé.

Un vin logé dans une barrique régulièrement ouillée repose pourtant dans un milieu légèrement oxydant. Contrairement à ce que l'on pense souvent, l'air ne traverse pas le bois, mais il pénètre par le trou de bonde et par certaines jointures de la barrique. L'expérience montre que la lente oxydation-oxygénation du vin est très favorable à son évolution, aidant les arômes à se fondre et les tanins à s'assouplir.

Les techniques d'élevage

Selon le type de vin et ce que l'on en attend, l'élevage peut se faire en grand volume, dans des cuves, ou en petit volume, en barriques de chêne. Depuis quelques décennies, le retour à l'élevage en barriques s'est beaucoup développé, de préférence en barriques neuves, en particulier pour les grands vins. Les barriques sont entreposées dans un chai d'élevage frais ou climatisé. Elles sont pleines, disposées de telle façon que le trou de bonde, obstrué provisoirement par une bonde de verre, soit en haut. La durée de l'élevage est variable, elle dépend de la constitution du vin, de sa faculté à « prendre le bois » et à résister à l'assèchement, car tous les vins finissent par « sécher » et perdre leur gras lorsqu'ils demeurent trop longtemps dans le bois. Certains Maîtres de chai estiment qu'un filtrage préalable à l'élevage permet d'entonner des vins très propres et, par conséquent, en évitant les dépôts sur les parois de la barrique, de favoriser le contact du vin et du bois.

L'élevage en barriques neuves

Dans les grands Châteaux bordelais (Latour, Haut-Brion, etc.) le vin était jadis vendu à des négociants qui se chargeaient de l'élevage, et ce n'est qu'au cours du XXe siècle que la « mise au château » s'est développée. Depuis les années 1970, l'usage du bois neuf s'est généralisé. Le « boisé », ou plus exactement le goût de bois, est devenu à la mode. Cette aromatisation au bois, car il s'agit de cela, s'est d'autant plus accentuée que le célèbre dégustateur américain Robert Parker l'appréciait particulièrement et l'a bien fait savoir. Aujourd'hui, l'élevage dans le bois neuf est de rigueur dans toutes les régions vinicoles et dans tous les pays. Le goût des consommateurs s'y est habitué et, pour nombre d'entre eux, la qualité d'un vin se mesure à son boisé. Ce qui n'a pas manqué d'entraîner

LES PROVENANCES DU CHÊNE

La texture et la consistance du bois de chêne utilisé en tonnellerie dépend de l'espèce et du terroir dont il est issu. Le chêne du Limousin, à «gros grains», qui pousse en largeur, donne un bois dur et nerveux, aux tanins puissants qui convient bien aux eaux-de-vie comme le Cognac. Le chêne rouvre dit «chêne du Centre» pousse en futaie, comme dans la célèbre forêt de Tronçais. Son bois à «grains fins» est idéal pour l'élevage des vins de garde. Il faut 150 à 250 ans pour qu'un chêne arrive à maturité et puisse être commercialisé. Pour satisfaire les besoins en constante augmentation des tonneliers, qui fournissent la France mais exportent dans le monde entier, les approvisionnements se sont diversifiés. Les chênes de Pologne, de Slovénie et de Russie, tous de haute qualité, sont mis à contribution. Le chêne américain apporte des arômes flatteurs et très vanillés, peu compatibles avec les Grands Crus de longue garde.

certains excès, tel l'élevage «200 % bois neuf», c'est-à-dire une première année d'élevage dans le bois neuf, suivie d'une seconde dans une nouvelle série de fûts neufs ! Indiscutablement, il faut préférer le boisé, flatteur même s'il est excessif, aux arômes malpropres, «ranciotants», apportés par une trop vieille futaille. Une barrique ancienne – on dit une barrique de plusieurs vins – n'apporte plus rien au vin, si ce n'est une oxygénation lente.

En y regardant de plus près, on observe que le bois de chêne, dissous par la solution hydro-alcoolique qu'est le vin, est riche en résines odorantes et en dérivés vanillés de la lignine. Le chêne apporte aussi au vin des tanins de types différents de ceux du raisin. En outre, l'intérieur de la barrique a été légèrement brûlé au moment de la fabrication, ce qui contribue à faire apparaître ou à renforcer le caractère grillé, ou fumé, du vin (lorsque ce caractère est trop prononcé, on dit que le vin est «toasté»). Mais le bois, aussi séduisant qu'il puisse être, n'est pas pour autant une panacée. Croire qu'on peut sauver un vin maigre en «l'améliorant» par un boisage puissant est une illusion, et même une erreur. L'expérience prouve que pour réussir le mariage vin-bois, le vin doit être capable de résister au bois, d'exister, d'avoir une forte «carrure».

De l'usage du soufre

À la naissance du vin, le soufre est déjà présent, et il va l'accompagner jusqu'à la mise en bouteilles. On sulfite la vendange et le moût pour empêcher l'oxydation et le développement des micro-organismes. Le soufre est employé lors de la macération, et il a l'étrange pouvoir de sélectionner les levures convenant le mieux à la fermentation. Le fait de brûler du soufre dans un fût avant de le remplir évite l'oxydation et permet la conservation du vin.

Mais le soufre est à la fois la pire et la meilleure des choses. À dose mesurée, c'est un remède miracle, agent anti-oxydant et bactéricide, constamment sollicité pour protéger le vin et lutter contre certaines maladies. À plusieurs stades de la vinification, le soufre intervient sous la forme d'anhydride sulfureux (ou dioxyde de soufre, SO_2). Malheureusement ce produit attaque les parties métalliques et favorise la casse ferrique et la casse cuivreuse (troubles du vin), et est à l'origine du mercaptan (odeur d'œuf pourri due à l'hydrogène sulfuré), d'odeur de réduit (voir p. 259) et surtout de malaises et de maux de tête (la mauvaise réputation des vins blancs serait imputable à l'usage excessif du soufre au cours de leur élaboration). Le soufre est toxique, et son usage est limité par les réglementations française et européenne. C'est pourquoi

LE SOUFRE ET LES VINS « BIO »

Que les vins soient dits « biologiques » ou « en biodynamie », le soufre participe à leur élaboration. Un adepte du « tout biologique » avoue : « Rien ne remplace vraiment le soufre. » Le cahier des charges suivi par les viticulteurs « bio » impose cependant des taux d'anhydride sulfureux beaucoup plus faibles qu'en viticulture conventionnelle. Certains producteurs l'ont totalement banni, ce qui n'est pas sans danger, car un vin non traité encourt deux risques : soit un vieillissement précoce, voire une madérisation (pour les vins blancs surtout, teinte jaune et goût de madère), soit une instabilité qui le rend inapte au transport, à la lumière et à la chaleur, et peut conduire à la refermentation ou à l'acescence (voir p. 260).

LE BÂTONNAGE

On appelle bâtonnage la remise en suspension des lies fines qui se déposent dans la partie basse d'une barrique ou d'une cuve lors de l'élevage. Ces sédiments sont agités à l'aide d'un « bâton » ou d'un système mécanique pour les grands volumes. Le but est d'augmenter les échanges entre les parties solides et le liquide afin que le vin gagne en complexité, en souplesse et en gras. On peut raisonnablement penser que cette technique a été initiée en Bourgogne où on l'applique depuis très longtemps aux vins blancs de prestige vinifiés et élevés en « pièces » (l'équivalent des barriques bordelaises). Dans les années 1980, le bâtonnage s'est largement répandu dans d'autres régions vinicoles et dans d'autres pays. Les Pessac-Léognan blancs (Bordeaux) sont bâtonnés, les vins de garage bordelais rouges le sont également (voir encadré p. 248). L'effet du bâtonnage est très sensible sur les vins jeunes, mais il reste à prouver qu'après un long vieillissement on puisse distinguer, dans une dégustation à l'aveugle, un vin bâtonné d'un vin qui ne l'a pas été.

les chimistes recherchent des substituts. Jusqu'à ce jour rien ne l'a remplacé, bien que divers produits contribuent à limiter son usage. Sans aller jusqu'à le supprimer, les producteurs de vins ont recours au soufre bien en deçà des quotas autorisés, ce qui est tout à fait possible à condition de respecter une hygiène rigoureuse, de filtrer le vin, et de réfrigérer les installations.

Les défauts du vin

Maintenant qu'on ne vinifie plus empiriquement comme par le passé, mais en sachant ce que l'on fait et pourquoi, les vins présentant des défauts sont rares. Néanmoins, un défaut mineur peut apparaître : une légère odeur de réduit, de gaz fermentaire, voire de soufre. L'odeur de réduit résulte d'une privation prolongée d'oxygène et d'un manque de soutirage (séparation du vin clarifié du dépôt et des lies). Le gaz fermentaire aurait dû disparaître si le vin avait été aéré avant sa mise en bouteilles. Quant à l'odeur de soufre, due à une erreur de dosage, elle survient surtout chez les

LE MICROBULLAGE

Pasteur a écrit : « C'est l'oxygène qui fait le vin. » Il est vrai que les levures de fermentation sont de grandes consommatrices d'oxygène. Mais Pasteur aurait aussi pu écrire : « C'est l'oxygène qui défait le vin », car il l'oxyde et, surtout, il permet le développement des bactéries qui le transforment en vinaigre. Il est utile de rappeler que l'oxygénation est bénéfique au vin alors que l'oxydation est nuisible (à l'exception de quelques vins spéciaux du type oxydatif). La pratique de l'oxygénation demande beaucoup de doigté et l'exploitation de la micro-oxygénation « naturelle », obtenue avec l'élevage du vin en barrique, est hasardeuse. Ne serait-il pas judicieux de pouvoir doser cette micro-oxygénation plutôt que de s'en remettre au bon vouloir de la barrique ? Patrick Ducournau, vigneron de Madiran, s'est posé la question et a apporté sa réponse : disposer au bas d'une cuve neutre un générateur de microbulles, petit appareil courant dans les laboratoires, et réglable à la bulle près. Ce système fonctionne très bien, et son utilisation a reçu l'agrément des pouvoirs publics.

vins blancs, très sensibles à l'oxydation et que l'on protège davantage (par l'anhydride sulfureux). Dans la plupart des cas, ces défauts mineurs s'estompent avec le temps. On peut, si on les constate, oxygéner le vin en le transvasant dans une carafe – on parle de « carafage » – au moment de la dégustation (voir p. 206).

Par contre, les gros défauts sont inacceptables et irréparables : le mercaptan, l'oxydation, l'acescence. Le mercaptan, né d'une réaction des levures de la fermentation avec le soufre des lies, est une odeur sulfurée très désagréable. L'oxydation, qui se traduit par une détérioration du bouquet, est due à un contact prolongé avec l'air et à un dosage insuffisant d'anhydride sulfureux en cours d'élevage. L'acescence, ou piqûre acétique, donne un vin « piqué », c'est-à-dire qui sent le vinaigre. C'est le signe d'une maladie du vin, si grave qu'un vin qui en est atteint n'est ni loyal ni marchand et que le législateur en interdit la vente dès que le taux d'acidité volatile dépasse un certain seuil. L'acescence est causée par une bactérie, l'*Acetobacter,* qui se développe à la surface d'un vin en contact avec l'air (en barriques non ouillées, par exemple).

La mise en bouteilles

Il appartient au Maître de chai de décider que la période d'élevage est achevée, et que sa prolongation n'ajouterait rien à la qualité du vin qui risquerait même de perdre sa fraîcheur ou, pire, de « sécher ». Avant sa mise en bouteilles et un éventuel vieillissement, le vin va subir un ultime « toilettage ».

La préparation du vin

Les amateurs de vin, surtout lorsqu'ils sont américains, ne tolèrent ni particules en suspension ni dépôts dans une bouteille. Avant de le mettre en bouteilles, le producteur (ou le négociant, ou l'entreprise spécialisée) doit donc clarifier parfaitement le vin. Il dispose pour cela de deux procédés : le collage et la filtration, qui peuvent être cumulés, mais qui vont influer sur le goût du vin.

LE COLLAGE. Les bourbes, c'est-à-dire les grosses lies, tombent naturellement au fond de la cuve ou de la barrique, mais les particules les plus fines restent en suspension. Même un vin apparemment limpide en contient plus de 10 000 par cm^3 ! Le collage exploite le phénomène de la floculation colloïdale : le clarifiant, autrement dit la colle, forme, au contact du vin, des flocons sur lesquels vont se fixer les micro-impuretés. Il ne reste plus qu'à éliminer, par soutirages successifs, ces sédiments qui tombent au fond du récipient (en une dizaine de jours). La meilleure colle pour les vins rouges est le blanc d'œuf battu (6 œufs par barrique), celle convenant le mieux aux vins blancs est la caséine (10 à 20 g/hl). Les vins collés gagnent en finesse et en souplesse, les rouges perdent certaines rugosités dues aux tanins.

LA FILTRATION. Ses résultats dépendent du diamètre des pores du filtre : lorsque ce diamètre est important, on obtient une filtration de propreté ; si les pores sont minuscules (moins d'un millième de millimètre), la filtration devient stérilisante car ni les levures ni les bactéries ne parviennent à traverser le filtre. La filtration à travers une couche de Kieselguhr (terre d'infusoire), inventée au début du XXe siècle, est efficace et rapide. On dit alors que le vin est « filtré sur terre ».

LES CUVÉES « NON COLLÉES ET NON FILTRÉES »

Il est tout à fait possible d'élaborer et de commercialiser des cuvées non filtrées et non collées. Cela suppose, de la part du producteur, d'effectuer de nombreux soutirages pour clarifier le vin le mieux possible tout en veillant à sa protection sanitaire, et de la part du consommateur, d'accepter d'éventuels dépôts dans la bouteille. Ce type de vin gagne-t-il en qualité ? Tout collage, toute filtration dépouille le vin d'une partie de ses composants. Si l'on fait confiance au vinificateur, on supposera que seuls des constituants inutiles ou nuisibles ont été éliminés, sinon, on aura tendance à croire que les manipulations ont appauvri le vin. Là encore, c'est une question de mesure. Toujours est-t-il que des procédés de clarification brutaux, comme la centrifugation, ne sont jamais appliqués à de grands vins.

Les vins collés et/ou filtrés, ayant gagné en limpidité, en brillant et en stabilité, peuvent être mis en bouteilles. Lorsque cette ultime opération a lieu chez le producteur, ce qui est préférable, l'étiquette mentionne « mis en bouteille au château » ou « au domaine ».

La bouteille de verre

Le verre reste le matériau inégalable pour la conservation et le vieillissement du vin. La bouteille de 75 cl – trois quarts de litre – est un standard international. Presque tous les grands vins du monde sont vendus dans des bouteilles de cette capacité ou d'un de ses multiples. En France, on distingue trois formes principales de bouteilles : de type Bordeaux, droite à l'épaule haute ; de type Bourgogne, plus effilée ; et la « flûte », plus haute, typique des vins d'Alsace. Pour les différentes contenances, voir p. 105.

Le bouchon de liège

Le liège possède des propriétés physiques originales et reste idéal pour boucher une bouteille de verre. Ses cellules microscopiques forment des « ventouses » qui adhèrent au goulot. Il est inerte et imperméable aux liquides, ne réagit pas au vin et ne pourrit pas.

Seuls les charançons et certains champignons peuvent l'affecter, mais ces inconvénients peuvent être évités. En dépit de tous les efforts, sa fiabilité n'est pas garantie à 100 % et il arrive que certaines bouteilles présentent un « goût de bouchon ».

Les chênes-lièges *(Quercus suber)* ne poussent qu'à l'ouest du Bassin méditerranéen et au Portugal. Un chêne-liège est dépouillé – on appelle cela une levée – tous les douze ans mais seules la quatrième, la cinquième et la sixième levée fournissent un liège de haute qualité, soit trois levées sur les douze que l'on peut espérer, compte tenu de la durée de vie d'un arbre (150 à 200 ans).

Avec les déchets de liège, on confectionnne des bouchons en « aggloméré », efficaces, mais à l'élasticité limitée. Ils ne conviennent pas aux vins de longue garde. L'augmentation des besoins (de l'ordre de 5 % par an) conduit à exploiter des lièges de plus en plus jeunes, ce qui ne va pas dans le sens d'une amélioration qualitative. Pour faciliter le bouchage, le bouchon de liège est parfois enrobé d'un film à base de silicone. À noter qu'un bouchon de Champagne est constitué d'un assemblage de particules de liège aggloméré et de rondelles de liège massif.

LES AUTRES BOUCHONS

Certains producteurs de vin envisagent carrément l'abandon du liège, matériau âgé de plus de 2 000 ans, au profit du plastique. Les fabricants proposent soit des capsules ou des bouchons à vis comme ceux qui donnent toute satisfaction aux consommateurs suisses depuis plusieurs années (pour les vins locaux), soit des bouchons imitant la forme et l'aspect du bouchon de liège traditionnel. Pour cela, ils utilisent des mousses plastiques dont la surface présente un bon coefficient de friction et qui sont extractibles avec un tire-bouchon ordinaire. Ces bouchons plastiques peuvent être colorés, ce qui les rend attractifs car visibles au travers du col de la bouteille dépourvu d'habillage. Les capacités de garde de ces nouveaux bouchons ne sont pas connues. Dans les pays de tradition vinicole, le bouchon de liège est toujours associé aux grands vins, ce qui n'est plus toujours le cas dans le reste du monde.

18
58

Les vignobles du monde

La Méditerranée est le berceau du monde viticole, et si l'on trouve aujourd'hui du vin partout, c'est en raison de la forte prédominance de la culture occidentale, issue de l'Antiquité. Les vastes et florissants vignobles du Nouveau Monde – ceux des Amériques, d'Afrique du Sud, d'Australie, de Nouvelle-Zélande – furent plantés par les Européens. Au moins 50 pays dans le monde produisent aujourd'hui du vin, et presque tous exportent une partie de cette production. À l'heure actuelle, sur les tables des amateurs de vin du monde entier, les vins de ces pays, et d'autres encore, côtoient ceux des vieux vignobles européens.

Si le commerce du vin se pratique à l'échelle mondiale, les idées qu'il inspire voyagent également, et davantage encore les spécialistes qui s'y consacrent. Les pays du Nouveau Monde sont, depuis plus d'un siècle, des observateurs attentifs des traditions viticoles européennes. Dès les années 1980, les échanges se faisaient dans les deux sens. Les viticulteurs français, stupéfaits de l'explosion des ventes de vin du Nouveau Monde dans des pays où la France avait toujours régné, commencèrent à envoyer leurs enfants faire des stages en Californie et en Australie. Les grandes maisons de Champagne entreprirent d'y acheter des terres pour y planter des vignes. Elles furent suivies par l'élite du Bordelais : le baron Philippe de Rothschild s'allia à Robert Mondavi pour produire Opus One. Moueix de Pomerol, les Champagnes Roederer, Deutz, Mumm, Taittinger et bien d'autres s'implantèrent en Californie – et parfois aussi en Australie et en Nouvelle-Zélande. En dépit de cette nouvelle concurrence, le prestige et la qualité des vins français continuent à servir de référence. Les millions de Chinois se laisseront-ils un jour séduire en masse par le vin ? Le processus a en tout cas commencé, de même qu'au Japon et en Inde. La carte géographique des vins du monde est en perpétuelle mutation.

LES RÉGIONS VITICOLES DE QUALITÉ

La vigne pousse à l'état sauvage dans les climats tempérés du globe : les cépages cultivés qui en sont issus sont exploités en Europe, dans la partie orientale du bassin méditerranéen, en Amérique du Nord comme du Sud, ainsi qu'en Australie et en Nouvelle-Zélande.

Le choix du site

À l'intérieur de vastes zones de même latitude offrant des conditions climatiques adéquates, pourquoi les vignes prospèrent-elles dans certaines régions plutôt que dans d'autres ? Et comment les pays viticoles définissent-ils et contrôlent-ils ces zones ?

L'homme peut modifier les conditions naturelles – grâce à l'irrigation dans les pays secs, par exemple –, mais le choix du site est vital pour le vignoble. Les vignerons de la Rome antique savaient que les vignes aiment un versant ensoleillé, près d'une rivière. L'ensoleillement, l'altitude, le sol et le sous-sol, alliés au climat tant général que local, expliquent pourquoi le vin de certains vignobles est toujours meilleur. La France a développé le concept de terroir, rassemblant l'ensemble des facteurs qui influent sur la qualité du vin.

Cette approche traditionnelle est souvent remise en question par certains modernistes, persuadés que la science peut remédier aux faiblesses de la nature. Toutefois, il n'existe pas de bons viticulteurs qui pensent que le site n'a pas d'importance. Nous allons voir à quel point celui-ci joue un rôle.

Les besoins de la vigne

Elle doit être abritée des vents froids, qui peuvent la dessécher et abîmer les jeunes feuilles et les fruits. Elle a besoin de suffisamment de chaleur pour croître et de soleil pour un bon mûrissement du raisin.

Les choix concernant le type de sol sont plus subtils. Ce dernier possède quatre fonctions : il sert de support, fournit l'humidité, procure de la chaleur (il se réchauffe et se refroidit plus ou moins vite) et nourrit la vigne. Pour se développer, toute plante a besoin de nutriments – ces derniers, s'ils existent à l'état de traces dans l'eau de pluie, suffisent. Les substances fournies par le sous-sol du vignoble importent-elles tant ? Nous abordons ici un domaine sacro-saint. Le Château Pétrus a un goût riche et concentré à cause du fer contenu dans le sous-sol. Le Chevalier-Montrachet est plus léger que son voisin Montrachet parce que le sol est plus pierreux. C'est en tout cas ce que

disent certains spécialistes. Certains œnologues australiens remettent cela en question, soutenant qu'il n'existe aucune raison scientifique pour que des sols subtilement différenciés par le classement donnent des vins différents.

Le sol et le terroir

Le sol est-il davantage qu'un support pour la vigne ? Poser une telle question en France est un sacrilège : tout le système des appellations d'origine contrôlées est bâti sur le principe de la protection des meilleurs sols. Un Grand cru de Bourgogne est meilleur qu'un Premier cru parce que la composition de son sol est plus adéquate. C'était le point de vue prédominant jusqu'à ce que la Californie et l'Australie se mettent à produire des vins de qualité – dans toutes sortes de sols. Les experts français qui travaillent dans les vignobles du Nouveau Monde ont souvent trouvé que les sols où on avait planté de la vigne ne convenaient pas pour une production de vin de qualité. La situation était d'autant plus anarchique qu'il n'existait pas de directives délimitant les endroits où l'on pouvait cultiver tel ou tel cépage.

Les viticulteurs du Nouveau Monde se préoccupent avant tout de l'alimentation en eau et de la température d'un vignoble. Si l'eau de pluie ou celle de la nappe phréatique se révèle insuffisante, ils irriguent. S'il ne fait pas assez ou trop chaud, ils plantent le vignoble ailleurs. Nombre de vignobles étaient encore récemment des pâturages à moutons ou des champs de blé et beaucoup retourneront à cet état. Il est difficile d'imaginer la colline de Corton ou les croupes de graves du Médoc cultivant autre chose que de la vigne, mais, dans le Nouveau Monde, un tel ordre établi n'existe pas.

On pense que le sol confère certains arômes au vin : tous les ouvrages spécialisés français ou italiens évoquent la façon dont les divers minéraux, l'argile ou le calcaire d'un sol affectent le goût du vin. Cette théorie reste à prouver par l'analyse scientifique. Toutefois, les dégustateurs peuvent faire la différence entre les vins de vignobles d'un même cépage et de sols différents, sans pouvoir l'expliquer. Ils n'ont pas la certitude que ces différences sont exclusivement dues à la composition des sols dont les vins sont issus.

La fertilité et les éléments minéraux ne suffisent pas à définir un sol. Chacun diffère par sa structure : certains sont aérés et perméables et se réchauffent rapidement, d'autres (d'argile) sont lourds, humides et frais. Les plus grands crus poussent sur des sols pauvres et perméables, composés de graviers et d'un sous-sol calcaire. Les sols denses et humides favorisent la pourriture et se réchauffent lentement. Un sol riche et fertile produit des vins très ordinaires : la vigne doit souffrir pour donner du bon vin.

La garantie de qualité

Tous les vins de qualité portent une étiquette indiquant leur provenance. Le système français du contrôle de qualité est longuement décrit ci-dessous parce qu'il a servi d'exemple à l'ensemble des réglementations européennes, de l'Italie à la Bulgarie, et parce que ses principes ont été retenus par les pays membres de l'Union européenne, entre autres. Le pouvoir de l'Union en tant qu'importateur est énorme : elle a fait modifier les réglementations des vignobles du Nouveau Monde dans les années 1990. L'Europe centrale et l'Europe de l'Est, la Nouvelle-Zélande et l'Australie ont dû harmoniser leurs lois avec celles des pays européens.

Le développement de la fraude

Ce sont les contrefaçons qui ont stimulé l'application rigoureuse des lois régissant l'étiquetage – le système des appellations. Au fur et à mesure que le commerce du vin grandissait et que les meilleurs crus atteignaient des prix plus élevés, il devint tentant pour certains négociants étrangers sans scrupules de vendre des vins contrefaits. Les Romains furent sans doute confrontés à du faux Falerne, et l'authenticité d'un fût de vin de Bordeaux était sans doute difficile à prouver au Moyen Âge, mais le problème commença à prendre véritablement de l'ampleur au XXe siècle.

C'est à cette époque que le développement de l'industrie du luxe, avec la multiplication des marques commerciales liée aux économies de marché, encouragea la fraude. Les propriétaires des grands châteaux bordelais furent horrifiés de trouver de faux Margaux et de faux Latour sur les marchés belge, allemand et anglais. Ils n'avaient guère les moyens de se défendre légalement. En réalité, les négociants bordelais ou bourguignons avaient depuis longtemps fait preuve de laxisme en expédiant des vins en vrac sous des appellations prestigieuses. Le vin était de toute façon « ajusté » au goût anglais en Angleterre, fortifié aux Pays-Bas, édulcoré en Allemagne, et les négociants palliaient aisément une insuffisance de qualité de vins d'appellations prestigieuses en les assemblant à d'autres vins de meilleure qualité.

En Espagne, la ligue des viticulteurs de la Rioja établit sa législation en 1560, mais il fallut attendre les années 1980 pour que la réglementation d'origine soit véritablement appliquée et permette ainsi une meilleure qualité.

En Italie, le Chianti devint l'une des premières zones viticoles contrôlées, lorsque le grand-duc de Florence en établit les limites en 1716. Une réunion internationale interdit en 1883 l'utilisation d'appellations d'origine fausses ou fictives. Mais le laxisme législatif obligea les producteurs à se regrouper dans des

groupements de vins de qualité comme ceux des Chianti Classici.

L'histoire de la réglementation française

En France, l'histoire de la réglementation est exemplaire. Vers 1860, un écrivain dénonça les marchands bourguignons en ces termes : « Lorsqu'il le souhaite, le commerçant en vins devient Dieu, et n'hésite pas à reproduire le miracle des noces de Cana. » Cette allusion au fait de changer l'eau en vin est exagérée, mais l'apport de vin rouge algérien dans les assemblages de vins du Rhône, puis de vins du Rhône dans les Bourgognes fut une pratique courante dont le but essentiel était l'amélioration des vins expédiés à l'exportation. Mais ces mauvaises habitudes devaient prendre fin, ne fût-ce que pour protéger les viticulteurs et les négociants sérieux. C'est ainsi que la législation de l'appellation d'origine commença en France. Le processus débuta en 1919, mais remonte en fait bien plus loin. Le Bordelais s'était doté d'une réglementation protectionniste au Moyen Âge, interdisant que le vin de l'intérieur des terres soit vendu comme Bordeaux – il s'agissait davantage de rivalité commerciale dirigée contre le port de Libourne que de contrôle de qualité.

En France, la loi de 1905 fut une première mesure contre l'étiquetage frauduleux, les déclarations des viticulteurs permettant de surveiller la quantité de vin produite dans un lieu donné. La loi spécifiait également que les appellations d'origine ne pouvaient figurer sur l'étiquette que si elles étaient véritables. Il fallait donc définir les terroirs. Mais on se heurta à de gros problèmes : comment définir le vignoble de Champagne ou du Bordelais ? La délimitation du vignoble de Champagne donna lieu à des émeutes de viticulteurs mécontents à Épernay en 1911. Le gouvernement confia bientôt cette tâche aux autorités locales. La loi de 1919 établit un cadre : les vins d'appellation d'origine devaient être élaborés dans des lieux bien précis et selon des méthodes conformes aux coutumes locales, dans le respect « des usages locaux, loyaux et constants ».

Mais on exigeait davantage que la simple mention du lieu d'origine : la loi devait contrôler également la quantité et la qualité. Une nouvelle loi décréta en 1927 que les autorités pouvaient interdire des cépages qui ne convenaient pas pour la région. Le rendement et le degré d'alcool furent peu à peu réglementés. Toutefois, la loi connut des variations dans son application, et il fallut de nombreuses années avant que les vignobles les plus nobles soient définis, délimités et contrôlés. 1935 marqua une nouvelle étape lorsqu'on ajouta le mot « contrôlée ». Ce fut la naissance de l'INAO (Institut National des Appellations d'Origine), qui dirige toujours le système. Les AOC furent étendues et modifiées, et c'est sous l'œil vigilant des responsables de l'INAO que les vins sont promus AOC.

La législation européenne

L'Union européenne a adopté le principe de l'AOC et défini la notion de vin de qualité produit dans une région déterminée (VQPRD). Les lois de l'Union européenne stipulent que seuls les vins élaborés dans une zone définie peuvent porter son nom sur l'étiquette, et les pays membres sont tenus de contrôler le rendement, les cépages et les limites précises de chaque appellation.

L'amateur de vin français voyageant il y a 20 ou 30 ans aux États-Unis pouvait s'étonner de trouver du vin californien portant les étiquettes « Chablis » ou « Bourgogne », sans oublier toutes les autres appellations françaises réputées. Cette pratique fut également courante en Espagne jusqu'en 1973, époque à laquelle le Royaume-Uni entre autres, principal marché pour les « Sauternes » espagnols, devint membre de l'Union européenne : l'Espagne n'eut pas d'autre choix que de se soumettre à la législation en vigueur. Ces vins étaient d'ailleurs de mauvaises copies de l'appellation usurpée.

La réglementation de l'Union européenne rendit l'importation de ces vins impossible en Europe. Puis des traités étendirent cette interdiction à d'autres pays, contre des concessions qui leur furent faites par l'Union européenne. Ainsi la fameuse étiquette australienne « Bourgogne Blanc » a aujourd'hui été bannie de Sydney à Perth comme de Paris à Londres.

Le Champagne a été une plus grande source de difficulté. Bien qu'il s'agisse d'une appellation véritablement géographique, le mot « champagne » était utilisé pour définir la méthode d'élaboration avec seconde fermentation en bouteille pratiquée dans cette région. Cette technique est largement utilisée dans le monde entier. Un décret de l'Union européenne interdit aujourd'hui la mention « méthode champenoise » pour tous les vins extérieurs à ceux de la Champagne. Comment décrire ces vins ? Et comment les différencier des Mousseux élaborés selon des méthodes différentes et moins nobles ? Des termes tels que « méthode traditionnelle » ne sont pas aussi explicites que celui de « méthode champenoise ».

La législation en Italie

La loi, comme le montre l'exemple français, vise à réglementer l'élaboration et le commerce du vin, en garantissant des critères de production et une authenticité de l'origine. Mais, dans certains cas, les critères imposés n'ont pas été les bons.

La législation italienne, par exemple, a parfois davantage fossilisé des pratiques qu'elle n'a préservé de nobles traditions. Les hommes au pouvoir

ont parfois fait en sorte que des régions bénéficient de la DOC *(Denominazione di Origine Controllata,* équivalent de l'AOC), alors qu'elles ne le méritaient pas. Ce n'est pas parce qu'un vin est élaboré d'une certaine façon dans une vallée donnée depuis des générations qu'il est bon. Il peut être grandement amélioré si l'on modifie les cépages et les techniques. La loi italienne a été modifiée et vise à augmenter la qualité : les zones DOC sont moins nombreuses et plus strictes.

La législation en Allemagne

La France a fondé son système sur le principe que les meilleurs vignobles produisent les meilleurs vins, si bien qu'il existe une véritable hiérarchie des terroirs. En Allemagne, tous les vignobles sont égaux : chacun a une chance d'obtenir la meilleure note de qualité. La seule variable reconnue par la loi est le taux de sucre du raisin, qui peut être analysé. Mais cela ne représente aucune garantie de qualité pour le consommateur, et il n'existe aucune différenciation entre les vignobles. En Allemagne, la multitude des noms de vignobles fut considérée comme un obstacle à la reconnaissance du vin. Aussi la loi de 1971 a-t-elle regroupé de nombreux petits vignobles sous une appellation générique qui masque l'origine du vin et donne-t-elle l'impression qu'un vin au nom prestigieux provient d'un certain village ou vignoble, ce qui n'est absolument pas le cas. De nombreux producteurs et la plupart des amateurs de vin pensent que la loi allemande est d'une complexité rare et qu'elle se fonde sur des critères différents de ceux des autres pays.

Les viticulteurs allemands consciencieux limitent souvent le rendement de leur vigne, bien que ce ne soit pas exigé par la loi, et n'utilisent un nom de vignoble que lorsqu'il est approprié. La loi s'efforce de se calquer sur les pratiques des meilleurs viticulteurs.

La législation du Nouveau Monde

Ce n'est que récemment que les pays du Nouveau Monde ont commencé à réglementer leurs appellations. Jusqu'en 1994, les Australiens pouvaient utiliser le nom géographique qui leur plaisait. Certaines régions ont acquis la réputation de produire des vins de qualité, mais, contrairement à l'Europe, elles n'avaient pas de limites définies. Cela pouvait créer une confusion dans l'esprit du consommateur, mais donnait une plus grande liberté au producteur. Aujourd'hui, et depuis 1995 en Nouvelle-Zélande, un système d'appellations est en place.

Aux États-Unis, les étiquettes mentionnent l'État, le comté et la VA *(Viticultural Area),* zone viticole strictement délimitée, pour indiquer l'origine des vins.

Comprendre l'univers du vin

La fantastique diversité qu'offre aujourd'hui l'industrie vinicole pose malgré tout quelques problèmes aux consommateurs. Le choix est très vaste : comment savoir quels vins sont les meilleurs ?

C'est l'approche géographique qui paraît la plus claire ; aussi les quelque 650 pages qui suivent proposent-elles une étude des vignobles du monde, selon chaque région, elle-même subdivisée selon les cas. Au niveau local, on trouvera jusqu'aux villages, domaines et producteurs de caves particulières. L'idée de départ paraît relativement simple : les pays ont des régions de production qui se divisent en vignobles distincts ; les producteurs possèdent des vignes et élaborent des vins. Ce schéma s'applique bien à certains endroits, mais pas partout, et le monde du vin ne cesse de changer.

Beaucoup de pays du Nouveau Monde mettent l'accent sur un autre facteur que le terroir. En jetant un coup d'œil sur leurs étiquettes, vous reconnaîtrez beaucoup de noms français : ce sont ceux des cépages, transplantés dans la quasi-totalité des pays producteurs. Les consommateurs de ces nouveaux pays ont pris l'habitude de donner au vin le nom du cépage : Chardonnay ou Cabernet-Sauvignon, par exemple, indiquent le style du vin. Les consommateurs comme les législateurs européens ne se satisfont guère de ces appellations. Lorsqu'ils jugent le statut et la qualité d'un vin, c'est la provenance géographique du raisin qui prime sur le cépage.

Partout, la qualité du vin est garantie par le nom de la propriété : dans les régions traditionnelles, un château ou un domaine est considéré comme une marque. Les vignobles du Nouveau Monde possèdent également leurs domaines ainsi que leurs sociétés vinicoles qui deviennent des indicateurs de style et de qualité. Ainsi, en Australie, un consommateur peut-il prendre l'habitude de s'approvisionner chez un producteur parce qu'il a confiance dans la qualité de ses vins et connaît le style de la maison. Ce sont alors les noms du cépage et du producteur sur l'étiquette, plutôt que celui du terroir, qui sont des garanties. En Europe, l'accent mis sur la provenance donne une indication non pas différente, mais supplémentaire, de la qualité du vin. Et, dans le monde entier, les amateurs s'habituent à parler aussi bien de terroir que de producteur et de cépage.

FRANCE

Cartes pages VIII à XXIII

Les vins français servent de référence à ceux du monde entier. Lorsque l'on dresse une liste des vins, la France semble occuper naturellement la première place. Il y a une trentaine d'années, on pouvait affirmer que les meilleurs vins du monde étaient français, à l'exception des blancs allemands et des vins doux de la péninsule Ibérique. Aujourd'hui, la France doit faire face à la concurrence aussi bien qu'aux imitations, et ce à tous les niveaux de qualité. L'une des raisons de la suprématie de la France réside dans l'extraordinaire gamme de vins qu'elle produit. Le Bordelais, la Bourgogne et la Champagne : chacune de ces régions produit un style de vin inégalé, bien que souvent imité. Derrière viennent la Loire, le Rhône, l'Alsace, qui produisent des vins peut-être encore plus inimitables. Sans oublier la vaste gamme des appellations et des régions dont sont issus des vins plus traditionnels : Cahors et Madiran, la Provence, le Jura. Toutes ces régions, et d'autres encore, produisent au moins quelques vins de qualité, réputés à l'étranger. Vient enfin toute la série des vins français qui sont parfois inconnus hors des frontières de l'Hexagone, voire hors de leur région, mais qui offrent une palette très diversifiée : la Blanquette de Limoux, par exemple, le merveilleux Marcillac rouge des collines de l'Aveyron ou encore les délicieux blancs, inattendus, de Bellet, près de Nice. Il faut encore citer les régions vinicoles de forte production, où l'on peut trouver des îlots de qualité : les crus du Languedoc, les vins du Minervois ou de Corbières – sans oublier les Vins Doux Naturels, typiquement français.

Tradition et évolution

Tous ces vins existent depuis plus de deux siècles. En fait, il y en avait encore davantage jadis, avant que le phylloxéra et l'évolution commerciale ne forcent de nombreux vignerons à se reconvertir, laissant leurs vignobles en friche. Mais, au cours des années 1980, une vague d'innovations déferla sur les régions vinicoles françaises, dans le Midi principalement, donnant naissance à de nouveaux styles de vins. Dans les collines du Midi, le retour aux traditions de vieilles vignes et faibles rendements, allié aux derniers progrès de la technologie, se traduit par la production de vins dont la qualité enthousiasme les dégustateurs à Paris, comme à Londres ou à New York. Il faut noter que le même phénomène a gagné la Provence, les grands territoires du sud du Rhône et le Sud-Ouest.

Outre le retour aux sources des vieux terroirs, la viticulture des plaines, plus récente et destinée à la production en masse, a été réaménagée. Les techniques australiennes et américaines révolutionnent des vignobles qui produisaient des vins médiocres, au fur et à mesure que des spécialistes à l'esprit ouvert y trouvent les conditions favorables à la culture des cépages classiques, dont sont issus les meilleurs vins. La France a beaucoup appris de ces vignobles implantés dans le Nouveau Monde : elle produit aujourd'hui des vins étiquetés Chardonnay et Cabernet-Sauvignon (des vins de cépage), issus de vignes plantées dans le Midi, traitées selon les méthodes les plus avancées et dont les vins sont commercialisés avec un soin particulier de leur présentation – sans la moindre concession aux notions classiques de terroir et de tradition.

La France, en s'ouvrant à ces nouveaux concepts, est en train d'ajouter un atout de plus à ses acquis. Les régions traditionnelles sont du reste, elles aussi, en train d'observer ce qui se passe dans les autres pays producteurs et de réagir. De nouvelles générations de viticulteurs et de propriétaires, informés et ouverts aux nouvelles méthodes, ont pris maintenant le relais en Bourgogne, dans le Rhône et en Alsace. La révolution a été moins sensible dans le Bordelais, région de tout temps plus perméable aux innovations ; mais, malgré son savoir-faire séculaire, celle-ci, poussée par la concurrence, a encore amélioré sensiblement la qualité de ses vins. Même en Champagne, où l'on pensait que la perfection avait été atteinte, certaines modifications des méthodes se sont avérées bénéfiques.

Une viticulture à grande échelle

La France, comme l'Italie et l'Espagne, est un pays viticole complet. La vigne est cultivée dans plus de la moitié de ses départements. 864 000 ha de vignes fournissent du raisin à chaque vendange. Si cette superficie

est moindre qu'autrefois, la production moyenne annuelle de plus de 53 millions d'hectolitres – près de sept milliards de bouteilles – met tout de même la France à la deuxième place parmi les pays viticoles. Seule l'Italie produit davantage de vin.

Plus d'un tiers du vin français bénéficie de l'appellation d'origine contrôlée (AOC), dont la définition légale est décrite ci-après. Cette suprématie des vins d'AOC, relativement nouvelle, souligne une tendance intéressante. On boit aujourd'hui beaucoup moins de vin qu'il y a trente ans ; la consommation moyenne par habitant se situe actuellement autour de 60 litres par an, alors qu'elle était de 154 litres en 1954, mais on consomme du vin de bien meilleure qualité.

La législation

La viticulture française est l'un des secteurs agricoles les plus réglementés au monde. Chaque mention figurant sur l'étiquette est régie par la loi, et chaque bouteille appartient à une catégorie précise, soit, par ordre décroissant : appellation d'origine contrôlée (AOC), vins délimités de qualité supérieure (AOVDQS), vins de pays et vins de table.

Appellation d'origine contrôlée (AOC)

En France, les appellations d'origine contrôlée recouvrent des régions produisant du vin conformément aux critères locaux. Il en existe plus de 430. Il faut souligner deux points importants : premièrement, ces AOC sont soumises à une réglementation régionale ; deuxièmement, il y en a de plusieurs niveaux. La réglementation vise à préserver des traditions et des qualités locales, afin de mettre en valeur l'originalité de chaque village et de chaque terroir.

Cette réglementation a été établie, et modifiée, avec l'accord des producteurs et négociants de chaque région, aussi reflète-t-elle les usages du pays. Dans le Bordelais, c'est généralement le château qui constitue l'unité vinicole. Ce concept, quelquefois mythique et élastique, est traité p. 284, mais il ne s'agit en aucun cas d'une aire délimitée. En Bourgogne et ailleurs, au contraire, le vignoble prime sur le ou les propriétaires.

La réglementation diffère donc dans ces deux régions. Dans le Bordelais, des AOC relativement larges recouvrent une commune entière, ou même, dans le cas de l'AOC Margaux, jusqu'à cinq communes. Les vignobles spécifiques ne sont pas notés, bien que tout le monde sache que certains sont meilleurs que d'autres. À l'exception des terres manifestement inappropriées comme les basses prairies, l'AOC se contente de définir l'appellation générique, comme Margaux ou Saint-Julien.

À l'intérieur de ces districts, une deuxième division distingue les châteaux (dont la hiérarchie, en Médoc, remonte à 1855), les villages et les

Crus bourgeois. Mais cela n'est nullement du ressort de l'AOC. L'étiquette de Château Margaux comme celle du vin le plus modeste portent toutes deux la même mention « Appellation Margaux Contrôlée ».

En Bourgogne, une commune telle que Gevrey-Chambertin, d'une taille comparable à celle d'un village du Médoc, aura sa propre AOC, mais sera en plus subdivisée en une douzaine de vignobles clairement dénommés. Certaines étiquettes porteront l'AOC Gevrey-Chambertin, d'autres, l'AOC Gevrey-Chambertin Premier Cru, et quelques-unes porteront leur propre AOC ainsi que l'appellation Grand Cru. En revanche, quelques vignobles périphériques n'auront pas été jugés dignes de l'appellation Gevrey et n'auront droit qu'à l'AOC Bourgogne.

On trouve des exemples plus simples de ces divers niveaux de classification dans beaucoup d'autres régions. Dans le Rhône, l'AOC plus large de Côtes-du-Rhône est parsemée de communes censées produire un meilleur vin et autorisées à utiliser l'AOC Côtes-du-Rhône-Villages. Quelques-unes ont obtenu la distinction supplémentaire qui consiste à rajouter leur propre nom derrière cette dénomination de Côtes-du-Rhône-Villages. Le niveau supérieur échappe complètement à l'AOC Côtes-du-Rhône et porte son seul nom, comme l'AOC Châteauneuf-du-Pape, l'AOC Vacqueyras ou l'AOC Gigondas.

LA RÉGLEMENTATION DES AOC. Une fois qu'une AOC a été définie – ses frontières délimitées, et toute terre inappropriée exclue –, d'autres règles interviennent qui définissent les cépages pouvant être cultivés, la production maximale, le degré d'alcool minimal, et parfois maximal. Les cépages sont ceux qui existaient dans la région au moment où l'appellation a été définie : c'est tantôt une culture en monocépage, tantôt une culture de toute une gamme de cépages. Les rouges de Cornas doivent être issus à 100 % de Syrah, alors que plus bas dans la vallée, à Châteauneuf, on peut cultiver jusqu'à treize cépages.

Les restrictions quantitatives sont les plus discutées. Chaque AOC a défini un rendement maximum, exprimé en hectolitres de vin par hectare de vignoble (hl/ha). Une petite AOC de prestige aura droit à une production moindre qu'une AOC plus large. Le maximum peut être dépassé si l'AOC l'autorise, selon la vendange. Et ce rendement annuel peut parfois se situer au-dessous du maximum autorisé. Par contre, un producteur peut solliciter l'autorisation de produire jusqu'à 20 % de plus, à condition de soumettre son vin à une commission de dégustation (pour être labélisé), et il ne peut, comme autrefois, vendre son excédent de production comme vin de table ; il doit l'envoyer à une distillerie ou à une vinaigrerie.

On constate ainsi que le rendement maximal correspondant normalement à une AOC peut être largement

LA PROTECTION DES APPELLATIONS

Le système des AOC est contrôlé et régi par l'INAO, qui s'acquitte de sa tâche avec la plus grande rigueur. Celui-ci mène « un combat dans le monde entier afin de protéger les appellations d'origine de toute menace extérieure ». Par menace, on entend, entre autres, l'utilisation abusive du nom d'un vin – ce peut être, par exemple, le nom Champagne appliqué à un Mousseux, aussi bien qu'à toutes sortes de produits comme une moutarde ou un parfum. Les responsables des Commissions européennes soutiennent l'INAO dans cette protection des appellations et ont négocié avec certains pays comme l'Australie, afin d'établir une reconnaissance mutuelle de leurs appellations.

De leur côté, certaines appellations travaillent à protéger leur nom. L'industrie du Champagne est particulièrement active dans ce domaine, grâce au Comité Interprofessionnel du Vin de Champagne (CIVC), qui a engagé des poursuites judiciaires dans plusieurs pays pour protéger le nom de son vin. D'autres régions se sont dotées d'organismes similaires.

dépassé, avec la permission officielle de l'Institut national des appellations d'origine (INAO).

Dans certaines régions, les méthodes de production font partie de l'AOC. En Champagne, par exemple, une réglementation précise définit les processus de pressurage des raisins et d'élevage des vins.

Les lois d'AOC régissent également le nombre de pieds de vigne plantés par hectare, l'amendement des sols, l'utilisation d'engrais, les techniques de taille, la chaptalisation, la liste des produits autorisés dans les vinifications, le traitement des vins, ainsi que les mouvements. C'est ce dernier point que les autorités ont le plus de mal à contrôler. Chaque quantité produite est enregistrée, et on vérifie qu'elle correspond bien à la taille du vignoble dont elle est issue. Mais, une fois que le vin quitte le lieu de production, les quantités sont beaucoup plus difficiles à vérifier.

Les vins délimités de qualité supérieure

L'appellation d'origine vin délimité de qualité supérieure (AOVDQS, anciennement VDQS) concerne des régions vinicoles jugées moins prestigieuses que les AOC. La réglementation est la même, mais les zones sont délimitées en fonction des frontières des communes, avec moins de précision que les AOC. Les AOVDQS représentent aujourd'hui environ 1 % de la production française de vin et 10 à 15 % de celle des vins d'appellation d'origine contrôlée.

Vins de pays

Ces vins, qui représentent environ 15 % de la production française, constituent une catégorie spéciale de vins de table, plus proche des vins d'AOC. Ils sont issus de lieux spécifiques et élaborés selon des règles très strictes. Leur nombre, en augmentation rapide, correspond bien à la philosophie de diversité qui sous-tend, côté officiel, les classifications françaises : il n'existe pas de pyramide de qualité absolue, mais plutôt des réglementations séparées et parallèles. Ce système des vins de pays a l'avantage de permettre aux viticulteurs d'utiliser des cépages interdits par l'AOC, parce qu'ils ne sont pas traditionnels dans la région. Dans de nombreuses parties du pays, les zones d'AOC et celles des vins de pays se superposent, et ces dernières permettent des innovations. Ainsi, les Chardonnays ne font pas partie de la liste AOC du Muscadet. Mais la zone vin de pays de la vallée de la Loire (Jardin de la France) autorise la culture de plusieurs cépages non traditionnels à la région. Ainsi, un vigneron élevant du Muscadet peut utiliser quelques parcelles de son vignoble pour faire des essais avec du Chardonnay et vendre ce vin sous l'étiquette de vin de pays. Des expériences similaires ont introduit le Cabernet-Sauvignon et le Merlot dans le Midi ; le Viognier, raisin réputé du Rhône septentrional, s'est étendu plus au sud ; et le Chardonnay, originaire de Bourgogne, est omniprésent dans tous les vignobles de France, jusqu'en Corse. D'autre part, les vins de pays peuvent permettre l'utilisation de cépages dont l'AOC juge la qualité insuffisante.

Il existe trois sortes de vins de pays : régionaux, départementaux et locaux.

LES VINS DE PAYS RÉGIONAUX sont issus des surfaces les plus largement délimitées ; il en existe quatre : les vins du Pays d'Oc, du Jardin de la France, du Comté Tolosan et des Comtés Rhodaniens. Ils proviennent donc du Midi, de la partie méridionale du Rhône et de Provence ; de la vallée de la Loire ; du Sud-Ouest, du nord du Rhône et de Savoie.

LES VINS DE PAYS DÉPARTEMENTAUX proviennent d'à peu près tous les départements français producteurs de vin, depuis la Meuse, au nord-est, jusqu'aux Pyrénées-Atlantiques, au sud-ouest.

LES VINS DE PAYS LOCAUX, délimités par une « zone » locale, recouvrent des territoires plus réduits, dont la taille varie. Ils portent souvent des noms de vallées ou de sites. Ces vins locaux se trouvent essentiellement dans le Midi, où ils ont souvent contribué à faire revivre des vignobles ruinés par la croissance des régions de forte production sur les plaines côtières. Dans d'autres cas, ils font reconnaître un petit vignoble perdu au cœur de la France, ou permettent aux vignerons des AOC d'élaborer de nouveaux styles de vin. Les vins de pays autorisent les producteurs à écouler leur vin comme

vin de table, dont une partie seulement sera déclarée vin de pays. Dans la plupart des endroits, le producteur a le choix entre trois noms : celui de la zone, et, si celui-ci ne convient pas en raison de la réglementation ou parce qu'il est inconnu, celui du département et celui de la région. Un vin de Pays d'Oc peut ainsi provenir de l'Aude (et il pourrait d'ailleurs porter cette appellation), ou d'une zone spécifique de l'Aude – Coteaux de Narbonne, Val de Dagne, etc.

De plus, la réglementation plus souple des vins de pays permet l'assemblage. Un négociant peut acheter toute une série de cépages ou de vins du Midi et utiliser l'appellation Vin de Pays d'Oc.

La réglementation

Chaque région possède une liste des cépages autorisés, choisis, dans le cas d'une zone, parmi ceux de la liste départementale. Dans certains cas, la quantité maximale et minimale de certains cépages est définie : un minimum de 10 ou 20 % de cépages «classiques» est parfois stipulé, afin d'ajouter parfum et élégance à des cépages plus neutres.

Les rendements sont contrôlés, bien que leurs niveaux soient assez élevés : la norme est de 80 hl/ha pour les vins de pays de zones délimitées, mais elle peut être de 70 hl/ha seulement. Pour les vins de pays départementaux, elle peut être de 90 hl/ha – deux fois le rendement des meilleures AOC.

Des normes très strictes régissent le taux minimal d'alcool naturel, la teneur en acidité volatile et en dioxyde de soufre. Un échantillon de chaque cuve est analysé. Une commission de dégustation goûte ensuite chaque vin avant de lui accorder l'appellation vin de pays. La réglementation de l'étiquetage interdit l'utilisation des mots «Château» ou «Clos», réservés aux AOC, mais «Domaine» est autorisé. Contrairement à la plupart des AOC, les vins de pays peuvent mentionner le cépage, qui figure parfois en gros caractères sur l'étiquette.

Les vins de certaines régions ont déjà été promus ou reclassés AOVDQS et AOC. Ce qui veut dire qu'un certain style a été défini et que le vin peut alors être soumis à la réglementation plus rigide des appellations de rang supérieur. D'autres vins de pays disparaîtront sans doute d'eux-mêmes.

Les vins de table

Une proportion de 55 % du vignoble français produit du vin de table, catégorie sous laquelle se classent également les vins de pays. La plupart de ces vins de table sont rouges et proviennent des régions du Midi, de Provence et de Corse. Sur leurs étiquettes ne figurent ni l'indication des régions d'origine ni le cru, mais seulement le nom du pays, France. Généralement mélangés, les vins de table sont vendus sous des noms de marque.

Les spécialités

La France regorge de spécialités. De nombreuses AOC produisent du vin effervescent, pétillant ou mousseux, en même temps que du vin tranquille ; d'autres régions se spécialisent dans les vins doux.

LES CRÉMANTS ET LES VINS EFFERVESCENTS. De nombreux vins effervescents sont produits en France suivant les normes d'une appellation contrôlée, par exemple le Champagne ainsi que les divers Crémants de Bourgogne, d'Alsace et de la Loire, etc.

Les autres vins mousseux, produits selon les méthodes « industrielles », ne sont pas régis par les normes de l'AOC. Les cépages utilisés peuvent provenir de n'importe quelle région de France ou même d'un autre pays de l'Union européenne. Ils portent un nom de marque et la dénomination Vin Mousseux.

LES VINS DOUX NATURELS (VDN). L'élaboration de ces vins permet de garder une partie des sucres naturels du raisin en ajoutant de l'alcool au cours de la fermentation. Ces vins doux, produits selon des méthodes traditionnelles dans le Languedoc, le Roussillon et la vallée du Rhône, sont essentiellement consommés en France. Il en existe plusieurs types, dont l'un des plus réputés est le Muscat de Beaumes-de-Venise (voir p. 449), et toute une variété d'appellations situées le long de la côte méditerranéenne (voir p. 484).

LES MISTELLES ET LES VINS DE LIQUEUR. Plusieurs régions de France ajoutent du jus de raisin non fermenté à l'eau-de-vie locale, ce qui donne des mistelles. Il ne s'agit pas de vins. Le Pineau des Charentes de la région de Cognac, par exemple, contient un quart de cognac et trois quarts de jus de raisin, provenant du même domaine. Cette boisson sucrée est généralement pâle ou ambrée, parfois rosée. Son élaboration est réglementée par une AOC. De même que le Floc de Gascogne et le Macvin du Jura, les autres mistelles se trouvent généralement sous de vieilles désignations – ainsi le Ratafia en Champagne – et ne répondent pas à une réglementation en AOC, mais à la catégorie fiscale des vins de liqueur, dont font partie le Porto, le Xérès et l'ensemble des vins mutés d'importation.

Le commerce du vin en France

Il y a plus d'un demi-million de viticulteurs en France, et environ 100 000 d'entre eux se conforment à une réglementation AOC. Ils ne produisent pas tous du vin : certains vendent leur raisin à des négociants, d'autres à une coopérative locale.

Les producteurs ne vendent pas toujours sous leur propre nom : ils préfèrent parfois céder leur production en vrac à un négociant qui l'assemble à d'autres vins et la met en bouteilles sous un nom de marque.

LES COOPÉRATIVES. Celles-ci offrent un service aux viticulteurs qui possèdent peu de terres et sont dépourvus d'équipement. Les unes ont maintenu les normes en vigueur il y a une trentaine d'années ; les autres ont investi dans un équipement moderne. Les meilleures rémunèrent les viticulteurs en fonction de la qualité des raisins qu'ils leur livrent, et encouragent la plantation de cépages nobles. En outre, les coopératives assurent la commercialisation de l'ensemble de leur production, soit en livrant en vrac à des négociants, soit en commercialisant elles-mêmes le vin en bouteilles. Elles produisent généralement des vins d'un bon rapport qualité/prix.

LES NÉGOCIANTS. Leur rôle est d'acheter des vins mis en bouteilles à la propriété (qui seront revendus tels quels), ou d'acheter des vins en vrac afin d'élaborer des assemblages pour les élever, les embouteiller et les commercialiser sous leurs marques. La plus grande partie du vin français passe par le négoce à un moment ou à un autre, exception faite du vin vendu directement par des coopératives ou par des producteurs de caves particulières.

LE VOCABULAIRE DU VIN FRANÇAIS

Les termes concernant la dégustation sont définis dans le vocabulaire de la dégustation (voir p. 152), ceux qui ont trait à la production et à la description sont définis dans le glossaire (voir p. 908). Pour comprendre les étiquettes, il est possible de se reporter p. 102.

Voici certains termes particuliers que l'on peut trouver sur les étiquettes ou les catalogues de vin :

Millésime : année de production.

Mise en bouteilles au château/domaine : mise en bouteilles sur le lieu de production. Il peut s'agir aussi d'une cave coopérative.

Mise en bouteilles dans nos caves : il s'agit généralement des caves d'un négociant.

Négociant : acheteur qui revend aux grossistes et aux grandes surfaces ou aux importateurs étrangers.

Négociant-éleveur : achète le vin, l'assemble, l'élève dans ses caves et le met en bouteilles.

Négociant-embouteilleur : procède à la mise en bouteilles et gère des stocks.

Vignoble : il peut s'agir d'une seule parcelle de terrain ou de toute une région qui est alors subdivisée, en zones.

Propriétaire-récoltant : propriétaire d'un vignoble, qui produit également son vin.

Vigneron : il peut aussi bien s'agir d'un ouvrier que d'un viticulteur-propriétaire.

BORDEAUX

Cartes pages VIII, IX, X et XI

Quittez la ville de Bordeaux, prenez n'importe quelle direction et vous vous retrouvez au milieu de vignes. Chaque château, chaque cru, chaque appellation possédant une personnalité et une originalité uniques, un amateur pourra passer sa vie entière à les explorer. Rive gauche, les appellations de Pessac-Léognan et de Graves réussissent aussi bien les rouges que les blancs secs, alliant générosité et rigueur. Au centre des Graves, Sauternes et Barsac conservent les humeurs liquoreuses du Sémillon et du Sauvignon en s'adonnant au rite de la pourriture noble, née de la magie des automnes brumeux. Plus au nord, dans le Médoc, se pratique la religion Cabernet, cépage indocile qui exige du soleil pour arriver à maturité et du temps pour se révéler. De Margaux à Saint-Estèphe en passant par Saint-Julien et Pauillac, le Médoc propose quelques-uns des plus grands vins du monde qui expriment l'élégance et la race. Rive droite, passé la Dordogne et en remontant vers le nord, le Libournais impose la vérité du Merlot, cépage opulent et chatoyant. À Pomerol et à Saint-Émilion, les vins jouent la séduction en délivrant des arômes de fruits rouges et noirs, de la souplesse, de la rondeur et de la gourmandise.

Les régions et les styles de vin

Un regard sur la carte (voir p. VIII) permet de visualiser le partage du vignoble bordelais en deux régions séparées par la Garonne et l'estuaire de la Gironde : la rive gauche, avec Bordeaux pour capitale, et la rive droite, avec le port de Libourne pour ville principale. Les différences géographiques de ces deux régions se retrouvent dans le style des vins rouges, par exemple, car, si le cépage Cabernet-Sauvignon domine sur la rive gauche, la rive droite est le fief du Merlot. D'autres différences sont liées à l'histoire : tandis que les grands vignobles du Médoc et des Graves tiraient parti de l'activité du grand port de Bordeaux pour commercialiser leurs vins dans le monde entier, les propriétés de taille plus modeste de Saint-Émilion et de Pomerol, sur la rive droite, devaient se contenter du petit port de Libourne, dont l'exportation n'était pas l'activité première.

Certains Grands Crus de Pessac-Léognan et de Graves produisent

aussi de superbes vins blancs secs, bien que cette catégorie reste l'apanage du vaste vignoble d'Entre-deux-Mers, entre la Garonne et la Dordogne. Au sud-est de la région, les vins liquoreux se partagent le vignoble de part et d'autre de la Garonne, avec les fameux crus de Sauternes et de Barsac, rive gauche, et des appellations moins connues comme celles de Sainte-Croix-du-Mont et de Loupiac, rive droite.

Une forte production

Si Bordeaux est l'un des plus grands vignobles pour la qualité de ses vins, il l'est également pour la quantité de sa production. Avec 115 000 ha, le vignoble bordelais est plus étendu que celui de l'Allemagne et quatre fois plus vaste que celui de la vallée californienne de Napa. En outre, les années 1980 ont été marquées par une forte progression des rendements, qui dépassent régulièrement les 5,5 millions d'hectolitres (soit 660 millions de bouteilles). Et il ne s'agit presque exclusivement que de vin d'appellation contrôlée. Depuis 1970, la majorité de la production ne concerne plus le vin blanc mais le rouge, qui représente aujourd'hui plus de quatre bouteilles de Bordeaux sur cinq.

Les châteaux de Bordeaux

Le concept de château est issu du Bordelais. Le terme pourrait laisser entendre qu'à chaque vin portant l'étiquette d'un château correspond une superbe bâtisse avec des douves et des tours, mais il n'en est rien. Ces vieux châteaux existent, mais ils sont rares (la législation en la matière n'est pas strictement appliquée). En fait, il s'agit le plus souvent de fermes vouées exclusivement à la viticulture, et rares sont celles qui disposent d'une maison de maître, ou d'un véritable château.

Le château de Bordeaux est une entité de vignoble aux mains d'un seul propriétaire cultivant sa vigne et élaborant son vin. La taille de l'exploitation peut varier entre 150 ha (comme dans le Médoc) et quelques hectares seulement (comme à Pomerol), et le vignoble être d'un seul tenant ou constitué de parcelles disséminées sur la même commune. Cette originalité a donné naissance à la notion de cru, terme lié au terroir d'origine, à son environnement et à l'homme qui l'exploite. Certains châteaux ont une dimension et une réputation qui leur permettent de vinifier leurs raisins sur place, d'élever leurs vins et de les mettre en bouteilles « au château ». D'autres se contentent de vendre leur production en vrac ou même de livrer leur raisin à la cave coopérative locale.

Les vinifications

L'élaboration d'un vin de Bordeaux fait appel aux règles classiques de vinification (voir p. 240-249). Mais, si

LES APPELLATIONS ET LES ÉTIQUETTES

Le Bordelais est divisé en 57 appellations d'origine contrôlée. La totalité des vignobles du département de la Gironde bénéficie de l'AOC Bordeaux tandis que l'AOC Bordeaux Supérieur couvre la même zone, mais applique des conditions de production plus strictes.

On distingue trois groupes à l'intérieur de cette zone : à l'ouest, sur la rive gauche de la Garonne et de la Gironde, se succèdent les AOC Sauternes, Barsac, Graves, Pessac-Léognan et Médoc ; à l'est, sur la rive droite de la Dordogne et de la Gironde, on trouve le Libournais (AOC Saint-Émilion, Pomerol, Fronsac), Bourgeais et Blayais ; entre les vallées de la Garonne et de la Dordogne s'étend l'AOC Entre-deux-Mers. Le vignoble du Médoc se divise lui-même en AOC Médoc, avec une partie en AOC Haut-Médoc, et les prestigieuses appellations communales de Saint-Estèphe, Saint-Julien, Pauillac, Margaux, Moulis et Listrac.

Les vins de Bordeaux sont le plus souvent des vins de crus dont l'étiquette porte le nom d'un château, mais leur statut reste celui de l'appellation dont ils proviennent : Château Lafite est un AOC Pauillac et Château Pavie est un AOC Saint-Émilion.

Les classifications officielles sont détaillées p. 288-289 et p. 294-295 pour le Médoc, p. 309 pour les Pessac-Léognan, p. 317 pour les Sauternes, p. 328-329 pour le Saint-Émilion.

les grands principes sont simples, les pratiques d'assemblage et d'élevage en barriques offrent des options beaucoup plus complexes à maîtriser. L'assemblage consiste à marier différentes cuves issues de parcelles différentes, donc de cépages différents, de vignes plus ou moins vieilles, récoltées plus ou moins tôt, ou tard. L'assemblage est un art difficile qui consiste à obtenir le meilleur équilibre et la meilleure expression du terroir en fonction de la qualité du millésime. Une partie de ce qui n'est pas retenu dans l'assemblage du « grand vin » est assemblée dans un « second vin », et le solde, à savoir les cuves qui n'ont pas été retenues dans les deux premiers choix (comme celles issues des plus jeunes vignes), est vendu en vrac au négoce comme vin d'appellation générique. Cette pratique de l'assemblage permet donc à un château de diffuser, sous son étiquette, le vin que son propriétaire considère comme le meilleur, quelle que soit la qualité du millésime.

L'élevage est une autre composante de la qualité d'un Grand Cru. La pratique du stockage en barriques de bois de chêne était autrefois la seule possible pour la garde et le transport des vins. À cette vocation première se sont ajoutées d'autres vertus constatées par des générations de vinificateurs : pour que le vin se bonifie en barrique, il doit être assez puissant et concentré, et la barrique neuve ou récente, le bois neuf conférant un certain caractère au vin (voir p. 256). Le choix de la proportion de barriques neuves pour une vendange donnée est donc une composante essentielle des qualités d'un cru, et seuls les plus Grands Crus de Bordeaux utilisent systématiquement, année après année, 100 % de barriques neuves. Les petits châteaux qui élaborent des vins moins concentrés et font l'expérience du bois neuf se retrouvent parfois avec des vins dominés par des notes boisées qui masquent un peu trop les arômes naturels du raisin.

Tous les vins rouges de Bordeaux sont vinifiés selon les mêmes techniques et à partir des mêmes cépages, mais, malgré leurs points communs, ils se distinguent par des styles très divers. Le pourcentage des cépages d'une propriété est l'un des principaux facteurs de ces différences : lorsque l'assemblage comporte plus de Merlot que de Cabernet-Sauvignon, les vins sont plus amples, plus ronds et plus doux et évoluent plus vite que dans la proportion inverse.

Quant aux rendements des vignes, ils sont tout aussi déterminants pour la concentration des vins et leur caractère. Le terroir d'origine, lui aussi, a son importance puisqu'il marque la nature de chaque appellation d'un certain style, décrit dans les chapitres qui suivent. La qualité du terroir, le mode de culture, le choix de la date des vendanges, le tri rigoureux des raisins avant leur entrée dans les chais, la conduite des vinifications, la sélection des cuves, les assemblages et l'élevage en barriques sont donc autant de facteurs de différences d'un cru à l'autre pour un même millésime.

La vigne occupe les meilleurs terroirs de Bordeaux depuis des siècles, et les cépages ont été progressivement sélectionnés pour leurs performances locales. Les Grands Crus ne sont pas le fruit du hasard : leur qualité, leur classification et leur prix sont justifiés par leur histoire et celle de leurs vins.

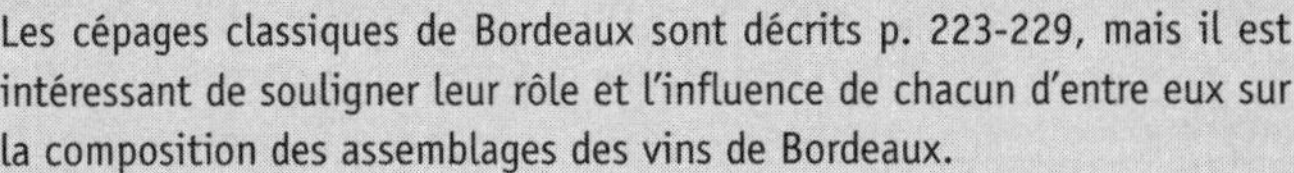

LES CÉPAGES

Les cépages classiques de Bordeaux sont décrits p. 223-229, mais il est intéressant de souligner leur rôle et l'influence de chacun d'entre eux sur la composition des assemblages des vins de Bordeaux.

VINS ROUGES

Cabernet-Sauvignon. C'est un cépage dominant du Médoc, en particulier dans les Crus classés (AOC Pauillac, Saint-Julien, Saint-Estèphe et Margaux), où il peut représenter plus de 80 % dans la cuvée finale du grand vin. Son caractère est tout autant prisé dans les AOC Graves rouges, mais les sols calcaires de Saint-Émilion lui conviennent moins bien. Les vins marqués par le Cabernet-Sauvignon sont des vins de garde, assez tanniques dans leur jeunesse, développant une élégance inégalée avec l'âge.

Cabernet Franc. C'est un cépage très utilisé en association avec le Merlot à Saint-Émilion. Moins tannique que le Cabernet-Sauvignon, il participe dans une moindre mesure aux assemblages des Médocs et des Graves et de la plupart des vins de Bordeaux.

Merlot. Cépage-clé des vins de Pomerol et dominant dans de très nombreux vins de Saint-Émilion, le Merlot est un cépage secondaire essentiel aux vins du Médoc et des Graves, où, en complément du Cabernet-Sauvignon, sa souplesse et son intensité aromatique lui font jouer un rôle déterminant.

Malbec. Apprécié pour son mûrissement précoce et ses notes fruitées, il contribue utilement aux assemblages, surtout pour la profondeur et l'intensité de sa couleur. C'est aujourd'hui un cépage mineur.

Petit Verdot. Ce cépage tardif atteint rarement sa pleine maturité. Il est très apprécié dans les assemblages pour son apport en acidité dans les années mûres.

VINS BLANCS

Sémillon. C'est le cépage de base des vins blancs secs et des plus grands Sauternes. Attaqué par la pourriture noble (voir p. 315), son jus concentré donne naissance aux plus grands nectars liquoreux. En version blanc sec, il est le plus souvent assemblé au Sauvignon.

Sauvignon. Cépage de plus en plus important pour les crus de Graves blancs et les AOC de l'Entre-deux-Mers grâce à ses expressions aromatiques, le Sauvignon existe aussi en Sauternais comme cépage secondaire.

Muscadelle. Cépage très aromatique mais fragile, il est très apprécié dans les assemblages lorsqu'il parvient à maturité.

LE CLASSEMENT DE 1855

Le classement de 1855 est resté inchangé jusqu'à nos jours (exception faite de Château Mouton-Rothschild, promu de deuxième à Premier Cru en 1973). À part Château Haut-Brion, Premier Cru situé dans le Pessac-Léognan, il ne concerne que les vins rouges du Médoc. Cette échelle des crus – classés par ordre de mérite de premier (pour les meilleurs) à cinquième – a été établie lors de l'Exposition universelle de 1855 en fonction de la moyenne des prix des vins au cours du siècle précédent. Depuis cette date, certains châteaux ont été divisés, d'autres agrandis, mais le classement est resté : cela signifie que la hiérarchie des terroirs d'origine était juste et que la défense des privilèges des mieux classés a des arguments pour contrer la critique.

PREMIERS CRUS
- Ch. Lafite-Rothschild, Pauillac
- Ch. Latour, Pauillac
- Ch. Margaux, Margaux
- Ch. Haut-Brion, Pessac-Léognan
- Ch. Mouton-Rothschild, Pauillac

DEUXIÈMES CRUS
- Ch. Rauzan-Ségla, Margaux
- Ch. Rauzan-Gassies, Margaux
- Ch. Léoville-Las-Cases, St-Julien
- Ch. Léoville-Poyferré, St-Julien
- Ch. Léoville-Barton, St-Julien
- Ch. Durfort-Vivens, Margaux
- Ch. Lascombes, Margaux
- Ch. Gruaud-Larose, St-Julien
- Ch. Brane-Cantenac, Cantenac-Margaux
- Ch. Pichon-Longueville, Pauillac
- Ch. Pichon-Longueville Comtesse de Lalande, Pauillac
- Ch. Ducru-Beaucaillou, St-Julien
- Ch. Cos d'Estournel, St-Estèphe
- Ch. Montrose, St-Estèphe

TROISIÈMES CRUS
- Ch. Giscours, Labarde-Margaux
- Ch. Kirwan, Cantenac-Margaux

Les prix élevés ont permis de poursuivre les investissements nécessaires à l'élaboration de grands vins, dont les plus concentrés, de grande garde, sont le plus souvent à la hauteur de leurs promesses. On a rarement la bonne surprise de voir un petit château s'élever au rang des grands, et les sacrifices les plus douloureux ne sont guère récompensés, car le terroir reste maître de la qualité.

Au lendemain des années 1970, les nouvelles techniques ont changé les vinifications en blanc, à Bordeaux comme partout ailleurs. La qualité des pressoirs et les cuves en acier inoxydable, qui permettent une meilleure maîtrise des températures de fermentation, ont été les moteurs d'une véritable révolution des vins blancs : le Sauvignon et le Sémillon se montraient enfin sous un jour

- Ch. d'Issan, Cantenac-Margaux
- Ch. Lagrange, St-Julien
- Ch. Langoa-Barton, St-Julien
- Ch. Malescot-St-Exupéry, Margaux
- Ch. Cantenac-Brown, Cantenac-Margaux
- Ch. Palmer, Cantenac-Margaux
- Ch. La Lagune, Ludon
- Ch. Desmirail, Margaux
- Ch. Calon-Ségur, St-Estèphe
- Ch. Ferrière, Margaux
- Ch. Marquis d'Alesme-Becker, Margaux
- Ch. Boyd-Cantenac, Cantenac-Margaux

QUATRIÈMES CRUS
- Ch. St-Pierre, St-Julien
- Ch. Branaire-Ducru, St-Julien
- Ch. Talbot, St-Julien
- Ch. Duhart-Milon, Pauillac
- Ch. Pouget, Cantenac-Margaux
- Ch. La Tour-Carnet, St-Laurent
- Ch. Lafon-Rochet, St-Estèphe
- Ch. Beychevelle, St-Julien
- Ch. Prieuré-Lichine, Cantenac-Margaux
- Ch. Marquis de Terme, Margaux

CINQUIÈMES CRUS
- Ch. Pontet-Canet, Pauillac
- Ch. Batailley, Pauillac
- Ch. Grand-Puy-Lacoste, Pauillac
- Ch. Grand-Puy-Ducasse, Pauillac
- Ch. Haut-Batailley, Pauillac
- Ch. Lynch-Bages, Pauillac
- Ch. Lynch-Moussas, Pauillac
- Ch. Dauzac, Labarde-Margaux
- Ch. d'Armailhac (ex-Mouton-Baron-Philippe), Pauillac
- Ch. du Tertre, Arsac-Margaux
- Ch. Haut-Bages-Libéral, Pauillac
- Ch. Pédesclaux, Pauillac
- Ch. Belgrave, St-Laurent
- Ch. de Camensac, St-Laurent
- Ch. Cos Labory, St-Estèphe
- Ch. Clerc-Milon, Pauillac
- Ch. Croizet-Bages, Pauillac
- Ch. Cantemerle, Macau

meilleur, avec de belles notes fruitées et des vins équilibrés agréables à boire. À cela s'est ajouté parfois un élevage en barriques neuves. Ces changements récents ont permis aux meilleurs crus de Pessac-Léognan de s'élever au rang des grands vins blancs et au vignoble d'Entre-deux-Mers de vendre des blancs très bien faits, désormais d'un excellent rapport qualité/prix.

Les méthodes de vinification sont décrites p. 307 pour les vins blancs secs et p. 315 pour les vins liquoreux.

Les millésimes et le vieillissement

Bordeaux est la seule ville du monde dont les conditions météorologiques se répandent comme une traînée de poudre dans le monde entier, au

FRANCE

point qu'un millésime qui sera bon à Bordeaux sera souvent jugé bon partout (ce qui est rarement vrai).

L'influence de l'océan Atlantique, à l'ouest, donne au vignoble bordelais un climat de type océanique (voir les facteurs de qualité p. 296 et 330). Les dangers sont les gels d'hiver, qui peuvent anéantir une partie du vignoble (comme en 1956), les gelées printanières, les coups de froid au moment de la floraison, la grêle, les étés trop humides et les pluies au moment des vendanges.

Les variations climatiques donnent d'une année sur l'autre des millésimes très différents. Ces disparités ayant été gommées par une succession exceptionnelle de bons millésimes dans les années 1980 (1981, 1982, 1983, 1985, 1986, 1988 et 1989), on aurait pu croire que la nature du climat avait changé. Mais, si la décennie suivante a bien commencé (avec un excellent 1990), 1991 a rappelé au monde du vin que la nature était capricieuse, en cumulant gel de printemps et fin d'été pluvieuse. 1992 n'a pas été gâtée par la nature, et 1993 et 1994 auraient été des années exceptionnelles sans les pluies de septembre. 1995 et 1996, d'une qualité supérieure à la moyenne, ont « dopé » le marché, trop optimiste pour le faible 1997. En 1998, les Merlots ont surclassé les Cabernets, et 1999 souffre d'irrégularités. Même si les progrès des technologies de vinification permettent de sauver l'honneur, la qualité d'un millésime reste imprévisible à Bordeaux, et les millésimes des années à venir resteront toujours à la merci des conditions climatiques.

Les meilleurs millésimes de certains Grands Crus de Bordeaux rouges peuvent vieillir pendant 10, 20, voire 30 ans ou plus. Certaines grandes bouteilles du XIXe siècle sont quelquefois ouvertes avec recueillement et dégustées en silence : le vin peut être miraculeusement bon. Mais ces moments privilégiés ne sauraient faire oublier que la vaste majorité des crus de Bordeaux n'a pas la même longévité, d'autant que les vinifications actuelles privilégient les caractères fruités sur les caractères tanniques des vins de garde.

En revanche, certains petits châteaux de Saint-Émilion ou du Médoc peuvent atteindre un caractère complexe après trois, quatre ou cinq ans de bouteille, en fonction de la qualité du millésime. Les Crus classés de Pessac-Léognan, du Médoc ou de Saint-Émilion gagnent à être vieillis plus longtemps, selon le millésime. Mais seuls les meilleurs crus des meilleures appellations comme Margaux, Pauillac ou Saint-Julien peuvent supporter des décennies de vieillissement.

En général, mais ce jugement mérite quelques exceptions, les vins rouges de la rive gauche (Médoc et Graves) ont un potentiel de vieillissement plus grand que ceux de la rive droite (Saint-Émilion et Pomerol). Les caractères des millésimes sont également à considérer : les 1975 et 1976, portés au pinacle des millésimes du siècle au moment de leur naissance, ont évolué très différemment, les 1976 dépassant leur apogée après 15 ans, tandis que les 1975, durs et austères, sont restés fermés pendant très longtemps, certains pouvant ne jamais s'ouvrir.

Les classements

Les vins de Bordeaux en général, et ceux du Médoc en particulier, vivent en compétition au sein d'une hiérarchie bien établie. Les grands châteaux font l'objet d'un intérêt mondial, et les amateurs ont toujours éprouvé le besoin d'être guidés par une échelle de valeurs fournissant des indications claires sur la qualité d'un cru et son prix.

La première classification officielle de 1855 (voir encadré p. 288-299) résulte de quelques décennies de commerce : en effet, les courtiers de place se référaient, dans leurs échanges, aux « Premiers », « Deuxièmes », « Troisièmes », « Quatrièmes » et « Cinquièmes Crus ». Le reste du vignoble bordelais est régi par des classements plus récents, qui n'ont pas le même recul historique et n'obéissent pas à des critères d'analyse identiques (voir pages suivantes).

Tout classement dans la hiérarchie des crus implique que chaque château classé est censé ne rien changer au terroir reconnu au moment du classement. Ce principe logique laisse supposer que l'entité territoriale d'un château est immuable, ce qui, au fil des cessions et acquisitions, est rarement le cas : toute vigne acquise par un château classé peut entrer dans l'assemblage. Il n'existe à ce jour de cas de déclassement qu'à Saint-Émilion, notamment pour extension de la superficie de son vignoble.

MÉDOC

Carte page IX

Le Médoc est un peu le bout du monde, isolé du reste de la France par les eaux brunes de la Gironde et du reste du globe par l'océan Atlantique. La vigne n'y occupe qu'une mince bande qui s'étire le long de la péninsule, entre l'estuaire et la grande forêt des Landes, qui filtre la fraîcheur des brises atlantiques. Cette situation géographique privilégiée, combinée à un sous-sol unique et à des croupes graveleuses, donne naissance à de grands vins.

Les facteurs-clés constituant l'environnement du Médoc sont analysés p. 296. Les autres ingrédients de la magnificence et du succès des Grands Crus sont le choix des cépages qui se sont imposés localement et la proximité du port international de

Bordeaux. Les vins du Médoc, tout comme ceux des Graves, ont été découverts il y a fort longtemps par les amateurs d'Europe du Nord, qui s'approvisionnaient déjà à Bordeaux au temps des Romains. Les Premiers Crus du Médoc, tels Margaux, Latour ou Lafite, étaient déjà connus des importateurs de grands vins il y a trois siècles. Cet engouement a généré une demande mondiale qui perdure et encourage les propriétaires à faire les investissements et les sacrifices nécessaires à l'élaboration de grands vins.

Les châteaux

La prospérité des Grands Crus a laissé un autre héritage : les châteaux. C'est au sein du Médoc que se trouve la plus forte concentration de grands domaines viticoles du monde. Certains propriétaires n'ont pas hésité à afficher leur richesse en édifiant de superbes constructions de styles divers et controversés. S'il subsiste aujourd'hui quelques joyaux tels le Château de Lamarque, qui date du Moyen Âge, ou le Château d'Issan, construit au XVIIe siècle, la grande majorité des édifices fut construite aux XVIIIe et XIXe siècles. Mais ces monuments ne constituent qu'une facette des châteaux médocains. Plus importants sont les chais, bâtisses souvent dénuées de charme, qui abritent les équipements vinaires, les barriques et les stocks de bouteilles au niveau du sol.

Les cépages et les styles de vin

Le cépage prédominant des appellations du Médoc est le Cabernet-Sauvignon, assemblé en proportions variables avec le Merlot, le Cabernet Franc et le Petit Verdot. Sa part dans l'assemblage final d'un château est une indication du style de vin : plus elle est importante, plus le vin sera austère et plus il pourra être considéré comme un vin de garde.

Autres composantes du caractère d'un château, sa situation géographique et son statut. Les Grands Crus – classés pour la plupart en 1855 (voir p. 288) – ont adopté un encépagement plus riche en Cabernet qu'en Merlot, ainsi que des sélections et des conduites d'élevage des vins bien particulières (voir p. 283). Ils occupent les sols les mieux drainés dotés des meilleures graves.

Sur les parcelles défavorisées par un sol plus lourd, le Merlot donne des vins plus soyeux et agréables à boire plus jeunes. Ceux-ci ne restent pas très longtemps en barriques trop neuves. Les meilleures propriétés ont la volonté de garder un certain nombre de parcelles en vieilles vignes, plus avares en quantité mais donnant des raisins plus concentrés.

Les vins rouges du Médoc se distinguent des vins de Saint-Émilion et du reste de la rive droite par une droiture, une finesse et une austérité ainsi que par les arômes dominants du Cabernet-Sauvignon.

LES APPELLATIONS DU MÉDOC

Il existe une hiérarchie dans les appellations du Médoc.

AOC Médoc. Autrefois nommée Bas-Médoc en raison de sa situation plus basse, en aval de la Gironde, cette région a changé de nom à la demande des vignerons. Ici, sur une large étendue de vignes occupant les collines de graves au nord et au nord-ouest de Saint-Seurin-de-Cadourne, se trouvent de nombreux petits châteaux et quelques grandes propriétés. Une importante partie des vins sont centralisés par les coopératives locales pour être commercialisés en Médocs génériques. Pour les châteaux, voir p. 292.

AOC Haut-Médoc. Cette appellation regroupe tous les vignobles situés au sud, en amont de la Gironde, qui n'appartiennent pas aux communes de Moulis et Listrac ni aux quatre appellations prestigieuses de Saint-Estèphe, Pauillac, Saint-Julien et Margaux. Plus en retrait par rapport à l'estuaire de la Gironde, à l'exception de Saint-Seurin, Lamarque, Cussac, Ludon-Médoc et Macau, cette appellation dispose de quelques très beaux sites.

Cinq des Crus classés en 1855 (voir p. 288) et de nombreux Crus bourgeois réputés (voir p. 305) sont situés dans l'AOC Haut-Médoc.

AOC communales. Ces dernières, décrites en détail dans les chapitres qui suivent, représentent le summum dans la hiérarchie des appellations médocaines : par ordre alphabétique, il s'agit de Listrac, Margaux, Moulis, Pauillac, Saint-Estèphe et Saint-Julien.

Les autres vignobles cèdent leur production à la coopérative locale ou commercialisent leurs vins sous l'appellation Haut-Médoc ou Médoc.

Les Crus bourgeois

Le classement de 1855 (voir p. 288) demeure l'apanage de quelques dizaines de châteaux dont les vins, renommés à cette époque, continuent de l'être. La désignation de « Cru bourgeois » est plus récente, puisque la première liste date de 1932 – même si cette notion existait auparavant – et qu'elle ne recensait pas moins de 490 châteaux. En 1962, un Syndicat des Crus Bourgeois du Médoc fut fondé pour établir une nouvelle classification. Celle-ci regroupait 117 châteaux en 1978. Depuis cette date, le nombre de Crus bourgeois s'est beaucoup (trop) accru : près de 400 ! Ces dernières années la situation s'est compliquée, car, fort de précédents historiques, quelques crus des Côtes de Blaye revendiquent aussi le statut de Cru bourgeois. Un nouveau classement des Crus bourgeois pourrait voir le jour avec l'accord du ministère de l'Agriculture.

QUELQUES SECONDS VINS

« GRAND VIN » ET « SECOND VIN »

La taille et la réputation des Grands Crus du Médoc permettent d'opérer une sélection des meilleures cuvées pour le meilleur assemblage, vendu sous l'étiquette du château et appelé « grand vin » ou « premier vin ». Le solde de la production, écarté par cette première sélection, se retrouve dans un « second vin », commercialisé sous une autre étiquette. Cette pratique a toujours existé dans les plus grands châteaux du Médoc, puisque le second vin du Château Latour date de plus de deux siècles et que celui de Château Mouton s'appelait Mouton Cadet dans les années 1930 (le Mouton Cadet d'aujourd'hui est une marque commerciale d'un simple Bordeaux). Cet usage séculaire a connu un regain d'intérêt avec les dix glorieuses des années 1980 grâce aux forts rendements (ou à cause d'eux) et à une volonté confirmée de ne garder, sous l'étiquette du « grand vin », que le meilleur.

Aucune réglementation n'existe pour les « seconds vins », et leur élaboration est laissée au bon vouloir des propriétaires. Selon la qualité du millésime, l'âge des vignes de certaines parcelles, le degré de maturité des vins, mais aussi les sacrifices qu'ils sont prêts à faire, ceux-ci seront plus ou moins rigoureux dans le choix de leurs assemblages. Moins concentrés que les « grands vins », les « seconds vins » sont à boire plus rapidement.

MILLÉSIME ET QUALITÉ DU « SECOND VIN »

Un bon millésime devrait être à l'origine d'un excellent « second vin » dans la mesure où toutes les cuves mériteraient d'y être assemblées, sauf peut-être celles qui proviennent de jeunes vignes dont le rendement est souvent trop généreux. Dans un millésime difficile, où les raisins ne sont pas à pleine maturité, la sélection est plus sévère, et les cuvées qui entrent dans l'assemblage du « second vin » sont souvent plus légères. La sélection s'opère en fonction d'un certain équilibre de l'assemblage du « premier vin », et il n'est pas rare, dans des années très mûres comme 1982 ou 1986, de trouver des « seconds vins » dignes des « premiers ». Il peut exister une troisième étiquette pour certains châteaux, voire une quatrième, mais ces usages sont rares, et les cuves qui ne sont pas retenues dans un premier assemblage ni dans un second sont le plus souvent commercialisées en vins génériques d'appellation (AOC Saint-Estèphe, Saint-Julien, Pauillac ou Margaux).

Malheureusement pour l'amateur de vins, la flambée des prix des « grands vins » dans les années 1980 a entraîné à son tour une hausse des prix pour les « seconds vins » lorsque ceux-ci sont d'une excellente qualité.

QUELQUES SECONDS VINS

PREMIERS CRUS CLASSÉS
- Lafite-Rothschild : Les Carruades
- Latour : Les Forts de Latour
- Margaux : Pavillon Rouge du Château Margaux
- Mouton-Rothschild : Le Petit Mouton de Mouton-Rothschild

DEUXIÈMES CRUS CLASSÉS
- Brane-Cantenac : Baron de Brane
- Cos d'Estournel : Pagodes de Cos
- Ducru-Beaucaillou : La Croix
- Durfort-Vivens : Domaine de Cure-Bourse
- Gruaud-Larose : Sarget de Gruaud-Larose
- Lascombes : Ségonnes
- Léoville-Las-Cases : Clos du Marquis
- Léoville-Poyferré : Moulin-Riche
- Montrose : La Dame de Montrose
- Pichon Baron : Les Tourelles de Longueville
- Pichon Lalande : Réserve de la Comtesse
- Rauzan-Ségla : Ségla
- Rauzan-Gassies : Mayne de Jeannet

TROISIÈMES CRUS CLASSÉS
- Calon-Ségur : Marquis de Ségur
- Cantenac-Brown : Canuet
- Giscours : La Sirène de Giscours
- d'Issan : Blason d'Issan
- Lagrange : Fiefs de Lagrange
- La Lagune : Ludon-Pomies-Agassac
- Malescot-Saint-Exupéry : La Dame de Malescot
- Palmer : Alter Ego

QUATRIÈMES CRUS CLASSÉS
- Beychevelle : Amiral de Beychevelle
- Duhart-Milon-Rothschild : Moulin de Duhart
- Marquis-de-Terme : des Gondats
- Prieuré-Lichine : de Clairefont
- Talbot : Connétable de Talbot

CINQUIÈMES CRUS CLASSÉS
- Cantemerle : Baron Villeneuve du Château Cantemerle ou Les Allées de Cantemerle
- Dauzac : La Bastide Dauzac
- Grand-Puy-Ducasse : Artigues-Arnaud
- Grand-Puy-Lacoste : Lacoste-Borie
- Haut-Batailley : La Tour-d'Aspic
- Lynch-Bages : Haut-Bages-Avérous
- Pontet-Canet : Les Hauts-de-Pontet

CRUS BOURGEOIS
- Beau-Site : Haut-Madrac
- Caronne-Ste-Gemme : Labat
- Chasse-Spleen : Ermitage de Chasse-Spleen
- Citran : Moulin-de-Citran
- Gloria : Peymartin
- Labégorce-Zédé : Admiral
- Meyney : Prieuré-de-Meyney
- Ormes-Sorbet : Conques
- Potensac : Lassalle
- Siran : Bellegarde
- Tour-de-By : Roque de By

LES FACTEURS DE QUALITÉ

Une coupe géologique du sous-sol de la région de Pauillac montre des sédiments de graves déposés par la Gironde sur une roche de fond composée de calcaire avec des poches d'argile. Les vignobles des meilleurs crus sont situés sur les talus graveleux les plus profonds, appelés « croupes » de graves. La perméabilité de ces graves sur sous-sol calcaire permet un bon drainage.

LOCALISATION

Le vignoble de Château Latour, un Premier Cru célèbre, occupe une « croupe » de graves qui domine les « palus » de rives de l'estuaire. La pente, assez marquée, facilite le drainage. La proximité de la Gironde est un autre facteur de qualité, car elle protège contre les gels de printemps. Les vignobles des meilleurs crus sont localisés sur d'autres « croupes » dont la déclivité s'atténue vers l'ouest.

SOLS DE GRAVES

Les graves se composent de gros galets et de gravillons liés à des sédiments sablonneux. En sous-sol, une fine couche composée de sables, de fines graves et d'argile repose sur une roche compacte, formée de sédiments calcaires (comme à Margaux) ou sableux (à Mouton), ou encore argileux (à Latour). La superposition de ces strates sédimentaires donne trois propriétés favorables à la viticulture : le sol et le sous-sol offrent un environnement pauvre qui limite le rendement de la vigne ; le sous-sol perméable permet aux racines de la vigne de descendre à 4 ou 5 m de profondeur ; cette perméabilité des sols empêche aussi les eaux de pluie de stagner ou de s'accumuler.

PLUVIOMÉTRIE

Les chutes de pluie qui, souvent, s'abattent sur le Médoc sont affectées par l'influence protectrice de la ceinture forestière des Landes, au sud et à l'ouest du vignoble. Les vents d'ouest, porteurs de pluie, traversent la zone forestière, et les précipitations touchent davantage l'ouest du Médoc, avant d'atteindre le vignoble. Les vignerons préfèrent un été plutôt sec et des vendanges sans pluies, afin de favoriser la maturation des raisins.

DRAINAGE

Si les graves favorisent un bon écoulement des eaux de pluie, les cours d'eau souterrains améliorent encore ce drainage. Sous les sols de surface se trouvent aussi les vestiges du système datant de l'époque où le niveau de la Gironde était plus bas qu'aujourd'hui. Les propriétaires de châteaux n'en ont pas moins dû investir lourdement dans ce domaine.

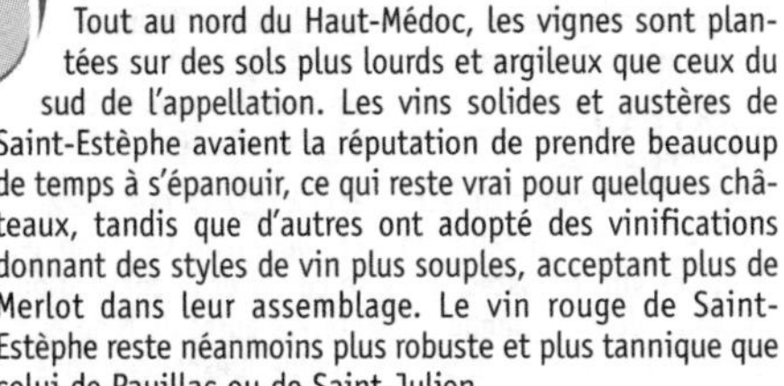

CRUS DE SAINT-ESTÈPHE

Tout au nord du Haut-Médoc, les vignes sont plantées sur des sols plus lourds et argileux que ceux du sud de l'appellation. Les vins solides et austères de Saint-Estèphe avaient la réputation de prendre beaucoup de temps à s'épanouir, ce qui reste vrai pour quelques châteaux, tandis que d'autres ont adopté des vinifications donnant des styles de vin plus souples, acceptant plus de Merlot dans leur assemblage. Le vin rouge de Saint-Estèphe reste néanmoins plus robuste et plus tannique que celui de Pauillac ou de Saint-Julien.

L'APPELLATION

Les terres de la commune se trouvent à la limite nord de celles de Pauillac.
Les châteaux du sud de l'appellation, comme Cos d'Estournel, dominent les vignobles de Lafite et de Mouton, n'en étant séparés que de quelques centaines de mètres par un fond de vallée marécageux. Par ailleurs, le même Château Lafite déborde d'une parcelle sur Saint-Estèphe.
Plus au nord, l'appellation Médoc comporte moins de croupes de graves et plus de zones de marécages sauvages. Saint-Estèphe ne dispose que de cinq crus, classés en 1855, mais il existe de nombreux Crus bourgeois d'excellent renom.

CHÂTEAU ANDRON-BLANQUET
Cru bourgeois Voisin de Cos d'Estournel, doté d'un vignoble très bien situé au sud de l'appellation, ce cru est réputé pour ses vins denses et charnus qui ont besoin de vieillir en bouteille.

CHÂTEAU BEAU-SITE
Cru bourgeois Les vignes de ce cru dominent la Gironde, facteur de qualité reconnu pour de bons vins. Ceux-ci sont bien structurés, riches et de bonne garde.

CHÂTEAU CALON-SÉGUR
3e Cru classé Situé à la sortie du village de Saint-Estèphe, Calon-Ségur est le plus septentrional des crus classés en 1855.
Ses vins ont d'excellentes qualités de garde, surtout depuis les millésimes 1995 et suivants.

CHÂTEAU CHAMBERT-MARBUZET
Cru bourgeois Ce cru produit des vins agréables et souples qui ne demandent pas des années de patience pour être consommés.

CHÂTEAU COS D'ESTOURNEL
2e Cru classé Réputé pour l'extravagance architecturale de son château de style oriental, Cos d'Estournel est surtout respecté pour la magnificence de ses vins. Le vignoble est complanté de 40 % de Merlot.
Les vinifications font appel aux dernières technologies, mais le vin reste très classique.

CHÂTEAU COS LABORY
5e Cru classé Voisin de Cos d'Estournel, Cos Labory est d'un style très différent, moins complexe et d'une maturation plus rapide.
Les récents millésimes se montrent flatteurs.

CHÂTEAU LE CROCK
Cru bourgeois Superbe château dont les vignes jouxtent celles de Montrose et de Cos d'Estournel ; ses vins restent classiques et impressionnants.

CHÂTEAU HAUT-BEAUSÉJOUR
Cru bourgeois Le vignoble est complanté majoritairement de Merlot (Cabernet-Sauvignon 40 %) et donne des vins équilibrés, fermes et typés.

CHÂTEAU HAUT-MARBUZET
Cru bourgeois Avec des vignes qui dominent la Gironde, au sud-est de l'appellation, une bonne maîtrise des vinifications et l'apport de bois neuf, les vins sont d'une couleur foncée et d'une grande puissance.

CHÂTEAU LAFON-ROCHET
4e Cru classé Lafon-Rochet possède un vignoble exposé au sud en direction du Château Lafite, avec de très vieilles vignes complantées à 55 % de →

CRUS DE SAINT-ESTÈPHE

Cabernet-Sauvignon. C'est un bon vin de garde dans les meilleurs millésimes.

CHÂTEAU LAVILLOTTE
Cru bourgeois Ce château est l'un des fleurons des dégustations professionnelles dans le style des vins traditionnels de très grande concentration.

CHÂTEAU LILIAN-LADOUYS
Cru bourgeois Composé d'un grand nombre de petites parcelles, dont la majorité en vieilles vignes, ce cru a connu une véritable renaissance.

CHÂTEAU MEYNEY
Cru bourgeois L'un des meilleurs vins de l'appellation, Meyney est aussi un grand classique et l'un des fleurons des Domaines Cordier.

Ses vins sont à la fois puissants et flatteurs.

CHÂTEAU MONTROSE
2e Cru classé Montrose est l'archétype de l'appellation avec ses vins robustes, charnus, de très grande garde. La situation de son vignoble et le style de ses vins le font comparer au Château Latour, plus au sud. Depuis le millésime 1989, ce « Latour » de Saint-Estèphe est cependant moins austère à la suite d'un changement dans la conduite des vinifications. C'est l'un des meilleurs crus du Médoc dans les grands millésimes comme en 1990 et en 1996.

CHÂTEAU LES ORMES DE PEZ
Cru bourgeois Appartenant à la famille Cazes, de Lynch-Bages (voir Pauillac), le château produit des vins flatteurs bien équilibrés.

CHÂTEAU DE PEZ
Cru bourgeois Le vignoble, le cuvier et le château ont été restaurés de fond en comble. L'excellence des millésimes 1998 et 1999 témoigne de l'effort entrepris.

CHÂTEAU PHÉLAN-SÉGUR
Cru bourgeois Le renouveau de Phélan-Ségur date du millésime 1986, avec de superbes réussites dans les millésimes 1996 et 1998.

CHÂTEAU TRONQUOY-LALANDE
Cru bourgeois Cru d'un style traditionnel de Saint-Estèphe, il produit des vins de longue garde aux tanins fermes.

CRUS DE PAUILLAC

Avec trois Premiers Crus classés en 1855 et une pléthore d'autres Grands Crus, Pauillac s'impose comme le cœur du Médoc. Ici, le Cabernet-Sauvignon règne en maître et donne ces notes si caractéristiques de cassis, de bois de cèdre et d'épices. Les grands vins de Pauillac se distinguent aussi par une bonne structure et une puissance qui révèle, avec le temps, une grande élégance et une grande finesse, surtout dans les millésimes les plus mûrs. Le style des vins varie entre l'austérité d'un Château Latour et la souplesse d'un Château Lafite-Rothschild.

L'APPELLATION

Non moins de 18 châteaux de Pauillac ont été classés en 1855. Ils couvrent une grande partie de l'appellation et laissent peu de place à des petits châteaux dont les prix seraient plus abordables. Heureusement, les seconds (ou troisièmes) vins, dans les grands ou les petits millésimes, sont parfois de bonnes affaires.

Les grands vins sont eux-mêmes à consommer occasionnellement, ne serait-ce que pour constater ce qui sert de référence aux meilleurs vins du monde entier.

À quelques exceptions près, comme Château Mouton-Rothschild, qui produit un vin blanc, Pauillac produit des vins rouges.

CRUS DE PAUILLAC

CHÂTEAU D'ARMAILHAC
5e Cru classé Pendant quelques années, jusqu'en 1989, ce château s'est appelé Mouton-Baron-Philippe. Les vins d'Armailhac sont des classiques de Pauillac, mais n'ont pas la grandeur de leur voisin Mouton.

CHÂTEAU BATAILLEY
5e Cru classé C'est un vin de grande garde élaboré d'une manière traditionnelle à partir d'un vignoble au sud-ouest de l'appellation.

CHÂTEAU CLERC-MILON
5e Cru classé Ce cru est situé à l'est de Mouton et de Lafite, au nord de l'appellation. La rénovation du château a commencé à se constater dans les vins à partir des millésimes 1985 et 1986.

CHÂTEAU CROIZET-BAGES
5e Cru classé C'est un cru original pour Pauillac, car son encépagement en Cabernet-Sauvignon est minoritaire dans l'assemblage, composé en majorité de Merlot et de Cabernet Franc. Les vins sont souples et évoluent rapidement.

CHÂTEAU DUHART-MILON
4e Cru classé Le vaste vignoble, sur le plateau de Pouyalet, s'étend de l'ouest de celui de Lafite et de Mouton jusqu'à la jalle du Breuil au nord. À partir du millésime 1983, les vins expriment le potentiel du terroir.

CHÂTEAU GRAND-PUY-DUCASSE
5e Cru classé Avec un château au cœur de la ville de Pauillac et un vignoble étendu récemment, ce cru reste dans la gamme des vins de Pauillac classiques.

CHÂTEAU GRAND-PUY-LACOSTE
5e Cru classé Ce cru dispose d'un superbe vignoble sur le plateau, non loin de Lynch-Bages. Bien que très structurés, les vins conservent un style fruité.

CHÂTEAU HAUT-BAGES-LIBÉRAL
5e Cru classé Le vignoble est bien situé, avec une parcelle qui jouxte Latour. Les efforts de replantation et de modernisation des chais ont produit les effets attendus : les vins expriment mieux les qualités du terroir et des cépages. Les meilleurs millésimes, comme 1985, 1986 et 1990, méritent d'être gardés en cave.

CHÂTEAU HAUT-BATAILLEY
5e Cru classé Cette propriété produit un vin réputé qui atteint sa maturité rapidement.

CHÂTEAU LAFITE-ROTHSCHILD
1er Cru classé Les vignes se trouvent sur le pourtour nord du plateau de Pauillac, séparées du vignoble de Saint-Estèphe par la jalle du Breuil. Le sol est graveleux et bien drainé, composé de graves fines, de taille plus petite que celles du vignoble de Latour, plus au sud. Lafite a toujours été Premier Cru depuis que ce terme existe, au début du XVIIIe siècle. Acheté en 1868 par les banquiers Rothschild, il resta leur propriété jusqu'à nos jours. Aujourd'hui, les vins de Château Lafite se comparent favorablement à ceux de leur voisin Mouton ou à ceux de Latour, situé à l'autre extrémité de l'appellation. Le grand vin est généralement constitué de 70 % de Cabernet-Sauvignon, tandis que celui de Mouton en compte 85 %. La proportion de Merlot atteint 15 %, pour seulement 8 % à Mouton. Ces différences expliquent que le vin de Lafite soit généralement plus fin et plus délicat que celui de son voisin. Cette grande finesse n'en est pas moins contrebalancée par une grande concentration et une belle structure. L'ensemble peut être considéré comme indestructible dans le temps : certains dégustateurs ont prédit que le millésime 1982 devrait tenir au moins 40 ans…

CHÂTEAU LATOUR
1er Cru classé Les vins du Château Latour étaient déjà prisés au Moyen Âge et les frontières des quatre carrés de vignes au →

CRUS DE PAUILLAC

centre du vignoble n'ont pas changé depuis. L'excellence de son terroir (voir p. 296) permet à Latour de produire d'excellents vins, même les mauvaises années. Dans les meilleurs millésimes, il produit un monstre de concentration, de couleur noire, qui demande, pour s'épanouir, une patience se mesurant en décennies. Les impatients peuvent se consoler avec le second vin, Les Forts de Latour, ou avec le vin générique de Pauillac embouteillé au château.

CHÂTEAU LYNCH-BAGES
5e Cru classé Vin traditionnel élaboré selon les toutes dernières technologies de vinification, tel est le paradoxe d'un des meilleurs crus du Médoc de la décennie 1981-1991. Le style du vin est souple et accessible mais néanmoins concentré, avec la profondeur et la structure d'un vrai grand Pauillac.

CHÂTEAU LYNCH-MOUSSAS
5e Cru classé Avec un encépagement de 30 % de Merlot, Lynch-Moussas produit des vins assez légers d'une grande souplesse.

CHÂTEAU MOUTON-ROTHSCHILD
1er Cru classé Au classement de 1855, il était second, mais, grâce au caractère et à la pugnacité du baron Philippe de Rothschild, il fut promu au rang de Premier Cru classé en 1973 – le seul changement intervenu dans le classement depuis 1855. Ses vignes sont attenantes à celles de Lafite, mais l'encépagement en Cabernet-Sauvignon y est plus important (85 %). L'opulence des meilleurs millésimes confère à ce vin une puissance et une complexité inégalées, et la magnificence des millésimes comme 1982, 1985, 1986, 1988, 1989, 1990 et 1998 a confirmé son nouveau statut de Premier Cru.

CHÂTEAU PÉDESCLAUX
5e Cru classé Ce cru peu connu produit des vins de qualité homogène dans les millésimes récents.

CHÂTEAU PIBRAN
Cru bourgeois Ce petit cru produit un vin d'une couleur dense dans un style fruité mais concentré.

CHÂTEAU PICHON-LONGUEVILLE BARON
2e Cru classé Les deux châteaux Pichon-Longueville se regardent en chiens de faïence de part et d'autre de la départementale D2 qui traverse le hameau de Saint-Lambert. À l'ouest de la route, le château de « Pichon Baron », remis à neuf, témoigne de l'âge d'or du Médoc, au milieu du XIXe siècle. Le vignoble initial a été agrandi de nombreuses parcelles, situées essentiellement au sud du château, face au vignoble du Château Latour mitoyen.

CHÂTEAU PICHON-LONGUEVILLE COMTESSE DE LALANDE
2e Cru classé La seconde moitié du Château Pichon-Longueville possède un vignoble mitoyen de celui de Latour, avec quelques parcelles sur Saint-Julien. L'encépagement original (35 % de Merlot et seulement 45 % de Cabernet-Sauvignon), associé au superbe terroir, donne des vins souples et puissants qui rivalisent souvent, dans les bons millésimes, avec les Premiers Crus. Une sélection très rigoureuse pour l'assemblage du grand vin donne au second vin, la Réserve de la Comtesse, une réputation qui n'a jamais été démentie.

CHÂTEAU PONTET-CANET
5e Cru classé Doté d'un superbe vignoble au sud de celui de Mouton, ce château a produit d'excellents vins, notamment à la fin des années 1980.

CRUS DE SAINT-JULIEN

La plus petite appellation du Médoc par la taille (910 ha) est l'une des plus grandes par le renom, avec 11 Crus classés sur quelque 40 propriétés. Les styles de vin peuvent varier d'un château à l'autre, mais les dégustateurs reconnaissent en Saint-Julien des vins denses, puissants et concentrés, dotés d'une grande finesse. Plus concentrés que des Margaux, plus fins que des Pauillacs, les vins de Saint-Julien sont surtout rouges. Comme ailleurs dans le Médoc, on y produit des vins de l'appellation Bordeaux blancs.

L'APPELLATION

Saint-Julien est une enclave entre Pauillac, au nord, et l'AOC Haut-Médoc de Lamarque et Cussac, au sud. Deux cours d'eau (jalles) en constituent les frontières naturelles. Le terroir est composé d'une série de croupes de graves bien drainées par les jalles et par la Gironde.

CHÂTEAU BEYCHEVELLE
4e Cru classé Ce somptueux château produit un vin charmeur qui, dans les meilleurs millésimes, vieillit fort bien. Le second vin est étiqueté Amiral de Beychevelle.

CHÂTEAU BRANAIRE-DUCRU
4e Cru classé Château mitoyen de Beychevelle, mais dont le vignoble est constitué de parcelles disséminées sur l'appellation, Branaire-Ducru donne des vins avec un certain corps mais sans l'élégance de leurs voisins des rives de la Gironde.

CHÂTEAU DUCRU-BEAUCAILLOU
2e Cru classé Situé sur une belle croupe de graves des bords de la Gironde, ce cru produit des vins bien structurés et pleins de sève dans un style traditionnel. Depuis le millésime 1993, Ducru-Beaucaillou montre une grande tenue et une constance remarquable, sans doute grâce à une sévère sélection, bénéfique pour le second vin diffusé sous l'étiquette La Croix.

CHÂTEAU GLORIA
Cru bourgeois Créé en 1940, ce vignoble réuni parcelle après parcelle offre un vin tendre et séduisant, appréciable pour son fruit dans ses premières années.

CHÂTEAU GRUAUD-LAROSE
2e Cru classé Avec un vignoble très bien situé, Gruaud-Larose est l'un des fleurons de Saint-Julien depuis plus de 250 ans. Ce vin a besoin de temps pour atteindre son apogée. Le second vin porte l'étiquette Sarget de Gruaud-Larose.

CHÂTEAU LAGRANGE
3e Cru classé Cette vaste propriété n'a pas hésité à investir dans la réfection du vignoble, l'installation d'équipements de vinification flambant neufs, la construction d'immenses chais à barriques climatisés ainsi que dans les conseils de Michel Delon (voir Château Léoville-Las-Cases). Dès le millésime 1985, la renaissance de Lagrange se percevait dans le vin. Une sélection rigoureuse rend le second vin particulièrement prisé : il est diffusé sous l'étiquette Fiefs de Lagrange.

CHÂTEAU LANGOA-BARTON
3e Cru classé En 1715, Thomas Barton quitta l'Irlande pour s'installer à Bordeaux et devint négociant en vins. En 1821, Hugh Barton acheta Langoa, puis acquit une partie du domaine de Léoville. Anthony Barton a hérité des deux châteaux, qu'il gère dans le respect des traditions. Langoa diffuse ses vins à des prix très raisonnables.

CHÂTEAU LÉOVILLE-BARTON
2e Cru classé Léoville était autrefois un vaste domaine faisant face au vignoble de Latour, au nord de l'appellation Saint-Julien. La partie du vignoble aujourd'hui entre les mains de la famille Barton produit des vins élégants.

CHÂTEAU LÉOVILLE-LAS-CASES
2e Cru classé Cette grande propriété représente la moitié de l'ancien vignoble de Léoville. 

CRUS DE SAINT-JULIEN

Michel Delon, le propriétaire, est reconnu comme l'un des meilleurs vinificateurs de Bordeaux. Ses vins sont très concentrés, pleins de sève, longs en bouche et d'une extraordinaire longévité. Ils sont souvent comparés à ceux de son voisin Latour, de l'autre côté de la limite de l'appellation. Le grand vin fait l'objet d'une sélection si rigoureuse que le second vin, le Clos du Marquis, est très recherché.

CHÂTEAU LÉOVILLE-POYFERRÉ
2e Cru classé Troisième tiers de l'ancien Château Léoville, considéré autrefois comme ayant les meilleurs terroirs, ce château est longtemps resté dans l'ombre des deux premiers. Depuis le millésime 1989, les vins sont beaucoup plus concentrés grâce à une forte réduction des rendements et à une sévère sélection. Les vins non retenus dans l'assemblage sont commercialisés sous l'étiquette Château Moulin-Riche.

CHÂTEAU SAINT-PIERRE
4e Cru classé Les vins sont traditionnels, de couleur foncée et riches en matière. Ils mettent un certain temps avant de s'ouvrir. Le millésime 1996 est particulièrement réussi.

CHÂTEAU TALBOT
4e Cru classé Les vins des meilleurs millésimes de ce vaste domaine se montrent concentrés, riches en tanins mais souples. La dimension de ce domaine permet d'élaborer un second vin, diffusé sous l'étiquette Connétable de Talbot. Le Château Talbot élabore aussi un vin blanc de Sauvignon élevé en barriques neuves portant l'étiquette Caillou Blanc.

CRUS DE MARGAUX

Le village de Margaux est connu dans le monde entier grâce à son fameux château, Premier Cru du même nom. L'appellation Margaux a pour mérite de représenter la plus imposante liste de crus classés en 1855 : 22 sur 70 propriétés. Ses vins expriment des caractères communs : plus aimables et moins austères que les vins de Pauillac, mais tout aussi qualifiés pour une longue garde. À l'exception du vin blanc du Château Margaux (Pavillon Blanc), tous les vins sont rouges.

L'APPELLATION

Margaux se trouve au sud du Médoc, dans un paysage de prairies et de bois dominés par quelques croupes de graves. Les graves de Margaux sont plus grosses que celles du nord, et les dépôts de galets sont séparés de langues marécageuses toujours humides.

Contrairement aux autres appellations communales du Médoc, l'aire d'appellation Margaux dépasse la superficie de la commune de Margaux : du nord au sud, ses 1409 ha se partagent entre les communes de Soussans, Margaux, Arsac, Cantenac et Labarde. Pour ajouter à cette confusion, l'administration postale regroupe neuf communes sous le même nom de Margaux, dont cinq se trouvent en dehors de l'appellation, mais peuvent faire figurer légalement le terme de Margaux – leur adresse administrative – sur leurs étiquettes. Pareillement, le Château Margaux est un cru très différent du vin de Margaux générique.

Un plateau central regroupe le vignoble de Cantenac, au sud-est, jusqu'à Marsac, dans la commune de Soussans. Vers le sud, le sud-est et le sud-ouest, sept parcelles situées sur des élévations de terrain sont plantées de vignes. Les meilleurs →

crus se trouvent sur les bords du plateau central : les Châteaux Margaux, Palmer et d'Issan donnent à l'est, sur la Gironde. Pouget, Cantenac et Kirwan donnent au sud, face aux marécages situés à la lisière sud des dépôts de graves. Curieusement, un certain nombre de châteaux ont leur siège et leurs chais au cœur du village de Margaux, tandis que leur vignoble est éparpillé en parcelles diverses un peu partout dans l'appellation.

CHÂTEAU D'ANGLUDET
Cru bourgeois Ce cru sur les communes d'Arsac et de Cantenac se distingue par des vins tanniques et austères dont la longévité est comparable à celle des Crus classés.

CHÂTEAU BOYD-CANTENAC
3e Cru classé Ce petit domaine produit des vins puissants et de longue garde issus de vieilles vignes.

CHÂTEAU BRANE-CANTENAC
2e Cru classé Cette vaste propriété est située sur la pente sud du plateau central. Dès 1996, Henri Lurton y a vinifié de superbes vins.

CHÂTEAU CANTENAC-BROWN
3e Cru classé Dans les années 1970 et 1980, les vins avaient la réputation d'être austères et sans charme. Depuis le millésime 1988, la nouvelle gestion et les investissements consentis sont couronnés de succès.

CHÂTEAU DAUZAC
5e Cru classé Pour ce vignoble sur la commune de Labarde, des investissements ont amélioré la qualité des derniers millésimes. La propriété est conduite par André Lurton depuis le millésime 1993.

CHÂTEAU DESMIRAIL
3e Cru classé Reprise en main par Denis Lurton, cette propriété renoue avec la qualité.

CHÂTEAU DURFORT-VIVENS
2e Cru classé Autre propriété de la famille Lurton, qui dispose d'un encépagement majoritaire en Cabernet-Sauvignon. Aujourd'hui régie par Gonzague Lurton, son avenir est plein de promesses.

CHÂTEAU FERRIÈRE
3e Cru classé Ce cru produit des vins d'une excellente qualité. Le second vin est étiqueté Les Remparts de Ferrière.

CHÂTEAU GISCOURS
3e Cru classé Cette propriété située à Labarde a connu son âge d'or au cours des années 1970, car la réussite n'a pas été au rendez-vous au début des années 1980. Heureusement, certains millésimes comme les 1986, 1988 et 1989 sont élégants et séduisants.

CHÂTEAU LA GURGUE
Cru bourgeois Le siège se trouve dans le village de Margaux, et les vignes sont situées à l'ouest du village. Ce cru appartient aux mêmes propriétaires que le Château Chasse-Spleen (voir Moulis).

CHÂTEAU HAUT-BRETON-LARIGAUDIÈRE
Cru bourgeois Ce vignoble produit un Margaux souple et fruité.

CHÂTEAU D'ISSAN
3e Cru classé Ce superbe château est doté d'un vignoble bien exposé sur les pentes est du plateau. Le vin est généralement flatteur dans sa jeunesse et, curieusement, de longue garde. L'un des meilleurs crus de l'appellation.

CHÂTEAU KIRWAN
3e Cru classé Très bien placé sur le plateau graveleux, à l'est de Brane-Cantenac, Kirwan produit des vins souples privilégiant le Merlot et le Cabernet Franc. Cette souplesse s'affine avec le vieillissement. L'intervention de Michel Rolland dès 1993 a hissé ce cru à son vrai niveau.

CHÂTEAU LABÉGORCE
Cru bourgeois Cette propriété est située entre Margaux et Soussans. →

FRANCE

CRUS DE MARGAUX

CHÂTEAU LABÉGORCE-ZÉDÉ
Cru bourgeois De qualité constante, ce vin vinifié de façon traditionnelle provient d'un vignoble sur la commune de Soussans.

CHÂTEAU LASCOMBES
2e Cru classé Après deux décennies de millésimes sans grand intérêt, les vins se sont montrés plus flatteurs vers la fin des années 1980.

CHÂTEAU MALESCOT-SAINT-EXUPÉRY
3e Cru classé Réputés pour être tanniques et d'une jeunesse sans grâce, les vins de Malescot-Saint-Exupéry s'épanouissent avantageusement avec l'âge. Le château se trouve dans le centre de Margaux, ses vignobles sont au nord de l'appellation.

CHÂTEAU MARGAUX
1er Cru classé L'unique Premier Cru classé de l'appellation est une propriété magnifique. Sa renaissance, en 1978, après quelques années de déclin, témoigne de la grandeur de son terroir. Ses vignes complantées de 75 % de Cabernet-Sauvignon, sur la face est du plateau de Margaux, sont un point de départ dans la recherche de l'excellence. Une sélection draconienne ne garde parfois que 50 % de la récolte pour le grand vin, le solde étant assemblé pour le second vin : Pavillon Rouge. Au-delà de sa souplesse et de son charme, le vin de Château Margaux s'affirme avec une belle structure, garant de sa longévité. Pavillon Blanc est le nom du vin blanc du château, exclusivement issu de Sauvignon.

CHÂTEAU MARQUIS D'ALESME-BECKER
3e Cru classé Cette petite propriété typique est à l'origine d'un Margaux ferme.

CHÂTEAU MARQUIS DE TERME
4e Cru classé Ce vignoble, dominé par le Cabernet-Sauvignon (55 %) et le Merlot (35 %), donne un Margaux droit et franc.

CHÂTEAU MARSAC-SÉGUINEAU
Cru bourgeois Avec des vignes divisées en deux parties, près de Marsac, au nord de Margaux, cette propriété de taille modeste produit des vins solides et classiques.

CHÂTEAU MARTINENS
Cru bourgeois Ce vignoble est situé sur les bords du plateau de Cantenac. Le Merlot domine et donne d'excellents vins de Margaux.

CHÂTEAU MONBRISON
Cru bourgeois Cette petite propriété sur la commune d'Arsac produit des vins superbes, denses, qui méritent un long vieillissement.

CHÂTEAU PALMER
3e Cru classé Voisin du Château Margaux, Palmer a souvent élaboré de meilleurs vins que le Premier Cru dans les années 1960 et 1970. Aujourd'hui, ses vins sont toujours superbes et possèdent un fruit, une puissance et un équilibre rares. Certaines parcelles du vignoble sont situées sur la même croupe de graves que Château Margaux. L'encépagement comprend 40 % de Merlot, les cuvaisons sont longues et les sélections rigoureuses.

CHÂTEAU POUGET
4e Cru classé Cette petite propriété peu connue élabore de bons vins.

CHÂTEAU PRIEURÉ-LICHINE
4e Cru classé Cette propriété regroupe des parcelles clairsemées dans l'appellation. Elle produit des vins élaborés avec soin et peut être considérée comme un monument à la mémoire d'Alexis Lichine, négociant, propriétaire de châteaux et écrivain.

CHÂTEAU RAUZAN-SÉGLA
2e Cru classé Grâce à une meilleure conduite des vignes, de nouveaux chais de vinification et une sélection plus rigoureuse, Rauzan-Ségla s'est de nouveau hissé au rang qui était le sien en 1855. À partir du millésime 1988, les vins sont impressionnants. →

CRUS DE MARGAUX

CHÂTEAU RAUZAN-GASSIES
2e Cru classé Seconde moitié de l'ancien Château Rauzan, moins réputée, ce vignoble produit des vins de qualité inégale.

CHÂTEAU SIRAN
Cru bourgeois Doté d'un magnifique château et d'un vignoble sur la commune de Labarde, Siran produit des vins denses et soyeux qui vieillissent bien.

CHÂTEAU TAYAC
Cru bourgeois Cette propriété élabore des vins classiques bien structurés.

CHÂTEAU DU TERTRE
5e Cru classé Dissimulé derrière des bois à Arsac, le vignoble est dominé par le Cabernet-Sauvignon, planté sur un affleurement de graves. Dès le millésime 1997, ce château a connu un brillant renouveau.

CHÂTEAU LA TOUR-DE-MONS
Cru bourgeois Cette propriété sur la commune de Soussans est réputée pour ses vins souples et séduisants. Son vignoble est complanté en parties presque égales de Merlot et de Cabernet-Sauvignon, sur un sol dont le caractère argileux prédomine.

AUTRES CRUS DU MÉDOC

Tous les crus du Médoc ne sont pas des Crus classés situés dans des communes renommées : l'arrière-pays et les zones viticoles situées entre les appellations vedettes recèlent un grand nombre d'excellents crus en appellation Haut-Médoc. Plus au nord, l'AOC Médoc est un vaste terrain de chasse pour les amateurs de bonnes affaires. Dans tous les cas, les meilleures parcelles sont situées sur les plus hautes terres, les mieux drainées, sortes d'îlots au milieu des terres marécageuses et des bois.

AOC MOULIS

La petite commune de Moulis, avec son hameau du Grand-Poujeaux, est la plus petite AOC du Médoc. Situés à l'écart de la Gironde, à l'intérieur des terres et à l'ouest de Margaux, ses vignobles sont plantés sur un plateau au sous-sol graveleux. Les vins rouges de Moulis sont de couleur sombre, dotés d'un bon potentiel de vieillissement.

CHÂTEAU CHASSE-SPLEEN
Cru bourgeois L'un des crus bourgeois les meilleurs et les plus connus, Chasse-Spleen élabore des vins dignes de certains Crus classés : souples et charmeurs dans leur jeunesse, ils ont une densité leur permettant un long vieillissement.

CHÂTEAU DUTRUCH-GRAND-POUJEAUX
Cru bourgeois Ce château élabore des vins concentrés ayant une belle structure et vieillissant bien.

CHÂTEAU MAUCAILLOU
Cru bourgeois Dans cette propriété, on élabore des vins bien structurés, avec des notes boisées dues aux barriques de bois neuf.

CHÂTEAU POUJEAUX
Cru bourgeois Autre propriété (avec Maucaillou et Chasse-Spleen) qui rivalise en tête des crus de l'appellation, elle offre de superbes vins d'une couleur intense, d'une belle expression aromatique et d'un grand potentiel de vieillissement.

AOC LISTRAC

Au nord de Moulis, Listrac regroupe nombre d'excellents crus qui élaborent des vins assez robustes, dont l'austérité s'efface avec l'âge. Ces vins sont plus aimables et plus fruités dans les millésimes moins mûrs.

CHÂTEAU CLARKE
Cru bourgeois Les vignes plantées sur des sols artificiellement drainés expriment de plus en plus de bonne sève. Au milieu des années 1980, les →

AUTRES CRUS DU MÉDOC

vins étaient agréablement fruités ; les millésimes plus récents sont bien construits et gagnent en profondeur.

CHÂTEAU FOURCAS-DUPRÉ
Cru bourgeois Cette propriété élabore un vin puissant et bien équilibré.

CHÂTEAU FOURCAS-HOSTEN
Cru bourgeois Excellent vin composé à 40 % de Merlot, il mérite de vieillir pour exprimer son potentiel aromatique.

AUTRES CHÂTEAUX DE MOULIS ET DE LISTRAC
La Becade, Bel-Air-Lagrave, Biston-Brillette, Brillette, Duplessis-Fabre, Lestage et Mayne-Lalande.

AOC HAUT-MÉDOC

CHÂTEAU BELGRAVE
5e Cru classé Non loin de Saint-Julien, ce château a fait l'objet d'investissements vers la fin des années 1980. Le vignoble est bien situé. Les vins montrent de plus en plus de caractère.

CHÂTEAU DE CAMENSAC
5e Cru classé Cette propriété est située près du village de Saint-Laurent, à l'intérieur des terres par rapport à Saint-Julien.

CHÂTEAU CANTEMERLE
5e *Cru classé* Cette propriété de l'extrême sud du Médoc a connu un renouveau. Le vignoble est largement planté en Merlot, conférant au vin une puissance veloutée et des notes fruitées. Les millésimes 1997 et 1998 sont très réussis.

CHÂTEAU CITRAN
Cru bourgeois Cette grande propriété, revalorisée grâce à d'importants investissements, figure désormais parmi les meilleurs crus du Haut-Médoc. Ses vins sont à la fois puissants et harmonieux.

CHÂTEAU LA LAGUNE
3e Cru classé Situé au sud de l'appellation Margaux, La Lagune élabore des vins souples, très aromatiques, séduisants et soyeux en bouche.

CHÂTEAU LA TOUR-CARNET
4e Cru classé Ce cru sur la commune de Saint-Laurent produit habituellement des vins robustes. Les derniers millésimes se montrent plus souples bien que très structurés.

CHÂTEAU SOCIANDO-MALLET
Cru bourgeois Ce vignoble, planté majoritairement en Cabernet-Sauvignon, produit un Cru bourgeois du plus haut niveau : un parfait vin de garde, malheureusement coûteux.

AUTRES CHÂTEAUX
D'Agassac, d'Arcins, d'Arsac, Beaumont, Bel-Air, Bel-Orme-Tronquoy-de-Lalande, Le Bourdieu, Caronne-Sainte-Gemme, Coufran, Dillon, Fonréaud, Hanteillan, de Lamarque, Lanessan, Larose-Trintaudon, Lestage, Liversan, Malescasse, de Malleret, Peyrabon, Puy-Castéra, Ramage-la-Bâtisse, Reysson, Sénéjac, Tour-du-Haut-Moulin.

AOC MÉDOC

CHÂTEAU LA CARDONNE
Cru bourgeois Cette imposante propriété produit des vins dotés d'une bonne structure et de notes boisées.

CHÂTEAU LOUDENNE
Cru bourgeois Cette belle propriété des bords de Gironde produit un vin rouge facile et un vin blanc sec et précis.

CHÂTEAU ROLLAN-DE-BY
Cru bourgeois Ce domaine, doté d'un cuvier ultramoderne, produit un vin structuré, complexe, « soyeux et gourmand ». Le « super vin » (rare) de Rollan-de-By, étiqueté Haut-Condissas, atteint le niveau des meilleurs Crus classés.

AUTRES CHÂTEAUX
De By, Greysac, Les Ormes-Sorbet, Patache d'Aux, Potensac, Saint-Bonnet, La Tour-de-By, Tour-Haut-Caussan, La Tour-Saint-Bonnet.

PESSAC-LÉOGNAN ET GRAVES

Carte page x

La vaste région des Graves s'étend sur la rive gauche de la Garonne. La plus ancienne région viticole de Bordeaux – certaines propriétés ayant plus de 700 ans d'histoire – comprend les appellations de Pessac-Léognan et de Graves.

L'appellation Pessac-Léognan

Cette appellation proche de l'agglomération bordelaise s'honore de Crus classés. Leur terroir étant meilleur, les propriétaires ont toujours tenu à marquer leur différence par rapport au sud de l'ancienne appellation de Graves, qui comprenait l'ensemble de la région, et ont fini par obtenir gain de cause : les autorités ont reconnu une nouvelle appellation, Pessac-Léognan, à partir du millésime 1986 et pour 55 crus incluant tous les Crus classés en 1959 (voir encadré p. 309).

Le style des vins rouges de Pessac-Léognan

Les sols présentent une telle diversité que les Pessac-Léognan offrent une palette de vins de caractères très variés : pour s'en convaincre, il suffit de comparer sur plusieurs décennies deux vins rouges comme Haut-Brion et Domaine de Chevalier. Sans avoir la constitution tannique de certains vins du Médoc, ni le charme fruité de ceux de Saint-Émilion, les vins rouges de Pessac-Léognan présentent souplesse et équilibre, ainsi que de belles notes de cerise, de tabac et de chocolat mêlées. Le renouveau des conduites de vinification a permis une meilleure expression des terroirs mais également, et avant tout, des cépages. Le Cabernet-Sauvignon y est dominant, comme dans le Médoc. Les autres cépages autorisés, mais peu utilisés, sont le Cabernet Franc, le Petit Verdot et le Cot (Malbec).

Le style des vins blancs de Pessac-Léognan

Les vins blancs de Pessac-Léognan connaissent une réputation grandissante, et le fameux Domaine de Chevalier n'a plus l'exclusivité des très grands vins blancs. Le mariage des deux cépages blancs (Sémillon et Sauvignon) n'est pas toujours la règle, quelques crus comme Smith-Haut-Lafitte, Malartic-Lagravière ou Couhins-Lurton élaborent des blancs de Sauvignon pur. Ceux de Chevalier, Fieuzal et Laville-Haut-Brion ont été égalés, voire dépassés, par d'autres dans les millésimes des années 1990. Le Sémillon donne du corps, le Sauvignon ajoute du fruit, ce qui rend la hiérarchie des crus difficile à prédire en fonction du millésime.

Outre les fermentations à température contrôlée, on utilise également des pratiques d'extraction d'arômes, telles les macérations pelliculaires, qui consistent à laisser les moûts un certain temps en contact avec les peaux de raisin. L'utilisation de barriques neuves est une autre option, qui permet à certains blancs d'avoir un complément d'arômes boisés. Enfin, certains crus adoptent la pratique du bâtonnage : il s'agit de remettre périodiquement les lies fines en suspension à l'aide d'un bâton. Cette méthode donne du gras au vin. Autant d'efforts d'œnologues réputés (Denis Dubourdieu, Christophe Ollivier...) dans la recherche d'une meilleure expression des vins, qui ont été largement récompensés par l'engouement croissant des amateurs avec, pour corollaire, une certaine augmentation des prix.

Les cépages des vins blancs de Pessac-Léognan

Entre le Sauvignon et le Sémillon, les avis sont partagés, et les propriétaires de Pessac-Léognan se sont scindés en deux écoles distinctes : ceux qui défendent le premier et les inconditionnels du second. L'un d'entre eux, André Lurton, propriétaire d'un certain nombre de châteaux, milite en faveur du Sauvignon pour les arômes qu'il apporte. D'autant que la réglementation de l'AOC Pessac-Léognan stipule un encépagement minimum de 25 % de Sauvignon pour le droit à l'appellation. D'autres préfèrent le Sémillon pour sa plus grande neutralité aromatique et son adaptation à l'élevage sous bois. En fait, la plupart des châteaux assemblent les deux cépages, et rares sont ceux où le Sauvignon domine (les Châteaux Couhins-Lurton, Smith-Haut-Lafitte, La Garde et Malartic-Lagravière).

Un troisième cépage autorisé est la très aromatique Muscadelle, mais il arrive rarement à complète maturité tant il est sujet à la coulure et aux maladies de la vigne.

Les propriétés les plus renommées, telles que Carbonnieux, Fieuzal, La Louvière, Malartic-Lagravière et Smith-Haut-Lafitte, n'hésitent pas à vendre leur vin blanc plus cher que leur vin rouge. Certains de ces meilleurs crus, surtout lorsqu'ils sont essentiellement issus de Sémillon, méritent de mûrir quelques années en cave, tandis que ceux issus de Sauvignon, surtout dans les années moins mûres, se boivent sur leur fruit, dans les cinq premières années.

L'appellation Graves

L'aire de l'appellation « Graves » s'étire vers le sud sur quelque 45 km avant d'atteindre la petite ville de Langon. En son point le plus large, cette langue de vigne peut atteindre 20 km d'est en ouest. Cette amplitude explique l'absence d'unité du vignoble, d'autant que la diversité des vins qui y sont produits rend toute généralisation impossible. On y pro-

LE CLASSEMENT DES PESSAC-LÉOGNAN

Les propriétés de Pessac-Léognan sont régies par un classement datant de 1959. L'ensemble des châteaux énumérés ci-dessous sont des Crus classés et, avec quelque 40 autres, ont droit à l'AOC Pessac-Léognan.

VINS ROUGES

Premier Grand Cru

- Ch. Haut-Brion

Crus classés

- Ch. Bouscaut
- Ch. Carbonnieux
- Dom. de Chevalier
- Ch. de Fieuzal
- Ch. Haut-Bailly
- Ch. La Mission-Haut-Brion
- Ch. La Tour-Haut-Brion
- Ch. La Tour-Martillac
- Ch. Malartic-Lagravière
- Ch. Olivier
- Ch. Pape-Clément
- Ch. Smith-Haut-Lafitte

VINS BLANCS

Crus classés

- Ch. Bouscaut
- Ch. Carbonnieux
- Dom. de Chevalier
- Ch. Couhins
- Ch. Couhins-Lurton
- Ch. Haut-Brion
- Ch. La Tour-Martillac
- Ch. Laville-Haut-Brion
- Ch. Malartic-Lagravière
- Ch. Olivier

duit non seulement de superbes vins rouges, mais également des blancs, en sec comme en liquoreux. Car c'est au sein des Graves que se situent les appellations « Barsac » et « Sauternes », le vin liquoreux le plus célèbre au monde (voir p. 315). Cette situation se complique davantage lorsque l'on découvre que les crus de Sauternes produisent aussi des vins secs. Curieusement, ces derniers n'ont pas le droit d'être étiquetés « Graves », mais seulement « Bordeaux ».

Comme son nom le laisse entendre, la région des Graves est une série d'affleurements de dépôts sédimentaires dominés par des galets mêlés à des sables, des strates ou des poches argileuses accumulés au cours des temps. Dans ce paysage vallonné, souvent boisé, les meilleurs vignobles occupent les croupes les mieux drainées. La composition des sols et des sous-sols varie considérablement d'un cru à l'autre. C'est au sud de l'aire d'appellation, près de Langon, que l'on trouve les meilleurs producteurs (Château Lehoul et Château Pont-de-Brion). Longtemps dans l'ombre des Grands Crus du Médoc, les meilleurs crus de Graves présentent aujourd'hui d'excellents vins qui méritent la comparaison avec certains Crus classés de Pessac-Léognan, et l'avenir s'annonce prometteur.

De même qu'il existe une AOC Bordeaux Supérieur (blanc) désignant des vins doux, l'appellation Graves Supérieurs ne concerne que les vins blancs moelleux.

CRUS DE PESSAC-LÉOGNAN

Les 1454 ha de l'appellation se situent dans les communes limitrophes de l'ouest et du sud de la cité de Bordeaux. Depuis sa reconnaissance en septembre 1987 (avec le millésime 1986), l'appellation s'est imposée par la qualité des vins, tant blancs que rouges. Aujourd'hui les Pessac-Léognan atteignent le prix des bons Médocs et Saint-Émilion. Ils en ont la qualité, mais s'en distinguent par les substances aromatiques qu'ils contiennent. Les communes qui ont droit à l'appellation sont Cadaujac, Canéjean, Gradignan, Léognan, Martillac, Mérignac, Pessac, Saint-Médard-d'Eyrans, Talence et Villenave-d'Ornon.

CHÂTEAU BOUSCAUT

Cru classé La plus belle propriété de Cadaujac appartient à la famille de Lucien Lurton, qui a toujours préféré la finesse à la puissance. Son vin blanc fait l'objet d'une fermentation sous bois depuis 1988 et son millésime 1998 est particulièrement réussi.

CHÂTEAU CARBONNIEUX

Cru classé Ce superbe château du XVIIIe siècle est l'un des pionniers de la production de vin blanc dans les Graves. La propriété dispose depuis 1990 d'un chai où blancs et rouges sont élaborés selon les toutes dernières technologies. Le blanc est ample et présente des notes de pain grillé. Le rouge a des notes boisées et des tanins souples.

CHÂTEAU LES CARMES-HAUT-BRION

Complètement encerclée par l'urbanisation de la banlieue bordelaise, cette petite propriété située à Pessac est un véritable joyau et possède de très vieilles vignes. Seul un vin rouge y est produit, charmeur mais sans grande concentration.

DOMAINE DE CHEVALIER

Cru classé Datant de 1770, ce vignoble situé sur le point culminant de la commune de Léognan est l'un des plus beaux de l'appellation et produit deux des plus grands vins de Bordeaux. Le rouge est bien construit, élégant et puissant, sans toutefois être un monstre de concentration, et possède une âme fruitée et des notes boisées. Le blanc est fin, délicat et ample, d'une rareté qui peut justifier son prix. Outre son terroir unique au milieu d'une clairière, le secret de Chevalier réside dans l'intransigeance des sélections au moment de la récolte. La vendange de raisins blancs est fermentée sous bois, et reste en fût pendant 18 mois. Les vins, en rouge comme en blanc, ont suffisamment de concentration pour se permettre quelques décennies de garde, et le blanc mérite au moins 8 ans de bouteille.

CHÂTEAU COUHINS-LURTON

Cru classé Cette petite propriété située à Villenave-d'Ornon est détachée du Château Couhins, devenu une station de recherche de l'INRA. Planté à 100 % de Sauvignon, ce château appartient à André Lurton. Les vins sont fermentés et élevés en barriques neuves.

CHÂTEAU DE CRUZEAU

Autre propriété de Lucien Lurton, ce vignoble, replanté en 1974, produit un vin blanc de Sauvignon non boisé ainsi qu'un rouge austère élevé en barriques, qui ne manque pas de tenue.

CHÂTEAU DE FIEUZAL

Cru classé Une des vedettes du cru, il est plus renommé pour son superbe blanc que pour son robuste rouge. Le vin blanc est fermenté et élevé dans des barriques neuves pendant 16 mois et prend quelques années avant d'atteindre sa maturité. Le rouge, bien bâti, avec une concentration d'arômes de guignes et de tanins, peut être étonnant.

CHÂTEAU DE FRANCE

Cette belle propriété produit un vin rouge

velouté et séduisant (60 % de Cabernet-Sauvignon) ainsi qu'un blanc très aromatique, bien équilibré (80 % de Sauvignon, 10 % de Sémillon et 10 % de Muscadelle) et élevé en barriques neuves.

CHÂTEAU LA GARDE
Vieille propriété de la commune de Martillac, remise à neuf, ses meilleures cuves sont élevées en barriques neuves et diffusées sous l'étiquette Réserve. Concentrés et veloutés, ces vins peuvent se boire jeunes tout en ayant un bon potentiel de vieillissement : ils sont séduisants et vendus à des prix raisonnables. Une petite quantité d'un vin blanc élégant est issue à 100 % de Sauvignon.

CHÂTEAU HAUT-BAILLY
Cru classé Un grand nombre de dégustateurs s'accordent à le reconnaître : Haut-Bailly est leur cru de Pessac-Léognan favori. Élaboré avec maestria, il n'a peut-être pas la puissance et la concentration de certains autres, mais il est toujours élégant. Son charme cache de beaux tanins qui ne demandent qu'à vieillir, dans les grands millésimes comme dans les petits.

CHÂTEAU HAUT-BRION
Cru classé Haut-Brion est l'unique cru des Graves qui, en 1855, fut classé Premier Grand Cru au même titre que les meilleurs vins du Médoc. Vin de noble race et d'une régularité étonnante dans sa qualité, il mérite pleinement cette distinction. Même dans les millésimes difficiles comme 1987 et 1991, Haut-Brion a sorti des vins élégants avec de beaux arômes. Au milieu des années 1980, il s'est montré moins sévère et plus affable, mais demande toujours un certain nombre d'années avant d'atteindre son apogée.
Haut-Brion ne s'est jamais reposé sur ses lauriers, et, sous la direction de Jean-Bernard Delmas, toute une équipe ne cesse de rechercher comment améliorer les vignes et le vin. Une petite quantité d'un vin blanc très prisé est produite. La fermentation en barriques de bois neuf est une pratique récente pour la majeure partie des blancs, et, les années moins satisfaisantes, comme 1986, aucun vin blanc n'a été commercialisé. Le second vin rouge, qui porte l'étiquette Bahans-Haut-Brion, est considéré comme l'un des meilleurs seconds vins de Bordeaux.

CHÂTEAU LARRIVET-HAUT-BRION
La propriété a bénéficié d'importants investissements pour construire un nouveau chai. Depuis le millésime 1988, tant le blanc ample et épicé que le rouge ferme et boisé sont étonnants. Les rendements sont volontairement bas et tous ces efforts devraient entraîner une hausse constante de la qualité.

CHÂTEAU LAVILLE-HAUT-BRION
Cru classé de blanc Cette propriété de Pessac est, en fait, le vignoble de blanc du Château La Mission-Haut-Brion (voir ci-après). Laville est un vin blanc légendaire dont quelques bouteilles, vieilles de 50 ans, se sont révélées étonnantes. Après une période de déclin, dans les années 1970, ce célèbre vin blanc a retrouvé sa qualité dans les années 1980. Peut-être un peu moins somptueux que le blanc de Haut-Brion, élaboré par la même équipe, c'est un vin blanc opulent et magnifique. Marqué par le bois neuf dès son enfance, il lui faut une décennie pour atteindre sa maturité en bouteille et s'ouvrir. Son prix est élevé, mais, dans les grands millésimes, c'est un vin d'exception.

CHÂTEAU LA LOUVIÈRE
Ce château situé sur les terres de la commune de Léognan est le porte-drapeau des propriétés d'André Lurton (avec les châteaux Couhins-Lurton, de Cruzeau, de Rochemorin, etc.). Son vin blanc, solide aux notes →

CRUS DE PESSAC-LÉOGNAN

boisées, est marqué par le Sauvignon. Le vin rouge montre une belle structure et vieillit bien. La Louvière vinifie et élève le Château Coucheroy, un modeste château d'un bon rapport qualité/prix, qui se décline en blanc comme en rouge.

CHÂTEAU MALARTIC-LAGRAVIÈRE
Cru classé Repris en 1998 par Alfred-Alexandre Bonnie, ce château est géré par Bruno Marly. Malartic est réputé pour son vin blanc de Sauvignon pur. Depuis peu, 20 % de Sémillon participent au vin. Les rouges ont une réputation d'être austères, mais sont en réalité souples et dotés de beaux tanins bien liés. Comme les blancs, ils méritent quelques années de garde.

CHÂTEAU LA MISSION-HAUT-BRION
Cru classé de rouge Cette propriété contiguë au Château Haut-Brion a été acquise par ce dernier en 1983. Mais les deux vins sont très différents : le premier se montre tout en finesse et en harmonie, tandis que le second est un vin puissant possédant une grande profondeur d'arômes. C'est un vin cher qui reflète la conviction de son propriétaire : La Mission serait très proche du Premier Cru classé en terme de qualité – ce qui est vrai pour un grand nombre de millésimes.

CHÂTEAU OLIVIER
Cru classé Au cœur de l'appellation se trouve ce superbe château médiéval, ancien rendez-vous de chasse du Prince Noir. Depuis la reprise en main du domaine par la famille Bethmann, la qualité des vins s'améliore.

CHÂTEAU PAPE-CLÉMENT
Cru classé Sans doute l'une des plus anciennes propriétés de Bordeaux, elle a été créée en 1300 par Bertrand de Got, archevêque de Bordeaux, qui deviendra pape sous le nom de Clément V. Elle est aujourd'hui assiégée par le développement urbain de la commune de Pessac. 1985 a marqué, dans la qualité, un tournant qu'aucun millésime n'a ensuite démenti. Pape-Clément est un vin puissant et plein de sève, avec une belle concentration et une grande longueur en bouche. La propriété a développé un petit vignoble complanté de cépages blancs (Sémillon, Sauvignon et Muscadelle), qui donne un vin (non classé) rare et de haute qualité.

CHÂTEAU PIQUE-CAILLOU
Propriété de la commune de Mérignac, ce château ne produit que des vins rouges, souples et bien construits, qui évoluent assez vite en bouteille.

CHÂTEAU DE ROCHEMORIN
C'est l'une des nombreuses propriétés d'André Lurton, située sur la commune de Martillac. Elle donne de bons rouges charnus et des blancs classiques qui peuvent s'apprécier assez jeunes. S'ils ne sont pas les meilleurs vins de la gamme d'André Lurton, leur prix reste raisonnable.

CHÂTEAU LE SARTRE
Propriété en cours de rénovation, ce château propose un rouge meilleur que le blanc, dans le même style que Carbonnieux, mais à la moitié du prix de ce dernier.

CHÂTEAU SMITH-HAUT-LAFITTE
Cru classé En 1990, cette grande propriété de Martillac fut cédée à prix fort à Daniel et Florence Cathiard, qui ont immédiatement pris toutes les mesures pour rénover le vignoble et les chais et s'entourer des conseils des meilleurs « œnologues volants » de la région. Le vin blanc, tout particulièrement, issu de Sauvignon à 100 %, est une merveille d'équilibre avec de belles notes fruitées. La sélection étant rigoureuse, le second vin rouge, étiqueté Les Hauts-de-Smith, est recherché.

CHÂTEAU LA TOUR-HAUT-BRION
Cru classé Appartenant à la même famille que Château Haut-Brion, →

CRUS DE PESSAC-LÉOGNAN

contigu à Laville-Haut-Brion, il produit un vin rouge, qui est marqué par un fort bouquet de Cabernet-Sauvignon. La production est malheureusement très modeste.

CHÂTEAU LA TOUR-MARTILLAC
Cru classé Cette propriété offre des vins rouges qui, malgré leur côté gras et charnu, se montrent élégants. Les vins blancs, bien équilibrés, sont boisés mais gardent leur fruit pendant des années. La constance de la qualité de ces vins d'un millésime à l'autre est remarquable.

CRUS DE GRAVES

Jusque dans les années 1970, la plupart des propriétés du sud des Graves vendaient leurs vins en vrac au négoce bordelais : depuis, la mise en bouteilles à la propriété s'est largement développée. Rivalisant pour produire les vins rouges et les vins blancs les plus séduisants, les propriétaires ont également adopté des méthodes de vinification sophistiquées. Certains se vouent à la religion de la qualité en produisant des vins rouges dotés d'une belle concentration de tanins et de superbes arômes et destinés à une longue vie; d'autres ont le culte des vins flatteurs à boire jeunes. Les styles de vins, tout comme leur qualité, sont donc assez disparates.
Les propriétés sont rassemblées autour de certaines communes, comme Portets ou Langon, sur des affleurements de graves. Seuls les vins produits sur ces types de sol ont droit à l'appellation; les autres vignobles n'ont droit qu'au statut d'AOC Bordeaux.

CHÂTEAU D'ARCHAMBEAU
Cette propriété située sur la commune d'Illats produit des blancs superbement élaborés et d'excellents rouges veloutés.

CHÂTEAU LE BONNAT
Les vins rouges sont élaborés dans 40 % de barriques neuves, les blancs sont fermentés sous bois et élevés en barriques de bois neuf.

CLOS BOURGELAT
Situé sur la commune de Cérons, ce vignoble donne des vins rouges fruités et veloutés et des vins blancs frais et nerveux.

CHÂTEAU CABANNIEUX
Dans cette propriété sise au nord de l'aire d'appellation, on produit un vin rouge marqué par le Merlot et un vin blanc à base de Sémillon, fin et distingué.

CHÂTEAU DE CHANTEGRIVE
La famille Lévêque a travaillé pendant 25 ans pour créer ce vignoble à Podensac. L'élevage des vins en barriques, depuis 1988, donne des résultats impressionnants. Le bois neuf est réservé à la Cuvée Caroline en blanc et à la Cuvée Édouard en rouge. La propriété compte d'autres crus tel le Château Bon Dieu des Vignes.

CLOS FLORIDÈNE
L'œnologue Denis Dubourdieu, éminemment respecté dans la région pour ses conseils en matière de vinification des vins blancs, est propriétaire de ce cru à Pujols. Pionnier des pratiques de macération pelliculaire et de bâtonnage, il produit sur son propre vignoble des vins blancs tout à fait remarquables.

CHÂTEAU DU GRAND BOS
Dans ce vignoble, Cabernet-Sauvignon et Merlot font jeu égal, l'un apportant la structure, l'autre un fruité souple.

DOMAINE DE HAURET-LALANDE
Située à Cérons, cette propriété de la famille

CRUS DE GRAVES

Lalande produit des vins blancs aromatiques.

CHÂTEAU HAUT-SELVE
La propriété est l'œuvre de Jean-Jacques Lesgourges. Son premier Graves rouge, l'un des meilleurs, porte le millésime 1996.

CHÂTEAU DE LANDIRAS
Responsable des vinifications à Château Rahoul pendant dix ans, Peter Vinding-Diers vinifie aujourd'hui ses propres vins de Landiras et ceux du Domaine La Grave à Portets. Avec une passion particulière pour le Sémillon, il élabore des vins amples et concentrés.

CHÂTEAU LEHOUL
Ce vignoble d'une dizaine d'hectares sis au sud de l'aire d'appellation, près de Langon, produit des vins rouges, blancs secs et liquoreux, qui passent tous par le bois. Le rouge brille par son fruité exubérant (Cabernet-Merlot), le blanc sec « sauvignonne » floralement, le liquoreux, à base de Sémillon, tend vers l'équilibre.

CHÂTEAU MAGENCE
Cette belle propriété réputée du sud des Graves produit des vins rouges flatteurs et des vins blancs bien équilibrés.

CHÂTEAU DE PORTETS
Cet imposant château qui domine la Garonne est entouré d'un vignoble sur la commune de Portets. Son vin blanc est élevé en fûts de bois neuf, et son rouge, souple et bien construit, passe 18 mois en barriques.

CHÂTEAU RAHOUL
Réputée pour ses vins blancs, issus d'un heureux mariage entre le Sémillon et le bois dans les années 1980, cette propriété a été reprise par Alain Thiénot.

CHÂTEAU RESPIDE-MÉDEVILLE
Vins rouges avec une belle concentration de tanins, vins blancs fermentés sous bois, très prometteurs.

CHÂTEAU DE ROQUETAILLADE-LA GRANGE
Cette grande propriété située à Mazères élabore des vins blancs dominés par le Sémillon et des vins rouges dotés d'une belle structure, qui méritent de vieillir.

CHÂTEAU SAINT-ROBERT
Dans ce vignoble, on trouve presque autant de Merlot que de Cabernet alors que les vignes blanches comprennent beaucoup de Sauvignon.

CHÂTEAU TOUMILON
Ce vignoble du sud de l'aire d'appellation produit des vins blancs et rouges de bonne facture, très réguliers.

CHÂTEAU LE TUQUET
Dans cette vaste propriété proche de Beautiran, qui borde la route Bordeaux-Langon, on vinifie un Graves rouge léger et fruité et un Graves blanc vif et gai.

VIEUX-CHÂTEAU-GAUBERT
Cette petite propriété créée par Dominique Haverlan produit d'excellents vins élevés en barriques.

VILLA BEL AIR
Dans ce grand vignoble, Jean-Michel Cazes (Lynch-Bages et Axa) produit avec des méthodes de vinification modernes des vins rouges (Cabernet-Sauvignon) et blancs (Sauvignon-Sémillon) – ces derniers élevés en barriques – d'une grande élégance et vivacité, caractérisés par des notes boisées.

AUTRES PRODUCTEURS
Les vins blancs secs produits dans les grands châteaux de Sauternes font partie des bizarreries des appellations. Il faut citer « Y » d'Yquem, « R » de Rieussec, le Château Doisy-Daëne, et « M » de Malle.

SAUTERNES

Carte page x

Le Sauternes, considéré comme l'un des plus grands vins blancs liquoreux du monde, provient d'une zone située dans le sud des Graves. L'appellation Sauternes appartient à quatre communes, en dehors de la ville de Sauternes même : Fargues, Bommes, Preignac et Barsac. Il existe également une appellation Barsac, mais certains producteurs préfèrent commercialiser leur vin sous l'étiquette de l'AOC Sauternes, plus connue. Le Sauternes, vin sensuel aux couleurs d'or, aux notes profondes de miel, de noisette et d'orange, constitue un vin classique de fin de repas, à déguster seul ou avec un dessert. Il se boit traditionnellement très frais, en apéritif ou en accompagnement du foie gras.

Les cépages du Sauternes sont identiques à ceux des Graves blancs : Sauvignon, Sémillon et Muscadelle. Le Sémillon étant davantage sujet au *botrytis* (pourriture noble) que le Sauvignon, on le privilégie en le faisant entrer à 80 % dans l'assemblage, pour 20 % de Sauvignon, auquel on mêle parfois un peu de Muscadelle.

L'importance de la pourriture noble

Dans le Sauternais, tout concourt naturellement à produire des vins liquoreux, mais personne ne connaît l'origine exacte du Sauternes tel qu'il existe aujourd'hui. Certains en attribuent la paternité à un propriétaire local qui aurait importé la technique d'Allemagne en 1847, mais d'autres affirment qu'on produisait ce vin liquoreux avant cette date.

Quoi qu'il en soit, si cette partie du monde semble avoir actuellement l'apanage de ce type de vin, ce n'est pas sans risque, car la chaleur estivale n'est pas suffisante pour garantir la surmaturité et la douceur nécessaires à l'élaboration d'un bon Sauternes. Il faut que les conditions climatiques favorisent l'apparition et l'action du *Botrytis cinerea* (pourriture noble), champignon entretenu par une certaine humidité, qui décolore les baies, les recroqueville et concentre leur teneur en sucre, en acidité et en glycérol. Le *botrytis* est à l'origine de phénomènes chimiques tellement complexes que personne ne connaît exactement son fonctionnement, mais tout le monde peut profiter de la saveur caractéristique dont il enrichit un vin.

Le blanc liquoreux de Sauternes est un vin riche, onctueux et mielleux, corsé par une pointe d'acidité propice à un vieillissement optimal de longue durée. Au fur et à mesure de sa maturation, il prend une couleur plus profonde et un goût plus sec, presque de brûlé.

Le Sauternais est traversé par le Ciron, une rivière froide, qui se jette dans la Garonne, fleuve plus chaud : cette configuration géographique particulière favorise l'apparition de brumes automnales stagnant au-dessus des vignes avoisinantes. C'est le moment idéal pour que les spores de *botrytis* se multiplient et s'activent sur les grappes. En règle générale, les brumes se dissipent sous le chaud soleil de midi, mais, si l'humidité se prolonge dans l'après-midi, les conditions sont idéales pour une bonne déshydratation des raisins. Si ce n'est pas le cas, le *botrytis* risque de dégénérer en infâme pourriture grise, et le raisin est perdu. La pourriture noble ne se répartit de façon uniforme que les années exceptionnelles, comme 1990. Mais, la plupart du temps, le *botrytis* est très localisé, ce qui oblige les récoltants à faire plusieurs vendanges successives.

Les tries, au moment des vendanges, restent le facteur essentiel de la réussite d'un bon Sauternes. Certaines années, le *botrytis* reste très limité ou se produit très tardivement.

Si, à la mi-octobre, le raisin est toujours sain et très mûr, mais sans la moindre trace de pourriture noble, la tentation de vendanger est très forte. Si l'on y succombe, on obtient un vin moelleux riche, mais sans le parfum spécifique et complexe que confère le *botrytis*. Certains domaines, comme Château d'Yquem, attendent jusqu'au dernier moment, espérant toujours une attaque du champignon, et n'envoient les vendangeurs que lorsque la contamination est suffisamment étendue. En 1985, année où le *botrytis* est apparu exceptionnellement tard, Yquem récoltait encore en décembre, bien après la grande majorité des propriétés.

Le bon moment

Quand on attend pour vendanger, on risque de voir le temps s'aggraver. Début novembre, il n'est pas rare qu'une semaine de pluies ininterrompues détruise sur pied tous les raisins. Certaines années, 1982, 1991 ou 1992, pour ne citer que celles-là, ceux qui ont vendangé précocement, par chance ou par manque d'audace, ont récolté des grappes de meilleure qualité que les risque-tout. Plus tard, en effet, les raisins étaient gonflés de pluie et dénaturés par la pourriture grise. Mais, en règle générale, ceux qui prennent leur temps se voient récompensés par une qualité supérieure.

Les années 1980 ont donné naissance à une nouvelle pratique de concentration des moûts, la cryoextraction, qui consiste à congeler les raisins pour en séparer l'eau de pluie. Les partisans de ce nouveau procédé soulignent qu'il devrait être réservé aux raisins botrytisés uniquement. En 1989 et 1990, années marquées par la sécheresse et la chaleur, la machine est restée au repos, mais elle a tourné à plein régime les années humides, comme 1987, où elle a aidé

LA CLASSIFICATION DES SAUTERNES

La lettre (B) indique les propriétés de Barsac autorisées à vendre leur vin sous l'étiquette Barsac ou Sauternes. L'ordre suivi est celui de la classification de 1855.

PREMIER CRU SUPÉRIEUR
- Ch. d'Yquem

PREMIERS CRUS
- Ch. La Tour Blanche
- Ch. Lafaurie-Peyraguey
- Clos Haut-Peyraguey
- Ch. de Rayne-Vigneau
- Ch. de Suduiraut
- Ch. Coutet (B)
- Ch. Climens (B)
- Ch. Guiraud
- Ch. Rieussec
- Ch. Rabaud-Promis
- Ch. Sigalas-Rabaud

DEUXIÈMES CRUS
- Ch. de Myrat (B)
- Ch. Doisy-Daëne (B)
- Ch. Doisy-Dubroca (B)
- Ch. Doisy-Védrines (B)
- Ch. d'Arche
- Ch. Filhot
- Ch. Broustet (B)
- Ch. Nairac (B)
- Ch. Caillou (B)
- Ch. Suau (B)
- Ch. de Malle
- Ch. Romer du Hayot
- Ch. Lamothe
- Ch. Lamothe-Guignard

certains domaines à sauver une partie des récoltes. Même Yquem possède sa chambre de cryoextraction, et tous les détracteurs de ce principe, voyant que son utilisation restait raisonnable, se sont tus peu à peu.

Les récentes améliorations

Le Sauternes a connu le même phénomène que les Graves secs : une nette amélioration de la qualité entre 1980 et 1990 alors que les deux décennies précédentes avaient singulièrement brillé par leur manque de panache. On a connu, il est vrai, de grands millésimes, 1975 et 1976 notamment, mais rares ont été les domaines qui ont offert des vins remarquables. Les prix bas décourageaient les vignerons d'investir dans de nouveaux équipements. Rien de surprenant à ce que la qualité en ait pâti ! Aujourd'hui, les temps ont bien changé. Les fûts de chêne neuf, autrefois rares dans la région, sont omniprésents (parfois trop !), même si certains aiment à garder une partie de leur vin dans des cuves Inox pour leur conserver une certaine fraîcheur. Le secret du grand Sauternes réside dans les vendanges : une fois que les grappes sucrées et botrytisées à souhait sont à l'abri des chais, le tour est joué ! Les grands domaines comme Yquem, La Tour Blanche et Raymond-Lafon essaient de récolter les raisins avec un degré d'alcool potentiel compris entre 20 % vol. et 22 % vol., afin d'obtenir des vins avoisinant un degré d'alcool acquis entre 14 et 14,5 % vol., le reste

s'exprimant en sucre résiduel. Les années de grande maturité, une teneur en sucre aussi élevée est pratiquement la norme. Les années plus classiques, il faut absolument procéder aux tris successifs pour pouvoir obtenir des moûts concentrés. Un procédé plus rapide consiste à récolter des raisins très mûrs, avec un taux d'alcool de 15 % vol., et à les chaptaliser pour atteindre un niveau de 13 % vol. plus l'équivalent de 4 % vol. en sucre résiduel. Inutile de préciser que la dégustation d'un tel vin est souvent décevante.

Le Sauternes aujourd'hui

Dans les années 1960, on avait perdu l'habitude de se référer à la classifica-

CRUS DE SAUTERNES

La distinction entre le Sauternes des cinq communes est très subtile. Celui de Barsac se démarque par la clarté de sa robe ainsi que par la délicatesse et l'élégance de ses arômes. Certains Sauternes, comme Château Rieussec et Guiraud, offrent une telle richesse qu'elle peut paraître exubérante. Quelques amateurs préfèrent la plus grande finesse proposée par des Barsacs tels que Château Climens ou Château Doisy-Daëne. Dans ces querelles de connaisseurs, où tout est affaire de goût, la qualité n'est pas en jeu. Au nord de Barsac, une autre appellation, Cérons, produit des vins blancs liquoreux (voir encadré p. 322). Des vins blancs doux sont également élaborés dans d'autres régions des Graves, sous l'appellation AOC Graves Supérieurs. Ils sont de qualité moyenne.

CHÂTEAU D'ARCHE
2e Cru classé Pierre Perromat loue cette propriété ancienne depuis 1981 et a redoré son blason quelque peu terni en prenant des mesures énergiques : réduction des rendements, vendanges aussi tardives que possible et augmentation de la proportion de barriques neuves.
Le résultat est à la hauteur de ses efforts sous la forme d'un vin riche, doux et onctueux, qui reste d'un prix abordable car encore peu connu.

CHÂTEAU BASTOR-LAMONTAGNE
Cette vaste propriété, ouvertement tournée vers le commerce, respecte les techniques traditionnelles sans prétendre au perfectionnisme des grandes. Les vins qu'elle élabore depuis de nombreuses années sont d'autant plus admirables : Sauternes délicieux, épicés, racés et bien équilibrés. Bon rapport qualité/prix.

CHÂTEAU BROUSTET
2e Cru classé Château Broustet élabore un Barsac puissant qui a du corps et de la souplesse, mais qui manque souvent de concentration et d'équilibre. Il possède une clientèle fidèle.

CHÂTEAU CAILLOU
2e Cru classé Un beau petit château domine cette célèbre propriété de Barsac. La qualité globale n'a pas été rehaussée par la production d'une cuvée spéciale appelée Crème de Tête, à laquelle sont réservés les meilleurs lots. Les vins sont gentiment agréables, mais présentent peu de profondeur et de richesse, sans présence systématique de pourriture noble.

CHÂTEAU CLIMENS
1er Cru classé Il s'agit de l'une des rares propriétés qui puissent quelquefois rivaliser avec Château d'Yquem, voire, selon certains, le dépasser, bien que les deux vins soient différents. Climens est un Barsac, avec toutes les subtilités inhérentes

tion de 1855 (voir encadré) en raison du nombre de vins médiocres proposés par les domaines classés. La découverte d'un grand vin, même les bonnes années, relevait plus de la loterie que d'un quelconque classement. Au début des années 1980, certains producteurs voulurent sortir du cercle vicieux mauvaise vinification-vin médiocre-prix bas. Ils prirent conscience que seule une hausse de la qualité pourrait rétablir la réputation de ce qui était, pour certains, le plus grand vin liquoreux du monde. Aujourd'hui, après quatre millésimes exceptionnels pour le XXe siècle – 1988, 1989, 1990 et 1997 –, le consommateur n'a que l'embarras du choix. Le nouveau siècle ne s'annonce pas moins excellent.

CRUS DE SAUTERNES

à son terroir. Jeune, il reste le plus souvent modeste. Après dix ans en bouteille, il commence très progressivement à dévoiler l'élégance majestueuse dont il est capable. Depuis le millésime 1983, Climens n'a jamais démérité, et même les vins des médiocres années 1972 et 1973 se sont révélés délicieux.

CHÂTEAU COUTET
1er Cru classé L'une des propriétés les plus connues de Barsac, ce château a failli à sa réputation pendant de nombreuses années, avec notamment des variations étonnantes d'une bouteille à l'autre. Heureusement, Coutet a retrouvé le droit chemin à la fin des années 1980 en élaborant des vins concentrés qui dissimulent la délicatesse du Barsac derrière la richesse considérable du fruit. Les grandes années, on élabore une cuvée spéciale, la Cuvée Madame.

CHÂTEAU DOISY-DAËNE
2e Cru classé Pierre Dubourdieu élabore un vin au style léger et délicat (sauf en 1989). Son Sauternes fait plutôt jouer le charme que la puissance, mais, les petites années, son caractère acidulé peut décevoir. En revanche, les bons millésimes peuvent révéler la quintessence du Barsac.

CHÂTEAU DOISY-DUBROCA
2e Cru classé Cette propriété appartient à la famille Lurton, qui possède également Château Climens. Les deux vins sont donc élaborés exactement de la même façon, mais, différence de terroir oblige, Château Doisy-Dubroca n'a pas la distinction de son aîné.

CHÂTEAU DOISY-VÉDRINES
2e Cru classé Restée longtemps effacée, cette propriété de Barsac a pris son essor en 1988. Elle propose depuis lors un vin fin et complexe, élaboré dans un style assez ample, que développe un long vieillissement dans des barriques, neuves en grande majorité.

CHÂTEAU DE FARGUES
Si les terres entourant ce château en ruine sont singulièrement pauvres, les vins sont riches et voluptueux, car ils sont élaborés par les maîtres du genre (l'équipe de Château d'Yquem). Cette réussite est le triomphe d'une viticulture et d'une vinification de haut rang sur un modeste terroir. Jeune, Fargues est souvent meilleur qu'Yquem, mais, avec l'âge, ce dernier prend invariablement le dessus, ce qui justifie sa suprématie. Néanmoins, si vous avez la chance de goûter l'une des bouteilles, vos papilles en garderont à coup sûr un souvenir inoubliable. Fargues est commercialisé à moitié →

prix de son célèbre frère, mais il n'en est pas moins le deuxième vin le plus cher de l'appellation.

CHÂTEAU FILHOT
2e Cru classé Les vignobles de Filhot se regroupent autour d'un magnifique château du XVIIIe siècle. Le propriétaire, Henri de Vaucelles, ne cache pas son but commercial, ce qui ne l'empêche pas de produire certaines années, comme en 1976 et en 1990, un Sauternes riche et plaisant. Le Crème de Tête 1990 est somptueux.

CHÂTEAU GILETTE
Cette propriété est unique dans le Sauternais : l'élaboration des vins, à partir de vignes à faible rendement, ne se fait que les années exceptionnelles. Elle possède en outre la particularité de ne vendre son vin, auprès de la clientèle particulière, qu'après un séjour de 10 ou 15 ans dans ses chais. En 1999, on vendait le millésime 1979. Le vin évolue donc beaucoup plus lentement que d'autres, si bien qu'un «jeune» Gilette a encore un goût immature et se bonifie pendant des décennies en bouteille, longtemps après que d'autres Sauternes ont épuisé leur potentiel. Au palais, c'est une explosion d'arômes et de parfums de miel et d'abricot, auxquels se mêle le goût de noisette du Sauternes arrivé à son apogée. Il est extrêmement cher, comme tout bon Sauternes d'âge comparable.

CHÂTEAU GUIRAUD
1er Cru classé Après avoir acquis en 1981 cette propriété, certes vaste, mais mal en point, le Canadien Hamilton Narby s'attela à sa résurrection. C'est aujourd'hui chose faite, même si Château Guiraud n'est plus entre ses mains. Riche et ample, son Sauternes présente une texture crémeuse, rehaussée de parfums de pêche et de chêne. Il n'est jamais chaptalisé, mais c'est un vin inégal qui ne tient pas toujours ses promesses.

CHÂTEAU CLOS HAUT-PEYRAGUEY
1er Cru classé Comme le dit lui-même Jacques Pauly, propriétaire de cette petite propriété située à Bommes, c'est la finesse, et non la puissance, qui l'intéresse. Et, en effet, on ne qualifiera jamais l'un de ses vins des adjectifs «riche», «opulent» ou «surchargé»! Mais depuis le millésime 1995 les vins de Jacques Pauly se sont étoffés et appartiennent désormais au petit groupe des cinq ou six «premiers des premiers».

CHÂTEAU LAFAURIE-PEYRAGUEY
1er Cru classé De 1967 à 1977, ce vin n'a pas fait l'objet des meilleurs soins et restait quelconque. Un changement de régime a apporté une transformation radicale. Le Château Lafaurie, désormais vieilli dans 50 % de chêne neuf, est superbe : soyeux, élégant, il garde un léger goût de chêne. C'est le modèle des Sauternes. Les millésimes modestes, comme 1984 et 1987, il comptait parmi les meilleurs de l'année.

CHÂTEAU LAMOTHE
2e Cru classé Tous les espoirs reposent sur la nouvelle génération qui a pris les commandes. Jusqu'à présent, le Château Lamothe s'est montré plutôt décevant, avec des vins manquant un peu de structure et de concentration.

CHÂTEAU LAMOTHE-GUIGNARD
2e Cru classé Après la rénovation des caves, la qualité du vin s'est trouvée considérablement améliorée. Depuis 1986, il est délicieux : riche et sucré, avec un léger goût de chêne, il marie élégance et complexité. Et sa qualité continue de s'améliorer... C'est un autre exemple de bon rapport qualité/prix.

CHÂTEAU LIOT
Barsac connu, élaboré dans un style léger, manquant quelquefois de *botrytis* et vieillissant dans des cuves et des barriques, dont 15 % de chêne neuf, Liot est relativement bon marché et constitue un bon Sauternes agréable à consommer en apéritif.

CRUS DE SAUTERNES

CHÂTEAU DE MALLE
2e Cru classé Ce cru a eu la réputation de proposer des vins fins mais trop légers. Les millésimes 1989 et 1990 ont révélé tout le potentiel de ce domaine qui, en 1996 et 1998, a produit de grands liquoreux onctueux et riches.

CHÂTEAU DE MYRAT
2e Cru classé Le vignoble a été entièrement reconstitué à partir de 1988, et la première récolte a été effectuée trois ans plus tard. Victime du mauvais climat dans un premier temps, le propriétaire actuel, le comte de Pontac, a réussi de grands vins en 1997 et 1998.

CHÂTEAU NAIRAC
2e Cru classé Jusqu'à la fin des années 1960, le vin était vendu en vrac. Tout a changé lorsque Tom Heeter et son épouse, Nicole Tari, ont acquis la propriété. De 1972 à 1987, date de son départ, Heeter a élaboré des vins brillants, même les années sombres comme 1974. Le Château Nairac a toujours été marqué par le parfum du chêne neuf, un peu excessif au goût de certains. Depuis 1988, le vinificateur Max Amirault a pris le relais de façon admirable. Le millésime 1990, après un séjour de 30 mois dans le chêne, est un Barsac classique. Depuis 1995, le fils Heeter-Tari a réussi de brillants millésimes (superbe 1997).

CHÂTEAU RABAUD-PROMIS
1er Cru classé Dans les années 1960, ce château pouvait se vanter d'avoir les caves les plus négligées du Sauternais. Aujourd'hui, la situation a bien changé, et le responsable actuel, Philippe Dejean, élabore depuis 1983 l'un des meilleurs vins de la région. Derrière de discrets arômes de chêne, son Sauternes fait davantage assaut de charme que de puissance, rehaussé, les meilleures années, par une exquise fraîcheur et un caractère racé. Parmi les Premiers Crus classés, Rabaud-Promis offre l'un des meilleurs rapports qualité/prix.

CHÂTEAU RAYMOND-LAFON
Pierre Meslier, qui a dirigé Château d'Yquem pendant des décennies, applique ici les mêmes techniques perfectionnistes.
Les rendements sont très bas et le vin séjourne pendant 3 ans dans des barriques de bois neuf. Depuis 1979, Château Raymond-Lafon a présenté une succession de vins somptueux exigeant un long vieillissement.
En reculant le plus possible les vendanges, Meslier a élaboré des vins excellents, même lors d'années difficiles comme 1985 et 1987. Cette superbe qualité justifie la troisième position du vin sur l'échelle des prix du Sauternes (après Yquem et Fargues).

CHÂTEAU DE RAYNE-VIGNEAU
1er Cru classé Vaste propriété implantée sur une colline riche en pierres semi-précieuses, ce château s'est longtemps complu dans des vins médiocres et commerciaux. Depuis 1990 – sauf en 1994 –, Rayne-Vigneau est redevenu une source fiable de bons Sauternes.

CHÂTEAU RIEUSSEC
1er Cru classé Avant 1984, ce château désormais en plein essor élaborait des vins gras et somptueux, souvent délicieux, mais quelquefois un peu trop chargés. Même si les millésimes plus récents sont toujours puissants et forts en alcool, la richesse du fruit semble peser plus lourd dans la balance. Les millésimes 1996 et 1997 comptent parmi les meilleurs Rieussec.

CHÂTEAU SAINT-AMAND
Bien que les vignes se trouvent à Preignac, on pourrait facilement prendre ce charmant Cru bourgeois, de facture traditionnelle, pour un Barsac. Jamais très concentré, ce Sauternes affiche une remarquable élégance. De bon rapport qualité/prix, il est parfois vendu sous l'étiquette Château de la Chartreuse.

CHÂTEAU SIGALAS-RABAUD
1er Cru classé Les Établissements Cordier, fermiers de ce cru, ont →

CRUS DE SAUTERNES

contribué au retour au premier plan de ce Sauternes connu pour être l'un des plus fins. Ce château a produit deux fois trois millésimes de légende : 1988, 1989 et 1990 ainsi que 1995, 1996 et 1997.

CHÂTEAU DE SUDUIRAUT *1er Cru classé* Si, pour vous, un Sauternes doit exprimer de la puissance et de l'opulence, alors Suduiraut est le vin qu'il vous faut. Malheureusement, il lui arrive de verser dans une certaine exubérance, et même de grands millésimes comme 1983 et 1986 se sont révélés décevants. Mais, en 1990, le vin a été magnifique. On ne s'étonnera pas qu'un vignoble contigu de celui d'Yquem produise de parfaits Sauternes.

CÉRONS

Les vignerons des trois communes de Cérons, Podensac et Illats ont droit à l'appellation Cérons pour leurs vins blancs liquoreux, mais peuvent également élaborer du Graves blanc sec AOC à partir des mêmes vignes. Au meilleur de sa forme, le Cérons peut ressembler à un Barsac léger, mais des rendements supérieurs (40 hl/ha contre 25 hl/ha dans le Sauternais) l'empêchent d'atteindre la richesse d'un Sauternes. Les vins de Cérons sont donc plus légers et moins sucrés.

CHÂTEAU DE CÉRONS Défenseur de longue date de l'appellation, Jean Perromat en produit un des exemples les plus racés. Sur son domaine, les rendements sont inférieurs à 30 hl/ha, et, depuis 1988, une partie des récoltes fermente en barrique. Le millésime 1990 a été vraiment exceptionnel, avec une teneur en sucre naturelle d'un potentiel de 23 % vol. Les vins sont très bien équilibrés et ils vieillissent avec élégance.

GRAND ENCLOS DU CHÂTEAU DE CÉRONS Depuis 1989, le vin vieillit en barriques pendant un an. Le propriétaire, Olivier Lataste, est ambitieux et désire élaborer un bel exemple de l'appellation.

AUTRES PRODUCTEURS Château d'Arricaud, Clos Bourgelat (voir également p. 313).

CHÂTEAU LA TOUR BLANCHE *1er Cru classé* La classification de 1855 donnait ce Sauternes comme le meilleur après Yquem. Pourtant, les vins des années 1970 et du début des années 1980 étaient peu engageants. Heureusement, Jean-Pierre Jausserand a relevé les normes : les vendanges sont beaucoup plus sélectives, les lots ne correspondant pas aux normes sont déclassés, et le pourcentage de barriques neuves a atteint 100 % en 1990. Depuis 1988, La Tour Blanche mérite à nouveau son titre de Premier Cru.

CHÂTEAU D'YQUEM *1er Cru supérieur* Le plus grand Sauternes, mais aussi le plus cher. Son prix élevé a permis à son ancien propriétaire, le comte Alexandre de Lur-Saluces, qui assure toujours la gestion de la propriété, de maintenir des normes exemplaires. Son équipe de 150 vendangeurs étale la récolte sur des mois, si nécessaire ; la chaptalisation n'est pas pratiquée, le vin vieillit pendant 3 ans dans des barriques de chêne neuf, et tout lot qui ne correspond pas aux normes fixées est impitoyablement rejeté. Les 103 ha de vignobles parfaitement entretenus sont divisés en quatre parcelles donnant des vins de caractères différents, ce qui permet l'assemblage des meilleurs lots. Ce procédé confirme le dicton selon lequel c'est dans le vignoble, et non dans la cave, que s'élabore un grand Sauternes. Yquem est avant tout un vin d'artisan, ce qui explique sa profonde complexité.

ENTRE-DEUX-MERS

Carte page VIII

Limitée par la Dordogne au nord, par la Garonne au sud et par la frontière entre le département de la Gironde et ceux de la Dordogne et du Lot-et-Garonne à l'est, une petite enclave vallonnée égaie le paysage austère et plat des Graves et du Médoc : c'est le plateau de l'Entre-deux-Mers, sillonné de vallées où se nichent fermes et bosquets. Son nom de pays « entre deux mers » provient du fait que la marée atlantique remonte dans les deux fleuves à 150 km de l'océan.

Dans un lointain passé, la viticulture n'était qu'une activité parmi d'autres, dans cette campagne où les vignes côtoyaient les prés à vaches, les champs de blé et les vergers. De nos jours, l'Entre-deux-Mers représente le plus important vignoble du Bordelais et la zone viticole AOC la plus vaste de France.

Autrefois productrice de vins blancs doux sans grand caractère, cette région s'est diversifiée dans les années 1980, et l'amateur de vins a le choix aujourd'hui entre plusieurs styles de vins de qualité, y compris des vins rouges.

Les côtes de Bordeaux, suite de collines escarpées mais peu élevées, forment la frontière sud. C'est là que se trouvait au Moyen Âge l'un des vignobles les plus importants du Bordelais.

Les districts et les appellations

La région est un patchwork d'appellations. Une bonne partie du vin rouge n'a droit qu'à la simple AOC Bordeaux ou à celle de Bordeaux Supérieur. Ce dernier est souvent d'un bon rapport qualité/prix. L'AOC Entre-deux-Mers est réservée au vin blanc sec.

Les meilleurs vins rouges proviennent des Premières-Côtes-de-Bordeaux, AOC qui s'applique également aux vins blancs liquoreux (les vins blancs secs gardent l'étiquette Entre-deux-Mers). Ces vignobles orientés à l'ouest et surplombant la Garonne changent de dénomination en se prolongeant au sud-est ; ils s'appellent alors Côtes de Bordeaux Saint-Macaire.

Les Premières-Côtes se subdivisent en trois petites appellations vouées aux vins blancs doux : Sainte-Croix-du-Mont, Loupiac et Cadillac. Toutefois, ces dernières sont souvent intégrées au groupe de vins blancs liquoreux des statistiques officielles du Bordeaux et, par extension, assimilées aux larges groupes d'appellations de vins du Sauternais. D'après ces mêmes statistiques, si l'appellation Cadillac reste avec une production confidentielle, les deux autres sont en plein essor.

FRANCE

D'autres zones de la région possèdent leur propre appellation : Entre-deux-Mers Haut-Benauge, enclave de vin blanc située à cheval sur la frontière de l'Entre-deux-Mers ; Graves de Vayres, sur les graviers de la Dordogne ; Sainte-Foy-Bordeaux et ses vins blancs et rouges. Il ne faut pas confondre l'appellation Graves de Vayres avec l'AOC Graves qui se situe sur l'autre rive. Ses 609 ha se partagent entre vignes blanches et vignes rouges. Le Château Lesparre produit de bons vins rouges et blancs.

Les styles de vin

L'Entre-deux-Mers doit être (et est généralement) un vin blanc sec issu de Sauvignon et de Sémillon. La réglementation de l'AOC fut souvent bafouée par le passé, notamment avec l'exportation de vins plus ou moins moelleux vers les marchés d'Europe du Nord. Lorsque la mode de ces vins prit fin, la région s'en ressentit, si bien que les coopératives et quelques propriétaires indépendants décidèrent de réagir en revenant à des vins secs et frais. Bien leur en prit, car les ventes continuent de progresser. Dans l'enclave du Haut-Benauge, les vins restent secs malgré un parfum très présent de Sémillon. Les vins moelleux ou liquoreux des Premières-Côtes multiplient leurs efforts pour se hisser au rang des grands, mais ils ont du mal, car le *botrytis* (voir Sauternes p. 315) sévit rarement et les acheteurs leur préfèrent les Sauternes, valeurs sûres et connues. Les petites AOC Loupiac et Sainte-Croix-du-Mont sont mieux situées, avec leurs vignes plantées près de la rivière et susceptibles d'être affectées par le *botrytis*. C'est là que se trouve le potentiel pour élaborer de bons vins blancs moelleux correspondant aux normes et au style du Sauternes. Les liquoreux de Loupiac, de Cadillac et plus encore ceux de Sainte-Croix-du-Mont se sont grandement améliorés et ont trouvé leur spécificité.

Faute d'indication précise sur l'étiquette, il est difficile de savoir si un

PRODUCTEURS ET NÉGOCIANTS

Les coopératives produisent environ 40 % des vins de la région. Les bons domaines sont :

PREMIÈRES-CÔTES-DE-BORDEAUX
Rouge Brethous, de Chastelet, Dudon, la Gorce, Grimont, du Juge, Lagarosse, Nenine, de Plassan.

CADILLAC
Blanc liquoreux Fayau, Manos, Renon, Suau.

LOUPIAC
Blanc liquoreux du Cros, Loupiac-Gaudiet, Domaine du Noble, Peyrot-Marges, de Ricaud, Rondillon.

SAINTE-CROIX-DU-MONT
Blanc liquoreux La Grave, Loubens, La Rame du Mont.

HAUT-BENAUGE
Blanc sec le Bos, Haut-Reygnac, Domaine de La Seriziere.

ENTRE-DEUX-MERS
Blanc sec Bonnet, Camarsac, Mylord.

vin rouge AOC Bordeaux provient ou non de cette région de Gironde. Les Premières-Côtes, quant à elles, sont très identifiables : souvent d'un prix compétitif, les vins sont bien structurés, avec une bonne base de Merlot, et témoignent de caractère. C'est dans ces vignobles des « Côtes » que l'on produit les meilleurs Clairets, des vins rouges légers issus de saignées pratiquées en cours de fermentation.

BOURG ET BLAYE

Carte page VIII

Les visiteurs du Médoc ont en permanence sous les yeux, de l'autre côté des eaux brunes du vaste estuaire de la Gironde, les pentes boisées de Blaye. Elles restent cependant difficiles d'accès, sauf si l'on s'aventure sur le bac de Lamarque entre Saint-Julien et Margaux.

Le paysage vallonné de la rive droite de la Gironde est doté de nombreux vignobles, bien qu'en quantité plus limitée que sur l'autre rive. Et, pourtant, favorisés par leur plus grande accessibilité, Blaye et Bourg étaient au Moyen Âge des ports vinicoles importants alors que Pauillac et Margaux vivaient de l'élevage des moutons et de la culture du blé.

Bourg et Blaye élaborent à la fois des vins blancs et des rouges (les meilleurs). Ce sont les vignes des bords de la Gironde qui offrent les vins de meilleure qualité ; celles de l'intérieur réservant leur abondante production aux coopératives. En résumé, on peut dire que ces deux zones sont une bonne et abondante source de bon Bordeaux rouge.

Les cépages et les styles de vin

Principaux cépages, le Merlot et le Cabernet Franc entrent dans la composition de vins rouges de style « rive droite » rappelant le Fronsac et le Saint-Émilion. Les vins blancs sont élaborés à partir de Sémillon, de Sauvignon et de Colombard, cépage du Cognac voisin. Quelques rouges comportent également une certaine proportion de Malbec, ainsi que du Cabernet-Sauvignon.

Les vins de Blaye et de Bourg avaient la réputation d'être robustes, sombres et de longue garde. Selon un écrivain du XIXe siècle, il fallait attendre une dizaine d'années pour déguster ces vins qui, selon lui, dépassaient les Médocs courants par leur structure, leur fruité et leur caractère. Aujourd'hui, ce style est toujours présent, mais, dans l'ensemble, les vins du Médoc se sont améliorés davantage. Un vin de Bourg ou de Blaye mérite de vieillir entre trois et dix ans dans les bons millésimes.

Les zones et les appellations

Avec d'autres appellations situées à la périphérie du Bordelais, comme les Premières-Côtes (voir p. 324), Bourg et Blaye produisent des vins de « Côtes », qui montrent davantage de cachet que les simples appellations régionales. Bourg est la plus petite des deux zones, mais la viticulture y est intensive, tout autour du port de Bourg. L'AOC Côtes-de-Bourg, créée en 1936 pour les vins rouges et en 1941 pour les vins blancs, couvre les meilleurs sols, situés sur les coteaux qui surplombent la Dordogne, (les appellations Bourg et Bourgeais ne sont plus en usage). Les quelque 3 900 ha de vignes sont consacrés en majorité au vin rouge, contre une infime quantité de vin blanc.

La zone de Blaye est beaucoup plus étendue, bien que la superficie des vignobles ait été longtemps à peu près identique. Mais ces dernières années ont enregistré une forte progression, et le vignoble blayais couvre aujourd'hui plus de 6 000 ha de vignes. Les trois appellations couvrent la même zone : les vins doivent provenir de raisins récoltés sur les cantons de Blaye, de Saint-Savin-de-Blaye et de Saint-Ciers-sur-Gironde. L'AOC Blaye (ou Blayais) correspond à des vins blancs et, surtout, rouges, tandis que Côtes-de-Blaye produit des vins blancs secs et Premières-Côtes-de-Blaye des vins blancs et rouges. Cette dernière appellation limite les cépages aux classiques de Bordeaux, tels que le Merlot et le Cabernet-Sauvignon pour les rouges, et exige des rendements modérés.

PRODUCTEURS ET NÉGOCIANTS

Les coopératives dominent la production, mais un nombre croissant de producteurs mettent leur vin en bouteilles. La production de vin blanc est en déclin tandis que celle de vin rouge est en forte progression en raison d'une popularité grandissante.

BLAYE

Cette région est un pays de petites et moyennes propriétés. Environ le tiers des vins blancs sont élaborés par les caves coopératives. Les prix restent généralement modestes. Parmi les meilleurs producteurs, citons :
Bertinerie, Les Billauds, Charron, la Croix-Saint-Jacques, Gardut Haut-Cluzeau (blanc), du Grand Barrail, Haut-Bertinerie (blanc), Haut-Sociando, Les Jonqueyres, Loumède, Le Ménaudat, Les Petits Arnauds, Pérenne, Peyraud, Segonzac, La Tonnelle, le Virou.

BOURG

L'AOC Côtes-de-Bourg compte aujourd'hui parmi les plus intéressants vignobles de côte. La qualité des châteaux n'a cessé de s'améliorer. Parmi les meilleurs producteurs, citons :
de Barbe, Beaulieu, de Bousquet, Brûlesécaille, Bujan, Civrac, Eyquem, Falfas, Galau, Guerry, Haut-Gravier, Haut-Maco, Macay, Mercier, Roc des Cambes, Rousset, Tayac.

SAINT-ÉMILION

Carte page XI

Cette célèbre région consacrée au vin rouge est regroupée autour du village de Saint-Émilion, situé à quelque 40 km au nord-est de Bordeaux, sur la rive droite de la Dordogne. Le vignoble s'étend sur 5200 ha. En plus des neuf communes autorisées à utiliser l'appellation Saint-Émilion, quatre autres peuvent l'accoler à leur nom. Ce sont les communes périphériques de Saint-Émilion : Lussac, Montagne, Puisseguin et Saint-Georges (voir p. 334).

Les zones vinicoles et les châteaux

La multiplicité des vins de Saint-Émilion s'explique par deux facteurs : d'une part, la grande diversité des sols, sous-sols et microclimats et, d'autre part, le nombre de producteurs indépendants (plus de 900). La plupart des propriétés sont de toutes petites entreprises familiales, et c'est ici que se trouve la plus grande coopérative du Bordelais, qui compte plus de 200 membres.
Les onze premiers Grands Crus classés se répartissent sur deux zones. La première (pour neuf d'entre eux) correspond au plateau calcaire et aux versants sud d'un demi-cercle de 8 km, s'étirant de l'est à l'ouest de Saint-Émilion. C'est notamment là que sont établis les Châteaux Ausone, Canon et Magdelaine. La deuxième zone, les châteaux Cheval-Blanc et Figeac, se situe à environ 4 km à l'ouest du village, vers la limite du Pomerol, là où le sol est constitué de gravier et de sable.

La Jurade

Cet organisme, responsable aujourd'hui de la promotion du Saint-Émilion dans le monde, a été créé au XIIe siècle par Jean sans Terre, le fils d'Éléonore d'Aquitaine. En signant la charte de Falaise, il permettait aux villageois de gérer leur propre réglementation du vin. En 1289, sous Édouard Ier, ces pouvoirs ont été étendus à huit autres paroisses : ce sont ces neuf communes qui constituent aujourd'hui l'aire de l'appellation Saint-Émilion.

Les cépages

Le Cabernet-Sauvignon à floraison et maturation tardives, omniprésent dans le Médoc, s'adapte généralement mal à la froideur des sols et au microclimat du nord-est du Bordelais. En revanche, le Merlot et le Cabernet Franc peuvent parfaitement s'acclimater. Ils entrent généralement à part égale dans la composition du Saint-Émilion, même si certains châteaux donnent la préférence à l'un ou l'autre.

FRANCE

LE CLASSEMENT DU SAINT-ÉMILION

Le classement de 1855 avait omis les crus de Saint-Émilion. Un siècle plus tard, cet oubli était réparé : les propriétés ont été classées en fonction de leur sol, de leur réputation et après dégustation de leur vin. En théorie, si ce n'est en pratique, ce classement est remis en cause tous les dix ans, contrairement à celui du Médoc, apparemment figé pour l'éternité. Il a été revu en 1969, en 1985 et en 1996.
Actuellement, on compte 13 Premiers Grands Crus classés et 55 Grands Crus classés. Deux des premiers grands crus classés portent la lettre A, les autres B.

PREMIERS GRANDS CRUS CLASSÉS

- Ch. Ausone (A)
- Ch. Cheval-Blanc (A)
- Ch. Angélus (B)
- Ch. Beau-Séjour-Bécot (B)
- Ch. Beauséjour (B)
- Ch. Belair (B)
- Ch. Canon (B)
- Ch. Clos Fourtet (B)
- Ch. Figeac (B)
- Ch. La Gaffelière (B)
- Ch. Magdelaine (B)
- Ch. Pavie (B)
- Ch. Trottevieille (B)

GRANDS CRUS CLASSÉS

- Ch. l'Arrosée
- Ch. Balestard-la-Tonnelle
- Ch. Bellevue
- Ch. Bergat
- Ch. Berliquet
- Ch. Cadet-Bon
- Ch. Cadet-Piola
- Ch. Canon-la-Gaffelière
- Ch. Cap de Mourlin
- Ch. Chauvin
- Ch. La Clotte

Ainsi, Magdelaine et Tertre-Rôtebœuf privilégient un pourcentage élevé de Merlot, alors que Cheval-Blanc adopte un mélange basé sur deux tiers de Cabernet Franc.
Le sol frais du Pomerol, argileux et riche en fer, est particulièrement bien adapté au Merlot. Il y occupe les trois quarts de la superficie des vignobles, à côté du Cabernet Franc (20 % environ) et du Cabernet-Sauvignon. Bien que le Merlot soit très répandu dans le monde, il ne produit en général que des vins légers, au goût de prune, à boire rapidement. À Pomerol, il semble avoir trouvé son terrain idéal, et les vins atteignent une profondeur et une richesse qui peuvent durer 30 ou 40 ans, voire davantage.

Le style Saint-Émilion

La multiplicité des vins rend littéralement impossible de dégager un style propre au Saint-Émilion. Une qualité cependant est indéniable et constante :

- Ch. La Clusière
- Ch. La Couspaude
- Ch. Corbin
- Ch. Corbin-Michotte
- Ch. Couvent des Jacobins
- Ch. Curé-Bon
- Ch. Dassault
- Ch. La Dominique
- Ch. Faurie-de-Souchard
- Ch. Fonplégade
- Ch. Fonroque
- Ch. Franc-Mayne
- Ch. Grandes Murailles
- Ch. Grand-Mayne
- Ch. Grand-Pontet
- Ch. Guadet-St-Julien
- Ch. Haut-Corbin
- Ch. Haut-Sarpe
- Clos des Jacobins
- Ch. Lamarzelle
- Ch. Laniote
- Ch. Larcis-Ducasse
- Ch. Larmande
- Ch. Laroque
- Ch. Laroze
- Ch. Matras
- Ch. Moulin du Cadet
- Clos de l'Oratoire
- Ch. Pavie-Decesse
- Ch. Pavie-Macquin
- Ch. Petit-Faurie-de-Soutard
- Ch. le Prieuré
- Ch. Ripeau
- Ch. St-Georges-Côte-Pavie
- Clos St-Martin
- Ch. La Serre
- Ch. Soutard
- Ch. Tertre Daugay
- Ch. La Tour-du-Pin-Figeac (Giraud-Bélivier)
- Ch. La Tour-du-Pin-Figeac (Moueix)
- Ch. La Tour-Figeac
- Ch. Troplong-Mondot
- Ch. Villemaurine
- Ch. Yon-Figeac

la séduction d'un Saint-Émilion jeune par rapport à l'austérité d'un Médoc du même âge. Comment expliquer cette constatation ? Essentiellement par les cépages dominants : d'une part, le Cabernet Franc, à maturation précoce, et, d'autre part, le Merlot charnu, au goût de prune, qui se combinent pour créer des vins souples et fruités, avec une bonne vinosité et un bon degré d'alcool, rehaussés par une acidité, des tanins et autres composants aromatiques en quantité suffisante. Certaines années fraîches, les vins des propriétés moyennes peuvent être franchement décevants à cause de leur caractère faible et léger et de leur manque de corps : il faut alors les consommer jeunes (dans les trois ans). Toutefois, les grands millésimes des meilleures propriétés ont une espérance de vie qui peut varier entre 10 et 20 ans, s'ils sont conservés dans de bonnes conditions. Un Saint-Émilion modeste d'une bonne année sera à son apogée au bout de 6 à 8 ans.

FRANCE

LES FACTEURS DE QUALITÉ

L'histoire, la composition des sols et le microclimat de la région viticole de Saint-Émilion et du Libournais, sur la rive droite de l'estuaire, sont très différents de ceux du Médoc et des Graves, sur la rive gauche. Ces facteurs, alliés aux cépages dominants (Merlot et Cabernet Franc), produisent des vins de styles bien particuliers.

SOLS

La composition des sols du Libournais est moins homogène que dans le Médoc. Cependant, hormis quelques exceptions, les plus Grands Crus se trouvent tous sur des catégories de sols particulières : le plateau calcaire et le versant argilo-calcaire des collines et des coteaux situés au pourtour du village de Saint-Émilion. Le calcaire absorbe l'eau et la conserve tout en en drainant l'excès. Aux abords de l'appellation Pomerol, le sol est plus sablonneux, avec des graves et des poches d'argile. Si ces graves facilitent l'écoulement des eaux, l'argile n'est pas favorable à la culture de la vigne à cause du mauvais drainage.

CLIMAT

Le climat du Libournais est similaire à celui du Médoc : bien que plus à l'intérieur des terres, cette région est aussi sous l'influence maritime de l'océan, avec des hivers doux et des étés chauds, sans être caniculaires. Les chutes de pluie ont surtout lieu l'hiver. On craint la fraîcheur et l'humidité, qui peut affecter la floraison en juin, tout comme la maturité de la vendange en septembre et au début du mois d'octobre. Les gels d'hiver ou du printemps sont plus à redouter sur cette rive droite, surtout dans la zone la plus éloignée de l'océan et du fleuve, que sur les bords de la Gironde, mieux tempérés par l'estuaire.

SITES ET EXPOSITION

Avec un climat relativement frais pour la viticulture, l'exposition des vignes au soleil revêt une certaine importance. L'altitude, plus élevée dans cette région que dans le Médoc, entraîne aussi des températures un peu plus basses. Le plateau du Libournais ainsi que les coteaux de Saint-Émilion, aux pentes exposées au sud ou au sud-ouest, sont autant de pièges pour les rayons du soleil. Certains domaines comme Ausone ont des vignobles parfaitement exposés au sud, et d'autres comme Trottevieille profitent des bienfaits du soleil tout au long de la journée. Les coteaux offrent des sites qui, malgré leurs pentes, sont relativement protégés des vents du nord et de l'ouest, tandis que les terres, plus ouvertes, du plateau sont moins abritées.

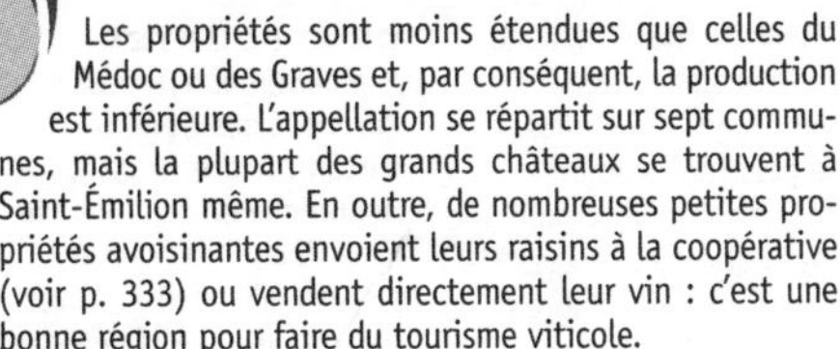

CRUS DE SAINT-ÉMILION

Les propriétés sont moins étendues que celles du Médoc ou des Graves et, par conséquent, la production est inférieure. L'appellation se répartit sur sept communes, mais la plupart des grands châteaux se trouvent à Saint-Émilion même. En outre, de nombreuses petites propriétés avoisinantes envoient leurs raisins à la coopérative (voir p. 333) ou vendent directement leur vin : c'est une bonne région pour faire du tourisme viticole.

CHÂTEAU L'ANGÉLUS

Premier Grand Cru classé
C'est l'une des plus grandes propriétés de l'appellation. De lourds investissements ont permis de hisser les vins au niveau des meilleurs de l'appellation. Le second vin s'appelle Le Carillon d'Angélus.

CHÂTEAU AUSONE

Premier Grand Cru classé
Si c'est la plus grande propriété de l'appellation par la qualité, avec Château Cheval-Blanc, c'est aussi l'une des plus petites par la quantité, et ses vins sont très difficiles à trouver dans le commerce.
Le château est magnifiquement situé au sommet d'un coteau, à la sortie de Saint-Émilion, et ses caves calcaires font office de régulateur thermique naturel. Depuis 1976, la propriété a été complètement restructurée. Depuis quatre ans le vin a gagné en amabilité. Il doit néanmoins être attendu une dizaine d'années, car il s'agit d'un vin de longue garde.

CHÂTEAU BALESTARD-LA-TONNELLE

Grand Cru classé Il est rare que l'ancienneté d'un cru soit attestée par un poète. Dans ce cas, un poète célèbre : Villon. Il évoque ce vin dans un poème qui est cité sur l'étiquette. Balestard-la-Tonnelle est un vin charpenté de longue garde.

CHÂTEAU BEAUSÉJOUR (DUFFAU-LAGARROSSE)

Premier Grand Cru classé
Peut-être le moins connu des Premiers Grands Crus, ce château est en pleine restructuration, depuis 1990. On abaisse progressivement le pourcentage, autrefois élevé, de Cabernet Franc, et on adopte le principe des vendanges récoltées le plus tardivement possible. Depuis une dizaine d'années les vins sont régulièrement excellents.

CHÂTEAU BELAIR

Premier Grand Cru classé
Cette propriété élabore un vin dans lequel on retrouve la concentration d'Ausone et un peu de sa structure tannique, mais qui connaît une maturation plus précoce. Bien considéré à juste titre, le château a donné naissance à de très bons vins dès la seconde moitié des années 1980.

CHÂTEAU CADET-PIOLA

Grand Cru classé Située sur un des points culminants du plateau au nord de Saint-Émilion, cette propriété bénéficie d'un microclimat particulièrement favorable. Peu étendue, elle élabore un assemblage à base de 28 % de Cabernet-Sauvignon, ce qui donne des vins assez tanniques dans leur jeunesse et qui commencent à s'adoucir après quelques années en bouteille.

CHÂTEAU CANON

Premier Grand Cru classé
L'une des plus belles propriétés de Saint-Émilion, Canon donne des vins pouvant égaler Cheval-Blanc et Ausone dans les meilleures années.
La qualité a fait un bond depuis 1982. Canon est conduit par Kolasa (ex-Latour), qui a dû refaire entièrement le chai – car il était contaminé – afin de produire des vins conçus pour durer. Ces vins dégagent un caractère élégant et un arôme de cèdre après quelques années en bouteille.

CHÂTEAU CANON-LA-GAFFELIÈRE

Grand Cru classé
Complètement transformée par le comte de Neipperg, cette propriété est désormais dirigée par le jeune et brillant Stephan de Neipperg, selon qui technologie de vinification ultramoderne et élevage →

CRUS DE SAINT-ÉMILION

traditionnel doivent aller de pair. Certains vignobles sont situés à flanc de coteau tandis que d'autres se trouvent en contrebas, sur des sols sablonneux et plats. Canon-la-Gaffelière a produit des vins remarquables dans les années 1988, 1996, 1997 et 1998.

CHÂTEAU CHEVAL-BLANC

Premier Grand Cru classé Deuxième plus grande propriété, Château Cheval-Blanc bénéficie d'une réputation bien établie. Situé pratiquement à la limite du Pomerol, son vignoble est relativement étendu et repose sur des sols très variés (gravier, sables anciens, sur argile). Une partie de l'originalité de son vin provient de sa composition, dans laquelle entrent 66 % de Cabernet Franc, plus que n'en comporte tout autre Premier Grand Cru classé. Le vin se caractérise par sa richesse, sa maturité et son intensité ; trompeur par son caractère aimable dans sa jeunesse, il vieillit facilement 40 ans, voire davantage.

CHÂTEAU LA DOMINIQUE

Grand Cru classé Ce château voisin du vignoble de Pomerol est l'une des étoiles montantes, qui a présenté de très bons vins ces dernières années. Clément Fayat, propriétaire depuis 1969, est conseillé par le grand vinificateur du Pomerol, Michel Rolland, qui encourage les vendanges effectuées le plus tard possible, permettant d'atteindre une maturation maximale. Les vignobles comptent 80 % de Merlot. Extrêmement concentrés, sans être trop tanniques, les vins sont très gras et ronds. La Dominique est un grand séducteur.

CHÂTEAU FAUGÈRES

Grand Cru Sur 28 ha, 70 % de Merlot assistés de 30 % de Cabernet sont à l'origine d'un Saint-Émilion ample, équilibré et savoureux – un must pour les œnophiles. Le même soin est apporté à la vinification du Cap de Faugères, un Côtes-de-Castillon.

CHÂTEAU FIGEAC

Premier Grand Cru classé Ce château constitue certainement l'une des plus belles propriétés à visiter. Situé à la limite du Pomerol, il est voisin de Château Cheval-Blanc. Sur un sol de petites graves de quartz provenant des volcans du Massif central, ses vins tirent leur caractère original du pourcentage élevé de Cabernet-Sauvignon (environ un tiers) dans leur composition. Généralement assez concentrés, les vins sont cependant souples et séduisants, même encore relativement jeunes. Ils sont très bons à déguster lorsqu'ils sont d'âge moyen.

CLOS FOURTET

Premier Grand Cru classé Propriété des frères Lurton : André, Lucien, Dominique et de leur sœur, Mme Noël, Clos Fourtet possède d'immenses caves souterraines. Le vin élégant et fin que l'on y élabore à base du cépage Merlot est produit dans un chai très moderne.

CLOS DES JACOBINS

Grand Cru classé Cette propriété des Domaines Cordier, en plein cœur de l'appellation, élabore sans faillir des vins extrêmement séduisants. De style généreux et velouté, ils sont parfaits à boire après quelques années.

CHÂTEAU LARMANDE

Grand Cru classé Situé au nord du village de Saint-Émilion, ce vignoble occupe un terrain sablonneux complanté pour les deux tiers en Merlot. Larmande a brillé de tous ses feux dans les années 1990. Son prix est raisonnable.

CHÂTEAU MAGDELAINE

Premier Grand Cru classé Dotés d'un très haut pourcentage de Merlot dans leur assemblage, les bons millésimes de Magdelaine possèdent l'opulence et la richesse qu'on associe généralement à un bon Pomerol. De par sa qualité, le vin est l'un des meilleurs Premiers Grands Crus classés.

CHÂTEAU PAVIE
Premier Grand Cru classé L'un des plus gros producteurs parmi les Premiers Grands Crus Classés, ce château appartient depuis 1998 à Gérard Perse, le dynamique propriétaire de l'excellent Château Monbousquet (Saint-Émilion Grand Cru).

CHÂTEAU PAVIE-DECESSE
Grand Cru classé Gérard Perse a multiplié par deux la qualité et le prix du vin. Le domaine élabore des vins assez puissants et assez riches en tanins dans leur jeunesse.

CHÂTEAU PAVIE-MACQUIN
Grand Cru classé Cette propriété, située sur la Côte de Pavie et bénéficiant d'un excellent microclimat avec exposition au sud, est à l'origine d'un Saint-Émilion charnu et souple, qui fait merveille.

CLOS SAINT-MARTIN
Grand Cru classé Clos Saint-Martin est le plus petit producteur de Grand Cru classé. Si rien d'exceptionnel ne s'est produit au début de la décennie 1980-1989, on a pu constater une nette amélioration dès l'année 1990.

CHÂTEAU SOUTARD
Grand Cru classé Entre les mains de la famille Ligneris depuis 1785, c'est l'une des plus anciennes propriétés de Saint-Émilion. La culture biologique y est pratiquée de pair avec une gestion traditionnelle. Les vins sont très denses et assez tanniques dans leur jeunesse, et les meilleurs se gardent plus de 20 ans. Les millésimes 1990 et 1998 sont exceptionnels.

CHÂTEAU LE TERTRE-RÔTEBŒUF
Grand Cru Sur cette minuscule propriété, d'où ne sortent que 27 000 bouteilles par an, l'audacieux François Mitjavile élabore un vin ressemblant à un Pomerol. Son goût du risque se retrouve à tous les stades : il attend le dernier moment pour vendanger, son vignoble est composé presque exclusivement de Merlot, la fermentation s'effectue avec les baies entières et les vins sont tous logés dans des barriques neuves, même les années non prometteuses. Il s'est fait remarquer avec le millésime 1982 et n'a jamais déçu depuis, touchant au sublime avec les millésimes 1989, 1997 et 1998. Malheureusement, ces vins sont pratiquement introuvables dans le commerce en raison de leur production réduite et de leur renommée.
À signaler : François Mitjavile a acquis une propriété dans les Côtes de Bourg, Château Roc de Cambes, dans laquelle il applique les mêmes principes.

CHÂTEAU TROPLONG-MONDOT
Grand Cru classé Cette magnifique propriété, l'une des plus grandes de Saint-Émilion, est entre les mains de Christine Valette depuis 1980. Sous sa direction et avec les conseils de l'œnologue Michel Rolland, elle a produit une succession de millésimes superbes en 1988, 1989, 1990, 1996 et 1998.

CHÂTEAU TROTTEVIEILLE
Premier Grand Cru classé Les vins de cette propriété sont restés décevants jusqu'en 1985 environ, date à laquelle des innovations, notamment l'élevage des vins en barriques neuves à 100 %, ont permis à la qualité de remonter nettement. Les vins sont destinés à être bus à moyen terme.

UNION DES PRODUCTEURS DE SAINT-ÉMILION
Sur les presque 1 000 producteurs de Saint-Émilion, plus de 200 sont membres de la coopérative locale, très réputée, qui est la plus importante du Bordelais. Outre les vins de propriété qu'elle met en bouteilles, notamment plusieurs Grands Crus, la coopérative diffuse un certain nombre de vins d'assemblages, parmi lesquels on peut notamment citer : Royal Saint-Émilion, Côtes Rocheuses, Cuvée Gallus et Haut-Quercus.

FRANCE

CRUS DE SAINT-ÉMILION

LES « VINS DE GARAGE » DE SAINT-ÉMILION

Les « vins de garage » sont des vins très soigneusement élaborés, très chers, très bons et très rares, produits sur quelques hectares. On les appelle ainsi parce que leur production tiendrait dans l'espace d'un garage. Apparues dans le Saint-Émilion dans les années 1980, ces réussites rapides ont fait depuis des émules ailleurs…

CHÂTEAU LA MONDOTTE
Le vin de Stephan de Neipperg est aussi riche que recherché internationalement.

CHÂTEAU DE VALANDRAUD
Ce vin créé par Jean-Luc Thunevin est construit, imposant, déjà célèbre.

CHÂTEAU LE TERTRE-RÔTEBŒUF
Voir ci-dessus.

CRUS DES COMMUNES PÉRIPHÉRIQUES

L'AOC Saint-Émilion n'est que le cœur d'une vaste zone vinicole. Pomerol et Fronsac, à l'ouest, sont traités séparément (voir p. 336 et 339). Les villages du nord-est, de l'autre côté de la rivière Barbanne, ont le droit d'ajouter Saint-Émilion à leur nom. Ces communes périphériques sont détaillées ci-dessous. À l'est, se trouvent les AOC Côtes-de-Castillon et Bordeaux-Côtes-de-Francs.
Lorsque la zone de Saint-Émilion fut délimitée en 1936, cinq villages reçurent l'autorisation de juxtaposer le nom de Saint-Émilion à celui de leur commune : Lussac, Montagne, Parsac, Puisseguin et Saint-Georges. Cependant, dans un souci de rationalisation, l'INAO (Institut national des appellations d'origine) décréta en décembre 1972 que les vins des communes de Parsac et Saint-Georges pourraient figurer sous l'étiquette « Montagne ». Aujourd'hui, la plupart des producteurs de Saint-Georges préfèrent l'appellation Montagne à celle de Parsac.
L'intérêt des vins des communes périphériques de Saint-Émilion n'est pas négligeable. Les cépages autorisés sont les mêmes (Cabernet-Sauvignon, Cabernet Franc, Merlot, Malbec et Carmenère) et poussent sur des sols et sous-sols assez proches de ceux de Saint-Émilion et du Pomerol voisins. Dans les meilleurs cas, les vins rivalisent facilement avec certains Grands Crus de Saint-Émilion. En outre, ne bénéficiant pas du prestige d'une grande appellation, ils sont souvent plus accessibles.

MONTAGNE SAINT-ÉMILION

Commune la plus étendue et sans doute la plus connue, Montagne Saint-Émilion couvre environ 1 579 ha et se trouve près de la limite du Pomerol, à l'ouest de Lussac et de Puisseguin. Le sol se compose principalement d'argile pure et d'argile mélangée à du calcaire ou à du gravier, avec des traces éparses de fer dans le sous-sol. Pour avoir droit à l'appellation Montagne Saint-Émilion, les cépages dont sont issus les vins sont les mêmes que ceux exigés pour l'appellation Saint-Émilion. Les meilleures propriétés proposent des vins d'une qualité identique à celle d'un Grand Cru de Saint-Émilion standard : souples et fruités, les Montagnes témoignent de finesse et d'un bon potentiel de vieillissement. On compte deux coopératives.
Les principaux châteaux sont les suivants : Calon, Corbin, Maison Blanche, Maison Neuve, Roc de Calon, Roudier, des Tours.

LUSSAC SAINT-ÉMILION

À 9 km au nord-est de Saint-Émilion se trouve la deuxième commune périphérique par →

la superficie (1434 ha). Le sol est très varié : coteaux argilo-calcaires au sud-est, petit plateau de gravier à l'ouest et argile pure au nord.
Lussac est allié à deux titres à son voisin Puisseguin. Non seulement il partage la même coopérative, mais en plus c'est le collège des échevins de Lussac Saint-Émilion et Puisseguin Saint-Émilion qui fait la promotion commune de leurs vins. Environ 30 % de la production de l'appellation de Lussac sont vinifiés par la cave coopérative de Puisseguin.
Les principaux châteaux sont les suivants : Barbe-Blanche, Bel-Air, de Lussac, Lyonnat, Tour-de-Grenet, Vieux-Château-Chambeau.

Puisseguin Saint-Émilion

Commune la plus à l'est, limitrophe des Côtes de Castillon, l'appellation couvre à peine 750 ha, dont l'un des points culminants de la Gironde (89 m d'altitude).
Les parcelles délimitées sont situées sur la commune de Puisseguin Saint-Émilion telle qu'elle était définie avant sa fusion avec la commune de Monbadon. Environ le tiers des 120 vignerons sont membres de la cave coopérative locale.
Le sol est en majorité argilo-calcaire sur un sous-sol rocheux.
Les principaux châteaux sont les suivants : Bel Air, du Branda, Moulin-Listrac, Roc de Boissac.

Saint-Georges Saint-Émilion

C'est de loin la plus petite des cinq communes périphériques, avec 192 ha. La plupart des producteurs vendent leur vin sous l'appellation Montagne Saint-Émilion, conformément au décret de l'INAO de 1972.
Les principaux châteaux vendant leur vin sous l'étiquette Saint-Georges Saint-Émilion sont les suivants : Belair-Saint-Georges, Calon, Cap d'Or, Saint-André-Corbin, Saint-Georges, Tour du Pas Saint-Georges.

Côtes-de-Castillon ; Bordeaux-Côtes-de-Francs

À l'est de Saint-Émilion et de ses communes périphériques se trouvent deux petites appellations de Bordeaux relativement peu connues.

CÔTES-DE-CASTILLON Les vignobles sont regroupés autour de l'ancienne cité de Castillon-la-Bataille. Avant 1989, cette région n'était autorisée à utiliser le nom Côtes-de-Castillon que s'il était précédé des termes Bordeaux ou Bordeaux Supérieur ; depuis, elle a le droit d'utiliser sa propre appellation pour ses vins rouges. Elle compte 3062 ha de vignobles, dont 75 ha plantés en raisins blancs répondant à l'AOC Bordeaux. Les vins sont assez proches de ceux des satellites de Saint-Émilion, bien qu'un peu moins tanniques dans leur jeunesse, et ils demandent quelques années en bouteille pour s'arrondir et s'assouplir. Les bons châteaux sont notamment : Château Pitray et Château Côte Montpezat.

BORDEAUX-CÔTES-DE-FRANCS À dix kilomètres au nord de Castillon-la-Bataille se trouve la commune de Francs. Les vignobles se resserrent sur 524 ha, dont 30 ha de cépages blancs. L'appellation couvre le vin rouge comme le blanc, qui peut être sec ou doux. Les cépages blancs autorisés sont les mêmes que dans tout le Bordelais : Sémillon, Sauvignon et Muscadelle. Les vins rouges sont très colorés, ont un bouquet séduisant et sont assez gras au palais. Les principaux châteaux sont : Les Charmes-Godard, de Francs, Laclaverie et Puygueraud.

POMEROL

Carte page XI

En dépit de ses dimensions réduites, cette région productrice de vins rouges est l'un des joyaux du Bordelais en raison de la qualité et du caractère unique de ses vins.

Situé à quelque 29 km à l'est de Bordeaux, le vignoble de Pomerol occupe environ 800 ha jouxtant la partie ouest de la grande région de Saint-Émilion (sept fois plus étendue), avec laquelle il partage deux autres frontières communes : la Dordogne, au sud, et la Barbanne, au nord. Au-delà de cette dernière commence la zone de Lalande-de-Pomerol, dont les vignes couvrent plus de 1 100 ha. À l'ouest, cette bucolique campagne vinicole est brutalement interrompue par le passage de la bruyante N89, au-delà de laquelle ne subsiste qu'une poignée de châteaux.

Contrairement à son voisin Saint-Émilion, la région de Pomerol n'a pas de véritable centre, sauf, peut-être, l'ancien port fluvial de Libourne, qui marque l'entrée de Fronsac et d'où les vins de la rive droite étaient autrefois expédiés à l'étranger. La plus grande maison de négociants, les Établissements Jean-Pierre Moueix, a conservé ses bureaux et ses entrepôts sur les quais. Le village éparpillé de Pomerol n'a pas vraiment d'âme à offrir au visiteur, et seule son église se détachant sur un océan de vignes vaut le coup d'œil.

Tradition et évolution

Bien que la vigne y existât déjà du temps des Romains, il fallut attendre la Seconde Guerre mondiale pour que les vins commencent à être connus, à l'exception de Château Pétrus, déjà récompensé par une médaille d'or à l'Exposition universelle de Paris en 1878. Cette obscurité historique s'explique en partie par les faibles dimensions de la région et en partie par son relatif isolement. Les principales propriétés ne comptent en général que quelques hectares, avec une production moyenne annuelle de quelques dizaines de milliers de bouteilles ; on est loin des 240 000 bouteilles de maintes propriétés du Médoc. L'isolement de Pomerol s'est prolongé pendant une bonne partie du XIXe siècle en raison du nombre limité de ponts sur la Dordogne et la Garonne : la région a donc échappé à la vigilance des grands négociants de Bordeaux, situation qui se retrouve aujourd'hui dans la mesure où la plupart des propriétaires de Pomerol négocient directement.

Aucune autre grande région vinicole du Bordelais ne doit autant à un seul homme, en l'occurrence Jean-Pierre Moueix. Dans les années 1930, il quitta sa Corrèze natale pour s'installer comme négociant sur la rive droite de la Dordogne et acheta petit à petit des propriétés. Aujourd'hui, il détient tout ou partie de plusieurs grandes propriétés de Pomerol, dont Château Pétrus, Château La Fleur-Pétrus, Château Latour à Pomerol et Château Trotanoy. L'entreprise, maintenant dirigée par son fils Christian, cumule toujours les deux activités de fermier et de négociant. Un grand nombre des ventes de Pomerol et d'autres vins de la rive droite transitent également par les Établissements Jean-Pierre Moueix.

L'appellation

Il existe une seule appellation : Pomerol. Cette région n'a pas été incluse dans la classification de 1855 des vins de la Gironde, et, contrairement à Saint-Émilion et aux Graves, cette exclusion n'a jamais été corrigée. Pomerol échappe donc à tout classement officiel, à la grande satisfaction des principaux producteurs. Il existe cependant une classification officieuse fondée sur la qualité, les réussites passées et le prix – résultat d'une grande rareté et d'une forte demande.

Le vignoble du Pomerol est complanté sur des sols ferrugineux couverts de sable ou d'argile graveleuse qui confèrent au vin son caractère particulier. Les meilleurs vins proviennent généralement des parties les plus élevées du plateau, alors que les sols plus sablonneux dans la partie ouest de l'appellation donnent naissance à des vins qui sont relativement plus légers.

Les cépages et les styles de vin

Cette région se cantonne aux cépages rouges. C'est notamment le royaume du Merlot, qui occupe les trois quarts de la superficie des vignobles. Le Cabernet Franc en couvre à peu près un cinquième, et le Cabernet-Sauvignon 5 % environ. Les autres cépages autorisés, pratiquement introuvables, sont le Cot (Malbec) et le Carmenère.

Dans l'ensemble, les vins de Pomerol peuvent se boire assez jeunes et la plupart sont séduisants entre 4 et 6 ans après la vendange. Malgré leur forte intensité en tanins, ils manquent généralement (sauf en 1986) de la droiture des vins du Médoc. Après 2 ans en bouteille, les petits crus séduisent par leur arôme de prune et, bien arrondis, sans aspérités, présentent une plénitude au palais. Les grands vins ont un pouvoir de séduction analogue, qui est renforcé par une plus grande richesse et une concentration supérieure, ainsi que par des arômes complexes aux notes exotiques d'épices et d'herbes. Au fur et à mesure que les vins les plus fins mûrissent, ce qui, pour les meilleurs millésimes (comme 1975, 1982, 1989 et 1990), peut durer 40 ans ou plus, beaucoup prennent des caractères épicés, deviennent plus charnus et plus voluptueux, ce qui leur donne la réputation d'être les Bordeaux les plus sensuels et peut-être les plus ensorceleurs.

CRUS DE POMEROL

Les propriétés de Pomerol sont souvent petites par suite du partage des terres lors des successions. Les meilleures se trouvent pour la plupart au nord-est de la commune, dans la partie la plus élevée du plateau.

CHÂTEAU LE BON PASTEUR
Cette propriété appartient à la famille de Michel Rolland, le fameux œnologue qui a influencé le style de nombreuses propriétés de Pomerol et de Saint-Émilion en préconisant des vendanges tardives et une longue macération. Sur un site qui semblerait a priori dénué de potentiel, elle produit un Pomerol excellent, qui se boit à 3 ans et beaucoup plus tard dans les grandes années.

CHÂTEAU BEAUREGARD
Cette superbe propriété d'un seul tenant à majorité de Merlot est complantée d'un important pourcentage de Cabernet Franc (35 %) sur un sol composé de graviers, sables et argile avec un sous-sol de crasse de fer, caractéristique des meilleurs terroirs de Pomerol.

CHÂTEAU BONALGUE
Ce domaine près de Libourne utilise 50 % de chêne neuf et élabore un vin qui doit s'assouplir avant d'être bu, entre 5 et 7 ans. Pierre Bourotte possède également Les Hautes-Tuileries à Lalande-de-Pomerol (voir encadré p. 339).

CHÂTEAU CERTAN DE MAY
Située sur la partie la plus élevée et la meilleure du plateau de Pomerol, cette propriété a produit des vins qui se sont montrés régulièrement brillants dans les années 1990, à l'exception peut-être de 1993. Ils sont intensément riches et concentrés et méritent d'être gardés.

CHÂTEAU CLINET
Depuis 1986, Michel Rolland est consultant de cette propriété. Sur 9 ha, 70 % de Merlot récoltés très mûrs assurent à ce vin patiemment élevé une longévité étonnante, mais il faut savoir l'attendre.

CHÂTEAU LA CONSEILLANTE
Cette propriété est magnifiquement située sur le flanc est du plateau de Pomerol, en face de Saint-Émilion. Cet emplacement est sans doute responsable de la forte proportion de Cabernet Franc dans l'assemblage. Les années 1980 ont régulièrement donné de beaux millésimes, encore surclassés par les somptueux 1990, 1995 et 1998. Les meilleurs vins vieilliront au moins 20 ans.

CHÂTEAU L'ÉGLISE CLINET
Ce vignoble essentiellement composé de Merlot a résisté aux terribles gelées de 1956 et possède encore de très vieilles vignes. Sa petite production fait sans doute obstacle à sa réputation, car il produit pourtant l'un des meilleurs Pomerols.

CHÂTEAU L'ENCLOS
Si cette propriété ne peut prétendre rivaliser avec les grandes, elle n'en propose pas moins d'excellents vins, relativement bon marché, délicieux quelques années après la vendange.

CHÂTEAU L'ÉVANGILE
En 1990, la branche de la famille de Rothschild propriétaire de Lafite-Rothschild a pris une part majoritaire dans cette propriété afin de s'implanter sur l'autre rive. Le château est considéré depuis toujours comme l'un des fleurons de Pomerol.

CHÂTEAU LA FLEUR-DE-GAY
Élaboré à partir de vignes 100 % Merlot situées sur une petite parcelle du Château La Croix-de-Gay, ce cru n'existe que depuis 1982. Michel Rolland y prodigue ses conseils d'œnologue et obtient un vin constamment superbe. C'est l'une des étoiles de Pomerol.

CHÂTEAU LA FLEUR-PÉTRUS
Autre fief de la famille Moueix, il offre le vin le plus élégant de Pomerol. Le modeste château repose sur un sol de graves, juste

LALANDE-DE-POMEROL

Cette appellation couvre la rive nord de la Barbanne, qui constitue la frontière du Pomerol. Le vin provient de deux communes, Lalande-de-Libourne (Lalande-de-Pomerol) et Néac.

Les sols sont bons, avec un sous-sol de graves à Lalande et un plateau plus élevé de graviers et de sables à Néac. Le Merlot domine l'assemblage. Les vins rouges ont profité des cours astronomiques des Pomerols et plusieurs châteaux atteignent des prix élevés. Mûrissant plus vite que la plupart des Pomerols, ces vins en offrent une version allégée, avec le même goût puissant et flatteur. Comme à Pomerol, la plupart des propriétés sont petites et vendent leur vin directement. Il est donc assez difficile de se procurer du Lalande-de-Pomerol dans le commerce.

Parmi les principaux châteaux, il faut citer : Bel-Air, Belle-Graves, Bertineau-Saint-Vincent, La Fleur Saint-Georges, Grand Ormeau, les Hauts-Conseillants, Siaurac, Tournefeuille.

en face de Pétrus, dont le sol est constitué d'argile : cela explique certaines différences de caractère. À son apogée après un élevage de 5 ou 6 ans, le vin peut vieillir plus de 20 ans les bonnes années.

CHÂTEAU LAFLEUR
Ce brillant château limite sa production à 12 000 bouteilles par an. Son vin est très convoité depuis que le millésime 1982 s'est fait une réputation internationale. Issu de Merlot pur, ou presque, il peut égaler, voire surpasser, son voisin Pétrus. Son coût et sa rareté le rendent quasiment introuvable.

CHÂTEAU LATOUR À POMEROL
Le vignoble de cette propriété se compose de 25 parcelles différentes, dont certaines entourent l'église du village de Pomerol et les autres longent le château. Gérée par les Établissements Jean-Pierre Moueix, cette propriété compte parmi les douze meilleures de Pomerol. Son vin est très dense, compact et n'est pas sans rappeler le Château Trotanoy.

CHÂTEAU NENIN
Dotée d'une riche histoire, cette vaste propriété élaborait déjà il y a un siècle l'un des plus fameux Pomerols. Depuis plusieurs années cette propriété n'a pas produit les vins qu'on en attendait. Après une réfection totale, les millésimes 1997 et 1998 justifient les ambitions, le prix s'en ressent. Le deuxième vin est étiqueté Fugue de Nenin.

CHÂTEAU PETIT VILLAGE
Propriété dirigée par Jean-Michel Cazes, propriétaire de Château Lynch-Bages à Pauillac, ce château élabore un vin concentré et voluptueux, capable de rivaliser avec quelques-uns des meilleurs. Les plus grands millésimes peuvent vieillir au moins 20 ans.

CHÂTEAU PÉTRUS
Considéré comme le meilleur domaine de Pomerol, Pétrus appartient conjointement à Mme Lacoste-Loubat et aux Établissements Jean-Pierre Moueix, qui en assurent la régie. Les ingrédients de sa réussite sont nombreux. Les vignobles sont plantés sur un sol d'argile pure au point culminant du plateau de Pomerol, ce qui assure un drainage naturel excellent et une exposition maximale au soleil. Les vignes sont complantées de Merlot avec très peu de Cabernet Franc, et leur grand âge (certaines parcelles dépassent 70 ans) explique les très faibles rendements. Autant de privilèges qui sont remarquablement exploités par Jean-Claude Berrouët, l'œnologue responsable de ces vins sublimes, qui évoluent magnifiquement en bouteille pour devenir la quintessence même d'un grand Pomerol. →

CRUS DE POMEROL

LE PIN
Le plus petit des grands Pomerols, Le Pin appartient à la famille Thienpont, qui possède également Vieux-Château-Certan. C'est ici que sont nés les premiers vins de garage du Libournais. Très recherché depuis le millésime 1982, le vin, d'un prix prohibitif, est quasi introuvable.

CHÂTEAU DE SALES
Ce domaine se classe facilement comme le plus grand domaine pour le volume de vin produit. C'est aussi le seul vrai château dans une région où l'on trouve surtout de modestes maisons de campagne, quand il ne s'agit pas de simples fermettes. De Sales ne produit pas un grand vin, mais un vin assez précoce, à consommer après quelques années.

CHÂTEAU TAILLEFER
Cette propriété, vaste selon les critères de Pomerol, repose sur un sol sablo-graveleux. Elle appartient à la Société Bernard Moueix. Taillefer propose un style de Pomerol léger, à maturité précoce.

CHÂTEAU TROTANOY
Situé dans la partie ouest de l'appellation, Trotanoy est la demeure de Jean-Jacques Moueix. Il se place parmi les douze premiers Pomerols, pouvant même, les meilleures années, comme 1989, 1990 et 1998, se montrer aussi dense qu'un Pétrus et présenter le même potentiel de longévité, tout en étant commercialisé à un prix nettement inférieur.

VIEUX-CHÂTEAU-CERTAN
Ce château a longtemps été considéré comme le meilleur Pomerol. Ce n'est qu'après la Seconde Guerre mondiale que Pétrus a menacé son titre. C'est la plus vaste des grandes propriétés de l'appellation. Le style du vin est très différent de celui de Pétrus, en partie sans doute à cause de l'assemblage de Cabernet Franc et de Cabernet-Sauvignon, qui, à l'occasion, lui donnent un faux air de Médoc.

CHÂTEAU VRAY-CROIX-DE-GAY
Ce vignoble petit, mais bien placé, élabore des vins vieillissant avec bonheur.

FRONSAC ET CANON-FRONSAC

Carte page XI

La région des vins rouges de Fronsac et Canon-Fronsac se trouve à l'ouest de Libourne, de l'autre côté de la rivière Isle. Sa réputation internationale ne s'est rétablie qu'au début des années 1980 alors que, aux XVIIIe et XIXe siècles, ses vins étaient aussi convoités que les Saint-Émilion et plus cotés que les Pomerols. Cette renaissance tardive doit beaucoup à l'action entreprise par de nouveaux investisseurs, dont les Établissements Moueix (voir Pomerol p. 336).

Bordée par deux rivières, la Dordogne et l'Isle, l'AOC Fronsac couvre sept communes. Le village de Fronsac, qui a donné son nom à l'appellation, se trouve au sud de la région. L'AOC Canon-Fronsac, également au sud-sud-ouest, occupe Saint-Michel-de-Fronsac et une partie du village de Fronsac. La surface globale est de 846 ha pour Fronsac et de 307 ha pour Canon-Fronsac.

D'un point de vue géologique, les coteaux sont les prolongements de la Côte de Saint-Émilion. Le sol est à tendance argilo-calcaire avec un sous-sol de calcaire à astéries, typique dans le Bordelais. Le relief accidenté de la région empêche la stagnation des eaux, et la proximité des rivières protège les vignes de gelées. Les cépages autorisés sont le Cabernet-Sauvignon, le Cabernet Franc, le Malbec et le Merlot, ce dernier étant largement dominant.

Les styles de vins

Avant les changements opérés dans les années 1970 et 1980, on reprochait souvent à ces vins leur dureté et leur rusticité, caractères qui découlaient d'une maîtrise insuffisante des techniques de vinification et d'élevage, à Fronsac comme ailleurs.

Aujourd'hui, on constate une plus grande souplesse. Les vins de Fronsac et Canon-Fronsac sont assez délicats tout en ayant gardé une solide charpente tannique. Ils ont un arôme de fruits rouges et sont légèrement épicés. Leur robe, rouge rubis, est assez sombre.

On peut commencer à boire les Fronsac deux ans après la vendange, mais ils ne révèlent pleinement leur caractère qu'après une plus longue maturation. Les meilleurs vieilliront dix ans et plus. Dans les deux appellations, il n'y a pas de classement de châteaux. Les traditions vineuses des Fronsac sont défendues par la Confrérie des Gentilshommes du Duché de Fronsac.

PRODUCTEURS

Les principaux châteaux de l'appellation Fronsac sont :

CHÂTEAU BARRABAQUE
Canon-Fronsac À retenir la Cuvée de prestige.

CHÂTEAU CANON-MOUEIX
Canon-Fronsac Vin riche et parfumé issu de vieilles vignes.

CHÂTEAU DALEM
Fronsac Vignoble et chai restaurés. Vin épicé et équilibré.

CHÂTEAU DE LA DAUPHINE
Fronsac Signé Moueix, un vin plein de rondeur et d'harmonie.

CHÂTEAU LA FLEUR-CAILLEAU
Canon-Fronsac 4 ha cultivés en biodynamie.

CHÂTEAU FONTENIL
Fronsac Michel Rolland y élabore un vin de garde.

CHÂTEAU MAZERIS-BELLEVUE
Canon-Fronsac Haute teneur en Cabernet, à conserver 5 ans.

CHÂTEAU MOULIN-HAUT-LAROQUE
Fronsac L'un des vins les plus séduisants de Fronsac.

CHÂTEAU MOULIN-PEY-LABRIE
Canon-Fronsac Structure dense pour un vieillissement de 10 ans.

CHÂTEAU DE LA RIVIÈRE
Fronsac Vins riches et fruités.

CHÂTEAU VILLARS
Fronsac Assez grande propriété aux vins riches et concentrés.

BOURGOGNE

Cartes pages XII, XIII et XIV

Vaste région au centre-est de la France, la Bourgogne d'aujourd'hui a gardé la même envergure que la province médiévale du même nom. Seule une petite partie de la « Grande Bourgogne » produit du vin. Entre Chablis, au nord, et Beaune, à l'est, par exemple, les vignes se font plus rares. Le cœur de la Bourgogne viticole est celui des coteaux privilégiés de la Côte d'Or, des villages au nom célèbre (Meursault, Nuits-Saint-Georges, Gevrey-Chambertin, entre autres) élaborant les plus beaux vins. Plus au sud, en Côte chalonnaise, dans le Mâconnais et le Beaujolais, le vin est aussi la ressource principale. Malgré leurs différences, les vins de Bourgogne se reconnaissent à leurs cépages principaux : Chardonnay pour les blancs, Pinot Noir pour les rouges. La région viticole du Beaujolais est la seule zone à utiliser le cépage Gamay. Les vins rouges de Chambertin ou les blancs de Montrachet sont des joyaux uniques au monde. Toutefois les vins bourguignons peuvent parfois décevoir. La production présente en effet une certaine hétérogénéité qui s'explique de plusieurs façons : d'une part, par le morcellement des vignobles en petites parcelles, voire en lopins familiaux ; d'autre part, par un climat très changeant et des cépages difficiles à cultiver. L'amateur de vin désireux de capter les subtilités des arômes et des parfums d'un Bourgogne doit donc choisir, sélectionner afin de trouver son bonheur parmi les innombrables vins de producteurs ou de négociants et de démêler l'écheveau des appellations.

Les régions de Bourgogne

La Bourgogne vinicole se divise en six régions.

CHABLIS ET YONNE. Isolés au nord, le Chablis et les vignobles de l'Yonne élaborent des vins blancs issus de Chardonnay dans un style proche de celui de la Côte d'Or, en plus sec. Quelques autres vignobles de l'Yonne – Coteaux de Joigny, Auxerrois, Tonnerrois, Vézelay – produisent des rouges très appréciés. L'Yonne jouxte la Champagne et n'est pas très éloignée des vignobles de la vallée de la Loire, plus à l'ouest.

CÔTE D'OR. Centre bien nommé des grands vins, rouges et blancs. Ses vignobles de coteaux orientés à l'est s'étirent sur une bande entre Dijon et

Santenay. C'est là que sont élaborés les vins les plus complexes, les plus chers et de plus grande longévité.

HAUTES CÔTES. Zone située à l'ouest du coteau principal de la Côte d'Or. Les vignes sont plantées dans les zones protégées des hauteurs boisées. Les vins y sont plus simples : c'est la version plus rustique de ceux de la Côte d'Or.

CÔTE CHALONNAISE. Chapelet de villages dont les vignobles prolongent ceux de la Côte d'Or vers le sud, dans le département de la Saône-et-Loire. On y élabore des rouges et des blancs de caractère et dont le rapport qualité/prix est excellent.

MÂCONNAIS. Vaste région plus méridionale, à l'ouest de la ville de Mâcon, proposant des vins rouges légers et fruités, mais surtout des blancs. Certains villages, dont Pouilly-Fuissé et Saint-Vérand, sont réputés pour la qualité de leurs blancs.

BEAUJOLAIS. Vaste région s'étendant pratiquement jusqu'à Lyon. On y produit des rouges souples et abordables, issus de Gamay. C'est la seule région à ne pas utiliser le Pinot Noir.

Le site, le sol et le climat

Le sous-sol bourguignon se compose généralement de calcaire ou de roches apparentées de l'ère jurassique. La géologie étant très complexe, ce sont les conditions locales qui prévalent. Là où le calcaire affleure et où les coteaux sont escarpés, le type de roche prend une grande importance dans la viticulture. Cette formation et ses effets sur la qualité sont évidents en Côte d'Or (voir p. 357). Les Grands Crus du Beaujolais, en revanche, sont implantés sur des montagnes d'origine granitique.

Le climat de la Bourgogne est frais. Certaines années, notamment lorsque l'été a été pluvieux, les baies de Pinot Noir ne parviennent pas à maturité. Un mois de septembre froid et humide, phénomène assez courant, peut anéantir un millésime. Un été trop chaud peut être fatal au délicat Pinot Noir. Pour la Bourgogne, une bonne année doit être exempte de gelées printanières, connaître un beau mois de juin pour la floraison, une chaleur constante rafraîchie l'été par de faibles pluies et un mois de septembre chaud et sec.

Le processus complexe de sélection des Premiers Crus et des Grands Crus résulte de siècles d'expérience. Ces parcelles sont dotées d'un bon microclimat, d'une exposition privilégiée et d'un sol propice.

Les cépages et les styles de vin

Ce qui frappe d'abord dans un Bourgogne rouge, ce sont ses arômes de Pinot Noir. Ensuite émergent les qualités propres au cru et au millésime, plus ou moins exprimées en fonction des extractions qui résultent de la conduite des vinifications.

LES APPELLATIONS DU BOURGOGNE

Le Bourgogne est doté d'une hiérarchie compliquée d'appellations : les AOC régionales, les AOC village, les Premiers Crus et les Grands Crus.

APPELLATIONS RÉGIONALES
Elles couvrent les vins provenant d'un vignoble situé dans les limites géographiques de l'appellation.

BOURGOGNE
Vins rouges, blancs ou (plus rarement) rosés de n'importe quelle partie de la région. Les rouges sont issus de Pinot Noir (le César et le Tressot, deux variétés traditionnelles, sont également autorisés dans l'Yonne). Les blancs sont issus de Chardonnay ou de Pinot Blanc. Les étiquettes peuvent mentionner le cépage (Pinot Noir ou Chardonnay) ainsi que certains secteurs (Hautes Côtes de Beaune, Hautes Côtes de Nuits, Côte chalonnaise) ou, dans l'Yonne, le nom de certains villages (Épineuil, Chitry).

BOURGOGNE (GRAND) ORDINAIRE
Vins provenant également de toute la Bourgogne, mais les cépages Gamay (pour le rouge) et Aligoté (pour le blanc) sont autorisés.

BOURGOGNE ALIGOTÉ
Le cépage Aligoté produit un vin blanc sec.

BOURGOGNE PASSETOUTGRAIN
Vin rouge à base de Gamay et provenant pour au moins un tiers de Pinot Noir.

MÂCON ET BEAUJOLAIS
Le système d'appellation régionale comprend ces deux régions, qui possèdent cependant leurs propres AOC (voir p. 380 et 383 respectivement).

VINS DE VILLAGE, PREMIERS CRUS ET GRANDS CRUS
Les principaux villages de la Côte d'Or, et des autres régions, sont dotés de leur propre appellation. Ainsi, le vin élaboré sur la commune de Gevrey-Chambertin peut être étiqueté en tant que tel. Dans les villages de la Côte d'Or et à Chablis, certains vignobles ont droit au statut de Premier Cru. L'étiquette mentionne alors le nom du village et celui du vignoble – par exemple, Gevrey-Chambertin Le Clos Saint-Jacques.
Les Grands Crus sont des appellations à elles seules. À ce niveau, les vignobles donnent leur nom : par exemple, Chambertin.
Les limites de l'AOC et celles de la commune ne coïncident pas forcément : une zone produisant du vin jugé inférieur aux normes du village ne recevra alors qu'une appellation régionale.

Les jeunes vins de Pinot Noir ont rarement la couleur, l'ampleur et la puissance des vins issus de Cabernet-Sauvignon ou de Syrah. Qu'il s'agisse d'un petit ou d'un grand vin, un Bourgogne rouge se doit d'être subtil et sensuel, sans trop d'évidence ni d'autorité. Un vin simple doit offrir une odeur et de belles notes de fruit (framboise et cerise, le plus souvent) et une douceur toute naturelle. Avec le temps, les meilleurs crus gagnent en richesse et en complexité pour développer des arômes puissants. Les meilleurs millésimes expriment, après quelques années de bouteille, une concentration aromatique remarquable.

Qui dit Bourgogne blanc dit presque nécessairement Chardonnay, cépage qui peut varier énormément dans ses arômes et ses parfums, suivant la vinification, le vieillissement et le terroir. Les amateurs apprennent à déceler les notes de beurre et de pain grillé dans le Bourgogne blanc élevé dans le chêne, pratique courante pour les vins de Côte d'Or. Les blancs génériques (Bourgogne AOC, vins de Mâcon, Chablis...) passent rarement en barrique et doivent avoir un parfum net, sans trop d'acidité, mais qui laisse percevoir des arômes de fruits et de miel. Les meilleurs blancs gagnent en complexité en vieillissant. Un grand Bourgogne blanc sera un vin ample, avec des notes de miel et de noisette. Les qualités les plus apparentes sont la concentration et la complexité.

Le Beaujolais est issu de Gamay, cépage sans lien de parenté avec le Pinot Noir. Ses parfums et ses qualités sont décrits p. 383 à 389.

Producteurs et négociants

La Bourgogne est le royaume des petits propriétaires. Il existe très peu de grandes propriétés, comme dans le Bordelais, et le terme de château n'y a pas le même sens d'entité vitivinicole cultivant la vigne et élaborant le vin. Ce sont, par tradition, les négociants (par opposition aux vignerons) qui ont fait la réputation de la Bourgogne. Ils achètent les raisins pour assurer les vinifications ou le vin nouveau chez plusieurs vignerons pour l'élever, l'assembler et le mettre en bouteilles sous leur propre marque. Mais, si le rôle de quelques négociants se borne à ces activités, nombreux sont ceux qui possèdent eux-mêmes des vignobles.

Toutefois, depuis les années 1970, la tendance chez les producteurs est de mettre eux-mêmes leur vin en bouteilles. Recherchez sur l'étiquette la mention « Mis en bouteilles à la propriété » ou « au domaine ». Le producteur défend son nom et sa réputation, mais doit se révéler d'une grande polyvalence pour être aussi brillant en cave que dans la vigne. Certains producteurs talentueux ont acquis ainsi une réputation internationale. Les vins mis en bouteilles par le vigneron sont, il faut en convenir, souvent élaborés en toutes petites

LIRE UNE ÉTIQUETTE DE VIN DE BOURGOGNE

Si les étiquettes des vins de Bourgogne présentent des graphismes très différents, les réglementations prévoyant les mentions obligatoires sont précises. Les informations concernent principalement l'appellation et le producteur.

Le nom de l'appellation doit être indiqué en gros caractères, et ce quel que soit le niveau d'appellation : régionale, village, Premier Cru ou Grand Cru. À ce nom doit être accolée la mention « appellation contrôlée » ou « appellation d'origine contrôlée », écrite dans un caractère plus petit. Ainsi, Nuits-Saint-Georges sera suivi des mots Appellation Nuits-Saint-Georges contrôlée.

Pour un Premier Cru : le nom du lieu-dit, c'est-à-dire de la parcelle de vigne, suivra le nom de la commune : Pommard Épenots, par exemple. Cette désignation de l'appellation devra également être complétée par la mention Appellation Pommard Premier Cru contrôlée.

Pour un Grand Cru : le nom du Grand Cru, appellation à part entière, doit figurer sur l'étiquette, en gros caractères. Ce nom doit également être suivi de la mention Appellation Grand Cru contrôlée. Ainsi, par exemple, le Grand Cru rouge Romanée-Saint-Vivant, produit sur la commune de Vosne-Romanée, sera étiqueté Romanée-Saint-Vivant, Appellation Grand Cru contrôlée.

La confusion peut cependant naître chez l'amateur. Plusieurs communes produisent des vins d'appellation Premier Cru qui portent le même nom. Ainsi le lieu-dit Les Perrières se retrouve-t-il à Meursault, à Beaune, à Nuits-Saint-Georges…

Les mentions sur la mise en bouteilles ainsi que la distinction entre producteur et producteur-récoltant sont des mentions facultatives.

quantités et peuvent être difficiles à acquérir. En revanche, l'un des avantages du système de négoce est que le négociant peut acheter et assembler suffisamment de vin pour proposer une quantité équilibrée dans une même appellation.

On reproche aux Bourgognes des négociants-éleveurs d'avoir moins de caractère que ceux des vignerons. Certaines maisons de Bourgogne sont parfois critiquées pour leurs cuvées médiocres. On reproche aussi aux négociants de finir par annihiler l'individualité de chaque village et de chaque cru en la ramenant à un style maison sans vice ni vertu. Ces critiques n'ont aucun sens, et la « frontière » ne se situe plus, en ce début de XXIe siècle, entre vignerons et négociants-éleveurs, mais entre bons et mauvais vins.

Les coopératives sont importantes dans le Mâconnais, dans les Hautes Côtes, à Chablis et dans le Beaujolais. Les meilleures d'entre elles investissent dans de nouveaux équipements et encouragent les vignerons à produire de meilleurs raisins. Leurs vins se classent quelquefois parmi les valeurs les plus sûres. Une nouvelle génération de vinificateurs a commencé à manifester son talent dans les années 1980, s'attachant à améliorer les vins de toutes les catégories. À la fin de la décennie, une réduction des prix a rendu les petits Bourgognes plus abordables. Les meilleurs domaines ont réussi à maintenir leurs prix, ce qui a creusé le fossé entre les grands vins et les AOC régionales et de village.

Vinification du Bourgogne rouge

Les « recettes » modernes de vinification en rouge (voir p. 246-249) sont très discutées en Bourgogne, et l'obsession devient l'amélioration de la qualité : rendement des vignobles, pressage des baies, durée et température de fermentation, filtrages et autres processus, durée de l'élevage et choix des matériels.

De par ses cépages et son climat, le cas de la Bourgogne est particulier. Il est beaucoup plus délicat d'extraire des baies de Pinot Noir couleur, tanins et autres composants aromatiques que de celles d'autres variétés comme le Cabernet-Sauvignon ou la Syrah. L'élaboration du Bourgogne rouge nécessite donc beaucoup d'attention et de douceur.

Le climat est frais, très variable d'une année sur l'autre, et l'arrivée à maturité des fruits est toujours aléatoire. Une bonne maturité dépend à la fois du temps et du site. Rien d'étonnant à ce que les meilleurs vignobles, ceux des Premiers et des Grands Crus, se trouvent sur les versants les plus privilégiés, ceux où toutes les conditions optimales (sol, pente, orientation) sont remplies. Mais le Pinot Noir ne doit pas non plus trop mûrir : les baies les meilleures, au parfum le plus subtil, doivent être mûres à point sans surmaturation.

D'autres éléments peuvent encore influencer la qualité des vins, quelle que soit la qualité des terroirs. Interviennent ainsi le choix du clone de Pinot Noir et la question du rendement. Le Pinot Noir est une variété instable. Les techniques modernes permettent le clonage des meilleurs plants : un vigneron peut ainsi planter plusieurs hectares de vignes rigoureusement identiques. Le problème est que, selon le cas, le terme « meilleur » recouvre différentes définitions. Pour les agronomes officiels, il s'agira de clones antivirus tandis que, pour de nombreux viticulteurs, il sera synonyme de productivité (ce qui ne donnera pas forcément les meilleurs vins). Comme partout, les plus petits rendements garantissent une meilleure qualité, mais ce phénomène est accentué en Bourgogne et plus particulièrement en Côte d'Or. Les limites établies par la réglementation des appellations d'origine contrôlée varient d'année en année, ce qui n'empêche pas un nombre de plus en plus grand de viticulteurs de réduire leurs rendements au-dessous du seuil autorisé.

Les raisins qui arrivent aux chais sont foulés avant d'être égrappés, mais cette tradition a tendance à se perdre et la vendange arrive aujourd'hui éraflée. Les adeptes de l'ancienne école affirment que les rafles contribuent à rompre la masse de pulpe de raisin en fermentation, tout en constituant un apport en tanins et en donnant du caractère au vin.

Les températures automnales fraîches affectent la fermentation, bien que l'introduction des systèmes de contrôle de chauffage du moût ait pallié cet inconvénient. Les nouvelles cuves thermorégulées (à circuits de refroidissement ou de réchauffement) offrent de nombreuses possibilités au viticulteur. Elles peuvent lui permettre de maintenir la température au-dessous du seuil de température de fermentation pendant quelques jours. Grâce à la prémacération à froid, préalable à la fermentation, un premier mélange jus-peaux est effectué, dont le but est de favoriser une première extraction de la couleur, des tanins et des arômes. Le viticulteur peut également décider de réchauffer le moût pour accélérer le déclenchement de la fermentation. Ici encore, il y a autant de façons de faire qu'il y a de producteurs.

Les caves froides contribuent à la lenteur et à la douceur de la maturation, et la plupart des bons vignerons limitent le collage ou le soutirage. Certains Bourgognes ne sont pas filtrés du tout, car le vin gagne ainsi en complexité (s'il en a le potentiel), ce qui explique la présence d'importants dépôts en bouteille.

Vinification du Bourgogne blanc

Le Bourgogne blanc est moins exigeant dans son élaboration. Les vins classiques de Côte d'Or et quelques-uns de Chablis et de la Côte chalonnaise fermentent dans des fûts de chêne. D'autres sont élaborés dans des cuves d'acier inoxydable, puis sont élevés en fûts de chêne quelques mois, jusqu'à la fin de la fermentation malolactique. Le vin reste sur ses lies fines, avec un collage et un filtrage réduits au minimum avant la mise en bouteilles. Le bâtonnage (mélange des lies fines) ajoute au vin de l'ampleur et le rend plus complexe. La fermentation en fût, et un vieillissement long et tranquille produisent dans un grand Bourgogne blanc une combinaison unique de puissance, de grâce et de longévité.

CHABLIS

Carte page XIII

Le Chablis est devenu l'un des vins blancs français les plus connus… hors de France ! Sa notoriété a même été largement usurpée dans les pays du Nouveau Monde pour étiqueter des vins blancs de qualité inférieure produits outre-Atlantique, ce qui a porté préjudice à cette appellation française prestigieuse.

Le vrai Chablis provient du nord de la Bourgogne, de la petite ville de Chablis et de 19 autres villages et hameaux du département de l'Yonne. (Pour les autres appellations de l'Yonne, voir encadré p. 354.)

Comme pour tous les bons Bourgognes blancs, le cépage est le Chardonnay, qui pousse ici sur des coteaux de calcaire kimméridgien et d'argile. Ces coteaux forment la pointe sud du Bassin parisien, vaste dépression géologique circulaire qui s'étend du nord de la France au sud de l'Angleterre, jusqu'au village de Kimmeridge, dans le Dorset. Le sol est rempli des coquilles fossilisées d'une petite huître, *Exogyra virgula,* et cela contribue à un drainage efficace, malgré la forte proportion d'argile.

Le climat et le problème des gelées

Le climat de Chablis est à dominante continentale : les hivers sont rigoureux et les étés chauds. Les fluctuations annuelles de l'ensoleillement et de la pluviosité entraînent d'énormes variations de qualité et de quantité entre les millésimes. Les vignerons redoutent les gelées printanières, qui peuvent causer des dommages irréparables aux jeunes ceps, et attendent chaque année avec angoisse les mois d'avril et de mai.

Les années 1950, aux printemps particulièrement peu cléments, ont donné naissance aux premières « chaufferettes » destinées à protéger la vigne. Ces étuves à huile étaient remplies et allumées à la main aux premières heures du jour. Depuis, elles se

FRANCE

sont modernisées : leur remplissage se fait, aujourd'hui, de manière automatique à partir d'une cuve à pétrole installée au bas des coteaux. Cette méthode de chauffage est efficace mais coûteuse. Une seconde méthode, l'aspersion, consiste à arroser les vignes d'eau lorsque la température atteint le point de gel, si bien qu'un manteau protecteur se forme autour des jeunes bourgeons. L'eau gelant à 0 °C, la vigne peut supporter une température de – 5 °C sans souffrir. Même si elle n'est pas aussi efficace qu'on le souhaiterait, la protection contre le gel garantit un rendement raisonnable chaque année et contribue à l'extension du vignoble.

Les appellations

Chablis possède quatre appellations : Grand Cru, Premier Cru, Chablis et Petit Chablis.

Le Grand Cru de Chablis est divisé en sept « climats » (parcelles). L'appellation Chablis couvre une bonne partie de la région. Le Petit Chablis est une autre appellation moins réputée.

Le style Chablis

Dans le chêne ou sans chêne : tel est ici le dilemme. Sur cette question, deux écoles défendent farouchement leur propre style de vin. La tradition veut que le Chablis soit vinifié et élevé en fûts de chêne, seul matériau disponible auparavant. L'arrivée des cuves de ciment et d'acier a ouvert de nouvelles possibilités. Certains producteurs sont restés fidèles au chêne, d'autres l'ont complètement abandonné et d'autres encore y sont revenus. Les adversaires du chêne prétendent qu'il affecte les arômes fruités du Chablis, et ses partisans affirment qu'il sublime le vin en y ajoutant une certaine complexité.

Curieusement, certains Chablis vinifiés sans chêne prennent, avec le temps, les arômes subtils de noisette qu'on lui associe naturellement. Ce vin offre une telle diversité que, tout en restant sec, il offre aujourd'hui une plénitude et une richesse qui contrastent avec sa réputation d'austérité. En vin nouveau, sa séduction immédiate provient de son fruit et de sa jeunesse, structurés par une bonne acidité. Après une phase de réserve où il ne révèle rien, il commence à développer de merveilleux arômes, signe distinctif d'un bon Chablis. Bien qu'un jeune Chablis d'un bon millésime ait déjà de l'attrait, mieux vaut attendre quelques années de bouteille pour le savourer pleinement : cinq ans pour un Premier Cru, et de sept à dix ans pour un Grand Cru, d'évolution plus lente.

Les bons points des Grands Crus sont l'intensité de leurs arômes et leur capacité de vieillissement. Les divers crus ne sont pas toujours faciles à reconnaître, d'autant que leurs différences proviennent plus souvent de la conduite de la vigne et des vinifications de chaque vigneron que des caractères propres à chaque terroir.

PRODUCTEURS ET NÉGOCIANTS

Les étiquettes du vignoble de Chablis indiquent l'appellation : Petit Chablis, Chablis, Chablis Premier Cru (suivi du nom du climat), Chablis Grand Cru (suivi du nom du climat). Le nom du village n'est pas mentionné : Chablis est une appellation. Étant donné le morcellement des parcelles, plusieurs vignerons peuvent se partager un même cru, et la qualité dépend donc du producteur. Certains producteurs ajoutent le nom d'un domaine ou d'un château au leur. Une partie des vins se vendent par l'intermédiaire des négociants de Chablis ou de Côte d'Or et de la coopérative locale.

JEAN-MARC BROCARD
Le Domaine Sainte-Claire de Brocard, dans le village isolé de Préhy, couvre quelque 75 ha de vignobles répartis entre Montmains et Saint-Bris. Il évite tout contact de ses vins avec le chêne pour produire un Chablis fruité.

LA CHABLISIENNE
La coopérative locale, La Chablisienne, couvre environ un tiers de la production de Chablis, avec près de 200 membres pour un peu plus de 1200 ha. Son rôle commercial est donc considérable dans l'appellation. Fondée en 1923, elle fut l'une des premières coopératives de France. Les vignerons lui apportent du moût et non des grappes, car elle est dépourvue de pressoir. Depuis peu, elle fait vieillir certains Premiers ou Grands Crus en fûts de chêne, surtout pour La Grande Cuvée, une sélection des plus vieilles vignes des vignobles de Premier Cru. Le style de la maison est toujours celui d'un Chablis classique. Le vin est vendu sous l'étiquette La Chablisienne ou sous celle de ses divers membres, comme s'ils étaient des producteurs indépendants, ce qui donne lieu à quelques confusions. Elle vend, par ailleurs, du vin en vrac à des négociants de Chablis et de Beaune.

DOMAINE JEAN COLLET
De nouvelles caves ont été construites pour vinifier les raisins des vignobles, qui comptent d'importantes parcelles à Montmains et à Vaillons et des parcelles plus petites de Valmur, Montée de Tonnerre et Mont de Milieu. Jusqu'en 1985, les Collet n'utilisaient que des foudres et des pièces (grandes et petites barriques), mais, depuis, ils se sont aussi équipés de cuves d'acier, notamment pour le Chablis village. La plupart des Premiers et Grands Crus fermentent dans des foudres et mûrissent quelques mois dans des pièces avant la mise en bouteilles. Les Collet élaborent des vins riches et stylés.

RENÉ DAUVISSAT
Ce domaine possède des vignobles sur Vaillons, Séchet, Les Clos, Les Preuses, sans oublier le cru qui fait son renom : Forêt. Malgré l'introduction de cuves en acier inoxydable, il continue à fermenter une partie de son vin en fûts neufs. Selon la qualité du cru et du millésime, le vin est logé entre 6 et 10 mois en pièces. Les Chablis de Dauvissat méritent de vieillir en bouteille pour atteindre leur apogée.

JEAN-PAUL DROIN
Droin appartient à la nouvelle génération des vignerons de Chablis. Ses vignobles s'étendent sur un grand nombre de petites parcelles dans plusieurs Premiers Crus et dans la plupart des Grands Crus, notamment Vaillons, Montée de Tonnerre, Valmur et Vaudésir. Depuis 1985 environ, il défend avec enthousiasme le chêne neuf et renouvelle inlassablement toutes sortes d'expériences visant à atteindre la cuvée idéale de Chablis. Quelquefois, ses vins sont une brillante réussite, mais ils sont souvent trop marqués par le bois.

JEAN DURUP
Le Domaine de L'Églantière, dans le village de Maligny, est aujourd'hui le plus grand domaine de Chablis (10 ha de Petit Chablis, 40 ha de Fourchaume et Vaudevey, et 80 ha de Chablis village). →

PRODUCTEURS ET NÉGOCIANTS

Les méthodes de vinification sont simples, avec une manipulation du vin réduite à son minimum et sans un soupçon de bois. Pour Durup, le chêne est une hérésie qui dénature les arômes authentiques du Chablis. Il travaille également sous les noms de Domaine de Valéry et Domaine de Paulière, ainsi que de Château de Maligny.

WILLIAM FÈVRE
Avec son Domaine de la Maladière, Fèvre s'affiche comme le plus grand propriétaire de Grands Crus de Chablis : il possède une parcelle dans chacun des Grands Crus à l'exception de Blanchot. Plusieurs parcelles de Premiers Crus de Chablis et de Petit Chablis lui appartiennent également. Fèvre est le partisan le plus virulent du chêne neuf; c'est lui qui, le premier, a construit une cave souterraine avec des chais à barriques pour son Chablis Champs Royaux. Aujourd'hui le domaine Fèvre est affermé par Bouchard Père & Fils, dirigé depuis 1998 par Joseph Henriot. Il est arrivé que les vins paraissent très marqués par le bois dans leur jeunesse, puis qu'ils prennent des arômes complexes avec de belles notes minérales au vieillissement.

DOMAINE LAROCHE
C'est l'un des phares de Chablis, qui a grandi avec l'appellation (100 ha), avec des vignes dans Les Clos, Blanchot, Bougros, Vaudevey, Beauroy, Montmains, Vaillons et Fourchaume. Le meilleur Chablis village de Laroche s'appelle Chablis Saint-Martin, et le Chablis Saint-Martin Vieilles Vignes le surpasse encore. Le must est la Réserve de l'Obédiencerie, issue d'une minuscule parcelle de vieilles vignes de Blanchot, dont les raisins sont vinifiés avec un soin minutieux.

DOMAINE DES MARRONNIERS
Ce domaine couvre 3 ha de Montmains, 1 ha de Bourgogne blanc et 1 ha de Petit Chablis. Ses vins sont de parfaits exemples

LES GRANDS CRUS DE CHABLIS

Les sept Grands Crus totalisent près de 100 ha et s'alignent sur un coteau à la sortie de Chablis. Ils sont entièrement plantés. Ce sont, du sud au nord :

BLANCHOT. Avec ses 13 ha, c'est le Grand Cru le plus léger et le plus accessible, car les vins qui en sont issus tendent à arriver à maturité plus tôt que d'autres. Le sol est particulièrement blanc et crayeux, d'où le nom du vignoble.

LES CLOS. C'est le vignoble le plus étendu, avec 27 ha répartis entre plusieurs propriétaires. Ce Grand Cru est généralement considéré comme le plus apte au vieillissement, le dernier à arriver à maturité et le plus ferme.

VALMUR. Avec ses 11 ha, ce Grand Cru est assez proche de Vaudésir; il n'a ni l'intensité ni le potentiel de longévité du vignoble des Clos.

GRENOUILLES. Plus petit des Grands Crus, avec 9 ha, il se trouve juste à côté de la rivière Serein, infestée de grenouilles! Le vignoble est partagé entre Louis Michel, Jean-Paul Droin et la coopérative La Chablisienne (voir ces noms).

VAUDÉSIR. Avec 14 ha, dont une partie de La Moutonne, ce vignoble situé sur le coteau des Grands Crus n'en a pas l'appellation : c'est une parcelle de 2,3 ha dans Vaudésir et Preuses. Le principal producteur, Long-Depaquit (voir ce nom), élabore un vin racé d'une grande finesse.

PREUSES. Ce vignoble de 9 ha partageant La Moutonne avec Vaudésir est considéré généralement comme plus élégant que Les Clos.

BOUGROS. Vignoble de 16 ha, il ressemble beaucoup au Blanchot, avec une certaine rusticité.

de bon Chablis sans bois, doté de belles notes minérales propres à ce terroir. Par curiosité et pour le contraste, Légland fait également une cuvée sous bois.

LONG-DEPAQUIT
Bien qu'il appartienne à la maison de négoce Bichot, de Beaune, Long-Depaquit est géré de façon indépendante. Sa grande fierté est son minuscule vignoble de La Moutonne, un clos monopole.
Depuis 1997 le bois prend plus d'importance.
Long-Depaquit possède également des vignes dans Les Lys, Vaucoupin, Montmains et Les Clos.

LOUIS MICHEL
Grand partisan du Chablis sans notes boisées, il effectue la fermentation et l'élevage de son vin dans des cuves d'Inox, en évitant le plus possible de manipuler le jus et le vin. Le résultat est un Chablis de rêve, laissant transparaître les qualités classiques de l'appellation : une belle vivacité avec des notes minérales. Michel possède, entre autres, 14 ha en Premiers Crus (Montmains, Butteaux, Montée de Tonnerre, Vaillons et Forêt), ainsi que quelques parcelles en Grands Crus (Grenouilles, Les Clos et Vaudésir).
Il diffuse aussi ses vins sous l'étiquette Domaine de la Tour Vaubourg.

PREMIERS CRUS DE CHABLIS

Les Premiers Crus se sont étendus au même rythme que le vignoble. On en compte 768 ha en 2001 contre 477 en 1982. Dans le même temps, de nouveaux noms sont apparus, ou réapparus puisque nombre d'entre eux existaient avant le phylloxéra. On prétend que ces Premiers Crus ressuscités retrouvent le terroir et le microclimat des anciens. Le plus renommé est Vaudevey, à proximité du village de Beine. Les meilleurs Premiers Crus seraient Mont de Milieu, Fourchaume et Montée de Tonnerre, qui se trouvent sur le même coteau que les Grands Crus. La liste complète des Premiers Crus comporte quelques noms que l'on trouve rarement sur les étiquettes. En effet, il arrive que le producteur leur préfère la désignation plus générale (en caractères gras dans la liste qui suit).

LES BEAUREGARDS : Côte de Cuissy.
BEAUROY : Troesme, Côte de Savant.
BERDIOT
CHAUME DE TALVAT
CÔTE DE JOUAN
CÔTE DE LÉCHET
CÔTE DE VAUBAROUSSE
FOURCHAUME : Vaupulent, Côte de Fontenay, L'Homme Mort, Vaulorent.
LES FOURNEAUX : Morein, Côte de Prés Girots.
MONT DE MILIEU
MONTÉE DE TONNERRE : Chapelot, Pied d'Aloue, Côte de Bréchain.
MONTMAINS : Forêt, Butteaux.
VAILLONS : Châtains, Séchet, Beugnons, Les Lys, Mélinots, Roncières, Les Épinottes.
VAUCOUPIN
VAUDEVEY : Vaux Ragons.
VAULIGNEAU
VOSGROS : Vaugiraut.

J. J. MOREAU
C'est la plus grande maison de négoce de Chablis. Toutefois, la famille Moreau a conservé ses vignobles, avec quelques parcelles dans les crus (Vaillons, Les Clos, notamment Clos des Hospices, des petits lopins à Valmur, Vaudésir et Blanchot), ainsi qu'un grand vignoble en Chablis, le Domaine de Bieville. Le contact du vin avec le bois est évité pour favoriser les notes fruitées. →

PRODUCTEURS ET NÉGOCIANTS

RAVENEAU
Raveneau est l'un des grands noms de Chablis. Le domaine, assez compact, compte 7 ha, notamment à Butteaux, Chapelot et Montée de Tonnerre pour les Premiers Crus, Valmur, Les Clos et Blanchot pour les Grands Crus. L'approche de la vinification est empirique, sans règle fixe sur le vieillissement dans le bois. Tout le vin passe au moins une année en fût (fût neuf ou de 10 ans d'âge). Les Grands Crus sont mis en bouteilles au bout de 18 mois. Les vins obtenus sont vifs, amples et complexes.

A. RÉGNARD
Patrick de Ladoucette, de Château du Nozet dans le Val de Loire, a repris cette très ancienne maison de négoce. Les investissements dans de nouveaux équipements ont été considérables, le style de la maison refusant le bois. Les vins sont fermes, mais assez austères dans leur jeunesse.

AUTRES PRODUCTEURS
Une multitude d'autres producteurs sont en train de passer sur le devant de la scène, au fur et à mesure que les négociants s'en retirent.
Il faut suivre plus particulièrement les producteurs suivants : Gilbert Picq & Fils, Domaine Billaud-Simon, Domaine Barat, Jean-Pierre Grossot, Domaine des Malandes, Francine et Olivier Savary, Domaine de Vauroux.
Parmi les adeptes de la vinification dans le chêne, on peut notamment citer les noms de Pinson et de Vocoret.
Lamblin et Simmonet-Febvre sont des négociants locaux.

APPELLATIONS DE L'YONNE

Outre Chablis, plusieurs vignobles sont parsemés dans le département de l'Yonne. Certains connaissent un regain d'intérêt. En premier lieu, il faut citer les appellations génériques.

BOURGOGNE ROUGE et **BLANC** sont les principales appellations, généralement suivies du nom du village :
COULANGES-LA-VINEUSE produit un vin rouge plus léger et plus fruité qu'Irancy, à partir de Pinot Noir uniquement.
ÉPINEUIL possède aussi sa propre appellation pour le vin rouge, uniquement à base de Pinot Noir. C'est le dernier village à élaborer du vin de l'ancien vignoble de Tonnerre.
CHITRY couvre les vins rouge et blanc, à base de Chardonnay et de Pinot Noir, provenant du village de Chitry-le-Fort.

À côté de ces appellations, il existe plusieurs autres petites appellations.

IRANCY est devenu une appellation à part entière en 1998 pour un vin rouge à base de Pinot Noir, avec une pointe de César et de Tressot. Le rosé est également autorisé. Côte de Palotte est le vignoble le plus connu.
CÔTES D'AUXERRE date de 1992 et couvre surtout les vignobles de Pinot Noir et de Chardonnay de Saint-Bris-le-Vineux, d'Auxerre et de quelques villages alentour.
VÉZELAY fait du Bourgogne rouge et blanc sur quelques coteaux bien exposés.
SAUVIGNON DE SAINT-BRIS, vin blanc issu du seul Sauvignon planté en Bourgogne, a été reconnu comme appellation d'origine contrôlée en 2001.
CRÉMANT DE BOURGOGNE (voir p. 378) est élaboré dans l'Yonne. La coopérative SICAVA du hameau de Bailly est très renommée pour son Crémant et représente un débouché commercial intéressant pour les vignobles de villages comme Saint-Bris et Chitry.

CÔTE D'OR

Carte page XII

La « Côte d'Or » bourguignonne est une étroite bande de vignobles, orientée à l'est et au sud-est, qui s'étire de Dijon, au nord, à la limite du département de la Côte-d'Or, en passant par Beaune. Cette « côte » marque la limite est de l'écheveau de forêts et de collines que sont les hauteurs bourguignonnes. La vaste plaine formée par la Saône s'étend à ses pieds, vers l'est.

Constituant ce que les géographes appellent un « escarpement », la Côte renferme un sous-sol stratifié très riche, qui constitue le facteur essentiel de la qualité exceptionnelle des vignobles (voir p. 357).

Un autre facteur important du prestige de la Côte d'Or est la proximité des grands axes routiers : les vignobles sont sur la voie qui relie depuis deux millénaires le Nord et le Sud, des Flandres à la Provence, de Rome à Paris. Aujourd'hui, les autoroutes A6 et A31, complétées par les nationales 6 et 74, évitent définitivement à cette région l'enclavement dont ont souffert tant d'autres zones rurales de France.

L'histoire, comme la géographie, a été généreuse envers la Côte d'Or : la région fut l'un des premiers centres de la vie monastique en France, avec la grande abbaye bénédictine de Cluny, dans le Mâconnais ; en 1098, l'abbaye de Cîteaux, première maison de l'ordre cistercien, fut fondée près de Beaune. En un an, celle-ci se dota de son premier vignoble, à Meursault, et, sous l'égide de son père supérieur, saint Bernard, y ajouta rapidement quelques arpents supplémentaires. La contribution des moines à la renommée du vignoble bourguignon fut capitale. S'ils n'en furent pas les fondateurs – les Romains y avaient cultivé la vigne –, ce sont eux qui l'organisèrent. Ils édifièrent des enclos autour de leurs vignobles, dont, en 1330, la muraille qui ceint toujours le Clos de Vougeot. Ils procédèrent à des expériences, des améliorations et des observations. Ce sont les cisterciens qui ont fait des vins de la Côte d'Or des vins prestigieux.

La Bourgogne a eu autant de chance avec ses maîtres temporels qu'avec ses chefs spirituels. À la fin du Moyen Âge, les ducs de Valois aimaient la grandeur en toutes choses, surtout en matière de vins et de mets. Ils avaient en outre la puissance et l'argent leur permettant d'exiger le meilleur. Vers 1375, le duc Philippe le Hardi s'intéressa au Bourgogne rouge et encouragea le « pineau », ancêtre de l'actuel Pinot Noir, au détriment du Gamay, cépage prolifique mais de qualité médiocre.

La Révolution, en déportant les moines, morcela leurs possessions sur la Côte d'Or. Après Napoléon, peu de

clos monastiques restèrent aux mains d'un propriétaire unique.
Avec la fragmentation des vignobles, les négociants, capables d'acheter et d'assembler du vin provenant de plusieurs petites parcelles, assirent peu à peu leur domination. L'avènement du chemin de fer les favorisa encore davantage : ils purent exporter leur vin plus facilement (la Côte d'Or n'a pas de voie navigable pratique), et les moins scrupuleux d'entre eux allongèrent leurs grands vins avec un peu de vin du Sud. Cette pratique persista pendant une bonne partie du XXe siècle, ce qui fit croire que le Bourgogne rouge était un breuvage sombre et sirupeux rappelant vaguement le vin algérien.

Les villages et les crus

La Côte d'Or est scindée en son milieu par Beaune, ville qui abrite la plupart de ses marchands de vin, et parsemée de villages donnant leur nom aux vignobles, ou vice versa. Par exemple, Chambolle-Musigny a été baptisé ainsi, car Chambolle est l'ancien nom du village et Musigny un vignoble fameux planté sur l'une de ses collines. Le nom de certains villages, Volnay, Meursault, Pommard, se suffit à lui-même.
Chaque village (ou, du moins, la plupart d'entre eux) possède son appellation d'origine générique ainsi que de nombreuses désignations de sites ou de climats dont les plus remarquables sont classés en Premier Cru ou, mieux encore, en Grand Cru. Le système d'étiquetage et de classement est détaillé p. 344.
La Côte d'Or se divise en deux parties : la Côte de Nuits au nord et la Côte de Beaune au sud.
Deux AOC sont situées à l'ouest du coteau principal : Hautes Côtes de Nuits et Hautes Côtes de Beaune. Elles sont détaillées p. 358.

Les styles de vin

La Côte de Nuits produit presque exclusivement du vin rouge, tandis que la Côte de Beaune produit des rouges et des blancs. Le Pinot Noir (en rouge) et le Chardonnay (en blanc) sont les deux cépages principaux.
Bien que le cépage soit identique d'un vignoble à l'autre, les styles de vin sont très différents en raison des divers terroirs et surtout de l'individualité marquée du producteur bourguignon. Négociants et vignerons, grands ou petits, ont chacun leur propre conception de ce que doit être un grand Bourgogne et de la façon dont un terroir doit exprimer ses qualités. Le choix d'un vin exige donc une grande attention.
En règle générale, les vins gagnent en complexité, en prix et en potentiel de vieillissement en fonction de l'échelle du classement où ils se situent, de l'AOC village jusqu'au Grand Cru en passant par le Premier Cru. Toutefois, certains Premiers Crus peuvent paraître ternes et tristes

LES FACTEURS DE QUALITÉ

Les vignobles de la Côte d'Or ont subi un examen minutieux au terme duquel ils ont été classés en diverses catégories, de l'appellation régionale générique jusqu'au Grand Cru, en passant par l'AOC « village » et le Premier Cru. Trois facteurs déterminent la qualité : le sol, la déclivité et l'exposition.

SOLS

Le sous-sol se compose de marne et de deux sortes de roches calcaires. L'érosion des coteaux a conduit à des combinaisons de sols très diverses. Ainsi, à un endroit donné, le sol est le produit de la strate située juste en dessous de la surface et de celle qui se trouve à une altitude supérieure, des débris d'érosion se frayant un chemin le long de la pente pour se mélanger au sol, plus bas. Le bas de la côte, quant à lui, se fond dans la plaine et offre un sol alluvial moins favorable à la production de grands vins.

Les Grands Crus et les Premiers Crus occupent une bande distincte au long de la pente. C'est l'endroit où les affleurements de marne donnent le meilleur terroir – en particulier pour les vins rouges –, celui qui est le mieux drainé et le plus facile à travailler. Les vignobles de vin blanc sont concentrés dans des zones à prédominance calcaire, comme à Meursault.

ESCARPEMENT

La Côte d'Or est un escarpement résultant d'une anomalie géologique qui a conduit à l'érosion du bord du plateau bourguignon, à l'ouest. À l'est, la vaste plaine de la Saône constitue la base de la côte. La continuité de cet escarpement est rompue par de petites vallées formées par les affluents de la Saône. Les vignobles sont implantés sur les coteaux orientés au sud-est et situés entre la plaine, à l'ouest, et les collines boisées, à l'est. Leur altitude peut varier entre 150 m et 400 m, mais il faut noter que les meilleurs crus se situent toujours à mi-pente.

SITES ET EXPOSITIONS

Dans un emplacement typique, un village se situe au pied de l'escarpement, entre les vignobles et les terres de la plaine. Le terrain où pousse la vigne est soumis aux contraintes du relief : trop haut sur les pentes, le microclimat devient nettement plus frais ; trop bas dans la plaine, les gelées tardives sont une réelle menace. Certains endroits sont plus susceptibles que d'autres de subir la grêle. Les pentes offrent des sites bien drainés, avec des sols adéquats. L'exposition à l'est et au sud-est renforce la chaleur du soleil et protège des vents d'ouest, porteurs de pluie.

à côté d'une splendide AOC village. La main de l'homme, et les rendements qu'il demande à sa vigne seront tout aussi déterminants que la qualité intrinsèque du terroir.

Au gré des modes, tant chez les consommateurs que chez les vinificateurs, le Bourgogne rouge a changé de style. Au XVIIIe siècle, c'était un vin léger, presque rosé. Au XIXe siècle et dans la première partie du XXe, il devient plus tannique avec une plus grande teneur en alcool (souvent grâce à la chaptalisation) et d'une couleur plus prononcée. Aujourd'hui, on assiste à un retour à des vins équilibrés et aromatiques, d'une couleur moyenne à soutenue et d'une plus faible teneur en alcool. Toutefois, leur élaboration diffère selon les écoles (voir p. 345-349).

Les bons vinificateurs peuvent produire de superbes vins dans des appellations moins prestigieuses. Les AOC Bourgogne et Côte-de-Beaune-Villages des grands domaines étant élaborées selon les mêmes normes que les Grands Crus, les acheteurs peuvent réaliser de très bonnes affaires.

Les millésimes et le vieillissement

En Côte d'Or, les millésimes sont un autre facteur de diversité imposé par les conditions climatiques de la région. Et un bon millésime en Côte de Nuits n'implique pas nécessairement un bon millésime à Volnay ou Meursault. En effet, les conditions climatiques peuvent avoir des effets très localisés.

Il est rare qu'un Grand Cru de Bourgogne ait une durée de vie aussi longue qu'un Grand Cru de Bordeaux. Un grand vin de Bourgogne atteindra son apogée après une dizaine d'années de bouteille (même s'il peut vieillir deux fois plus longtemps), tandis que les appellations communales et la plupart des blancs pourront être ouverts après trois années. Il existe de vieilles bouteilles de grand Bourgogne, mais ce sont des exceptions.

Le Bourgogne rouge est un vin fragile dont le transport et le stockage réclament beaucoup de soin : de nombreuses bouteilles exportées vers des pays lointains, surtout s'il s'agit de pays chauds, souffrent du voyage.

Les très bons vins blancs vieillissent plus longtemps que ne le laisserait penser leur couleur : un Montrachet d'un bon millésime, par exemple, restera fermé pendant cinq ans et pourra se garder plus de dix ans.

Villages de la Côte de Nuits

Dans cette partie nord de la Côte d'Or, on cultive presque exclusivement le Pinot Noir, à quelques exceptions près, qui sont mentionnées ci-dessous. Le vignoble commence à la pointe sud de la ville de Dijon et s'étend sur 22 km jusqu'à Corgoloin, au nord de Beaune. Chaque village possède sa propre AOC communale des Premiers Crus et pour la plupart des Grands Crus. Les communes sont répertoriées du nord au sud. Des noms de producteurs sont indiqués pour chaque village p. 370. Ceux qui possèdent des parcelles dans plusieurs villages ainsi que les négociants sont cités p. 373.

Les villages de la Côte d'Or (Côte de Nuits et Côte de Beaune) sont très fiers de leur système de classement, pourtant horriblement compliqué.

Chaque village ou commune possède une AOC. Mais ce n'est pas si simple : certaines AOC « village » empiètent sur les villages voisins, et d'autres ne comprennent pas la totalité du terrain situé dans les limites de la commune citée. Ainsi, un vin AOC Nuits-Saint-Georges peut provenir de Prémeaux, un village adjacent.

Au sein d'une même commune, certains vignobles n'ont pas droit à l'AOC du village, mais uniquement à l'AOC Bourgogne ou à l'une des autres appellations génériques.

La plupart des communes comptent également des vignobles classés Premier Cru ou Grand Cru. Les arcanes de cette nomenclature sont décryptés p. 344, mais n'oubliez pas qu'en termes d'AOC un Grand Cru n'est pas considéré légalement comme faisant partie d'un village.

On trouve donc quatre catégories de vin dans une commune typique, dont seules les deux catégories intermédiaires (AOC village et Premier Cru) portent le nom de la commune, contrairement à l'AOC générique et au Grand Cru.

CÔTE-DE-NUITS-VILLAGES. Cette AOC s'applique aux vignobles de cinq villages : Fixin et Brochon au nord, Prémeaux-Prissey, Comblanchien et Corgoloin à l'extrémité sud de la Côte. Ces cinq noms sont si peu connus que certains producteurs et négociants leur préfèrent l'appellation générale Côte-de-Nuits-Villages (à l'exception de Fixin).

MARSANNAY. En 1987, Marsannay-la-Côte a été dotée de sa propre AOC communale pour le vin rouge et le vin blanc provenant des coteaux situés à l'ouest de la nationale 74. D'autres parcelles de ce village ainsi que de ses voisins (Couchey et Chenôve) sont autorisées à cultiver du Pinot Noir pour élaborer du Marsannay rosé, un vin unique en Bourgogne. Le vin rouge, cependant, prédomine ici.

Les vignobles rouges sont en pleine expansion et les vins s'améliorent grâce à la nouvelle AOC. Ils ont une belle couleur et une bonne structure, mais ne prétendent pas être à la hauteur des grands villages de la Côte. Le rosé est l'un des meilleurs de France : sec et ample, il peut vieillir.

FIXIN. C'est là que commence la vraie « Côte » : la pente s'accentue et l'étude du sous-sol révèle que la bande de calcaire est le prolongement de celle des Premiers Crus de Gevrey-Chambertin. L'appellation Fixin recouvre les villages de Fixin et Fixey (ainsi que Brochon, qui ne possède pas d'AOC propre, mais dont les meilleures parcelles ont droit à

l'étiquette Fixin). La Côte de Nuits compte ici ses cinq Premiers Crus. Les meilleurs vignobles sont situés à mi-coteau : Clos du Chapitre, La Perrière, Les Hervelets. Ils produisent de puissants Bourgognes rouges avec un bon potentiel de vieillissement. Fixin produit du vin blanc en petite quantité.

GEVREY-CHAMBERTIN. Les Grands Crus de la Côte de Nuits commencent au sud du village de Gevrey-Chambertin. 9 vignobles totalisant 87 ha (plus que tout autre village) ont ce statut et 28 autres sont classés Premier Cru.

Gevrey-Chambertin est une appellation très étendue couvrant Gevrey même et la moitié de la commune de Brochon, au sud immédiat de Fixin. Installés dans une vallée secondaire, les Premiers Crus bénéficient d'une exposition sud-sud-est. Plein sud, les Grands Crus s'alignent sur le coteau principal de la Côte, à l'abri des bois. Ce sont les fameux vignobles de Chambertin, Clos de Bèze et une demi-douzaine d'autres qui sont autorisés à accoler le nom de Chambertin au leur (par exemple, Charmes-Chambertin). Outre les grands et les Premiers Crus, une vaste zone a droit à l'appellation Gevrey-Chambertin.

Si les Grands Crus de Chambertin déçoivent rarement, pour ne pas dire jamais, leur qualité reste variable. Cette diversité est due en partie au morcellement. Une vingtaine de propriétaires se partagent les 13 ha de Chambertin, ce qui représente une moyenne de 3 000 à 3 600 bouteilles par an chacun. Le Clos de Bèze étant moins morcelé, la qualité des vins est meilleure qu'à Chambertin (ceux-ci peuvent porter l'étiquette Chambertin-Clos de Bèze). Les deux vins ont un bon potentiel de vieillissement. Charmes-Chambertin est un autre Grand Cru ayant la réputation d'être régulier et de maturation rapide.

Les Premiers Crus sont magnifiquement situés, et les meilleurs d'entre eux (ceux des meilleurs producteurs) peuvent facilement se mesurer aux Grands Crus. Le Clos Saint-Jacques est le plus célèbre. Aux Combottes n'est classé que Premier Cru alors qu'il se trouve sur le même coteau que les Grands Crus.

Le Gevrey-Chambertin « village » ne s'achète qu'en fonction du nom du producteur : tous les vins ne sont pas dignes du nom du village.

Le meilleur Gevrey-Chambertin est puissant, fruité et tannique et possède une structure qui lui permet de durer. Il s'agit alors d'un vin de garde à conserver une vingtaine d'années.

MOREY-SAINT-DENIS. C'est un petit village coincé entre deux célébrités, mais abritant tout ou partie de cinq Grands Crus. Les vignobles sont implantés sur le coteau calcaire qui va de Gevrey-Chambertin jusqu'à Vougeot en passant par Morey-Saint-Denis. Deux des Grands Crus de ce village sont d'anciens clos de monastère ceints de murs (Clos de Tart et Clos Saint-Denis, sur la colline qui

CÔTE DE NUITS GRANDS CRUS

Les 24 Grands Crus de la Côte de Nuits, presque exclusivement rouges, se concentrent dans les villages de Gevrey-Chambertin, Morey-Saint-Denis, Chambolle-Musigny et Vosne-Romanée.

- Bonnes Mares
- Chambertin
- Chambertin-Clos de Bèze
- Chapelle-Chambertin
- Charmes-Chambertin
- Clos des Lambrays
- Clos de la Roche
- Clos St-Denis
- Clos de Tart
- Clos de Vougeot
- Échezeaux
- La Grande Rue
- Grands Échezeaux
- Griotte-Chambertin
- Latricières-Chambertin
- Mazis-Chambertin
- Mazoyères-Chambertin
- Musigny
- Richebourg
- La Romanée
- La Romanée-Conti
- Romanée-Saint-Vivant
- Ruchottes-Chambertin
- La Tâche

domine Morey), de même que le Premier Cru Clos de la Bussière, à la sortie du village. Contrairement à l'habitude, certains des Premiers Crus se trouvent plus en altitude que les Grands Crus. Une minuscule quantité de vin blanc est produite.

Autre trait inhabituel pour la Bourgogne : Clos de Tart est un monopole et possède sa propre exploitation et ses chais à côté des vignes. Les autres Grands Crus sont Clos de la Roche et Clos des Lambrays (promu en 1981, également monopole) ainsi qu'une petite partie des Bonnes Mares (voir Chambolle-Musigny ci-après).

Morey-Saint-Denis élabore des Bourgognes rouges de garde dans le style classique et solide de la Côte de Nuits : les vins de Grand Cru peuvent être somptueux, notamment ceux de Clos de la Roche et de Clos Saint-Denis. On compte quelques excellents producteurs et la qualité d'ensemble est élevée. Le Clos des Lambrays a été replanté en 1980 et, malgré des vignes relativement jeunes selon les normes Grand Cru, les vins sont voluptueux. Clos de Tart s'est nettement amélioré lors des derniers millésimes.

Les autres vins de Morey (Premiers Crus et vins de village) sont d'un bon rapport qualité/prix par rapport aux appellations voisines.

CHAMBOLLE-MUSIGNY. La puissance alliée à l'élégance et à la complexité sont les signes distinctifs des meilleurs vins de ce village, qui font partie des plus grands rouges de

Bourgogne. Ils sont moins tanniques et moins structurés que les vins de Morey-Saint-Denis et de Gevrey-Chambertin.

Le village est blotti dans une vallée qui interrompt la continuité du coteau calcaire. Les deux Grands Crus de la commune, Musigny et Bonnes Mares, sont magnifiquement situés sur le coteau est, aux frontières sud et nord de l'appellation. Le sol se composant d'un calcaire plus pur que dans la zone plus au nord, les vins sont plus légers. Parmi les Grands Crus, Bonnes Mares est souvent considéré comme le plus puissant et le plus concentré, et Musigny comme le plus raffiné et le plus subtil. Parmi les Premiers Crus, Les Amoureuses et Les Charmes sont des valeurs sûres. Les quelques vignes de Chardonnay produisent un vin blanc rare. Dans l'ensemble, les vins de village ont une qualité inférieure à celle de Morey-Saint-Denis.

VOUGEOT. Le Clos de Vougeot, ancien vignoble de monastère, est l'un des plus vastes (50 ha) et des plus célèbres Grands Crus de Bourgogne. Malheureusement pour l'acheteur, il est divisé entre 80 propriétaires possédant des petites parcelles, qui élaborent des vins de styles très différents. Une telle superficie recouvre immanquablement des types de sol très variés. Aussi certaines parcelles donnent-elles des vins meilleurs que d'autres. Le vignoble descend en pente douce du château, sous la crête de la Côte, jusqu'à la nationale 74. Le meilleur terroir se trouve au sommet et jouxte le Grand Cru de Musigny. La partie la plus basse n'est séparée du vignoble AOC village adjacent que par l'enceinte du Clos et, par conséquent, ne peut être considérée comme supérieure à la partie haute que pour des raisons historiques.

Du fait de ce morcellement, le nom du vigneron compte encore plus ici que dans le reste de la Bourgogne. Mais les normes se sont améliorées récemment, faisant du Clos de Vougeot un vin de plus en plus fiable. Les meilleurs ont un goût puissant, riche, presque doux, et sont de longue garde. S'ils ne sont pas les plus subtils des Bourgognes, ils ont une réelle opulence et une texture veloutée.

Parmi les autres vins de Vougeot, on trouve certains Premiers Crus et des vins de village vivant à l'ombre du Grand Cru, ainsi qu'une petite quantité de vin blanc provenant du Premier Cru Clos Blanc.

Le château médiéval du Clos abrite le quartier général de la Confrérie des chevaliers du Tastevin de Bourgogne, société qui se consacre à la promotion des vins de Bourgogne en organisant des dégustations, des cérémonies hautes en couleur et des dîners de prestige. La Confrérie récompense du label « Tastevin » les vins dont elle juge qu'ils représentent bien l'appellation.

FLAGEY-ÉCHEZEAUX. Cette appellation constitue un comble de complexité difficile à saisir, même pour les Bourguignons. Flagey est un village, mais, sur l'étiquette, Vosne-Romanée remplace le nom communal de Flagey-Échezeaux pour tous les vins qui ne sont pas Grand Cru (il n'y a pas de Premier Cru). Les grands crus, Échezeaux et Grands Échezeaux, se situent au-dessus de Vougeot, plus près de Vosne-Romanée que du village qui porte leur nom. Il s'agit de vins puissants et parfumés, les Échezeaux devant mûrir parfois 10 ans et les Grands Échezeaux encore davantage. S'ils sont chers, ils restent cependant plus abordables que les Grands Crus voisins de Vosne-Romanée.

VOSNE-ROMANÉE. Ce village abrite six Grands Crus (La Romanée, La Romanée-Conti, Romanée-Saint-Vivant, Richebourg, La Tâche et La Grande Rue) et les célèbres vins, aux prix fabuleux, du Domaine de La Romanée-Conti (unique propriétaire des Grands Crus La Romanée-Conti et La Tâche).

Les Grands Crus sont tous regroupés au-dessus du village. Les Grands Crus atteignent des niveaux de prix élevés. Heureusement, une poignée d'excellents Premiers Crus, comme Les Malconsorts (à côté de La Tâche, sur le coteau), Les Suchots, Les Chaumes, Aux Brûlées et Les Beaux Monts, dont beaucoup produisent des vins remarquables, rivalisent avec les Grands Crus pour leur opulence épicée et leur capacité à vieillir 10 à 15 ans, voire davantage.

L'appellation de la commune de Vosne-Romanée a connu des fortunes diverses : certains vignerons ont profité du prestige du nom pour diffuser des vins médiocres à vil prix, mais cette situation appartient au passé et les vins des années 1980 et 1990 sont plus fiables.

Unique propriétaire de La Romanée-Conti et La Tâche, et principal propriétaire de Richebourg, Romanée-Saint-Vivant, Grands Échezeaux et Montrachet, le Domaine de la Romanée-Conti pourrait n'être célèbre que pour les Grands Crus qu'il possède. À ces richesses, il convient d'ajouter un style de vinification propre : vendanges tardives de raisins mûrs, faibles rendements, fermentations longues et chaudes, séjour de 18 mois dans des fûts de chêne neuf et filtrage minimal. Les résultats, s'ils sont controversés, n'en donnent pas moins des vins toujours riches, capiteux et d'une grande opulence. Il s'agit de vins de très grande garde. Une production limitée et des prix justement élevés rendent ces vins difficiles à trouver, mais ils sont un modèle pour tous les Bourgognes rouges.

NUITS-SAINT-GEORGES. Cette petite ville est, après Beaune, le second centre vinicole de Bourgogne, et abrite également de nombreux négociants. Les vignobles sont séparés en deux par un petit cours d'eau. Il n'y a ici aucun Grand Cru mais une quarantaine de Premiers Crus (Les Vaucrains, Les Pruliers, Les Saint- Georges, Les Argillières, Clos de la Maréchale, pour n'en citer que quelques-uns).

Les vignobles de l'appellation s'étendent sur 7 km le long de la Côte. Aussi n'est-il pas surprenant que les styles de vin soient si différents. Ceux de l'extrémité nord de l'AOC, comme La Richemone et Les Damodes, jouxtent ceux de Vosne-Romanée, avec lesquels ils partagent des vins au caractère parfumé et opulent. Au sud de la ville, les vignobles de Premier Cru se prolongent jusque'au-delà du village de Prémeaux, le plus méridional étant le Clos de la Maréchale. Les vignobles sont moins élevés, les sols plus lourds et les vins très aromatiques et robustes.

Les vins des Premiers Crus et de l'appellation village sont généralement prêts à boire après 5 ans en bouteille et peuvent rester à leur apogée pendant encore 3 ans. Le vin blanc est rare.

Nuits-Saint-Georges possède son propre hospice, petit frère de celui de Beaune. Celui-ci possède 9,5 ha de vignoble de Grand Cru et ses vins sont de bonne tenue.

Villages de la Côte de Beaune

La partie méridionale de la Côte d'Or commence au nord de la ville de Beaune, où les vins sont principalement rouges, à base de Pinot Noir. La prédominance des vins rouges s'arrête au sud de Beaune, vers Meursault et Puligny-Montrachet, connus dans le monde entier pour leurs grands vins blancs (Chardonnay), pour reprendre un peu plus bas.

La Côte de Beaune s'étire sur 25 km environ et comprend une vingtaine de villages possédant chacun sa propre AOC, répertoriés ci-après du nord au sud. Cependant, à la mode bourguignonne, les limites de la commune ne coïncident pas nécessairement avec celles de l'appellation. En outre, certains Premiers et Grands Crus sont partagés entre deux villages. Les producteurs sont indiqués pour chaque village p. 370. Certains de ceux qui possèdent des parcelles dans plusieurs villages ainsi que les négociants sont cités p. 373-376.

CÔTE-DE-BEAUNE-VILLAGES. Cette appellation de vin rouge peut être utilisée par tous les villages de la région, excepté Aloxe-Corton, Beaune, Pommard et Volnay. Elle permet aux vignerons des villages moins connus d'utiliser un nom réputé et signifie également que les négociants peuvent assembler des vins de deux villages ou plus pour élaborer un vin équilibré. Une AOC Côte-de-Beaune existe pour les vins produits à proximité de Beaune, mais elle est de petite dimension.

LADOIX-SERRIGNY. Ce petit village situé sur la route conduisant de Nuits-Saint-Georges à Beaune s'abrite à l'ombre de l'énorme coteau couvert de vignobles de Corton. C'est le trait dominant du paysage du nord de Beaune : une grande colline ovale coiffée de bois. Les vignobles de Grand Cru couvrent trois de ses coteaux.

Ladoix, village le plus au nord de la Côte de Beaune, partage avec Serri-

LES HAUTES CÔTES

À l'ouest de la Côte d'Or s'étend une zone de collines boisées s'ouvrant sur des vallées protégées. Les vignobles des Hautes Côtes ont décliné après la crise du phylloxéra. La renaissance de la viticulture, amorcée par la coopérative régionale, entraîne également celle des propriétés privées. Le Chardonnay et l'Aligoté sont cultivés pour le vin blanc, et le Pinot Noir pour le rouge. L'appellation utilisée est Bourgogne plus le suffixe Hautes Côtes de Nuits ou Hautes Côtes de Beaune.

HAUTES CÔTES DE NUITS
Les villages sont : Arcenant, Bévy, Chaux, Chevannes, Collonges-lès-Bévy, Curtil-Vergy, L'Étang-Vergy, Magny-lès-Villers, Marey-lès-Fussey, Messanges, Meuilley, Reulle-Vergy, Segrois, Villars-Fontaine, Villers-la-Faye.

HAUTES CÔTES DE BEAUNE
Les villages sont : Baubigny, Bouze-lès-Beaune, Cirey-lès-Nolay, Cormot, Échevronne, Fussey, Magny-lès-Villers, Mavilly-Mandelot, Meloisey, Nantoux, Nolay, Rochepot, Vauchignon.

VILLAGES DE SAÔNE-ET-LOIRE
Sont également inclus dans l'appellation : Change, Créot, Épertully, Paris-Hôpital, et une partie de Cheilly-lès-Maranges, Dezize-lès-Maranges, Sampigny-lès-Maranges.

gny l'une des appellations oubliées de Bourgogne, puisque les meilleurs vignobles se trouvent sur la colline de Corton et que les vins peuvent être étiquetés Grand Cru ou Premier Cru Aloxe-Corton. Depuis peu, l'INAO reconnaît le rang de Premier Cru à quelques lieux-dits. Les vins sont surtout rouges, même si quelques vignobles en altitude, comme Les Gréchons, produisent de bons blancs.

PERNAND-VERGELESSES. Ce village situé sur la face ouest de la colline de Corton possède des parcelles de Grand Cru Corton et Corton-Charlemagne (voir Aloxe-Corton ci-après). Il est réputé pour son Premier Cru Île des Vergelesses ainsi que pour ses vins blancs (environ 20 % de la production du village). Les vins rouges village et Premier Cru exigent au moins 5 ans en bouteille et peuvent se bonifier encore 10 ans.

ALOXE-CORTON. Le village est dominé par la colline de Corton et ses deux Grands Crus : Corton (seul Grand Cru rouge de la Côte de Beaune et le plus vaste de Bourgogne) et Corton-Charlemagne (pour les vins blancs).

Officiellement, Corton occupe le coteau est de la colline, et Corton-Charlemagne, les coteaux sud et

sud-ouest. La réglementation a aligné les limites des appellations sur les types de sol : les vignobles les plus élevés, où le sol est léger, avec un pourcentage élevé de craie, sont classés en Corton-Charlemagne, quoi qu'en disent les cartes. Leurs vins blancs comptent parmi les meilleurs au monde : leur bouquet distingué et épicé, au goût de noisette, ne commence à s'ouvrir qu'après 5 ans et reste encore magnifique pendant une quinzaine ou une vingtaine d'années.

Plus bas sur le coteau, le sol s'enrichit et rougit, tout en restant très diversifié selon son emplacement autour de la colline. Le vin (rouge) peut s'appeler Grand Cru Corton, bien que, dans la pratique, son nom soit lié à celui d'un vignoble spécifique (Corton-Les Bressandes, Corton-Clos du Roi, Corton-Les Renardes). Les vins sont puissamment aromatiques, mais avec un goût de terroir prononcé, et extrêmement tanniques dans leur jeunesse (il leur faut 6 ou 7 ans en bouteille pour qu'émergent leurs arômes et leurs notes fruitées et épicées).

Plus bas, sur le coteau est, sont implantés les Premiers Crus rouges d'Aloxe-Corton. Nettement moins onéreux que les Grands Crus de Bourgogne, les vins sont flatteurs mais se conservent beaucoup moins longtemps.

La partie inférieure du coteau produit des vins de village rouges : relativement légers, ils représentent une bonne valeur marchande.

CHOREY-LÈS-BEAUNE. Curieusement, ce village et la plupart de ses vignobles se trouvent sur le côté est de la « Route des vins », la N74. Pas de Grands Crus ou de Premiers Crus ici, mais des vins de village, presque toujours rouges, à boire rapidement, présentant une belle couleur, une grande fraîcheur et des parfums de fruits rouges, doux et mûrs.

SAVIGNY-LÈS-BEAUNE. Le village se trouve dans une vallée coupant la Côte, et ses vignobles s'étendent sur les coteaux, de part et d'autre. Au nord, ils côtoient ceux de Pernand-Vergelesses. Les Premiers Crus comprennent Aux Vergelesses, Les Lavières, Aux Serpentières et Aux Guettes. Les vignobles situés au sud de Savigny, en direction de Beaune, comprennent les Premiers Crus La Dominode, Bas Marconnets et Hauts Marconnets.

Savigny est un important producteur de vins rouges dont les prix sont très raisonnables pour des Bourgognes de Côte d'Or. Les Premiers Crus se distinguent par leurs arômes séduisants et par un goût vif et fruité. Ils sont à boire entre 4 et 10 ans. Savigny produit également un peu de vin blanc.

BEAUNE. La cité médiévale de Beaune, qui a donné son nom à toute la région, est le centre du commerce des vins de Bourgogne. Elle attire les touristes toute l'année, mais les amateurs de vin s'y pressent surtout lors du festival de trois jours qui se tient dans la ville fortifiée le troisième week-end de novembre. Ces Trois

Glorieuses, ainsi qu'on les appelle, culminent, en effet, avec la vente aux enchères organisée par les Hospices de Beaune, le dimanche (voir plus loin).

L'appellation Beaune comprend de loin la plus vaste zone (320 ha) de vignobles de Premiers Crus de la Côte de Beaune, alignés en rangs serrés au-dessus de la ville. Ils sont environ une trentaine, dont Les Marconnets, Les Fèves, Les Bressandes, Le Clos des Mouches, Les Grèves, Les Teurons, Les Vignes Franches et Les Épenottes. À cet endroit, la pente de la Côte de Beaune est plus douce. Vues des murailles médiévales de Beaune, la haute colline et ses rangées ininterrompues de Premiers Crus sont impressionnantes.

La majeure partie du vin est rouge et une importante production de vins de qualité fait de cette AOC une des plus fiables de la région. De style plus aimable que les crus prestigieux de la Côte de Nuits, ces vins sont dotés d'arômes élégants et d'un beau goût fruité et épicé (à boire entre 6 et 10 ans d'âge). Les vins blancs sont moins distingués et se boivent plus jeunes.

Organisme de charité, les Hospices de Beaune datent de 1443, lorsque Nicolas Rolin, chancelier du duché de Bourgogne, employa sa fortune à fonder un hôpital pour les malades et les indigents. Des bienfaiteurs continuant depuis lors, et aujourd'hui encore, de leur faire don de terres comprenant des vignobles, les Hospices comptent actuellement 60 ha de vignes réparties en 39 parcelles sur toute la Côte, à l'exception du Pouilly-Fuissé donné en 1996. Ils cultivent eux-mêmes leur vignoble et vinifient leurs vins, qui sont ensuite élevés par des négociants. Les prix que ces vins atteignent lors de leur spectaculaire vente aux enchères du mois de novembre servent de référence pour tout le millésime. Les vins rouges et blancs des Hospices, élaborés de façon traditionnelle, sont bons mais tendent à être extrêmement chers.

Nombre de grands négociants de Bourgogne possèdent des caves sous les rues de Beaune et des parcelles dans des vignobles de Premier Cru. Drouhin possède une grande parcelle du Clos des Mouches ; Le Clos des Ursules de Louis Jadot fait partie des Vignes Franches ; et Bouchard Père & Fils détient Vigne de l'Enfant Jésus dans Les Grèves.

POMMARD. Un des noms les plus célèbres de la Côte d'Or, le Pommard est un vin dont le rapport qualité/prix a retrouvé une juste mesure.

Au sud de Beaune, le vignoble forme un large ruban produisant des vins rouges de qualité (Pommard ne fait que du vin rouge), interrompu par le village, au fond d'une petite vallée, et reprenant jusqu'à Volnay.

Les meilleurs Premiers Crus (Épenots, Rugiens, Clos de la Commoraine) donnent des vins rouges de couleur profonde, avec des arômes intenses, une bonne concentration,

du corps et une complexité qui peut se bonifier en bouteille pendant 10 ans.

VOLNAY. Le village se situe assez haut sur le coteau, les vignobles s'étendant de part et d'autre, et en dessous. Ses vins de Premier Cru (Caillerets, Champans, Clos des Chênes et Clos des Ducs), délicats, soyeux, au parfum de violette et de fraise, sont renommés pour la qualité de leur vinification. Agréables à partir de 4 ou 5 ans, les Volnays peuvent vieillir bien plus longtemps. Tout le vin est rouge. Le Premier Cru, Les Santenots, côtoie la zone d'AOC Meursault, qui produit surtout du vin blanc, et un peu de rouge vendu sous le nom de Volnay.

MONTHÉLIE. Perché sur la colline de Meursault, ce vieux village, proche du sud de Volnay, possède quelques sites bien exposés au sud. Jusqu'au milieu des années 1980, ses vins (surtout rouges) étaient considérés comme des Bourgognes plutôt rustiques et sans prétention. Aujourd'hui, des vinificateurs de talent commencent à exploiter le potentiel de leurs parcelles, et les meilleurs producteurs élaborent des vins avec de bons arômes, pleins de caractère, bien structurés, et d'un bon rapport qualité/prix. Les plus connus des 9 Premiers Crus de Monthélie sont Sur La Velle et Les Champs Fulliot.

AUXEY-DURESSES. Blotti dans la vallée qui se trouve à l'ouest de Monthélie, ce village produit deux tiers de vin rouge et un tiers de vin blanc. Les Premiers Crus, comme Les Duresses et Clos du Val, sont plantés de Pinot Noir et peuvent donner de beaux rouges au goût de framboise, soutenant la comparaison avec les Volnays. Les meilleurs blancs, au délicieux goût de pain grillé et de noisette, n'ont rien à envier aux Meursaults mais se boivent plus jeunes.

SAINT-ROMAIN. En remontant la vallée sur 3 km, on atteint la bordure des Hautes Côtes (voir p. 365) où, sur un promontoire rocheux, se campe Saint-Romain. Ce village produit des quantités assez régulières (204 000 bouteilles par an) de vins blancs frais et nets d'un très bon rapport qualité/prix, ainsi que des rouges fermes aux notes de cerise.

MEURSAULT. Meursault est quasiment une ville, et ses vignobles couvrent les coteaux allant de Volnay, au nord, à Puligny-Montrachet, au sud. Le calcaire, excellent pour les vins blancs, prédomine. Malgré son étendue et son grand renom pour les vins blancs, Meursault ne possède pas de Grands Crus, mais un nombre impressionnant de Premiers Crus (Les Charmes, Les Perrières, Les Genevrières, Les Gouttes d'Or…). On y élabore aussi du vin rouge, mais ce sont les blancs à l'arôme puissant et persistant, d'une grande longévité, qui ont fait la réputation de la commune. Les Premiers Crus donnent les vins les plus fins et les plus concentrés, les vins de village ayant moins de caractère. La production étant très importante, la qualité ne

CÔTE DE BEAUNE GRANDS CRUS

La Côte de Beaune compte 8 Grands Crus qui forment deux îlots : à Puligny-Montrachet et à Chassagne-Montrachet, on produit des blancs issus de Chardonnay; à Aloxe-Corton et à Pernand-Verglesses, on élabore des rouges et des blancs.

- Bâtard-Montrachet
- Bienvenues-Bâtard-Montrachet
- Charlemagne
- Chevalier-Montrachet
- Corton
- Corton-Charlemagne
- Criots-Bâtard-Montrachet
- Montrachet

peut qu'être variable, et les vins au caractère le plus marqué sont généralement mis en bouteilles au domaine.

BLAGNY. Coincé entre les deux célèbres appellations de vin blanc Meursault et Puligny-Montrachet, ce hameau se cantonne au vin rouge qui est commercialisé sous son propre nom. Ses vins blancs sont étiquetés Meursault (s'ils proviennent des vignobles situés au nord du hameau) ou Puligny-Montrachet (s'ils proviennent des vignobles près de Puligny-Montrachet).

SAINT-AUBIN. Saint-Aubin, caché derrière la côte principale, élabore des vins rouges et blancs à partir d'un bon coteau exposé au sud et situé à l'ouest de Puligny-Montrachet. Les vins sont légers, vifs, souvent délicieux et à des prix raisonnables.

PULIGNY-MONTRACHET. Le Grand Cru de Montrachet, qui élabore l'un des meilleurs vins blancs de Bourgogne, et assez justement parmi les plus onéreux, est à cheval sur la limite séparant Puligny de Chassagne. Ces deux villages ont annexé le nom du grand vignoble au leur, ce qui crée une confusion toute bourguignonne : de vastes quantités de vin blanc peuvent inclure le nom magique de «Montrachet» dans leur nom.

Puligny se concentre sur le vin blanc avec quatre Grands Crus – Le Montrachet, Chevalier-Montrachet, Bienvenues-Bâtard Montrachet et Bâtard-Montrachet – et une foison de superbes Premiers Crus. Les grands vignobles occupent des sites excellents bénéficiant d'une déclivité idéale, avec une orientation au sud-est, et d'un sol à dominante calcaire bien drainé.

Les vins de Grand Cru mettent du temps à développer tout leur potentiel. Dans les bons millésimes, les bouteilles des meilleurs producteurs peuvent vieillir une vingtaine d'années, voire davantage.

Les vins de Premier Cru de Puligny sont plus élégants que ceux de Meursault. Le Cailleret, Les Combettes et Les Pucelles sont les plus concentrés

FRANCE

et les plus lents à atteindre leur maturité. Le Puligny-Montrachet Village est plus aimable, mais il peut être cher. Un peu de vin rouge est élaboré.

CHASSAGNE-MONTRACHET. Les trois Grands Crus de Chassagne sont Les Criots-Bâtard-Montrachet, Montrachet et Bâtard-Montrachet, qu'il partage avec son voisin Puligny. Le cépage blanc Chardonnay est planté dans la partie la plus haute de l'aire d'appellation. Le Chassagne-Montrachet blanc ressemble beaucoup au Puligny, avec peut-être un peu plus de richesse, due au caractère plus méridional de la pente. Les normes de vinification sont très élevées. Contrairement à Puligny, près de la moitié du vin de Chassagne est

PRODUCTEURS DE LA CÔTE DE NUITS

Chaque village de la Côte de Nuits possède sa propre AOC communale, des Premiers Crus et pour la plupart des Grands Crus. Les communes sont répertoriées du nord au sud, avec leurs meilleurs producteurs. Ceux qui possèdent des parcelles dans plusieurs villages ainsi que les négociants sont cités p 373. Dans la liste ci-dessous, le « N » entre parenthèses signale un vin de négoce.

MARSANNAY

René et Régis Bouvier, Marc Brocot, Domaine Charlopin-Parizot, Bruno Clair, Domaine Fougeray de Beauclair, Alain Guyard, Louis Jadot (N).

FIXIN

Domaine Bart, Vincent et Denis Berthaut, Régis Bouvier, Bruno Clair, Pierre Gelin, Domaine Huguenot, Philippe Joliet (Domaine de La Perrière), Domaine Marion.

GEVREY-CHAMBERTIN

Pierre Amiot, Denis Bachelet, Lucien Boillot & Fils, Bourée Père & Fils, Alain Burguet, Bruno Clair, Pierre Damoy, Maison Delaunay, Joseph Drouhin (N), Drouhin-Larose, Bernard Dugat, Domaine Dujac, Michel Esmonin, Louis Jadot (N), Philippe Leclerc, Marchand-Grillot, Denis Mortet, Domaine les Perrières, Charles Quillardet, Jean Trapet, Joseph Roty, Armand Rousseau, Christian Serafin, Domaine Tortochot, Domaine des Varoilles.

MOREY-SAINT-DENIS

Pierre Amiot, Guy Castagnier, Domaine du Clos des Lambrays, Domaine Dujac, Faiveley (N), Robert Groffier, Hubert Lignier, Mommessin (Clos de Tart), Domaine Ponsot, Armand Rousseau, Taupenot-Merme.

CHAMBOLLE-MUSIGNY

Amiot-Servelle, Michel Noëllat, Pierre Bertheau, Château de Chambolle-Musigny, Joseph Drouhin (N), Robert Groffier, Alain Hudelot-Noëllat, Daniel Moine-Hudelot, Georges Roumier, Domaine des Varoilles, Comte Georges de Vogüé.

VOUGEOT

Domaine Bertagna, Joseph Drouhin (N), Jean Gros, Alain Hudelot-Noëllat, Domaine Mongeard-Mugneret, Georges Roumier, Château de la Tour, Domaine des Varoilles.

FLAGEY-ÉCHEZEAUX

Joseph Drouhin (N), René Engel, A.-F. Gros, Méo-Camuzet, Mongeard-Mugneret, Domaine de La Romanée-Conti (pour plus de détails, voir p. 363) et Robert Sirugue.

rouge. Peu connus, ces vins peuvent se révéler d'un rapport qualité/prix intéressant.

Ces vins rouges, souvent sous-estimés, sont souples, fruités et bien structurés. Les bons millésimes peuvent vieillir 10 ans.

SANTENAY ET MARANGES. À cette extrémité sud de la Côte de Beaune, le vin rouge reprend possession du terrain. On compte plusieurs Premiers Crus, qui donnent de bons vins d'une certaine rusticité, avec des goûts de terroir prononcés. Il ne faut pas les garder trop longtemps, mais les déguster entre 5 et 8 ans. Les trois villages de Dezize-lès-Maranges, Sampigny-lès-Maranges et Cheilly-lès-Maranges partagent l'AOC de Maranges avec six Premiers Crus.

PRODUCTEURS DE LA CÔTE DE NUITS

VOSNE-ROMANÉE

Outre le Domaine de la Romanée-Conti (voir p. 363), citons : Robert Arnoux, Sylvain Cathiard, J. Confuron-Cotetidot, Forey Père & Fils, Jean Grivot, Jean Gros, Gros Frère & Sœur, Henri Jayer, Leroy, Manière-Noirot, Méo-Camuzet, Mongeard-Mugneret, Denis Mugneret, Pernin-Rossin, Bernard Rion Père & Fils, Robert Sirugue et Jean Tardy.

NUITS-SAINT-GEORGES

Bertrand Ambroise, Domaine de l'Arlot, Jean-Claude Boisset (N), Jean Chauvenet, Georges et Michel Chevillon, Robert Chevillon, Georges Chicotot, Daniel Chopin-Groffier, Jean-Jacques Confuron, Robert Dubois & Fils, Dufouleur Frères (N), Joseph Faiveley, Henri Gouges, Domaine Machard de Gramont, Hospices de Nuits (voir p. 375), Labouré-Roi, François Legros, Lupé-Cholet, Alain Michelot, Moillard, Domaine Moillard-Grivot, Domaine de la Poulette, Henri & Gilles Remoriquet, Daniel Rion, Domaine Thomas, Domaine Fabrice Vigot.

LES HAUTES CÔTES

Parmi les meilleurs producteurs, citons :

- Maison Bouhey-Allex
- Marc Bouthenet
- Denis Carré
- Yves Chaley
- Chanson Père & Fils
- François Charles & Fils
- Claude Cornu
- Édouard Delaunay & Ses Fils
- Doudet-Naudin
- Ch. de Dracy
- Guy Dufouleur
- Guillemard Dupont
- Jean Féry
- Denis Fouquerand
- Marcel-Bernard Fribourg
- Maurice & Jean-Michel Giboulot
- Jean Gros
- Georges Guérin & Fils
- Caves des Hautes Côtes Groupement de Producteurs
- Lucien Jacob
- Robert Jayer-Gilles
- Jean Joliot & Fils
- La Jolivode
- Honoré Lavigne
- A. Ligeret
- Ch. Mandelot
- René Martin
- Mazilly Père & Fils
- Ch. de Mercey
- Moillard
- Domaine de Montmain
- Henri Naudin-Ferrand
- Parigot Père & Fils
- Domaine du Prieuré
- Antonin Rodet
- Domaine Saint-Marc
- Michel Serveau
- Simon Fils
- Thévenot-Le Brun & Fils
- Alain Verdet
- Domaine des Vignes des Demoiselles

PRODUCTEURS DE LA CÔTE DE BEAUNE

La Côte de Beaune s'étire sur 25 km environ et comprend une vingtaine de villages possédant chacun sa propre appellation d'origine contrôlée, répertoriés ci-après du nord au sud, avec leurs meilleurs producteurs. Certains de ceux qui possèdent des parcelles dans plusieurs villages ainsi que les négociants sont cités p. 373-376. Dans la liste ci-dessous, le « N » entre parenthèses signale un vin de négociant.

LADOIX-SERRIGNY

Capitain-Gagnerot, Michel Mallard, André Nudant.

PERNAND-VERGELESSES

Bonneau du Martray, Marius Delarche, P. Dubreuil-Fontaine, Laleure-Piot.

ALOXE-CORTON

Bernard Dubois & Fils, Michel Gay, Antonin Guyon, Louis Jadot (N), Louis Latour (N), Rapet, Daniel Senard, Tollot-Beaut, Michel Voarick.

CHOREY-LÈS-BEAUNE

Germain Père & Fils, Maillard Père & Fils, Tollot-Beaut.

SAVIGNY-LÈS-BEAUNE

Pierre Bitouzet, Simon Bize & Fils, Luc Camus, Capron-Manieux, Chandon de Briailles, Doudet-Naudin, Maurice Ecard & Fils, Pierre Guillemot, Antonin Guyon, Laleure-Piot, Jean-Marc Pavelot, Rapet, Seguin, Henri de Villamont.

BEAUNE

Outre les Hospices de Beaune (voir p. 375), citons : Bouchard Aîné & Fils (N), Bouchard Père & Fils (N), Champy Père & Fils, Chanson Père & Fils, Joseph Drouhin (N), Hospices de Beaune, Louis Jadot (N) ; Jaffelin (N), Louis Latour (N), P. de Marcilly Frères, Albert Morot, Patriarche Père & Fils (N), Jacques Prieur, Remoissenet Père & Fils (N).

POMMARD

Comte Armand, Roger Belland, Jean-Marc Boillot, Domaine de Courcel, Jean Garaudet, Michel Gaunoux, Vincent Girardin, Domaine Mussy, Domaine Parent, Château de Pommard.

VOLNAY

Marquis d'Angerville, Jean-Marc Bouley, Joseph Drouhin (N), Hubert de Montille, Domaine de la Pousse d'Or, Joseph Voillot.

MONTHÉLIE

Paul Garaudet, Comte Lafon et Château de Monthélie.

AUXEY-DURESSES

Jean-François Diconne, Domaine Leroy, Jean-Pierre et Laurent Prunier, Michel Prunier, Pascal Prunier, Vincent Prunier.

SAINT-ROMAIN

Bernard Fèvre, Maison Germain Père & Fils, Alain Gras, Louis Latour (N), Olivier Leflaive, Leroy, René Thévenin, Charles Viénot (N).

MEURSAULT

Domaine d'Auvenay, Bitouzet-Prieur, Domaine Vincent Bouzereau, Michel Bouzereau, Dominique Caillot, Raoul Clerget, J.-F. Coche-Dury, Domaine Darnat, Domaine J.-P. Dicone, Château Génot-Boulanger, Domaine Henri Germain, Bernard Glantenay, Albert Grivault, Patrick Javallier, François Jobard, Rémi Jobard, Jean-Luc Joliot, Comte Lafon, Domaine Jean Latour-Labille, Mazilly Père & Fils, Château de Meursault, Michelot, René Monnier, Pierre Morey, Domaine Prieur-Brunet, Michel Prunier, Château de Puligny-Montrachet, Ropiteau Frères, Domaine Roulot, Roux Père & Fils, Henri de Villamont.

SAINT-AUBIN

Jean Chartron, Hubert Lamy.

PRODUCTEURS DE LA CÔTE DE BEAUNE

PULIGNY-MONTRACHET

Bouchard Père & Fils (N), Louis Carillon, Jean Chartron, Chartron et Trébuchet, Henri Clerc, Domaine Jadot, Marquis de Laguiche, Louis Latour (N), Domaine Leflaive, Olivier Leflaive, Domaine Jean Pillot & Fils, Étienne Sauzet.

CHASSAGNE-MONTRACHET

Guy Amiot, Bachelet-Ramonet, Domaine Roger Belland, Bernard Colin, Marc Colin, Michel Colin-Deléger, Lamy-Pillot, Duc de Magenta, Château de la Maltroye, Bernard Morey, Marc Morey & Fils, Michel Morey-Coffinet, Domaine Michel Niellon, Domaine Jean Pillot & Fils, André Ramonet, Antonin Rodet.

SANTENAY ET MARANGES

Roger Belland, Château de la Charrière, René Fleurot-Larose, Mestre Père & Fils, Prieur-Brunet.

NÉGOCIANTS DE LA CÔTE D'OR

Les principaux producteurs et négociants de la Côte d'Or sont répertoriés ci-dessous. Certains noms figurent également dans les paragraphes consacrés à chaque village : voir Côte de Nuits (p. 358-364) et Côte de Beaune (p. 364-371). Cette liste, inévitablement incomplète, énumère trois catégories différentes : les grands négociants, qui achètent du vin ou du raisin en plusieurs endroits et à plusieurs producteurs, puis élaborent et commercialisent leur vin; les grands vignerons, qui mettent eux-mêmes en bouteilles les vins qu'ils élaborent dans plusieurs villages; et, enfin, les domaines dont les noms comptent pour les Bourgognes de qualité. Ces catégories interfèrent nécessairement les unes sur les autres : certains négociants sont également propriétaires et certains producteurs vendent à des négociants. Les producteurs travaillant dans un seul village figurent dans les paragraphes consacrés aux villages.

ROBERT AMPEAU
Meursault, Volnay, Puligny-Montrachet, Pommard. Ce spécialiste des blancs établi à Meursault produit également de bons rouges.

PIERRE ANDRÉ
Aloxe-Corton. Ce producteur-négociant, Château de Corton-André, propose un bon Corton.

DOMAINE MARQUIS D'ANGERVILLE
Volnay. C'est un des pionniers de la mise en bouteilles au château. Il possède des terres à Volnay, Meursault, Pommard.

DOMAINE DE L'ARLOT
Prémeaux. Ce domaine possède des terres à Nuits-Saint-Georges. Il utilise les meilleures techniques de vinification et des raisins provenant de beaux vignobles.

DOMAINE ROGER BELLAND
Santenay. Ce domaine possède des terres dans les Grands Crus Corton et Corton-Charlemagne et d'autres vignobles à Santenay, Puligny et Chambertin, élaborant de bons vins traditionnels.

DOMAINE BERTAGNA
Vougeot. Ce domaine propose des vins élégants de ses meilleures parcelles de Chambertin, du Clos Saint-Denis et du Clos de Vougeot.

DOMAINE SIMON BIZE ET FILS
Savigny-lès-Beaune. Ce domaine très estimé a des terres autour de Savigny.

CHÂTEAU DE BLIGNY
Puligny, Pommard, Beaune, Aloxe-Corton, Nuits-Saint-Georges, Vosne-Romanée. Château viticole depuis une vingtaine d'années; le vin, encore jeune, ne manque pas d'élégance.

JEAN-CLAUDE BOISSET
Ce dynamique négociant-éleveur, très actif en →

NÉGOCIANTS DE LA CÔTE D'OR

Côte de Nuits, contrôle de nombreuses entreprises de négoce, dont Charles Viénot.

DOMAINE BONNEAU DU MARTRAY
Pernand-Vergelesses. Ce principal propriétaire de Corton et Corton-Charlemagne produit des rouges et des blancs superbes.

BOUCHARD AÎNÉ & FILS
Beaune. Cet important négociant est également propriétaire du Grand Cru Chambertin à la Côte chalonnaise.

BOUCHARD PÈRE & FILS
Beaune. Cette affaire de négoce est aussi grand propriétaire de vignobles sous le nom de Domaines du Château de Beaune.

DOMAINE JEAN-MARC BOULEY
Volnay et Pommard. Il diffuse des vins de bonne facture.

DOMAINE LOUIS CARILLON
Puligny-Montrachet. Cette vieille entreprise familiale, qui travaille avec sérieux, se consacre au Bourgogne blanc ; elle est propriétaire dans les principales communes de la Côte de Beaune.

CHANSON PÈRE & FILS
Beaune. Les vins du domaine, principalement des rouges, de ce négociant et propriétaire peuvent être très bons.

DOMAINE MAURICE CHAPUIS
Aloxe-Corton. Ce domaine de Corton propose un très bon Corton-Charlemagne.

CHARTRON & TRÉBUCHET
Puligny-Montrachet. Négociant et propriétaire (Domaine Chartron), il se consacre surtout au Bourgogne blanc.

DOMAINE ROBERT CHEVILLON
Nuits-Saint-Georges. Ce domaine applique des méthodes traditionnelles.

DOMAINE BRUNO CLAIR
Marsannay. Ce vaste domaine, respectueux des vinifications traditionnelles, figure parmi les grands producteurs du nord de la Côte de Nuits.

DOMAINE COCHE-DURY
Meursault. C'est un spécialiste de Bourgogne blanc : Meursault, Corton-Charlemagne et Volnay de très bonne qualité.

DOMAINE CONFURON-COTETIDOT
Vosne-Romanée. Bons Nuits-Saint-Georges, Échezeaux, etc.

DOMAINE DE COURCEL
Pommard. Vins classiques de longue garde, très amples.

DOUDET-NAUDIN
Savigny-lès-Beaune. Négociant et propriétaire. Vins traditionnels pour une longue maturation.

JOSEPH DROUHIN
Beaune. Ce négociant et important propriétaire de la Côte d'Or et de Chablis fait des vins bien construits et fiables.

DOMAINE DUBREUIL-FONTAINE
Pernand-Vergelesses. Ce propriétaire à Corton et dans les environs élabore d'excellents vins.

DUFOULEUR FRÈRES
Nuits-Saint-Georges. Ce négociant élabore des vins de façon traditionnelle.

DOMAINE DUJAC
Morey-Saint-Denis. C'est la propriété de Jacques Seysses, vinificateur réputé, qui possède des vignes dans les Grands Crus et sur la Côte de Nuits.

JOSEPH FAIVELEY
Nuits-Saint-Georges. Ce négociant et propriétaire applique des méthodes de vinification modernes avec des résultats probants.

DOMAINE MICHEL GAUNOUX
Pommard. Vins rouges très traditionnels de la Côte de Beaune.

DOMAINE JACQUES GERMAIN
Chorey-lès-Beaune. Possède de bonnes terres à Beaune et à Chorey et produit un vin de qualité.

DOMAINE MACHARD DE GRAMONT
Nuits-Saint-Georges. Ce domaine de taille moyenne respecte la tradition et

s'applique à préserver le style de chaque cru.

DOMAINE JEAN GRIVOT
Vosne-Romanée. Ses Grands Crus de Côte-de-Nuits sont d'une grande concentration.

HOSPICES DE BEAUNE
Organisme de charité, les Hospices de Beaune datent de 1443, lorsque Nicolas Rolin, chancelier du duché de Bourgogne, employa sa fortune à fonder un hôpital pour les malades et les indigents. Des bienfaiteurs continuant depuis lors de leur faire don de terres, les Hospices comptent actuellement 60 ha de vignes réparties en 39 parcelles sur toute la Côte, à l'exception de Pouilly-Fuissé donné en 1996. Ils cultivent eux-mêmes leur vignoble et vinifient leurs vins, qui sont ensuite élevés par des négociants. Les prix que ces vins atteignent lors de leur vente aux enchères du mois de novembre servent de référence pour tout le millésime. Les vins rouges et blancs sont bons mais tendent à être extrêmement chers.

HOSPICES DE NUITS
Nuits-Saint-Georges. Petit frère des Hospices de Beaune, il est doté de très belles vignes à Nuits.

JABOULET-VERCHERRE
Beaune. Grand négociant et propriétaire de vignobles à Beaune.

LOUIS JADOT
Beaune. Ce négociant est un important propriétaire de vignobles qui élabore de très bons vins rouges et blancs.

JAFFELIN
Beaune. Négociant lié à Drouhin (voir ce nom).

DOMAINE HENRI JAYER
Vosne-Romanée. Grand producteur de Côte de Nuits, il produit des vins dans le respect des techniques traditionnelles.

LABOURÉ-ROI
Nuits-Saint-Georges. C'est un négociant spécialisé dans les vins blancs de toute la région.

DOMAINE MICHEL LAFARGE
Meursault. Vins provenant de Volnay, Meursault et Beaune.

DOMAINE DES COMTES LAFON
Meursault. Vins blancs excellents (notamment de Montrachet) et très bons vins rouges (Volnay).

LOUIS LATOUR
Beaune. L'un des meilleurs négociants, il fait des rouges et (surtout) des blancs en provenance de toute la région, et offre toute une gamme de vins superbes.

DOMINIQUE LAURENT
Ce négociant-éleveur est un spécialiste du boisé («200 % de bois neuf»). Sa jeune maison est de grande notoriété.

DOMAINE LEFLAIVE
Puligny-Montrachet. Grandes réussites dans les Bourgognes blancs de Montrachet et du voisinage. Olivier Leflaive est également négociant.

DOMAINE LEROY
Vosne-Romanée. Propriétaire et négociant, il détient une partie du fameux Domaine de La Romanée-Conti (voir ce nom). Diverses acquisitions ont étendu le Domaine Leroy, qui possède quelques sites de premier choix.

LUPÉ-CHOLET
Nuits-Saint-Georges. Cette maison de négoce, propriétaire de vignes, est affiliée à la maison Bichot.

DOMAINE DU DUC DE MAGENTA
Chassagne-Montrachet. Dans ce domaine, les vins, de très grande classe, sont élaborés par Jadot (voir ce nom), de Beaune.

PROSPER MAUFOUX
Santenay. C'est un négociant qui élève tous ses vins (rouges et blancs) en fûts.

DOMAINE MÉO-CAMUZET
Vosne-Romanée. Corton, Vougeot, autres Grands Crus : vins de très grande classe.

DOMAINE PRINCE FLORENT DE MÉRODE
Ladoix-Serrigny. Ancienne propriété féodale, ce domaine comprend des sites exceptionnels sur la colline de Corton. →

FRANCE

NÉGOCIANTS DE LA CÔTE D'OR

MOILLARD-GRIVOT
Nuits-Saint-Georges. Négociant et propriétaire de bonne réputation.

DOMAINE MONGEARD-MUGNERET
Vosne-Romanée. Ce domaine offre des rouges concentrés très appréciés.

DOMAINE MONNIER & FILS
Meursault, Pommard, Puligny-Montrachet. Les beaux vins, blancs et rouges, sont élaborés de façon traditionnelle.

PATRIARCHE PÈRE & FILS
Beaune. Ce très gros négociant est également le propriétaire du Château de Meursault.

CHÂTEAU DE POMMARD
Pommard. Ce vaste domaine enclos offre des vins solides.

DOMAINE DE LA POUSSE D'OR
Volnay, Pommard, Santenay. Bourgognes rouges équilibrés, élégants et vieillissant bien.

DOMAINE JACQUES PRIEUR
Gevrey-Chambertin, Beaune, Meursault, etc. Ce domaine possède de bons vignobles qui offrent une gamme de vins excellents.

DOMAINE RAMONET
Chassagne-Montrachet. Son Bourgogne blanc de premier ordre provient de Montrachet et des environs.

REINE-PÉDAUQUE
Aloxe-Corton. Négociant et propriétaire, il possède de bons sites, notamment autour de Corton.

REMOISSENET PÈRE & FILS
Beaune. Ce négociant et propriétaire fait une vinification de qualité, ses blancs étant meilleurs.

DOMAINE DANIEL RION
Nuits-Saint-Georges. Ce vignoble en Côte de Nuits produit des vins élaborés avec les dernières techniques afin de privilégier le fruit.

DOMAINE DE LA ROMANÉE-CONTI
Voir p. 363.

ROPITEAU FRÈRES
Meursault. Le vignoble de cette maison est désormais contrôlé par Bouchard Père & Fils.

DOMAINE ARMAND ROUSSEAU
Gevrey-Chambertin, Morey-Saint-Denis. Ce pionnier de la mise en bouteilles produit des vins très traditionnels souvent cités en référence.

ROUX PÈRE & FILS
Saint-Aubin, Meursault, etc. Propriétaire dans le sud de la Côte de Beaune et négociant depuis peu, il élabore des vins modernes, propres et typiques, les blancs étant les meilleurs.

DOMAINE ÉTIENNE SAUZET
Puligny-Montrachet. Ces Bourgognes blancs classiques proviennent de Grands Crus et de Premiers Crus.

DOMAINE DANIEL SENARD
Aloxe-Corton. Les Cortons rouges de la plus grande renommée sont très concentrés.

TOLLOT-BEAUT & FILS
Chorey-lès-Beaune. Ce vaste domaine autour de Corton et Beaune produit des vins rouges robustes de garde.

CHÂTEAU DE LA TOUR
Vougeot, Beaune. Ces excellents Bourgognes rouges très concentrés sont très bien notés.

DOMAINE DES VAROILLES
Gevrey-Chambertin. Un long élevage caractérise les vins rouges de ce domaine de la Côte de Nuits.

HENRI DE VILLAMONT
Savigny-lès-Beaune. Négociant et propriétaire autour de Corton, Savigny et Puligny, fait de bons rouges de Savigny.

DOMAINE MICHEL VOARICK
Aloxe-Corton. Faibles rendements de beaux vignobles de Corton pour des vins de garde.

DOMAINE COMTE GEORGES DE VOGÜÉ
Chambolle-Musigny. Grand propriétaire de Grands Crus et de Premiers Crus.

CÔTE CHALONNAISE

Carte page XII

Ce n'est pas parce que le département de la Côte-d'Or s'arrête à Chagny que les vignobles en font autant. Les collines exposées au sud se prolongent en Saône-et-Loire, et les vignobles ne sont interrompus que par une petite vallée fluviale. La sagesse a guidé les géographes qui ont tracé les limites de cette région, car la ligne bien nette de la Côte d'Or se brise ici pour devenir une succession de collines et de vallées. La géologie est similaire à celle de la Côte d'Or, avec des affleurements de calcaire et de marne et quelques bons sites escarpés bien exposés.

Cette région tient son nom de Côte chalonnaise de la ville de Chalon-sur-Saône, assez éloignée des vignobles, mais située au cœur de la région (que l'on appelle également région de Mercurey, du nom de l'un de ses principaux villages). Les vins ont droit aux appellations générales ou régionales de Bourgogne (voir p. 344) ainsi qu'à l'AOC Bourgogne Côte chalonnaise. En outre, 5 villages peuvent utiliser leur propre nom : du nord au sud, Bouzeron, Rully, Mercurey, Givry et Montagny. Une bouteille de Côte-Chalonnaise typique indique clairement le nom du village (et l'AOC), ainsi que le producteur. Peu de vignobles sont réputés, malgré la présence de quelques Premiers Crus.

On élabore aussi bien du rouge que du blanc, avec une prédilection pour le premier, ainsi que du Crémant. Les cépages sont traditionnels : Pinot Noir pour le rouge (assemblé à du Gamay pour le Bourgogne Passe-toutgrain) et Chardonnay pour le blanc. L'Aligoté est également cultivé pour certains vins blancs, notamment dans le village de Bouzeron, qui a sa propre appellation pour ce vin.

Le style Côte chalonnaise

Les blancs de Chardonnay sont dans le style des Bourgognes blancs produits plus au nord, mais à un prix plus doux. Moins demandés que les vins de Pouilly (Pouilly-Fuissé), dans le Mâconnais, ils sont plus abordables. Sans prétendre à la grandeur, à la concentration et à la race d'un Montrachet ou d'un Meursault, ils possèdent une vive personnalité et du charme. Les bons millésimes peuvent vieillir une décennie, mais, en général, ce sont des vins à déguster entre 2 et 4 ans après la vendange. L'Aligoté se boit assez jeune, mais les meilleurs, comme ceux de Bouzeron, se bonifient en bouteille.

Les rouges sont assez inégaux, mais, les bonnes années, les producteurs les plus sérieux produisent des Bourgognes authentiques mettant en valeur le caractère du Pinot Noir et capables

CRÉMANT DE BOURGOGNE

Le Crémant de Bourgogne est une appellation de Bourgogne pétillant, qu'il soit rouge, blanc ou rosé. Le terme Crémant est originaire de Champagne et désignait à l'origine des vins fermentés en bouteille à une pression inférieure de moitié à celle des mousseux. Les vins étaient donc moins effervescents.

Contrôles de qualité. En Bourgogne, ce terme s'applique désormais à des mousseux de haute qualité élaborés sous les mêmes contrôles très stricts que dans les autres régions de France élaborant des Crémants : l'Alsace, la Loire, etc. Ces contrôles sont semblables à ceux appliqués au Champagne et concernent le cépage utilisé, la seconde fermentation en bouteille et le séjour en bouteille (9 mois en Bourgogne). Les principaux cépages utilisés dans le Crémant de Bourgogne sont : Chardonnay, Pinot Noir, Sacy, Aligoté et Gamay.

Producteurs et négociants. Le Crémant de Bourgogne est produit en quantités de plus en plus grandes. On le trouve principalement chez les négociants de la zone de Nuits-Saint-Georges, en Côte d'Or, et chez les négociants et coopératives de la Côte chalonnaise et du Mâconnais.

Les coopératives de Lugny, Viré et Buxy viennent en tête de la production de Crémant de Bourgogne. La coopérative SICAVA de Bailly, près de Saint-Bris-le-Vineux, dans le département de l'Yonne, est un autre producteur important.

de vieillir entre 4 et 6 ans. Les vins de toute la région, l'AOC Bourgogne Côte chalonnaise, sont souvent de bon rapport qualité/prix.

Villages de la Côte chalonnaise

Les villages dotés de leur propre appellation sont répertoriés ici, du nord au sud. Les autres vignobles utilisent l'AOC Bourgogne.

BOUZERON. Surtout réputé pour son Aligoté, qui lui a valu une appellation en 1979, ce petit village de la Côte chalonnaise produit également quelques vins rouges intéressants. Il n'y a pas de Premier Cru.

RULLY. À l'ombre de son château, Rully trône sur ses 19 Premiers Crus. Ses rouges clairs et plaisants sont plutôt légers, bien que les meilleurs puissent rivaliser avec ceux de Mercurey. Les blancs élégants, avec une pointe d'épice, sont majoritaires et tendent à occuper le devant de la scène. Par conséquent, les vins utilisés pour le Crémant de Bourgogne viennent aujourd'hui de vignobles moins réputés et plus éloignés. Le succès des grands blancs de Rully a encouragé les producteurs à adopter la fermentation en cuve pour leur ajouter intérêt et complexité. Seuls quelques-uns des meilleurs vignobles ont le statut de Premier Cru.

MERCUREY. Ce village, où les rouges dominent, avec un soupçon de blanc, possède un vignoble trois fois plus étendu que celui de Rully. Il est doté de grands domaines bien gérés. Un Mercurey d'un bon producteur peut être un Bourgogne rouge intéressant et d'un bon prix, qui peut vieillir entre 4 et 6 ans. Plusieurs vignobles sont des Premiers Crus, mais d'autres, même non classés, jouissent d'un bon renom. Les meilleurs vignobles comprennent Clos du Roi, Clos Voyen ou Les Voyens, Clos Marcilly, Les Champs Martin, Clos des Fourneaux, Clos des Montaigus, Clos des Barraults et Clos l'Évêque.

GIVRY. Givry est un centre historique du vin, remontant à l'époque médiévale, avec une prédilection pour les vins rouges, qui attestent la renommée de l'appellation. Les vins sont puissants, quelque peu rustiques, mais capables de bien évoluer en bouteille.

Il existe de nombreux Premiers Crus dont quelques-uns sont plus réputés que les autres : Clos Salomon, Cellier-aux-Moines, Servoisine, Clos Jus...

MONTAGNY. L'appellation couvre quatre villages : Montagny-lès-Buxy,

PRODUCTEURS ET NÉGOCIANTS

Les villages dotés de leur propre appellation sont répertoriés ici, du nord au sud, et les producteurs importants nommés. Les autres vignobles utilisent l'AOC Bourgogne. Plusieurs négociants, signalés par un (N), et domaines possèdent des parcelles dans plusieurs villages.

BOUZERON

Bouchard Père & Fils (N), Domaine Chanzy, A. et P. de Villaine (qui s'est distingué pour son Aligoté provenant d'un vignoble composé de vieilles vignes).

RULLY

Domaine Belleville, Jean-Claude Brelière, Chartron & Trébuchet (N), André Delorme, R. Dureuil-Janthial, Domaine de la Folie, Domaine de l'Hermitage, Paul & Henri Jacqueson, Domaine de la Renarde (Jean-François Delorme), Château de Rully (Antonin Rodet).

MERCUREY

Domaine de Chamerose, Chartron & Trébuchet (N), Michel Juillot, Antonin Rodet (Château de Chamirey) et Hugues de Suremain. La coopérative de Mercurey (180 membres) a une bonne réputation.

GIVRY

Domaine du Gardin-Clos Salomon (propriétaires de tout le vignoble), Jean-François Delorme, Domaine Joblot, Louis Latour (N), Domaine Ragot, Domaine Thénard.

MONTAGNY

Cave des Vignerons de Buxy (coopérative), Louis Latour (N), Domaine des Moirots, Antonin Rodet (N), Château de La Saule.

Saint-Vallerin, Buxy et Jully-lès-Buxy. Buxy possède une importante coopérative : ses membres, dont les activités s'étendent jusqu'au Mâconnais, élaborent la majorité du vin local. La zone de Montagny produit exclusivement du vin blanc issu de Chardonnay. Tous les vins atteignant 11,5 % vol. peuvent être étiquetés comme Premiers Crus.

MÂCONNAIS

Carte page XII

Ce vaste vignoble est le premier de Bourgogne à ressentir le souffle chaud du Sud. Cette zone produit du vin rouge et blanc sous l'AOC Mâcon. Plusieurs villages sont autorisés à utiliser leur propre nom, et certains, comme Pouilly, ont acquis une grande réputation.

La région étant plus méridionale, le climat est moins rude et les étés peuvent être assez chauds. Les hivers restent froids, rappelant que la Bourgogne, enfoncée à l'intérieur des terres, est ouverte à l'air froid venant du nord et de l'est.

Les vignes sont surtout plantées sur les coteaux exposés à l'est, plus protégés, entre bois et champs. La géologie du sous-sol est complexe et comporte d'innombrables lignes de failles. Mais on trouve des coteaux calcaires, parfaits pour le Chardonnay, et des zones de roche granitique au sol sablonneux, propices au Gamay. Près de Viré, Clessé et Lugny, le sol est propice aux vins blancs légers. Les collines les plus élevées et les meilleurs coteaux sont regroupés au sud de la région. C'est là que des villages célèbres cultivent le Chardonnay pour élaborer des vins blancs comme le Pouilly-Fuissé et le Saint-Véran.

Les appellations

Les vins rouges et les vins blancs sont couverts par diverses AOC : le rouge peut être une AOC Mâcon rouge ou un Mâcon Supérieur s'il possède un degré d'alcool supplémentaire. Le Mâcon blanc suit la même règle. Si le blanc est 100 % Chardonnay, le rouge est souvent issu de Gamay, même si le Pinot Noir est autorisé.

Parmi les villages ayant droit à l'AOC Mâcon-Villages, ceux qui présentent un certain intérêt sont Chardonnay (patrie du cépage), Fuissé, Igé, Loché, Lugny, Prissé, La Roche-Vineuse (la bien nommée !). Mâcon-Viré et Mâcon-Clessé disparaissent dès 2002 au profit de la nouvelle appellation Viré-Clessé (279 ha), créée en 1998. Le Pouilly-Fuissé est un vin blanc provenant de plusieurs villages du sud du Mâconnais. Pouilly-Vinzelles et Saint-Véran sont similaires. Les

rouges à base de Pinot Noir peuvent porter l'étiquette Bourgogne ou (avec du Gamay) Passetoutgrain (voir p. 343).

Les cépages et les styles de vin

Le Mâcon blanc, comme ses diverses AOC, est issu du cépage originaire d'un village de la région : le Chardonnay. Certains vins, surtout ceux de Pouilly et des environs, sont des Bourgognes typiques valant parfois un bon vin de la Côte de Beaune ou de la Côte chalonnaise. En général, le style du Mâcon blanc est plus aimable et plus léger, d'une part, en raison du climat plus clément et, d'autre part, à cause de l'utilisation de clones de Chardonnay différents.

La vinification de la région est dominée par les coopératives, dont plusieurs sont importantes et bien équipées, qui adaptent leurs différents styles de vin blanc en fonction du marché. Par exemple, certains vins sont élevés dans du chêne neuf pour plus de richesse et de complexité tandis que d'autres sont élaborés dans l'acier inoxydable pour privilégier vivacité et fruit. Ce dernier style est plus représentatif du Mâcon blanc classique : pâle, il est léger, frais, net et ouvre l'appétit.

Le Gamay est de plus en plus courant pour les rouges, et le Mâcon rouge vit quelque peu dans l'ombre de son voisin plus célèbre, le Beaujolais. Il se boit jeune et frais.

Pouilly-Fuissé et ses voisins

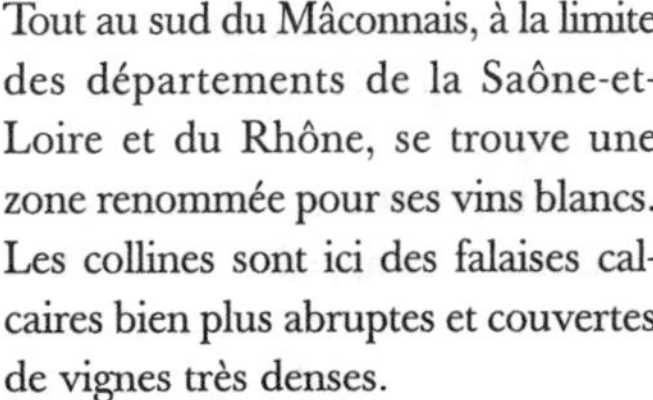

Tout au sud du Mâconnais, à la limite des départements de la Saône-et-Loire et du Rhône, se trouve une zone renommée pour ses vins blancs. Les collines sont ici des falaises calcaires bien plus abruptes et couvertes de vignes très denses.

Depuis que le Pouilly-Fuissé s'est fait connaître aux États-Unis et sur d'autres marchés étrangers, vers le milieu de ce siècle, l'augmentation de la demande a conduit à une surproduction et à des prix excessifs.

POUILLY-FUISSÉ. L'appellation couvre 4 villages : Fuissé, Chaintré, Solutré-Pouilly et Vergisson, dont les terres sont idéales pour la culture du Chardonnay. Bien qu'il n'existe pas de Premier Cru, certains noms de vignobles figurent sur l'étiquette. Solutré possède d'excellents vignobles situés sur des coteaux exposés est-sud-est, sous l'énorme roche calcaire classée comme site préhistorique. Le village de Fuissé possède une succession de vignobles bien placés, également orientés à l'est.

Une partie du vin est élaborée par la coopérative locale de Chaintré et vendue sous ses marques ou sous celles des grands négociants bourguignons, qui achètent du vin à la coopérative et aux petits vignerons. Le reste provient de quelques producteurs réputés (voir encadré). Le meilleur Pouilly-Fuissé, élaboré à partir de vieilles vignes bien situées, est fermenté au moins partiellement dans

du chêne neuf. C'est un vin riche et ample, un vin de garde à la hauteur de sa renommée. Ce n'est malheureusement pas le cas de toutes les bouteilles.

POUILLY-LOCHÉ ET POUILLY-VINZELLES. Ces appellations satellites couvrent le vin des villages avoisinants. Peu de producteurs utilisent ces AOC de vins blancs couvrant de petites zones à l'est de Pouilly-Fuissé. Les vins sont semblables à ceux de Pouilly-Fuissé, mais souvent bien meilleur marché, car leur nom est moins connu.

SAINT-VÉRAN. Cette AOC est plus grande et couvre les terres de l'extrême sud du Mâconnais. Du fait que celles-ci empiètent sur le Beaujolais, leur vin peut également être appelé Beaujolais blanc.

L'AOC comprend des vignobles dans les villages de Saint-Vérand, Chânes, Chasselas, Davayé, Leynes, Prissé, Saint-Amour et Solutré, qui se trouvent autour du cœur de l'appellation de Pouilly-Fuissé. Les vignes de cette appellation sont bien exposées sur des coteaux calcaires, et, s'il est correctement vinifié, le Saint-

PRODUCTEURS ET NÉGOCIANTS

Le Mâconnais est dominé par les coopératives, les domaines privés étant plutôt concentrés autour des prestigieux villages de vin blanc des appellations de Pouilly. Les grands négociants de Beaune (voir p. 373-376) n'oublient pas ces vins. Les négociants locaux indiqués ci-dessous sont suivis d'un (N).

MÂCON

Château de La Bruyère (Mâcon), Domaine de La Feuillarde (Mâcon), Domaine Jean Manciat (Mâcon), Domaine des Poncetys (lycée viticole, Mâcon). Domaine d'Azenay (Mâcon-Villages), Domaine des Bruyères (Mâcon-Villages), Château London (Mâcon-Villages), Francis Pichet & Fils (Mâcon-Villages), Domaine Gérald et Philibert Talmard (Uchizy), Domaine Jean Thévenet (Clessé), Trenel Fils (N) [Charnay-lès-Mâcon]. Les caves coopératives d'Azé, Clessé, Igé, Lugny et Viré ont toutes une bonne réputation.

POUILLY-FUISSÉ

La majorité de la production (90 %) est entre les mains des producteurs qui vendent sous leur nom tels : Auvigue (N), Domaine Daniel et Martine Barraud, Domaine Cordier (N), Domaine J. A. Ferret, Château de Fuissé, Domaine Guffens-Hynen, Louis Jadot (N), Domaine Roger Lasserat, Pascal Renaud, Domaine Jacques et Nathalie Saumaize, Domaine La Soufrandise, Domaine Thibert, Domaine des Trois Tilleuls, Verget (N), Château Vitallis.

POUILLY-VINZELLES ET POUILLY-LOCHÉ

Parmi les noms que l'on rencontre, citons : Domaine Cordier, Cave des Crus Blancs (Vinzelles), Domaine Mathias (Chaintré), Domaine Saint-Philibert (Loché).

SAINT-VÉRAN

Auvigue (N), Paul Beaudet, Domaine Michel Delorme, Domaine des Deux Roches, Georges Dubœuf (N), Domaine de la Feuillarde, Roger Lassarat, Louis Latour (N), Domaine des Poncetys (lycée viticole), Domaine des Valanges.

Véran peut parfaitement égaler ses voisins en qualité, mais reste d'un prix plus abordable que le meilleur Pouilly-Fuissé.

De façon générale, le rapport qualité/prix des vins du Mâconnais est excellent. Assez réguliers, la clémence du climat étant plus favorable au Chardonnay que dans le Nord, ils sont fiables dans la plupart des millésimes et méritent de passer un an en bouteille.

BEAUJOLAIS

Carte page XIV

Un des vins les plus connus au monde, le Beaujolais traverse actuellement une crise d'identité. S'il est considéré comme un vin rouge facile à boire, sans grande ambition, ses meilleurs producteurs aimeraient qu'on le prenne davantage au sérieux. Une grande partie de sa réputation, ou de sa notoriété, provient du Beaujolais Nouveau, propulsé sur le marché début novembre, quelques semaines seulement après les vendanges. Ce qui était autrefois un plaisir seulement local est devenu un phénomène de mode à Lyon, puis à Paris, et gagne maintenant le Japon. Certaines années, plus de la moitié des raisins récoltés sont vendus comme Beaujolais Nouveau, et les marchands étrangers en vendent d'énormes quantités à des gens qui n'achètent pratiquement jamais de vin rouge.

Le Beaujolais fait officiellement partie de la Bourgogne, mais, en dehors de sa proximité et des affaires de négoce qu'il partage avec elle, il n'a pas grand-chose à voir avec la Côte d'Or. Le calcaire typique du reste de la Bourgogne cède la place au granite et aux roches ignées d'une chaîne de montagnes séparant la Loire, à l'ouest, de la Saône. Ici est cultivé le Gamay, cépage prétendument inférieur, proscrit de la Côte d'Or par les ducs de Bourgogne au Moyen Âge. Les techniques de vinification sont également particulières.

Les 3 zones et les appellations

Le Beaujolais couvre une vaste zone du sud de Mâcon jusqu'à la banlieue lyonnaise et limitée à l'est par la vallée de la Saône. Les vignobles partent du pied des coteaux et montent jusqu'aux sommets boisés des collines. Le point culminant de la région est à plus de 1 000 m, et les vignes montent jusqu'à une altitude d'environ 500 m. Les collines les protègent contre les vents d'ouest et le climat est chaud et plutôt sec.

Les communes, au nombre de 60, produisent du vin en plus ou moins grande quantité. La moitié nord de la

région compte la plus forte densité de vignobles, sur un sous-sol granitique, et élabore les meilleurs vins. Plus au sud, à partir de Villefranche-sur-Saône, c'est le royaume du calcaire.

L'ensemble de la région a droit à l'AOC Beaujolais, ou Beaujolais supérieur si le degré d'alcool est plus élevé. L'AOC Beaujolais-Villages est réservée aux 39 communes de la moitié nord. Dans cette zone limitée, la plus septentrionale de la région, 10 villages sont autorisés à donner leur nom à leur vin : ce sont les Crus du Beaujolais.

Les Crus du Beaujolais

Dans le Beaujolais, les termes de Cru et Grand Cru (utilisés indifféremment) s'appliquent à tous les vignobles de ces villages spécifiques, et non à un vignoble particulier, comme dans le reste de la Bourgogne. La différence de qualité entre un Beaujolais ordinaire et un Cru est considérable. Les Crus, notamment, ont une capacité à vieillir en bouteille que n'ont pas les Beaujolais et les Beaujolais-Villages. Chacun d'eux a sa propre personnalité, décrite ci-dessous.

SAINT-AMOUR. À quelques kilomètres au sud-ouest de la ville de Mâcon (et faisant en réalité partie du Mâconnais), Saint-Amour est le plus septentrional des Crus du Beaujolais et l'un des plus petits. La plupart des vignes sont plantées sur les coteaux orientés est-sud-est, à une altitude de 250 m. Saint-Amour produit un Beaujolais léger, délicatement fruité, conçu pour être dégusté jeune, mais qui s'améliore après 2 ou 3 ans en bouteille. Son nom romantique attire les acheteurs. Le vignoble ne comptant que 321 ha, la quantité produite est insuffisante et, comparés à ceux des autres Crus, les prix sont élevés par rapport à la qualité.

Quelques producteurs vendent leur vin blanc de Chardonnay sous le nom de Saint-Véran.

JULIÉNAS. Le Juliénas, qui tiendrait son nom de Jules César, comprend quelques-uns des sites viticoles les plus anciens du Beaujolais. Les coteaux élevés et escarpés, granitiques, présentent un excellent potentiel de mûrissement du raisin.

Les vins de cette appellation sont plus solides et moins fins que ceux de Saint-Amour ; ils s'ouvrent entre 2 et 4 ans après les vendanges. L'appellation possède une superficie plantée de 609 ha, soit deux fois plus que Saint-Amour, grâce à l'annexion des deux hameaux voisins : Jullié et Émeringues.

CHÉNAS. Ce Cru tire son nom des forêts de chênes du Moyen Âge auxquelles se sont peu à peu substituées les vignes. La plus petite (284 ha) et la moins connue des appellations du Beaujolais, Chénas se trouve à la limite de Moulin-à-Vent. Leurs vins se ressemblent d'ailleurs beaucoup.

L'appellation comprend une partie de la commune de La Chapelle-de-Guinchay. Les meilleurs vins de

Chénas partagent le caractère de Moulin-à-Vent et peuvent se révéler assez riches et concentrés, sans posséder la capacité de vieillissement d'un Juliénas, par exemple.

MOULIN-À-VENT. Tirant son nom d'un moulin à vent se trouvant au sommet d'une colline, l'appellation est diversement considérée comme la plus belle, la plus sérieuse et la « reine » du Beaujolais ou, tout au contraire, comme la plus atypique de la région. En tout état de cause, il s'agit certainement du Cru de Beaujolais le plus onéreux et le plus apte à vieillir. Le sous-sol granitique recouvert d'une couche de sable riche en manganèse confère un caractère particulier au vin. Les meilleurs vins, de couleur rubis foncé, peuvent conserver une puissance et une structure impressionnantes après 10 ans. Certains producteurs les élèvent dans le chêne pour tirer le meilleur parti de leur structure et de leur potentiel de vieillissement. Avec 676 ha de vignes, Moulin-à-Vent est l'un des Crus les plus productifs.

FLEURIE. Village au nom aussi ravissant que le site où il se trouve, perché sur une colline au cœur du Beaujolais, Fleurie produit des vins séduisants qui, en partie grâce à leur nom facilement identifiable, sont extrêmement populaires et presque aussi coûteux que ceux de Moulin-à-Vent. La plupart des vignes (872 ha) sont plantées à une altitude d'environ 300 m, sur des sables granitiques relativement pauvres ou des graviers argileux. Les bons millésimes sont riches en fruit, faciles à boire dans leur jeunesse, mais encore meilleurs après 2 années.

CHIROUBLES. Situé en altitude (entre 300 et 1 000 m) dans les collines à l'ouest de Fleurie, Chiroubles (378 ha) domine l'ensemble du Beaujolais et, de façon assez appropriée, offre le vin le plus léger et, aux dires de certains, le plus équilibré de la région. De couleur claire, ce Cru du Beaujolais le plus parfumé doit être bu dans les 2 ans. À la mode aujourd'hui, les vins de Chiroubles ne sont pas bon marché.

MORGON. Morgon (1 143 ha) produit certains Beaujolais mémorables ; il est souvent placé en second, après Moulin-à-Vent, dans la hiérarchie des Crus. Les meilleurs vignobles poussent dans un sol composé d'ardoise appelé terre pourrie du Mont du Py : les vins provenant de ces vignes sont particulièrement amples et concentrés. Ils ont une couleur profonde, beaucoup de corps et développent des arômes de fruits exotiques avec l'âge. Ce sont des vins de garde au bouquet original, qui a donné naissance au verbe « morgonner », pour décrire ces mêmes arômes dans d'autres vins. L'appellation couvre cependant quelques vins qui se montrent quelquefois grossiers et lourds, défaut que l'on retrouve dans tous les vins inférieurs de chaque Cru.

RÉGNIÉ. Ce Cru (480 ha) est devenu le dixième du Beaujolais en 1988, alors qu'il détient avec Juliénas le

FRANCE

record des plus anciens vignobles, puisqu'ils datent de l'époque romaine. Les vins de Régnié sont représentatifs de leur emplacement entre Morgon et Brouilly. Au nord, ils sont robustes avec de forts arômes de fruits, tandis que, au sud, les sols plus sablonneux leur confèrent une couleur plus claire et un caractère plus délicat et aromatique (plus près du Brouilly).

CÔTE-DE-BROUILLY. Le Mont de Brouilly est une colline de bonne taille se dressant au-dessus des vignobles, à l'ouest de Belleville, dans la commune de Brouilly. Les vignobles encerclant la colline possèdent leur propre appellation, Côte-de-Brouilly (322 ha), tandis que le reste de la commune est du Brouilly. Les vins sont généralement considérés comme supérieurs à ceux de Brouilly, car ils proviennent de coteaux privilégiés. Ils sont plus riches et ont plus de caractère, les raisins mûrissant bien sur le Mont de Brouilly, et ont une teneur en sucre plus élevée (leur taux d'alcool minimal est donc plus élevé que dans les autres Crus). On prétend également que la « terre bleue », à base de granite, de ce volcan éteint apporte un degré de finesse qui manque au Brouilly. Un Côte-de-Brouilly est à son apogée entre 1 et 3 ans.

BROUILLY. Cru le plus étendu, le plus productif et le plus méridional de la région du Beaujolais, Brouilly élabore toute une série de vins ordinaires à peine mieux considérés que les Beaujolais-Villages, mais également de très bons vins, au goût de raisin, avec beaucoup plus de substance et une durée de vie supérieure (de 2 à 4 ans). On le trouve beaucoup plus facilement dans le commerce que les autres Crus du Beaujolais. L'AOC couvre plusieurs communes (1307 ha).

La vinification, l'élevage et les styles de vin

La méthode normale pour faire le vin rouge consiste à fouler en partie les grappes, à la fois pour égrapper les

COTEAUX DU LYONNAIS

Cette zone de 50 communes, au sud du Beaujolais, en a adopté les cépages (Gamay pour les rouges, Chardonnay et Aligoté pour les blancs). Le blanc est produit en infime quantité et le rouge peut être considéré comme le petit cousin du Beaujolais.

Ses 352 ha plantés donnent moins de vin qu'un seul cru de Beaujolais. La zone part de la limite sud du Beaujolais, contourne la ville de Lyon par l'ouest et jouxte la Côte-Rôtie au sud.

Le producteur principal est la coopérative de Saint-Bel, dans la partie nord de la zone, bien que quelques domaines soient aussi très prospères.

baies et pour permettre au jus de s'écouler et aux levures de lancer la fermentation. Dans le Beaujolais, on utilise une variante locale de la macération carbonique, baptisée macération beaujolaise traditionnelle ou, plus simplement, méthode du Beaujolais. Pour ce faire, les grappes doivent être jetées entières dans la cuve et, par conséquent, on n'utilise pas de machine à vendanger.

Les grappes de raisin mûr sont donc versées dans la cuve, qui est ensuite scellée. La fermentation commence et le gaz carbonique qui se dégage se condense au-dessus des raisins en fermentation, ralentit le processus et agit comme un antiseptique. Les grappes du dessus écrasent celles du dessous, ce qui permet à la fermentation de commencer dans le jus accumulé au fond de la cuve. Certains producteurs pompent ce jus et en arrosent la couche supérieure pour accélérer le processus.

La chaleur dégagée par la fermentation active celle qui se produit à l'intérieur des baies, qui éclatent et alimentent le processus. Une fois cette étape terminée, les raisins sont pressés, et une seconde fermentation se produit. Les levures jouent un rôle important : on ensemence la cuve de levures sèches qui ont des vertus aromatiques pour ce qui deviendra le Beaujolais nouveau.

Le but de cette macération est d'extraire le maximum de couleur et d'arôme : le cépage Gamay s'y prête particulièrement puisque sa principale vertu est son parfum fruité et juteux. Dans la véritable macération carbonique, du gaz carbonique est injecté dans la cuve pour prolonger le processus de macération.

Les caves modernes, notamment celles des négociants et des coopératives, utilisent des systèmes de contrôle de température pour éviter une fermentation à température élevée et optimiser les parfums de fruits et l'arôme. La technique traditionnelle, encore employée par les plus petits domaines, plus soucieux de qualité, permet une fermentation plus chaude, qui extrait davantage de tanin et de couleur des grappes. Certaines années, le vin fermente lentement dans des cuves jusqu'à une date avancée dans l'hiver ; il est ensuite élevé en fûts pendant le printemps et l'été, puis mis en bouteilles en septembre de l'année suivante. On est bien loin de la commercialisation accélérée du Beaujolais nouveau.

Les deux sortes de Beaujolais sont des vins corrects, que l'on doit apprécier pour ce qu'ils sont. Un verre de Beaujolais nouveau violet, d'une année mûre et bien fait, ensoleille les tristes journées de novembre. Un Beaujolais courant de 1 an, frais et fruité, met en appétit et accompagne à merveille un plat de cuisine française traditionnelle. Les Crus plus sérieux peuvent vieillir de 3 à 7 ans et devenir plus concentrés et plus raffinés. Malgré la différence de cépage, ils ressemblent alors étrangement aux Bourgognes rouges de la Côte d'Or.

PRODUCTEURS ET NÉGOCIANTS

La plupart des Beaujolais et des Beaujolais-Villages sont vendus sous le nom du négociant ou de la coopérative (ou, à l'étranger, de l'importateur) sans beaucoup d'explications sur leurs origines. Les étiquettes des bouteilles des 10 Crus sont plus explicites et, selon les vins, donnent les noms des propriétés et des négociants (une liste de ces derniers figure dans l'encadré ci-contre). Presque tout le Beaujolais est rouge. Le blanc, autorisé, est produit en petites quantités à partir du Chardonnay, dans les vignobles où l'AOC Saint-Véran (voir p. 382) empiète sur le Beaujolais. Le Beaujolais blanc est un autre nom du Saint-Véran.

LES CRUS DU BEAUJOLAIS

Il s'agit de 10 villages s'échelonnant du nord au sud sur une vingtaine de kilomètres, dans la partie nord du Beaujolais. Ils utilisent leur propre nom, et leurs vins témoignent de leur caractère particulier. Ces villages et leurs vignobles sont situés sur les monts du Beaujolais, qui dominent la vallée de la Saône.
Les vignes sont cultivées sur des sols granitiques, sans calcaire, par de petits vignerons qui vendent leur vin au négoce. Quelques grands domaines existent toutefois.
Les villages sont ici répertoriés par ordre alphabétique, du nord au sud.

SAINT-AMOUR
Les producteurs sont regroupés autour du village de Saint-Amour-Bellevue. En font partie Denis et Hélène Barbelet, Domaine Le Cotoyon, Georges Dubœuf (N), Domaine des Ducs, Domaine du Haut-Poncie, François Launay, Domaine du Moulin Berger, Michel Tête.

JULIÉNAS
Cave du Bois de la Salle (coopérative), David Boulet, Domaine du Clos du Fief, Domaine du Granit Doré (Georges Rollet), Franck Juillard, Château de Juliénas, Domaine Matray, Domaine des Monilles (Laurent Perrachon), Domaine Bernard Santé, Domaine Michel Tête.

CHÉNAS
Cave du Château de Chénas (coopérative), Domaine de Chênepierre (Gérard Lapierre), Domaine des Ducs, Hubert Lapierre, Daniel Passot, Domaine des Pierres (Georges Trichard), Raymond Trichard.

MOULIN-À-VENT
Domaine Desperiers Père & Fils, Domaine Les Graves, Château des Jacques, Château Moulin à Vent, Domaine de la Rochelle, Domaine des Terres Dorées, Domaine Benoît Trichard, Le Vieux Domaine.

FLEURIE
Cave Coopérative de Fleurie, Château des Labourons (Comte B. de Lescure), Domaine de La Madone (Jean-Marie Després), Domaine André Métrat, Domaine du Point du Jour.

CHIROUBLES
Domaine Émile Cheysson, Henry Fessy (N), Domaine des Gatilles, Domaine de la Grosse Pierre (Alain Passot), La Maison des Vignerons à Chiroubles (coopérative), Domaine Morin, Christophe Savoye, René Savoye.

PRODUCTEURS ET NÉGOCIANTS

MORGON
Domaine Aucœur, Jean-Marc Burgaud, Domaine Louis-Claude Desvignes, Domaine de Fontriante, Marcel Lapierre, Dominique Piron, Domaine des Sornay, Domaine des Souchons, Domaine de Thizy.

RÉGNIÉ
Château du Basty, Domaine des Braves, Louis-Noël Chopin, Hospice de Beaujeu, Domaine Dominique Jambon, Domaine de Ponchon, Domaine des Vallières.

CÔTE-DE-BROUILLY
Dominique Lacondemine, Domaine Large, Château Thivin et Château du Grand Vernay (Claude Geoffray pour les deux).

BROUILLY
Domaine de Bel-Air, Château de la Chaize, Domaine Dubost, J. Gonard & Fils (N), Bernard Jomain, Jean Lathuilière, Château Thivin.

NÉGOCIANTS DU BEAUJOLAIS

Le Beaujolais a ses propres marchands de vin, dont beaucoup sont installés autour de Villefranche-sur-Saône. Ils vendent des assemblages, mais un nombre croissant d'entre eux représentent et vendent des vins d'un seul domaine portant le nom du négociant. Parmi les principaux négociants, citons :

GEORGES DUBŒUF *Romanèche-Thorins.* Grand nom, connu dans le monde entier, il fournit du vin sous son propre nom et, parallèlement, mène une activité de négociant mettant en bouteilles les vins de domaines indépendants.

TRENEL & FILS *Charnay-lès-Mâcon.* Cette entreprise familiale a une bonne réputation pour les Crus.

PIERRE FÉRAUD *Belleville.* Petite entreprise, elle est réputée pour ses vins de qualité.

Parmi les autres négociants, citons encore : Gabriel Aligne (Beaujeu), Henry Fessy (Saint-Jean d'Ardières), Sylvain Fessy (Belleville), Chanut Frères (Romanèche-Thorins).

BEAUJOLAIS-VILLAGES

On compte plusieurs centaines de petits domaines et de producteurs qui mettent en bouteilles leur propre vin, mais aussi des coopératives et des négociants.
Les producteurs sont difficiles à répertorier, car, en général, ils vendent directement le peu de vin qu'ils vinifient.

BEAUJOLAIS

C'est l'appellation qui couvre les vins de la moitié sud du Beaujolais. La majorité est commercialisée par les négociants ou les coopératives. La plupart vendent directement à leurs clients, mais quelques-uns se livrent à l'exportation.
À son apogée, c'est-à-dire à 1 an, ce vin doux au parfum de fruit est très agréable.

CHAMPAGNE

Carte page XV

Les austères paysages de la Champagne, balayés par le vent, ne semblaient guère destinés à donner naissance à une telle merveille. Dans ce climat typique du Nord, de sombres forêts bordent les collines, de mornes plaines s'étendent tristement au pied des versants exposés aux bises glacées d'hiver. Pourtant, dès le début du Moyen Âge, ces vallons crayeux acquirent la réputation d'abriter un grand vignoble. Le vin de Champagne était en effet déjà célèbre bien avant de devenir pétillant. À l'époque, c'était un vin rouge faible en couleur, intense en arôme, tranquille et non pétillant. Les bulles sont le résultat d'un accident naturel, soigneusement entretenu. Dans cette région du Nord au climat froid, le vin nouveau a, en effet, tendance à doucement refermenter au printemps, avec l'élévation de la température ambiante. Or toute fermentation produit, entre autres, du gaz carbonique, dont les bulles remontent jusqu'à l'air libre. C'est ce gaz carbonique qui, emprisonné en bouteilles épaisses et fermées d'un bouchon solidement maintenu en place, produit l'effervescence. La maîtrise de cette seconde fermentation et les nombreux progrès réalisés dans l'élaboration et le conditionnement ont permis au Champagne d'accéder au rang de premier vin au monde, symbole de fête dans tous les pays.

La naissance du Champagne

Il est bien peu probable qu'un vin comme le Champagne ait pu avoir un véritable inventeur. Mais cela n'a pas empêché les écrivains d'en attribuer la paternité à dom Pierre Pérignon, moine bénédictin de l'abbaye d'Hautvillers, près d'Épernay, à la fin du XVIIe siècle. D'après les récits de l'époque, c'était un très grand vinificateur. Il améliora systématiquement le rouge déjà célèbre de la région, cherchant à produire à partir des meilleurs Pinots Noirs un vin très pâle, presque blanc. Si une vendange soignée, un pressurage rapide et savant suivi d'un délicat assemblage des différents crus du vignoble sont aujourd'hui les règles de base observées par les producteurs de la région, il faut savoir que ce sont des principes que dom Pérignon appliquait déjà il y a trois siècles. Celui-ci réussit ainsi à produire un vin blanc effervescent mais, à cette époque, toute apparition de gaz en bouteille était le signe d'une mauvaise vinification, et il fallut attendre encore deux siècles pour que pétillant et Champagne deviennent synonymes. Si les Champenois avaient appris à faire pétiller leur vin, ils maîtrisaient encore mal le processus. Selon les années, tantôt les bulles refusaient de se former, tantôt la seconde fermentation était si brutale que de nombreuses bouteilles explosaient. Les ouvriers des caves furent obligés de porter des masques pour se protéger des éclats de verre, jusqu'à ce que des progrès considérables eussent amélioré tant la fabrication des bouteilles que la vinification.

L'essor des négociants

Il fallait donc apprivoiser cette seconde fermentation capricieuse, responsable d'autant de faillites que de fortunes soudaines. En Champagne, ce furent les négociants qui s'y employèrent, remplaçant peu à peu les moines et les aristocrates à l'époque des guerres napoléoniennes. Leurs maisons possédaient suffisamment d'assise et de capital pour fabriquer, faire vieillir et distribuer (exporter surtout) le vin pétillant de Champagne.

En 1840, le marché du Champagne est déjà florissant. Les négociants ont appris à tirer avantage de toutes les améliorations techniques. Ils favorisent les assemblages, afin d'obtenir des cuvées plus homogènes. Le dégorgement (voir p. 252) est introduit en 1813. Les machines à boucher et les muselets font leur apparition au cours des années 1820 et 1830. Mais la découverte la plus importante est celle de la quantité de sucre nécessaire pour provoquer une seconde fermentation fiable. Lorsqu'en 1837 on parvient à des calculs plus précis, le taux de bouteilles qui explosent tombe à environ 5 % (il est aujourd'hui de 1 %). À la fin du XIXe siècle, le Champagne est devenu un géant industriel et commercial, qui n'a plus rien de commun avec les productions vinicoles, à caractère bucolique et artisanal, des autres régions. Il en est encore ainsi de nos jours.

La fabrication du Champagne

La vinification est décrite p. 250. Le secret d'un grand Champagne réside dans la rigueur avec laquelle on taille la vigne et sélectionne le raisin. Vient ensuite la seconde sélection, réalisée par l'assemblage (voir p. 394).

Les cépages

Trois cépages seulement sont autorisés pour l'élaboration du Champagne : le Pinot Noir, le Pinot Meunier et le Chardonnay. Le Pinot Noir donne du corps et de la longévité à l'assemblage, bien que son vin puisse paraître un peu austère quand il est jeune. Le Pinot Meunier, une variété de Pinot très fruité, fournit de beaux arômes en assemblage. Le Chardonnay, quant à lui, apporte l'élégance et la race.

La région

La Champagne s'étend à quelque 145 km au nord-est de Paris. Elle occupe le bassin d'une mer intérieure disparue à l'ère tertiaire, qui, pendant des centaines de millénaires, déposa des couches superposées de sédiments crayeux formant l'essentiel du sous-sol champenois. Des soulèvements géologiques ont créé les plateaux de la Montagne de Reims et de la Côte des Blancs, aux vignobles renommés, et qui possèdent la plus grande concentration de villages d'appellation Grand Cru et Premier Cru (voir p. 115). La Champagne couvre environ 35 000 hectares, dont les trois premières régions, décrites ci-dessous, forment le véritable cœur. À une centaine de kilomètres, au sud-est du département de l'Aube, se trouve une autre région importante, à laquelle il faut ajouter quatre régions périphériques : la vallée de la Vesle, la vallée de l'Ardre, la vallée de la Marne et la Côte de Sézanne.

LA MONTAGNE DE REIMS. Ce plateau forestier, situé au sud de Reims, entre la Marne et la Vesle, est bordé de larges versants en pente douce, sur lesquels le vignoble s'étend d'abord vers l'est avant de rejoindre la vallée de la Marne, au sud. Partiellement exposée plein nord, c'est la partie la plus froide de la Champagne. On y cultive les trois cépages, mais son climat tempéré frais et sa longue saison de végétation en font le fief privilégié du Pinot Noir.

Cette région possède neuf villages d'appellation Grand cru et un grand nombre de Premiers Crus. Outre son grand cru, le village de Bouzy, exposé au sud, est également connu pour son vin rouge tranquille.

LA VALLÉE DE LA MARNE. Son vignoble, situé sur les deux rives de la Marne, s'étend de l'ouest de Château-Thierry à l'est d'Épernay. Son altitude est plus basse que celle des deux autres régions centrales, son sol moins crayeux, avec une prédominance d'argile. Cette zone est surtout connue pour son Pinot Noir et son Pinot Meunier.

Elle possède deux villages à l'appellation « Grand Cru » : Ay et Tours-sur-Marne (ce dernier uniquement pour ses raisins noirs). Situés tous deux sur la rive nord, ils sont exposés au sud.

LA CÔTE DES BLANCS. Elle s'étend sur une vingtaine de kilomètres au sud d'Épernay. Ses versants, exposés nord-sud, culminent à 250 m. Les vignobles sont situés sur les flancs est et ouest de la colline, les meilleurs crus se trouvant à l'est. Son sol crayeux, allié à son climat plus doux, en fait le fief privilégié du Chardonnay.

LA CÔTE DE SÉZANNE. C'est la région la plus nouvelle et la moins connue de la Champagne, car les vignes n'y ont été plantées que dans les années 1960. Grâce à sa situation assez méridionale, le raisin, presque exclusivement du Chardonnay, mûrit très bien, donnant des vins amples et riches.

LE VOCABULAIRE DU CHAMPAGNE

STYLE DE VIN

Blanc de Blancs : cuvée élaborée uniquement avec du Chardonnay. Vins d'une grande finesse et d'une rare délicatesse.

Blanc de Noirs : cuvée élaborée uniquement avec du raisin noir issu de Pinot Noir et de Pinot Meunier.

Brut nature : non dosé.

Brut : très sec.

Demi-sec : plutôt doux.

Doux : très doux.

Grand Cru : vin de l'une ou de plusieurs des 17 communes classées « Grand Cru ».

Grande marque : maison appartenant à l'Institut des grandes marques de Champagne, fondé en 1882. La plupart des 26 membres représentent aujourd'hui les plus grandes maisons.

Brut sans année : brut non millésimé.

Rosé : Champagne auquel on a généralement ajouté 10-15 % de vin de Champagne tranquille, rouge. Les perfectionnistes laissent le raisin noir teinter le jus dans la cuve.

Sec : en Champagne, ce terme signifie demi-sec.

MENTIONS SUR L'ÉTIQUETTE

Des codes en petits caractères indiquent l'origine du vin.

CM : coopérative de manipulation. Le vin provient d'une coopérative.

MA : marque d'acheteur (ou auxiliaire).

ND : négociant-distributeur.

NM : négociant-manipulant, appartenant à l'Institut des grandes marques de Champagne ou à l'Institut des négociants en vins de Champagne.

R : récoltant, qui vend ses raisins à une coopérative qui lui rétrocède quelques bouteilles.

RC : récoltant coopérateur manipulant.

RM : récoltant-manipulant; Champagne vinifié et commercialisé par un vigneron, avec ou sans l'aide d'une coopérative.

SR : société des récoltants, réunion de vignerons.

LE VIGNOBLE DE L'AUBE. Région la plus méridionale de Champagne, qui s'étend sur plus de 100 km au sud d'Épernay, elle est la plus proche du Chablis. Son climat étant plus continental, avec des hivers plus froids et des étés plus chauds, le raisin y mûrit davantage. Son sol d'argile et de marne kimméridgienne, semblable à celui de Chablis, est plus riche. Ses vignes produisent 80 % de Pinot Noir, et une partie de la production de l'Aube est achetée par des maisons de négoce de Reims ou d'Épernay. L'Aube compte également l'une des rares AOC réservée aux vins rosés.

FRANCE

Style et producteurs

Contrairement à la plupart des grands vins français, le Champagne porte un nom de marque plutôt que celui du terroir. Autre caractéristique : il existe très peu de cuvées provenant d'un seul vignoble ou d'un seul village, car le principe du vin de Champagne consiste à assembler plusieurs crus et plusieurs années. Les grandes maisons de Champagne réalisent la plus grande partie de leurs ventes avec leur cuvée « Brut sans année » selon le style de la maison (voir plus loin l'assemblage). On ne produit de vins millésimés que les meilleures années – tous les 4 ans en moyenne –, et la cuvée ne se compose alors que de vins d'une même récolte. La plupart des maisons élaborent aussi des cuvées de prestige avec ou sans millésime.

La différence de style entre un Champagne de grande maison et celui d'un petit vigneron ou d'une coopérative est considérable. Les facteurs géographiques (voir encadré ci-contre) expliquent que le meilleur raisin, provenant des versants les mieux exposés dans les meilleurs villages, est aussi le plus rare. Les grandes marques de Champagne sont donc prêtes à payer plus cher le raisin en provenance de ces vignobles privilégiés. Une grande maison utilisera les meilleures matières premières, vieillira son vin au-delà du minimum légal de quinze mois et ajoutera ses meilleurs vins de réserve à l'assemblage pour son Brut sans année. La cuvée sera plus complexe, vieillira mieux et sera plus coûteuse qu'un Champagne modeste.

L'assemblage

Le Champagne est le vin d'assemblage par excellence. Chaque année, le chef de cave doit élaborer une cuvée homogène qui corresponde au style, à la qualité et à l'image de la maison, qu'il s'agisse d'un Brut sans année ou d'une cuvée de prestige. Tout commence à l'époque des vendanges, lorsque la maison sélectionne ses raisins dans les diverses régions, parmi les différents cépages. Au début de l'année, une fois la fermentation alcoolique terminée, mais avant la seconde fermentation en bouteille, le chef de cave assemble non seulement plusieurs cépages, mais plusieurs cuvées d'un même cépage provenant de vignobles différents par leur classement ou leur provenance. Cette élaboration – qui fait souvent appel à un grand nombre de cuvées différentes (de trois ou quatre à cinquante ou même soixante-dix), dont certaines appartiennent à des années antérieures – a pour but de mettre en valeur les qualités spécifiques du Champagne de chaque maison, et non de produire chaque année le même vin. Selon la maison, l'accent sera mis davantage sur les raisins blancs ou les noirs, la quantité de vin de réserve et les crus des différents villages et régions.

LES FACTEURS DE QUALITÉ

Le vignoble champenois ne semble pas prédestiné à la production de grands vins en raison de sa situation septentrionale. Cependant, la composition exceptionnelle du sol et du sous-sol et l'exposition des vignobles permettent d'obtenir des raisins mûrs dotés d'une bonne teneur en acidité.

CLASSEMENT DU VIGNOBLE

Les Champenois ont un système rigoureux de classement selon ce qu'ils dénomment « l'échelle des crus », exprimée en pourcentage. Sur un total de 200 villages qui produisent du Champagne, 17 ont le privilège d'être classés en cru à 100 % et peuvent prétendre à l'appellation « Grand Cru » ; 40 villages sont classés de 99 à 90 % et ont le droit de se dénommer « Premier Cru », tandis que les autres, classés de 89 à 80 %, ont droit à la désignation « Second Cu ». Afin d'obtenir le meilleur équilibre, une très large majorité de Champagnes sont le résultat d'un assemblage.

CLIMAT

Bien que la région soit dotée d'un climat frais, on constate certains microclimats plus chauds. La moyenne annuelle des températures se situe tout juste au-dessus de 10 °C, le minimum requis pour un bon mûrissement du raisin. En revanche, ce type de climat offre deux avantages : les raisins mûrissent très lentement, permettant une constance dans les apports d'éléments aromatiques, tandis que leur acidité naturelle reste élevée. Deux phénomènes qui conviennent particulièrement à l'élaboration de vins effervescents.

SITE

Les meilleurs vignobles sont situés sur les pentes dont l'altitude varie entre 80 m et 210 m, comme ceux de la Montagne de Reims et ceux de la Côte des Blancs. Les meilleurs crus se concentrent dans une fourchette plus précise (entre 90 et 150 m d'altitude).

SOLS

Les meilleurs sites, telles la Montagne de Reims ou la Côte des Blancs, se trouvent sur un lit de dépôts calcaires de deux types : à bélemnites et à micrasters. Cette seconde roche, propre à la Champagne, se trouve sur les coteaux de plus forte inclinaison. La nature particulière des sols et sous-sols calcaires de la Champagne entraîne un bon drainage des eaux en cas de pluie et la constitution d'une large réserve d'eau en cas de sécheresse, ce qui permet aux racines de la vigne de s'alimenter dans les pires conditions météorologiques.

PRODUCTEURS ET NÉGOCIANTS

La plupart des Champagnes sont élaborés et vendus par des maisons – négociants-manipulants – possédant certains (rarement la totalité) des vignobles qui les approvisionnent; ce sont ces négociants qui assemblent le vin, le mettent en bouteilles et le font vieillir. Ils utilisent des raisins de toute la région, bien que les maisons les plus prestigieuses sélectionnent essentiellement ceux des trois régions principales. Les maisons les plus importantes et les plus connues sont les « grandes marques », qui regroupent 26 membres. La plupart des viticulteurs vendent leur raisin à l'une de ces maisons, bien que certains commercialisent leur propre Champagne. D'autres font partie d'une coopérative.
Il y a des milliers de marques de Champagne, allant de celles des vignerons qui apposent leur étiquette sur des vins élaborés par une coopérative, jusqu'aux « marques d'acheteurs », portant l'étiquette d'un détaillant ou d'un restaurant. Vous trouverez ci-dessous les négociants-manipulants les plus connus, ainsi que quelques marques plus modestes, de grande qualité.

HENRI ABELÉ
Cette maison rémoise, fondée en 1757, produit des Champagne d'un style traditionnel, que l'on retrouve aussi bien dans ses millésimés que dans ses Bruts sans année : assez riche et corsé, voire même un peu trop généreux. La nouvelle cuvée, Les Soirées Parisiennes, est toutefois beaucoup plus légère et plus élégante.

AGRAPART
Ce récoltant-manipulant d'Avize, qui exploite 9 ha de Grand Cru, ne produit que des Blancs de Blancs. Les vins de réserve sont logés en barriques.

MICHEL ARNOULD
Ce récoltant-manipulant ne vinifie que du Champagne Grand Cru de Verzenay, l'un des plus intéressants de la Montagne de Reims. Le vignoble s'étend sur 12 ha. C'est un Champagne de caractère.

AYALA
Cette Grande Marque, fondée en 1860, se situe à Ay. La Grande Cuvée Millésimée est meilleure que leur Brut sans année dominé par le Pinot Noir.

BARANCOURT
Cette maison de Tours-sur-Marne offre une vaste gamme de vins, provenant essentiellement de 102 ha de vignes, dans la Montagne de Reims et la Côte des Blancs. Le meilleur est leur étonnant Bouzy Rouge (en vin tranquille).

EDMOND BARNAUT
Philippe Secondé, petit-fils d'Edmond Barnaut, exploite un vignoble de 11,5 ha à Bouzy (Grand Cru). Il propose des Champagnes généreux au dosage juste.

HERBERT BEAUFORT
Les Beaufort sont vignerons à Bouzy (Grand Cru). Les Champagnes sont vifs, certains sans fermentation malolactique.

BEAUMET
Située à Épernay, cette maison, qui partage des vignes avec Jeanmaire et Oudinot, produit une vaste gamme de vins, dont la Cuvée Malakoff, un remarquable Blanc de Blancs.

BEAUMONT DES CRAYÈRES
Cette coopérative d'Épernay, qui regroupe 210 viticulteurs pour 75 ha de vignes, est fort réputée pour sa Cuvée Nostalgie.

BESSERAT DE BELLEFON
Cette maison d'Épernay appartient aujourd'hui au groupe Marne et Champagne (voir plus loin). Son style est plutôt léger. La Cuvée des Moines connaît un durable succès, particulièrement dans la restauration.

BILLECART-SALMON
Cette Grande Marque familiale modeste, située à Mareuil-sur-Ay, élabore des vins de qualité exceptionnelle, qui vont en s'améliorant.

BLIN
Cette coopérative dynamique (85 viticulteurs pour 110 ha de vignes) de Vincelles produit des Champagnes agréables, légers et fruités.

BOIZEL
Cette maison d'Épernay, fondée en 1834, exporte une grande partie de ses vins, surtout son Brut sans année, un Champagne équilibré aux agréables notes aromatiques. Son Blanc de Blancs, tout comme sa cuvée de prestige Joyau de France, est excellent.

BOLLINGER
Cette maison prestigieuse, située à Ay, possède un superbe vignoble, qui fournit 70 % de ses approvisionnements en raisin. Ses cuvées sont dominées par le Pinot Noir et partiellement fermentées en fût, ce qui leur confère un style quelque peu austère les premières années, pour se bonifier et s'épanouir après quelques années en bouteille.
Les vins de réserve sont mis en magnums pour une meilleure conservation. Les stocks représentent plus de cinq années de vente. Le RD (Récemment Dégorgé), un vin longtemps resté sur lattes avant d'être dégorgé, est l'un des meilleurs vins de Champagne, de même que les Vieilles Vignes Françaises, un grand vin produit en très petites quantités à partir de vignes datant d'avant le phylloxéra. La Cuvée Spéciale non millésimée est de bonne facture, et chaque bouteille porte une contre-étiquette garantissant que le vin a été vieilli pendant 3 ans.

BONNAIRE
Ce très important récoltant-manipulant de Cramant (14 ha à Cramant, 8,5 ha dans la Vallée de la Marne) est un spécialiste des Blancs de Blancs.
La meilleure cuvée est le Spécial Club, toujours millésimé.

CHÂTEAU DE BOURSAULT
Construit et habité par la veuve Clicquot, le château est depuis 1927 la propriété des Fringhian. Le Pinot Meunier entre dans la composition de ces Champagnes légers et fruités.

BRICOUT
Dans cette maison fondée en 1820, le Chardonnay est important, surtout dans la cuvée de prestige Arthur Bricout.

ALBERT LE BRUN
C'est l'une des deux maisons de Champagne de Châlons-en-Champagne.
La cuvée Vieille France est logée dans une bouteille trapue, copie d'un flacon du XVIIIe siècle. Elle naît d'un assemblage qui privilégie le Pinot Noir.

LE BRUN DE NEUVILLE
Cette coopérative de la Côte de Sézanne regroupe 145 membres et 140 ha de vignes. Ses vins à base de Chardonnay possèdent un attrait fruité immédiat.

CANARD-DUCHÊNE
Ce Champagne fut relancé dans un nouveau conditionnement en 1992, avec une qualité grandement améliorée. Le Brut sans année possède un style équilibré et élégamment fruité. Située à Reims, la maison possède 20 ha de vignes dans la Montagne de Reims.

DE CASTELLANE
Peu connue à l'étranger, cette maison d'Épernay est réputée en France. Elle produit une cuvée 100 % Chardonnay très ample et puissante, mais les cuvées Commodore et Florens de Castellane sont admirables, moyennement corsées et élégantes, avec des nuances biscuitées.

CATTIER
Le Champagne Cattier est surtout connu par son Clos du Moulin (2,2 ha), l'un des rares clos champenois. C'est un Champagne non millésimé, fin et complexe qui est né de l'assemblage de trois années.

CHARLES DE CAZANOVE
Cette grande maison familiale d'Épernay a beaucoup de succès en France. Son meilleur vin est la cuvée de prestige Stradivarius, un assemblage de 60 % de Chardonnay et de 40 % de Pinot Noir.

CHARBAUT
La cuvée de prestige de cette maison d'Épernay est étiquetée Certificate. C'est un Blanc de Blancs de très belle qualité livré en bouteille incolore. →

PRODUCTEURS ET NÉGOCIANTS

GUY CHARLEMAGNE
Ce récoltant-manipulant du Mesnil-sur-Oger est un spécialiste du Blanc de Blancs. Ses deux Champagnes millésimés sont remarquables.

CHEURLIN & FILS
Cet important négociant-manipulant de l'Aube produit des Champagnes souples et fruités.

RAOUL COLLET
Fondée en 1921, la plus ancienne coopérative champenoise produit plus d'un demi-million de bouteilles d'un Champagne solide et masculin.

COMTE AUDOUIN DE DAMPIERRE
Audouin de Dampierre choisit d'excellents vins pour les vendre sous son étiquette. Son Blanc de Blancs Prestige est coiffé d'un bouchon maintenu par un muselet de ficelle, comme au XVIIIe siècle. Excellent et coûteux.

DELAMOTTE
Cette maison très ancienne, fondée en 1760, produit des vins dominés par le Chardonnay. Elle est contiguë au Champagne Salon et fut dirigée par Charles de Nonancourt.

DELBECK
Les trois quarts des raisins de cette maison rémoise proviennent de ses 25 ha de la Montagne de Reims, où prédomine le Pinot Noir. Delbeck est surtout connu pour son Brut Héritage sans année et son très bon rosé.

DEUTZ
Cette grande maison d'Ay, fondée en 1838, possède un style fruité assez hardi, notamment en ce qui concerne son Brut sans année. La cuvée de prestige William Deutz est moyennement corsée avec des arômes fins et intenses, et le Blanc de Blancs est l'une des cuvées les plus élégantes de Champagne.

DEVAUX
C'est la marque commercialisée par l'Union auboise, un groupement de coopératives de l'Aube. Grâce à ses 750 viticulteurs et à ses 1400 ha de vignes (80 % de Pinot Noir), elle produit des Champagnes fins, fruités et équilibrés.

DRAPPIER
Cette maison familiale très estimée produit une remarquable gamme de vins dans la région de l'Aube. Les vins sont riches et biscuités, surtout la Grande Sendrée, issue d'un seul vignoble de vieilles vignes. Le Brut non millésimé est très intéressant.

JACKY DUMANGIN
Ce producteur de Chigny-les-Roses exploite un vignoble de 5 ha et vinifie des Champagnes francs et délicatement fruités.

DUVAL-LEROY
Cette importante maison de la Côte des Blancs possède 140 ha de vignes, mais achète néanmoins la majeure partie de son raisin. Elle commercialise ses vins sous différentes étiquettes en « marques d'acheteurs ». Sous son propre nom, on trouve un rosé élégamment parfumé et un excellent Brut sans année. La Cuvée des Roys millésimée est équilibrée, avec d'agréables arômes fruités.

CHARLES ELLNER
Cette marque fondée au début du siècle dernier n'a pris le statut de négociant-manipulant qu'en 1972. Elle conserve ses vins de réserve sous bois. Le Chardonnay est fortement privilégié pour les hauts de gamme, des Champagnes qui recherchent l'élégance.

ESTERLIN
C'est une marque lancée en 1985 par la coopérative de Mancy. Son importante production de Champagnes dominés par les Chardonnays du Sézannais donne des vins faciles et réguliers.

NICOLAS FEUILLATE
Cette marque appartient à un important groupement de 85 coopératives (4000 viticulteurs et 1600 ha de vignes). Ses meilleures cuvées sont la cuvée de prestige Palmes d'Or et un Blanc de Blancs millésimé.

HENRI GERMAIN & FILS
Cette marque appartient aujourd'hui à Paul Vranken (voir p. 402).

PRODUCTEURS ET NÉGOCIANTS

PIERRE GIMONNET
Les Gimonnet exploitent un vignoble dans la Côte des Blancs. Ils vinifient des Champagnes très intéressants, faiblement dosés, voire non dosés ; ce sont des vins fins, tous des Blancs de Blancs évidemment. Ils produisent également le Champagne Larmandier Père & Fils.

PAUL GOBILLARD
Propriétaires du château de Pierry et d'un vignoble de 5 ha, les Gobillard père et fils ont le statut de négociants-manipulants. Leur meilleur Champagne est la Cuvée Régence, un non-millésimé.

MICHEL GONET
Le plus important récoltant-manipulant de la Côte des Blancs dispose de 40 ha de vignes, surtout des Grands Crus, et produit des vins d'un bon rapport qualité/prix. Il vend également le Champagne Marquis de Sade.

GOSSET
Bien qu'elle soit la plus ancienne de Champagne, cette maison d'Ay, de taille moyenne, dont l'histoire remonte à 1584, n'a rejoint les Grandes Marques qu'en 1992. Elle possède l'excellente réputation de produire des vins qui vieillissent bien en bouteille et qui ne sont commercialisés qu'après plusieurs années de vieillissement. La Grande Réserve, comme le Grand Millésime, sont de remarquables exemples d'un style riche, épanoui et fleuri.

ALFRED GRATIEN
La famille Seydoux élabore un style de Champagne très traditionnel, la première fermentation se faisant en fût. La Cuvée Spéciale sans année est un vin dominé par le Pinot Meunier, ce qui lui donne beaucoup de corps et un attrait immédiat, même jeune. Les cuvées millésimées vieillissent remarquablement bien, prenant, avec le temps, une riche saveur de noix.

CHARLES HEIDSIECK
Cette Grande Marque a connu un remarquable essor vers le milieu des années 1980. Le chef de cave Daniel Thibault a complètement transformé le Brut Réserve (sans année). Cette cuvée, où les deux Pinots constituent environ les trois quarts de l'assemblage, avec un pourcentage étonnamment élevé de Pinot Meunier, contient désormais jusqu'à 40 % de vins de réserve. C'est un Champagne riche, corsé, et l'un des meilleurs Bruts sans année.

HEIDSIECK & CIE MONOPOLE
Heidsieck & Cie déposa le nom Monopole en 1860 et devint Heidsieck Monopole en 1923. Ses vins sont étiquetés Blue Top et Diamant Bleu (cuvée de prestige).

HENRIOT
Cette maison, fondée en 1808, dispose d'un beau vignoble de 125 ha, notamment dans la Côte des Blancs. En 1986, Joseph Henriot apporta son vignoble à Veuve Clicquot, qu'il quitta en 1994 pour racheter Bouchard Père & Fils (voir p. 374) et relancer sa marque de Champagne, la Cuvée des Enchanteleurs, un Souverain Brut et haut de gamme.

JACQUART
Les membres de cette coopérative rémoise possèdent 1 000 ha de vignes. La marque est réputée en France pour ses Champagnes légers et fruités.

JACQUESSON
Cette petite maison bicentenaire est connue pour son agréable Brut sans année et son Signature, plus imposant et plus austère – une cuvée spéciale fermentée et vieillie en fût.

KRUG
Peut-être le plus grand nom de la Champagne, cette maison produit des vins riches et amples qui ont besoin d'années en bouteille avant de donner le meilleur d'eux-mêmes. Krug fait vieillir ses Champagnes pendant très longtemps avant de les commercialiser : le millésime 1988, par exemple, n'est sorti qu'en 1999. Tous ses →

PRODUCTEURS ET NÉGOCIANTS

vins sont fermentés en fût. La Grande Cuvée sans année est sans doute le vin le plus régulièrement remarquable produit dans la région. Les frères Henri et Rémy Krug se chargent de l'assemblage, constitué d'un fort pourcentage de vins de réserve et de Pinot Meunier, cépage qu'ils défendent fermement. Parmi les autres vins uniques de Krug, il faut citer le Collection, des millésimes plus anciens et plus rares, et le Clos du Mesnil, un 100 % Chardonnay, issu d'un seul vignoble.

LANSON
Le Black Label de Lanson est un Champagne vif, avec de belles notes fruitées et des saveurs d'agrumes. Les cuvées millésimées ont, par le passé, été remarquables.

LARMANDIER-BERNIER
Mme Larmandier, née Bernier, et son fils exploitent des vignobles situés dans les Grands et Premiers Crus de la Côte des Blancs. Ils produisent des Champagnes fruités et vifs ainsi qu'un intéressant Coteau champenois rouge de Vertus.

LAURENT-PERRIER
Cette Grande Marque, l'une des des meilleures maisons de Champagne, produit des vins parmi les plus élégants. Son Brut sans année, qui contient un fort pourcentage de Chardonnay, est un vin de Champagne exquis, avec un bouquet fleuri et un palais finement équilibré qui s'améliore encore avec l'âge. Elle élabore également un Champagne non dosé, l'Ultra Brut, et une superbe cuvée de prestige, le Grand Siècle.

LECLERC-BRIANT
La production de cet important récoltant-manipulant d'Épernay est originale. Il propose trois Champagnes vinifiés sans assemblage issus de raisins provenant de trois parcelles sélectionnées. Son rosé est le plus rouge de tous les Champagnes rosés et son meilleur vin est étiqueté Cuvée Divine.

MAILLY GRAND CRU
Cette étrange coopérative fondée en 1929 est réservée aux vignerons dont les vignes sont situées dans la commune de Mailly. Elle produit un Champagne monocru presque toujours dominé par les Pinots Noirs.

MARNE ET CHAMPAGNE
C'est l'un des groupes les plus importants de la région, mais il ne possède pas de vignes, et on voit rarement son nom sur une étiquette : la plus grande partie de la production est vendue sous la marque de l'acheteur ou sous toute une variété de sous-marques. Parmi ses quelque 300 étiquettes, on peut citer Eugène Clicquot, Gauthier, Giesler et Alfred Rothschild.

MERCIER
Cette maison d'Épernay produit un Champagne moyennement corsé et fruité sans prétention.

MOËT & CHANDON
C'est la marque de Champagne la plus vendue dans le monde. La maison possède le plus grand vignoble de toute la Champagne : 558 ha. La qualité du Brut Impérial sans année est dans un style léger et fruité. Les cuvées millésimées sont toujours des Champagnes de qualité, assez corsés. Moët & Chandon produit également l'un des Champagnes les plus renommés (et les plus chers), la fameuse Cuvée Dom Pérignon, qui gagne en complexité au vieillissement, ainsi qu'une petite quantité de Dom Pérignon rosé.

MOUTARD PÈRE & FILS
Ce négociant-manipulant de l'Aube, producteur de vins ronds et pleins, est le seul à proposer un Champagne issu d'Arbanne, un cépage encore autorisé. (Le vigneron Aubry, de Jouy-lès-Reims, cultive également d'anciens cépages.)

JEAN MOUTARDIER
Cette maison de négoce sise au Breuil est productrice d'un vin réussi à 100 % de Pinot Meunier.

PRODUCTEURS ET NÉGOCIANTS

MUMM
Ce n'est peut-être pas l'une des Grandes Marques les plus prestigieuses, mais c'est certainement l'une des plus productives : elle exporte 70 % de ses Champagnes dans 135 pays. Son vin le plus connu, le Cordon Rouge, est un Champagne délicatement fruité, la cuvée de prestige Grand Cordon (54 % Pinot Noir et 46 % Chardonnay) est remarquable, de même que le Mumm de Cramant (Blanc de Blancs).

NAPOLÉON
Cette maison familiale est la Grande Marque la plus petite et la moins connue. Ses Champagnes sont d'excellente qualité, notamment les cuvées millésimées.

BRUNO PAILLARD
L'avenir de cette maison rémoise, fondée avec succès en 1981, est assuré. Son Brut sans année possède beaucoup de fruité et de finesse, et se révèle souvent meilleur qu'un bon Champagne millésimé. La date de dégorgement est indiquée sur chaque bouteille afin d'en garantir la fraîcheur.

PALMER
Il s'agit de la marque commerciale d'une coopérative très bien cotée (170 viticulteurs, 310 ha de vignes), qui possède des intérêts majoritaires dans les vignobles « Grand Cru » de la Montagne de Reims.

PANNIER
Cette coopérative de Château-Thierry n'ignore pas le Pinot Meunier et produit deux cuvées de prestige.

JOSEPH PERRIER
Cette Grande Marque de Châlons-en-Champagne possède 20 ha de vignes dans la Vallée de la Marne. La Cuvée Royale sans année est de qualité inégale. Son meilleur vin, la Cuvée Joséphine, est un assemblage à parts presque égales de Pinot Noir et de Chardonnay.

PERRIER-JOUËT
Élégance, finesse et régularité caractérisent ses vins, à haut pourcentage de Chardonnay. La cuvée Belle Époque Blanc de Blancs, dans sa bouteille Art nouveau décorée d'anémones, est le meilleur et l'un des plus élégants et des plus féminins des Champagnes. La qualité du Grand Brut sans année est très régulière, avec des arômes délicieusement fruités.

PHILLIPPONNAT
Cette petite maison de Mareuil-sur-Ay se fait peu remarquer, si ce n'est par son bon Champagne corsé, issu d'un seul vignoble, le Clos des Goisses.

PIPER-HEIDSIECK
Le groupe Rémy-Cointreau, déjà propriétaire de Charles Heidsieck (voir plus haut), possède désormais cette maison située à Reims. Tous deux ont aujourd'hui le même chef de cave, Daniel Thibault. « Piper » est en général plus léger et plus fruité que son cousin Charles. Le Brut sans année est à dominante de raisins noirs, bien qu'il contienne moins de Pinot Meunier que le Charles Heidsieck. Le Brut Sauvage est l'un des meilleurs Champagnes non dosés sur le marché, et la cuvée de prestige Rare un merveilleux Champagne ample et racé.

POL ROGER
Cette maison familiale traditionnelle d'Épernay élabore des vins de très grande qualité, réputés pour leur grande finesse. Outre la cuvée Sir Winston Churchill, Pol Roger élabore une excellente cuvée spéciale PR, plus riche et plus généreuse.

POMMERY & GRENO
Cette Grande Marque rémoise possède 300 ha de vignes. Le Brut sans année est de bonne facture, les cuvées Louise Brut et Rosé sont remarquables.

LOUIS ROEDERER
Cette grande maison familiale, fondée il y a plus de deux cents ans, produit quelques-uns des meilleurs vins de Champagne. Ses 180 ha de vignes fournissent l'essentiel de son approvisionnement. Le Brut Premier sans année exprime le fruit. C'est un vin néanmoins riche et ample. Cristal de Roederer, la fameuse cuvée de prestige, créée en 1876 →

FRANCE

PRODUCTEURS ET NÉGOCIANTS

pour le tsar Alexandre II, est considérée comme l'un des meilleurs vins de Champagne haut de gamme dans les bons millésimes.

RUINART
Cette Grande Marque rémoise fondée en 1729 est relativement peu connue, en partie en raison de sa petite production. Les vins, très bien faits, ont un style élégant et fleuri, notamment la cuvée de prestige Dom Ruinart Blanc de Blancs.

SALON
Cette petite maison est située au Mesnil-sur-Oger, dans la Côte des Blancs. Il s'agit en fait d'une Grande Marque qui élabore un superbe vin. Issue exclusivement de Chardonnay, sa cuvée toujours millésimée est très recherchée par les connaisseurs.

TAITTINGER
Fondée en 1930, cette maison rémoise est « jeune » parmi les Grandes Marques. Son style tend à être délicat et élégant, bien qu'après une dizaine d'années en bouteille le Blanc de Blancs devienne plus riche et plus ample. Le Brut Réserve sans année est essentiellement issu de Chardonnay. La cuvée de prestige Comtes de Champagne est issue à 100 % de Chardonnay.

TELMONT
Ce négociant-manipulant produit deux cuvées intéressantes : Grand Millésime (assemblage) et Grand Couronnement (Blanc de Blancs).

ALAIN THIENOT
Alain Thienot a fondé sa marque en 1980, puis a repris Marie Stuart et Joseph Perrier.

DE VENOGE
La Cuvée des Princes de cette Grande Marque est un grand Blanc de Blancs.

VEUVE CLICQUOT-PONSARDIN
Cette Grande Marque, l'une des plus prestigieuses, porte le nom de Mme Clicquot, qui, devenue veuve très jeune, consacra sa vie à développer sa maison de Champagne, au début du XIXe siècle. Le Brut sans année, avec sa célèbre étiquette jaune-orange, est un des meilleurs du genre, avec beaucoup de caractère. La Grande Dame, la cuvée la plus célèbre, est un riche assemblage de deux tiers de Pinot Noir et d'un tiers de Chardonnay. Située à Reims, la maison possède 280 ha de vignes.

VILMART & CIE
Ce récoltant-manipulant possède 11 ha à Rilly-la-Montagne et vinifie des vins de base dans du bois neuf, une singularité en Champagne. Il produit des vins de caractère qui doivent être attendus.

VRANKEN
Cette nouvelle maison, fondée par Paul Vranken en 1976, exploite 162 ha de vignes. L'accent est mis sur le Chardonnay, et les vins sont légers et élégants. Les marques commercialisées comprennent Barancourt, Veuve Monnier, Charles Lafitte, Sacotte, Charbaut-Demoiselle, Heidsieck Monopole et Germain.

AUTRES MAISONS ET VIGNERONS
Henri Billot, Bricout, Bouché, Gardet, Goulet, Jeanmaire, Abel Lepitre, Jacques Selosse, de Meric, Oudinot.

LES AUTRES VINS

L'AOC Champagne ne concerne que les vins effervescents. Les autres vins de la région sont :

LES COTEAUX CHAMPENOIS C'est l'appellation des vins tranquilles de Champagne, rouges et blancs. Les meilleurs rouges proviennent des villages de la Vallée de la Marne : Ay, Bouzy et Cumières.

En raison du climat, on ne peut faire de grands rouges que deux ou trois fois tous les dix ans. Les blancs sont généralement plus satisfaisants.

LE ROSÉ DES RICEYS Cette petite appellation de l'Aube produit l'un des rosés les plus rares de France, issu de Pinot Noir.

ALSACE

Carte page XVI

Le vignoble alsacien s'étire sur une centaine de kilomètres, presque sans discontinuer, entre Strasbourg et Mulhouse avec quelques parcelles plus au nord. Du haut des collines boisées d'Alsace, on aperçoit le Rhin et, au-delà, une masse gris bleuté, la Forêt-Noire allemande. Par bien des aspects, cette situation explique comment aborder l'Alsace, apprécier son vin et sa culture. En effet, la large vallée du Rhin et les collines environnantes ont plus de points communs avec les pays de l'Europe centrale qu'avec le reste de la France. S'il n'est pas rare que l'on compare les vins d'Alsace avec certains de leurs voisins allemands, ils sont en fait plus proches des vins blancs secs d'Autriche. L'Alsace partage cependant un certain nombre de cépages avec l'Allemagne : Riesling, Gewürztraminer, Sylvaner. Elle fait aussi usage du Pinot Noir (pour sa petite production de vins rouges), du Pinot Blanc (jadis courant en Bourgogne, mais presque unique à l'Alsace aujourd'hui) et du Pinot Gris, également connu sous le nom de Tokay d'Alsace ou de Ruländer en Allemagne.

Le climat et les terroirs

De par sa seule latitude, l'Alsace devrait avoir un climat frais. Or il n'en est rien, car les Vosges, qui la longent du nord au sud, la protègent des vents et de la pluie : les vignes, nichées dans les vallées et les recoins les plus chauds des contreforts vosgiens, bénéficient en fait de l'un des climats continentaux les plus secs de France. L'Alsace bénéficie donc d'une situation extrêmement favorable à la culture de la vigne. Les printemps sont chauds, les étés secs et ensoleillés, les automnes longs et doux, les hivers froids.

La zone de production s'étend sur une grande variété de sols. On compte une vingtaine de formations géologiques importantes, apparues au cours des différentes ères. La structure des sols est donc très complexe et comprend différents types de roches recouvrant le granite ancien des Vosges.

Au fil des siècles, les vignerons sont parvenus à sélectionner les meilleurs sites : orientés au sud ou au sud-ouest, ils occupent les coteaux des innombrables petites vallées découpant le massif vosgien et forment une bande de vignes dont la largeur est comprise entre 1,5 et 3 km.

Les Grands Crus

Les vignobles les mieux situés ont atteint une certaine notoriété, le plus souvent pour un type de vin particulier. Depuis 1975, l'INAO délimite les meilleures parcelles et leur attribue le classement de « Grand Cru » (voir p. 406). La liste qui en résulte ne fait pas l'unanimité : certains vignerons invoquent que tel site n'est pas à la hauteur du classement et s'indignent de ce que tel autre ait été omis de la sélection. Tous les producteurs ne font pas usage de l'appellation « Grand Cru », car la législation n'autorise que les cépages Riesling, Gewürztraminer, Muscat et Pinot Gris. D'autre part, pour être étiquetés « Grand Cru », les vins doivent être issus de vignes ayant un rendement inférieur à 70 hl/ha. Ce chiffre demeure élevé par rapport au reste de la France : à titre d'exemple, le rendement d'une vigne de Bourgogne blanc Premier Cru est limité à 30 hl/ha.

Les cépages et les styles de vin

Les principaux cépages plantés en Alsace sont, par ordre alphabétique :

GEWÜRZTRAMINER. Ce cépage blanc occupe une superficie croissante et couvre près d'un quart du vignoble. Son caractère est très marqué. Dans une bonne année, un Gewürztraminer réussi est un vin épicé, ample et généreux. Dans une petite année, en revanche, il peut être plat et sans grâce.

MUSCAT. Ce cépage aromatique se présente en deux versions : le Muscat d'Alsace et le Muscat Ottonel. Le premier est sec et son parfum de raisin intense. Ses rendements très irréguliers font qu'on le plante de moins en moins.

PINOT BLANC. Ce cépage blanc connaît un regain d'intérêt. Il donne des vins blancs frais et secs rappelant le Bourgogne. Une grande partie de la production sert à l'élaboration du Crémant d'Alsace (voir ci-contre). Le nom Klevner est un synonyme.

PINOT GRIS. Appelé également Tokay d'Alsace, ce cépage est minoritaire en Alsace. Il n'en donne pas moins des vins blancs riches et complexes. Les secs sont d'une grande élégance et les moelleux ont une générosité étonnante. Les liens entre le Pinot Gris et le fameux cépage hongrois Tokay sont difficiles à trouver, si bien que le nom Tokay d'Alsace sera bientôt officiellement interdit afin d'éviter toute confusion.

PINOT NOIR. C'est le seul raisin noir d'Alsace. On en fait des vins rouges peu colorés. Lorsque les rendements ne sont pas trop élevés, ils peuvent être excellents.

RIESLING. C'est le cépage le plus élégant et le plus distingué d'Alsace. Il donne des blancs secs grandioses, de longue garde, aussi bien que d'excellents moelleux de Vendanges tardives. Contrairement à ses cousins produits en aval du Rhin, le Riesling

LIRE UNE ÉTIQUETTE DE VIN D'ALSACE

En Alsace, les étiquettes sont plus simples que celles des vins du reste de la France : la première information que l'on y trouve est le nom du cépage, et la seconde celui du propriétaire. Le nom du vignoble ou du village de production est souvent mentionné, surtout dans le cas d'un Grand Cru.

Les autres termes génériques que l'on peut rencontrer sont les suivants.

Crémant d'Alsace. C'est un vin pétillant obtenu par une seconde fermentation en bouteille (méthode traditionnelle). Les Crémants sont blancs, quelquefois rosés, et sont généralement issus de Pinot Blanc, mais on trouve aussi des Crémants à base de Pinot Noir.

Edelzwicker. Il s'agit d'un vin blanc issu d'un assemblage de cépages « nobles » *(edel),* le Chasselas et le Sylvaner étant les plus courants. Le terme a tendance à disparaître.

Vendange tardive. Cette mention indique que le vin est issu de raisins vendangés à maturité optimale, ce qui ne signifie pas nécessairement plus tard que la normale. C'est l'équivalent du Spätlese allemand. Un vin issu de Vendanges tardives est le plus souvent moelleux, mais peut être sec : on ne le découvre qu'en le dégustant. D'autre part, cette catégorie ne s'applique qu'aux principaux cépages, à savoir le Gewürztraminer, le Pinot Gris, le Riesling ou le Muscat.

Sélection de Grains nobles. Ces vins sont faits uniquement à partir de raisins atteints de pourriture noble *(Botrytis cinerea)* et récoltés par tris successifs (voir p. 315). On n'en produit que dans les années très chaudes. Ce sont toujours des vins doux et riches, qui peuvent vieillir très longtemps.

d'Alsace est soit franchement sec, soit moelleux.

SYLVANER. Ce cépage abonde dans les parties les moins prestigieuses du Bas-Rhin. Il donne de bons vins simples et frais, mais seul un terroir exceptionnel leur permet d'atteindre le niveau de qualité des Rieslings.

Le Chasselas et le Pinot Auxerrois sont deux cépages d'Alsace de moindre intérêt dont les noms figurent plus rarement sur les étiquettes. On les assemble pour faire l'Edelzwicker.

La vinification

Dans l'ensemble, l'Alsace s'en tient à des méthodes assez traditionnelles de

LES 50 GRANDS CRUS D'ALSACE

En 1975, la notion de Grand Cru est officialisée par l'INAO (et complétée par les décrets de 1983 et 1992). La plupart des crus sont situés à une altitude de 200 à 300 m. Les voici avec le nom de leur commune, des environs de Strasbourg jusqu'aux environs de Mulhouse, via Colmar.

Steinklotz (Marlenheim). Les 40,6 ha du Steinklotz au sol calcaire caillouteux sont exposés au sud-sud-est et situés à une altitude de 200 à 300 m. Les vins sont fruités et épicés.

Engelberg (Dahlenheim et Scharrachbergheim). Exposées plein sud, pentues, à une altitude de 250 à 300 m, ces terres marno-calcaires (15 ha) sont à l'origine de vins charpentés de garde.

Altenberg de Bergbieten (Bergbieten). Ce terroir de 29 ha exposé au sud-est se compose de marnes argileuses truffées de cailloutis dolomitiques. Les vins sont floraux et longs en bouche.

Altenberg de Wolxheim (Wolxheim). 31 ha de sol marno-calcaire argileux, étagés entre 210 et 265 m d'altitude, produisent des Rieslings d'une grande longévité, qui prennent des arômes d'hydrocarbures.

Bruderthal (Molsheim). Ce cru épouse une pente douce jusqu'à 300 m d'altitude. Son sol marno-calcaire est caillouteux vers le haut. Les Rieslings et Gewürztraminers sont floraux et persistants.

Kirchberg de Barr (Barr). Au-dessus du village, dès 215 m, le Kirchberg s'élève. Son terroir composite (40 ha) est majoritairement argilo-calcaire et il faut savoir attendre ses vins.

Zotzenberg (Mittelbergheim). Les 36 ha de marnes et de calcaire du jurassique, exposés au sud et à l'est, qui culminent à 320 m, produisent des vins de longue garde.

Kastelberg (Andlau). Ce Grand Cru de petite taille (5,82 ha) et de forte

vinification en blanc. Ici, les vins vieillissent dans de grands foudres de bois ou en cuves. Ils sont mis en bouteilles entre six et douze mois après la récolte. Quelques vignerons utilisent avec succès le bois neuf pour la fermentation ou l'élevage du Pinot Blanc. La plupart des vins sont chaptalisés, sauf les Vendanges tardives.

Les millésimes et l'élevage

Rares sont les millésimes catastrophiques en Alsace, car la région bénéficie d'un climat plutôt régulier. Un millésime sera bon si l'automne, long et chaud, permet l'élaboration de vins de Vendanges tardives, issus de raisins surmûris (voir p. 405).

pente (240 à 320 m) est unique en Alsace par son sol schisteux de Steige du primaire et par son encépagement exclusif de Riesling. Il donne un grand vin minéral de longue garde.

Wiebelsberg (Andlau). Situé à l'est du Kastelberg, ce terroir quartzique, ferrugineux, siliceux drainant de 250 à 300 m d'altitude, exposé au sud et sud-est, est au service de Rieslings floraux de longue garde.

Moenchberg (Andlau et Eichhoffen). Ce cru de 12 ha s'élève doucement de 230 à 260 m. Son orientation au sud favorise la maturité du Riesling, qui est à l'origine de vins aussi charpentés qu'élégants.

Muenchberg (Nothalten). Le cru s'étend sur 18 ha de faibles pentes aux environs de 300 m, dont le sol de dépôts volcaniques est sablo-caillouteux. Il produit des grands vins de Riesling tout en élégance.

Winzenberg (Blienschwiller). Ce cru renommé de 19 ha, exposé au sud et sud-est, s'étend sur une forte pente de 240 à 320 m d'altitude. Son sol de granite désagrégé à deux micas convient aux Rieslings et aux Gewürztraminers et donne des vins plantureux de raisins très mûrs.

Frankstein (Dambach-la-Ville). Ce vaste cru de 56 ha occupe quatre parcelles orientées à l'est et au sud-est entre 220 et 310 m d'altitude, dont les sols granitiques à deux micas sont filtrants. Les Rieslings et Gewürztraminers sont floraux.

Praelatenberg (Kintzheim). Le sol gneissique, siliceux et quartzique de ces 19 ha de fortes pentes entre 250 et 350 m d'altitude, orientés à l'est et au sud-est, favorise l'expression aromatique des cépages alsaciens.

Gloeckelberg (Rodern et Saint-Hippolyte). Le cru s'étend sur 23 ha de sol granitique, de terres brunes, acides et sablonneuses. Situé à une altitude de 250 à 360 m, ce cru est orienté au sud et sud-est. Les vins qu'il produit sont élégants et persistants. →

FRANCE

Altenberg de Bergheim (Bergheim). Le cru investit la pente sud de la colline de Grasberg (220 à 300 m), dont les marnes calcaires rouges ferrugineuses du jurassique accueillent 35 ha de Riesling et de Gewürztraminer, à l'origine de vins amples et puissants.

Kanzlerberg (Bergheim). Ce vignoble orienté au sud et sud-ouest et situé sur des faibles pentes (250 m) est le plus petit de tous les grands crus : 3,23 ha ! Un sol lourd argilo-calcaire de marnes grises et noires à gypse de Keuper accentue la puissance aromatique de vins qui doivent être attendus.

Geisberg (Ribeauvillé). Ce cru de forte pente face au sud n'a pu être exploité qu'à la suite de la construction de murets. Son sol marno-argilo-gréseux et gypseux (8 ha) semble fait pour exalter la finesse et la puissance du Riesling.

Kirchberg de Ribeauvillé (Ribeauvillé). Contigu à l'ouest au précédent, au sol identique, mais orienté sud-sud-ouest, ce cru donne des Rieslings au caractère très accusé et avec un grand potentiel de garde.

Osterberg (Ribeauvillé). De même sol que le Geisberg, auquel il est contigu à l'est, mais orienté à l'est et au sud-est et de plus faible pente, ce cru se développe sur 24,6 ha. Il accentue la typicité du Riesling, mais convient très bien au Gewürztraminer et au Pinot Gris.

Rosacker (Hunawihr). Ce cru (260 à 330 m d'altitude) s'étend sur 26 ha exposés à l'est et au sud-est. Son sol lourd de calcaire et de dolomies, allégé par des éboulis siliceux-gréseux, est favorable à l'expression des arômes minéraux et épicés du Riesling.

Froehn (Zellenberg). Ce terroir argilo-marneux-schisteux (270 à 300 m) orienté au sud et sud-est stimule le fruité du Gewürztraminer.

Schoenenbourg (Riquewihr et Zellenberg). Ce cru se développe sur 53 ha en de fortes pentes (265 à 380 m) orientées au sud et sud-est. Le sol marneux, dolomitique et gypseux convient au Riesling, fin, épicé et de longue garde. On y pratique avec succès les Vendanges tardives.

Sporen (Riquewihr). Sa pente à environ 275 m d'altitude est faible. Il fait face au sud-est. Son sol est argilo-marneux et riche en acide phosphorique, convenant parfaitement à l'opulence du Gewürztraminer et du Pinot Gris.

Sonnenglanz (Beblenheim). Le cru (220 à 270 m) s'étend sur 33 ha orientés au sud-est. Son sol de marnes calcaires caillouteuses est lourd, le Gewürztraminer et le Pinot Gris y gagnent en puissance aromatique.

Mandelberg (Mittelwihr et Beblenheim). Ce terroir s'étend sur 22 ha d'une pente moyenne située à une altitude de 200 à 250 m et orientée au sud et sud-est. La terre marno-calcaire favorise la finesse et le fruité.

Marckrain (Bennwihr et Sigolsheim). Son sol marno-calcaire orienté à l'est et au sud-est s'élève en pente douce de 200 à 250 m d'altitude et convient au Gewürztraminer, dont il magnifie les arômes, et au Pinot Gris.

Mambourg (Sigolsheim). Ce vaste cru de 62 ha marno-calcaires superbement exposé au sud est entre 220 et 330 m d'altitude particulièrement favorable au Gewürztraminer, dont la richesse peut aller jusqu'à la lourdeur.

Furstentum (Kientzheim et Sigolsheim). La pente de ce grand terroir est raide (300 à 400 m). Orientés au sud et sud-est, les 30 ha de sol brun calcaire et pauvre assurent puissance et finesse aux cépages alsaciens.

Schlossberg (Kientzheim). Le Schlossberg est le premier grand cru officiel d'Alsace et aussi un des plus vastes (80 ha). Sa pente est raide, ponctuée de murets, de 200 à 300 m d'altitude, orientée plein sud. Son sol argilo-sableux riche en sels minéraux convient aux quatre cépages nobles, qui y puisent richesse et finesse.

Wineck-Schlossberg (Katzenthal et Ammerschwihr). Le coteau, orienté sud et sud-est, s'élève de 280 à 400 m d'altitude. Son granite désagrégé à deux micas favorise la fraîcheur florale du Riesling.

Sommerberg (Niedermorschwihr et Katzenthal). Le sol d'arènes granitiques de ce vignoble de 28 ha orienté plein sud accentue la typicité du Riesling.

Florimont (Ingersheim et Katzenthal). Le cru s'étend entre 250 et 280 m d'altitude sur 21 ha de marne calcaire orientée sud-sud-est. Le Gewürztraminer y est somptueux, élégant et long.

Brand (Turckheim). Ce cru s'étend entre 230 et 340 m d'altitude sur 58 ha d'arènes granitiques aux deux micas, orientés au sud et sud-est. Le Riesling en particulier y donne des vins riches et de garde.

Hengst (Wintzenheim). À une altitude de 270 à 360 m, ce vignoble complantant 76 ha de marnes calcaires, orientés sud-sud-est, donne de l'opulence au Gewürztraminer et de la longévité au Riesling.

Steingrubler (Wettolsheim). Le haut (350 m) de ce cru est argilo-sableux, propice au Riesling, alors que le bas (280 m), marno-calcaire, convient au Gewürztraminer. Ces 23 ha exposés au sud-est sont à l'origine de vins charpentés et de garde.

Eichberg (Eguisheim). Orienté au sud-est, ce cru (220 à 340 m) s'étend sur 58 ha de terres argilo-sableuses exaltant les arômes des grands cépages alsaciens.

Pfersigberg (Eguisheim et Wettolsheim). Exposé est-sud-est, le sol marno-calcaire et argilo-limoneux de ce vaste cru (76 ha) donne corps et fruité au Gewürztraminer.

Hatschbourg (Hattstatt et Voegtlinshoffen). Les 47 ha de sol →

marno-calcaire limoneux, orientés au sud et sud-est, de 200 à 330 m d'altitude, favorisent la finesse aromatique des quatre cépages nobles.

Goldert (Gueberschwihr). Le haut du cru (330 m) est calcaire, la partie inférieure (230 m) argileuse. De ces 45 ha exposés est-sud-est sont issus les meilleurs Gewürztraminers et les Muscats les plus fins.

Steinert (Pfaffenheim et Westhalten). Ce vignoble extrêmement calcaire s'étend sur 39 ha orientés au sud-est à une altitude de 250 à 310 m. Les Gewürztraminers, Pinots Gris et Rieslings sont tous très aromatiques et de longue garde.

Vorbourg (Rouffach et Westhalten). Ce vaste cru de 73 ha au sol marno-calcaire, orientés sud-sud-est, convient aux quatre cépages nobles, producteurs de vins fins, puissants et de garde.

Zinnkoepfle (Soultzmatt et Westhalten). Dans ce cru le plus élevé d'Alsace (420 m), la vigne de 68 ha descend jusqu'aux villages (220 m). Elle est exposée sud et sud-est et complante des terres de calcaire coquillier gréseux. Le Gewürztraminer y est épicé et le Riesling fin.

Pfingstberg (Orschwihr). Exposé au sud-est à une altitude de 250 à 350 m, ce cru de 28 ha a un sol de grès calcaire, de grès micacé et argilo-gréseux, retenu par des murets, qui exalte le caractère floral des cépages nobles.

Spiegel (Bergholtz et Guebwiller). Orienté à l'est, ce vignoble de 18 ha a un sol de marnes gréseuses et argilo-sableuses qui convient aux quatre cépages nobles, et plus particulièrement au Gewürztraminer.

Kessler (Guebwiller). Ce cru exposé au sud-est a un sol sablo-argileux rougeâtre, retenu par des murets, qui stimule le caractère floral du Gewürztraminer.

Kitterlé (Guebwiller). La forte pente de ce cru situé a nécessité la construction de murets afin de retenir un sol léger et sablonneux. Les 26 ha, complantés de Gewürztraminer, de Pinot Gris et de Riesling, donnent trois vins de grande garde.

Saering (Guebwiller). Ce cru de 27 ha est exposé à l'est et au sud-est. Son sol lourd marno-sableux est retenu par des murets. Les quatre cépages nobles s'y complaisent, le Riesling particulièrement.

Ollwiller (Wuenheim). Ce vignoble est orienté au sud-est. Le sol sablo-argileux rougeâtre contribue à la finesse et à l'élégance du Riesling.

Rangen (Thann et Vieux-Thann). Ce cru est unique par sa situation et son sol. C'est le plus méridional d'Alsace, le plus raide et le seul dont le terroir soit d'origine volcanique : laves basiques, grès, terres maigres brunes. Il s'étend sur 19 ha plein sud, ses Rieslings sont les plus fins, ses Gewürztraminers et ses Pinots Gris allient puissance et typicité.

PRODUCTEURS ET NÉGOCIANTS

En Alsace, les producteurs cumulent souvent les fonctions de vignerons et de négociants. Beaucoup possèdent des vignes et achètent du vin dans plusieurs communes. C'est pourquoi le nom du village indiqué ci-dessous pour chaque producteur peut n'être que celui du siège de l'entreprise. Quelques coopératives (voir p. 414) produisent également des vins de qualité.

J.-B. ADAM
Ammerschwihr. Entreprise familiale établie depuis le début du XVIIe siècle et produisant essentiellement du Riesling et du Gewürztraminer ainsi que parfois, des Vendanges tardives, des Pinots Noirs et des Pinots Blancs élaborés selon des vinifications traditionnelles.

LUCIEN ALBRECHT
Orschwihr. Fondée en 1772, la maison Albrecht vinifie tous les cépages, mais se distingue par son Riesling issu du Grand Cru Pfingstberg.

JEAN BECKER
Riquewihr. Maison familiale établie en 1610 et vinifiant tous les principaux cépages. Ses meilleurs vins sont le Muscat, le Pinot Noir, le Gewürztraminer (du grand cru Froehn) et le Riesling.

LÉON BEYER
Eguisheim. Négociant depuis le XVIe siècle et vigneron depuis le milieu du XIXe siècle, Beyer est connu pour ses vins secs, en particulier son Gewürztraminer (cuvée des Comtes d'Eguisheim), son Riesling et son Muscat. Il ne fait pas de Grand Cru.

PAUL BLANCK & FILS
Kientzheim. Blanck produit une vaste gamme de vins dans tous les cépages, mais ses Rieslings des grands crus Furstentum et Schlossberg sont particulièrement remarquables. Les vins sont également vendus sous l'étiquette Domaine des Comtes de Lupfen.

ALBERT BOXLER & FILS
Niedermorschwihr. Producteur de petits volumes de vins exceptionnels, comme le Grand Cru Brand en Riesling et en Pinot Gris (dont un Sélection de Grains nobles) et le Grand Cru Sommerberg en Riesling.

DOMAINE ERNEST BURN
Gueberschwihr. Dans cette belle propriété de 10 ha, on produit les Rieslings et Muscadets remarquables du Grand Cru Goldert.

JOSEPH CATTIN & SES FILS
Voegtlinshoffen. Ce vinificateur de talent produit du Muscat, du Gewürztraminer Grand Cru Hatschbourg (dont une cuvée en Vendanges tardives) et un Pinot Noir particulièrement réussi.

THÉO CATTIN & FILS
Voegtlinshoffen. Théo est plus connu que son cousin (voir ci-dessus) et produit de bons Gewürztraminers (Grands Crus Hatschbourg et Bollenberg), du Pinot Gris et un beau Riesling (Grand Cru Hatschbourg) qui vieillit très bien et pour lequel il est renommé.

DOMAINE MARCEL DEISS
Bergheim. Jean-Michel Deiss est l'un des meilleurs vinificateurs d'Alsace. Quelle que soit la cuvée, ses vins sont concentrés et de très grande qualité. Il produit tous les cépages et tous les types de vin, y compris des Vendanges tardives et des Sélections de Grains nobles.

DOPFF & IRION
Riquewihr. La gamme comprend le Riesling Les Murailles (du Grand Cru Schoenenbourg), le Gewürztraminer Les Sorcières, un vin puissant et de bonne garde, le Muscat Les Amandiers et le Pinot Gris Les Maquisards.

DOPFF AU MOULIN
Riquewihr. Fondée au XVIe siècle, cette maison est depuis longtemps en tête de la production de Crémant d'Alsace, avec sa Cuvée Julien, sa Cuvée Bartholdi, son Blanc de Noirs et son Brut Sauvage, pour ne citer que les meilleurs. De bons vins tranquilles sont vendus sous l'étiquette Domaines Dopff. →

FRANCE

PRODUCTEURS ET NÉGOCIANTS

ROLLY GASSMANN
Rorschwihr. Ses vins riches et généreux ont des taux de sucre résiduel élevés. Il fait un excellent Muscat Moenchreben (un lieu-dit de Rorschwihr), un Auxerrois très réputé et de bonnes cuvées comme la Réserve Rolly Gassmann, dans tous les cépages classiques.

WILLY GISSELBRECHT & FILS
Dambach-la-Ville. Gisselbrecht produit une vaste gamme de vins de différents niveaux de qualité et de différentes cuvées, y compris des Grands Crus et des Vendanges tardives. Sa plus grande réussite est sans doute le Gewürztraminer, mais le Pinot Gris peut aussi être excellent.

DOMAINE ANDRÉ & RÉMY GRESSER
Andlau. Une très ancienne maison (1667) qui jouit d'une image dynamique. Sa réputation est fondée sur les Rieslings grands crus, le Pinot Noir Brandhof et le Gewürztraminer Andlau.

J. HAULLER & FILS
Dambach-la-Ville. Hauller commercialise d'assez gros volumes de vins de tous les cépages d'un bon rapport qualité/prix. Il met en avant son Sylvaner, mais ses meilleurs vins sont le Gewürztraminer Grand Cru Frankstein et différentes cuvées de Riesling.

ALBERT HERTZ
Eguisheim. Relativement récente, la maison Hertz est déjà considérée comme l'un des meilleurs producteurs de Pinot Noir de la région. Son vin est élégant et bien équilibré. Gewürztraminer et Riesling sont également d'excellente facture.

HUGEL & FILS
La plus célèbre maison d'Alsace, fondée en 1639, est actuellement dirigée par la treizième génération de Hugel. Certains vins de ses vastes caves situées sous le village de Riquewihr sont centenaires. La gamme de base comprend notamment un bon Gewürztraminer et un Pinot Blanc de Blancs. Ses gammes Cuvée Tradition et Jubilé Réserve personnelle sont d'une réelle qualité. À l'origine du style Vendange tardive, Hugel en est l'un des principaux producteurs et, par ailleurs, excelle dans l'élaboration des Sélections de Grains nobles : ses Pinots Gris et ses Rieslings sont tout à fait remarquables dans cette catégorie. Les Grands Crus de la maison proviennent des vignobles Sporen et Schoenenbourg. Hugel vinifie d'importants volumes de vins fiables de qualité constante.

ZIND HUMBRECHT
Wintzenheim. Léonard Humbrecht est un apôtre inlassable des petits rendements. Sa propriété de 30 ha est extrêmement bien située et ne compte pas moins de quatre grands crus. Ses méthodes de vinification sont traditionnelles. Son Pinot Gris et son Gewürztraminer sont des vins exceptionnels.

ANDRÉ KIENTZLER
Ribeauvillé. Ce vinificateur de premier ordre affectionne les cépages dits mineurs comme le Chasselas et l'Auxerrois. Ses plus grands vins sont le Gewürztraminer (grand cru Kirchberg de Ribeauvillé), le Riesling (en particulier le Grand Cru Geisberg et le Grand Cru Osterberg) et le Pinot Gris.

DOMAINE KLIPFEL
Barr. Klipfel est lié à la famille Lorentz (voir plus loin) de Bergheim et connu lui aussi pour ses vinifications traditionnelles et le grand potentiel de garde de ses vins. Ses meilleurs cépages sont le Gewürztraminer, le Pinot Noir et le Pinot Gris.

KUENTZ-BAS
Husserren-les-Châteaux. La maison Kuentz date de 1795 et s'est unie avec André Bas en 1918. Elle produit des vins de grande qualité, notamment en Vendanges tardives. Les meilleurs cépages sont le Gewürztraminer, le Pinot Gris, le Muscat et, de plus en plus, le Pinot Noir. Kuentz-Bas élabore aussi des Crémants d'Alsace.

PRODUCTEURS ET NÉGOCIANTS

JOSMEYER
Colmar. Jean Meyer est très préoccupé par l'avenir des cépages alsaciens autres que les quatre cépages nobles autorisés pour l'appellation « Grand Cru ». C'est pourquoi il nomme son Chasselas « H » pour identifier son origine (Grand Cru Hengst). Ses meilleures cuvées sont le Riesling Josmeyer Grand Cru Hengst et plusieurs Gewürztraminers.

MAISON MICHEL LAUGEL
Marlenheim. Cette très grande maison de négoce commercialise tous les cépages. Certaines cuvées de Gewürztraminer, Pinot Noir, Riesling et Muscat peuvent être excellentes. Le Crémant d'Alsace est bon et régulier.

DOMAINE SEPPI LANDMANN
Soultzmatt. Les Gewürztraminers du Grand Cru de Zinnkoepfle de ce vigneron de talent sont célèbres.

GUSTAVE LORENTZ
Bergheim. Cette maison familiale établie depuis 1836 produit des Gewürztraminers très réussis, comme le Grand Cru Altenberg de Bergheim et la Cuvée particulière. Le Pinot Blanc, le Pinot Gris, le Riesling et le Muscat sont bons.

MURÉ
Rouffach. La presque totalité des vins du domaine provient du Clos Saint-Landelin (Grand Cru Vorbourg). On remarque le Pinot Noir, le Riesling et le Muscat. Le Crémant d'Alsace est une spécialité.

DOMAINE OSTERTAG
Epfig. Ce vigneron n'a pas peur de tenter des expériences, qui se traduisent par des résultats variables, allant de l'échec inattendu à la plus remarquable réussite. Ses meilleurs vins sont sans doute le Pinot Gris et le Riesling du Grand Cru Moenchberg, mais il a fait de très grands vins, quels que soient le cépage ou le type.

PREISS-ZIMMER
Riquewihr. Même si les terres appartiennent toujours à la famille Zimmer, la vinification a été reprise par la cave coopérative de Turckheim à la fin des années 1980, et le niveau de qualité s'est nettement amélioré. Les meilleurs vins sont les Gewürztraminers et les Rieslings.

EDGARD SCHALLER & FILS
Mittelwihr. Schaller fait des vins extrêmement secs qui ont souvent besoin de plusieurs années de cave pour se bonifier. C'est le cas des Rieslings (surtout les Vieilles Vignes du Grand Cru Mandelberg). Il élabore également de très bons Pinots Blancs, des Gewürztraminers et des Crémants d'Alsace.

DOMAINE SCHLUMBERGER
Guebwiller. Cette entreprise familiale possède aujourd'hui le plus grand domaine d'Alsace. Certaines parcelles sont en terrasses si abruptes qu'aucune mécanisation n'est possible, mais le terroir mérite tous les efforts ! Le cépage qui a fait la réputation de Schlumberger est le Gewürztraminer, en particulier la Cuvée Christine, issue de Vendanges tardives, et la Cuvée Anne, une Sélection de Grains nobles. Les Pinots Gris et les Rieslings des Grands Crus Kitterlé et Saering sont des vins magnifiques.

LOUIS SIPP
Ribeauvillé. Les meilleures cuvées de Sipp ont besoin de quelques années pour atteindre leur apogée. Les plus grandes réussites sont les Rieslings (Grand Cru Kirchberg de Ribeauvillé), suivis de près par les Gewürztraminers (Grand Cru Osterberg).

PIERRE SPARR
Sigolsheim. Les vins de Sparr sont très fruités, généreux, et gardent parfois une pointe de sucre résiduel. Les meilleurs sont issus de Pinot Gris, de Riesling et de Gewürztraminer. Cette maison produit aussi des vins d'assemblage de grande qualité, comme Kaefferkopf (Gewürztraminer/Pinot Gris) →

PRODUCTEURS ET NÉGOCIANTS

et Symphonie (Riesling/Pinot Gris/Pinot Blanc/Gewürztraminer), ainsi que des vins effervescents.

F.-É. TRIMBACH
Ribeauvillé. Avec Hugel, Trimbach a fait plus que quiconque pour la promotion des vins d'Alsace dans le monde entier. Ses vins comprennent le Gewürztraminer, en particulier la Cuvée des Seigneurs de Ribeaupierre, et le Pinot Gris, mais les Rieslings sont sans l'ombre d'un doute les meilleurs de la région. La Cuvée Frédéric-Émile, issue du Grand Cru Osterberg, n'est surpassée que par le Clos Sainte-Hune, parcelle qui appartient à la famille Trimbach depuis plus de 200 ans. Elle se trouve à l'intérieur du Grand Cru Rosacker, mais ne peut prétendre au statut de Grand Cru pour des raisons légales. Le Clos Sainte-Hune est un vin de très grande classe. Cet archétype de Riesling est souvent considéré comme le meilleur vin d'Alsace.

DOMAINE WEINBACH
Kaysersberg. La famille Faller produit sur son vignoble du Clos des Capucins des vins très impressionnants. Trois en sont issus exclusivement : Pinot Gris Sainte-Catherine, Riesling Cuvée Théo et Gewürztraminer Cuvée Théo.

CÔTES-DE-TOUL ET VIN DE LA MOSELLE

Ces deux appellations constituent les derniers vestiges d'une viticulture lorraine qui connurent un grand essor jusqu'à la Première Guerre mondiale. La région partage le climat, les sols et les cépages avec le Luxembourg, mais la réglementation doit davantage au système français.

Les Côtes-de-Toul s'étendent sur une centaine d'hectares et ont accédé à l'appellation d'Origine Contrôlée en 1998. La région possède une longue tradition viticole, mais son vignoble, très septentrional, souffre de contraintes climatiques, et la vigne tend à être supplantée par d'autres cultures. Le principal cépage est le Gamay, mais on trouve également du Pinot Noir et, pour les blancs, un peu d'Auxerrois et de Pinot Blanc. Le Gris de Toul est un rosé délicat issu de Gamay : son acidité agréable lui confère beaucoup de fraîcheur. Le Gamay donne par ailleurs un vin effervescent, et possède un goût de levure et de fruit. Les années les plus chaudes, le Pinot Noir donne des vins rouges légers.

Le Vin de la Moselle représente une zone minuscule classée en AOVDQS qui lutte pour sa survie. Il est produit dans les villages de la vallée de la Moselle, près de la ville de Metz et vers la frontière luxembourgeoise. Ces vignobles sont les plus septentrionaux de France et leurs vins rappellent ceux du Luxembourg. Les conditions climatiques rendent la culture difficile : les gelées de printemps posent fréquemment des problèmes. Les principaux cépages de la Moselle sont le Müller-Thurgau, le Rivaner, ainsi que le Pinot Noir et l'Auxerrois.

ALSACE WILLM
Barr. Bien qu'appartenant maintenant à Wolfberger, la coopérative d'Eguisheim, les vins Willm conservent le caractère distinct du Clos Gaensbroennel. Les meilleurs vins sont le Gewürztraminer et le Riesling.

LES CAVES COOPÉRATIVES
Les caves coopératives réputées pour la qualité de leurs vins sont nombreuses en Alsace, parmi lesquelles : Bennwihr, Union Vinicole Divinal (Obernai), Eguisheim, Caves de Hoen (Beblenheim), Ingersheim et environs (Colmar), Kientzheim-Kaysersberg, Pfaffenheim-Gueberschwihr (Rouffach), Ribeauvillé et environs, Sigolsheim et environs (Kaysersberg), Turckheim, Westhalten et environs.

LOIRE

Cartes pages XVII et XVIII

La vallée de la Loire, qui compte parmi les régions viticoles les plus étendues de France, produit une si riche palette de vins qu'il est difficile de leur trouver des caractéristiques communes. Le fleuve français le plus long coule dans un paysage de douces collines, de champs verts et de vignes, longeant des châteaux magnifiques et des villes tranquilles. Les vignobles bordent les cours d'eau, la Loire et ses affluents comme le Cher, l'Indre, l'Allier et la Vienne. Des affluents moins importants, comme l'Aubance, le Layon, la Sèvre Nantaise et la Maine, créent des microclimats dans les vallées étroites et profondes qu'ils ont creusées. La Loire prend sa source dans le sud du Massif central, où les vignes sont rares. À mi-chemin de son parcours vers la mer, à l'endroit où elle amorce son virage à l'ouest, la Loire atteint la première des trois grandes régions viticoles, celle de Sancerre et de Pouilly, qui produit des vins blancs fruités, herbacés, grâce au cépage Sauvignon. Les vastes étendues de la Touraine et de l'Anjou composent la deuxième région viticole, avec toute une famille de vins blancs, tranquilles ou effervescents, ainsi que la plus importante production de vins rouges de Loire. La dernière région, la basse Loire, se pose en total contraste. C'est le royaume du Muscadet (appelé aussi Melon de Bourgogne), un vin blanc léger et fruité qui évoque la mer.

Des vignobles en déclin

Outre certaines régions du Centre comme l'Orléanais, où la vigne n'a pas été replantée après la dévastation du phylloxéra, il reste toujours des régions de Loire où la viticulture décline, tel les Coteaux du Loir et Jasnières. En comparaison, le cœur des pays de Loire semble être prospère. Les vins rouges de Saumur, Chinon et Bourgueil, les vins blancs de Vouvray, les Crémants et autres vins mousseux de Saumur, le Muscadet et, surtout, les vins de Sancerre et de Pouilly se vendent bien. D'autres vins qui ont contribué à la renommée de la Loire, comme le rosé d'Anjou, sont cependant moins recherchés.

Les cépages et les styles de vin

Outre les cépages locaux, les vins de Loire sont issus de cépages bordelais et bourguignons. Le Gamay, le Pinot

LES FACTEURS DE QUALITÉ

Bien que situés à la limite de la zone où la vigne est cultivée, les vignobles de la Loire ont pu s'épanouir grâce à la combinaison des microclimats et au drainage d'un relief façonné par les cours d'eau. La protection des vallées, l'effet modérateur des rivières et la lumière qui se réfléchit sur leur surface sont autant de facteurs qui contribuent à la maturité du raisin.

CLIMAT

Le climat peut varier de façon sensible entre la source de la Loire et son estuaire, ne serait-ce que par l'influence plus ou moins marquée de l'océan Atlantique. Si la région du Muscadet est très ensoleillée, les températures maximales en été se constatent à Pouilly-sur-Loire, tandis que les moyennes les plus hautes au moment des vendanges se trouvent dans l'Anjou.

Au cours du printemps, les vignerons redoutent les gelées noires jusqu'à la fin du mois de mai, tout autant que les pluies excessives d'août et de septembre, avec des risques de pourriture grise.

MILLÉSIMES

Les millésimes, dans le Val de Loire, sont marqués par d'importantes différences en quantité comme en qualité. De mémoire de vigneron, jamais on n'avait produit de rouges aussi concentrés, de blancs moelleux aussi riches qu'au cours des trois grandes années de 1988, 1989 et 1990. Les gelées de 1991 ont brutalement ramené tout le monde à la réalité, avec des récoltes réduites et des vins plus classiques.

SOLS

À la source du fleuve se trouvent les anciennes collines granitiques du Massif central, où subsistent quelques rares vignobles. En suivant le cours de la Loire, on arrive dans une région calcaire qui est idéale pour la production de vins blancs de Sancerre et de Pouilly-sur-Loire. Les coteaux des deux rives du fleuve offrent toute une palette de sols (calcaires, argileux, siliceux), et les différentes pentes et vallées bénéficient de leurs propres microclimats. La troisième région regroupe le centre du Val de Loire ainsi que les petites vallées des affluents. C'est ici le pays du tuffeau, cette roche de couleur crème, d'origine volcanique, qui abrite d'innombrables caves à vin. Les rivières y ont creusé leur lit, formant sur les deux rives des falaises dont le drainage, optimal, profite aux vignes qui y sont plantées. Le quatrième type de sol est le plateau schisteux du Pays nantais, que les petites rivières ont largement érodé, ce qui a donné naissance à des versants bien irrigués.

Noir et le Chardonnay de quelques vignobles au sud du fleuve indiquent que le Beaujolais et la Bourgogne ne sont pas loin. Plus au nord, le Sauvignon, variété propre à la Loire et au Bordelais, devient prédominant. En amont de la Loire, la présence du Pinot Noir rappelle que Sancerre et Pouilly-sur-Loire ont fait autrefois partie du duché de Bourgogne. On trouve en Touraine et en Anjou le Chenin Blanc, autre cépage dominant de la région. Il s'agit d'une variété de vigne locale qui est à l'origine de nombreux styles de vin. Enfin, le Cabernet Franc et le Cabernet-Sauvignon sont les cépages rouges du Centre-Loire.
La variété des cépages permet aux viticulteurs de diversifier le style de leurs vins. Il n'est pas rare de voir un même producteur proposer du vin rouge et du vin blanc, tranquille ou effervescent. Cependant, la production de blanc domine largement, avec un total de 180 millions de bouteilles, en moyenne, contre 122 millions pour les vins rouge et rosé.

Les négociants et les propriétés

La Loire reste une région de petits domaines qui se rapproche davantage de la Bourgogne que du Bordelais. Toutefois, si les Bourguignons se sont enrichis grâce à la renommée de leurs vins, il n'en a pas été de même pour les producteurs de la Loire, dont le talent n'est pas toujours récompensé à sa juste valeur. Le Muscadet, le Sancerre, le Pouilly Fumé (blancs), le Bourgueil et le Saumur-Champigny (rouges) représentent les seules productions vinicoles relativement prospères.

BASSE LOIRE

Carte page XVII

Les vins du Pays nantais, dans la basse Loire, ont une réputation de vins simples dans le paysage viticole français. Le Muscadet et le Gros-Plant ont un goût inimitable : fruités, jeunes, frais, ils sont parfaits pour accompagner les fruits de mer. Il s'agit d'une combinaison idéale qui a fait la bonne fortune d'un certain nombre de vignerons de la région depuis les années 1970.

Les appellations du Muscadet

Les appellations de la région sont les moins complexes parmi celles des pays de Loire. La plus grande va au Muscadet, qui se présente sous quatre aspects : Muscadet générique, Muscadet des Coteaux-de-la-Loire, Muscadet Côtes de Grand-Lieu et Muscadet de Sèvre-et-Maine. Le

premier provient surtout de l'ouest de la région, pour un vin sans prétention (2 115 ha). Celui des Coteaux de la Loire est élaboré sur la rive nord de la Loire, entre Nantes et Ancenis (318 ha). Le Muscadet Côtes de Grand-Lieu est situé à l'ouest de la D 937 Nantes-La Roche-sur-Yon (334 ha). Comme son nom l'indique, le Muscadet de Sèvre-et-Maine naît entre deux rivières, la Sèvre et la Maine, qui se trouvent respectivement au sud et à l'est de Nantes, sur la rive sud de la Loire. Cette région viticole, l'une des plus denses de France, laisse peu de place à d'autres cultures (10 135 ha). L'appellation comprend 23 communes qui produisent environ 66 millions de bouteilles par an.

L'élaboration du Muscadet

Les qualités du Muscadet les plus unanimement appréciées tiennent à son caractère frais et fruité ainsi qu'au léger picotement que l'on ressent sur la langue en le dégustant. Ces qualités sont plus sensibles lorsque le vin est mis en bouteilles sur lies, en fûts avant soutirage, dans sa cave d'origine.

La tendance actuelle est à l'élaboration de cuvées de prestige, issues parfois des meilleurs coupages des producteurs, ou à la commercialisation de vins d'un seul domaine. Si ces vins sont certainement meilleurs que la plupart des Muscadets génériques, ces pratiques laissent supposer un malaise dans le Pays nantais. Pourquoi faire si compliqué pour un vin aussi simple que le Muscadet ? La viticulture est responsable d'une augmentation des rendements (plus de 100 hl/ha dans les années 1980) dans une majeure partie du vignoble. De plus, les superficies en exploitation sont passées de 11 000 à 15 000 ha en quelques années. Des années trop ensoleillées ont donné des Muscadets moins acides, et les excès de rendement n'ont rien arrangé. Tous ces facteurs expliquent que certains producteurs souhaitent affirmer leur différence.

Les autres vins

Le succès du Muscadet a étouffé celui qu'auraient pu connaître les autres vins. Les AOVDQS Coteaux-d'Ancenis (300 ha) proviennent des deux rives de la Loire aux environs d'Ancenis, région également couverte par l'AOC Muscadet des Coteaux-de-la-Loire. Bien qu'il existe en rouge, rosé et blanc, il est essentiellement proposé en rouge, élaboré principalement à partir des cépages Gamay ou Cabernet (Cabernet Franc ou Cabernet-Sauvignon).

Le Gros-Plant (2 700 ha), autre appellation d'AOVDQS, est un vin blanc élaboré à partir de la Folle-Blanche, l'un des cépages du Cognac. Ce vin très acide accompagne bien la cuisine locale lorsque le millésime a été chaud. Il couvre à peu près la même zone que le Muscadet.

Les AOVDQS Fiefs Vendéens (380 ha), originaires d'une région isolée au sud-ouest de la Loire, produisent un vin rouge à base de Gamay et de Pinot Noir (au moins 50 %) ainsi que d'un ou des deux Cabernets. On trouve également un peu de vin blanc. Le haut Poitou, au sud, est une zone VDQS constituée d'un îlot de vignobles où la coopérative locale a commencé à se lancer dans l'exportation de vins rouges, rosés et blancs. Les cépages sont le Gamay, le Cabernet Franc, le Cabernet-Sauvignon, le Sauvignon et le Chardonnay. Les vins du haut Poitou sont essentiellement des vins de cépages aux arômes riches qui expriment le fruit sans autre prétention.

PRODUCTEURS ET NÉGOCIANTS

Le pays du Muscadet est celui des vignerons plutôt que des coopératives, et les négociants constituent sa force dominante. La liste ci-dessous en cite quelques-uns parmi les meilleurs et répertorie certaines propriétés indépendantes.

GAUTIER AUDAS
L'entreprise de Gautier Audas à Haute-Goulaine ne commercialise que du vin en provenance de domaines choisis, dont Hautes-Perrières, le plus renommé. On peut également citer le Domaine de Goulaine, le Domaine des Claircomtes dans la commune du Pallet, le Domaine de l'Ébaupin et le Domaine de l'Écomandière.

DONATIEN BAHUAUD
Il exploite la propriété de famille, le château historique de la Cassemichère. Le vin est toujours produit puis mis en bouteille sur lies au château, mais cette entreprise viticole se double d'une affaire de négoce avec des caves dans le village de La Chapelle-Heulin. Son Muscadet le plus célèbre est Le Master de Donatien, constitué d'un assemblage de vins soigneusement sélectionnés chaque année au cours d'une dégustation organisée.

DOMAINE DE BEAUREGARD
Henri Grégoire est aussi bon vinificateur que sage gestionnaire. Son Muscadet de Sèvre-et-Maine vinifié sur lies est un vin direct et franc vendu à un prix extrêmement avantageux. À signaler un vin rouge (!) de Gamay proposé, lui aussi, à un prix très séduisant.

GUY BOSSARD
Guy Bossard a choisi la biodynamie dans les années 1970, un geste courageux dans une région très humide qui privilégie traditionnellement les hauts rendements. La qualité de ses vins et leur réputation actuelle démontrent qu'il a fait le bon choix. Il possède des vignes dans le village du Loroux-Bottereau. Son vin de propriété s'appelle Domaine de l'Écu, et sa cuvée supérieure Hermine d'Or. Il élabore également du Gros-Plant et un Muscadet.

HENRI ET LAURENT BOUCHAUD
Le Domaine du Bois-Joly, situé au Pallet, produit des Muscadets classiques, avec toute la fraîcheur et la légèreté requises, ainsi que du Gros-Plant et un rouge, le vin de pays du Jardin de la France, à base de Cabernet Franc.

CLAUDE BRANGER
Claude Branger élabore un Muscadet doux mais croquant, le Domaine La Haute Févrie (qui lui a rapporté quelques médailles), ainsi qu'un peu de Gros-Plant. Sa cuvée supérieure, baptisée Excellence, gagne à vieillir, qualité rare pour un Muscadet.

ROBERT BROUSSEAU
Le Domaine des Mortiers-Gobin est sur les rives boisées de la Sèvre à La Haie-Fouassière. Les méthodes de ce vieux →

domaine sont encore traditionnelles, avec élevage en fûts de bois.

CHÉREAU-CARRÉ
Un des plus grands propriétaires du Muscadet, Chéreau-Carré possède le Château de Chasseloir, le plus grand domaine, qui constitue le cœur des opérations, le Château du Coing, le Moulin de la Gravelle et le Château de l'Oiselinière. Tous les vins sont embouteillés sur lies dans chaque propriété. La pratique de la fermentation sous bois et la volonté de laisser vieillir certaines cuves de Muscadet font de ce producteur un véritable pionnier en la matière.

BRUNO CORMERAIS
Ce vigneron énergique produit du Muscadet de Sèvre-et-Maine, du Gros-Plant et un Gamay appelé vin de pays des Marches de Bretagne. Les cuvées de Muscadet portent les étiquettes Domaine Bruno Cormerais, Domaine de la Chambaudière et Cuvée Prestige.

DOMAINE DES DORICES
L'étrange château néo-normand, édifié sur ce domaine par le marquis de Rochechouart au début du siècle, est venu remplacer un manoir beaucoup plus ancien. Ce domaine élabore un Muscadet conçu pour vieillir, le Domaine des Dorices. On peut également y trouver le Château La Touche, vin plus léger à boire plus jeune, ainsi que du Gros-Plant et un vin blanc pétillant baptisé Leconte.

DOMAINE GADAIS PÈRE & FILS
Cette propriété à Saint-Fiacre produit des Muscadets de Sèvre-et-Maine d'un excellent rapport qualité/prix. Ce sont des vins fins et typés. Le Gros-Plant du même producteur est bon et d'un prix très sage.

CHÂTEAU DE LA GALISSONNIÈRE
Le château date du XIVe siècle, mais doit son nom à un amiral du XVIIIe siècle. Il produit deux cuvées : la Cuvée Philippe et la Cuvée Anne et un Gros-Plant baptisé Cuvée Valérie. Les Lusseaud possèdent également une autre propriété, le Château de la Jannière.

MARQUIS DE GOULAINE
Cette propriété est l'une des plus connues pour le Muscadet. Situé dans le village de Haute-Goulaine, le château est millénaire. La récolte du vignoble est complétée par des achats de vins de propriétés. Environ un tiers du vin est mis en bouteilles sur lies, et il existe une cuvée de prestige, la Cuvée du Millénaire. On y trouve également du Gros-Plant.

DOMAINE PIERRE DE LA GRANGE
Pierre Luneau-Papin vinifie des Muscadets dans son domaine de Landreau et des Gros-Plants remarquables au Domaine Saint-Méen.

DOMAINE « R » DE LA GRANGE
Rémy Luneau élabore un Muscadet de Sèvre-et-Maine sur lies haut de gamme, étiqueté Le Grand « R » de La Grange.

GUILBAUD FRÈRES-MOULIN
Négociants-éleveurs, ils possèdent trois domaines, le Domaine de la Moutonnière, le Clos du Pont et le Domaine de la Pingossière. Ils élaborent un certain nombre de cuvées de prestige, notamment Le Soleil Nantais, un vin d'assemblage, et Les Hermines, reconnaissable à sa bouteille spécialement estampée.

DOMAINE DE LA LOUVETRIE
Dans son domaine, Joseph Landron distingue plusieurs terroirs qu'il vinifie séparément, chacun d'entre eux évoluant à son rythme en bouteille, d'où une gamme de Muscadets de Sèvre-et-Maine. Bernard Landron, au Château La Carizière, élabore des vins proches des précédents.

CHÂTEAU DE LA MERCREDIÈRE
Ce vignoble sur les rives de la Sèvre encercle un château du XIVe siècle construit sur un site gallo-romain. Les Muscadets sont concentrés et puissants.

PRODUCTEURS ET NÉGOCIANTS

LOUIS MÉTAIREAU
Pour marquer, il y a plus de 30 ans, son désir d'aller dans le sens d'un Muscadet supérieur et sa volonté de contrer la toute-puissance des négociants, Louis Métaireau a réuni un groupe de producteurs (trois au départ, neuf aujourd'hui, qui se partagent 100 ha) qui commercialisent leur vin sous l'étiquette Métaireau. Ils sont soumis à des dégustations rigoureuses pendant la vinification et avant l'embouteillage (sur lies dans la cave du viticulteur). Ces vignerons sont réputés pour leur grande droiture, qui les a déjà conduits à rejeter leur propre vin. Métaireau possède le Domaine du Grand Mouton.

CHÂTEAU LA NOË
Le comte de Malestroit, propriétaire de cette demeure du XVIIe siècle, est un romancier et un chroniqueur du Pays nantais. Il gère lui-même la moitié de ses 65 ha de vignes tandis que les autres parcelles sont laissées en fermage, avec paiement en nature. Curieusement, alors que le château est considéré comme une propriété plutôt que comme une maison de négoce, le vin n'est pas mis en bouteille sur lies.

CHÂTEAU DE LA PREUILLE
Les Dumortier au Château de la Preuille exploitent un terroir de granit porphyroïde à deux micas. Leurs Muscadets (sur lies) sont des vins concentrés qui peuvent se conserver. Le producteur propose également un Gros-Plant sur lies, qui mérite lui aussi une mention.

CHÂTEAU DE LA RAGOTIÈRE
Ce vignoble entourant un vieux château et sa chapelle du xive siècle produit du Gros-Plant et du Muscadet. La famille Couillaud, qui possède le domaine, élabore un vin jeune et frais.

GASTON ROLANDEAU
Ce négociant traditionnel, implanté juste en dehors de la zone de Sèvre-et-Maine, se concentre sur le Muscadet à Tillières. La gamme de base comprend la Cave de la Frémonderie, vin qui vieillit étonnamment bien, et une cuvée de prestige baptisée Signature de la Loire et présentée dans une bouteille nantaise (prouvant qu'elle a été soumise à deux jurys de dégustation).

MARCEL SAUTEJEAU
Affaire de négoce qui embouteille plus de 12 millions de bouteilles par an, toutes appellations confondues (Muscadet, vins d'Anjou, de Saumur et de Vouvray). L'entreprise, située au Domaine de l'Hyvernière près du Pallet, diffuse aussi des vins de domaine comme celui de la Botinière, à Vallet.

SAUVION
Un des négociants les plus dynamiques de la région, très soucieux de la qualité des vins. Cette entreprise familiale a ses caves au Château du Cléray, à Vallet. Elle commercialise un certain nombre de marques : Sauvion du Cléray, Cardinal Richard et Carte d'Or. Elle s'approvisionne essentiellement auprès de viticulteurs (pour près de 80 %), sans contrat, préférant attendre les dégustations pour acheter, quitte à payer plus cher. Certains des meilleurs vins sont ensuite vendus comme des cuvées individuelles, sous l'étiquette Découvertes.

LES VIGNERONS DE LA NOËLLE
Il s'agit d'une des plus grosses coopératives de la Loire, et la seule pour le vin du Pays nantais (bien qu'elle gère également d'autres produits agricoles). Basée à Ancenis, elle élabore des Coteaux-d'Ancenis (rouge, rosé et blanc), des Coteaux-de-la-Loire, du vin de pays ainsi que du Muscadet. Ses vins sont largement distribués sous diverses étiquettes.

CENTRE-LOIRE

Cartes pages XVII et XVIII

Les paysages des anciennes provinces d'Anjou et de Touraine comptent parmi les plus beaux de France. C'est une région dans laquelle l'homme et la nature ont travaillé en harmonie au cours des siècles. Les forêts royales couvrent majestueusement les collines en surplomb des rivières tranquilles, tandis que les villages et les châteaux, en pierre blanche de tuffeau, semblent tout droit sortis d'un livre d'images. Les vins originaires de ces deux régions offrent toute la variété que l'on peut trouver en France. Pour y voir un peu plus clair, il faut considérer ensemble l'Anjou et le Saumurois et, à part, la Touraine, plus à l'est. L'Anjou et la Touraine bénéficient chacun d'une appellation générale, subdivisée en plusieurs autres, plus localisées.

À côté des grandes appellations comme Chinon ou Bourgueil, on trouve une foule de noms moins connus, dont certains sont en plein déclin par manque d'intérêt local et à cause d'une situation commerciale difficile et d'un climat notoirement instable. Certes, il serait dommage de les voir disparaître, mais l'avenir des AOC Coteaux-de-l'Aubance en Anjou et Jasnières en Touraine, ainsi que celui de certains VDQS comme les Coteaux-du-Vendômois, est relativement incertain.

Les vins d'Anjou et de Saumur

Il existe presque autant d'appellations, et certainement plus de styles de vins différents, dans les quelques kilomètres qui entourent Angers que dans tout le Bordelais. Il est utile de définir deux enclaves, ou sous-régions : une région de vins blancs autour de la rivière du Layon, et la région de vin rouge et de vin effervescent autour de Saumur. On trouve toutes sortes de vins, depuis les blancs voluptueusement doux de Quarts-de-Chaume ou de Bonnezeaux, dans la vallée du Layon, jusqu'au vin blanc de Savennières, très sec, juste de l'autre côté de la rivière. À l'autre extrémité de la province, sur la frontière avec la Touraine, les vins blancs mousseux de Saumur côtoient le rouge de Saumur-Champigny.

Cette abondance d'appellations signifie concrètement que, pour un producteur, il n'est pas question de se cantonner à un seul vin. Avec de petits lopins de terre dans des appellations voisines, il peut élaborer jusqu'à une demi-douzaine de vins différents, portant des noms variés, suivant diverses règles, souvent avec des résultats très variables d'un point de vue qualitatif.

ANJOU. Il s'agit de l'appellation générale pour les vins non couverts par l'une des AOC plus spécifiques décrites ci-dessous. Elle recouvre en général des vins rouges et des vins blancs secs. Les vins rouges légers (Gamay d'Anjou) et les vins effervescents (Anjou mousseux et pétillant) font l'objet d'appellations séparées.

ANJOU COTEAUX-DE-LA-LOIRE. Petite zone AOC près d'Angers produisant des vins blancs secs et demi-moelleux à partir du Chenin Blanc.

ANJOU VILLAGES. Appellation des vins rouges Cabernet de 46 communes au sud-est d'Angers, qui sont de meilleure qualité que l'Anjou rouge classique.

BONNEZEAUX. Vins blancs moelleux de première classe, originaires d'un village à l'extrême sud des Coteaux du Layon.

CABERNET D'ANJOU et **CABERNET DE SAUMUR.** Rosés à base de Cabernet (Franc et Sauvignon). Meilleurs que le rosé d'Anjou, ils peuvent être secs ou moelleux.

COTEAUX-DE-L'AUBANCE. Vins blancs moelleux et demi-moelleux, à base de Chenin Blanc, élaborés dans la zone de l'Anjou Villages.

COTEAUX-DU-LAYON. Vins blancs moelleux à base de Chenin Blanc dans la vallée du Layon. Certains villages peuvent ajouter leur nom après celui de l'appellation générique.

QUARTS-DE-CHAUME. Petite enclave dans les Coteaux du Layon, donnant des vins blancs doux particulièrement savoureux.

ROSÉ D'ANJOU. Vins très clairs, légèrement moelleux, issus du cépage Groslot. En termes de production, c'est toujours de l'appellation d'Anjou la plus importante, mais les vins sont en train de perdre leur popularité.

ROSÉ DE LOIRE. Vins rosés secs, faits avec au moins 30 % de Cabernet, qui peuvent être élaborés dans tout le Val de Loire.

SAUMUR. Vins tranquilles, rouges et blancs, à base de Cabernet et de Chenin Blanc, élaborés dans 36 communes autour de la ville de Saumur.

SAUMUR-CHAMPIGNY. Vins rouges issus de Cabernet, originaires de 9 communes près de St-Cyr-en-Bourg, à l'est de la ville de Saumur.

SAUMUR MOUSSEUX. Vins blancs effervescents, fermentés en bouteille, élaborés dans des caves (souvent creusées dans la roche) autour de Saumur.

SAVENNIÈRES. Vins blancs très secs, à base de Chenin Blanc, élaborés sur la rive nord de la Loire. Lui sont associées deux autres appellations désignant chacune un vignoble : Coulée-de-Serrant et Roche-aux-Moines.

Les vins de Touraine

La Touraine compte, elle aussi, un nombre important d'appellations. Parmi elles, Chinon et Bourgueil permettent au cépage Cabernet Franc de parvenir à une qualité d'expression qu'il atteint rarement, sauf à Saint-Émilion. Sur l'autre versant, à l'est de la ville de Tours, le Chenin Blanc atteint ce que beaucoup considèrent

comme son apogée dans les meilleurs vins de Vouvray et de Montlouis.

BOURGUEIL et **SAINT-NICOLAS-DE-BOURGUEIL.** Région de vins rouges centrée autour de la ville de Bourgueil, sur la rive nord de la Loire. Le cépage est le Cabernet Franc. Le village de Saint-Nicolas-de-Bourgueil possède sa propre appellation pour ses vins, rouges également.

CHEVERNY et **COUR-CHEVERNY.** La zone a été promue au rang d'AOC en 1993. Le Cheverny peut être blanc, rouge ou rosé (cépages Chenin Blanc, Sauvignon, Chardonnay, Gamay, Cabernet Franc, Pinot Noir, Cot). Le Cour-Cheverny n'est que blanc, un vin typé et acide issu du cépage local Romorantin.

CHINON. Sur la rive sud de la Loire, en face de Bourgueil, cette vaste zone de vins rouges se concentre autour de la ville de Chinon. Le cépage principal est, là encore, le Cabernet Franc.

COTEAUX-DU-LOIR. Des vins rouges, des blancs secs et des rosés produits à 40 km au nord de Tours. Le vignoble couvre seulement 79 ha.

COTEAUX-DU-VENDÔMOIS. Vignoble classé en AOVDQS, produisant du vin rouge, blanc et rosé. La production est consommée localement.

CRÉMANT DE LOIRE. On trouve du vin effervescent blanc ou rosé dans toute la vallée de la Loire, mais surtout en Touraine. Les contrôles y sont plus sévères que pour les vins effervescents de Saumur.

JASNIÈRES. Petite appellation pour les vins blancs secs, s'inscrivant dans la plus grande appellation Coteaux-du-Loir, sur le Loir.

MONTLOUIS. Vins tranquilles, demi-secs et doux, produits autour de la ville de Montlouis. Les versions effervescentes s'appellent Montlouis pétillant et mousseux.

VINS DU THOUARSAIS. Petite région d'AOVDQS dans le département des Deux-Sèvres, au sud de l'Anjou. Le rouge et le rosé sont élaborés à partir des deux Cabernets, les blancs à partir de Chenin Blanc.

TOURAINE. Grande appellation pour les vins rouges, rosés et blancs (tranquilles et effervescents) produits au sud de Tours. Certains cépages (le Sauvignon pour les blancs et le Gamay pour les rouges) ont leur propre appellation.

TOURAINE VILLAGES. Touraine-Amboise, Touraine-Azay-le-Rideau et Touraine-Mesland sont les trois appellations qui produisent des versions des vins de l'AOC de Touraine.

VALENÇAY. Cette AOVDQS couvre surtout des vins rouges et rosés, avec quelques blancs, provenant de la région de Valençay dans le département de l'Indre. Les blancs sont issus de Menu Pineau (ou Arbois), de Sauvignon, de Chardonnay, de Chenin Blanc et de Romorantin. Les vins rouges et rosés proviennent des deux Cabernets, de Gamay et de Pineau d'Aunis, appelé aussi Chenin Noir.

VOUVRAY. Région située autour du village de Vouvray sur la rive nord de la Loire, qui produit des blancs secs et moelleux ainsi que des Mousseux.

APPELLATIONS, PRODUCTEURS ET NÉGOCIANTS

De nombreux producteurs d'Anjou et de Touraine élaborent des vins sous plusieurs appellations. Par exemple, certains producteurs angevins font des rouges Anjou Villages, des blancs secs Anjou et Savennières et des blancs doux Coteaux-du-Layon. Toutefois, la distinction entre, d'une part, Anjou et Saumur et, d'autre part, Touraine (Bourgueil et Chinon, Vouvray et Montlouis) est très nette.

ANJOU

AUBERT FRÈRES
Un des négociants les plus importants de la vallée de la Loire, qui diffuse toute une gamme de vins, dont des Sancerres à l'est et des Muscadets à l'ouest. Ses propriétés des Hardières à Saint-Lambert-du-Lattay produisent des rouges et des blancs d'Anjou, tandis que son Domaine du Mirleau produit du Gamay d'Anjou.

DOMAINE DES BAUMARD
Entreprise familiale, située dans le village de Rochefort-sur-Loire, qui possède des vignobles dans les appellations Coteaux-du-Layon, Quarts-de-Chaume et Savennières. Le Clos de Sainte-Catherine, un Coteaux-du-Layon demi-sec, et le Clos du Papillon en Savennières expriment la diversité du Chenin Blanc lorsqu'il est jeune ou plus mûr.

CHÂTEAU DU BREUIL
Sur leur domaine dans la vallée du Layon, Marc et Chantal Morgat produisent des Coteaux-du-Layon racés et moelleux, de l'Anjou rouge et blanc, de l'Anjou Villages rouge, un Crémant de Loire pétillant et un vin de pays du Jardin de la France (rouge et blanc). Les vins doux, spécialement ces dernières années, ont témoigné une exceptionnelle profondeur et une grande richesse, tandis que les vins secs bénéficient de techniques de vinification modernes.

CLOS DE LA COULÉE DE SERRANT
Nicolas Joly s'est fait connaître en combinant des techniques de culture en biodynamie avec l'observation de l'influence de la lune et des étoiles sur ses vins. Tout cela pourrait être considéré comme une simple excentricité si sa cuvée de Coulée-de-Serrant, provenant d'un vignoble unique à Savennières, n'était pas un grand vin, à tous points de vue. Ces vins ont un très bel avenir devant eux.

CHÂTEAU DE FESLES
Ce vignoble produit le meilleur Bonnezeaux, un liquoreux aussi riche que fin. Les vins rouges Anjou Villages de Bernard Germain sont excellents.

JACQUES LALANNE
Plus grand propriétaire de l'appellation Quarts-de-Chaume, Jacques Lalanne, dont la propriété s'appelle Château de Belle Rive, se consacre sans compter à la qualité. Les rendements sont faibles et seuls les raisins botrytisés sont élus pour entrer dans ses chais de vinification. Le vin subit une fermentation dans des fûts de bois où il reste tout l'hiver, avant une mise en bouteilles en avril ou en mai. Il s'agit de vins d'un long potentiel de vieillissement, même s'ils sont flatteurs dès leurs premières années de bouteille.

DOMAINE MME LAROCHE
Mme Laroche et son mari vinifient des Savennières de façon traditionnelle et mettent en bouteille au mois de mai qui suit la vendange. Comme tous les vins secs issus du cépage Chenin, leurs vins ont une évolution complexe pendant quelques années avant de développer de savoureux arômes de coing, après une dizaine d'années en bouteille.

LES CAVES DE LA LOIRE
Grande coopérative, l'une des rares en Anjou, située à Brissac, qui élabore des vins à partir de presque toutes les appellations de la région. Son Anjou Villages et son Anjou rouge et blanc sont de bons vins génériques. →

FRANCE

APPELLATIONS, PRODUCTEURS ET NÉGOCIANTS

DOMAINE OGEREAU
Cette propriété, située à Saint-Lambert-du-Lattay, produit des Coteaux-du-Layon Saint-Lambert botrytisés et parfaitement élevés, souvent dans du bois neuf.

HERVÉ PAPIN
Parmi les rares producteurs des Coteaux-de-l'Aubance, Maxime et Hervé Papin élaborent des vins qui font regretter que cette appellation tombe en désuétude. En effet, leurs vins des grandes années 1989 et 1990, mais aussi ceux de 1991, année moins réussie, témoignent d'un caractère racé. Ils font également de l'Anjou rouge à partir du Cabernet Franc.

RENÉ RENOU
Un des grands avocats des vins de la vallée du Layon, il produit un Bonnezeaux et des vins rouges à Thouarcé.

DOMAINE DE SAINTE-ANNE
La famille Brault produit de l'Anjou (rouge et blanc) à base de Chenin, de l'Anjou Villages à base de Cabernet Franc et du Coteaux-de-l'Aubance, moelleux.

DOMAINE PIERRE SOULEZ
Pierre Soulez vinifie au Château de Chamboureau des Savennières et des Savennières Roche-aux-Moines (secs et moelleux) denses et concentrés. Son frère Yves Soulez a quitté Chamboureau pour Saint-Aubin-de-Luigné, où il vinifie d'intéressants Coteaux-du-Layon.

LES VINS TOUCHAIS
Cette grande entreprise de négoce et de commerce basée à Doué-la-Fontaine a amassé des stocks de vins moelleux du Layon qu'elle revend, assez bizarrement, sous le nom d'Anjou blanc Moulin Touchais et non sous celui de Coteaux-du-Layon. Ces vins peuvent être extraordinaires et démontrent la capacité de vieillissement du Chenin Blanc. Toutefois, l'essentiel des activités porte sur des rouges et des rosés francs, qui n'ont pas la qualité supérieure des vins moelleux.

SAUMUR

ACKERMAN-LAURANCE
En 1811, Jean Ackerman, revenant de Champagne, où il avait travaillé quelque temps, eut la conviction que les vins locaux pouvaient aussi subir une seconde fermentation en bouteille. Première entreprise à élaborer du vin mousseux de Saumur, la maison Ackerman produit toute une gamme de Saumur mousseux ainsi qu'un Crémant de Loire (rosé, blanc).

BOUVET-LADUBAY
Sans doute la maison de Mousseux de Saumur la plus dynamique et la plus innovatrice, Bouvet-Ladubay est un pilier de la Touraine viticole. Parmi ses produits, deux cuvées supérieures valent d'être remarquées : Saphir et Trésor (blanc), qui contiennent une certaine proportion de Chardonnay, laissées à fermenter dans des fûts de chêne.

CHÂTEAU DE CHAINTRÉ
Cette charmante demeure du XVIe siècle, au vignoble clos d'un mur d'enceinte, se trouve dans l'appellation Saumur-Champigny. Le vin est parfois un peu lourd pour du Saumur-Champigny et gagne à vieillir. La fermentation s'accomplit en cuve d'acier inoxydable et le vieillissement en fût de bois. On produit également un peu de Saumur blanc.

PAUL FILLIATREAU
Plus grand producteur de Saumur-Champigny rouge, Filliatreau en compose un qu'il baptise Jeunes Vignes (vignes de moins de 50 ans), un autre appelé Vieilles Vignes et une cuvée spéciale, Lena Filliatreau, élaborée à partir de vignes anciennes sur un sol siliceux. Il fabrique également un Saumur blanc.

GRATIEN MEYER SEYDOUX
Une des plus grandes maisons de vin mousseux de Saumur et la seule à avoir été fondée par une maison de Champagne, Alfred Gratien. Sa meilleure cuvée, la Cuvée Flamme

(en rosé et en blanc), est un assemblage de vins vieux qu'on laisse en général vieillir en bouteille avant de les diffuser.

LANGLOIS-CHÂTEAU
Langlois-Château produit du vin tranquille de Saumur et du Crémant de Loire (rosé, blanc), mais très peu de vin mousseux de Saumur. Cette stratégie en faveur du Crémant de Loire a ses raisons : les règles de l'appellation sont plus strictes, tandis que les cépages autorisés sont plus nombreux. Le brut se compose de Chenin Blanc, de Grolleau, de Cabernet Franc et de Chardonnay alors que le rosé se limite au Cabernet Franc et au Cabernet-Sauvignon.

CHÂTEAU DE TARGÉ
Édouard Pisani-Ferry produit l'un des meilleurs Saumur-Champigny dans ses caves magnifiques et ses celliers modernes. Son unique production est un assemblage de Cabernet Franc et d'une pointe de Cabernet-Sauvignon, qui vieillit bien.

PHILIPPE ET GEORGES VATAN
Philippe Vatan produit aujourd'hui l'un des meilleurs Saumur-Champigny (ainsi qu'un Saumur blanc mémorable). Il diffuse un Saumur-Champigny générique, un Vieilles Vignes ainsi qu'un Saumur moelleux blanc assez rare.

BOURGUEIL ET CHINON

YANNICK AMIRAULT
En quelques années Yannick Amirault est devenu l'un des vignerons les plus estimés de Bourgueil. Le fruité intense de ses vins est soutenu par des tanins souples et abondants. Cette qualité est due à des raisins parfaitement mûrs. Le Saint-Nicolas-de-Bourgueil atteint le même niveau élevé.

BERNARD BAUDRY
Avec ses expériences sur le bois et la séparation de ses vins en fonction du type de sol dont ils proviennent, Bernard Baudry s'affirme comme un producteur de Chinon sérieux. Ses vins se démarquent par un goût de fruit, équilibré par le bois, et par leur aptitude à vieillir.

COULY-DUTHEIL
Le plus grand producteur de Chinon possède 65 ha de vignes et achète du raisin à des vignerons voisins pour alimenter son activité de négoce. Son meilleur vin est le Clos de l'Écho, originaire d'un seul vignoble, qui a appartenu à Rabelais et se trouve juste à l'arrière du château.

PIERRE-JACQUES DRUET
Le plus innovateur des producteurs de Bourgueil, qui a importé du Bordelais sa formation et son savoir-faire en matière de vin rouge. Ses vins sont conçus pour vieillir, mais peuvent être bus jeunes, car leur fruité est dominant. Il produit différentes cuvées à partir de différentes parties de son vignoble (planté dans les coteaux supérieurs de Bourgueil). La meilleure d'entre elles s'appelle Vaumoreau et les autres Beauvais et Grand-Mont.

CHÂTEAU DE LA GRILLE
La spectaculaire propriété est située au-dessus de la ville de Chinon. Les vins sont élevés dans des fûts de bois vieux et jeune afin d'obtenir un vin rouge qui vieillit bien, et atteint un bon équilibre entre fruité, tanins mûrs et acidité.

CHARLES JOGUET
Viticulteur dont les vignobles de Sazilly comptent parmi les rares parcelles qui couvrent les versants exposés au nord, sous la Vienne. À partir de ce joyau, il assemble diverses cuvées en vertu de l'âge des vignes : ses Jeunes Vignes proviennent de vignes qui ont moins de dix ans d'âge et son Clos de la Cure de vignes près de l'église de Sazilly. Vienent ensuite le Varennes du Grand Clos et le Clos de Chêne Vert, ainsi que le plus racé, le Clos de la Dioterie, qui est soumis à un long vieillissement.

LES CAVES DES VINS DE RABELAIS
Groupe de plus de 100 producteurs de 

APPELLATIONS, PRODUCTEURS ET NÉGOCIANTS

Chinon, dont certains vins entrent dans des cuvées spéciales, notamment la Cuvée Jeanne d'Arc, qui est de bonne tenue en dépit d'une étiquette criarde, et le Domaine de la Croix de Jean-Maurice Raffault. Le groupe a été fondé pour aider les petits producteurs à survivre et à lutter contre le pouvoir des négociants.

JEAN-MAURICE RAFFAULT
Producteur dont les vins, à maturité, peuvent exhaler les parfums de truffe et de violette qui rendent le Chinon si séduisant. Il propose toute une gamme de crus provenant des différentes parties de son vignoble et travaille également avec les Caves des Vins de Rabelais.

JOËL TALUAU
En tant que président des vignerons de Saint-Nicolas, Joël Taluau est un homme important dans cette petite appellation. Son Domaine de Chevrette produit un Cuvée de Domaine et un Vieilles Vignes, élaboré à partir de vignes de 40 ans.

TOURAINE

PIERRE CHAINIER
La maison se limite à la production de vins provenant exclusivement de son domaine et de zones voisines en Touraine. Ses vins de domaine représentent très bien l'appellation.

CHÂTEAU DE CHENONCEAU
Le plus beau des châteaux de la Loire est aussi l'un des rares de la région à produire du vin. À partir d'un vignoble situé en hauteur, loin du fleuve, il élabore des vins sous l'AOC de Touraine : vins blancs secs et demi-secs, vins rouges et vins mousseux.

DOMAINE DE LA GABILLIÈRE
L'école viticole expérimentale d'Amboise fabrique d'énormes quantités de vin de qualité, dont notamment un Sauvignon concentré et un Crémant de Loire (blanc).

JOËL GIGOU
L'un des quelques cultivateurs de la minuscule appellation de Jasnières, dans les Coteaux du Loir, Joël Gigou possède des vignes près du hameau de Lhomme. Il propose surtout des vins blancs secs à base de Chenin Blanc et, les rares bonnes années, un peu de vin demi-sec.

DOMAINE HENRY MARIONNET
Ou Domaine de La Charmoise, si l'on préfère. À la tête de ses 40 ha de Gamay et de ses 20 ha de Sauvignon, Henry Marionnet est un important producteur. Son Touraine Primeur est le meilleur de la région. Ce vigneron heureux a eu l'occasion d'acheter la plus vieille vigne de France tout à côté de chez lui, des ceps préphylloxériques âgés de 120 à 150 années. Il en tire un vin rarissime qui porte l'étiquette Vinifera.

J.-M. MONMOUSSEAU
L'entreprise est célèbre pour ses vins mousseux, le Brut de Mosny (blanc), fabriqué dans de vastes caves de tuffeau à Montrichard. Elle élabore également du Vouvray à partir de ses vignobles et agit comme négociant.

LA CONFRÉRIE DES VIGNERONS DE OISLY ET THÉSÉE
Avec 52 membres et 275 ha de vignes, il s'agit d'une grosse coopérative pour la Loire. Elle se démarque aussi par son sérieux, en proposant toute une fourchette de vins de Touraine de qualité. La marque Baronnie d'Aignan (rouge, blanc) est adoptée pour les assemblages tandis que, pour le moment du moins, le nom du cépage est donné aux vins de cépage. Le Sauvignon de Touraine (blanc) est très prisé.

JACKY PREYS
Vaste propriété qui produit des rouges (Gamay et Cabernet Franc), avec un Gamay provenant d'un seul vignoble, Domaine du Bas Guéret, et un assemblage vieilli en fût de bois, Cuvée Royale, composé de Gamay à 50 %, de Cabernet Franc à 25 % et de Pinot Noir à 25 %. Elle produit également une petite quantité de Valençay blanc.

PHILIPPE TESSIER
Acteur important sur la scène relativement petite de Cheverny, ce domaine produit des rouges et des blancs (les derniers étant meilleurs que les premiers), avec un terroir particulièrement propice au Romorantin local, qui donne ici un vin blanc fruité et non pas d'une acidité perçante.

VOUVRAY ET MONTLOUIS

BERGER FRÈRES
Consortium familial à Saint-Martin-le-Beau qui fournit tous les raisins servant à la fabrication des vins de Montlouis. La moitié de la production est du pétillant; le reste, du vin tranquille, qui peut être sec ou moelleux les bonnes années grâce à ses raisins botrytisés.

DOMAINE BOURILLON DORLÉANS
Frédéric Bourillon est l'un des animateurs de ce groupe de jeunes producteurs de Vouvray qui font beaucoup pour restaurer la réputation de la région. Ses vins mettent l'accent sur le fruit plutôt que sur l'acidité, qui a tendance à être dominante dans les vins à base de Chenin. Ses vins doux vieillissent dans le bois, mais il utilise les deux types de cuves (acier inoxydable et bois) pour ses vins secs.

PHILIPPE BRISEBARRE
Philippe Brisebarre réserve la fabrication de son Vouvray moelleux aux années exceptionnelles. Normalement, il se cantonne à un vin sec ou demi-sec, en fonction de la récolte. Il fabrique en outre un vin blanc pétillant selon la méthode traditionnelle, qui vieillit bien.

DELETANG PÈRE ET FILS
Dotée d'un vignoble autour de Saint-Martin-le-Beau, cette entreprise se spécialise dans un certain nombre de vins moelleux, issus de différents terroirs (notamment Les Bâtisses et Petits-Boulay) et dans des assemblages composant un vin du domaine. Les celliers Deletang sont remplis de bouteilles poussiéreuses, couvertes de toiles d'araignées, mais les techniques de vinification sont modernes. L'entreprise fait également des vins pétillants et des vins rouges et blancs de l'AOC de Touraine.

GASTON HUET
Nom le plus célèbre de Vouvray. La propriété du Mont est considérée comme la meilleure de Vouvray depuis le XVIIe siècle. Ses vins, ainsi que ceux du terroir Le Haut-Lieu et d'un troisième vignoble, Clos du Bourg, sont vinifiés et vendus séparément. Huet élabore des vins mousseux, des vins doux et un peu de blanc sec tranquille.

CHÂTEAU MONCONTOUR
Énorme vignoble à Rochecorbon. L'ascension de ce domaine a stimulé le Vouvray en démontrant qu'il est possible de faire du bon vin de propriété en quantité, dans une région souvent dominée par les négociants. Les Mousseux secs et demi-secs ont connu beaucoup de succès. De petites quantités de vins de l'AOC de Touraine (rouge, rosé, blanc) sont également produites.

CLOS NAUDIN
La famille Foreau possède des vignes sur les hauteurs du village et propose la gamme habituelle de Vouvray (du Mousseux et une variété de moelleux en vin tranquille).

PRINCE PONIATOWSKI
L'arrière-grand-oncle du prince Philippe Poniatowski a été le dernier roi de Pologne. Le Clos Baudoin appartient à la famille depuis 1910. La demeure est à moitié construite dans les falaises de tuffeau. Le vignoble est situé sur le plateau. C'est le site idéal pour le Vouvray traditionnel, où l'on met l'accent sur des vins secs et pétillants, vendus sous le nom Aigle d'Or, et sur les vins moelleux réservés aux années exceptionnelles.

SANCERRE ET POUILLY-SUR-LOIRE

Carte page XVIII

Arrivée à mi-chemin de sa course vers la mer, la Loire fait un virage à angle droit à la hauteur de la ville d'Orléans, passant d'une orientation sud-nord à une orientation est-ouest. Quelques kilomètres avant ce changement de cap, les affleurements des collines crayeuses, plus élevées sur la rive ouest qu'à l'est, où elles forment un plateau, constituent un terrain propice aux vignes.

À l'ouest, l'agréable ville fortifiée de Sancerre domine un ensemble de vignobles, en forme de croissant, orientés au sud et à l'est, un des sites de France les plus denses en vignes, même s'il ne fait que quelques kilomètres de large. Elle protège ses onze communes. Ces satellites, dont les caractères et les vertus sont reconnus, ont un vignoble sur des coteaux qui comptent parmi les plus pentus de France. Chavignol en est le meilleur exemple, enfoui au creux d'un cirque, avec ses Côtes-des-Monts-Damnés et sa Grande Côte. Bué est un autre village réputé pour ses sites Chêne Marchand et Grand Chemarin. Le Clos du Roi empiète sur le village de Crézancy. Verdigny, quant à lui, peut se targuer d'avoir le Clos de la Reine Blanche.

De l'autre côté du fleuve, le village de Pouilly-sur-Loire est entouré par un vignoble qui borde le fleuve des deux côtés et profite de ses coteaux calcaires.

Les styles de vin

Les deux grandes appellations de cette petite région ont fait des émules en Italie, en Californie, au Chili et, surtout, en Nouvelle-Zélande. Hors de l'Europe, on oublie un peu trop que la mode du Sauvignon est née dans ces deux petites enclaves. Mais les deux appellations (le Sancerre, plus délicat, à boire assez tôt, et le Pouilly Fumé, plus riche et plus durable) ont tendance à profiter de cet engouement pour faire monter leurs prix.

En décidant de créer un style de Sauvignon au goût ample et au parfum de bois, qu'ils baptiseraient «fumé», les Californiens ont rendu un hommage trompeur à un village où le bois ne sert que de contenant et qui fait tout son possible pour lui substituer l'acier inoxydable, symbole des nouvelles technologies de vinification. En fait, ce terme symbolise le parfum fumé typique du Sauvignon, son bouquet d'herbes et de végétaux, son goût qui rappelle quelquefois la groseille ou, quand il est plus mûr, le cassis, et son acidité vibrante, qui donne cette exquise sensation de rafraîchissement.

Les Sancerrois n'oublient pas leurs rouges et leurs rosés, élaborés à base de Pinot Noir, mais ces derniers ne sont souvent que de pâles imitations des vins rouges si puissants que l'on produit dans la région voisine de Bourgogne.

Les appellations satellites (voir encadré p. 434 et carte p. XVIII) utilisent le même cépage, à savoir le Sauvignon. Il faut noter que les appellations Quincy, Reuilly, Menetou-Salon, sans atteindre la finesse d'un Sancerre ou le charme d'un Pouilly Fumé, sont d'excellents vins qui ont leur propre caractère.

LES VINS DES MONTAGNES

Quatre vignobles, deux appellations d'origine contrôlée et deux AOVDQS, sont situées dans le cours supérieur de la Loire.

CÔTES ROANNAISES (AOC)
Le département de la Loire, pratiquement à la source du fleuve, produit des rouges et des rosés issus de Gamay, autour de Roanne. Parmi les producteurs, il faut noter Paul Lapandéry et Félix Vial.

CÔTES DU FOREZ (AOC)
Cette zone a été revitalisée par la coopérative locale, Les Vignerons Foréziens, avec de bons rouges et rosés réalisés à partir de Gamay. Le Beaujolais est de l'autre côté des montagnes, à l'est.

SAINT-POURÇAIN (AOVDQS)
Zone au sud de Moulins, dans l'Allier, à mi-chemin des vignobles de la Loire et de la Bourgogne. Les cépages sont bourguignons : Tressalier (Sacy à Chablis), Chardonnay, Aligoté et Sauvignon pour les blancs ; Pinot Noir et Gamay pour les rouges et les rosés. Le plus important producteur est la coopérative Les Vignerons de Saint-Pourçain.

CÔTES D'AUVERGNE (AOVDQS)
Les vins, produits à partir de 500 ha de vignes situés autour de Clermont-Ferrand dans le Puy-de-Dôme, ressemblent à des Beaujolais.

Le Gamay est utilisé pour les rouges et le Chardonnay pour les blancs. Certaines communes peuvent ajouter leur nom au vin : Boudes, Chanturgue, Corent, Madargues. La coopérative et R. Rougeyron sont des producteurs sans surprise.

APPELLATIONS ET PRODUCTEURS

La plupart des viticulteurs de la région en amont de la Loire produisent du Pouilly Fumé ou du Sancerre, et il n'existe pas ou très peu de négociants proposant toute une gamme de vins. Les producteurs sont répertoriés ci-dessous sous leur appellation principale.

SANCERRE

Sancerre domine le cours de la Loire du haut de sa colline. L'aire de production comprend 14 communes ou parties de communes.

BAILLY-REVERDY
L'alliance de deux grands noms du Sancerre et des vignes réparties en deux tiers de blanc et un tiers de rouge. Les blancs sont d'excellents exemples de l'appellation, mais Bailly est plus connu pour ses rouges puissants et ses rosés légers.

DOMAINE HENRI BOURGEOIS
Les Bourgeois dirigent la plus grosse exploitation de la commune de Chavignol. De ses vieilles vignes, dont une partie des très pentues Côtes-des-Monts-Damnés, la plus grosse exploitation de la commune de Chavignol élabore une cuvée de prestige (M.D.) et la cuvée La Bourgeoise, superbe assemblage des meilleures cuvées de l'année.
Le Pinot Noir est élevé en barriques et reste l'un des plus concentrés et des mieux réussis.

LUCIEN CROCHET
Ancien négociant, Lucien Crochet est avant tout un vigneron sérieux. Les vignes se répartissent à parts égales entre le rouge et le blanc, dans quelques-uns des meilleurs crus de Sancerre : Chêne Marchand et Grand Chemarin pour les blancs, Clos du Roi pour les rouges.

VINCENT DELAPORTE
Ce domaine familial de petite taille mais de qualité supérieure produit surtout des vins blancs (et un peu de rouge) à Chavignol. Les vignobles, très escarpés, sont entretenus manuellement. On trouve les vins Delaporte dans le monde entier et dans quelques restaurants parisiens triés sur le volet.

FOURNIER PÈRE ET FILS
Ce négociant-éleveur est réputé pour la qualité de ses vins. Les vins de sa propriété portent l'étiquette Cave des Chaumières, et sa marque de prestige s'appelle La Chaudouillonne (blanc) tandis que ses vins de négoce (Sancerre, Pouilly Fumé ou Menetou-Salon) se vendent sous différentes étiquettes : Célestin Blondeau, Léon Vatan, Patient Cottat, Charles Dupuy et Henry de Chanvre.

GITTON PÈRE ET FILS
René Gitton respecte la tradition, même lorsque son fils Pascal change les vieux pressoirs en bois contre des pressoirs pneumatiques plus performants. L'entreprise familiale se plaît à mettre l'accent sur les différences entre les parcelles en embouteillant non moins de dix Sancerres et cinq Pouillys Fumés. Ses caves se trouvent à Sancerre (rouge, rosé, blanc).
La maison insiste sur une longue fermentation des vins blancs en barrique, ce qui leur donne cette puissance des vins d'autrefois.

DOMAINE LAPORTE
Cette propriété, équipée de caves modernes, élabore des vins de grande qualité. La cuvée de prestige porte l'étiquette Domaine du Rochoy et provient de vignes à très faible rendement dont les vins sont gardés sur lies fines jusqu'à leur mise en bouteilles. Parmi les autres vins, il faut citer le Clos la Comtesse et le Grand Domaine. Laporte produit également une petite quantité de vins génériques.

ALPHONSE MELLOT
Issu d'une famille de vignerons installée dans la région depuis 1513, Alphonse Mellot, à la fois propriétaire de vignes et négociant en Sancerre (rouge, rosé, blanc), fait

aussi le commerce de vins d'appellations voisines.

DOMAINE NATTER
Ce domaine est proche de Menetou-Salon. Les Sauvignons complantent des sols argileux, d'où des vins puissants. Les Natter cultivent également un peu de Pinot Noir qui donne un vin rouge solide.

DOMAINE VINCENT PINARD
Ce vignoble est situé au cœur de l'appellation, à Bué, donc sur des terres calcaires. Les vins sont vinifiés sur lies, soit en cuves, soit en barriques (neuves pour le haut de gamme). Ils sont fins sans mièvrerie et amples en bouche. Vincent Pinard vinifie également du Pinot Noir et en tire un Sancerre rouge de bonne constitution.

CLOS DE LA POUSSIE
Ce spectaculaire vignoble d'un seul tenant ressemble à un extraordinaire amphithéâtre au-dessus du village de Bué. Les vins (rouge, rosé, blanc) sont vendus sous le nom Clos de Chailloux aux États-Unis.

PIERRE PRIEUR ET FILS
Cette propriété à Verdigny occupe une partie des Monts-Damnés. Elle propose un vin blanc racé ainsi qu'un rouge léger et un rosé, assemblés dans des installations modernes. Le rouge et le rosé sont issus du vignoble Pichon à Verdigny.

JEAN REVERDY ET FILS
Un des noms traditionnels de Sancerre depuis le XVIIe siècle, Reverdy fait des blancs issus du Clos de la Reine Blanche à Verdigny, ainsi que du rouge et du rosé sur une parcelle de 2 ha.

DOMAINE JEAN-LOUIS VACHERON
Cette entreprise est spécialisée dans le Sancerre rouge et élève certains de ses vins dans le bois neuf. Le domaine produit un rouge, Les Cailleries, un rosé, Les Romains, et un blanc, Le Paradis.

AUTRES PRODUCTEURS DE SANCERRE
Pierre Archambault, Bernard Balland et Fils, Domaine Joseph Balland-Chapuis, Philippe de Benoist, Fouassier Père et Fils, Jean-Max Roger, Domaine Thomas et Fils, Pascal Jolivet.

POUILLY-SUR-LOIRE

Parmi les villages autour de Pouilly, il faut citer Saint-Andelain, dont les vignobles apprécient spécialement le sol siliceux ; Les Loges, avec un sol crayeux, et Les Berthiers.

MICHEL BAILLY
Bailly possède des parcelles de vignes sur Champ de Gris, Les Griottes et Les Perriers.

CAVES DE POUILLY
Cette cave coopérative, qui regroupe environ 20 % de la production de l'appellation, s'est imposée par la qualité de ses vins. Ses cuvées spéciales Les Moulins à Vent et surtout Vieilles Vignes ont obtenu de nombreuses médailles et citations.

PATRICK COULBOIS
En plus de sa production principale de Pouilly Fumé et d'un peu de Pouilly-sur-Loire, Patrick Coulbois élabore également du vin mousseux.

DIDIER DAGUENEAU
Qualifié par certains d'enfant terrible du Pouilly, Didier Dagueneau a remis en question de nombreuses traditions viticoles locales avec un certain succès. Il utilise du bois neuf pour la fermentation et produit des vins qui vieillissent bien. Sa meilleure cuvée s'appelle Silex, un nom emprunté à la nature du sol dont elle est issue, et fait partie de ce qui se fait de plus original à Pouilly aujourd'hui.

JEAN-CLAUDE DAGUENEAU
C'est le père de Didier. Sa propriété, le Domaine des Berthiers, se compose de vignes à Saint-Andelain et aux Loges. Il produit aussi un Pouilly-sur-Loire, dont une partie est réservée pour l'élaboration de vins mousseux. →

FRANCE

APPELLATIONS ET PRODUCTEURS

MASSON-BLONDELET
Association de deux familles de Pouilly établies de longue date, avec des vignobles dans toute la région. Les caves se trouvent à Pouilly et la maison possède une boutique dans la même rue. Sa cuvée supérieure s'appelle Tradition Cullus (la maison produit aussi du Sancerre blanc).

CHÂTEAU DU NOZET
La propriété la plus célèbre et la plus impressionnante de toute la région appartient à la famille Ladoucette, qui possède également Comte Lafond dans le Sancerrois. Le meilleur vin de ce domaine, Baron de L, est réservé aux bonnes années. Son prix est élevé, mais il suscite beaucoup d'enthousiasme.

MICHEL REDDE ET FILS
Un des grands producteurs de Pouilly, qui élabore une cuvée normale que vient renforcer, dans les meilleures années, un vin d'exception baptisé Cuvée Majorum.

APPELLATIONS EN AMONT DE LA LOIRE

Sancerre et Pouilly Fumé sont des appellations phares de la région Centre-Loire, qui comprend aussi les appellations suivantes :

CHÂTEAUMEILLANT Région d'AOVDQS dans le sud du Cher qui produit des vins rouges et rosés à partir des cépages Gamay, Pinot Noir et Pinot Gris.

COTEAUX-DU-GIENNOIS Blancs AOC issus de Sauvignon et de Chenin Blanc, rouges et rosés à base de Gamay et de Pinot Noir, produits aux environs de la ville de Gien, entre Sancerre et Orléans.

MENETOU-SALON Vins blancs, quelques rouges et rosés AOC provenant de Sauvignon et de Pinot Noir.

POUILLY-SUR-LOIRE Appellation des vins blancs de Pouilly issus de Chasselas plantés sur des sols siliceux.

POUILLY FUMÉ Vin blanc de Pouilly-sur-Loire issu de Sauvignon.

QUINCY L'AOC Quincy désigne un vin blanc élégant issu du cépage Sauvignon sur un sol de sables et de graviers.

REUILLY Ancienne région viticole réputée, le vignoble y renaît avec une production de vins blancs (Sauvignon), de vins rouges et rosés AOC (Pinot Noir et Pinot Gris).

SANCERRE Appellation pour des vins blancs de Sauvignon Blanc et pour des rouges et des rosés de Pinot Noir.

ORLÉANAIS Zone AOVDQS produisant des rosés et des rouges légers de Pinot Noir et de Pinot Meunier, et des blancs provenant de Pinot Blanc et de Chardonnay.

GUY SAGET
Guy Saget est connu dans tous les pays de Loire comme négociant, mais il est avant tout propriétaire de 35 ha à Pouilly et de 1 ha à Sancerre. Ses vins génériques sont séduisants.

CHÂTEAU DE TRACY
Descendant de soldats écossais qui ont combattu pour le roi Charles VII contre les Anglais, la famille Estutt d'Assay occupe ce château depuis le XVIe siècle. Le vignoble actuel s'étend sur 27 ha, et la modernisation des caves accomplie par la dernière génération a permis de donner naissance à un Pouilly Fumé très élégant.

AUTRES PRODUCTEURS DE POUILLY
Bernard Blanchet, Domaine Jean-Pierre Chamoux, Alain Cailleboudin, Didier Pabiot, Jean Pabiot et Fils.

RHÔNE

Carte page XIX

La vallée du Rhône compte plus d'un vignoble. Le nord de la région a un climat continental, avec des printemps doux et des étés chauds. Vers le sud, le climat devient méditerranéen, bien qu'atténué par les effets du mistral, vent froid du nord qui peut souffler sans trêve pendant des jours. Des cépages rouges et blancs sont cultivés dans l'ensemble de la région, mais ils donnent rarement tous de bons vins sur les mêmes emplacements. Les rouges du Nord regroupent des vins simples et légers, mais aussi les crus sombres et charnus auxquels la région doit sa réputation. Les rouges du Sud sont issus de plusieurs cépages complémentaires et tendent à se ressembler – ils présentent des arômes très fruités, parfois épicés ou rappelant les herbes sèches, et plus de souplesse que leurs voisins du Nord. Les blancs du Nord offrent un contraste saisissant entre les vins robustes et souvent opulents issus de la Marsanne, et les délicieux blancs délicatement fruités tirés du Viognier. Le Sud, aride, avait jusqu'ici produit des vins blancs sans grand intérêt, mais cela commence à changer.

La géologie et le climat

Les formations rocheuses de la vallée du Rhône résultent du combat géologique entre le Massif central et les Alpes. Entre ces montagnes, le Rhône s'est frayé un chemin jusqu'à la mer. Les roches anciennes du Massif central fournissent aux sols septentrionaux une base volcanique (granitique) qui assure un excellent drainage du vignoble.

Les fines couches de terre superficielle – silex, craie, calcaire ou mica – sont souvent érodées sur les pentes les plus raides et doivent être reconstituées à la main. Mais ces mêmes pentes offrent une bonne exposition et sont moins sujettes au brouillard et au gel.

Plus au sud, la vallée s'élargit et les coteaux sont moins escarpés. Le sous-sol est calcaire, sablonneux ou argileux, et les sols superficiels comportent des cailloux et des galets dus au recul des glaciers dans des temps très anciens. Ces cailloux sont à la fois une malédiction et un bienfait : ils limitent la mécanisation, mais favorisent le drainage et retiennent la chaleur pendant toute la période de maturation du raisin.

Plus le Rhône descend vers le sud, plus le climat devient méditerranéen.

LIRE UNE ÉTIQUETTE DE VIN DU RHÔNE

L'étiquette d'un vin du Rhône est plus simple que celle d'un vin de Bourgogne ou de Bordeaux. On n'y trouve aucun Grand Cru ou Premier Cru, source de confusion. Certains noms de lieux-dits sont utilisés en Côte-Rôtie, Hermitage ou Cornas, mais ils n'ont aucune valeur légale : c'est le nom du vigneron ou du négociant qui compte.

En Côtes du Rhône méridionales, il faut savoir que seuls les vignerons de l'AOC Châteauneuf-du-Pape peuvent utiliser la bouteille spéciale ornée de la tiare pontificale. Les négociants de Châteauneuf ont droit à une bouteille légèrement différente, avec les clefs croisées au-dessus de la tiare et non au-dessous. Ceux de Tain, de Bourgogne ou d'ailleurs ne sont pas autorisés à l'employer.

Vins Doux Naturels. Leur étiquette porte le nom de l'appellation et les mots « Appellation contrôlée » ainsi que les autres mentions obligatoires (voir p. 103). Tout autre mention est libre d'emploi sous réserve qu'elle soit exacte et ne prête pas à confusion.

Clairette de Die. La mention « Dioise ancestrale » sur l'étiquette de ce Mousseux désigne une méthode d'élaboration à partir d'un moût partiellement fermenté. La fermentation en bouteille dure au moins 4 mois.

Au nord, les étés sont chauds et les hivers froids, avec des risques de gel. La pluie empêche parfois la floraison et peut nuire au millésime, tandis qu'en été des averses de grêle détruisent en quelques instants une année d'efforts. Les pluies automnales favorisent pourriture et maladie. Plus au sud, les conditions climatiques sont plus stables, été comme hiver. Le mistral est aussi un facteur à prendre en considération. Ce vent froid et desséchant souffle du nord-ouest, souvent plusieurs jours d'affilée.

Les cépages et les types de vin

Dans le sud de la région, les vignerons continuent à raconter que ce sont des négociants bourguignons peu scrupuleux qui les ont encouragés à planter du Grenache. Ce cépage est toujours à l'origine de la plupart des grands vins rouges des Côtes du Rhône, à la robe assez pâle, charnus, dotés d'arômes de framboise et parfois d'herbes sèches. Au nord, la Syrah est responsable de la qualité et donne des vins plus colorés et plus tanniques. Elle possède des arômes caractéristiques de baies noires, prenant avec l'âge des nuances de violette et d'épices. Parmi les autres cépages, on trouve le Cinsaut et le Mourvèdre.

Pour les vins blancs, la vallée se divise en deux au confluent de la Drôme. Au nord, la senteur suave et les arômes d'abricot du Viognier dominent à Condrieu, tandis que Marsanne et Roussanne s'imposent en Hermitage. La Marsanne donne un vin robuste et aromatique, alors que la Roussanne a plus de délicatesse et d'expressions aromatiques. Au sud, le Grenache Blanc prend une importance croissante, avec des apports de Bourboulenc, Picpoul, Clairette et Picardan. Les vins de Grenache sont frais et devraient être bus jeunes.

CLAIRETTE DE DIE. Sur la Drôme, qui rejoint le Rhône au sud de Valence, se trouve la ville de Die, centre d'une petite région viticole. Une partie du vignoble est classée en AOC Châtillon-en-Diois, mais les vins de Die même sont beaucoup plus intéressants. Leur nom vient du cépage Clairette, bien que l'on utilise aussi du Muscat à petits grains. La Clairette de Die Tradition est un vin mousseux résultant d'une transformation naturelle qui comporte une deuxième fermentation en bouteille. Ce vin est toujours issu d'un assemblage de Muscat et de Clairette, mais les proportions varient selon le producteur.

VINS DOUX NATURELS. Les Côtes du Rhône méridionales produisent les deux seuls Vins Doux Naturels ne provenant pas du Languedoc-Roussillon. Le plus célèbre est le Beaumes-de-Venise, issu du Muscat à petits grains. C'est un superbe vin de dessert, savoureux et aromatique, comptant 21 % vol. d'alcool. Il vient en grande partie de la Cave coopérative de Beaumes-de-Venise, mais deux petites propriétés se distinguent : le Domaine de Durban et le Domaine des Bernardins.

À Rasteau, on fait un Vin Doux Naturel élaboré pratiquement à base du seul cépage Grenache. Il est le plus souvent vinifié en blanc doux, mais le rouge, caractérisé par des odeurs de pruneau et de rancio, est généralement meilleur. La coopérative est le principal producteur, mais le Domaine de la Soumade donne des vins plus intéressants (rouges compris).

Producteurs, négociants et coopératives

La vallée du Rhône a longtemps passé pour un peu rétrograde en matière de vinification – et ses coteaux escarpés, dont beaucoup rendent toute mécanisation impossible, n'y sont pas étrangers. Mais les superbes millésimes de la fin des années 1980 et des années 1990 ont encouragé la tendance récente de l'opinion internationale à revaloriser les vins de la région.

Pendant les années de vaches maigres, négociants et caves coopératives ont dominé la scène. Les coopératives protégeaient les petits viticulteurs et leur assuraient un gagne-pain. La Cave coopérative de Tain-l'Hermitage – qui vinifie toujours 65 % du Crozes-Hermitage, 25 % de l'Hermitage, 15 % du Cornas et 11 % du Saint-Joseph – a joué un rôle majeur. Aucune autre coopérative du Rhône n'aspire à une telle importance, mais celles des villages du Sud continuent de représenter une source non négligeable de vins locaux. Celle de Rasteau est ainsi l'un des rares endroits où l'on puisse se procurer une bouteille du Vin Doux Naturel du cru.

LES FACTEURS DE QUALITÉ

Dans la vallée du Rhône, le manque de chaleur est rarement un problème, au contraire. Plus préoccupant est le mistral, ce vent sec et froid qui souffle du nord avec violence. Le sous-sol fournit d'excellents sites. Ici, la qualité dépend plus largement des décisions adoptées par les vignerons en matière de cépages et de rendements.

CLIMAT

Il fait chaud dans la vallée du Rhône, mais rarement trop chaud pour les vignes, du moins au nord. En 1989, à Cornas et en Hermitage, comme en 1990 en Côte-Rôtie, le vignoble a souffert. Cépage méditerranéen habitué à la chaleur, le Grenache supporte mieux le soleil que la Syrah. Au sud de la vallée, le mistral peut dessécher la vigne et donner des cuvées moins réussies dont on dit qu'elles ont un « goût de mistral ».

CLONES

Pendant les années 1970, il était courant de replanter un vignoble avec des clones à haut rendement produisant des vins sans caractère, et d'une regrettable maigreur. La méthode adoptée dans les années 1980 fut la sélection massale. Il s'agit de multiplier les plants les plus intéressants, choisis dans les meilleures parcelles, afin de mieux exprimer le caractère du vin. Pour la plupart des cépages, les plants les plus remarquables étaient

Le retard de la région a également bénéficié aux grandes maisons de négoce. Dans le Nord, la plupart avaient (et ont encore) leurs bureaux dans les villes jumelles de Tain et de Tournon. Dans le Sud, bon nombre de négociants continuent d'opérer depuis Châteauneuf-du-Pape.

Dans les Côtes du Rhône, la situation des négociants se trouve encore compliquée par la présence de marchands de Beaune et d'autres centres bourguignons, qui se procuraient jadis des vins puissants destinés à renforcer leurs Bourgognes. Cette pratique est aujourd'hui interdite, mais les Bourguignons continuent de mettre en bouteilles des vins du Rhône. Ceux-ci ne figurent généralement pas parmi les plus intéressants que l'on puisse trouver sur le marché.

Les négociants de Tain et de Tournon embouteillent certains des meilleurs vins de la vallée du Rhône et possèdent d'importants vignobles dans les plus belles AOC. Même quand ils ne sont pas propriétaires, ils pratiquent des achats sélectifs et leurs vins sont plus qu'honorables. Les négociants du Rhône septentrional n'ont pas le droit d'utiliser la bouteille de Châteauneuf-du-Pape.

ceux qui possédaient les grains les plus petits, à la peau la plus épaisse.

SOLS

Dans le nord des Côtes du Rhône, les meilleurs sols reposent sur une solide base de granite. La composition du sol en surface varie selon les endroits. En Côte-Rôtie, par exemple, la Côte-Blonde est plus sablonneuse, et la Côte-Brune plus argileuse. Les sols de l'Hermitage sont plus complexes, et un bon Hermitage assemblera des raisins de différentes parties de la colline. Les Bessards sont du schiste granitique ; Le Méal est sablonneux ; Les Greffieux, très argileux. Les sols calcaires sont réservés aux vins blancs. Les meilleures vignes des Côtes du Rhône méridionales poussent sur du calcaire. à Châteauneuf-du-Pape, le plateau de Montredon est célèbre pour ses galets.

RENDEMENTS

Les rendements doivent rester bas. La Syrah ne produira pas des vins intéressants au-dessus de 50 hl/ha, et les meilleurs vins sont issus de rendements avoisinant plutôt 30 hl/ha. Pour le Grenache, les vignerons émérites avouent que, au-dessus de 25 hl/ha, ce cépage a besoin d'une « paire de béquilles », en l'occurrence la Syrah et le Mourvèdre. Au-dessous de ce rendement, le Grenache peut donner des vins superbes à lui tout seul.

CÔTES DU RHÔNE SEPTENTRIONALES

Carte page XIX

On trouve de grands vignobles tout au long d'une bonne partie du fleuve, mais les plus remarquables sont localisés dans le nord de la vallée du Rhône. Le secret de cette qualité réside dans le sous-sol granitique que le Rhône a creusé pour se forger un passage. Les premières collines vraiment escarpées apparaissent près de Vienne, ancienne ville romaine située à 24 km au sud de Lyon. Un observateur attentif peut y déceler la trace de terrasses autrefois couvertes de vignes, avant l'époque du phylloxéra. De nos jours, le vignoble septentrional du Rhône ne commence vraiment qu'à Ampuis.

Le vignoble du Rhône septentrional

Ampuis est un gros village terne et poussiéreux à cheval sur la route nationale. Mais juste derrière, sur des pentes abruptes, se trouvent les vignobles de Côte-Rôtie, l'un des plus grands vins du monde. Sur le terrain, la colline se divise en deux, la Côte-Brune et la Côte-Blonde. On donne à ces deux noms de nombreuses explications fantaisistes, mais la plus plausible est la plus banale. Le sol de la Côte-Blonde est plus sablonneux en surface, alors que la mince couche de terre recouvrant la Côte-Brune contient une plus forte proportion d'argile. Le sous-sol est granitique.

Les vins de Côte-Rôtie sont l'expression la plus élégante de la Syrah. Dans une certaine mesure, cela résulte de l'apport d'une petite proportion de Viognier, l'un des cépages blancs les plus délicatement aromatiques.

Bien qu'il soit planté un peu partout dans le Midi, c'est seulement dans les appellations Condrieu et Château-Grillet que le Viognier atteint une perfection quasi absolue. Jusque très récemment, les vignes de Condrieu étaient très anciennes (jusqu'à 50 ans) et les méthodes de vinification très traditionnelles. Ces dernières années, malheureusement, certaines vignerons ont eu tendance à passer le Condrieu dans du chêne neuf. Or, dans les sols de granite et de mica de l'appellation, le Viognier prend des arômes de noyau d'abricot et de pêche délicieusement voluptueux. L'apport aromatique du chêne neuf ne pouvait donc que dénaturer ce superbe bouquet.

Plus au sud se trouve Saint-Joseph. Les meilleurs vins de cette AOC sont légers et élégants, mais il y en a peu. Après la crise des années 1930, la

vigne a surtout été plantée dans les plaines alluviales. Des efforts sont en cours pour réhabiliter et développer l'appellation.

Face à Saint-Joseph, sur l'autre rive du fleuve, s'étend Crozes-Hermitage. Cette zone a souffert de la complaisance excessive des autorités, qui, dans les années 1950, ont inclus dans les limites de l'appellation des endroits non réputés pour leur qualité. Ces dernières années, cependant, Crozes s'est révélée la plus intéressante AOC des Côtes du Rhône septentrionales. De temps à autre, un vigneron rejoint le camp des plus motivés et décide de mettre son vin en bouteilles au lieu de l'apporter à la coopérative. Les résultats sont plus que convaincants.

Crozes s'étend à l'ombre du grand rocher de l'Hermitage, dont les célèbres vins rouges et blancs font la renommée de cette région septentrionale depuis le XVIIe siècle. Sur le plan du style, les vins de l'Hermitage pourraient passer pour l'équivalent « masculin » des vins plus « féminins » de Côte-Rôtie. Ils peuvent être tanniques et fermés au départ, mais les meilleurs prennent un fruité voluptueux et sublime après avoir franchi le cap de la huitième année. Les blancs sont injustement méconnus et dotés, eux aussi, d'une longévité étonnante.

D'ouest en est, les principaux lieux-dits de l'Hermitage sont : Les Varognes, Les Bessards, Le Gros des Vignes, Les Greffieux, Le Méal, L'Hermite, La Chapelle, Chante Alouette, Beaumes, Péléat, La Maison Blanche, Les Rocoules, Les Diognières, La Pierrelle, Les Murets, La Croix, L'Homme et Les Signeaux. Ces noms apparaissent cependant rarement sur les étiquettes, l'Hermitage étant, selon l'opinion la plus répandue, un assemblage entre plusieurs terroirs de la colline. Des sols de nature variable recouvrent une base de granite et de calcaire.

La région nord du Rhône produit un autre grand vin, près du village de Cornas, sur la rive gauche. Si les vins de l'Hermitage sont masculins, ceux de Cornas pourraient pousser l'image au paroxysme – en effet, ils sont tanniques à l'extrême. Le vrai Cornas est lent à se dégager de cette image virile et ne devrait jamais s'apprivoiser complètement, car son caractère sauvage est vraiment l'une de ses grandes qualités.

Les Côtes du Rhône septentrionales recèlent deux appellations supplémentaires. Saint-Péray et ses alentours font un peu de vin blanc ; surtout à base de Marsanne, celui-ci peut être tranquille ou mousseux (élaboré selon la méthode traditionnelle). Enfin, sur la Drôme, au sud de Valence, se trouve le petit vignoble de Brézème. Il constitue un cas un peu particulier, car on ignore souvent son appartenance aux Côtes-du-Rhône génériques, grâce à une dérogation pour son encépagement : 100 % Syrah. Comme à Cornas, le vin ne comporte aucun apport de

raisins blancs, mais, contrairement au Cornas, il ne s'arrondit pas avec le temps.

Les appellations contrôlées

De Vienne au confluent de la Drôme, la vallée du Rhône compte huit appellations d'origine contrôlée : Côte-Rôtie et Cornas donnent uniquement des vins rouges ; Saint-Joseph, Crozes-Hermitage et Hermitage produisent des vins rouges ou blancs ; Condrieu, Château-Grillet et Saint-Péray ne font que du vin blanc. On trouve en outre un peu de Côtes-du-Rhône près de Cornas et au lieu-dit Brézème.

Les appellations sont administrées par l'INAO (Institut national des appellations d'origine), qui détermine les rendements, indique les cépages à utiliser et délimite la superficie des AOC. Dans certains cas, ses décisions sont controversées : le haut plateau de Côte-Rôtie, par exemple, n'est pas considéré comme donnant un fruité de même qualité que la Côte proprement dite. Les rendements varient de 30 hl/ha pour le Condrieu à 50 hl/ha pour le Côtes-du-Rhône. Chaque appellation est dotée d'une limite de production recommandée, mais les meilleurs vignerons s'efforcent de l'abaisser encore davantage.

Aucun rosé n'est fait dans les Côtes du Rhône septentrionales. On produit un peu de Condrieu doux en arrêtant la fermentation. Ce vin a un attrait limité et l'on en trouve fort peu. En Hermitage, quelques vignerons continuent à faire du vin de paille, mais dans des quantités minuscules, bien que certains envisagent une production commerciale.

Les cépages

Le seul cépage rouge autorisé est la Syrah. En Côte-Rôtie, elle peut être assemblée avec 20 % de Viognier au maximum et, en Hermitage, avec 15 % au maximum de Marsanne ou de Roussanne. Cornas et le Côtes-du-Rhône Brézème sont des vins à 100 % Syrah. Condrieu et Château-Grillet doivent être issus à 100 % du Viognier, bien que l'on y ait trouvé quelques pieds de Chasselas. Hermitage et Crozes-Hermitage blancs, ainsi que Saint-Péray, doivent être à base de Marsanne et/ou de Roussanne. La Marsanne est plus répandue que la fragile Roussanne, bien que cette dernière soit probablement le meilleur cépage des deux.

Les techniques de vinification

Les méthodes traditionnelles ont récemment été remises en question du fait de l'apparition de nouveaux concepts empruntés à d'autres régions viticoles. La fermentation à basse température est aujourd'hui utilisée pour produire des vins blancs plus vifs, au lieu de les vinifier en cuves de bois. Pigeage et autopigeage gagnent du terrain et l'on trouve beaucoup plus de bois neuf dans la vallée qu'il y a dix ans. Jaboulet (voir p. 446) et Guigal (voir p. 445) ont été les premiers à recourir au bois neuf, mais c'est l'œnologue de formation bordelaise Jean-Luc Colombo qui en a introduit l'usage auprès de certains petits vignerons des Côtes du Rhône septentrionales.

Producteurs et négociants

Les maisons de négoce de Tain et de Tournon sont réputées pour mettre en bouteilles les meilleurs vins de la vallée du Rhône. Certaines comme Jaboulet, Chapoutier, Delas, Guigal sont propriétaires de vignobles prestigieux tandis que d'autres se contentent d'acheter des raisins ou du vin en s'assurant un approvisionnement de qualité, et leur mise en bouteilles reste une garantie. Si les meilleurs négociants se trouvent au nord de l'appellation, là où sont produits les meilleurs crus, nombreux sont ceux qui proposent des vins de l'ensemble de la vallée du Rhône. Le négoce de la vallée n'a toutefois pas l'autorisation d'utiliser la bouteille spéciale de Châteauneuf-du-Pape (voir encadré p. 436).

Capacité de garde et millésimes

Les vins rouges traditionnels du nord de la vallée ont une longévité légendaire. Les vieux Hermitages, en particulier, étaient très appréciés dans la Russie d'avant la révolution. Quant à savoir si les vins rouges du Rhône produits actuellement ont la même capacité de garde, le débat reste ouvert. Il est néanmoins certain que la plupart des vins d'Hermitage ne commencent à s'épanouir qu'au bout de leur huitième année et, dans certains cas, après une décennie. Le même principe s'applique au Cornas. Un Côte-Rôtie peut généralement se boire plus jeune. Un vin de la Côte-Blonde peut être abordé vers sa sixième année, mais le Côte-Brune, plus tannique, exige un peu plus de temps. Crozes-Hermitage et Saint-Joseph doivent normalement attendre deux ou trois ans. Mais, au bout de cinq ans environ, ils commencent à perdre de leur charme.

Les vins de Viognier (à l'exception de Château-Grillet) atteignent leur apogée entre un an et demi et quatre ans. Le Château-Grillet passe plus de temps dans le bois et met plus longtemps à se développer. De manière générale, le Condrieu n'est pas un vin de garde. L'Hermitage blanc peut se boire jeune ou vieux, mais il traverse une période plus terne dans l'intervalle. Déguster un vieil Hermitage blanc est une expérience inoubliable.

Les millésimes varient énormément dans le nord des Côtes du Rhône. Dans les années 1980, il n'y a eu que deux millésimes médiocres (1984 et 1987), et chacun des huit autres possède un caractère bien à lui.

FRANCE

APPELLATIONS, PRODUCTEURS ET NÉGOCIANTS

Hormis la large cave coopérative de Tain-l'Hermitage, la production vinicole du Rhône septentrional est partagée entre les vignerons qui commercialisent leurs propres vins et les négociants qui achètent des raisins ou des vins en propriété pour effectuer des assemblages. Les appellations sont citées par ordre alphabétique.

BRÉZÈME

Ce petit vignoble de 14 ha plantés (sur 84 ha classés) est un cas particulier : seul vignoble septentrional au sud de Valence, il produit un Côtes-du-Rhône de pure Syrah (plutôt tannique). Il n'y a que deux producteurs : la coopérative et Jean-Marie Lombard.

CHÂTEAU-GRILLET

Avec près de 4 ha, Château-Grillet est l'une des plus petites AOC de France, dont la famille Neyret-Gachet a le monopole. Le Château-Grillet est un vin blanc de pur Viognier, comme son voisin de Condrieu. Contrairement à la plupart de ceux de Condrieu, il passe jusqu'à 18 mois en fût et ne s'épanouit pas avant sa cinquième année. Seule sa rareté semble justifier son prix élevé.

CONDRIEU

La superficie occupée par le Viognier est d'environ 90 ha. Le Condrieu n'est généralement pas destiné à une longue garde. Dans la plupart des cas, il arrive à maturité vers 18 mois et ne devrait pas dépasser sa quatrième année.
Parmi les vignerons recommandés à Condrieu, citons : Cuilleron ; Dezormeaux ; Multier, au Château du Rozay (attention, chêne neuf) ; Niero et Pinchon ; Alain Paret ; André Perret ; Georges Vernay.
Négociants : Delas Frères ; Guigal.

CORNAS

À Cornas, 113 ha de vignes sont consacrés à la production de vins rouges 100 % Syrah. Les qualités du Cornas ont été reconnues dès le début du XIXe siècle, mais c'est seulement vers la fin des années 1960 qu'Auguste Clape commença à mettre ses vins en bouteilles et à les vendre directement, en France et à l'étranger.
À la fin des années 1980, Cornas était devenu l'un des vins les plus recherchés de France, la production s'efforçant désespérément de répondre à la demande. Les négociants de Tain et de Tournon continuent de prendre le Cornas pour un vin rustique ; il peut en effet être très tannique dans sa jeunesse et rester sauvage dans sa vieillesse.

AUGUSTE CLAPE
Ce domaine, dont certaines vignes sont centenaires, a fait la gloire de Cornas. Les Clape, père et fils, assemblent les raisins de leurs différentes parcelles pour produire une cuvée magnifiquement équilibrée qui peut prendre jusqu'à dix ans pour s'épanouir. Ils ont aussi une petite bande de terre classée en Côtes-du-Rhône, de l'autre côté de la route nationale.

ROBERT MICHEL
Robert Michel possède environ 10 % de l'appellation Cornas. Contrairement à Auguste Clape, il divise ses ressources et produit trois vins : l'un est issu de vignes plantées en terrain plat et banal ; le deuxième d'un coteau baptisé La Renarde ; enfin, son meilleur cru, La Geynale, vient d'une petite parcelle orientée au sud dont les vignes ont entre 60 et 80 ans. La Geynale semble donner un vin splendide, même dans les millésimes moyens.

AUTRES PRODUCTEURS
On notera : Allemande ; de Barjac ; Bernard ; Colombo ; Courbis ; Juge ; Jean Lionnet ; Noël Verset ; Voge.

CÔTE-RÔTIE

Cette AOC totalise quelque 200 ha, pour la plupart situés sur le coteau formé par la Côte-Blonde et la

Côte-Brune. Il existe une grande quantité de lieux-dits, mais aucun système de crus hiérarchisés. Les lieux-dits les plus réputés sont La Landonne, La Côte Boudin, La Turque, La Châtillonne et La Mouline. Le Côte-Rôtie est surtout à base de Syrah, mais peut comporter jusqu'à 20 % de Viognier.
Traditionnellement, c'est la Côte-Blonde qui abritait le Viognier, cépage ajoutant ses riches arômes aux notes de pivoine et d'œillet de la Syrah. Autrefois, la plupart des vins de Côte-Rôtie étaient un assemblage de raisins de Côte-Blonde et Côte-Brune. Mais les vignerons ont de plus en plus tendance à produire plusieurs vins, ce qui les conduit à isoler leurs meilleurs sites.

BERNARD BURGAUD
Burgaud est l'une des étoiles montantes de Côte-Rôtie. Ses 4 ha se situent principalement en Côte-Blonde, mais il possède aussi sur le plateau une petite parcelle qui, dit-il, l'a sauvé en 1990, millésime affecté par la sécheresse. Burgaud utilise des fûts de chêne neuf pour environ un cinquième de ses vins, souples et aromatiques.

MARCEL GUIGAL
Cette maison de négoce possède environ 10 % de Côte-Rôtie et achète en outre des raisins pour produire son Côte-Rôtie Brune et Blonde. Marcel Guigal est également propriétaire de Vidal-Fleury, autre vieille maison de négoce d'Ampuis, dont il a relevé le niveau de manière spectaculaire, surtout pour le vin haut de gamme La Châtillonne. Guigal a été le premier à promouvoir des terroirs individuels en Côte-Rôtie avec ses vins de cru : La Mouline (Côte-Blonde), La Landonne (Côte-Brune) et La Turque (située entre les deux).
Ce sont les vins les plus rares et les plus chers de toute l'appellation. Guigal produit du vin dans toute la vallée du Rhône. Parmi eux, on peut remarquer un Hermitage de bon niveau et un Côtes-du-Rhône à dominante de Syrah.

JOSEPH JAMET
Issus d'environ 4 ha en Côte-Brune, les vins sont remarquablement souples et aromatiques.

RENÉ ROSTAING
Rostaing est l'homme dont tout le monde parle dans l'appellation. Petit propriétaire dans le passé, il a considérablement étendu son vignoble après son mariage avec la fille d'un vigneron très respecté, Albert Dervieux. René Rostaing a poursuivi la politique de son beau-père en embouteillant séparément ses vins de Côte-Brune et Côte-Blonde. Il produit aussi un vin de cru La Landonne. Ses vins sont puissants, concentrés et dotés d'un potentiel de garde considérable.

AUTRES PRODUCTEURS
Pierre Barge ; Gilles Barge ; Émile Champet ; Chapoutier ; Delas Frères ; Jaboulet.

CROZES-HERMITAGE

Plus de 60 % des vins de l'appellation Crozes-Hermitage (1 305 ha) sont vinifiés par la grosse coopérative de Tain, qui ne sépare pas les meilleurs terroirs. Ces dernières années ont cependant vu une très nette amélioration de la qualité, avec l'éclosion de nouveaux talents dans le domaine de la vinification, et Crozes-Hermitage est devenu l'une des plus intéressantes appellations de France.

ALAIN GRAILLOT
Alain Graillot possède aujourd'hui 20 ha en Crozes-Hermitage et 1 ha en Saint-Joseph. Il produit aussi quelques fûts d'Hermitage. Depuis 1986, Graillot vinifie un vin haut de gamme appelé La Guirande, encore plus concentré et débordant du splendide fruité propre à la Syrah que ses Crozes-Hermitages génériques.

ÉTIENNE POCHON
Outre ses vins du Domaine Pochon, Étienne Pochon produit des Crozes-Hermitages d'une belle concentration au Château de Curson. Il fait aussi →

du vin blanc. Son consultant est Jean-Luc Colombo, de Cornas, ce qui explique l'utilisation de bois neuf pour l'élevage de certaines de ses cuves. La concentration de ses vins mérite un privilège.

AUTRES PRODUCTEURS
Cave des Clairmonts ; Belle ; Combier ; Cournu ; Desmeure ; Jaboulet (Domaine de Thalabert) ; Roure ; Viale.

HERMITAGE

Selon des témoignages du XIXe siècle, certains vins de l'Hermitage passaient jusqu'à six ans en fûts de chêne neuf avant la mise en bouteilles et les vins blancs fermentaient en fûts d'acacia neuf. Aujourd'hui, bien peu de vignerons utilisent du chêne neuf : l'Hermitage est bien assez tannique sans cela. On trouve néanmoins beaucoup plus de bois neuf qu'auparavant dans les chais, et, parmi les principaux vignerons, Gérard Chave est peut-être le seul qui se refuse à introduire des arômes de bois dans son vin. Ce sont les négociants qui ont maintenu l'Hermitage en vie pendant les années de vaches maigres, et nombre des meilleures terres leur appartiennent. La coopérative, tout comme Gérard Chave, est propriétaire d'un grand domaine sur la colline. En revanche, les petits vignerons n'ont parfois qu'une fraction d'hectare et la qualité de leur vin est souvent inégale.

CHAPOUTIER
Chapoutier possède le plus grand domaine de la colline de l'Hermitage ainsi que des propriétés importantes dans d'autres appellations (Côte-Rôtie, Saint-Joseph, Crozes-Hermitage, Châteauneuf-du-Pape). Depuis le millésime 1990, la maison Chapoutier a le vent en poupe ; elle représente probablement le meilleur négociant producteur d'Hermitage, avec ses cuvées haut de gamme Le Pavillon et Monier de la Sizeranne. On n'y néglige pas pour autant les autres vins. Ainsi, les blancs, un peu à l'ancienne mode, sont un régal et à leur apogée quand ils sont vieux. Le Châteauneuf-du-Pape est également remarquable, car Michel Chapoutier est un fervent partisan du Grenache. Dans son Barbe-Rac nouvelle version, il ne met d'ailleurs que du Grenache de très vieilles vignes (80 ans), avec d'excellents résultats.

GÉRARD CHAVE
Gérard Chave est peut-être le meilleur vigneron du nord des Côtes du Rhône, mais il n'a pas assez de vignes pour satisfaire ses nombreux admirateurs. Le secret de la qualité Chave réside dans l'attention portée aux détails : pas de trucs ni d'astuces particulières, simplement la vinification la plus soigneuse que l'on puisse imaginer. Entre ses mains, la Syrah prend une superbe élégance, tout en conservant cette note imperceptiblement terreuse qui la distingue des autres cépages. Le vin de Chave est un assemblage de Diognières, Beaumes, Péléat, Bessards et l'Hermite, dans lequel chaque élément joue un rôle important. Le Saint-Joseph de Chave est une rareté qui vaut la peine d'être recherchée. C'est l'un des tout meilleurs vins de l'appellation.

DELAS FRÈRES
Cette maison de négoce de Saint-Jean-de-Muzols achète des raisins et des vins dans toute la vallée du Rhône. Ses vins haut de gamme sont l'Hermitage Marquise de la Tourette et le Côte-Rôtie Seigneur de Maugiron. Ce sont des vins d'une qualité honorable, mais qui ne peuvent rivaliser avec les meilleurs de chacune de ces appellations. Le Condrieu de Delas est souvent un bon représentant de l'AOC.

PAUL JABOULET AÎNÉ
Jaboulet est une maison de négoce installée à La Roche-de-Glun, au sud de l'Hermitage. Elle achète des raisins et des vins, et la qualité peut donc être variable. Jaboulet est en

outre propriétaire de deux grands domaines : 25 ha en Hermitage et les 35 ha du Domaine de Thalabert en Crozes-Hermitage. Son vin haut de gamme est l'Hermitage La Chapelle, un assemblage de raisins des lieux-dits Bessards, Greffieux, Méal, Diognières, Croix et Maison Blanche. C'est l'un des trois meilleurs de l'appellation. Les vins de chez Jaboulet sont de type plus bordelais que ceux de Gérard Chave. Le Domaine de Thalabert est aussi un excellent vin. L'Hermitage blanc de Jaboulet, Chevalier de Sterimberg, est plus frais et plus vif que d'autres, et issu d'un assemblage de Roussanne et Marsanne. D'autres vins de la gamme Jaboulet sont plus inégaux, mais il faut noter que, certaines années, le Côte-Rôtie Les Jumelles, le Châteauneuf-du-Pape Les Cèdres ou le Cornas figurent parmi les meilleurs qu'on puisse trouver.

AUTRES PRODUCTEURS
Desmeure; Bernard Faurie; Jean-Louis Grippat; Marcel Guigal.

SAINT-JOSEPH

Cette appellation (954 ha) suit la rive droite du Rhône de Condrieu à Cornas. Au départ, Saint-Joseph était l'un des meilleurs vignobles du Rhône, un petit cru entre Tournon et Mauves. L'AOC étendit ensuite ses limites et les révisa encore une fois en 1969, permettant ainsi à des vignerons qui ne le méritaient peut-être pas de se prévaloir de la bonne réputation du Saint-Joseph. Il existe aussi, heureusement, de bons vignerons dans cette vaste appellation. Certains ont commencé à remettre la vigne là où elle devrait se trouver : sur les coteaux granitiques et non dans les plaines alluviales. À Saint-Joseph même, des vignerons ont replanté les coteaux escarpés pour la première fois depuis des décennies.

CLOS DE L'ARBALESTRIER
Émile Florentin est propriétaire d'un clos à Mauves, dont il tire des Saint-Joseph rouges et blancs faits selon des méthodes volontairement traditionnelles. Dans un bon millésime, les rouges peuvent être incroyablement bons, même s'ils paraissent un peu trop imposants à certains. La même remarque s'applique d'ailleurs aux blancs.

MAURICE COURBIS
Ce vigneron de Châteaubourg possède près de 15 ha en Saint-Joseph et environ 1,5 ha en Cornas. La parcelle de Cornas comporte de très vieilles vignes en pied de coteau et d'autres plus récemment plantées sur le coteau lui-même.

JEAN-LOUIS GRIPPAT
Jean-Louis Grippat possède un vignoble en Saint-Joseph ainsi qu'une toute petite vigne sur les coteaux de l'Hermitage. Il exploite la vigne de l'Hospice, un cru exceptionnel sur un site escarpé de la rive opposée au vignoble de l'Hermitage. Récemment, il a fait revivre quelques parcelles de ce vieux vignoble de Tournon en y replantant de la vigne.

SAINT-PÉRAY

Cette appellation ne produit que des vins blancs, tranquilles ou mousseux. La Marsanne est ici le principal cépage. Les vignerons peuvent aussi utiliser la Roussanne, plutôt meilleure en fait, mais la plupart sont rebutés par les difficultés rencontrées à la floraison. Dans le meilleur des cas, le Saint-Péray est une bonne version en mode mineur de l'Hermitage blanc. Les vins mousseux sont bus localement en guise d'apéritif et se rencontrent rarement ailleurs. De nombreux producteurs de Saint-Péray ont également des vignes en Saint-Joseph ou en Cornas. Parmi les vignerons qui méritent d'être cités, on trouve Bernard Gripa, Jean Lionnet et Alain Voge.

FRANCE

CÔTES DU RHÔNE MÉRIDIONALES

Carte page XIX

Les raisins couleur d'encre de la Syrah du Nord se raréfient au sud des berges de la Drôme. La vigne réapparaît au sud de Montélimar, dans un tout autre paysage. Les ceps trapus présentent la traditionnelle forme en gobelet. Argiles sèches et cailloux calcaires remplacent les grands pics granitiques qui s'élèvent au nord de Valence. La plupart des cépages utilisés ici sont d'origine espagnole et sont arrivés dans le sud de la vallée du Rhône au XVIIe siècle.

Le vignoble des Côtes du Rhône méridionales

Le site numéro un de la région est naturellement Châteauneuf lui-même, une appellation dont la prééminence se fonde sur des liens plus qu'incertains avec la papauté. La qualité extrême des meilleurs vins de cette région est due en bonne partie à la plantation du plateau de Montredon, effectuée pour l'essentiel entre les deux guerres. Ici, les galets, gros cailloux blancs et lisses, absorbent la chaleur du soleil le jour et réchauffent les racines des ceps la nuit.

Gigondas est souvent qualifié de « Châteauneuf du pauvre ». Cela est bien injuste, car on y produit de grands vins, dont beaucoup sont supérieurs aux vins de qualité courante de la prestigieuse AOC voisine. Le paysage est dominé par les fameuses Dentelles de Montmirail, d'origine calcaire. Et c'est à cause de ces sols calcaires que le Gigondas est un vin légèrement plus dur que le Châteauneuf-du-Pape.

Gigondas est le premier village des Côtes du Rhône méridionales à avoir reçu sa propre appellation. Depuis lors, la même distinction a été accordée à Vacqueyras. Les domaines les plus réputés utilisent beaucoup de Syrah, assemblée au Grenache, pour produire des vins aromatiques très réussis.

Lirac et Tavel se trouvent tous deux sur la rive droite du Rhône. Les vins de Lirac ressemblent à ceux de Châteauneuf, mais on y fait aussi beaucoup de rosé, ce qui est interdit à Châteauneuf. Tavel est une AOC strictement réservée aux vins rosés. Ceux-ci sont surtout à base de Grenache, mais les meilleurs domaines l'assemblent avec du Mourvèdre.

Des vins tout à fait similaires, à dominante de Grenache, sont produits dans les petites appellations rhodaniennes du Sud, comme les Coteaux-du-Tricastin, Côtes-du-Ventoux, Côtes-du-Vivarais et Côtes-du-Lubéron.

Mais les meilleurs vins se dissimulent souvent dans le vaste fourre-tout des Côtes du Rhône et Côtes-du-Rhône-Villages. Les villages de Saint-Gervais, Cairanne, Rasteau, Sablet, Séguret et Valréas sont particulièrement dignes d'attention. Les rouges sont à base de Grenache et les meilleurs comportent aussi une petite part de Syrah et de Mourvèdre. Les domaines les plus en vue ont sorti des cuvées spéciales sur l'un ou l'autre de ces cépages. Le vin blanc est ici plutôt rare, bien que les villages de Chusclan et Laudun le comptent parmi leurs spécialités.

Enfin, deux zones de cette région méridionale du Rhône ont le droit de produire un Vin Doux Naturel. Le célèbre Muscat de Beaumes-de-Venise est devenu ces dernières années un vin de dessert très apprécié ; en revanche, les vins mutés de Rasteau sont moins connus. Le rouge est à base de Grenache Noir, et le blanc de Grenache Blanc.

Les appellations contrôlées

Il existe onze AOC et deux VDN dans les Côtes du Rhône méridionales. Le Châteauneuf-du-Pape peut être rouge ou blanc ; le Gigondas comporte des rouges et des rosés ; le Vacqueyras est exclusivement rouge. Tavel se distingue en étant réservé aux rosés. Les autres – Lirac, Côtes-du-Vivarais, Coteaux-du-Tricastin, Côtes-du-Ventoux, Côtes-du-Lubéron, Côtes-du-Rhône et Côtes-du-Rhône-Villages – peuvent être rouges, blancs ou rosés. Le village de Beaumes-de-Venise a le droit de produire un Muscat doux muté dans la catégorie VDN. Rasteau produit un VDN de Grenache, qui peut être rouge ou blanc.

Les rendements sont fixés par l'INAO (Institut national des appellations d'origine), organisme dont dépend également l'élévation d'un Côtes-du-Rhône-Villages au statut d'AOC de plein droit. La production est de surcroît régulée par les caprices du Grenache, sujet à la coulure lors de la floraison, et qui limite ainsi de lui-même son volume. Une production de 40 hl/ha est inhabituelle pour le Grenache. Les rendements vont de 28 hl/ha pour le Muscat de Beaumes-de-Venise jusqu'à 50 hl/ha pour les Côtes-du-Rhône. Le Tavel a droit à 42 hl/ha, mais d'autres AOC se limitent à 35 hl/ha.

Les cépages

Le Grenache est le cépage principal des Côtes du Rhône méridionales : 13 cépages sont autorisés par l'AOC Châteauneuf-du-Pape, mais, aujourd'hui, le cépage Grenache Noir représente presque toujours 80 % de l'assemblage. La Syrah et le Mourvèdre tempèrent et rehaussent, quant à eux, les arômes de base fournis par le Grenache : les autres variétés (Counoise, Vaccarèse, Terret Noir, Cinsaut et Muscardin) servent plutôt à épicer l'assemblage.

CÔTES-DU-RHÔNE-VILLAGES

Aujourd'hui, l'appellation Côtes-du-Rhône-Villages regroupe 16 communes dont la mention peut être portée sur les étiquettes de vin. Les villages les plus réputés font l'objet de la liste suivante.

Beaumes-de-Venise. Très connu pour ses vins blancs de dessert, qui sont dotés de leur propre AOC, Beaumes produit aussi des vins rouges classiques.

Cairanne. On compare souvent les vins rouges de Cairanne à ceux de Châteauneuf-du-Pape, mais ils n'en ont pas toujours la structure ni la longévité.

Chusclan. Réputée pour ses rosés, cette commune produit néanmoins beaucoup plus de vins rouges d'un caractère fruité.

Laudun. Le vignoble de la commune, l'un des plus anciens de la région, produit un vin rouge et un vin blanc issu des cépages Clairette et Roussanne.

Rasteau. Très connu pour ses Vins Doux Naturels à base de Grenache (AOC Rasteau), Rasteau produit aussi des vins rouges non mutés d'un certain caractère.

Rochegude. La production de cette commune est essentiellement constituée de vins rouges robustes issus de Grenache et de Cinsaut.

Saint-Gervais. Outre la production de superbes vins blancs produits à partir du fameux cépage Viognier, la commune est réputée pour de bons vins rouges issus de Mourvèdre et de Syrah.

Sablet. Promue AOC Villages dans les années 1970, Sablet est une commune réputée pour la légèreté de ses vins, en rosé comme en rouge.

Séguret. Dans cette commune, les vins rouges de Grenache dominent et montrent de belles notes de tabac.

Valréas. Bien qu'une grande partie des vins rouges de cette commune soient légers, certains sont particulièrement structurés, comme ceux de la cave coopérative.

Vinsobres. C'est l'un des villages dotés du meilleur terroir pour des vins de grande concentration. Mais ce potentiel se trouve rarement dans les bouteilles, souvent diffusées en Côtes-du-Rhône génériques afin de se permettre de plus forts rendements.

Visan. La Syrah gagne du terrain (aux dépens du cépage Grenache) sur les vignobles de la commune dans le but d'élaborer des vins rouges racés.

Les autres communes promues Côtes-du-Rhône-Villages sont celles de Roaix, Rousset-les-Vignes, Saint-Pantaléon-les-Vignes et Saint-Maurice-sur-Eygues.

Il n'en était pas toujours ainsi. Près de Châteauneuf-du-Pape, Joseph Ducos, alors propriétaire de Château La Nerthe à la fin du XIXe siècle, greffa un certain nombre de cépages locaux après les ravages du phylloxéra. Outre le Grenache, la Syrah et le Mourvèdre, il installa Counoise, Muscardin, Vaccarèse, Picpoul Noir et Cinsaut pour les vins rouges, Clairette et Bourboulenc pour les vins blancs. Sa conviction qu'il s'agissait des variétés convenant le mieux à la région conduisit à intégrer ces cépages dans la première législation d'appellation adoptée pour le Châteauneuf-du-Pape dans les années 1920 avec, en outre, le Terret Noir, le Picardan et la Roussanne.

Le cocktail de cépages de Ducos subsiste dans quelques propriétés de Châteauneuf, mais, pour l'essentiel, l'assemblage est très semblable à ce qui se fait ailleurs dans la région : le Grenache Noir domine les rouges ; le Grenache Blanc, les blancs. D'autres cépages sont présents dans de plus faibles proportions, les variétés chères à Ducos se trouvant saupoudrées sur l'ensemble. Ces cépages mineurs suscitent néanmoins un certain intérêt. Les Perret, du Château de Beaucastel, font grand cas de la Counoise, variété qui a récemment été expérimentée avec de bons résultats dans le Roussillon. Et le Domaine du Vieux Télégraphe produit un vin de pur Cinsaut tout à fait excellent (mais difficile à trouver). Ailleurs en Côtes-du-Rhône, on a plus de chance de dénicher des cuvées expérimentales. La tendance est de plus en plus favorable aux vins dominés par la Syrah ou le Mourvèdre, voire aux vins de cépage. Rabasse-Charavin, Domaine Sainte-Anne et Château de Fonsalette sont trois noms à retenir.

La Clairette était le cépage blanc traditionnel de toute cette région, mais le Grenache Blanc lui fait de plus en plus concurrence. Le Picpoul, le Picardan, le Bourboulenc et la Roussanne peuvent donner des résultats intéressants. Le dernier de ces cépages, en particulier, est à l'origine du blanc le plus réputé du Château de Beaucastel.

Le vieillissement

Les vins des Côtes du Rhône méridionales n'ont pas une garde aussi prolongée que leurs équivalents du Nord et mettent aussi moins de temps à s'épanouir. Un bon Châteauneuf ou un bon Gigondas devraient tenir vingt à vingt-cinq ans, mais ils seront déjà agréables à boire après avoir vieilli cinq ou six ans.

Les vins blancs du Rhône ne sont pas considérés comme des vins à mettre en cave. Le Muscat de Beaumes-de-Venise est lui aussi bu dans sa jeunesse. Certains apprécient les Vins Doux Naturels de Rasteau après un vieillissement en bouteille, quand ils ont pris des notes de rancio très similaires à celles des VDN de Grenache du Languedoc-Roussillon, plus connus.

APPELLATIONS, PRODUCTEURS ET NÉGOCIANTS

Les coopératives jouent un rôle plus important dans le sud du vignoble que dans le nord. La plupart des villages ont leur coopérative, qui permet aux vignerons sans équipement de vinification de vinifier leurs raisins. Les AOC sont décrites ci-dessous par ordre alphabétique avec une sélection des meilleurs domaines. Les vins de pays sont cités p. 455.

CHÂTEAUNEUF-DU-PAPE

Châteauneuf a acquis ses attributs pontificaux bien après le retour de la papauté à Rome : même le suffixe « du-Pape » est une addition récente.
Il y a bien longtemps que le Châteauneuf-du-Pape n'est plus un mythique assemblage de treize cépages, mais plutôt un vin à base de Grenache assemblé de Syrah, Mourvèdre et quelques autres variétés.
Ducos est mort avant que Châteauneuf ne devienne une AOC. Il n'a rien su non plus du plateau de Montredon et de ses célèbres galets, qui contribuent au caractère du Châteauneuf-du-Pape actuel. La mise en place du vignoble ne fut pas achevée avant les années 1950.
L'appellation comporte des sols variés. Le terrain plus lourd de Courthézon, par exemple, convient moins bien au Grenache – c'est l'une des raisons pour lesquelles il y en a si peu au Château de Beaucastel.

CHÂTEAU DE BEAUCASTEL
Ce vaste domaine (70 ha en Châteauneuf-du-Pape et 30 ha en Côtes-du-Rhône) portait autrefois le nom de Cru du Coudoulet, devenu aujourd'hui Coudoulet de Beaucastel. La famille Perrin, qui en est propriétaire, s'occupe aussi de négoce en vins de Gigondas et des Côtes du Rhône.
Les Perrin comptent parmi les rares partisans à Châteauneuf de la version « treize cépages » de ce vin. Pas tout à fait treize, en fait, car leur assemblage comporte six cépages rouges vinifiés séparément. Le vin contient actuellement 30 % de Grenache, 30 % de Mourvèdre, 20 % de Syrah et 10 % de Cinsaut, avec un peu d'autre chose.
À Beaucastel, il faut savoir qu'on attend beaucoup de la Counoise. Le vin diffère également des autres produits de l'AOC dans la mesure où les raisins subissent ici un réchauffement ultrarapide lors de leur arrivée au chai.

CHÂTEAU FORTIA
D'une certaine façon, c'est ici que tout a commencé. Ce domaine appartient toujours à un descendant direct du baron Le Roy de Boiseaumarié. Celui-ci, défenseur des intérêts des vignerons de Châteauneuf quand il fallut sauvegarder l'authenticité des vins du village dans les années 1920, lors de l'élaboration des décrets d'AOC, s'appuya notamment sur les recherches de Joseph Ducos. C'est ainsi que les treize cépages entrèrent dans la législation de Châteauneuf. L'actuel baron Le Roy produit un Châteauneuf traditionnel, issu à 80 % de Grenache. Il parvient à faire des vins de qualité, même dans les mauvais millésimes.

DOMAINE DU GRAND TINEL
Ce domaine trop peu connu produit des Châteauneufs de grande qualité. Les vins sont issus à 80 % de Grenache, avec 10 % de Syrah et une collection de cépages mineurs pour compléter l'assemblage.

CHÂTEAU MONT-REDON
Ce domaine domine le Rhône et les terres du Vaucluse. Les treize cépages de l'appellation y sont cultivés. Des vins rouges et blancs sont élaborés de façon traditionnelle, ils ont une grande complexité aromatique en raison du mélange des cépages.

CLOS DES PAPES
Ce domaine produit des vins rouges et blancs. L'assemblage du vin rouge comporte 70 % de Grenache, 20 % de Mourvèdre et 10 % de

Syrah. Le Clos des Papes est un Châteauneuf traditionnel, ces vins figurent parmi les plus élégants et suaves de l'AOC.

CHÂTEAU RAYAS
Château Rayas, légendaire et unique, produit un vin rare. Il est fait de Grenache pur, issu de vieilles vignes à faible rendement. Un autre vin, baptisé Pignan, comporte à coup sûr de la Syrah et probablement aussi du Cinsaut. Le domaine donne du bon vin – souvent le meilleur de Châteauneuf –, mais la qualité n'est pas toujours égale d'une bouteille à l'autre dans un même millésime. Le Pignan est également un excellent vin. Quant au Côtes-du-Rhône de Reynaud, Château de Fonsalette, c'est l'un des très bons de l'appellation.

DOMAINE DU VIEUX TÉLÉGRAPHE
Ce domaine en Châteauneuf-du-Pape produit un vin issu à 70 % de Grenache et complété par de la Syrah et du Mourvèdre en quantités égales. Le Vieux Télégraphe est un vin extrêmement régulier qui figure toujours parmi les meilleurs de la région.

AUTRES PRODUCTEURS
Henri Bonnot; Maurice Boiron (Bosquet des Papes); Domaine du Grand Veneur; famille Gonnet (Domaine Font de Michelle); Château La Nerthe; Mont Olivet; Chapoutier; La Vieille Julienne.

COTEAUX-DU-TRICASTIN

Sur cette AOC un peu décousue, la population est nombreuse. Les vins sont convenables, surtout consommés sur place. L'un des producteurs à suivre est le Domaine de Grangeneuve.

CÔTES-DU-LUBÉRON

Cette AOC créée en 1988 se situe à l'est d'Avignon. Ici aussi, les divers cépages habituels sont autorisés pour les vins rouges; l'Ugni Blanc, mieux connu pour ses vertus dans le Cognac, est à la base des blancs. Le vaste domaine de Val Joanis est une source de vins fiables.

CÔTES-DU-RHÔNE

Cette gigantesque appellation est un peu le prix de consolation des vins ne répondant pas tout à fait aux critères de l'AOC Côtes-du-Rhône-Villages. Le client a des chances d'y trouver bon nombre de vins médiocres et quelques bonnes surprises. Le principal cépage rouge est encore une fois le Grenache, mais avec, pour l'instant, plus de Cinsaut que de Syrah ou de Mourvèdre. Les choses évoluent cependant et la qualité des vins devrait nettement s'améliorer au cours des prochaines années. Les vins blancs sont dominés par la Clairette, mais il y a aussi un peu de Roussanne et de Marsanne.
Les vins de négociants sont souvent une bonne affaire quand on en arrive aux Côtes-du-Rhône. Le Parallèle 45 de Jaboulet est généralement un assemblage moitié Grenache, moitié Syrah; même chose pour le Côtes-du-Rhône de Guigal, très marqué par la Syrah.
Les vins de Chapoutier et Vidal-Fleury sont également dignes de confiance. Quelques domaines méritent d'être cités : le Château du Grand Moulas est un bon vin, mais sa Cuvée de l'Écu est encore meilleure. Le Château Saint-Estève est un domaine expérimental qui produit constamment de nouveaux vins. Sont à rechercher également le Coudoulet de Beaucastel, du Château de Beaucastel, doté d'une concentration considérable pour un Côtes-du-Rhône (et d'un prix en rapport), ainsi que le rare et onéreux Château de Fonsalette d'Emmanuel Reynaud, peut-être le meilleur de tous les Côtes-du-Rhône.

CÔTES-DU-RHÔNE-VILLAGES

Cette AOC est formée par 16 communes (voir p. 450) qui ont le droit →

d'ajouter leur nom sur l'étiquette. Cette pratique a en quelque sorte servi de terrain d'essai à de futures AOC, comme dans les cas de Gigondas et de Vacqueyras.
Parmi les noms à suivre, citons l'excellent Domaine Sainte-Anne à Saint-Gervais, dont le vin à base de Syrah et Mourvèdre a inspiré toute une génération de vignerons de la région ; à Cairanne, le Domaine Rabasse-Charavin excelle dans la Syrah et produit un vin que l'on pourrait facilement prendre pour un bon cru du Nord rhodanien ; à Rasteau, le Domaine de la Soumade se distingue non seulement par ses rouges à dominante de Syrah, mais aussi par ses VDN ; à Sablet, le Domaine des Goubert appartient à la même écurie que l'un des meilleurs Gigondas ; le Château de Courançonne, vin souvent primé de Gabriel Meffre, est surtout à base de Grenache ; on trouve en revanche plus de Syrah dans le Domaine des Grands Devers de René Sinard, à Valréas.

CÔTES-DU-VENTOUX

La qualité du vin est rarement digne de la beauté du paysage, avec ses garrigues embaumant le thym et la lavande. Pour l'instant, le seul domaine à retenir est le Domaine des Anges. Les Perrin du Château de Beaucastel, à Châteauneuf, ont avec la Vieille Ferme une réserve de vins réguliers et à prix doux ; Jaboulet embouteille également des vins tout à fait convenables.

CÔTES-DU-VIVARAIS

Cette AOC en plein essor produit à partir des cépages habituels des Côtes du Rhône méridionales des vins rouges corrects mais légers, ainsi qu'une certaine quantité de vins blancs et rosés ; le blanc est à base de Clairette, de Marsanne et de Bourboulenc. Bien peu de ces vins sortent de la région, mais, parmi ces derniers, il faut signaler le Domaine de Vigier.

GIGONDAS

Gigondas a toujours vécu un peu dans l'ombre de son célèbre voisin, Châteauneuf-du-Pape. On y produit des vins rouges et rosés surtout à base de Grenache, avec des apports de Syrah, Mourvèdre, Cinsaut, etc. Les sols calcaires de l'AOC peuvent donner des vins tout à fait excellents. La proportion de Grenache est limitée à 80 %, et les assemblages doivent comporter au minimum 15 % de Syrah et de Mourvèdre.

DOMAINE DES PALLIÈRES
C'est l'un des meilleurs domaines de Gigondas, qui produit de bons vins avec une extrême régularité. Les vins ont une note de dureté typique de Gigondas, mais se gardent longtemps. Dans les bons millésimes, ils présentent un léger goût de cassonade.

DOMAINE SAINT-GAYAN
Le vignoble est situé en terrain argileux et donne des vins puissants, aux tanins souvent agressifs. Ils n'en jouissent pas moins d'un grand prestige, non seulement dans la région, mais aussi dans le reste de la France et à l'étranger.

AUTRES PRODUCTEURS
Domaine des Goubert ; Domaine Raspail-Ay.

LIRAC

Les meilleurs Liracs rouges et blancs aspirent à la qualité des Châteauneufs ; les meilleurs rosés à celle des Tavels. L'un des producteurs à citer est Jean-Claude Assémat, itinérant propriétaire des Domaines des Causses et des Garrigues. Il vinifie un bon assemblage de Grenache, Carignan, Mourvèdre et Syrah dans le premier domaine, ainsi qu'une autre cuvée comportant 70 % de Syrah et élevée en fûts de chêne neuf. Parmi d'autres Liracs à suivre, citons le Domaine Roger Sabon (qui fait aussi de bons Châteauneufs-du-

Pape), le Domaine Duseigneur et le Domaine Maby (La Fermade).

TAVEL

Cette appellation produit exclusivement des rosés puissants et riches en alcool, qui touchent un vaste public en France puisqu'ils sont consommés dans de nombreux restaurants vietnamiens et chinois. On a tendance à ne les exporter que lorsqu'ils ont dépassé leur apogée. L'un des problèmes du Tavel vient du Grenache Noir, qui peut s'oxyder un peu trop vite dans un rosé : les vins prennent alors une nuance légèrement orangée. La solution consiste à utiliser davantage de Mourvèdre. Les meilleurs domaines sont Château d'Aquéria et Domaine de la Mordorée.

VACQUEYRAS

Vacqueyras a quitté le peloton des Côtes-du-Rhône-Villages en 1989 avec une appellation toute neuve pour ses vins rouges. Ceux-ci ont beaucoup de couleur et de profondeur aromatique, et leur promotion au statut d'AOC a été l'une des plus sages décisions de l'INAO. Les meilleurs producteurs sont le Domaine des Amouriers, le Château de Montmirail et le Clos des Cazaux.

LES VINS DE PAYS

La plupart des vins de pays de la vallée du Rhône sont à leur optimum dans leur jeunesse : les conserver en cave ne présente guère d'intérêt (Vin de pays ci-dessous VDP).

VDP DES COMTÉS RHODANIENS Cette dénomination un peu fourre-tout rassemble des vins venant de l'ensemble de la région Rhône-Alpes. Mais ceux-ci doivent au préalable remplir les conditions leur donnant droit à l'une des appellations suivantes : Coteaux-de-l'Ardèche, Coteaux-des-Baronnies, Conté-de-Grignan, Collines Rhodaniennes, Coteaux-du-Grésivaudan, Balmes Dauphinoises, Allobrogie et Urfé.

VDP DE LA DRÔME Il s'agit à 92 % de vins rouges, surtout à base de Grenache, Cinsaut et Syrah, mais il est permis d'y ajouter Gamay, Cabernet-Sauvignon ou Merlot. Le Gamay, notamment, a donné de bons résultats. Ces vins viennent de la rive gauche du Rhône, entre Valence et Montélimar.

VDP DES COLLINES RHODANIENNES Ce vin de pays englobe essentiellement l'arrière-pays des Côtes du Rhône septentrionales. Environ 60 % des vins sont issus d'un seul cépage, l'accent étant mis sur la Syrah, mais aussi sur le Gamay et le Merlot.

VDP DU COMTÉ DE GRIGNAN Ce vin de pays provient de la rive gauche du Rhône, aux environs de Montélimar. Les vins sont dominés par le Grenache et les variétés habituelles des Côtes du Rhône méridionales. Les vignerons ont le droit de faire des vins de cépage à partir du Gamay, du Merlot ou du Cabernet-Sauvignon.

VDP DES COTEAUX DE L'ARDÈCHE Les vins viennent de la rive droite, à la hauteur d'Aubenas. Le vigneron peut choisir de produire un vin de Cabernet, Merlot ou Gamay, ou s'en tenir à l'assemblage traditionnel à base de Grenache. Les rosés, y compris ceux de pure Syrah, réussissent bien dans la région. Parmi les vins blancs, certains sont issus du Chardonnay et du Viognier.

VDP DES COTEAUX DES BARONNIES Ce vin provient de l'extrémité est de la région, au-delà de Nyons. Les vignerons ont le choix peuvent utiliser les cépages traditionnels des Côtes du Rhône méridionales ou des variétés plus demandées. Ils ont aussi le droit d'utiliser du Pinot Noir. En blanc, les cépages autorisés sont l'Ugni Blanc, le Chardonnay et le Viognier, ainsi que la Clairette et le Grenache Blanc.

JURA ET SAVOIE

Carte page xx

Les montagnes tendent à renforcer la personnalité d'un vignoble en le tenant à l'écart des influences extérieures. Il n'est donc pas surprenant que les vins du Jura, de Savoie et du Bugey n'aient pas grand-chose de commun avec les autres vins de l'est de la France et soient issus de cépages introuvables ailleurs. Le Jura, zone montagneuse assez isolée, avoisine la frontière suisse à l'est de la France. Son paysage est une succession de crêtes rocailleuses et de pâturages champêtres. Les vignobles de Savoie ont plus de points communs avec ceux de Suisse que du reste de la France, notamment en raison du rôle qu'y joue encore le Chasselas. La Jacquère (blanc), la Roussette (blanc) et la Mondeuse (rouge) sont également des cépages propres à la Savoie. Le pont qui enjambe le Rhône à Seyssel relie la Savoie au Bugey, région à l'écart de tout, entre Chambéry et Lyon, où l'agriculture tend à supplanter la vigne. Le climat de ces régions, très continental, diffère beaucoup de celui de Bourgogne ou du Rhône septentrional. La vigne souffre de l'altitude, mais les cépages sont parfaitement adaptés à cette rigueur, certains étant précoces et d'autres tardifs, ce qui explique que les vendanges se prolongent jusqu'aux premières neiges de novembre.

JURA

Carte page xx

Les vins du Jura, issus de cépages très originaux, figurent parmi les vins français à forte personnalité. On y trouve quatre appellations recouvrant toute une gamme de saveurs et de couleurs.

Le climat du Jura est nettement continental, avec des hivers très froids, durant lesquels les températures descendent bien en dessous de zéro. Les étés sont chauds et ensoleillés, mais la pluviosité peut être forte et les automnes sont longs et doux. Le sol est un mélange de calcaire et d'argile.

Il existe une appellation générale, Côtes-du-Jura, qui regroupe l'ensemble du vignoble, et trois appellations plus précises : Château-Chalon, l'Étoile et Arbois. Le Jura se distingue également par un style de vin particulier, le vin jaune (voir encadré p. 458).

Côtes-du-Jura

Le vignoble des Côtes-du-Jura s'étend au nord et au sud de Lons-le-Saunier sur 72 villages. Les vins sont pour la plupart blancs, issus du Savagnin et du Chardonnay. Les vins rouges et rosés sont à base de Pinot Noir, de Trousseau et de Poulsard. Ce dernier cépage donne des vins très pâles et est parfois vinifié en blanc. Chardonnay et Pinot Noir témoignent de liens étroits avec la Bourgogne et la Franche-Comté alors que Savagnin, Trousseau et Poulsard sont des variétés purement locales. Les vins peuvent être issus d'un seul cépage ou résulter d'un assemblage.

Château-Chalon

Château-Chalon est le nom d'un village et d'une appellation recouvrant 4 communes productrices de vin jaune. Le village étant construit sur le granite, il est impossible d'y avoir des caves souterraines. Elles sont toutes à demi enterrées, donc soumises à d'importants écarts de température qui jouent un grand rôle dans l'apparition du voile de levures (*flor*) propre à l'élaboration du vin jaune.

Les producteurs de Château-Chalon ne sont qu'une douzaine et veillent en bonne harmonie à maintenir un très haut niveau de qualité. Les mauvaises années, comme 1980 et 1984, ils ont déclassé tout leur vin en Côtes-du-Jura au lieu de le vendre sous leur propre appellation. Celle-ci impose des normes sévères : le travail dans les vignes est contrôlé, le rendement maximal est fixé à 30 hl/ha, bien qu'il avoisine plus souvent les 20 hl/ha.

Les autres appellations du Jura incluent le vin jaune – avec un degré minimal d'alcool plus faible, fixé à 11,5 % vol. –, mais c'est à Château-Chalon que ce vin hors du commun atteint son sommet. Les effets de la *flor* et les arômes de noix très secs dus à l'oxydation lui confèrent un goût tout à fait original.

L'Étoile

On retrouve cette note d'oxydation dans d'autres vins blancs du Jura comme l'Étoile, qui tire son nom d'un village proche de Lons-le-Saunier, situé sur une colline au sol riche en étoiles de mer fossiles. L'Étoile est une appellation de vin blanc et de vin jaune depuis 1937. Les cépages autorisés en blanc sont le Chardonnay, le Savagnin et le Poulsard bien que le pur Chardonnay soit plus courant. On trouve parfois un assemblage de Chardonnay et de Savagnin, mais la faible production de Savagnin est le plus souvent conservée pour le vin jaune.

Le vin de table ordinaire passe deux ou trois ans en fût et semble acquérir un peu des arômes de noix propres au Jura. Au premier abord, le vin peut paraître oxydé, mais ce n'est pas le cas : le fruité sous-jacent est vif et intense.

LE VIN JAUNE

Contrairement à presque tous les autres, le vin jaune – le plus original des vins du Jura – a un besoin vital d'oxydation. On pourrait le décrire comme la version française du Xérès Fino, car le développement de la *flor* y joue un rôle tout aussi essentiel. Son goût salé de noix rappelle aussi celui du Fino, mais le vin jaune est moins alcoolisé. Son accompagnement classique est le comté, fromage local à pâte dure.

Le vin jaune est issu du Savagnin, cépage propre au Jura, capricieux et peu productif. Il a un proche parent en Savoie, le Gringet, à la base du Mousseux d'Ayze. Dans le vin jaune, les raisins fermentent normalement jusqu'à un degré alcoolique d'au moins 12 % vol., si possible 13 % vol. Le vin passe ensuite six ans en fûts de 228 l sans soutirage ni ouillage, de sorte qu'un voile de levures analogue à la *flor* du Xérès se forme en surface. À Château-Chalon, la température des caves varie de 8 °C à 18 °C au cours de l'année. Le voile de levures devient actif pendant l'été et cesse de l'être en hiver, ce qui développe les arômes particuliers du vin. Le travail des levures peut aussi être influencé par le taux d'humidité de la cave d'une part, par le rapport entre la taille du fût et le volume d'air qu'il contient d'autre part. L'élaboration du vin jaune exige d'infinies précautions, car le risque d'acidité volatile est très élevé. Le vin est dégusté et analysé tous les six mois.

Une forte évaporation se produit pendant le vieillissement, d'où la contenance inhabituelle de la traditionnelle bouteille jurassienne, le clavelin : ses 62 cl représentent ce qui reste de 100 cl après six ans de fût. La faiblesse des rendements et la lenteur du processus entraînent évidemment un prix élevé, mais le vin jaune, qui vieillit bien, mérite une place d'honneur parmi les crus les plus originaux de France. Le village de Château-Chalon produit le meilleur vin jaune, mais seulement dans les meilleurs millésimes. On en trouve aussi ailleurs dans le Jura.

Arbois

L'Arbois est la principale appellation de vin rouge du Jura, mais celle-ci comporte aussi des vins blancs, jaunes ou rosés (parfois baptisés gris ou même corail). Arbois est une jolie petite ville ancienne. Louis Pasteur y a passé une grande partie de son enfance, et ses expériences sur les bactéries et les levures, rapportées dans son traité d'œnologie, ont été menées sur des vins d'Arbois. Le vignoble, aux abords immédiats de la ville, est aujourd'hui entretenu par la maison Henri Maire.

Arbois se targue d'être l'une des toutes premières appellations d'origine contrôlée (AOC) de France, reconnue en 1936 avec celles de Cassis et de Châteauneuf-du-Pape. L'AOC englobe 6 villages dont Pupillin, qui a le droit d'ajouter son propre nom sur l'étiquette, et Poligny, capitale du comté.

Les cépages caractéristiques de l'Arbois et des Côtes-du-Jura rouges sont le Trousseau, le Poulsard et le Pinot Noir. Les vins rouges du Jura sont généralement peu colorés alors que certains des rosés sont au contraire plutôt foncés, le jus restant en contact avec les peaux bien plus longtemps qu'il n'est de coutume ailleurs en France – presque aussi longtemps que pour le vin rouge. Ni le Poulsard ni le Trousseau n'ont une peau très riche en matières colorantes, mais celle du Trousseau est souvent plus épaisse, ce qui peut donner un goût plus étoffé.

L'Arbois blanc est généralement issu du Chardonnay, parfois avec un peu de Savagnin et, à l'occasion, du Poulsard vinifié sans contact pelliculaire. Le pur Chardonnay aura un caractère variétal tandis qu'un Savagnin pur ou un assemblage de ces deux cépages tendront à un léger arôme d'oxydation rappelant le goût de noix du vin jaune. Cela illustre la principale différence en matière de vinification entre le Jura et le reste de la France : on n'accorde pas la même attention au besoin d'ouiller périodiquement les fûts.

Pour le reste, les techniques de base se ressemblent. Certains chais sont modernes et rationnels, d'autres nettement plus rustiques. Le contrôle des températures de fermentation peut donc être un peu approximatif, mais il est rarement nécessaire étant donné la fraîcheur habituelle à l'époque des vendanges. La chaptalisation est autorisée dans une faible mesure. Le vin est conservé en cuves de ciment, dans de grands foudres, et en petits fûts pour le vin jaune.

Mousseux, Vin de Paille, Macvin

Trois appellations du Jura (à l'exception de Château-Chalon) comportent du vin mousseux, généralement à base de Chardonnay. La vinification suit la méthode traditionnelle et donne d'agréables vins fruités. Plusieurs producteurs élaborent des vins clairs et les envoient ensuite à une société basée près de Lons-le-Saunier, qui en fait des vins mousseux. Mais il faut savoir que le populaire Vin Fou effervescent d'Henri Maire n'est pas issu de cépages du Jura.

On trouve aussi une tradition locale de vin de paille. Ce vin très particulier est produit à partir de raisins laissés sur un lit de paille d'octobre à janvier, ce qui entraîne une dessiccation des baies et donne un jus à la fois plus riche et plus concentré. Quand 100 kg de raisins donnent normalement de 70 à 75 l de moût, ce volume n'est plus que de 20 à 25 l pour le vin

FRANCE

PRODUCTEURS ET NÉGOCIANTS

Les grands domaines sont rares dans le Jura et la société Henri Maire domine la région. L'autre producteur important est la coopérative (fruitière) d'Arbois, qui regroupe plus de 140 membres.

FRUITIÈRE VINICOLE D'ARBOIS
La coopérative d'Arbois représente environ un quart des vignes de l'appellation et ne produit que de l'Arbois, vin jaune et blanc mousseux compris. Fondée en 1906, elle dispose actuellement d'installations parmi les plus modernes de la région.

CHÂTEAU D'ARLAY
Ce domaine situé dans le village d'Arlay est l'un des plus anciens du Jura et date du Moyen Âge. Il appartient au comte Renaud de Laguiche, dont la famille a également une propriété à Puligny-Montrachet, en Bourgogne, produit une gamme de Côtes-du-Jura : un blanc de Chardonnay avec un peu de Savagnin, un rouge de Pinot Noir et un Corail, vin rouge léger issu de l'assemblage de cinq cépages, ainsi que du vin jaune et du Macvin.

CAVEAU DE BACCHUS
À Montigny-lès-Arsures, Lucien Aviet applique les méthodes traditionnelles. Ses rosés sont d'ordinaire à base de Poulsard et ses rouges sont issus du Trousseau, à peau plus épaisse. Il a très peu de Pinot Noir. Il produit un blanc de Chardonnay avec un peu de Savagnin, ainsi que du vin jaune et du Macvin selon une vieille recette de sa grand-mère.

CHRISTIAN BOURDY
La famille Bourdy fait du vin à Arlay depuis 1781. Elle possède des vignes à Château-Chalon et Arlay, mais achète aussi du raisin en tant que négociant, ce qui lui permet de produire toute la gamme des vins du Jura, y compris l'Étoile et le vin de paille. Ses vins sont très traditionnels.

JEAN MACLE
M. Macle est l'un des principaux producteurs de Château-Chalon, et ses caves, au centre du village, datent du XVIIe siècle. Bien qu'il possède des vignes de Chardonnay, sa réputation repose sur le Château-Chalon, issu du seul Savagnin, et il a beaucoup contribué à rétablir la qualité de l'appellation. Sa vinification méticuleuse donne des vins de grande longévité.

HENRI MAIRE
Si les vins du Jura ont une quelconque réputation hors de leur région d'origine, c'est grâce à Henri Maire. Même si son produit le plus connu, le Vin Fou, un blanc pétillant élaboré par la méthode de transvasement (voir p. 252), ne contient pas une goutte de vin du Jura, il a réussi dans la foulée à faire parler de la région. Les origines de la famille remontent à 1632. Société anonyme depuis 1986, la maison possède quatre importants domaines et achète du raisin, maîtrisant ainsi plus de la moitié de la production régionale. Tous situés autour d'Arbois, ses domaines propres sont ceux de Montfort, de la Croix d'Argis, du Sorbief et de Grange Grillard. La gamme de vins offre l'ensemble des styles et des saveurs du Jura, de l'Arbois velouté au vin jaune à goût de noix.

ROLET PÈRE & FILS
Cette société familiale basée à Arbois possède des vignes en Arbois et Côtes-du-Jura. Après des débuts traditionnels, elle s'est dotée de chais et d'équipements modernes. Fait inhabituel dans le Jura, elle s'est spécialisée en vins de cépage, un Poulsard rosé, un rouge de Trousseau et un autre de Pinot Noir. Les vins blancs incluent du Chardonnay passé dans le bois neuf et du Savagnin vinifié en vieux fûts de chêne, ainsi que du Mousseux, du vin jaune et du Macvin.

DOMAINE DE MONTBOURGEAU
Petite propriété appartenant à Jean Gros, réputée pour son vin blanc de l'Étoile à la fois concentré et élégant.

de paille. La fermentation en petit fût est très lente et peut durer quatre ans. Le vin de paille est autorisé dans trois appellations – pas à Château-Chalon –, mais il est généralement produit en quantités limitées, le plus souvent pour les membres de la famille et pour les amis. Sa robe est ambrée, son goût riche et doux avec une note de noix.

Dernière appellation locale datant de 1991, le Macvin est en fait l'équivalent jurassien du Pineau des Charentes. C'est un assemblage d'un tiers de marc avec deux tiers de moût de raisin rouge ou blanc.

Vin de pays

La gamme des vins du Jura se complète par le vin de pays de Franche-Comté, qui englobe les départements de la Haute-Saône et du Jura. Un groupe de vignerons du village de Champlitte, près de Dole, produit un vin rouge à base de Pinot Noir et de Gamay, et un vin blanc à base d'Auxerrois et de Chardonnay.

SAVOIE

Carte page XX

Entrecoupés de champs de céréales et de pâturages vallonnés, les vignobles s'éparpillent sur une bonne partie des départements de Savoie et de Haute-Savoie. La ville de Chambéry est le centre naturel de la région.

Au nord, les vignes s'étendent jusqu'aux rives du lac Léman, quelques parcelles s'étageant sur les coteaux surplombant le lac. D'autres vignobles sont concentrés autour du lac du Bourget et de la ville d'Aix-les-Bains ainsi qu'au sud de Chambéry, dans cette vallée de l'Isère que l'on nomme parfois Combe de Savoie.

L'appellation Vin de Savoie est donc très morcelée et inclut 17 crus variant en importance et en saveur. L'appellation de Seyssel, la plus ancienne de Savoie, date de 1942 et ne produit que des vins blancs. Le Rhône traverse la ville, et les vignes se trouvent des deux côtés de la vallée. Seyssel est surtout réputé pour son Mousseux, principalement issu de Molette mais comportant souvent un peu de Roussette pour plus de finesse. Grâce à sa forte acidité et à ses arômes discrets, la Molette fournit un excellent vin de base pour le Mousseux, produit selon la méthode traditionnelle. L'appellation Pétillant de Savoie, à base de Jacquère, a moins de bulles et de pression qu'un vrai Seyssel mousseux, tandis que la Roussette de Seyssel est un vin tranquille produit uniquement à partir de ce cépage. Crépy, classé AOC depuis 1948, est situé sur la rive sud

du lac Léman, près de Douvaine. Enfin, de l'autre côté du Rhône, en face de Seyssel, se trouve un vignoble bien distinct, le Bugey, classé en AOVDQS.

Le sol et le climat

Les montagnes créent un climat incertain. L'hiver, rigoureux, est souvent très enneigé. Les gelées de printemps peuvent frapper les vignes, mais tout système de protection serait une aberration économique. La grêle est un autre fléau potentiel et l'été est généralement chaud, mais parfois humide. Le mois de septembre est fréquemment doux, bien ensoleillé et peu arrosé.

Les lacs du Bourget et Léman créent cependant des conditions favorables, et le relief accidenté donne toute une série de microclimats variant d'un versant à l'autre, voire d'un vignoble à l'autre. Les sols de Savoie et du Bugey sont argilo-calcaires, avec des apports minéraux résultant de nombreux dépôts glaciaires.

Les vins et les cépages

Bien que cette région de France ait été italienne jusqu'en 1860, la viticulture s'y inspire plus de la Suisse que du Piémont.

Les vins blancs l'emportent largement sur les rouges, les cépages comme la Jacquère, la Roussette et le Chasselas donnant des vins délicats et légers, en harmonie avec l'air de la montagne.

Quant aux vins rouges, ils sont issus du Pinot Noir, du Gamay ou de la typique Mondeuse, qui, cultivée en Italie sous le nom de Refosco, donne un vin de cépage dans le Frioul.

BUGEY

La Savoie rejoint le Bugey à Seyssel, l'appellation Seyssel étant située des deux côtés du fleuve qui sépare les départements de l'Ain et de la Haute-Savoie, le Rhône. Le Bugey est une région isolée, nettement à l'écart de l'axe Lyon-Chambéry, et contenue dans une large boucle du Rhône, au sud-est de l'Ain.

Contrairement au Vin de Savoie, le Vin du Bugey n'a pas dépassé le statut d'AOVDQS, mais comporte lui aussi plusieurs crus variant en importance et en personnalité. L'attribution du VDQS en 1957 l'a sauvé d'un oubli total en encourageant le développement de la vigne et le remplacement des hybrides par des cépages tels que Jacquère, Molette, Roussette et Chardonnay, en blanc, Mondeuse, Pinot Noir et Gamay, en rouge. On trouve aussi un peu d'Aligoté et de Poulsard, preuve des liens régionaux avec la Bourgogne et le Jura.

Les cépages blancs

La Jacquère est propre à la Savoie et au Bugey. En Savoie, c'est le cépage principal des deux crus voisins d'Abymes et Apremont, où on le nomme également Plant des Abymes. Peu sensible à la pourriture ou à l'oïdium, et guère plus au mildiou, il est facile à cultiver mais donne de moins bons résultats en Bugey, car, sous peine d'une verdeur excessive et de goûts herbacés, il a besoin de chaleur et de soleil.

La Molette, de par sa forte acidité, est particulièrement adaptée au vin mousseux, et le Gringet, présent dans le vin d'Ayze, est la version savoyarde du Savagnin.

La Roussette, autre cépage blanc caractéristique de la Savoie, doit son nom à la teinte rougeâtre de son raisin mûr, mais porte aussi, par endroits, celui d'Altesse. On la croit apparentée au Furmint, qui donne le Tokay de Hongrie. Elle pousse aussi en Bugey, mais sa sensibilité au gel et à la pourriture entraîne des rendements irréguliers et une culture encore plus malaisée que celle de la Jacquère.

Le Chasselas prospère sur les rives du Léman depuis le XIIIe siècle. On le trouve aussi en Alsace et à Pouilly-sur-Loire, où il se fait cependant de plus en plus rare. Généralement consommé comme raisin de table en France, du côté suisse du lac il est vinifié sous divers noms locaux tels que Fendant, Dorin et Perlan. En Savoie, on en trouve dans l'appellation Crépy et dans trois crus de Vin de Savoie : Marin, Ripaille et Marignan. Le Chasselas est parfois critiqué pour son peu d'arôme, car il tend à une délicatesse confinant à la neutralité.

Le Chardonnay a été introduit en Savoie au début des années 1960 pour renforcer les arômes parfois trop discrets de la Jacquère, mais cet objectif n'a guère été atteint. Cépage autorisé dans le Vin de Savoie, il est parfois vinifié seul, mais peut aussi être assemblé avec la Roussette dans la Roussette de Savoie. Son nom local est Petite-Sainte-Marie. Dans l'ensemble, sa réussite est cependant plus nette en Bugey (voir page précédente), où il peut donner des vins aux arômes délicats bien typés.

Les cépages rouges

Le cépage rouge le plus caractéristique de la Savoie et du Bugey est la Mondeuse, sans doute apparentée à la Syrah. En Savoie, elle est surtout cultivée dans le village d'Arbin et sur la rive orientale du lac du Bourget, à Chautagne. La Mondeuse occupait la première place dans la région avant que le phylloxéra ne détruise bon nombre de vignobles ; le Gamay Noir et le Pinot Noir ne sont arrivés que bien plus tard, et le Persan a pratiquement disparu. Elle peut être irrégulière en qualité comme en quantité, mais un petit passage en fût affine ses robustes arômes poivrés. En Bugey, elle ne réussit bien que dans les

FRANCE

endroits les plus chauds, car sa maturité tardive lui donne parfois trop de verdeur.

Les vignerons, négociants et coopératives

Les vins de Savoie et du Bugey sont produits par un grand nombre de petits vignerons pratiquant généralement la polyculture, de sorte que les céréales et les produits laitiers comptent autant que la vigne. Ces vignerons peuvent appartenir à une coopérative villageoise, comme dans les communes de Cruet, Chautagne et Montmélian, ou bien vendre leursraisins ou leur vin aux négociants locaux, dont l'importance commerciale est restée intacte jusqu'à aujourd'hui.

Très peu de ces vins circulent hors de la région : l'afflux des touristes, qui viennent assez nombreux en hiver sur les pistes de ski, en été pour des vacances de montagne au bon air –, leur assure un débouché local tout trouvé.

APPELLATIONS ET PRODUCTEURS

Les vins savoyards répondent à une structure officielle complexe. La principale appellation, l'AOC Vin de Savoie, est utilisée seule ou suivie du nom de 17 villages ou zones, dits crus. Il existe trois autres AOC : Roussette de Savoie, Crépy et Seyssel. On trouvera également ici le Vin du Bugey, le VDQS voisin.

VIN DE SAVOIE

L'AOC Vin de Savoie regroupe une vaste étendue de vignobles en 17 crus distincts. Créée en 1973 à partir d'un VDQS de 1957, 70 % de ses vins sont blancs. Les crus sont décrits par ordre d'importance, avec leurs principaux producteurs.

APREMONT ET ABYMES

Le village d'Apremont se trouve au sud de Chambéry. Son principal cépage, la Jacquère, pousse dans des sols essentiellement formés de dépôts glaciaires et donne un vin sec, vif et fruité, avec un goût de silex. On trouve aussi du Chardonnay et de la Mondeuse. Le cru voisin d'Abymes tire son nom d'une catastrophe naturelle : les vignes sont plantées sur des éboulis rocheux, vestiges de l'effondrement d'une partie du mont Granier qui détruisit le village de Saint-André en 1248. Ici aussi, la Jacquère domine devant une petite quantité de Chardonnay. Un dicton local affirme qu'Apremont mûrit à l'ombre et Abymes au soleil, entendant par là que l'Abymes peut être un peu plus tendre et souple, l'Apremont plus ferme et nerveux.

Le Domaine des Rocailles, le principal producteur d'Abymes et d'Apremont, produit par ailleurs un peu de Vin de Savoie rouge. Ses vins blancs naissent de la technologie moderne tandis que ses rouges, surtout de Mondeuse, vieillissent en fût de chêne pour plus de complexité aromatique. La coopérative Le Vigneron Savoyard est un autre bon producteur d'Apremont.

ARBIN ET LA VALLÉE DE L'ISÈRE

Le village d'Arbin, dans la vallée de l'Isère, est plutôt réputé pour son vin rouge, car il n'a jamais suivi le mouvement de ces vingt dernières années en faveur du blanc. La vinification reste traditionnelle, avec fermentation en grands

La vinification

Les méthodes appliquées dans les chais de Savoie sont plus ou moins élaborées.

Certaines caves sont résolument rustiques ou peu sophistiquées ; d'autres, au contraire, sont plus modernes, avec des cuves en acier inoxydable. On y pratique le contrôle des températures de fermentation. La fermentation malolactique peut être, ou non, favorisée. La chaptalisation est non seulement autorisée mais généralement nécessaire dans ce climat à caractère continental. Ici et là, on utilise des fûts de chêne pour le vieillissement de la Mondeuse.

Dans l'ensemble, les vins de Savoie et du Bugey doivent être bus relativement vite, tant qu'ils n'ont pas perdu leur fraîcheur aromatique et leur fruité. Les viticulteurs s'efforcent donc de mettre en œuvre des techniques de vinification permettant d'extraire le maximum de ces caractères de jeunesse et de les préserver par une mise en bouteilles précoce.

APPELLATIONS ET PRODUCTEURS

foudres de chêne et vieillissement en fûts plus petits, comme chez Louis Magnin.

Les autres crus de la vallée de l'Isère, au sud de Chambéry, sont Cruet, Saint-Jeoire-Prieuré, Montmélian, Saint-Jean-de-la-Porte et Sainte-Marie-d'Alloix. Comme Charpignat, au nord de Chambéry, ces deux derniers n'existent plus que sur le papier : à Saint-Jean-de-la-Porte, on préfère utiliser l'appellation générique « Vin de Savoie », et, à Sainte-Marie-d'Alloix, il n'y a plus de vignes.

La production de Cruet et Montmélian est dominée par les coopératives villageoises, avec la Jacquère et la Roussette en blanc, le Gamay en rouge. Non loin de là, Fréterive est candidat au cru et réputé pour ses pépinières de vignes.

AYZE

Ayze est réputé dans la région pour son vin blanc mousseux issu de l'inhabituel Gringet, cépage apparenté au Savagnin du Jura. On utilise aussi la Roussette. La vinification est une version rustique de la méthode traditionnelle – le plus souvent sans aucun dosage, ce qui donne des vins pour le moins vifs, voire d'une austérité à piquer les yeux.

CHAUTAGNE

Situé sur la rive est du lac du Bourget, ce vignoble est surtout planté en rouge, avec Mondeuse, Pinot Noir et Gamay, auxquels s'ajoutent, pour le blanc, un peu de Jacquère, de Roussette et d'Aligoté. Les cépages sont le plus souvent vinifiés séparément. Dans le village de Ruffieux, la coopérative est le principal producteur et offre ainsi un débouché à de nombreux petits viticulteurs.

CHIGNIN

Également situé au sud de Chambéry, le vignoble de Chignin pousse sur un coteau escarpé à 360 m d'altitude. La Jacquère domine et offre ici des arômes un peu plus ronds qu'en Apremont ou Abymes. Orientées au sud et au sud-ouest, les vignes bénéficient d'un microclimat plus chaud. Le sol est argilo-calcaire. Chignin possède un autre cru de blanc bien particulier, le Chignin-Bergeron, Bergeron étant le nom donné ici à →

APPELLATIONS ET PRODUCTEURS

la Roussanne cultivée au nord du Rhône. Nul ne sait vraiment comment cette Roussanne est arrivée ici, mais les vignes y sont depuis plus d'un siècle.
La production reste faible, car ce cépage est beaucoup plus capricieux que la Jacquère et plus sensible aux maladies, mais il donne aussi des vins plus aromatiques et plus complexes. On trouve encore à Chignin un peu de vin rouge issu de Mondeuse, de Gamay et de Pinot Noir. Raymond Quénard est un producteur de premier plan.

JONGIEUX
Le vignoble de ce cru récent, créé en 1988, occupe à l'ouest du lac du Bourget des coteaux orientés au sud-ouest. Les principales communes sont Jongieux, Lucey, Billième et Saint-Jean-de-Chevelu. Le cépage dominant, la Jacquère, est accompagné d'un peu de Chardonnay, qui réussit mieux ici que dans la vallée de l'Isère, les conditions de culture étant semblables à celles du Bugey. Le plus important cépage rouge est le Gamay, qui donne également du rosé.

MARIGNAN
Cru également à base de Chasselas, dont la production est très limitée.

MARIN
C'est le plus récent des crus. Ce village, dont le vignoble surplombe le lac Léman, produit un blanc délicat de Chasselas, très semblable à celui de Ripaille.

RIPAILLE
Le magnifique château de Ripaille, datant du xve siècle, et son vignoble occupent la totalité de ce cru bordant le lac Léman, près de Thonon-les-Bains. Seul cépage présent à cet endroit, le Chasselas donne un vin blanc souple et assez léger. La vinification est traditionnelle, le chai bien géré et fonctionnel.

ROUSSETTE DE SAVOIE

La Roussette de Savoie est une AOC de vin blanc au nom trompeur, car elle peut receler aussi bien du Chardonnay que de la Roussette. Ce n'est un vin de cépage que si l'étiquette mentionne l'un de ses quatre crus : Frangy (le principal, non loin de Genève), Marestel (près de Jongieux), Monthoux (sur la rive sud-ouest du lac du Bourget) et Monterminod (à l'est de Chambéry).
Autrement, la Roussette de Savoie peut comporter jusqu'à 50 % de Chardonnay sans que rien ne l'indique. Avec ou sans Chardonnay, le goût de la Roussette est plus ample et gras qu'un Vin de Savoie issu de Jacquère.

CRÉPY

Le Chasselas est l'unique cépage et produit des vins blancs souples et délicats, agréablement secs et légers en alcool, mais aux arômes peu marqués. Le Crépy peut à l'occasion être embouteillé sur ses lies fines afin de générer un léger pétillement. On fait par ailleurs quelques essais de Chardonnay, histoire d'agrémenter la neutralité du Chasselas. Les principaux producteurs sont Fichard et Mercier.

SEYSSEL

Deux producteurs dominent à Seyssel. Le premier, Varichon & Clerc, remonte à 1910 ; il est à l'origine du Seyssel mousseux, la plus petite appellation française de vin effervescent.
En 1968, la maison a été rachetée par Henri Gabet, qui a beaucoup contribué à sa rénovation. Les méthodes de production sont calquées sur le modèle champenois et bénéficient d'installations modernes, y compris des Gyropalettes. Le meilleur Mousseux est le Royal Seyssel, à base de Molette et d'au moins 10 % de Roussette. La maison produit aussi une Roussette de Savoie tranquille, un Pétillant de Savoie et un vin mousseux sans appellation.
Le second, la maison Mollex, possède le plus grand vignoble de l'appellation, y compris le réputé Clos de la Péclette. Il produit un vin blanc tranquille de Roussette, du

Vin de Savoie rouge et du Seyssel mousseux à base de Molette, avec au moins 15 % de Roussette pour plus de finesse. La vinification est simple et traditionnelle, et donne de bons résultats.

LES VINS DE PAYS

Le Vin de Pays des Collines Rhodaniennes englobe des vins de Savoie, de Haute-Savoie et d'autres départements voisins. Il existe aussi deux vins de pays de zone : le Vin de Pays d'Allobrogie (les Allobroges étaient la tribu gauloise qui faisait du vin dans cette région au temps de Jules César) et le Vin de Pays des Coteaux du Grésivaudan, dans le département de l'Isère. Ces deux vins peuvent exister en blanc, rouge ou rosé, bien que 95 % de l'Allobrogie soit blanc.

BUGEY

Il existe deux VDQS, le Vin du Bugey (blanc, rouge et rosé) et la Roussette du Bugey (blanc), tous deux dotés de nombreux crus à l'existence souvent théorique. Les crus de Vin du Bugey sont situés à Virieu-le-Grand, Montagnieu, Manicle, Machuraz et Cerdon.
Les crus de Roussette du Bugey sont à Anglefort, Arbignieu, Chanay, Lagnieu, Montagnieu et Virieu-le-Grand. En règle générale, le vin est vendu comme Vin du Bugey avec une mention de cépage – Jacquère, Chardonnay, Aligoté, Mondeuse, Pinot Noir ou Gamay.
L'appellation inclut 63 villages offrant une grande diversité de microclimats, d'altitudes, d'orientations et de sols dans la zone montagneuse entourant Belley. Vongnes est le plus important.
Comme en Savoie, la Roussette du Bugey peut contenir une forte proportion de Chardonnay.
La famille Monin, à Vongnes, est le principal producteur de Bugey, mais ses vins sortent rarement de la région. La Roussette du Bugey (à fort pourcentage de Chardonnay), le vin rouge de Mondeuse et un Mousseux (Chardonnay, Jacquère, Aligoté et Molette) représentent l'essentiel de sa gamme. Les vins du Caveau Bugiste ont également une bonne réputation locale.

CERDON

Situé à l'écart de la zone, Cerdon est le plus marquant des crus du Bugey. Il englobe 8 villages au sud-est de Bourg-en-Bresse, dont Cerdon même, au cœur d'un amphithéâtre de vignes, est le plus grand. Le rosé de Cerdon est un vin effervescent à base de Gamay, d'un peu de Pinot Gris, de Pinot Noir et de Poulsard. On trouve aussi du vin tranquille, mais c'est le Mousseux, produit selon une méthode dite ancestrale, née de l'incapacité du vin à terminer sa fermentation, qui a le plus de personnalité.
Aujourd'hui, on bloque la fermentation de façon à laisser un peu de sucres résiduels puis on met le vin en bouteilles, où il recommence à fermenter. Au bout d'environ trois mois, il est filtré sous pression et remis en bouteilles. On trouve aussi, hélas, beaucoup de vin pétillant gazéifié d'origine industrielle – qui n'a rien à voir – ainsi que du vin produit selon la méthode traditionnelle, à Lons-le-Saunier, dans le Jura.

MONTAGNIEU ET MANICLE

Montagnieu, l'un des crus les plus prospères du Bugey, produit du Mousseux et un vin tranquille de Roussette. Manicle est connu pour ses liens avec le gourmet Brillat-Savarin. Un producteur isolé, André Miraillet, continue de vinifier un blanc de Chardonnay et un rouge de Pinot Noir dans le petit village de Cheignieu-la-Balme. Ses méthodes sont plutôt rustiques, mais les résultats sont convaincants.

PROVENCE ET CORSE

Carte page XXI

La Provence est le pays du rosé par excellence, mais, depuis 1975, un regain d'intérêt s'est fait sentir pour les vins rouges en même temps que se faisaient connaître de nouveaux vignerons soucieux de qualité. La plupart des vins de Provence sont encore vinifiés par les caves coopératives ou commercialisés par des grandes maisons de négoce, mais ce sont les domaines récents ou ceux entièrement repris en main par de nouveaux dirigeants qui donnent le ton. Ils ont eu les premiers l'idée de planter des cépages non autochtones comme le Cabernet-Sauvignon, tout en s'intéressant de nouveau à leur cépage noir de qualité, le Mourvèdre. Aujourd'hui, on trouve en Provence un nombre étonnant de vins rouges robustes à la forte personnalité, mais dont les prix sont légèrement surévalués par rapport à la qualité fournie. Quant à la Corse, son isolement l'a poussée à produire des vins originaux. Pendant un siècle, son rôle fut de fournir des vins rouges corsés et bon marché. Plus récemment, on assiste à une réhabilitation des cépages anciens, des styles de vin traditionnels et des vieux vignobles. L'encépagement corse doit en fait plus à l'Italie qu'à la France et les styles de vin sont très différents de ceux de la Provence.

PROVENCE

Carte page XXI

Prises dans leur ensemble, les appellations d'origine contrôlée de Provence constituent l'un des plus vastes vignobles de France. Depuis toujours, la viticulture est une activité importante dans ce paysage vallonné entrecoupé d'oliveraies, de bois, de vieux villages et de propriétés luxueuses : les vins se retrouvent sur les nombreuses bonnes tables de la région.

En Provence, le soleil est généreux, la pluie suffisante pendant l'hiver, et la topographie fournit ce qu'il faut de lieux protégés contre l'agression du mistral. Les sols variés, qu'ils soient caillouteux ou graveleux, sont toujours bien drainés sur les coteaux. On a souvent reproché à la Provence de ne pas tirer parti de cet environnement idéal pour proposer de grands vins et de se cantonner à ses rosés, qui, s'ils sont agréables à boire l'été, sont loin d'exploiter le potentiel du terroir.

L'intérêt récent pour les vins rouges vient en partie du rachat de certaines propriétés par des personnes extérieures au monde du vin. Les rouges atteignent aujourd'hui 35 % de la production des Côtes-de-Provence, contre 60 % pour les rosés. Certains de ces rouges sont véritablement bons et dignes d'intérêt : les vignerons savent tirer parti du contexte provençal mais aussi faire intervenir les saveurs « étrangères » de cépages non autochtones et utiliser les techniques les plus modernes en matière de vinification. Les meilleurs vins sont encourageants et laissent présager que l'avenir produira de très grands rouges. Cependant, d'immenses quantités de vins rouges ne sont pas à la hauteur de ce qui se fait de mieux partout ailleurs dans le sud de la France. Les rosés et les blancs s'améliorent aussi à mesure que les techniques de vinification se modernisent, mais la qualité demeure irrégulière.

Les régions vinicoles

La Provence recouvre deux départements, le Var et les Bouches-du-Rhône, et s'étend des Alpes, au nord et à l'est, au Rhône, à l'ouest, et à la côte méditerranéenne, au sud. Le vignoble s'étire de Nice, à l'est, jusqu'au delta du Rhône, à l'ouest. Les noms des différentes appellations peuvent prêter à confusion. La plus importante, les Côtes-de-Provence, se situe principalement au sud (entre Toulon, à l'ouest, et Fréjus, à l'est) et s'applique en outre à quelques parcelles côtières près de Marseille et dans les terres autour de Trets. L'appellation Coteaux-d'Aix-en-Provence se trouve aux environs de la ville du même nom. Entre ces deux zones se situent les Coteaux-Varois, appellation qui fut créée en 1983.

Les dimensions de ces appellations régionales expliquent la difficulté pour le consommateur d'y retrouver un véritable type. En Provence, seul le nom du domaine ou du propriétaire peut donner une idée du style du vin et représenter une garantie de savoir-faire. Certaines zones commencent cependant à se faire connaître pour leur qualité. Bon nombre d'entre elles se trouvent sur la côte, là où le développement immobilier gagne du terrain. À l'intérieur des terres, les collines boisées des Maures sont dénuées de vignes, mais forment une barrière entre la côte et la large vallée, qui, autour de la ville du Luc, possède de bons terroirs.

La Provence compte aussi quatre petites appellations au caractère fortement marqué, qui produisent des vins de qualité : les petits vignobles de Bandol, Bellet, Cassis et Palette.

Classé AOC en 1941, le vignoble de Bandol occupe les terrasses ensoleillées proches de la ville et couvre quatre communes et certains lieux-dits limitrophes.

Le tout petit vignoble de Bellet, devenu AOC la même année, est situé sur la commune de Nice.

Le vignoble de Cassis, devenu AOC en 1936, couvre des pentes caillouteuses et des terrasses bien drainées à l'est de Marseille.

Exposée en grande partie au nord, la petite AOC Palette (reconnue en 1948) est située aux portes de la ville d'Aix-en-Provence.

Les cépages et les styles de vin

Sur trois bouteilles de Côtes-de-Provence, deux sont du rosé, ce qui laisse imaginer l'importance de cépages aussi peu expressifs, pour ne pas dire ennuyeux, que le Grenache et le Carignan. Ni l'un ni l'autre n'est mauvais, mais aucun n'a la moindre chance de produire un vin intéressant, à moins d'être cultivé sur des coteaux et limité en rendement. Or, les vignes qui produisent les rosés sont plantées sur des terrains plats et donnent des rendements à la limite maximale autorisée par la législation d'AOC… On comprend que, dans ces conditions, le vin n'ait guère de personnalité. Le Cinsaut, au potentiel plus intéressant, est utilisé partiellement dans les rouges. La Syrah, depuis longtemps chez elle en Provence, n'est pas aussi répandue que dans la vallée du Rhône, mais apporte aux assemblages parfum, couleur et personnalité. Le Mourvèdre est traditionnellement le meilleur cépage rouge de Provence. Dans le sud de la vallée du Rhône, il entre dans l'assemblage des Châteauneuf-du-Pape et de certains Côtes-du-Rhône et, en Provence, il est surtout présent dans les zones côtières, en particulier à Bandol, conférant au vin sa personnalité unique.

Le Cabernet-Sauvignon, cépage dont le monde entier proclame qu'il est la clef de l'amélioration des vins rouges en général, a été planté dans de nombreuses nouvelles propriétés. Il se plaît surtout à l'intérieur des terres, dans la relative fraîcheur des collines, et dans les Coteaux-d'Aix-en-Provence, notamment autour des Baux-de-Provence, village perché dans les rochers des Alpilles.

Les cépages destinés aux rares vins blancs sont la Clairette, l'Ugni Blanc et le Bourboulenc, ce dernier étant en déclin, mais les meilleurs sont le Rolle – que l'on trouve surtout à Bellet –, le Sémillon et le Sauvignon. Ces deux derniers apportent aux cépages locaux le parfum et le caractère qui leur font souvent défaut.

Quant aux rosés, ils n'ont de personnalité que s'ils viennent de très bons domaines et incluent un certain pourcentage de bons cépages rouges, en plus des cépages locaux.

Dans l'ensemble, les Côtes-de-Provence blancs et rosés sont faits pour être bus jeunes. C'est également le cas pour la plupart des rouges, hormis les plus robustes qui gagnent à vieillir quelque temps lorsqu'ils sont bien vinifiés.

APPELLATIONS, PRODUCTEURS ET NÉGOCIANTS

Nombre de vignobles provençaux ne couvrant que de toutes petites parcelles, près de la moitié de la récolte est vinifiée par des caves coopératives. Toutefois, certains domaines ont su reconnaître l'intérêt de l'industrie touristique et assurent eux-mêmes la promotion de leurs vins.

BANDOL

La plus vaste et la plus connue des petites appellations de Provence s'étend autour de la ville de Bandol, au bord de la mer. La presque totalité de la production est rouge : le vin doit être issu de 50 % de Mourvèdre au moins, le solde étant principalement composé de Syrah et de Grenache. L'appellation impose aussi un minimum de 18 mois d'élevage en fût avant la commercialisation. Le résultat, dans les meilleurs domaines, est un vin très original qui se remarque par sa robe intense, son nez parfumé et sa saveur puissante. Il vieillit à merveille et peut parfois vivre jusqu'à 20 ans.

LA BASTIDE BLANCHE
Ce domaine produit des vins rouges et blancs, les Blancs de Blancs étant généralement les plus appréciés de tous. L'assemblage des rouges contient une proportion de Grenache supérieure à ce qui se pratique dans l'appellation. En conséquence, les vins sont souples, amples, mais d'évolution plutôt rapide.

MOULIN DES COSTES
La famille Bunan est propriétaire de ce domaine de La Cadière, mais également du Mas de la Rouvière et de Belouve au Castellet. Les rouges, assemblés à partir des différents domaines, sont issus à 65 % de Mourvèdre, à 14 % de Grenache et à 6 % de Syrah. La Cuvée Spéciale, qui n'existe que dans les meilleures années, est un assemblage plus riche en Mourvèdre. Les techniques sont modernes : pour certains, elles cherchent trop « à arrondir les angles » et assouplir les vins, mais il faut reconnaître que le résultat dans les trois couleurs ne manque pas de charme. Les Bunan cultivent aussi du Cabernet-Sauvignon vendu en vin de pays de Mont-Caume qui démontre à quel point le Cabernet peut réussir dans cette région.

DOMAINE LE GALANTIN
Achille Pascal, propriétaire de l'un des plus petits domaines de l'appellation, est un passionné de vins rouges. Il les fait fermenter à température élevée afin d'extraire du Mourvèdre un maximum de couleur. En conséquence, les vins sont de grande garde et comptent parmi les plus riches de Bandol. Un joli blanc frais et un rosé sont également élaborés au domaine.

DOMAINE DE L'HERMITAGE
Dans ce domaine entièrement rénové, les vins sont vinifiés en cuves en inox et vieillis sous bois. Les rouges très denses et puissants contiennent une petite proportion de Syrah, le blanc d'Ugni Blanc et de Clairette est produit en petites quantités et le rosé est particulièrement bon.

CHÂTEAU DE PIBARNON
Les vins du comte Henri de Saint-Victor n'échappent jamais aux médailles et aux récompenses dans les concours. Le bois neuf dans lequel ils sont élevés et la forte proportion de Mourvèdre leur donnent un charme indéniable. Le rosé, vinifié en cuves inox, est particulièrement fin et fruité. Le blanc, vif et agréablement acidulé, est issu d'une forte proportion du rare Bourboulenc.

CHÂTEAU PRADEAUX
Ses vins rouges peuvent être formidables de profondeur et de richesse, ou alors complètement écrasés par le bois dans lequel ils vieillissent jusqu'à quatre ans. En résumé, ils peuvent être les meilleurs ou les pires de Bandol. Cyril Portalis, →

qui dispose de vignes très âgées et d'un gros pourcentage de Mourvèdre (plus de 90 %), continue de diriger son domaine de façon traditionnelle. Les grands millésimes sont superbes.

DOMAINE TEMPIER
Lucien Peyraud a beaucoup fait pour Bandol. Président d'un des syndicats de vignerons de l'appellation, il a encouragé un fort pourcentage de Mourvèdre. Aujourd'hui, Jean-Marie et François vinifient des vins puissants, extrêmement tanniques et pleins de fruit qui présentent un grand potentiel de garde.
Les méthodes de culture et de vinification de ce domaine sont plus que traditionnelles et empruntent beaucoup à l'agriculture biologique, en limitant les engrais de synthèse et les produits chimiques. Le domaine commercialise deux rouges : une cuvée normale et une Cuvée Spéciale. Dans les années exceptionnelles, les parcelles de Tourtine, Cabassou et La Mignona sont mises en bouteilles séparément. Les Peyraud font aussi un rosé.

BELLET

Cette minuscule appellation de rouge, de rosé et de blanc, délimitée par les contreforts des Alpes et la banlieue de Nice, ne compte qu'une poignée de producteurs. Le niveau est élevé : les rouges sont capables de vieillir jusqu'à cinq ans ; les blancs et les rosés ont à la fois personnalité et fraîcheur. Les rouges sont surtout faits à partir de Braquet, cépage plus courant en Italie, et les blancs de Rolle et de Chardonnay. Le volume produit est si faible que les bouteilles sortent rarement de Nice. Le plus grand domaine est le Château de Crémat. Les autres sont Clot Dou Baile, Château de Bellet, Clos St-Vincent et Domaine de Font-Bellet.

CASSIS

Cette petite station balnéaire située juste à l'est de Marseille est connue depuis longtemps pour ses vins blancs. Hélas, le développement urbain et touristique a considérablement réduit la taille du vignoble. L'encépagement compte du Sauvignon, ce qui est rare pour un vignoble aussi méridional, de la Marsanne et de l'Ugni Blanc. Les vins blancs ont de beaux parfums évoquant les herbes de Provence ; les rouges et les rosés sont issus des cépages provençaux traditionnels, Mourvèdre inclus, mais leur production est très limitée par rapport aux vins blancs. Parmi les principales propriétés, citons le Domaine du Bagnol (rouges, rosés et un beau blanc épicé), le Clos Sainte-Magdeleine (beaux blancs), le Domaine de la Ferme Blanche (bons rouges et blancs), le Château de Fontcreuse et le Mas Calendal.

PALETTE

Dans cette petite appellation située immédiatement à l'est d'Aix-en-Provence, il ne reste que deux propriétés : le réputé Château Simone et le Domaine de la Crémade, qui vinifient les trois couleurs, mais réussissent mieux le blanc. Le Château Simone possède de très vieilles vignes de Grenache, Mourvèdre et Cinsaut pour les rouges ; de Clairette, Sémillon et Muscat pour les blancs. Les méthodes sont traditionnelles et les vins ont un grand potentiel de vieillissement.

COTEAUX-D'AIX

Cette vaste appellation de vins rouges, blancs et rosés (4 011 ha de vignobles) s'étend dans la partie ouest de la Provence. De nouvelles plantations de Cabernet-Sauvignon ont rajeuni cette aire d'appellation dont certains rouges sont désormais dignes d'intérêt.

COMMANDERIE DE LA BARGEMONE
Établi dans une ancienne commanderie des Templiers, ce domaine n'a

été restauré et son vignoble remis en activité que récemment. Son vin est le résultat d'une combinaison de méthodes traditionnelles et modernes, l'inox et la macération carbonique lui conférant un maximum de fruit. Les rouges (15 % de Syrah) sont particulièrement réussis, le meilleur étant la cuvée Tournebride (50 % de Cabernet-Sauvignon). Les blancs sont issus de Sauvignon, de Grenache Blanc et d'Ugni Blanc.

DOMAINE LES BASTIDES
Ce domaine recourt à la culture biologique pour faire ses vins rosés et rouges. Le rouge de base, la Cuvée Saint-Pierre, est un assemblage de Grenache, de Mourvèdre et de Cinsaut, tandis que la Cuvée Spéciale comporte 40 % de Cabernet-Sauvignon. Ces vins vieillissent entre 16 et 24 mois en barriques et le domaine produit aussi un vin blanc.

CHÂTEAU DE BEAULIEU
Les installations modernes de ce vaste domaine sont conçues pour faire des vins faciles à boire, qui ne perdent pas pour autant leur caractère végétal et provençal. Le rouge est issu de Grenache, Cabernet-Sauvignon, Mourvèdre et Syrah ; le rosé, de Cinsaut et de Carignan ; le blanc, d'Ugni Blanc, de Clairette, Sauvignon et Sémillon.

CHÂTEAU DE FONSCOLOMBE
Voilà un de ces domaines d'Aix-en-Provence qui ont la réputation de faire des vins de bon rapport qualité/prix à boire dans leur tendre jeunesse. La Cuvée Spéciale est un assemblage de Carignan, Cabernet-Sauvignon, Grenache et Cinsaut vieilli sous bois. Le domaine produit aussi un vin de pays des Bouches-du-Rhône étiqueté Domaine de Boullery.

CHÂTEAU VIGNELAURE
Hissé au sommet de l'appellation par Georges Brunet, ce domaine a souffert d'irrégularités avant de produire à nouveau d'excellents vins sous le nouveau propriétaire David O'Brien. Le vin rouge est aussi bordelais qu'il est possible en Provence, avec un encépagement de 60 % en Cabernet-Sauvignon, 30 % en Syrah et 10 % en Grenache. Toujours comme à Bordeaux, un deuxième vin permet de faire une sélection plus stricte pour le grand vin.

LES BAUX-DE-PROVENCE

Cette région de l'extrémité ouest produit des vins rouges, blancs et rosés. Elle s'est imposé des règles très restrictives. Le vignoble se trouve sur l'impressionnant site des Alpilles autour du village fortifié des Baux-de-Provence.

MAS DE LA DAME
Ce domaine juste à l'est du Val d'Enfer, dans le massif des Alpilles, est largement planté en Grenache, ce qui explique que ses vins s'assouplissent relativement vite malgré leur bonne structure de Syrah et de Cabernet-Sauvignon. Il produit deux cuvées de rouge, la Cuvée Réserve et la Cuvée Gourmande. Le Rosé du Mas est un vin très fruité à la forte proportion de Syrah et de Cabernet-Sauvignon.

MAS DE GOURGONNIER
Ce domaine est situé à l'extrémité sud des Alpilles. Le vignoble est travaillé en culture biologique. Sa meilleure cuvée, la Réserve du Mas, est un assemblage de Cabernet-Sauvignon (30 %), de Syrah (30 %) et de Grenache. L'autre cuvée comporte 10 % de Mourvèdre et moins de Cabernet et de Syrah. Le vin blanc contient un pourcentage élevé de Sauvignon.

DOMAINE DES TERRES BLANCHES
Noël Michelin, propriétaire de ce domaine au nord des Alpilles, près de Saint-Rémy-de-Provence, est un ardent défenseur de la culture biologique. Il n'utilise ni herbicides ni insecticides dans ses →

vignes et le moins possible de produits chimiques dans ses chais. Il vinifie dans les trois couleurs : le rouge, issu de Mourvèdre (50 %) et de Syrah (30 %), peut paraître un peu dur dans sa jeunesse, mais s'épanouit toujours avec élégance après quelques années de garde ; le rosé est agréable tout de suite.

DOMAINE DE TRÉVALLON
Reconnu comme le meilleur domaine des Baux, le Domaine de Trévallon est même sans doute l'un des meilleurs de Provence. Un encépagement non conforme (rouge, trop de Cabernet-Sauvignon, blanc, de Marsanne-Roussanne) a valu à Éloi Dürrbach qu'on lui retire un temps le droit à l'appellation. Il n'en a eu cure, l'histoire et le marché lui donnent raison, car le Dr Guyot, il y a un siècle et demi, remarquait déjà que le Cabernet-Sauvignon produisait des vins de qualité en Provence. Éloi Dürrbach travaille dans la vigne comme en cave selon des méthodes biologiques, s'abstient de coller et de filtrer et élève ses vins 18 mois en fûts. Le vin vieillit lentement, et un minimum de cinq ans est nécessaire avant que l'on puisse commencer à le boire. Ensuite, il poursuit sa lente évolution. C'est aujourd'hui le vin le plus cher des Baux, principalement parce qu'il s'est créé un beau marché aux États-Unis. Il est bien distribué dans le monde et on le trouve aussi dans les restaurants de la région.

CÔTES-DE-PROVENCE

Cette appellation, de loin la plus vaste de Provence, produit des rouges, des blancs et des rosés.
Les expositions, les sols et les microclimats sont très divers.

CHÂTEAU BARBEYROLLES
Ce domaine dans les collines qui surplombent Saint-Tropez élabore un rosé agréable et fruité, mais son rouge est peut-être plus intéressant : assemblage de Grenache, Syrah et Mourvèdre, il est élevé jusqu'à 18 mois sous bois et peut bien vieillir en bouteille. Le domaine produit aussi un vin blanc.

DOMAINE DE LA COURTADE
Ce vignoble insulaire (île de Porquerolles) s'affirme comme une valeur sûre. On y vinifie des vins des trois couleurs. Le rouge (Mourvèdre) et le blanc (Rolle) vinifié en barriques ont beaucoup de caractère.

DOMAINES GAVOTY
Bernard Gavoty, critique musical, signait ses chroniques du Figaro du pseudonyme « Clarendon », nom qu'il avait donné à ses meilleures cuvées.
Roselyne Gavoty, qui vinifie les deux domaines (Petit et Grand Campduny), a maintenu cet usage.
Le rosé, particulièrement fruité et coloré, se boit très jeune. Le blanc est un assemblage d'Ugni Blanc, de Rolle et de Clairette.
Le rouge, d'un volume nettement moindre, est issu de Syrah, Cabernet-Sauvignon, Mourvèdre et Grenache.

LES MAÎTRES VIGNERONS DE LA PRESQU'ÎLE DE SAINT-TROPEZ
Cette coopérative très dynamique produit une énorme gamme de vins.
Le rouge Carte Noire, conditionné dans la bouteille traditionnelle provençale en forme de fuseau, est le plus connu à l'exportation. La coopérative commercialise aussi les vins de domaines appartenant à ses membres : le Château de Pampelonne, par exemple, qui fait un rouge de Grenache et Cinsaut et une cuvée rouge supérieure à base de Mourvèdre et de Syrah vieillie sous bois.

DOMAINES OTT
La famille Ott est très influente dans les Côtes de Provence et à Bandol : elle a fait plus que quiconque pour la promotion des vins provençaux. Ses vins sont chers, mais la qualité est élevée. Ses domaines phares en Côtes de Provence, le Château de Selle (rouge, blanc et rosé) et le Clos Mireille, planté sur des sols sablonneux en bordure de mer (qui fait un

superbe blanc), sont les cuvées de prestige d'une gamme qui comprend par ailleurs de grandes quantités de vin rosé de Provence traditionnel.

COMMANDERIE DE PEYRASSOL
Ce domaine est l'un des meilleurs de l'appellation. Les vignes près de Flassans produisent des rosés et deux cuvées de rouge : la Cuvée d'Éperon, un assemblage de Mourvèdre, Grenache et Syrah, et une cuvée de prestige, Marie-Estelle, issue de Cabernet-Sauvignon, Grenache et Syrah et élevée sous bois. Les rosés sont également bons : le Rosé d'Art est conditionné dans une bouteille bordelaise et un autre dans une bouteille provençale traditionnelle.

DOMAINE DES PLANES
Située sur les coteaux de Roquebrune, près de Saint-Raphaël, cette propriété modèle produit de bons rouges monocépages : la Cuvée Tradition (100 % Cabernet-Sauvignon) et la Cuvée Mourvèdre. On y trouve aussi un rouge d'assemblage issu de Grenache et de Syrah et un autre plus complexe, la Cuvée Réserve, qui allie le Grenache au Cabernet-Sauvignon et au Mourvèdre. Le rare Tibouren est cultivé sur ce vignoble pour produire un rosé parfumé et généreux.

CHÂTEAU RÉAL-MARTIN
Situé à l'intérieur des terres, ce vignoble est à l'origine de vins fins des trois couleurs, à boire entre 2 et 5 ans d'âge.

DOMAINE RICHEAUME
Ce domaine produit certains des meilleurs vins rouges de Côtes de Provence. Il pratique des techniques strictement biologiques et vinifie trois styles de rouge et un peu de rosé et de blanc. Son meilleur rouge est la Cuvée Tradition, un assemblage de cépages locaux, mais il produit aussi un Syrah et un Cabernet-Sauvignon purs. Les vins vieillissent 18 mois en barriques de chêne. Un Blanc de Blancs intéressant est issu entièrement de Clairette.

DOMAINE DE RIMAURESQ
Les 32 ha du domaine sont orientés au nord-ouest, ce qui contribue à la grande finesse des vins, et en particulier du blanc.

DOMAINE SAINT-ANDRÉ DE FIGUIÈRE
Depuis le millésime 1992, Alain Combard est le nouveau propriétaire de ce domaine à La Londe-les-Maures. Il élabore un blanc, un rosé et deux cuvées de rouge : la Cuvée Marquis comporte 30 % de Grenache, la Cuvée Spéciale est faite principalement à base de Mourvèdre et de Carignan de plus de 70 ans.

CHÂTEAU SAINTE-ROSELINE
Il faut visiter le cloître, l'un des plus beaux de Provence, et déguster les vins vinifiés dans un chai dernier cri. Bernard Teillaud a tout restauré, aussi bien le vignoble que les bâtiments. Les vins sont à la hauteur de ses ambitions.

COTEAUX-VAROIS

Cette appellation délimite une zone située entre les Côtes de Provence et les Coteaux d'Aix en Provence, donnent des rouges à boire jeunes et des rosés classiques.

DOMAINE DU DEFFENDS
C'est l'un des meilleurs : il est planté en Syrah et en Cabernet-Sauvignon.

CHÂTEAU LA CALISSE
Vignoble et bâtiments ont été entièrement rénovés dans les années 1990. On y pratique l'agriculture biologique. Des vins blancs et rouges de qualité sont vendus à des prix séduisants.

COTEAUX-DE-PIERREVERT

Cette nouvelle AOC (1998) couvre un vaste terroir, plus frais, le long de la Durance, donnant des vins dans les trois couleurs. Le Domaine de Régusse est le plus grand de l'appellation.

CORSE

Carte page XXI

Les vins de Corse ont été modelés par les montagnes et la mer. La mer, qui isole l'île mais facilite le commerce, a conduit ici les Grecs et leurs vignes cinq cents ans avant notre ère. Idéalement située sur les voies de commerce maritime, l'île de Beauté passa plus tard sous le joug des cités marchandes de la côte italienne, Pise et Gênes. La vigne n'échappa pas à leur influence : les cépages autochtones ont un fort accent italien.

Les montagnes qui la couvrent en majeure partie divisent la Corse en d'innombrables petites vallées, dont chacune s'est forgé un style de vin avec ses propres cépages à fort accent italien. Certaines variétés ont disparu lorsque, grâce aux moyens de transport modernes, les insulaires ont découvert de nouveaux plants plus productifs, mais plus de vingt cépages indigènes subsistent.

Jusqu'au début des années 1960, la viticulture était en Corse une activité mineure et circonscrite localement. Mais, à peine arrivés sur l'île, des milliers de rapatriés d'Afrique du Nord entreprirent de la développer dans l'espoir de récupérer le marché des vins en gros détenu par l'Algérie et la Tunisie. Les nouveaux vignobles, presque tous plantés dans les rares terrains plats de l'île, au sud de Bastia, se mirent à produire d'énormes volumes de vins médiocres. Puis on arracha la plupart des nouveaux vignobles et la Corse retrouva son allure première, c'est-à-dire un vignoble réparti, comme avant, entre les pentes montagneuses et les bords de mer.

Le climat et les sols

Le golfe de Gênes se caractérise par un climat particulier qui peut être méditerranéen, subtropical ou tempéré selon les saisons. La Corse bénéficie de ce régime climatique, mais la mer, la montagne et la complexité du relief créent des conditions particulièrement favorables à la viticulture.

La mer atténue ainsi les chaleurs de l'été et empêche les gelées de l'hiver tout en fournissant l'humidité nécessaire à une lente maturation du raisin. La montagne assure, quant à elle, une abondance de précipitations, qui met la Corse au premier rang des régions françaises. Enfin, le relief topographique est à l'origine d'une multitude de microclimats, donnant lieu à des terroirs extrêmement variés.

À cette grande diversité climatique s'ajoute celle des sols. Tandis que le granite domine sur la côte ouest, dans les vignobles de Balagne, d'Ajaccio, de Sartène, de Figari et de Porto-Vecchio, l'est de l'île est schisteux ou alpin. Ailleurs on trouve des dépôts sédimentaires.

Les appellations

La Corse possède une AOC générale, Vin de Corse, et deux AOC communales, Ajaccio et Patrimonio. En outre, l'étiquette peut faire suivre la mention Vin de Corse du nom du village d'où provient le vin (voir p. 479). Lorsqu'un vin est simplement étiqueté Vin de Corse, il provient vraisemblablement d'un vignoble de la côte orientale, zone de rendements généreux mais de qualité médiocre. En revanche, on peut s'attendre à une personnalité plus marquée s'il est étiqueté avec le nom d'une commune. Les vins les plus intéressants sont généralement originaires d'Ajaccio et de Patrimonio.

AJACCIO. À l'ouest de l'île, cette appellation, qui date de 1984, couvre la côte et les collines entourant le chef-lieu de la Corse du Sud, ville natale de Napoléon. L'AOC exige que les vins rouges soient issus d'un minimum de 50 % du cépage Sciaccarello, mais la plupart dépassent ce pourcentage. Grenache, Cinsaut et Carignan complètent l'encépagement. L'AOC existe aussi en rosé et en blanc, mais les rouges qu'il faut laisser vieillir au moins trois ans sont majoritaires.

PATRIMONIO. Le vignoble de cette appellation s'étage dans le cirque du golfe de Saint-Florent, dans le nord de l'île. Le sol est schisteux, couvert de terres calcaires. Les vignes datent du Moyen Âge, mais leur superficie a nettement diminué depuis le début du siècle. Depuis l'an 2000, l'AOC exige un minimum de 90 % de Nielluccio pour les vins rouges et de 90 % de Vermentino pour les blancs. Il existe également quelques Vins Doux Naturels issus de Muscat.

VIN DE CORSE CALVI. La ville de Calvi se trouve sur la côte nord-ouest de l'île. Le vignoble de Calvi s'étend à l'est et à l'ouest de la ville, dans une région qui est appelée la Balagne. Les vins, surtout issus de cépages originaires du continent, sont rouges, rosés et blancs, ces derniers étant reconnus comme les meilleurs.

VIN DE CORSE COTEAUX-DU-CAP-CORSE. C'est une région de vins blancs. Les secs sont issus du cépage Vermentino et les doux de Muscat. (L'AOC Muscat du Cap Corse s'étend sur Patrimonio.)

VIN DE CORSE FIGARI. Ce vignoble est perché sur les coteaux du sud de l'île. Les sols légers, peu profonds, le climat sec et chaud, les vents forts et fréquents rendent la viticulture difficile, sauf dans quelques micro-terroirs protégés où la vigne prospère depuis des siècles.

VIN DE CORSE SARTÈNE. Cette appellation suit la côte ouest de l'île, au sud d'Ajaccio. Les vins sont généralement des rouges généreux et parfumés, les blancs sont amples. La réglementation de l'AOC exige un minimum de 50 % de cépages traditionnels corses, ce qui donne aux vins une personnalités marquée.

VIN DE CORSE PORTO-VECCHIO. Dans cette belle région au sud-ouest

de la Corse, deux cépages du Midi, la Syrah et le Mourvèdre, sont assemblés avec des cépages rouges corses. Les blancs sont frais, les rosés fins, les rouges ont un bel équilibre.

Les cépages et les styles de vin

La majorité des vins corses sont rouges. La production de rosé n'est pas négligeable, mais celle de blanc se limite à une bouteille sur dix. Les principaux cépages rouges sont le Nielluccio, qui pousse dans le Nord, en particulier dans l'appellation Patrimonio, et le Sciaccarello, spécialité de la région ouest, autour d'Ajaccio. Ces deux cépages sont originaires de l'île, mais nombre d'experts s'accordent à leur trouver un lien de parenté avec le cépage toscan Sangiovese. Le principal cépage blanc, le Vermentino, est un très ancien cépage méditerranéen connu sur le continent sous le nom de Malvoisie ou Malvasia.

Qu'ils soient issus des deux principaux cépages autochtones ou de variétés locales encore plus obscures, les vins rouges sont les plus intéressants. Le Nielluccio donne un vin peu coloré et sert surtout au rosé. Mais il ne manque ni de caractère, ni de puissance, ni d'équilibre et peut donner de bons vins de longue garde. Le Sciaccarello est un raisin très juteux à la peau épaisse donnant des vins qui se caractérisent par une robe soutenue, un caractère structuré et un parfum original agrémenté de notes végétales.

Parmi les cépages importés du continent, on retrouve les classiques du soleil, Carignan, Grenache et Cinsaut, qui donnent ici à peu près les mêmes résultats que dans le sud de la France. La Syrah réussit assez bien.

Quelques cépages comme le Chardonnay, le Merlot et le Cabernet-Sauvignon ont été plantés dans le nord-est de l'île. Les vins qui en sont issus portent le nom de Vin de Pays de l'Île de Beauté. Les vins de pays rosés des meilleurs propriétaires sont excellents.

La Corse produit également de petites quantités de Vins Doux Naturels à base de Muscat à petits grains, principalement dans les régions de Patrimonio et des Coteaux du Cap Corse.

La vinification

La majorité des vins sont élaborés par les coopératives qui se sont équipées de cuves en acier inoxydable. Les vinifications sont relativement classiques. Le passage en cuves de bois est le fait soit des vignerons traditionnels qui vinifient et conservent le vin en foudres, le plus souvent faits par des tonneliers locaux, en chêne ou en châtaignier, soit de vignerons modernes qui ont redécouvert les vertus du bois et font séjourner le vin en bordelaises six mois environ.

APPELLATIONS, PRODUCTEURS ET NÉGOCIANTS

Les meilleurs vins de Corse, ceux dont la personnalité est le plus marquée, sont généralement issus de petites propriétés familiales. Les différentes appellations, assorties de quelques remarques sur les producteurs les plus fiables, sont présentées ci-dessous.

AJACCIO

CLOS D'ALZETO
Le plus haut vignoble de Corse, avec un point de vue remarquable, produit des vins typés et intéressants, surtout le rouge.

CLOS CAPITORO
Jacques Bianchetti fait ici l'un des plus prestigieux vins de Corse. Les vins rouges sont issus de Sciacarello et de Grenache, les blancs de Vermentino. Le meilleur est un rouge qui n'est vendu qu'après quelque temps de garde.

DOMAINE MARTINI
Cette propriété élabore des rouges et des rosés de façon traditionnelle.

DOMAINE PERALDI
Ce domaine est l'un des plus connus de Corse. Il appartient au comte de Poix, dont la famille en est propriétaire depuis quatre siècles. Il produit du rouge à base de Sciacarello, du rosé et du blanc. Le Clos du Cardinal est un rouge vieilli en fûts de chêne.

DOMAINE DE PRAVATONE
À deux pas du site préhistorique de Filitosa (qui mérite un détour) sont vinifiés par Isabelle Courrège des vins remarquables, dans les trois couleurs.

PATRIMONIO

DOMAINE ANTOINE ARENA
Antoine Arena a la réussite au bout des doigts : des blancs gras, plantureux, des rouges monstrueusement puissants et des muscats fins et riches.

DOMAINE GENTILE
Il s'agit d'un domaine qui remet en vigueur les vieilles traditions locales et produit des rouges, des rosés, des blancs secs et des Muscats blancs doux.

DOMAINE LECCIA
Avec ses équipements modernes et ses techniques de pointe, ce domaine produit de bons vins rouges, généreusement fruités et agréablement structurés. Il est également connu pour son Muscat doux.

VIN DE CORSE

CALVI
Les producteurs notables sont le Clos Reginu (bon rouge avec des cépages locaux relevés de Syrah), le Clos Landry (rosé) et le Clos Culombu (blancs, rosés et rouges).

COTEAUX-DU-CAP-CORSE
Il ne reste que quelques hectares de vignes.

FIGARI
Ce vignoble produit le meilleur vin de Corse Figari, la cuvée Alexandra du Domaine de Tanella.

SARTÈNE
Parmi les producteurs, on notera le Domaine Fiumicicoli, propriété dirigée par un adepte des cépages traditionnels corses, le Domaine de San Michele et la coopérative, qui vend sous l'étiquette Santa Barba.

PORTO-VECCHIO
Le leader de l'appellation est le Domaine de Torraccia, une propriété alliant expérimentation et cépages traditionnels.

VIN DE PAYS DE L'ÎLE DE BEAUTÉ

L'Union de Vignerons de l'Île de Beauté respecte la tradition, mais utilise le Merlot, le Cabernet-Sauvignon et le Chardonnay pour améliorer les vins issus des cépages indigènes.
L'Union des Vignerons Associés du Levant (UVAL), plus dynamique, a pris la Californie pour modèle, et ses vins sont frais, joliment étiquetés selon le cépage : Cabernet-Sauvignon, Merlot et Syrah pour les rouges, Chardonnay et Chenin Blanc pour les blancs.

LANGUEDOC-ROUSSILLON

Carte page XXII

Le vignoble du Languedoc-Roussillon est vaste. Il longe la Méditerranée depuis les pieds des Pyrénées jusqu'au delta du Rhône. Il recouvre les anciennes provinces du Roussillon et du Languedoc, qui correspondent aux quatre départements actuels des Pyrénées-Orientales, de l'Aude, de l'Hérault et du Gard. Le Grand Sud n'est pas seulement la plus grande région de production de France (40 % du vin français), c'est aussi la région où il se passe les choses les plus intéressantes en matière de viticulture, non seulement pour la France mais pour le monde entier. Après un arrachage massif dans les années 1980, et grâce au travail de vignerons qui reconnaissent aujourd'hui que la clef de la réussite réside dans la qualité et tout ce qu'elle sous-entend en amont, la région du Languedoc a opéré avec succès une reconversion spectaculaire. Elle produit des AOC dont l'excellente qualité a permis de prétendre à une AOC régionale, l'AOC Languedoc.

Les styles de vin

Le Grand Sud produit des vins de styles très différents. Le rouge domine et les appellations sont nombreuses, depuis Collioure, à l'extrême ouest, jusqu'aux Costières-de-Nîmes, à l'extrême est. Il y a aussi une multitude de vins de pays, dont certains sont connus même à l'étranger, d'autres n'ayant qu'un intérêt local. Les vins effervescents Blanquette de Limoux et Crémant de Limoux sont issus de la ville éponyme du département de l'Aude. Les Vins Doux Naturels viennent de villes et de villages comme Rivesaltes, Banyuls et Frontignan. Certains vins blancs, telle la Clairette du Languedoc (voir p. 500), ont parfois droit à leur propre appellation, mais, la plupart du temps, ils sont la version en blanc d'une appellation de rouge. C'est le cas du Minervois et des Corbières. Les vins rosés jouent ici un rôle mineur.

Le climat

Le climat méditerranéen est idéal pour la vigne. Les hivers sont doux, les étés chauds et secs. Les pluies qui tombent en hiver et au début du printemps apportent suffisamment d'humidité pour le reste de l'année.

Les vignobles

Les meilleurs vignobles sont situés au pied des Pyrénées et du Massif central ainsi que sur les collines rocailleuses des Corbières. Ce sont des zones où aucune culture ne survivrait à part la vigne : les conditions arides lui conviennent et donnent des vins concentrés dont les parfums rappellent les herbes de la garrigue. Le sol est généralement argilo-calcaire, mais chaque endroit a ses particularités de sorte que, à l'intérieur d'une même appellation, on trouve souvent des terroirs différents.

La vigne a été replantée sur des parcelles où elle avait été abandonnée au siècle dernier, lorsque les viticulteurs étaient descendus s'installer dans les plaines côtières, plus fertiles et plus faciles à cultiver. Les vignobles qui ne peuvent produire que du vin ordinaire sont de plus en plus souvent arrachés, car ils bénéficient de primes d'arrachage. À terme, le vignoble de plaine devrait disparaître.

Les cépages

Le Carignan, le Cinsaut et le Grenache sont les cépages prédominants dans l'ensemble du Midi et constituent la base de la plupart des vins rouges. Nombre des 150 différents cépages du XIe siècle ont aujourd'hui disparu : les maladies (oïdium et phylloxéra) ou l'arrachage pour manque de productivité ont eu raison d'eux. Ils ont été remplacés par des cépages à fort rendement, le Carignan, l'Aramon et un cépage local à la prolificité légendaire, l'Alicante Bouschet.

Pour toutes les appellations du Midi, la loi a défini un certain nombre de cépages améliorateurs qui doivent obligatoirement figurer dans certaines proportions. Ce fut d'abord le cas du Grenache, rejoint ensuite par la Syrah et le Mourvèdre.

Aujourd'hui, on expérimente également la Counoise, le Calitor, le Muscardin et le Monastrell. Le Cinsaut se trouve amélioré par une sélection clonale poussée, l'Aramon est voué à disparaître, le Carignan à diminuer. On plante aussi du Cabernet-Sauvignon et du Merlot, dont on pense qu'ils pourraient améliorer les saveurs. Certains viticulteurs aimeraient même que ces cépages bordelais soient autorisés dans leurs appellations, mais, pour le moment, l'utilisation en est restreinte aux vins de pays.

Les cépages blancs que l'on retrouve dans la plupart des appellations, Ugni Blanc, Bourboulenc et Maccabeo, manquent généralement de caractère. Le Picpoul (qui sert au Picpoul-de-Pinet) n'est guère aromatique non plus. La Clairette sert dans deux appellations, la Clairette du Languedoc et la Clairette de Bellegarde. Elle doit être vinifiée avec soin pour acquérir un minimum de profondeur et de personnalité. On plante de plus en plus de Chardonnay, de Sauvignon, de Viognier et d'autres cépages extérieurs à la région, mais, comme on l'a vu avec les cépages rouges, ils ne sont encore autorisés que pour les vins de pays.

La vinification

Si la chaleur du climat méditerranéen pose un problème, c'est bien dans la vinification. Ici, il est indispensable de pouvoir contrôler les températures et de conserver le vin dans des caves isolées.

Les pressoirs à mouvement continu, si bien adaptés aux grands rendements autrefois populaires, ont été remplacés par des pressoirs pneumatiques, moins « violents ». On connaît désormais l'importance du contrôle des températures de fermentation pour les vins rouges comme pour les blancs.

Le principal changement technique intervenu dans la vinification est le développement de la macération carbonique, dont le but est d'extraire des raisins un maximum de fruit et un minimum de tanins grossiers. Le Carignan, qui a tendance à donner des vins peu fruités, durs et tanniques lorsqu'il est fermenté traditionnellement, est métamorphosé par la macération carbonique, qui fait ressortir son caractère fruité et épicé tout en lui laissant sa structure.

L'autre changement important est l'utilisation des barriques de chêne neuf. Dans le sud de la France, il n'y avait pas de tradition de vieillissement des vins, donc pas de caves souterraines. Les vins étaient conservés dans de grands foudres de chêne et toujours vendus dans l'année qui suivait la récolte. Ces foudres n'étaient pas toujours très bien entretenus et ils absorbaient bien souvent tout le fruité des vins. Aujourd'hui, ils sont généralement remplacés par des cuves en inox, d'un usage plus facile, et, pour les meilleures cuvées, par des barriques bordelaises de 225 l. En vérité, nombre de barriques issues des grands châteaux du Médoc trouvent ici une deuxième vie et donnent des résultats très satisfaisants.

LES VINS DE PAYS

Les vins de pays sont nés de l'évidente nécessité de conférer une identité à des centaines de milliers d'hectolitres anonymes qui jaillissaient de tous les coins du sud de la France. Il fallait leur donner une certaine image. Aujourd'hui encore, le Midi produit 85 % de tous les vins de pays français.

Les vins de pays sont des vins simples, agréables pour accompagner les repas de tous les jours. Dans une certaine mesure, ils sont le reflet de leur région d'origine, même si leur délimitation géographique est davantage fondée sur les frontières administratives que sur la géologie, comme c'est le cas pour les vins d'AOC et les

VDQS. Ainsi, le vin de pays des Sables du golfe du Lion, qui occupe les zones sablonneuses de la Camargue, recouvre trois départements. Les « vins de pays de département » et les « vins de pays de zone » sont décrits dans les encadrés de ce chapitre aux côtés de leurs AOC voisines. Tous les vins de pays du Midi peuvent être vendus sous le nom de vin de pays d'Oc, qui autorise l'assemblage de vins provenant de différentes zones et de différents départements.

Les cépages

La législation des vins de pays laisse une grande souplesse dans le choix des cépages. Les vignerons les plus téméraires ont planté des cépages originaux avec un certain succès. Le Cabernet-Sauvignon, le Merlot et le Chardonnay sont maintenant bien établis. On trouve aussi du Sauvignon, du Viognier et bien d'autres. Lorsqu'un vigneron fait à la fois une appellation et un vin de pays, il n'est pas rare que ce dernier soit nettement meilleur – ou nettement pire – que son vin d'appellation. Il en est de même pour les cépages : les meilleurs peuvent être utilisés seuls ou en assemblage – Cabernet-Sauvignon ou Syrah – ou laisser place entière aux pires comme l'Aramon ou l'Alicante Bouschet, en voie de disparition.

PRODUCTEURS ET NÉGOCIANTS

MAS DE DAUMAS GASSAC
C'est souvent en dehors des AOC que l'on rencontre les vins de pays les plus intéressants. Daumas Gassac est l'exemple le plus connu de vin de pays ayant acquis une réputation – et atteint des prix – pouvant rivaliser avec ses voisins d'appellation immédiats, mais aussi avec des grands crus prestigieux de l'autre bout de la France. Ce domaine se trouve à une trentaine de kilomètres au nord-ouest de Montpellier. Il possède un sol original : une terre rouge d'origine glaciaire vieille d'un million d'années. Les premiers pieds de vigne furent plantés en 1974. Il s'agissait principalement de Cabernet-Sauvignon pour les rouges et de Chardonnay pour les blancs, avec aussi un peu de Merlot, de Syrah, de Pinot Noir, de Viognier et de Gros-Manseng.

LES SALINS DU MIDI
Cette immense entreprise est à la fois productrice de sel et de vin. Les vignes sont franches de pied, c'est-à-dire non greffées, car elles poussent dans le sable près de la côte. L'entreprise possède trois domaines en Camargue – Domaine de Villeroy près de Sète, Domaine de Jarras et Domaine du Bosquet près d'Aigues-Mortes – et deux en Provence – l'Abbaye de Saint-Hilaire et le Château la Gordonne. Depuis les années 1950, les Salins ont été à l'avant-garde du renouveau méditerranéen. Le Listel, vendu en vin de pays des Sables du golfe du Lion, est un rosé pâle et délicat qui doit son nom à la toute proche île de Stel.

SKALLI
Robert Skalli, négociant en vins à Sète, a été le pionnier de la reconversion du vignoble pour la production d'une gamme de vins de cépages diffusés en vins de pays d'Oc, sous l'étiquette Fortant de France.

LES VINS DOUX NATURELS

Carte page XXII

Les Vins Doux Naturels ne portent pas très bien leur nom. En effet, si le sucre est bien un élément naturel du raisin, la méthode d'élaboration nécessite, comme pour tous les vins mutés, l'intervention de l'homme : la fermentation doit être interrompue par l'adjonction d'alcool, afin de garder au vin sa douceur.
Cette méthode de vinification est une tradition bien implantée dans le sud de la France, que ce soit pour les vins blancs ou pour les vins rouges. Son principe est en effet attribué à Arnaud de Villeneuve, docteur en médecine de l'université de Montpellier à la fin du XIIIe siècle.
Les Vins Doux Naturels du Roussillon – Banyuls, Rivesaltes et Maury – sont appréciés depuis fort longtemps en France, non seulement comme vins de dessert, mais aussi comme apéritifs ou en accompagnement de foie gras. Les VDN élaborés à partir de raisin Muscat dans tout le sud de la France, à Rivesaltes, Saint-Jean-de-Minervois, Frontignan, Mireval et Lunel, doivent être servis frais. Ils sont parfaits à l'apéritif, mais peuvent aussi accompagner du roquefort ou un gâteau aux fruits.

Banyuls

Les deux villages de Banyuls et de Collioure se trouvent au bord de la Méditerranée, à la limite de la frontière espagnole. L'appellation Banyuls, reconnue en 1936, s'étend aussi sur les communes de Port-Vendres et Cerbère. Les vignes poussent dans une terre de schiste peu fertile, sur des terrasses escarpées des contreforts des Pyrénées.
L'appellation requiert 50 % de Grenache Noir au minimum, 40 % de Grenache Gris et Blanc et 10 % d'autres cépages (Carignan, Cinsaut, Counoise, Syrah et Mourvèdre). L'appellation Banyuls Grand Cru a été ajoutée en 1962. En théorie, elle sous-entend une qualité de vin supérieure, avec un minimum de 75 % de Grenache Noir et un vieillissement de deux ans et demi au moins.
Les meilleurs Banyuls ont une belle robe tuilée sombre et d'amples parfums de raisin sec et de noix. Leur couleur peut être rouge, blanche ou rose lorsqu'ils sont jeunes, mais tous tendent vers le rouge tuilé avec les années. Le Banyuls, tout comme le Rivesaltes (voir plus bas), est souvent volontairement oxydé pour obtenir son caractère rancio.

Rivesaltes

Cette appellation inclut 86 villages situés pour la plupart dans le département des Pyrénées-Orientales, en partie sur les vignobles des Côtes du

Roussillon. Quelques communes se trouvent dans le département de l'Aude et entrent dans les appellations Fitou et Corbières. Nombre de producteurs, producteurs privés ou coopératives, font donc à la fois des vins mutés et des vins de table.

Près de la moitié des Vins Doux Naturels de France viennent de Rivesaltes. Les vins mutés étaient assez à la mode dans les années 1930 pour que les Rivesaltes soient parmi les premiers vins à accéder au statut d'appellation contrôlée, en 1936. L'appellation Grand Roussillon date de 1972 : extrêmement rare, elle correspond à un vin d'un niveau légèrement inférieur, très proche du Rivesaltes.

Théoriquement, il y a trois types de Rivesaltes, blanc ou doré, rouge et rancio. Dans la pratique, il y a beaucoup plus de couleurs et de styles, car les blancs foncent au vieillissement tandis que les rouges perdent de la couleur.

Les meilleurs Rivesaltes ont un goût de rancio dû à une légère oxydation. Pour l'obtenir, le vin doit vieillir soit dans de grands foudres de chêne, soit dans des bonbonnes de verre de 30 litres, pendant au moins neuf mois. Ce délai est indispensable pour que le vin subisse les températures extrêmes de l'été et de l'hiver. Le vin brunit avec l'âge et devient plus riche en bouche. Il acquiert des parfums de raisin sec, de noix, de pruneau qui rappellent les cakes et les gâteaux aux fruits. Sa finale est longue mais pas sucrée. De tels vins sont généralement vendus sous le nom de Vieux Rivesaltes.

Le Rivesaltes existe aussi en version millésimée. Comme le Porto Vintage, il est mis en bouteilles jeune et développe son fruit après un certain nombre d'années de vieillissement.

Muscat de Rivesaltes

Cette appellation, reconnue en 1972, fait appel à deux cépages, le Muscat d'Alexandrie et le Muscat à petits grains, plus aromatique. Ce vin peut être léger, avec un parfum de citron et de miel, ou, au contraire, riche et corsé, parfumé et savoureux, avec un goût d'oranges amères. Il est toujours mis en bouteilles le plus tôt possible, à la fin de l'hiver, afin d'enfermer les arômes du raisin sous le bouchon. Il est préférable de le boire dans ses deux premières années.

Maury

Maury est une minuscule appellation qui forme une enclave à l'intérieur des plus vastes appellations Rivesaltes et Côtes-du-Roussillon-Villages. Le sol schisteux domine ce terroir situé sur Maury et trois autres communes avoisinantes.

Le Maury est un Vin Doux Naturel rouge, issu principalement du Grenache Noir – la loi requiert un minimum de 50 % –, auquel il doit son caractère. Les raisins sont récoltés en surmaturité, mis à fermenter puis

mutés à l'eau-de-vie après trois jours de fermentation. Le vin doit vieillir au moins deux ans, mais on accorde quelques années de plus aux meilleures cuvées. Cela permet de faire apparaître des arômes complexes, noisetés, qui rappellent les pruneaux.

Muscat de Saint-Jean-de-Minervois

Le village de Saint-Jean-de-Minervois bénéficie de sa propre appellation de Vin Doux Naturel depuis 1950. Au début du siècle, le Muscat était souvent limité à de toutes petites parcelles et vinifié dans le but d'une consommation familiale. La production de Vin Doux Naturel est née de cette tradition.
Ce Muscat est issu exclusivement de Muscat Blanc à petits grains, vendangé à la limite de la surmaturité, avec un degré potentiel d'alcool de 14 % vol. Les producteurs cherchent avant tout à conserver le parfum délicat du cépage.

Muscat de Frontignan

Les vignobles de Frontignan sont plantés sur un terroir de calcaire agrémenté d'alluvions et de cailloux. Ils se trouvent sur le côté oriental de l'étang de Thau, qui, avec la mer toute proche, est à l'origine d'un microclimat particulier.
Ce Muscat provient des alentours de la ville de Frontignan, située près du port de Sète.
Le seul cépage autorisé pour cette appellation, reconnue dès 1936, est le Muscat Blanc à petits grains. En fait, ce cépage s'appelle aussi Muscat de Frontignan. Il peut être élaboré soit en Vin Doux Naturel, soit – et c'est son originalité – en vin de liqueur.
Le Vin Doux Naturel en bouteille doit avoir un minimum d'alcool de 15 % vol., dont 5 à 10 % acquis par mutage. Il a une robe dorée, une bouche tendre et sucrée et des parfums de raisins Muscat au nez et en bouche. Tout comme le vin de liqueur, il est présenté dans une bouteille aux cannelures torsadées.

Muscat de Mireval

Mireval est une petite ville calme située à 8 km à l'est de Frontignan. Son vin est très proche de celui de sa voisine. Il est pour le moment d'un intérêt local.

Muscat de Lunel

La ville de Lunel se trouve à l'extrémité est des Coteaux du Languedoc, tout près du cru Coteaux-de-Vérargues (voir p. 502). La plupart des viticulteurs font à la fois des Coteaux-du-Languedoc et du Muscat de Lunel.
Ce Muscat vient de la partie est du département de l'Hérault. On peut en dire à peu près la même chose que du Muscat de Mireval. L'encépagement est également limité au Muscat Blanc à petits grains.

APPELLATIONS ET PRODUCTEURS

Voici un aperçu des appellations de Vins Doux Naturels d'ouest en est, c'est-à-dire de la frontière espagnole jusqu'au delta du Rhône. La plupart des appellations sont à cheval sur des zones présentées plus loin dans ce chapitre.

BANYULS

Ce joyau des vignobles à Vins Doux Naturels d'appellation d'origine contrôlée est presque entièrement entre les mains d'un groupe de cinq coopératives, réunies dans le Groupement Interproducteurs du cru Banyuls, important diffuseur de Banyuls Grand Cru.

Le meilleur vin de propriété vient du Domaine du Mas Blanc, qui produit trois styles de vin correspondant à trois méthodes d'élevage différentes. Les meilleures années, on fait un vin millésimé qui n'est vieilli qu'un an dans des foudres de 5 hl et ouillé régulièrement pour empêcher toute oxydation.

Le deuxième type de vin est fait avec la même base, mais conservé six ans dans des foudres de 40 hl soumis à des changements de température brutaux.

Il n'est pas protégé contre l'oxydation et n'est ouillé que tous les six mois.

Le troisième style de vin est élaboré selon un système proche de la *solera* espagnole (voir p. 613), sur trois niveaux *(sostres* en catalan). Il est mis en bouteilles au bout de six ans.

RIVESALTES

Il y a un certain nombre de bons producteurs de Rivesaltes, parmi lesquels la coopérative du Mont-Tauch, située dans le village de Tuchan, le Domaine Cazes à Rivesaltes, le Domaine Sarda-Malet à Perpignan et le Château de Corneilla, dans le village éponyme situé au sud de Perpignan.

MAURY

La coopérative du village de Maury est le plus gros producteur. Mais le vin le plus intéressant vient du Domaine du Mas Amiel, le seul domaine indépendant d'importance avec 130 ha de vignes plantées à 90 % en Grenache Noir. Au Mas Amiel, lorsque l'alcool de mutage a été ajouté au marc, la macération se poursuit pendant trois à quatre semaines pour donner au vin toute sa rondeur et sa plénitude.

Ici, on croit fermement qu'il est indispensable de faire vieillir le vin dans des bonbonnes de verre pendant une année entière, de juin à juin. Après cette période, le vin continue de vieillir dans d'énormes foudres de chêne autrichien de 250 hl, qui sont ouillés régulièrement pour compenser l'évaporation naturelle.

Le Mas Amiel commercialise son Maury à 6, 10 et 15 ans. Ce dernier est le meilleur. Il est à la fois extrêmement fruité et concentré et présente des notes de noix et de pruneau qui ne sont pas sans évoquer certains vieux Portos Tawny.

MUSCAT DE SAINT-JEAN-DE-MINERVOIS

La coopérative du village fait de bons vins. Il y a aussi deux bons producteurs indépendants, le Domaine du Sacré-Cœur et le Domaine Barroubio.

MUSCAT DE FRONTIGNAN

La coopérative locale représente environ les trois quarts de la production de l'appellation. Le domaine privé le plus connu est le Château de la Peyrade.

MUSCAT DE LUNEL

La coopérative locale domine la production.

Le Château du Grès Saint-Paul est le principal domaine indépendant.

Son propriétaire fait des vins plus intéressants et se donne beaucoup de mal pour conserver à ses vins fraîcheur et caractère proche du raisin.

ROUSSILLON

Carte page XXII

Les anciennes provinces du Roussillon et du Languedoc sont souvent associées en une seule expression comme si elles n'étaient pas si différentes. Et, pourtant, le Roussillon a des liens historiques avec l'Espagne et continue à subir son influence. Son climat est généralement le plus chaud de France et ses vins sont parmi les plus généreux et les plus corpulents.

Le vignoble du Roussillon est bordé par la mer à l'est, les Pyrénées au sud et les montagnes de Corbières au nord, de sorte que les vignes ressemblent à un immense amphithéâtre qui surplomberait les plaines fertiles entourant la ville de Perpignan. Les vallées fluviales se glissent dans ce paysage montagneux, l'Agly et ses affluents se frayant des passages tortueux entre les collines.

Les appellations

Le Roussillon est depuis longtemps célèbre pour ses Vins Doux Naturels de Rivesaltes (voir p. 487). Quelque temps avant le Languedoc, il a commencé à abandonner la production de «gros rouge», qui avait été longtemps sa triste spécialité. Plusieurs VDQS créés en 1970 passèrent finalement au rang d'AOC Côtes-du-Roussillon et Côtes-du-Roussillon-Villages en 1977. Cette dernière est réservée aux 25 villages situées dans la partie nord du département, tandis que celle de Côtes-du-Roussillon correspond à 117 communes se trouvant plus au sud. Ces 6310 ha de vignes sont plantés sur différents types de terrains : schiste, sols argilo-calcaires, arènes granitiques et terrasses caillouteuses. En raison de l'originalité de leur cru, trois des villages, Caramany, Latour-de-France et Lesquerde, ont même le droit de mentionner leur nom sur l'étiquette à côté de l'appellation Côtes-du-Roussillon-Villages.

Le Roussillon comporte aussi le petit vignoble de Collioure, promu au rang d'AOC en 1971.

Les cépages et les styles de vin

Les Côtes-du-Roussillon-Villages sont toujours rouges, tandis que les Côtes-du-Roussillon peuvent aussi être blancs ou rosés. Le rendement est limité à 45 hl/ha pour les premiers et 50 pour les derniers, qui sont vinifiés obligatoirement par saignée.

L'amélioration de l'encépagement a été amorcée pour les Côtes-du-Roussillon-Villages bien avant de l'être pour les Côtes-du-Roussillon. Depuis 1977, la Syrah et le Mourvèdre doivent être majoritaires dans l'assemblage avec le Grenache, le Cinsaut et – de moins en moins – le Carignan.

La Syrah, plantée pour la première fois dans cette région en 1970, est maintenant bien établie. Le Mourvèdre réussit un peu moins bien, car il arrive à maturité beaucoup plus tard. Le Carignan a aussi ses amateurs : ils assurent qu'il donne le meilleur de lui-même dans le Roussillon, puisque son rendement y est réduit, qu'il arrive à parfaite maturité sur ces collines arides brûlées par le soleil et donne ainsi des vins chauds et ronds dotés de tanins souples.

En blanc, les Côtes-du-Roussillon donnent des vins plus neutres et moins parfumés, car ils sont faits principalement à partir de Maccabeo et de Malvoisie (connu ici sous le nom de Tourbat), qui ne sont pas des cépages très savoureux.

Tous ces vins ne sont pas de grande garde. À l'origine, ils étaient faits pour être bus aussitôt que possible, mais certains gagnent tout de même à vieillir entre deux et trois ans en bouteille.

Collioure

L'appellation Collioure désigne uniquement des vins rouges et rosés. Les cépages qui donnent ici les meilleurs résultats sont le Grenache, le Mourvèdre et la Syrah. La Counoise, le Carignan et le Cinsaut sont également autorisés. Le Mourvèdre réussit particulièrement bien ici, car il apprécie la proximité de la mer et mûrit bien. Il apporte de la richesse et de la structure aux vins. Les méthodes de vinification sont traditionnelles : les raisins sont égrappés et les fermentations bien suivies. La loi n'oblige pas à une durée de vieillissement particulière, mais il est certain qu'un élevage en fûts de chêne contribue fortement à faire ressortir le goût du Collioure et en fait un des vins les plus puissants et les plus originaux du sud-est de la France. Le Collioure est un vin qui gagne également à vieillir en bouteille jusqu'à dix ans, surtout lorsqu'il vient de chez un bon vigneron.

LES VINS DE PAYS

Le Roussillon compte six vins de pays. Le Vin de Pays des Pyrénées-Orientales couvre la totalité du département. Le Vin de Pays Catalan correspond à peu près à l'AOC Côtes-du-Roussillon et occupe la moitié sud du département. Le Vin de Pays des Côtes Catalanes couvre une zone située au nord de Perpignan, autour de la ville de Rivesaltes et dans une partie de la vallée de l'Agly. D'autres noms sont moins répandus. Le Vin de Pays du Val d'Agly et le Vin de Pays des Coteaux des Fenouillèdes se trouvent à l'ouest des Vins de Pays des Côtes Catalanes. Le Vin de Pays de la Côte Vermeille se trouve près des villes de Collioure et Banyuls. La production de vin de pays est rouge pour 70 à 85 %.

APPELLATIONS ET PRODUCTEURS

Les vignobles des Côtes du Roussillon couvrent une grande partie du département des Pyrénées-Orientales. Ceux de la petite appellation Collioure se trouvent à l'extrême sud-est du département, au bord de la Méditerranée et à la limite de l'Espagne.

CÔTES-DU-ROUSSILLON ET CÔTES-DU-ROUSSILLON-VILLAGES

La vinification est le plus souvent aux mains des coopératives, présentes dans presque chaque village, mais quelques domaines privés ne manquent pas d'exprimer leur personnalité.
C'est en partie grâce aux coopératives que les communes de Caramany et Latour-de-France ont eu le droit d'ajouter leur nom à l'appellation. Caramany fut une des premières coopératives à vinifier en macération carbonique, dès 1964. Quant à Latour-de-France, elle eut la chance d'avoir parmi ses clients la maison Nicolas, de sorte que son vin – et son joli nom facile à se rappeler – fut vite reconnu des amateurs.

LES VIGNERONS CATALANS
Cette union de coopératives regroupe la plupart des coopératives de villages. Elle commercialise une énorme partie des vins du Roussillon : vins de pays, AOC et VDN Rivesaltes.

DOMAINE CAZES
Ce négociant produit de bons Côtes-du-Roussillon, mais s'intéresse encore plus à ses vins de pays, en particulier le Canon du Maréchal, un vin de pays des Côtes Catalanes issu d'un assemblage de cépages parmi lesquels la Syrah, le Merlot et le Cabernet-Sauvignon.
En blanc, il est fait avec une base de Muscat, une façon d'utiliser ce cépage autrement que pour faire du VDN à Rivesaltes.

CHÂTEAU DE CORNEILLA
Ce domaine qui entoure une forteresse du XIIe siècle produit une gamme de vins représentative du pays, avec des Côtes-du-Roussillon, des vins de pays et des VDN de Rivesaltes. Son Côtes-du-Roussillon rouge est issu à 45 % de Carignan, 35 % de Grenache noir et 20 % de Syrah. Fermenté de façon classique, il donne un vin riche et charpenté, dont une petite partie est élevée six mois sous bois. Ce domaine continue de replanter en Syrah et Mourvèdre pour les rouges, et Vermentino pour les blancs.

CHÂTEAU DE JAU
Situé à une dizaine de kilomètres à l'ouest de la ville de Rivesaltes, dans la vallée de l'Agly, ce domaine dispose d'un vignoble récent et de caves parfaitement équipées.
Son Côtes-du-Roussillon est un vin vif, fruité et épicé en rouge, très aromatique en blanc.
Le château de Jau fait aussi un rosé et un VDN.

COLLIOURE

Les communes de Collioure et de Banyuls se touchent et se partagent les terrasses de vignes plantées en coteaux escarpés. Le sol est pauvre et caillouteux. Les vignes taillées en gobelet souffrent pour survivre au vent et à l'immense sécheresse de ces pentes abruptes.
Contrairement à celle de Banyuls, la production de Collioure est en progression, et les viticulteurs, célèbres pour leurs VDN, s'intéressent de plus en plus aux vins rouges non mutés.

PRODUCTEURS ET NÉGOCIANTS
Le GICB, Groupement Interproducteurs du cru Banyuls, contrôle la vinification de 90 % de la récolte de Collioure. Ses vins les plus intéressants, riches et de bonne garde, viennent de domaines comme ceux du Mas Blanc et de La Rectorie.

CORBIÈRES ET FITOU

Carte page XXII

Le département de l'Aude est traversé par le fleuve homonyme qui descend des Pyrénées, coule vers le nord et traverse la ville de Carcassonne avant de se diriger à l'est pour se jeter dans la Méditerranée au nord de Narbonne. Il sert de limite entre le vignoble de Corbières et celui du Minervois (voir p. 497). Les vins de Corbières doivent leur nom aux collines accidentées qui dominent le pays. Le vignoble de Fitou forme deux enclaves à l'intérieur de l'appellation Corbières.

La majorité des vins de Corbières sont rouges, même s'il y a aussi un peu de blanc et de rosé. L'appellation couvre une vaste zone au sud-ouest de Narbonne. Au nord, elle est bordée par la vallée de l'Aude tandis que, au sud, elle touche les vignes du Roussillon.

Corbières, l'un des premiers vignobles de France classés en VDQS, en 1951, n'arriva au niveau d'AOC qu'en 1985. C'est à ce moment que fut supprimée l'ancienne appellation Corbières Supérieures, qui était encore attribuée aux vins ayant un plus fort degré d'alcool. La zone d'appellation s'étend sur 87 communes du département de l'Aude. Elle fut considérablement réduite : elle passa de 44 000 ha à 23 000 ha, dont 15 492 ha sont encore actuellement plantés.

Le climat et les sols

Les Corbières sont caractérisées par le soleil, le vent et l'aridité des sols. Grâce à une topographie accusée et en raison de l'éterndue du vignoble, les microclimats sont nombreux (voir p. 493), mais, dans l'ensemble, le climat est méditerranéen et se caractérise par des hivers doux et des étés chauds et secs. Les sols sont de nature argilo-calcaire, avec des proportions très variables des deux éléments et d'occasionnelles additions de schiste.

Les cépages

Les Corbières traversent une période d'optimisme. En effet, le vignoble a été métamorphosé par l'introduction de cépages améliorateurs tels que la Syrah et le Mourvèdre. Ce fut le début du renouveau, mais il ne faut pas oublier que le Carignan demeure encore le cépage de base de l'appellation. Tandis que la Syrah et le Mourvèdre marquent des points en rouge, le mouvement suit pour les blancs. On replante avec des cépages rhodaniens comme la Roussanne et la Marsanne ou le cépage corse Vermentino. Ils apportent du caractère au Bourboulenc et au Maccabeo, dont les personnalités ont toujours été limitées.

LES VINS DE PAYS

Vin de pays de l'Aude est la désignation générique de l'ensemble du vignoble. Chaque vignoble possède néanmoins son propre vin de pays, et le pays de l'Aude se subdivise ainsi en 20 désignations différentes rarement reproduites sur les étiquettes des vins commercialisés. L'exception qui confirme cette constatation concerne des noms de vins de pays qui sonnent bien comme le Vin de Pays de la Vallée du Paradis, ou bien des noms historiques consacrés par le tourisme, comme le Vin de Pays de la Cité de Carcassonne. Une très large majorité de ces vins de pays est rouge (entre 80 % et 99 %), sauf pour les vins de la haute vallée de l'Aude aux environs de Limoux, où la production de vin blanc est importante.

La vinification et les styles de vin

La macération carbonique est maintenant utilisée presque partout, en particulier pour le Carignan, dont elle met le fruité en valeur. Pour la vinification classique, l'égrappage se généralise et permet de faire des vins plus souples et plus élégants.

On commence à voir du bois neuf et même des caves dotées d'un système d'isolation ou de climatisation. Pendant très longtemps, il n'y eut pas ici de caves enterrées pour élever les vins ; ceux-ci étaient toujours stockés dans de vastes foudres de chêne avant d'être vendus, souvent dans l'année. On utilise des barriques pour les cuvées de prestige. Le résultat est parfois satisfaisant, mais ces cuvées représentent une infime part de l'appellation.

Ce type de vin peut gagner à vieillir quelques années en bouteille. Mais, dans l'ensemble, les Corbières rouges sont faits pour être bus dans les deux ou trois ans qui suivent la récolte.

Fitou

À l'exception des VDN, Fitou est la plus ancienne AOC du Midi, puisqu'elle fut reconnue dès 1948. À cette époque, ses vins étaient considérés comme nettement supérieurs à ceux de cette région, Corbières et Minervois ayant en effet attendu les années 1980 pour faire leurs premiers pas vers la qualité.

Le Fitou est toujours rouge et provient des cépages classiques du Sud : une grande proportion de Carignan, du Grenache, du Cinsaut et, en quantité toujours croissante, de la Syrah et du Mourvèdre.

Le Fitou est mis en bouteilles après un élevage de neuf mois en fût ou en cuve, les meilleurs vins étant souvent vieillis sous bois pour plus d'ampleur et une belle complexité.

Dans les terres pauvres et arides des collines des Corbières, pas grand-chose ne pousse hormis la vigne et l'olivier. Une nouvelle génération de viticulteurs s'est mis en tête de tirer de beaux vins de ce terroir broussailleux. Ils ont été récompensés de leurs efforts par l'attribution de l'appellation contrôlée en 1985. Les vins rouges de Fitou jouissent de l'appellation contrôlée depuis bien plus longtemps.

CORBIÈRES

Ce vaste vignoble possède plusieurs coopératives, qui ne bénéficient pas toutes des mêmes moyens techniques, et de nombreux domaines privés.

CAVE D'EMBRES ET CASTELMAURE

Cette coopérative située dans le village d'Embres se trouve à l'avant-garde de la révolution des Corbières. Elle a investi dans ses installations et changé ses méthodes de vinification. Elle élève certains vins sous bois et a commencé à utiliser des fûts neufs pour son meilleur vin, la Cuvée de Pompadour. En outre, elle commence à tenir compte des personnalités distinctes de ses différents terroirs.

CHÂTEAU DE LASTOURS

Ce domaine, qui a acquis une réputation internationale en peu de temps, est →

LES TERROIRS DES CORBIÈRES

La variété des sols et de climats est telle qu'on comprend aisément le désir des vignerons de subdiviser l'appellation. Les onze terroirs qui ont été délimités peuvent donner une idée du style de vin que l'on peut trouver dans la bouteille.

BOUTENAC : ce terroir correspond à deux vallées alluviales autour du village de Boutenac. Le Mourvèdre s'y plaît bien en raison du climat méditerranéen.

DURBAN : vaste zone des hautes Corbières, coupée de l'influence maritime et au sol aride et peu fertile.

FONTFROIDE : cette zone doit son nom a l'abbaye cistercienne située à l'ouest de Narbonne, qui n'est séparée de la mer que par une rangée de collines. C'est un des endroits les plus secs de France qui, grâce aux vents maritimes rafraîchissants, convient bien au Mourvèdre.

LAGRASSE : dans la vallée de l'Orbieu, ces vignobles au sol calcaire sont plantés à une altitude allant de 150 à 250 m. La montagne d'Alaric tend à modérer les vents dominants.

LÉZIGNAN : à l'extrémité nord de l'appellation, ce plateau n'est qu'à une altitude de 50 m. Le vignoble occupe de larges terrasses de pierre.

MONTAGNE D'ALARIC : sur le flanc nord de la montagne, c'est-à-dire à l'extrémité nord de l'appellation Corbières. Ce vignoble domine les plaines et profite à la fois de l'influence de la Méditerranée et de l'Atlantique. Le sol est fait de calcaire et de graviers.

QUÉRIBUS : cette zone doit son nom au château cathare homonyme. Les vignes autour du village de Cucugnan, au sud-ouest de l'appellation, sont plantées sur un sol caillouteux à une altitude de 250-400 m.

SAINT-VICTOR : au cœur de l'appellation, cette zone jouit d'un climat méditerranéen, mais sans influence directe de la mer. La composition du sol est très mélangée : sable, calcaire et argile.

SERVIÈS : dans la zone nord-est de l'appellation, à la limite de la montagne d'Alaric et du plateau de Lacamp, c'est un terroir argilo-calcaire qui plaît à la Syrah.

SIGEAN : cette zone côtière subit une forte influence maritime. Le Mourvèdre s'y plaît bien sur un sol argilo-calcaire.

TERMENÈS : ce vignoble situé dans la partie ouest de l'appellation en comprend les parties les plus élevées (400-500 m), sur un sol d'argile et de calcaire.

APPELLATIONS ET PRODUCTEURS

également un centre pour handicapés mentaux ou physiques, basé sur le principe que le travail dans les caves et dans les vignes peut apporter une certaine raison de vivre à ses résidents. Le premier millésime du Château de Lastours fut le 1975.
Les méthodes de vinification sont classiques. La macération carbonique n'est pas utilisée, car, bien que les vins soient vinifiés pour être bus relativement jeunes, ils doivent aussi pouvoir se garder plusieurs années. Ici, on s'intéresse d'abord au caractère du terroir, c'est pourquoi l'usage du bois neuf, qui pourrait le dissimuler, est volontairement limité.
Les différentes cuvées du château correspondent à des assemblages de cépages et des durées d'élevage différents.

AUTRES PRODUCTEURS
Il faut notamment citer le Domaine du Révérend, le Château Saint-Auriol, le Château de La Baronne, le Domaine de Villemajou, le Château La Voulte-Gasparets, le Château Mansenoble.

FITOU

L'appellation Fitou (2 600 ha) comporte deux zones distinctes : le Fitou-Maritime, qui s'étend sur les plaines côtières autour du village de Fitou, et le Fitou-des-Hautes-Corbières, plus en altitude. Dans ces terres sèches, on donne la préférence à la Syrah tandis que le Mourvèdre, plus tardif, se comporte mieux dans l'atmosphère humide des bords de mer. Dans l'ensemble, les vins de Fitou-Maritime sont plus légers et se boivent plus jeunes que ceux des Hautes-Corbières, plus robustes.

PRODUCTEURS ET NÉGOCIANTS
La plus grande partie de la vendange est entre les mains des coopératives, dont la plus importante est la Coopérative des producteurs du Mont-Tauch, située au cœur des Corbières dans le village de Tuchan. Elle commercialise six cuvées de Fitou, dont une sélection du meilleur terroir et des plus vieilles vignes et cuvées issues de domaines individuels.
Parmi les propriétés privées, il faut mentionner le Château de Nouvelles.

OUEST DE L'AUDE

Carte page XXII

La Blanquette de Limoux est fière d'annoncer qu'elle est le plus vieux vin effervescent de France et que son histoire remonte à une date encore antérieure à celle du Champagne. Le chroniqueur Froissard mentionne en effet, en 1388, les « délectables beuveries de vin blanc Limouxin » et la découverte des vins mousseux daterait ici de 1531.

La ville de Limoux se trouve en haut de la vallée de l'Aude, au sud-ouest de la cité médiévale de Carcassonne. Le vignoble s'étend sur les coteaux tout autour, dans un rayon de 20 km, et couvre une superficie de quelque 5 500 ha, répartis sur 42 communes. La grande majorité de la production est destinée à l'élaboration de la Blanquette de Limoux.

Les cépages

Le Mauzac, cépage de base de la Blanquette de Limoux, ne pousse qu'ici et à Gaillac. Vendangé autrefois tardivement pour obtenir le maximum de sucre, on préfère actuellement le récolter de bonne heure pour avoir des moûts plus acides, tenant mieux la mousse. Il a un goût caractéristique de coing, une certaine amertume en finale et une acidité qui le rend particulièrement adapté à la production de vins effervescents. Il faut cependant reconnaître que le Mauzac pur tend à manquer de nerf et de caractère. C'est ce qui a encouragé ici la plantation de Chardonnay et de Chenin Blanc.

Aujourd'hui, on a le droit d'ajouter au Mauzac jusqu'à 30 % de Chardonnay ou de Chenin Blanc dans l'AOC Blanquette de Limoux. Dans le monde entier, le Chardonnay est l'un des cépages qui convient le mieux aux vins effervescents. Il mûrit tôt et apporte aux vins rondeur et complexité.

Le Chenin Blanc, le cépage des vins effervescents de la Loire, a une maturité plus tardive, mais son acidité est bonne et son bouquet séduisant. Il prend très bien la mousse et serait moins bien adapté à l'élaboration des vins secs.

L'appellation Crémant de Limoux, créée en 1990, autorise jusqu'à 40 % de Chardonnay et de Chenin Blanc. Son nom rappelle d'autres vins effervescents, le Crémant de Loire et le Crémant de Bourgogne. Il est amélioré par l'apport de cépages non traditionnels, tout en conservant le style de Limoux grâce à la personnalité du Mauzac.

La vinification

Aujourd'hui, les vins sont élaborés selon la méthode traditionnelle (voir p. 250) et, comme en Champagne, les raisins doivent être ramassés à la main. La vinification est classique, avec fermentation séparée des différents cépages et contrôle de température, mais sans fermentation malolactique. La fermentation alcoolique terminée, les vins sont assemblés et mis en bouteilles pour une seconde fermentation. Les vins restent sur leurs lies pendant au moins neuf mois avant le dégorgement. Les vins effervescents de Limoux sont généralement bruts, mais parfois demi-secs. Il existe également un autre vin mousseux, Blanquette méthode ancestrale, élaboré selon une méthode très ancienne dite « rurale ».

Les vins tranquilles de Limoux, qui portent l'AOC Limoux, se sont nettement améliorés ces dernières années. L'appellation autorise aujourd'hui le Chenin Blanc et le Chardonnay. Ils doivent être fermentés et élevés en fûts jusqu'au mois de janvier qui suit la récolte. Cela les transforme considérablement et prouve, une fois encore, à quel point le Chardonnay réussit dans cette région.

Producteurs et négociants

Sur les 8 millions de bouteilles de Blanquette de Limoux produites chaque année, les trois quarts sortent de la moderne Cave Coopérative de Limoux. Elle produit différentes cuvées, qui portent les noms, entre autres, d'Aimery, Cuvée Aldéric et Sieur d'Arques. L'un des pionniers de la plantation du Chardonnay dans la région, elle produit également des vins de cépage (Grenache, Cabernet-Merlot, Sauvignon-Chenin).

Le Domaine de Martinolles est une des meilleures propriétés. Il produit d'élégants Crémants et Blanquettes, ainsi que du vin de pays.

Il y a six autres grands producteurs et une vingtaine de plus petits. Certains ne vinifient que leur propre récolte, d'autres achètent du raisin.

MALEPÈRE ET CABARDÈS

Ces deux vignobles situés au nord de Limoux, à l'extrémité ouest de la région, forment la frontière entre le Languedoc et l'Aquitaine. L'influence de l'Atlantique y donne un climat plus frais et plus humide que dans le reste du Midi. La relative richesse du sol encourage la plantation de cépages bordelais. Une AOVDQS et une nouvelle AOC existent pour les rouges et les rosés : Côtes-de-la-Malepère, au sud-ouest de Carcassonne, et Cabardès, au nord de Carcassonne.

CÔTES-DE-LA-MALEPÈRE (AOVDQS)
Les cépages principaux sont le Merlot, le Cot et le Cinsaut, avec aussi le Cabernet Franc, le Cabernet-Sauvignon, le Grenache et la Syrah comme cépages secondaires. 90 % des Côtes-de-la-Malepère proviennent des coopératives. Mais quelques viticulteurs privés font la mise en bouteilles au domaine, tels le Château de Malviès et le Château du Routier. Leurs vins illustrent parfaitement l'alliance de la chaleur méditerranéenne et de la structure du Sud-Ouest.

CABARDÈS (AOC)
Les meilleurs vins de Cabardès sont faits avec du Cabernet-Sauvignon, du Merlot et du Grenache. Cabardès est plus chaud et plus sec que les Côtes-de-la-Malepère. Ses vignes sont plantées sur les pentes les mieux exposées, au pied de la Montagne Noire, le dernier contrefort du Massif central. À Cabardès, les domaines indépendants sont plus nombreux que les coopératives. Parmi les meilleures propriétés, il faut citer le Château de Pennautier, le Château de Rayssac et le Château Rivals.

MINERVOIS

Carte page XXII

L'appellation du Minervois se trouve en face de celle de Corbières, de l'autre côté de la vallée de l'Aude, dans les contreforts du Massif central. Elle couvre en partie deux départements, l'Aude et l'Hérault. Elle doit son nom au village fortifié de Minerve construit par les Romains et dédié par eux à la déesse de la Sagesse. Le village, l'un des derniers bastions de l'hérésie cathare, joua un rôle important lors de la croisade des albigeois à la fin du XIIe siècle. Le Minervois est avant tout une appellation de vins rouges, mais il produit aussi une certaine quantité de vins rosés et blancs. Il existe même une petite enclave de Vins Doux Naturels dans le village de Saint-Jean-de-Minervois (voir p. 486).

Comme Corbières, le Minervois a reçu le statut d'appellation contrôlée en 1985, après avoir été VDQS depuis 1951. La qualité des vins a considérablement changé ces dernières années. La nouvelle appellation Minervois-la-Livinière regroupe désormais le village de la Livinière et quatre autres communes.

Les cépages et les styles de vin

Les vins du Minervois se sont étonnamment améliorés grâce au nouvel encépagement. Dans le meilleur des cas, les rouges sont charnus et bien construits. On utilise de plus en plus de Grenache Noir, de Syrah et même un peu de Mourvèdre. La Syrah, bien adaptée au climat sec et chaud du Minervois, peut entrer pour 75 % dans la composition des meilleurs vins. Le recours au Mourvèdre est plus problématique, en partie parce qu'il est plus sensible aux variations d'alimentation en eau. Le Carignan, quant à lui, fait toujours partie de l'encépagement légal, mais il est limité à 40 %.

Le Minervois blanc, traditionnellement issu de Maccabeo et de Bourboulenc, est souvent amélioré par un apport de Marsanne et de Roussanne. Il est question que le Viognier soit un jour autorisé, mais, pour le moment, son utilisation est limitée à la production de vins de pays, tout comme le Chardonnay, le Cabernet-Sauvignon et le Merlot.

Les méthodes de vinification ont aussi progressé grâce à des investissements en matériel considérables. La technique de la macération carbonique s'affine ; l'élevage en chêne se répand, avec l'utilisation de quelques barriques neuves. Le Minervois s'intéresse de plus en plus au caractère de ses différents terroirs. La variété des sols et des microclimats a permis de délimiter cinq zones distinctes (p. 498).

PRODUCTEURS ET NÉGOCIANTS

L'appellation du Minervois couvre une vaste zone de 18 000 ha de vignes. Les coopératives vinifient la plus grande part de ses vins, mais on voit cependant émerger un certain nombre de propriétés privées.

CLOS CENTEILLES

Daniel Domergue a tout arraché pour replanter de la Syrah, du Cinsaut, du Grenache et du Mourvèdre. Il produit deux vins.
Le Clos de Centeilles, issu en parts égales de Syrah et de Grenache, avec une pointe de Mourvèdre, subit une cuvaison d'un mois au minimum, car il est destiné à la garde. En revanche, le Campagne de Centeilles doit à sa forte proportion de Cinsaut – avec un soupçon de Syrah et de Grenache – son style léger et frais qui en fait un vin à boire plus jeune.

CHÂTEAU FABAS

Jean-Pierre Ormières fut l'un des premiers adeptes du vieillissement en barriques. Il a participé à la première série d'expériences d'élevage sous bois menée par l'œnologue de l'appellation.

CHÂTEAU DE GOURGAZAUD

Roger Piquet a été l'un des premiers à s'intéresser à de nouveaux cépages. C'est en 1974 qu'il a planté ses premiers pieds de Syrah dans son domaine de La Livinière.

LES TERROIRS DU MINERVOIS

Le Minervois peut se diviser en cinq zones produisant chacune des vins de caractère différent.

L'EST : les vignobles connus sous les noms des Mourels et des Serres se trouvent sur la plaine caillouteuse entourant Ginestas et subissent l'influence de la mer. Les vins rouges sont légers et doivent être bus dans les deux ans.

LE NORD : les vignobles du haut Minervois – Le Causse et Les Côtes Noires – se trouvent à une altitude de 200 m et sont marqués par un climat plus dur. Les vins sont fermes et rustiques. Ils peuvent se bonifier pendant cinq ou six ans.

LE CENTRE : les vignobles des contreforts orientés au sud de la Montagne Noire sont extrêmement chauds. Les lieux-dits L'Argent Double et Le Petit Causse produisent des vins rouges aromatiques, bien constitués, fruités, épicés, chaleureux et de bonne garde.

LE CENTRE-SUD : cette zone nommée Les Balcons d'Aude se trouve à l'ouest d'Olonzac. Elle s'étend sur les villages de La Livinière, Pépieux et Rieux-Minervois. C'est le cœur de l'appellation, mais aussi sa partie la plus chaude et la plus sèche. Ses vins rouges souples et épicés sont à boire dans leur prime jeunesse.

L'OUEST : cette zone connue sous le nom de La Clamoux jouit d'un climat plus humide en raison d'une légère influence de l'Atlantique. Elle donne des vins rouges, blancs et rosés.

CAVE COOPÉRATIVE LA LIVINIÈRE

Les coopératives sont encore de première importance dans le Minervois. Celle du village de La Livinière est des plus entreprenantes. Elle a encouragé ses membres à planter des cépages de qualité, particulièrement la Syrah, en leur versant une prime. Ces efforts ont été couronnés de succès par l'attribution d'une appellation village : Minervois La Livinière.

DOMAINE SAINTE-EULALIE

Ce domaine du village de La Livinière était à l'abandon lorsque Gérard Blanc l'a racheté en 1979. Il l'a replanté et a rééquipé les chais. Comme à la cave coopérative du village, il pratique la macération carbonique. Certains vins sont élevés en barriques de chêne, généralement achetées à des châteaux bordelais, comme le Château Talbot ou le Château Chasse-Spleen.

COTEAUX-DU-LANGUEDOC

Carte page XXII

Les Coteaux-du-Languedoc constituent une vaste appellation qui longe la Méditerranée de Narbonne jusqu'à Nîmes. Elle inclut 91 communes, dont 5 dans l'Aude, 2 dans le Gard et le reste dans l'Hérault. Une subdivision à l'intérieur de cette appellation admet 14 crus différents. Jusqu'au XIXe siècle, les crus du Languedoc étaient connus dans le monde entier.

Les Coteaux-du-Languedoc ont été reconnus comme VDQS en 1961, alors que certains crus, Quatourze par exemple, avaient reçu ce statut dès 1951. L'appellation d'origine contrôlée elle-même date de 1985 et ne concernait alors que les rouges et les rosés. Elle couvre maintenant aussi les blancs.

Les Coteaux-du-Languedoc sont en train de vivre une véritable révolution grâce à l'introduction de cépages de caractère et de techniques de vinification modernes, dont la macération carbonique. Néanmoins, il existe toujours des vignerons qui refusent obstinément de changer leurs habitudes, que ce soit la composition de leur encépagement ou leurs méthodes de vinification. C'est pourquoi nombre de vins de cette région n'ont toujours pas droit à l'appellation contrôlée. Les vins sont, dans l'ensemble, produits pour être bus dans les deux ou trois ans qui suivent leur récolte.

Si l'on regarde l'ensemble des vins rouges des Coteaux-du-Languedoc, il semble qu'ils gagnent en rondeur et en puissance à mesure que l'on se déplace vers l'ouest. Ainsi les rouges de La Clape, Faugères et Saint-Chinian sont-ils très riches et charnus, tandis que ceux de Saint-Drézéry, Méjanelle et Coteaux-de-Vérargues sont beaucoup plus légers. Pour ce qui est des vins blancs, ceux de La Clape jouissent de la meilleure réputation.

LES VINS DE PAYS

Les vins de pays de l'Hérault couvrent l'ensemble du département. L'Hérault est donc le deuxième département de France en termes de production, juste derrière l'Aude. À ces derniers s'ajoutent 28 vins de pays de zone, principalement des rouges et des rosés. Les nombreux vins de pays sont issus de Cabernet-Sauvignon ou de Chardonnay. Les vins coupés avec des cépages inférieurs, Aramon ou Alicante Bouschet, deviennent d'anonymes vins de table ou partent à la distillation.

Les cépages

Ce sont les cépages classiques du Midi. Depuis 1990, la loi exige que les vins d'appellation contiennent un minimum de 10 % de Mourvèdre et de Syrah et 20 % de Grenache. L'ensemble Carignan-Cinsaut ne doit pas excéder 50 % de l'assemblage.
Pour les vins blancs, les cépages principaux sont le Bourboulenc, l'Ugni Blanc et le Grenache Blanc. Le rendement maximal est de 50 hl/ha.

Clairette du Languedoc

Cette appellation est réservée aux vins blancs élaborés exclusivement à partir du cépage Clairette, qui ne fait normalement pas partie des Coteaux-du-Languedoc blancs. La zone d'appellation couvre dix villages situés

CRUS ET PRODUCTEURS

Voici la liste des 14 crus des Coteaux-du-Languedoc présentés d'ouest en est. Faugères et Saint-Chinian ont reçu leur propre appellation dès 1982 puis ont été inclus dans l'appellation Coteaux-du-Languedoc en 1985, mais leurs noms figurent généralement seuls sur l'étiquette sans autre mention d'origine.

QUATOURZE
Le vignoble de Quatourze se trouve près de Narbonne, sur un plateau au sol pauvre et caillouteux, à seulement 17 m au-dessus du niveau de la mer. On y fait des vins rouges, blancs et rosés, mais le rouge, au fruité poivré et chaud, est sans doute le plus réussi. En dehors de la coopérative, le seul producteur qui jouisse d'un certain renom est le Château de Notre-Dame du Quatourze.

LA CLAPE
C'est l'un des crus les plus intéressants. Il est situé sur un affleurement de rocher à l'est de Narbonne qui offre un contraste frappant avec la plaine environnante. Il jouit d'un des climats les plus ensoleillés de France, tout en étant rafraîchi par les brises marines. Le Carignan y réussit bien pour les rouges et les rosés. En dehors des cépages blancs classiques, on fait ici des expériences avec la Marsanne. Les meilleurs vins blancs de La Clape possèdent un délicat parfum végétal qui les fait ressortir au milieu des autres vins blancs assez neutres du Midi. Parmi les bons domaines, on remarquera le Domaine La Rivière-Haute, le Château Rouquette-sur-Mer, le Château Moujan et le Domaine de Pech Céleyran.

SAINT-CHINIAN
Saint-Chinian est une vaste appellation qui couvre 20 communes du département de l'Hérault. Les vignobles se trouvent pour la plupart sur les contreforts des Cévennes, à une altitude de 200 m. Les raisins mûrissent donc lentement en raison de la fraîcheur des nuits.
Le cours de la Vernazobre suit les divisions géologiques. Au nord, le sol est surtout fait de schiste ; c'est la zone de Saint-Chinian, Roquebrun, Berlou et Murviel, qui fait généralement des vins rouges légers et fruités à boire jeunes. Le Sud possède un sol argilo-calcaire ; il produit des vins plus substantiels qui gagnent à vieillir quelques années.
La coopérative de Berlou a nommé l'un de ses vins Schisteil, une contraction de schiste et de soleil, les deux caractéristiques de son terroir. Le Château Coujan, le Château Cazal-Viel et le Domaine des Jougla sont des propriétés de qualité.

entre Pézenas et Clermont-l'Hérault, dans le département de l'Hérault. La Clairette mûrit facilement, mais peut donner un vin trop lourd et alcoolique si elle est vendangée trop tard. Les meilleurs vins sont maintenant vinifiés à 12 % vol contre 13 ou 14 % vol. auparavant. La Clairette a également tendance à s'oxyder.

Autrefois, le style des Clairettes variait beaucoup. La qualité et la production ont chuté jusqu'à ce que la famille Jany décide de rétablir la réputation de l'appellation dans son Château La Condamine Bertrand. Le Domaine Saint-André est une autre propriété qui fait de bons vins. Une bonne Clairette du Languedoc doit avoir dans sa jeunesse une bonne bouche généreuse et suave, caractérisée par des parfums d'amande, d'anis et de fruit frais.

CRUS ET PRODUCTEURS

FAUGÈRES
Ce cru comprend sept villages situés au pied des montagnes de l'Espinouse, sur les derniers contreforts du Massif central. Le sol se compose de schiste, comme à Saint-Chinian. Il n'y a pratiquement pas de vin blanc à Faugères. Les meilleurs rouges gagnent à vieillir quatre ou cinq ans en bouteille, en particulier ceux qui contiennent un pourcentage élevé de Syrah et de Mourvèdre. Les bons producteurs sont Château Haut-Fabrègues, Château de la Liquière, Gilbert Alquier et Château Grézan.

PICPOUL-DE-PINET
Une oasis de blanc dans une mer de vin rouge. Le Picpoul est un cépage local cultivé autour du village de Pinet, près de Pézenas. Lorsqu'il est vinifié avec soin, il accompagne à merveille un plateau de fruits de mer. Le Domaine de Gaujal et le Domaine Genson méritent d'être cités.

CABRIÈRES
Sur les contreforts du Massif central, près de Clermont-l'Hérault, Cabrières jouissait jadis d'une bonne réputation pour ses vins rosés. Aujourd'hui, c'est le rouge qui l'emporte, et il semble même s'améliorer grâce à l'introduction de la Syrah dans l'encépagement et de la macération carbonique pour la vinification du Carignan.

SAINT-SATURNIN
Ce cru se trouve dans un paysage sauvage et mouvementé. Les vignes sont plantées sur un sol argilo-calcaire agrémenté de cailloux. On y fait un peu de vins blancs et rosés, mais le gros de la production est rouge. La presque totalité des vins sont vinifiés par la coopérative du village.

MONTPEYROUX
Montpeyroux jouxte Saint-Saturnin et se consacre presque uniquement aux vins rouges. Le Carignan peut y donner de bons résultats, car les rendements dépassent rarement 40 hl/ha à cause de la pauvreté du sol caillouteux. Les vins sont robustes et capiteux.

SAINT-GEORGES-D'ORQUES
Saint-Georges-d'Orques se trouve sur les plaines côtières à proximité de Montpellier, sur un terrain plat peu favorable. Mais ses vins rouges ont une bonne réputation. La cave coopérative commercialise toute une gamme de vins issus de techniques à la fois modernes et traditionnelles.

PIC-SAINT-LOUP
Ce cru doit son nom à la montagne qui domine l'horizon à une vingtaine de kilomètres au nord de Montpellier. La zone d'appellation couvre 13 villages sur 5 000 ha. Mais seules quelques centaines d'hectares →

CRUS ET PRODUCTEURS

sont actuellement plantées avec les cépages adéquats. Une partie du vin est vendue en vin de pays du Val de Montferrand ou même en vin de table. La coopérative de Saint-Mathieu-de-Tréviers vinifie une grande partie des vins de Pic-Saint-Loup. Elle a beaucoup œuvré en faveur de la qualité et encourage ses membres à planter de bons cépages.

MÉJANELLE

Les Coteaux de la Méjannelle (ou Méjanelle) se trouvent tout près de la ville de Montpellier. Au XVIe siècle, le vin s'appelait « vin de grès » en raison du terrain sur lequel poussent les vignes. Il comporte en effet de grosses pierres appelées grès ou galets, comme celles de Châteauneuf-du-Pape. Il existe dans cette zone peu de coopératives mais une poignée de domaines, dont le plus célèbre est le Château de Flaugergues.

SAINT-DRÉZÉRY

C'est le plus petit cru. Il se trouve dans les plaines, à l'est de Montpellier. La majorité des vins sont issus de la coopérative du village et il est difficile de déterminer ce qui différencie les vins de Saint-Drézéry de ceux des crus voisins.

SAINT-CHRISTOL

Le terroir de Saint-Christol se distingue par son sol pierreux appelé poudingue, qui donne aux vins leur caractère fumé. Ce type de sol fixe les limites du cru. La coopérative vinifie la plus grande partie de la vendange.

COTEAUX-DE-VÉRARGUES

C'est le cru le plus oriental. Il couvre 9 villages et la ville de Lunel, également connue pour son Muscat. L'un des meilleurs vins rouges vient du Château du Grès Saint-Paul : riche, fruité et épicé, il doit être bu jeune.

GARD

Carte page XXII

Le département du Gard se trouve à la limite est du Midi. Sa principale appellation, Costières-de-Nîmes, est le vignoble qui fait le lien entre le Languedoc et la vallée du Rhône. Alors que cette région est surtout réputée, comme tout le vignoble du Languedoc-Roussillon, pour ses vins rouges, le Gard est aussi connu pour son vin de pays rosé, le Listel, et pour une petite appellation de vins blancs, la Clairette de Bellegarde.

L'appellation Costières-de-Nîmes s'étend sur un vaste plateau au sud de la ville de Nîmes, limité à l'est par le Rhône et au sud par la Camargue. L'autoroute « la Languedocienne » se trouve à son extrémité nord, les vignobles des Coteaux du Languedoc la bordant à l'ouest. La zone d'appellation a été délimitée avec soin : elle couvre 25 000 ha répartis sur 24 communes, mais seule la moitié est actuellement plantée en vignes. 4 852 ha seulement des zones cultivées produisent vraiment du Costières, le reste n'ayant droit qu'au titre de vin de pays.

Cette région viticole fut d'abord reconnue comme VDQS en 1951, sous le nom de Costières-du-Gard, avant de passer en AOC en 1986. Pour éviter toute confusion avec le vin de pays du Gard, le nom a été changé en Costières-de-Nîmes à partir du millésime 1989.

L'appellation Costières-de-Nîmes est limitée aux terroirs qui bénéficient d'un sol particulier appelé grès, fait de graviers et de gros cailloux descendus des Alpes par la vallée du Rhône. Ces galets absorbent la chaleur du soleil au cours de la journée et la restituent la nuit aux vignes, ce qui accélère la maturation des raisins. Le sous-sol contient une grande proportion d'argile, qui retient l'eau et empêche la vigne de trop souffrir de la sécheresse pendant l'été. La proximité de la mer tempère le climat en apportant une certaine humidité qui diminue les effets de la canicule estivale.

Les cépages et les styles de vin

La liste des cépages autorisés ici est en perpétuelle évolution, comme dans bien d'autres vignobles du Midi. Jusque vers 1970, le Carignan dominait encore largement, suivi de près par l'Aramon ainsi que par différents cépages hybrides. Aujourd'hui, le Carignan a considérablement diminué et ne représente jamais plus de 40 % dans un assemblage. Depuis 1990, le Grenache compte pour un quart de tous les vins rouges, et le reste est fait de Cinsaut, de quantités croissantes de Syrah et d'un peu de Mourvèdre.

Les Costières-de-Nîmes sont avant tout des vins rouges, mais l'appellation produit du rosé et un peu de blanc, issu de Grenache Blanc, de Maccabeo et d'Ugni Blanc. On commence à ajouter un peu de Marsanne

LES VINS DE PAYS

On trouve surtout du vin de pays du Gard, mais le vin de pays des Coteaux Flaviens, qui doit son nom à l'empereur romain Flavien, couvre la même zone. Il donne une forme d'identité aux plantations expérimentales de Merlot, de Cabernet-Sauvignon, et même aux excès du Carignan.

Les vins de pays des Sables du golfe du Lion se sont fait connaître grâce à leur Listel, marque déposée des Salins du Midi. À cheval sur les départements de l'Hérault et des Bouches-du-Rhône, leur centre de production réel se trouve dans le Gard. Plus de 65 % des vins sont vinifiés en rosés et connus sur place sous le nom de Grains de Gris.

Il existe aussi dix vins de pays de zone qui produisent principalement des vins rouges à l'intérieur du département. Les plus connus sont le vin de pays du Mont Bouquet et le vin de pays des Coteaux du Pont du Gard.

et de Roussanne pour leurs arômes et leur caractère. On a aussi planté du Chardonnay, mais il n'est pour l'instant autorisé que pour les vins de pays.

Les vins des Costières-de-Nîmes ont le caractère épicé et végétal des herbes aromatiques méditerranéennes. Ils ont une certaine rondeur, mais pas forcément la puissance alcoolique des vins du Rhône, auxquels ils s'apparentent cependant. Ce ne sont pas des vins de grande garde et il est préférable de les boire jeunes.

Producteurs et négociants

Contrairement aux autres appellations du Midi, les Costières-de-Nîmes ne doivent pas grand-chose aux caves coopératives, qui ne vinifient qu'un tiers de la production. En revanche, il existe une multitude de propriétaires indépendants qui font de gros efforts pour améliorer la qualité de leurs vins et n'hésitent pas à tout arracher pour reconstituer leur vignoble avec de nouveaux cépages. Ils ont modifié leur façon de travailler la vigne – une plus grande densité de pieds à l'hectare donne de meilleurs résultats – et de faire le vin. Certains ont adopté la macération carbonique et l'élevage en barriques bordelaises. Le passage à l'appellation contrôlée n'a pas manqué de les encourager davantage. Les résultats sont évidents quand on goûte les vins des propriétés comme le Domaine Saint-Louis de Perdrix, le Domaine de l'Amarine, le Château de Rozier, le Château de Campuget, le Château de la Belle Coste ou le Château de La Tuilerie.

Clairette de Bellegarde

Située au sud de Nîmes, cette appellation, classée AOC en 1949, est réservée aux vins blancs issus exclusivement de Clairette. Ce cépage est difficile à bien vinifier, mais, lorsque c'est le cas, il peut donner de bons vins secs et noisetés qui ne manquent ni de parfum ni de personnalité. La production vient principalement de la coopérative de Bellegarde et de deux propriétés, le Mas Carlot et le Domaine Saint-Louis de Perdrix, producteurs de Costières-de-Nîmes rouge.

SUD-OUEST

Carte page XXIII

Cette région de production correspond à peu près à l'ancienne province de Gascogne, s'étendant de la limite du département de la Gironde, au nord, jusqu'à la frontière espagnole, au sud. Les vignobles suivent le cours de rivières qui se jettent dans l'estuaire de la Gironde : Bergerac sur la Dordogne, Cahors sur le Lot, Gaillac sur le Tarn et Fronton, Buzet et Marmandais sur la Garonne. Vers l'est, en amont, sur les contreforts du Massif central, le vignoble se raréfie, tandis qu'au sud, au pied des Pyrénées, les régions viticoles ont une identité plus marquée. Inévitablement, les vins de Bordeaux rouges et blancs servent de modèle à la plupart des vins du Sud-Ouest. Aujourd'hui, avec un souci de qualité de la part de caves coopératives très actives et d'une nouvelle génération de vignerons, la réputation du Sud-Ouest renaît. Les nombreux cépages traditionnels, auxquels se sont ajoutés ceux du Bordelais, y contribuent. Cette palette de cépages, que l'on ne trouve nulle part ailleurs, donne un caractère particulier à ces vins du Sud-Ouest. La région propose tous les styles de vin, des Gaillacs blancs secs et légers, nature ou pétillants, aux Monbazillacs riches et doux, en passant par les rouges souples de Bergerac et par les rouges solides et puissants de Madiran et Cahors.

BERGERAC

Carte page XXIII

Charmante ville d'une province riche en histoire, Bergerac se trouve au cœur des appellations du département de la Dordogne. L'agriculture y est prospère. Les collines ondulent dans le prolongement naturel de celles de Saint-Émilion. La frontière entre les vignobles de Bordeaux et de Bergerac est purement administrative et se justifie plus par le découpage arbitraire des départements que par le relief.

Bergerac est l'appellation générique pour les vins rouges, blancs et rosés. Côtes-de-Bergerac, une appellation également régionale, désigne des vins rouges qui titrent un degré de plus que les autres (11 % vol. au lieu de 10 % vol.) ou des blancs moelleux. Les vins d'autres appellations ne

peuvent provenir que de zones bien délimitées. Pécharmant est une petite enclave qui produit un vin rouge ; Monbazillac est le blanc moelleux le plus connu de la Dordogne. Parmi les autres appellations de vins blancs, Rosette, Saussignac et Côtes-de-Montravel sont des appellations moins connues : leurs vins sont souvent reclassés en Bergerac ou Côtes-de-Bergerac, appellations qui se commercialisent plus facilement.

Le site, le climat et le sol

Les vignobles s'étendent de Saint-Émilion jusqu'à l'extérieur de Bergerac et regroupent 93 villages. Le climat qui règne sur cette région est similaire à celui du vignoble girondin. L'influence maritime de l'Atlantique rend les hivers doux et les pluies modérées. Bien que la température moyenne soit légèrement plus élevée, les gelées de printemps sont plus fréquentes, et les averses de grêle plus violentes. La nature du sol est semblable à celle des vignobles de Bordeaux, et plus particulièrement à celle du Saint-Émilionnais : un mélange de graviers, d'argile et de calcaire. Ces propriétés communes font qu'un jeune vin de Bergerac ressemble à un Bordeaux jeune provenant d'un petit château.

Les cépages

On retrouve les mêmes variétés de raisins que dans le Bordelais, ainsi que quelques autres cépages. Autrefois, les Bergeracs blancs étaient des assemblages comprenant deux tiers de Sémillon avec un tiers de Sauvignon, un peu de Muscadelle et d'Ugni Blanc. La tendance actuelle privilégie les Bergeracs secs et vifs, grâce à une forte proportion de Sauvignon, qui donne aux vins un bouquet particulier, légèrement musqué, très recherché.

Les Bergeracs rouges sont des assemblages de Cabernet-Sauvignon, de Cabernet Franc et de Merlot comme pour l'ensemble du vignoble bordelais. Le Malbec est parfois utilisé dans les vignobles de Pécharmant. Les règlements autorisent deux autres cépages, Fer Servadou et Mérille, mais ils sont très peu plantés.

Les tendances actuelles

Les méthodes de vinification ont fait d'énormes progrès. Les températures de fermentation des vins rouges et blancs sont plus soigneusement contrôlées. Des essais de macération et d'élevage sur lies ont apporté une nouvelle dimension aux vins blancs. Les viticulteurs s'intéressent de plus en plus aux barriques de chêne neuf pour l'élevage des vins, surtout les vins rouges, bien que leur usage soit très coûteux. D'autres, nouveaux arrivants dans la région, n'ont pas d'idées préconçues. Ils essaient de limiter les rendements et font un gros effort pour améliorer la conduite de la vigne.

Les rouges de Pécharmant

Vin rouge le plus réputé de la Dordogne, le Pécharmant se distingue en général d'un Bergerac rouge par sa charpente, sa chair et son potentiel de vieillissement. « Pech » signifie « colline » en patois, donc « Pécharmant » signifie littéralement « la colline charmante ». Cette petite appellation, à l'est de Bergerac, englobe quatre villages dont les vignobles, d'une superficie d'environ 380 ha, poussent sur des pentes douces exposées au sud.

Le sol, composé de graves sur argile et calcaire, est un terroir idéal pour le Malbec, ainsi que pour le Cabernet et le Merlot. Le Malbec n'est pas très répandu, car il est sujet à la coulure, mais il peut jouer un rôle utile pour arrondir le vin et lui apporter un surplus de chair et de structure, à condition que ses rendements soient raisonnables.

Les meilleurs millésimes des meilleurs Pécharmants méritent un long séjour en cave. Pour souligner cette aptitude au vieillissement, la réglementation de l'AOC impose un minimum d'une année de cave en cuves, en barriques ou en bouteilles, avant toute commercialisation. Sur les quarante producteurs de Pécharmant, une quinzaine seulement produisent à eux seuls les trois quarts des vins de l'appellation. Ils utilisent quelquefois des barriques de bois neuf, une pratique nouvelle considérée autrefois comme trop coûteuse. La barrique contribue à la finesse des tanins ainsi qu'au potentiel de vieillissement des vins. Les caves se sont progressivement équipées avec, par exemple, le matériel nécessaire pour assurer un contrôle des températures en cours de fermentation. Certains domaines, tout comme leurs voisins bordelais, commercialisent aujourd'hui un second vin de leurs jeunes vignes ou de leurs cuvées moins réussies.

Les vins liquoreux de Monbazillac

Le Monbazillac, grand vin liquoreux de Dordogne, a besoin, tout comme le Sauternes, du développement de la pourriture noble, ou *Botrytis cinerea*, pour rôtir les grappes et atteindre l'apogée de la qualité. Les vignobles, qui s'étendent au sud de la Dordogne répartis sur cinq villages, couvrent 1 994 ha. Ils sont, pour la plupart, exposés au nord, ce qui peut paraître surprenant à première vue, mais, faisant face à la rivière, ils bénéficient des brumes automnales qui favorisent le développement de la pourriture noble. Les Monbazillacs sont élaborés à partir des mêmes cépages que les vins liquoreux du Bordelais, en général dans les proportions de 75 % de Sémillon, 15 % de Sauvignon et 10 % de Muscadelle.

Le Monbazillac d'un bon millésime, comme 1989 ou 1990, compte parmi les grands vins liquoreux français, opulent avec une concentration d'arômes caractéristique de la

MONBAZILLAC

Un bon Monbazillac exige le même travail que les vins liquoreux de Gironde, avec une conduite identique de la vigne, des vendanges par tris successifs et une vinification sous haute surveillance.
Les vendanges manuelles avec tris successifs sont devenues obligatoires à partir du millésime 1992. Le degré minimal potentiel d'alcool est passé de 13 % vol. à 14,5 % vol., bien que 20 % vol. soient indispensables pour éviter tout recours à la chaptalisation. Dans les grandes années, on obtient un degré encore supérieur. Tout vin qui n'atteint pas le degré potentiel d'alcool requis est aujourd'hui déclassé en Côtes-de-Bergerac moelleux. Les producteurs qui persistent à utiliser les machines à vendanger sont désormais obligés de déclarer leurs vins en Côtes-de-Bergerac, et non plus en Monbazillac.
Plusieurs tris sont effectués au cours des vendanges alors que les rendements se trouvent déjà limités à des niveaux raisonnables. Ils peuvent descendre à 20 hl/ha et ne doivent jamais dépasser 40 hl/ha, le maximum absolu. La plupart des producteurs vinifient dans des cuves d'acier inoxydable et soutirent leurs vins avant de les élever pendant quelques mois dans des foudres ou des barriques. D'autres préfèrent commencer la fermentation en foudre, puis transférer, en cours de fermentation, en barrique, où le vin est gardé ensuite pendant dix-huit mois environ.

pourriture noble et un important potentiel de vieillissement.
Malheureusement, la réputation du Monbazillac a souffert de certaines pratiques douteuses. Le coût de la main-d'œuvre est tel que les tris successifs coûtent cher, au point de devenir prohibitifs. En principe, il est impossible de vendanger mécaniquement les raisins atteints de la pourriture noble. En réalité, des machines à vendanger ont déjà été utilisées dans la région pour récolter des raisins peu botrytisés. Les producteurs moins scrupuleux ont compensé avec du sucre.
Heureusement, un nombre croissant de producteurs fait quelques efforts pour améliorer la qualité et la réputation du Monbazillac, avec une volonté de renaissance de l'appellation.

Les vins liquoreux de Saussignac

Le Saussignac, anciennement Côtes-de-Saussignac, est généralement un vin blanc moelleux. Il arrive, dans les meilleurs millésimes comme 1990, qu'il soit aussi riche et aussi liquoreux qu'un grand Monbazillac. Avant que cette appellation n'existe, ce vignoble était dans l'aire délimitée de Monbazillac. Le sol et le microclimat s'y ressemblent beaucoup. Aujourd'hui, l'appellation est restreinte à cinq communes, Gageac, Rouillac, Monestier et Razac-de-Saussignac outre Saussignac même. Cette nouvelle appellation étant très peu connue, les vins restent commercialisés sous l'appellation Côtes-de-Bergerac moelleux.

Les cépages sont ceux du Monbazillac, avec une forte proportion de Sémillon et un peu de Sauvignon Blanc et de Muscadelle. Les techniques de vinification varient selon le niveau de technologie du domaine, mais, en général, les raisins sont récoltés le plus tard possible. Pour le Saussignac classique, l'équilibre idéal est de 12 % vol. d'alcool pour 2,5 % vol. de sucres résiduels. Un Saussignac moelleux est sans grand caractère, tandis qu'un Saussignac liquoreux peut être une grande bouteille.

Montravel et Rosette

Les trois appellations de Montravel prêtent à confusion, puisque le plus souvent les vins sont vendus sous l'appellation Bergerac ou Côtes-de-Bergerac. Montravel est un vin blanc sec pouvant provenir de quinze villages ; Côtes-de-Montravel est le vin moelleux produit dans les mêmes villages. Le vignoble du Haut-Montravel, situé à part, regroupe cinq villages dont Fougueyrolles, qui se trouve au centre. Le vin est moelleux, encore plus opulent que les Côtes-de-Montravel ; on l'élabore à partir de raisins très mûrs, à défaut de pourriture noble. La minuscule appellation Rosette a virtuellement cessé d'exister. Officiellement, l'appellation s'étend sur quelques villages au nord du bourg de Bergerac. Tout comme l'AOC Saussignac ou Montravel, elle désigne surtout un vin blanc demi-sec, vendu le plus souvent sous l'appellation Côtes-de-Bergerac.

PRODUCTEURS ET NÉGOCIANTS

La région de Bergerac représente environ 13 000 ha. De nombreux producteurs déclarent leurs récoltes sous les appellations génériques. D'autres, tout particulièrement dans la région de Monbazillac, se spécialisent dans l'appellation locale.

DOMAINE DE L'ANCIENNE CURE
Ce domaine de 30 ha possède des parcelles de vigne dans les appellations Pécharmant et Monbazillac. Sa renommée repose pourtant sur ses Bergeracs rouges, bien équilibrés et très aromatiques, ainsi que sur ses Bergeracs blancs secs, issus à 100 % de Sauvignon, provenant d'un vignoble de 5 ha situé à Colombier.

CHÂTEAU BELINGARD
Le comte Laurent de Bosredon, le propriétaire, est représentant de la jeune génération de propriétaires-récoltants, par son enthousiasme contagieux et sa volonté de remettre en question les idées reçues. Il fait des essais de macération pelliculaire et d'élevage →

PRODUCTEURS ET NÉGOCIANTS

sur lies en barriques. Sa gamme de vins est fort intéressante : un Bergerac blanc sec d'une agréable vivacité, un Bergerac rouge concentré, un Monbazillac blanc liquoreux. Ses meilleurs vins portent l'étiquette Blanche de Bosredon.

CHÂTEAU LA JAUBERTIE
Le Château La Jaubertie possède une élégante demeure du XVIe siècle dans le village de Colombier. L'Anglais Nick Ryman acheta le domaine en 1973. Ses vinifications ont bénéficié d'une influence australienne par l'intermédiaire de son fils Hugh, œnologue. Il vinifie les vins blancs et rosés, et les vins rouges sont signés par Michel Rolland (voir p. 338).

CHÂTEAU LEMAYNE
Il se trouve à Sigoulès, village situé sur l'aire délimitée de Monbazillac, et produit un Monbazillac ainsi que toute la gamme des Bergeracs. Il est surtout connu pour son Côtes-de-Bergerac rouge, agréablement fruité.

CAVE COOPÉRATIVE DE MONBAZILLAC
Le Château de Monbazillac appartient à la coopérative, de même que quatre autres châteaux : Septy, La Brie, Pion et Marsalet. Le vin – 2 millions de bouteilles par an – est vinifié dans des installations modernes.

CHÂTEAU DE TIREGAND
Le domaine phare de l'appellation Pécharmant appartient à la famille Saint-Exupéry, cousins de l'auteur du *Petit Prince,* cousins également des propriétaires du Domaine de Pech Céleyran de La Clape (voir Languedoc-Roussillon, p. 500). Ils possèdent aussi 40 ha de vignes à Tiregand, complantés de Merlot (45 %), de Cabernet-Sauvignon, de Cabernet Franc et d'un peu de Malbec. Ils produisent deux vins rouges, dont l'un est un assemblage de Malbec, et de vins de jeunes vignes. L'utilisation d'un petit pourcentage de barriques neuves contribue à la qualité et à la longévité des Pécharmants.

CHÂTEAU TOUR DES GENDRES
Lorsqu'une appellation a la chance de disposer d'une « locomotive », le niveau d'ensemble des vins de l'appellation est tiré vers le haut. Alain Brumont l'a démontré à Madiran. Luc de Conti joue ce rôle dans le Bergeracois. Tant ses vins blancs que ses vins rouges sont exceptionnels. Ce résultat est obtenu par le soin extrême apporté à la culture de la vigne, par la vendange de raisins idéalement mûrs et par une vinification perfectionniste adaptée à chaque type de vin.

CHÂTEAU DU TREUIL DE NAILHAC
Cet important domaine de Monbazillac a lutté sans relâche pour maintenir la qualité de ses vins alors que la réputation de l'appellation était tristement ternie. Son vignoble est planté à 60 % de Sémillon, à 20 % de Sauvignon et à 20 % de Muscadelle. Le vin fermente en cuves d'acier inoxydable avant de séjourner en foudres de chêne pendant quelques mois. Des barriques neuves ont fait leur apparition. Les Vidal produisent également un blanc sec et du rouge sous l'AOC Bergerac. Leur réputation repose néanmoins sur la qualité de leurs Monbazillacs.

CHÂTEAU LA TRUFFIÈRE-THIBAUT
Ce propriétaire-récoltant propose un Monbazillac traditionnel dans plusieurs millésimes.

AUTRES PRODUCTEURS
Les domaines suivants sont connus pour leurs Monbazillacs : Château Grand Chemin Belingard, Clos Bellevue, Domaine de Cabaroque, Château La Calevie, Château Fontpudière, Château Haut Bernasse, Château les Hébras, Domaine de Pécoula, Clos la Selmonie.

DURAS, MARMANDAIS, BUZET

Carte page XXIII

Duras, petite ville dotée d'un splendide château, regarde vers l'ouest les vignobles du Bordelais. Seule la limite du département sépare ses vignes de celles de l'Entre-deux-Mers, tandis qu'au nord-est ses vignobles voisinent avec ceux de Bergerac ; les vins de Duras reflètent cette proximité. Également adjacent aux vignobles du Bordelais, le Marmandais s'étend directement au sud, alors que Buzet se trouve au sud-est, le long de la vallée de la Garonne. Le climat ressemble beaucoup à celui de Bordeaux, peut-être plus chaud et plus sec, mais tout aussi sujet à la grêle et aux gelées de printemps. Le sol est un mélange d'argile, favorable aux raisins rouges, et de calcaire, favorable aux raisins blancs. Le sol du Marmandais contient également du silex et du gravier, qui contribuent à la production de vins rouges de qualité.

Côtes-de-Duras

L'AOC Côtes-de-Duras date de 1937, époque où les vins blancs dominaient la production de la région. La réglementation autorise des vins blancs secs et moelleux ainsi que des vins rouges et rosés (en quantité négligeable). Depuis les années 1970, la production de vins rouges a augmenté, sans pour autant atteindre les 50 %. Les principaux cépages blancs sont le Sauvignon, le Sémillon et la Muscadelle. Mauzac, Chenin Blanc, Ugni Blanc et Ondenc sont autorisés, mais on ne les rencontre que rarement. En général, l'assemblage des vins rouges se fait avec du Cabernet-Sauvignon pour moitié, du Merlot pour un tiers et le complément en Cabernet Franc et Malbec. Il arrive que le Merlot soit majoritaire.

Le Côtes-de-Duras blanc était autrefois un vin sans caractère marqué, élaboré surtout à partir du cépage Sémillon. Aujourd'hui, au contraire, grâce à l'amélioration des méthodes de vinification, les meilleurs blancs sont issus à 100 % de Sauvignon et possèdent du fruit et une bonne acidité et suivent ainsi la mode des vins plus frais et plus secs. Les raisins les plus mûrs, d'habitude ceux du cépage Sémillon, entrent dans l'assemblage des Côtes-de-Duras moelleux, qui gardent quelques degrés de sucres résiduels. La vinification en rouge est bordelaise, avec un élevage de 12 à 18 mois en cuves, le coût des barriques de chêne étant trop élevé. Le vin ressemble à un jeune Bordeaux avec un goût de cassis.

Côtes-du-Marmandais

Marmande, dans la vallée de la Garonne, produit surtout des vins rouges. Les ravages causés par le

phylloxéra au siècle dernier ont entraîné une replantation de vignes hybrides jusqu'en 1950 environ. Les efforts entrepris pour faire renaître le vignoble ont été récompensés en 1955 par le statut de VDQS. En 1983, les cépages rouges ont été limités à un maximum de 75 % de Merlot, Cabernet Franc et Cabernet-Sauvignon, et un maximum de 50 % de Cot, Fer Servadou, Gamay, Syrah et Abouriou. Il existe également un rosé, en petite quantité, ainsi qu'un vin blanc, issu du Sauvignon et complété de Sémillon et Muscadelle.

Buzet

Bien que les vins blancs et rosés soient autorisés dans la réglementation de l'appellation, ce sont les vins rouges qui dominent à Buzet (dénommé Côtes-de-Buzet jusqu'au millésime 1988). Le village est situé sur la rivière Baïse, affluent de la Garonne. Les vignobles s'étendent sur la rive sud du fleuve, entre Agen et Marmande. Les cépages, les rendements et la qualité des millésimes sont calqués sur ceux de Bordeaux : Cabernet-Sauvignon, Cabernet Franc, Merlot et un peu de Malbec pour les rouges ; Sémillon, Sauvignon et Muscadelle pour les vins blancs.

Ici aussi, la renaissance du vignoble date des années 1950 : le statut de VDQS, donné en 1953, a été suivi par l'attribution d'une AOC en 1973. Les vins sont de moyenne garde, qui s'épanouissent dans les 5 à 8 ans.

PRODUCTEURS ET NÉGOCIANTS

Dans ces régions, les caves coopératives sont les plus importantes unités de production.

CÔTES-DE-DURAS

La coopérative de Duras produit à elle seule la moitié du volume de l'appellation, avec une variété de cuvées parmi lesquelles on trouve Berticot. Quelques domaines privés, comme le Domaine Amblard, le Domaine Durand, le Domaine de Ferrant et le Domaine de Laulan, se sont forgé une belle réputation.

CÔTES-DU-MARMANDAIS

Deux coopératives, Cocumont au sud et Beaupuy au nord, dominent l'appellation. Cocumont, plus moderne et plus dynamique, produit des vins dont la qualité reflète bien l'appellation. Les vins du Château la Bastide sont commercialisés à part.
Le Château de Beaulieu est un vin à retenir.

BUZET

Les Vignerons Réunis des Côtes de Buzet (connus aujourd'hui sous le nom « Les Vignerons de Buzet ») comptent parmi les caves coopératives les plus efficaces et les plus impressionnantes de France. Cette coopérative produit la majorité des vins de Buzet. Elle emploie son propre tonnelier, de sorte qu'une majorité des vins y sont élevés en barriques – et les meilleurs en barriques de bois neuf. Château de Gueyze et Château de Padère sont deux domaines individuels dont le vin est vinifié à la coopérative. Une autre cuvée, Baron d'Ardeuil, est assez représentative des caractères des vins de Buzet.

Le vin en pratique

Cartes des régions viticoles

France

Pays étrangers

La difficulté pour ouvrir une bouteille dépend du type de tire-bouchon dont on dispose, mais les phases de préparation (de 1 à 3) sont toujours les mêmes. Certains sommeliers ne coupent qu'une partie de la capsule (comme le montre la photo), d'autres préfèrent l'enlever complètement. Si l'on doit effectuer une décantation, il faut retirer toute la capsule pour assurer une meilleure vue du vin.

1. À l'aide du couteau, découpez la capsule sous la bague pour pouvoir en retirer la partie supérieure.

2. Retirez la partie supérieure de la capsule. Cela permet d'éviter tout contact du vin avec le métal, car certaines capsules de vieux vins sont en plomb.

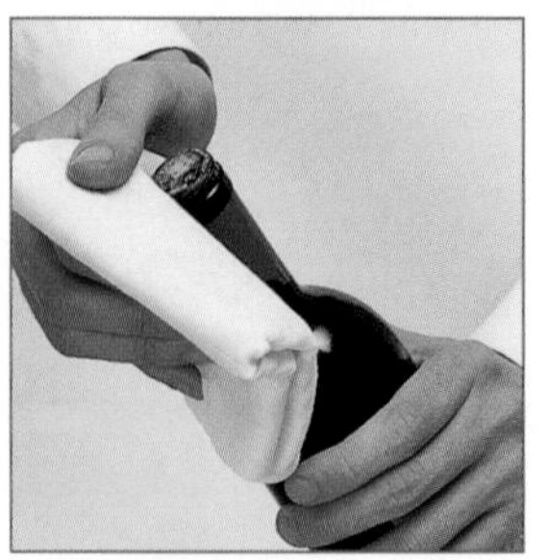

3. Essuyez le goulot de la bouteille ainsi que le dessus du bouchon avec un linge propre. La présence de suintements ou de moisissures n'a rien d'alarmant, elle prouve que le vin a été stocké en cave.

4. Introduisez la spirale du tire-bouchon au centre du bouchon et enfoncez-la bien droit, jusqu'au bout du bouchon. Mais prenez soin de ne pas transpercer celui-ci de part en part.

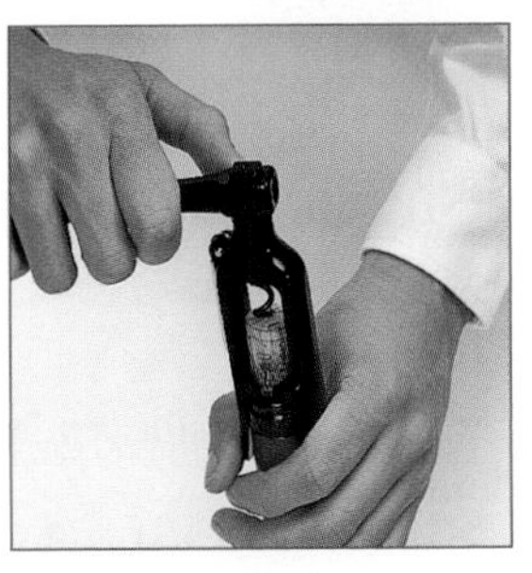

5. Extrayez doucement le bouchon du goulot de la bouteille. La vis du tire-bouchon photographiée ci-contre est une vis sans fin, ce qui permet d'extraire le bouchon en continu, dans un même mouvement, et sans effort.

6. Une fois le bouchon extirpé du goulot, pressez-le pour vérifier son élasticité : plus il est vieux, plus il est ferme. Puis, sentez-le : il doit avoir des odeurs de vin.

La décantation des vieux millésimes a pour but de les débarrasser de leur dépôt. On décante un vin vieux juste avant de le servir et l'on doit reboucher la carafe. Il ne faut pas remuer le vin avant la décantation. Si possible, mettez la bouteille debout quelques jours avant pour que le dépôt s'accumule au fond. Si elle est restée couchée, le dépôt se trouvera sur le côté ; dans ce cas, montez-la de la cave dans un panier-verseur.

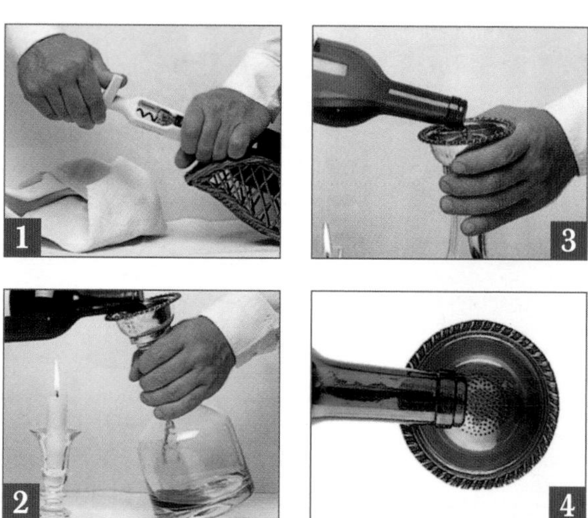

1. Débouchez doucement la bouteille, après avoir ôté la capsule, en la laissant dans le panier. Essuyez le goulot avec un chiffon propre.
2. Allumez la bougie ou la lampe et placez-la derrière la bouteille. Soulevez très doucement la bouteille pour ne pas remuer le dépôt et versez lentement le vin dans l'entonnoir.
3. Continuez à verser de façon régulière sans laisser le vin refluer dans la bouteille. La lumière éclaire l'épaule de la bouteille : lorsque celle-ci est presque vide, surveillez le vin de très près. En observant le goulot éclairé par derrière, vous pourrez suivre la progression du dépôt sombre et opaque.
4. Arrêtez de verser lorsque le dépôt arrive au goulot. Le filtre de cet entonnoir de décantation en argent sert à retenir le sédiment épais et pailleté des Portos Vintage. La plupart des vins ont un dépôt plus fin.

En vieillissant, les vins rouges deviennent plus clairs, les blancs prennent une couleur plus foncée. La teinte des vins rouges peut varier d'un ton pourpre et sombre à toute une variété de rouges jusqu'à prendre une couleur claire tuilée avec des reflets orange. La couleur des vins blancs va de l'incolore aux reflets verts jusqu'à une couleur ocre très dense. Les vins de Sauternes ont une coloration prononcée qui brunit avec l'âge.

Les Bourgognes rouges
À gauche, on voit un vin de 4 ans d'âge de couleur rouge avec des reflets brique, ce qui est assez représentatif d'un vin issu du cépage Pinot Noir. À droite, un vin de 12 ans d'âge montre une certaine concentration d'une couleur acajou avec des reflets orange.

Les Bordeaux rouges
À gauche, on voit un vin de 3 ans d'une couleur rouge rubis brillante avec, sur les bords, une auréole incolore plutôt marron comme sur les vieux vins. À droite se trouve un Cru bourgeois de 11 ans d'âge à son apogée. La couleur, éclaircie, montre des reflets orange sur les bords.

Les Portos
L'échantillon de gauche est un Porto Ruby de 3 ans d'âge tandis que celui de droite est un Tawny vieux de 10 ans. Ces deux vins ont été gardés en fût. Au fil des années, le Tawny a perdu sa couleur pourpre d'origine. Il est devenu d'un superbe rouge tuilé.

Les vins allemands
Le verre que l'on voit à gauche contient un jeune Riesling de la Moselle, celui de droite, un vin issu de même cépage, mais de 20 ans d'âge. Le vin le plus jeune est presque incolore avec des reflets vert et or. Le vin le plus vieux est devenu jaune d'or au fil des années.

Le Champagne ainsi que tous les vins mousseux doivent se servir frais. Ils sont ainsi plus agréables au goût et moins dangereux à ouvrir, car la pression est moindre. Essuyez soigneusement la bouteille lorsque vous la sortez du seau à glace. Pour éviter tout incident au moment de l'ouverture, ne secouez pas la bouteille et ne la dirigez jamais vers une personne ou une fenêtre.

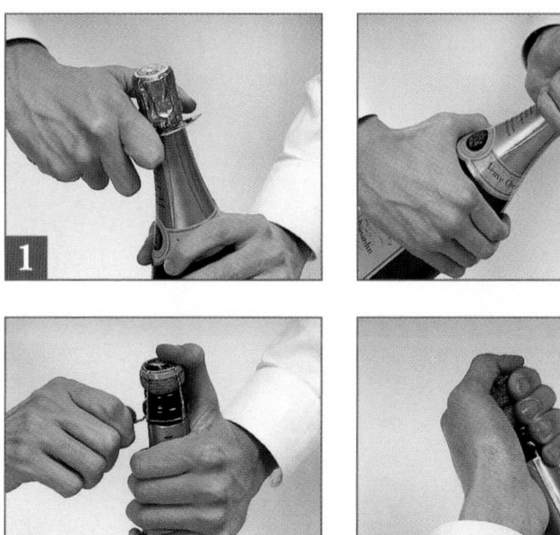

1. Ôtez la coiffe afin de dénuder le muselet et le bouchon, soit à l'aide d'un couteau-sommelier soit avec une lame ordinaire.
2. Détordez doucement le muselet en fil de fer torsadé, après avoir enlevé la coiffe. Maintenez votre pouce sur le bouchon puis retirez le muselet et la capsule.
3. Tenez le bouchon d'une main et la bouteille de l'autre. Faites doucement tourner la bouteille (et non le bouchon). Vous sentez le bouchon monter, poussé par la pression du gaz carbonique. Surveillez la direction dans laquelle vous orientez la bouteille.
4. Poussez le bouchon avec précaution à l'aide du pouce et des autres doigts quand il commence à monter dans le goulot. Ayez toujours une flûte à proximité pour verser rapidement le Champagne si nécessaire.

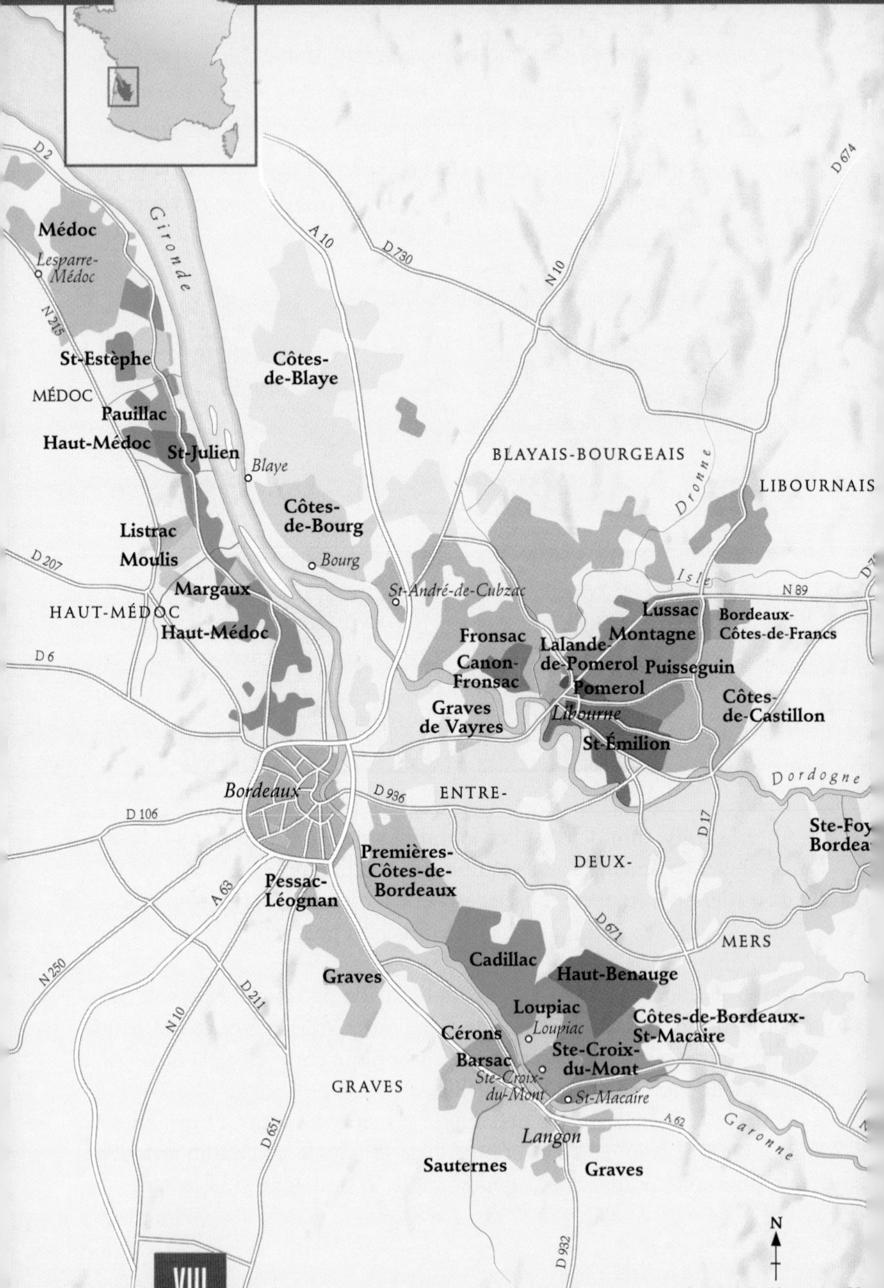

Médoc
Lesparre-Médoc
D 2
Gironde
A 10
D 730
N 10
D 674
N 215
St-Estèphe
MÉDOC
Côtes-de-Blaye
Pauillac
Haut-Médoc
St-Julien
Blaye
BLAYAIS-BOURGEAIS
Dronne
LIBOURNAIS
Listrac
Côtes-de-Bourg
Moulis
D 207
Bourg
Isle
Margaux
St-André-de-Cubzac
N 89
HAUT-MÉDOC
Lussac
Bordeaux-Côtes-de-Francs
Haut-Médoc
Fronsac
Lalande-de-Pomerol
Montagne
D 6
Canon-Fronsac
Puisseguin
Pomerol
Côtes-de-Castillon
Graves de Vayres
Libourne
St-Émilion
Dordogne
Bordeaux
D 936
ENTRE-
D 106
D 17
Ste-Foy Bordeaux
Premières-Côtes-de-Bordeaux
DEUX-
Pessac-Léognan
A 63
D 671
MERS
N 250
Cadillac
Haut-Benauge
Graves
D 211
Loupiac
Côtes-de-Bordeaux-St-Macaire
N 10
Cérons
Loupiac
Barsac
Ste-Croix-du-Mont
GRAVES
Ste-Croix-du-Mont
St-Macaire
A 62
Garonne
D 651
Langon
Sauternes
Graves
D 932
N
0 10 20

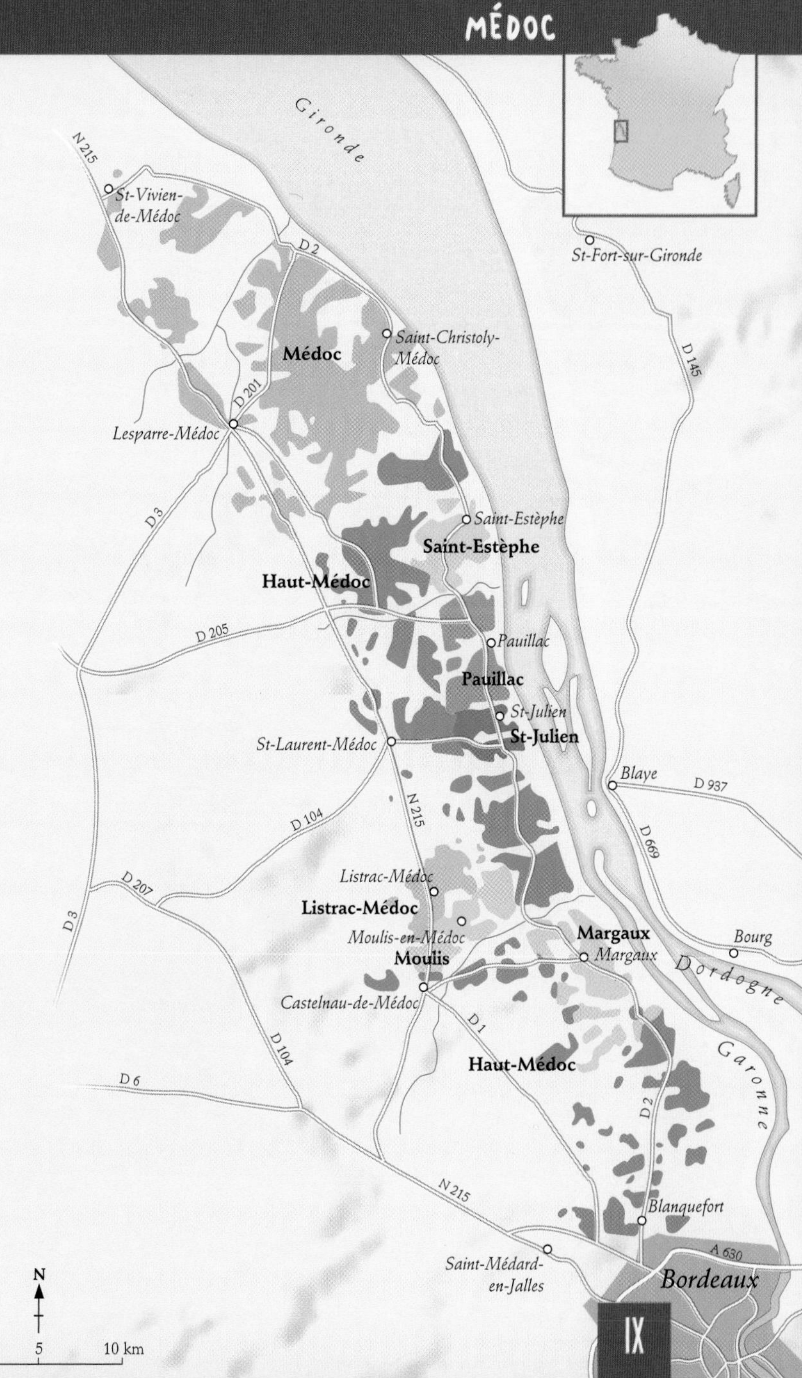
MÉDOC
Gironde
N 215
St-Vivien-de-Médoc
D 2
Saint-Christoly-Médoc
Médoc
D 201
Lesparre-Médoc
D 3
Saint-Estèphe
Saint-Estèphe
Haut-Médoc
D 205
Pauillac
Pauillac
St-Julien
St-Julien
St-Laurent-Médoc
D 104
N 215
Listrac-Médoc
Listrac-Médoc
Moulis-en-Médoc
Moulis
D 207
D 3
Castelnau-de-Médoc
Margaux
Margaux
D 1
Haut-Médoc
D 104
D 6
D 2
N 215
Blanquefort
Saint-Médard-en-Jalles
A 630
Bordeaux
St-Fort-sur-Gironde
D 145
Blaye
D 937
D 669
Bourg
Dordogne
Garonne
N
5
10 km
IX

PESSAC-LÉOGNANT ET GRAVES

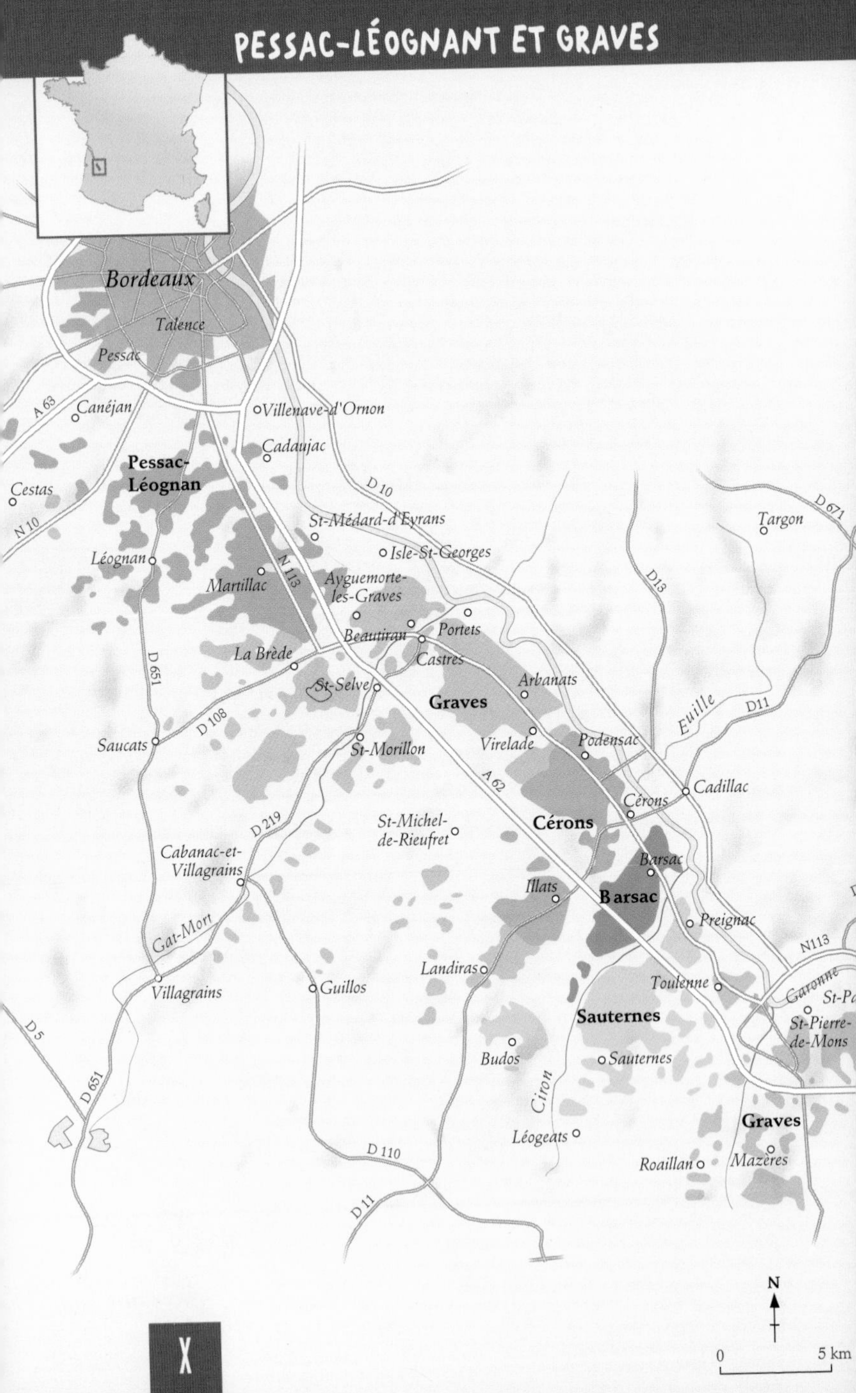

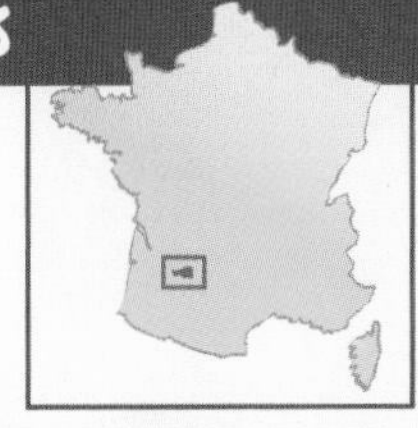

St-Denis-de-Pile
N 89
Isle
D 122
Lalande-
de-
Pomerol
Lussac-St-Émilion
Fronsac
Barbanne
Pomerol
Montagne-
St-Émilion
Bordeaux-
Côtes-
de-
Francs
Ch. de Sales
Néac
D 21
Monbadon
Canon-
Fronsac
Ch. Latour à P.
Ch. Petrus*
Ch. Lafleur
*Ch. l'Évangile
Puisseguin-
St-Émilion
Ch. Trotanoy*
Vieux
Ch. Certan
La Conseillante
St-Georges-
St-Émilion
Pomerol
*Ch. Le Cheval Blanc
Libourne
*Ch. Figeac
Dordogne
Côtes-
de-
Castillon
St-Christophe-
des-Bardes
D 670
Ch. Angélus
Cl.Fourtet
Ch. Beuséjour*
St-Émilion
*Ch. Trottevielle
Ch. Belair*
*Ch. Ausone
Ch. Magdelaine*
Ch. Canon
St-Hippolyte
*Ch. Pavie
D 17
Ch. La Gaffelière
St-Laurent-
des-Combes
St-Étienne-
de-Lisse
St-Sulpice-
de-Faleyrens
D 20
Génissac
St-Émilion
Castillon-
la-Bataille
D 936
St-Pey-d'Armens
D 936
DORDOGNE
D 121
Vignoret
Dordogne
Branne
GIRONDE

N

0 4 km

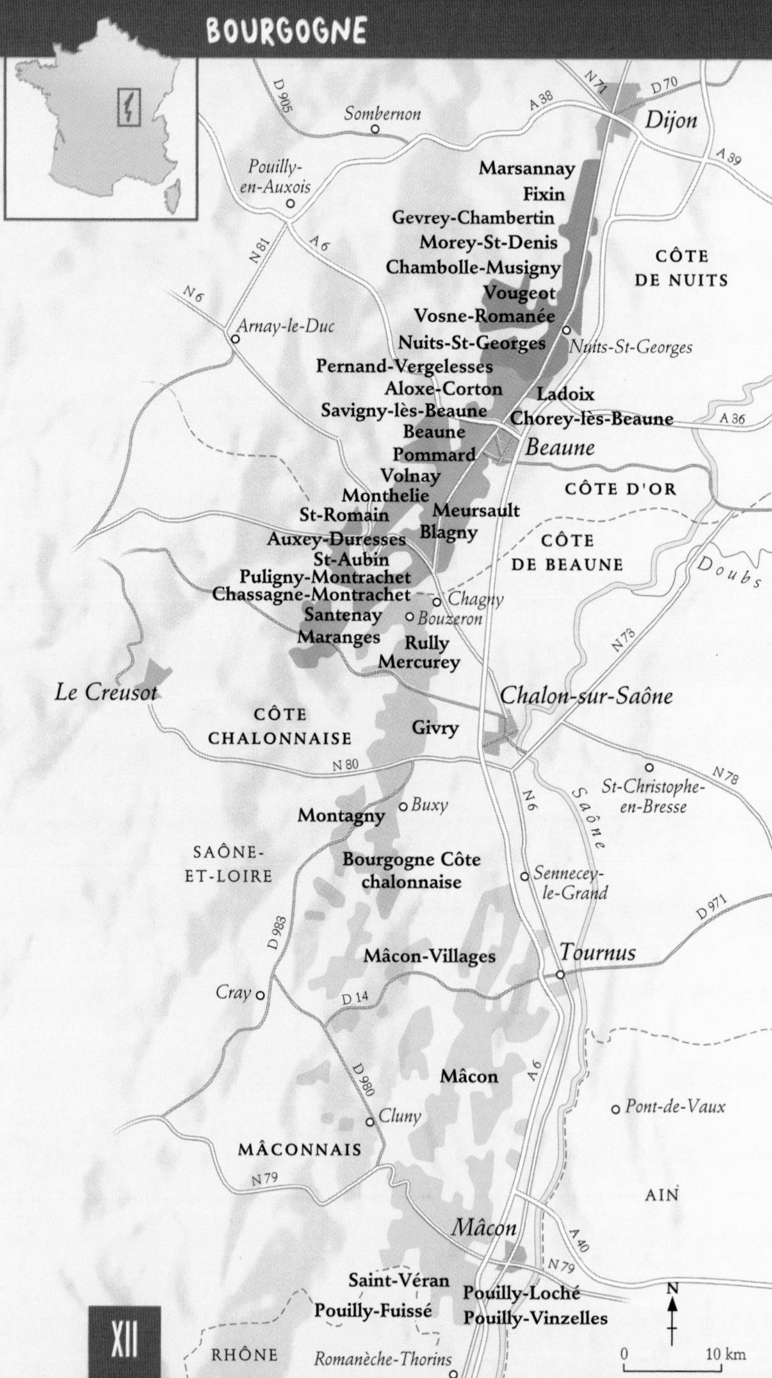
Sombernon
Dijon
D 905
N 71
D 70
A 38
A 39
Pouilly-en-Auxois
Marsannay
Fixin
Gevrey-Chambertin
Morey-St-Denis
Chambolle-Musigny
Vougeot
Vosne-Romanée
Nuits-St-Georges
CÔTE DE NUITS
N 81
A 6
N 6
Arnay-le-Duc
Nuits-St-Georges
Pernand-Vergelesses
Aloxe-Corton
Ladoix
Savigny-lès-Beaune
Chorey-lès-Beaune
A 36
Beaune
Beaune
Pommard
Volnay
CÔTE D'OR
Monthelie
St-Romain
Meursault
Blagny
Auxey-Duresses
CÔTE DE BEAUNE
St-Aubin
Puligny-Montrachet
Chassagne-Montrachet
Chagny
Doubs
Santenay
Bouzeron
Maranges
Rully
Mercurey
N 73
Le Creusot
Chalon-sur-Saône
CÔTE CHALONNAISE
Givry
N 80
St-Christophe-en-Bresse
N 78
Montagny
Buxy
N 6
Saône
SAÔNE-ET-LOIRE
Bourgogne Côte chalonnaise
Sennecey-le-Grand
D 971
D 983
Mâcon-Villages
Tournus
Cray
D 14
D 980
Mâcon
A 6
Pont-de-Vaux
Cluny
MÂCONNAIS
N 79
AIN
Mâcon
A 40
N 79
Saint-Véran
Pouilly-Loché
Pouilly-Fuissé
Pouilly-Vinzelles
N
RHÔNE
Romanèche-Thorins
0
10 km

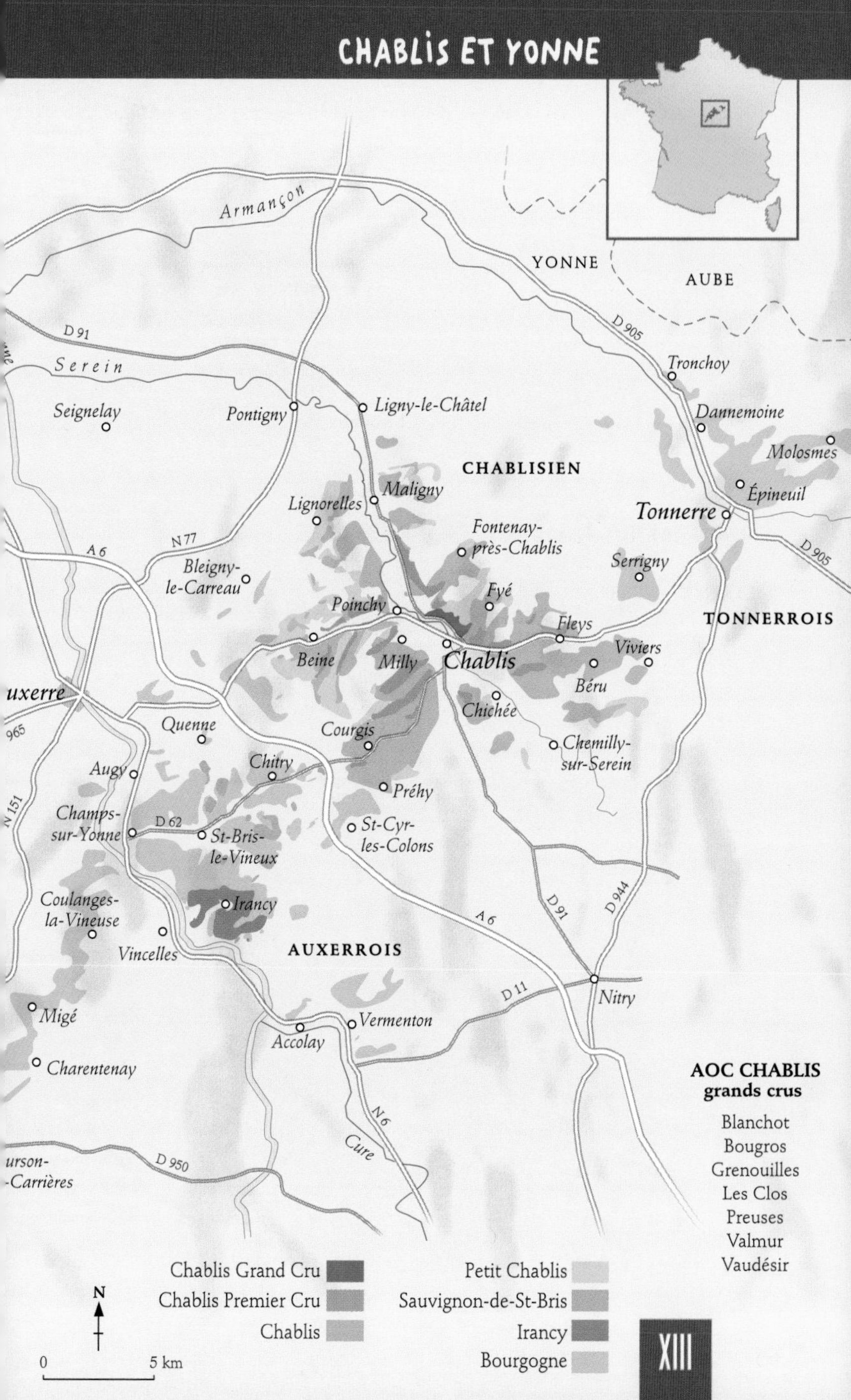
CHABLIS ET YONNE
Armançon
YONNE
AUBE
D 905
D 91
Serein
Tronchoy
Seignelay
Pontigny
Ligny-le-Châtel
Dannemoine
Molosmes
CHABLISIEN
Maligny
Épineuil
Lignorelles
Tonnerre
Fontenay-
près-Chablis
A 6
N 77
Bleigny-
le-Carreau
Serrigny
D 905
Fyé
Poinchy
TONNERROIS
Fleys
Beine
Milly
Chablis
Viviers
Béru
uxerre
Chichée
965
Quenne
Courgis
Chemilly-
sur-Serein
Chitry
Augy
Préhy
N 151
Champs-
sur-Yonne
D 62
St-Bris-
le-Vineux
St-Cyr-
les-Colons
Coulanges-
la-Vineuse
Irancy
D 91
D 944
A 6
Vincelles
AUXERROIS
Nitry
D 11
Migé
Vermenton
Accolay
Charentenay
AOC CHABLIS
grands crus
Blanchot
Bougros
Grenouilles
Les Clos
Preuses
Valmur
Vaudésir
N 6
Cure
urson-
-Carrières
D 950
Chablis Grand Cru
Chablis Premier Cru
Chablis
Petit Chablis
Sauvignon-de-St-Bris
Irancy
Bourgogne
N
0
5 km
XIII

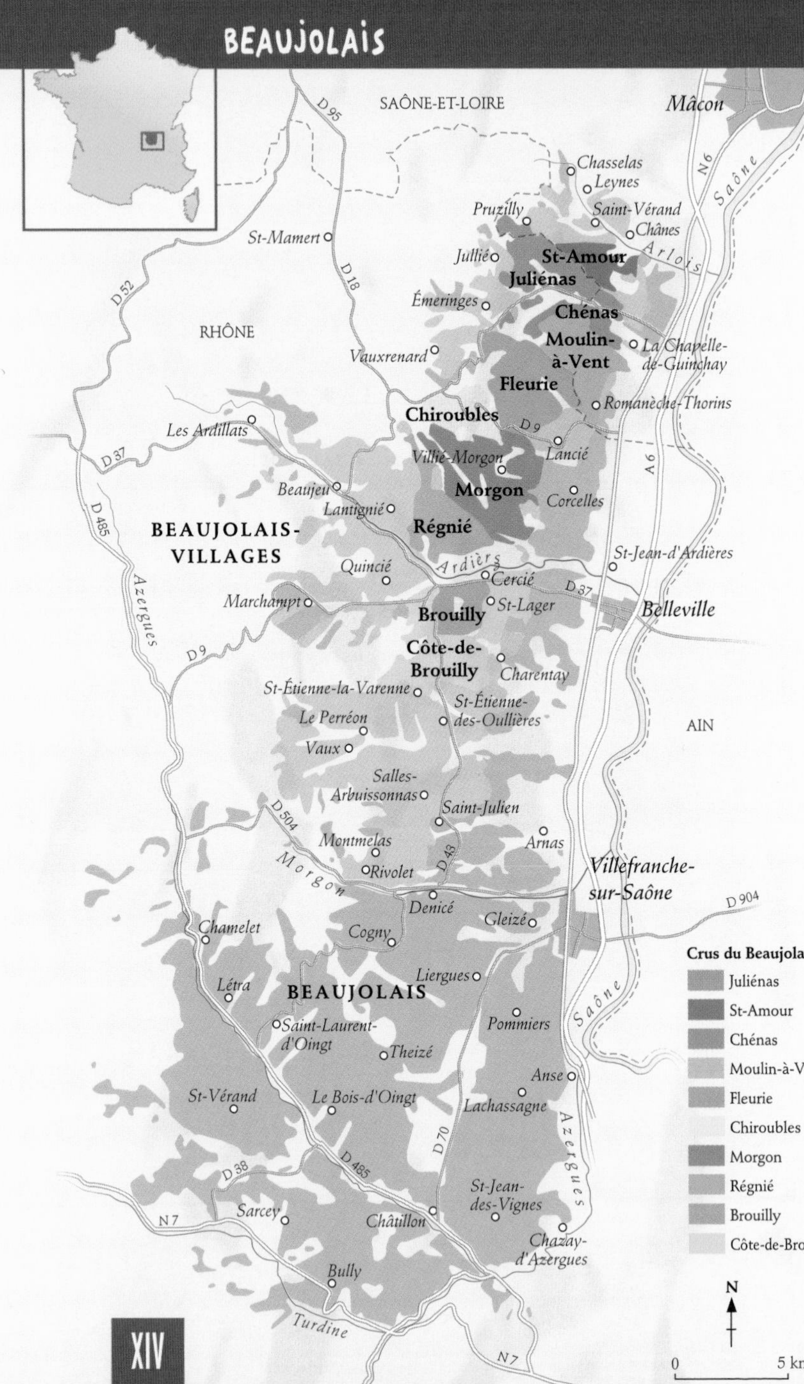
BEAUJOLAIS
SAÔNE-ET-LOIRE
Mâcon
RHÔNE
AIN
BEAUJOLAIS-VILLAGES
BEAUJOLAIS
St-Amour
Juliénas
Chénas
Moulin-à-Vent
Fleurie
Chiroubles
Morgon
Régnié
Brouilly
Côte-de-Brouilly
Chasselas
Leynes
Pruzilly
Saint-Vérand
Chânes
Jullié
Émeringes
La Chapelle-de-Guinchay
Vauxrenard
Romanèche-Thorins
St-Mamert
Les Ardillats
Villié-Morgon
Lancié
Beaujeu
Lantignié
Corcelles
Quincié
Cercié
St-Jean-d'Ardières
Marchampt
St-Lager
Belleville
Charentay
St-Étienne-la-Varenne
St-Étienne-des-Oullières
Le Perréon
Vaux
Salles-Arbuissonnas
Saint-Julien
Arnas
Montmelas
Rivolet
Villefranche-sur-Saône
Denicé
Gleizé
Chamelet
Cogny
Liergues
Létra
Saint-Laurent-d'Oingt
Theizé
Pommiers
Anse
St-Vérand
Le Bois-d'Oingt
Lachassagne
St-Jean-des-Vignes
Sarcey
Châtillon
Chazay-d'Azergues
Bully
Saône
Arlois
Ardières
Azergues
Morgon
Turdine
D 95
D 18
D 52
D 37
D 9
D 485
D 504
D 43
D 904
D 70
D 38
N 6
N 7
A 6
Crus du Beaujolais
Juliénas
St-Amour
Chénas
Moulin-à-Vent
Fleurie
Chiroubles
Morgon
Régnié
Brouilly
Côte-de-Brouilly
N
0
5 km
XIV

Braine
Pévy
St-Thierry
Fismes
Berru
AISNE
Rosnay
Reims
Beine-Nauroy
Ardre
Sillery
D 931
Sacy
Puisieulx
Beaumont-sur-Vesle
Verzenay
Ville-en-Tardenois
Mailly-Champagne
Verzy
MONTAGNE DE REIMS
Suippes
Châtillon-sur-Marne
Louvois
Vesle
Verneuil
Bouzy
Ambonnay
Jaulgonne
Ay
Tours-sur-Marne
A4
Dormans
N3
Épernay
Oiry
Chouilly
Blesmes
St-Martin-d'Ablois
Dommartin-Varimont
Azy-sur-Marne
Le Breuil
Cramant
Avize
Châlons-en-Champagne
Surmelin
Oger
Le Mesnil-sur-Oger
Beaunay
Vertus
CÔTE DES BLANCS
Montmirail
Marne
Bassuet
Villevenard
N 77
Ornain
MARNE
Fère-Champenoise
Vitry-le-François
Sézanne
Esternay
N 4
Sompuis
D13
Barbonne-Fayel
Anglure
A 26
MARNE
Aube
Villenauxe-la-Grande
Provins
D441
Ramerupt
Chavanges
N 19
Romilly-sur-Seine
HAUTE-MARNE
Nogent-sur-Seine
AUBE
Seine
Brienne-le-Château
Marcilly-le-Hayer
Soulaines-Dhuys
D960
Montgueux
Troyes
YONNE
Lusigny-sur-Barse
Vendeuvre-sur-Barse
N19
Bar-sur-Aube
A5
Villeneuve-l'Archevêque
Bouilly
Bligny
N71
Vitry-le-Croisé
Fontette
Bar-sur-Seine
Essoyes
Chaource
Les Riceys
Mussy-sur-Seine
D 444
CÔTE-D'OR
Grands Crus
Premiers Crus
Autres Crus
Rosé des Riceys
N
0
10 km

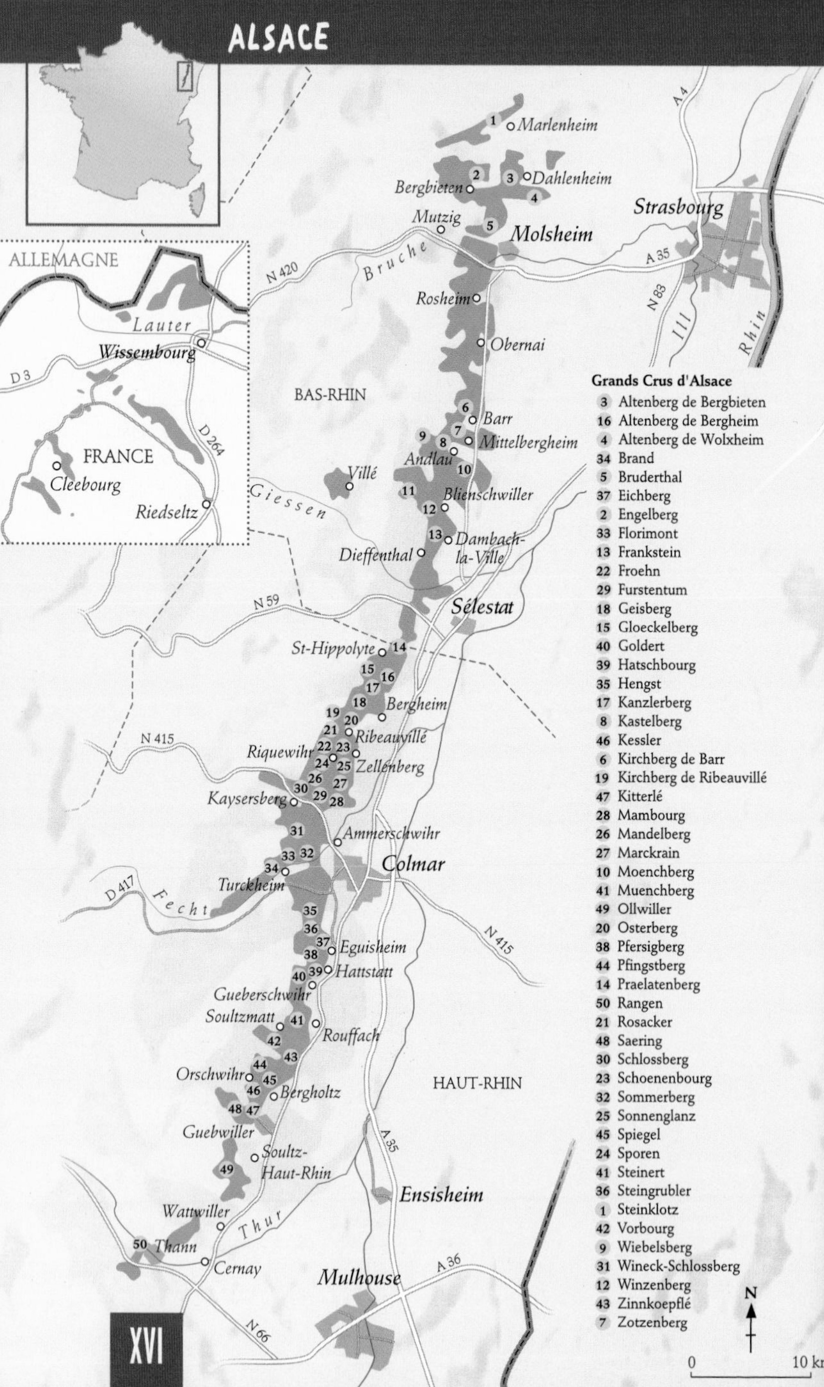
ALSACE
ALLEMAGNE
Lauter
Wissembourg
D 3
D 264
FRANCE
Cleebourg
Riedseltz
1 Marlenheim
2 Bergbieten
3 Dahlenheim
4
Mutzig
5 Molsheim
Strasbourg
A 4
A 35
N 83
Ill
Rhin
N 420
Bruche
Rosheim
Obernai
BAS-RHIN
6 Barr
7 Mittelbergheim
9
8 Andlau
10
Villé
11 Blienschwiller
12
Giessen
13 Dambach-la-Ville
Dieffenthal
N 59
Sélestat
St-Hippolyte 14
15 16 17 18
Bergheim
19 20 21
Ribeauvillé
N 415
Riquewihr 22 23 24 25
Zellenberg
26 27 30 29 28
Kaysersberg
31
Ammerschwihr
33 32
34 Turckheim
Colmar
D 417
Fecht
35 36 37
Eguisheim
38 39 Hattstatt
40
N 415
Gueberschwihr
Soultzmatt 41
Rouffach
42 43
44 Orschwihr 45 46
Bergholtz
48 47
Guebwiller
HAUT-RHIN
A 35
Soultz-Haut-Rhin
49
Ensisheim
Wattwiller
Thur
50 Thann
Cernay
A 36
Mulhouse
N 66
Grands Crus d'Alsace
3 Altenberg de Bergbieten
16 Altenberg de Bergheim
4 Altenberg de Wolxheim
34 Brand
5 Bruderthal
37 Eichberg
2 Engelberg
33 Florimont
13 Frankstein
22 Froehn
29 Furstentum
18 Geisberg
15 Gloeckelberg
40 Goldert
39 Hatschbourg
35 Hengst
17 Kanzlerberg
8 Kastelberg
46 Kessler
6 Kirchberg de Barr
19 Kirchberg de Ribeauvillé
47 Kitterlé
28 Mambourg
26 Mandelberg
27 Marckrain
10 Moenchberg
41 Muenchberg
49 Ollwiller
20 Osterberg
38 Pfersigberg
44 Pfingstberg
14 Praelatenberg
50 Rangen
21 Rosacker
48 Saering
30 Schlossberg
23 Schoenenbourg
32 Sommerberg
25 Sonnenglanz
45 Spiegel
24 Sporen
41 Steinert
36 Steingrubler
1 Steinklotz
42 Vorbourg
9 Wiebelsberg
31 Wineck-Schlossberg
12 Winzenberg
43 Zinnkoepflé
7 Zotzenberg
N
0
10 km

PAYS NANTAIS, ANJOU ET SAUMUROIS

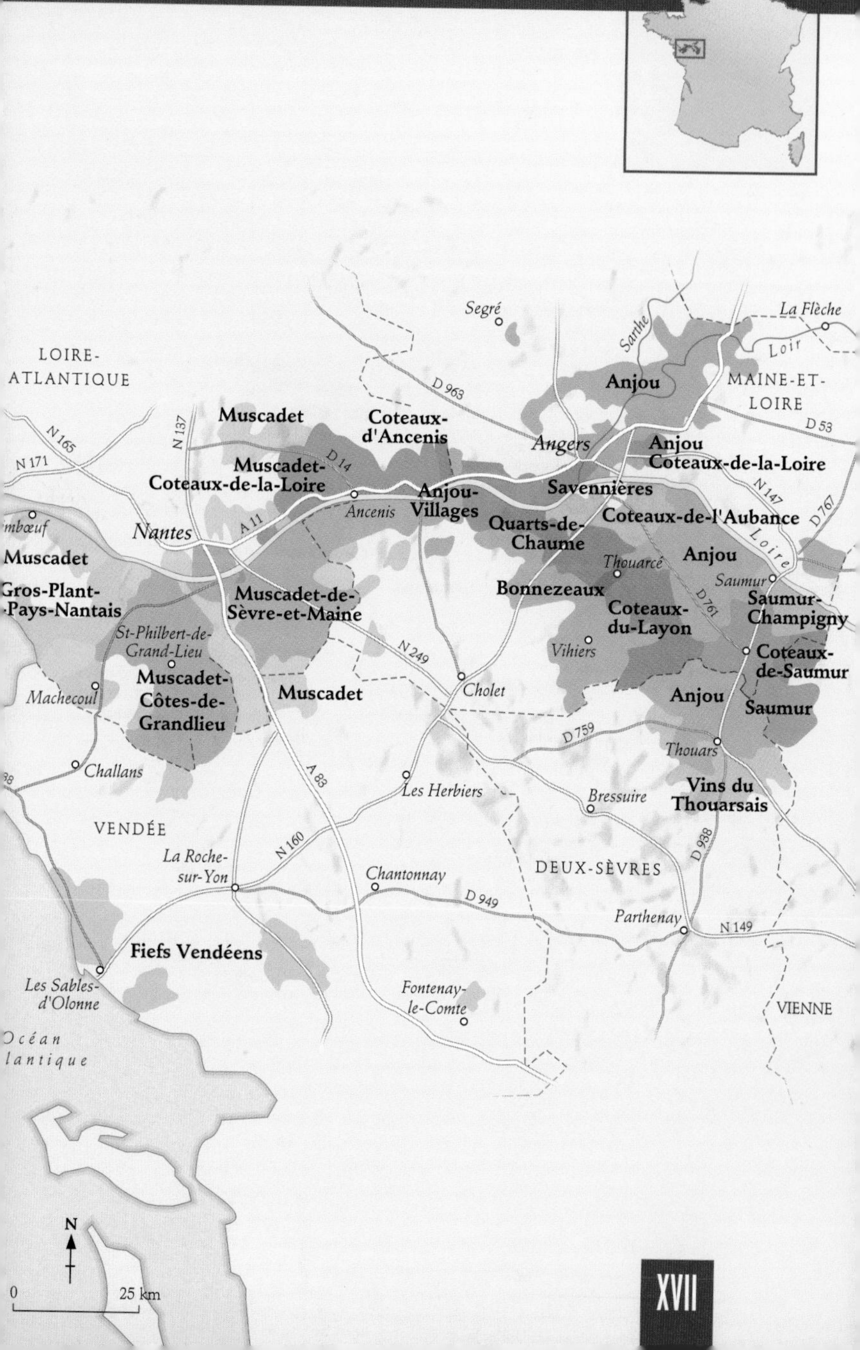

Segré
La Flèche
Sarthe
Loir
LOIRE-ATLANTIQUE
D 963
Anjou
MAINE-ET-LOIRE
Muscadet
Coteaux-d'Ancenis
N 137
D 53
N 165
Angers
Anjou Coteaux-de-la-Loire
N 171
D 14
Muscadet-Coteaux-de-la-Loire
Anjou-Villages
Savennières
N 147
Ancenis
Coteaux-de-l'Aubance
D 767
-mbœuf
A 11
Quarts-de-Chaume
Loire
Nantes
Muscadet
Anjou
Thouarcé
Gros-Plant-Pays-Nantais
Saumur
Bonnezeaux
Muscadet-de-Sèvre-et-Maine
D 761
Saumur-Champigny
Coteaux-du-Layon
St-Philbert-de-Grand-Lieu
Vihiers
Coteaux-de-Saumur
N 249
Muscadet-Côtes-de-Grandlieu
Machecoul
Muscadet
Cholet
Anjou
Saumur
D 759
Thouars
Challans
A 83
Les Herbiers
Vins du Thouarsais
Bressuire
VENDÉE
N 160
D 938
La Roche-sur-Yon
Chantonnay
DEUX-SÈVRES
D 949
Parthenay
N 149
Fiefs Vendéens
Les Sables-d'Olonne
Fontenay-le-Comte
VIENNE
Océan Atlantique
N
0 25 km

TOURAINE ET CENTRE

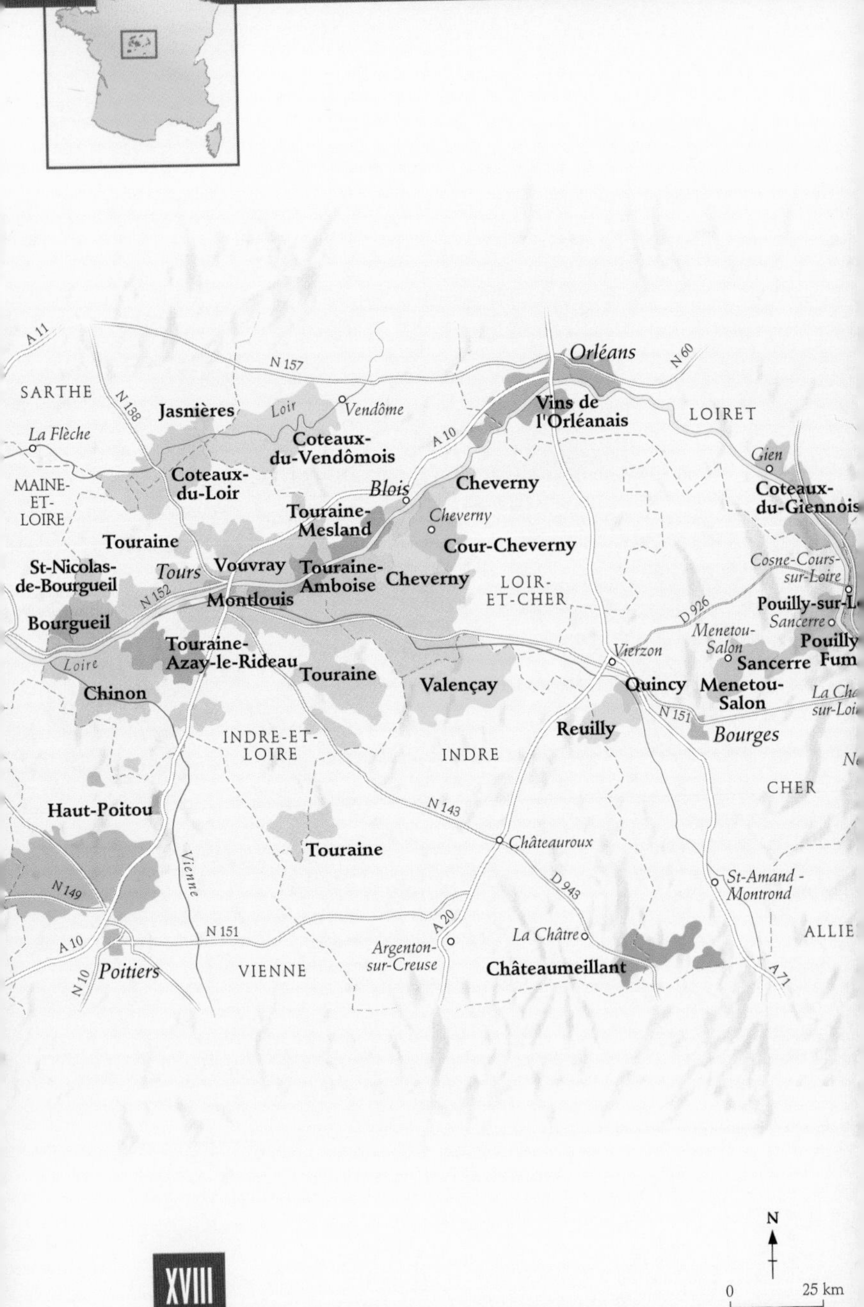

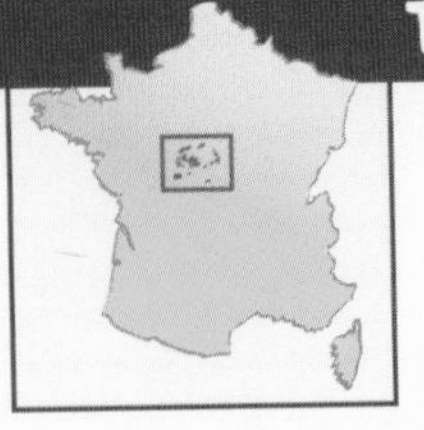

A 11
N 157
Orléans
N 60
SARTHE
N 138
Jasnières
Loir
Vendôme
Vins de l'Orléanais
LOIRET
La Flèche
Coteaux-du-Vendômois
A 10
Gien
MAINE-ET-LOIRE
Coteaux-du-Loir
Blois
Cheverny
Coteaux-du-Giennois
Touraine-Mesland
Cheverny
Touraine
Cour-Cheverny
St-Nicolas-de-Bourgueil
Tours
Vouvray
Touraine-Amboise
Cheverny
Cosne-Cours-sur-Loire
LOIR-ET-CHER
N 152
Montlouis
D 926
Pouilly-sur-L
Bourgueil
Sancerre
Menetou-Salon
Pouilly Fum
Touraine-Azay-le-Rideau
Vierzon
Loire
Sancerre
Touraine
Valençay
Quincy
Menetou-Salon
Chinon
La Ch sur-Loi
N 151
Reuilly
Bourges
INDRE-ET-LOIRE
INDRE
CHER
Haut-Poitou
N 143
Châteauroux
Touraine
Vienne
D 943
St-Amand-Montrond
N 149
A 20
La Châtre
ALLIE
A 10
N 151
Argenton-sur-Creuse
N 10
Poitiers
VIENNE
Châteaumeillant
A 71
N
0
25 km

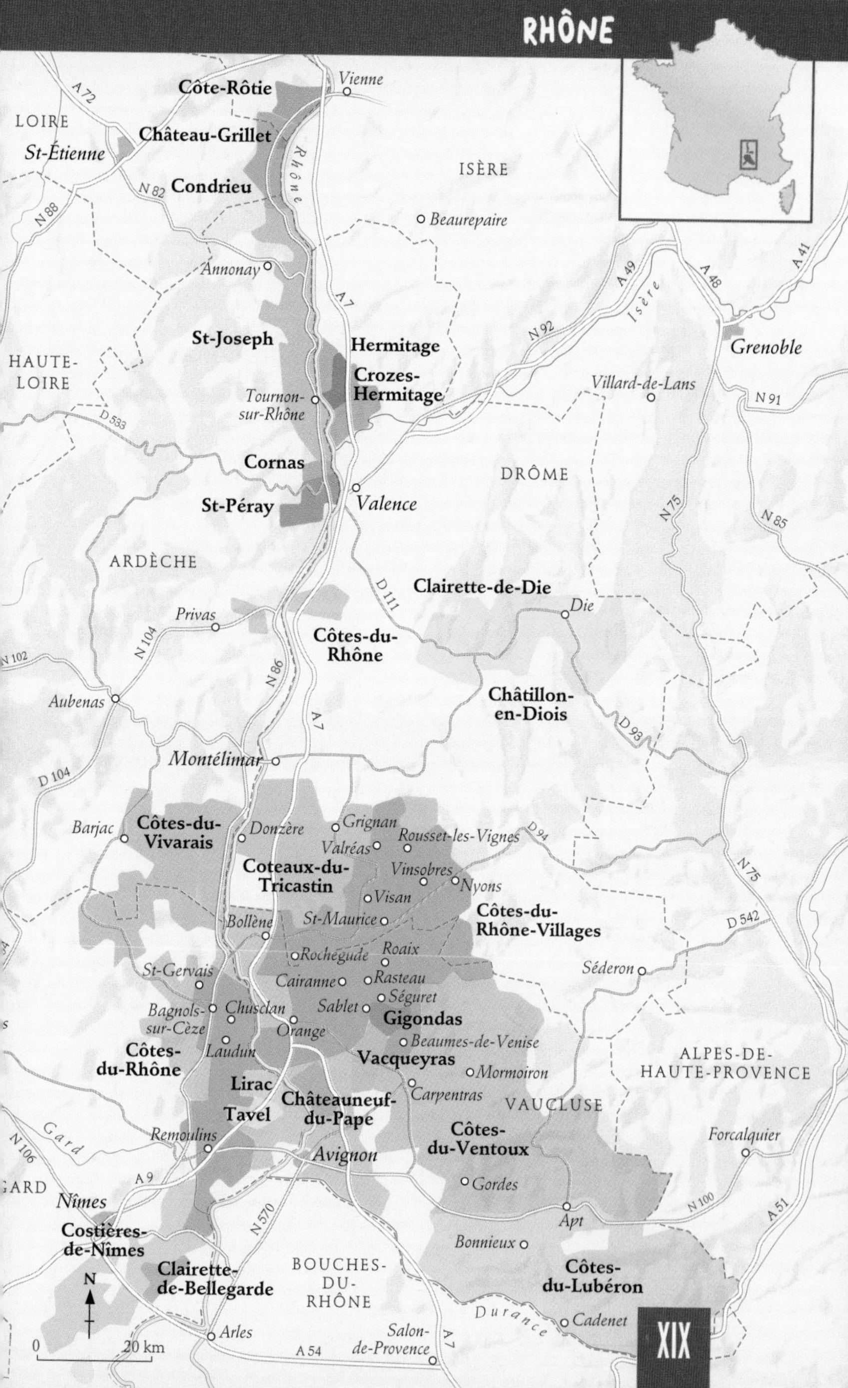
Côte-Rôtie
Château-Grillet
Condrieu
St-Joseph
Hermitage
Crozes-Hermitage
Cornas
St-Péray
Clairette-de-Die
Côtes-du-Rhône
Châtillon-en-Diois
Côtes-du-Vivarais
Coteaux-du-Tricastin
Côtes-du-Rhône-Villages
Gigondas
Vacqueyras
Côtes-du-Rhône
Lirac
Tavel
Châteauneuf-du-Pape
Côtes-du-Ventoux
Costières-de-Nîmes
Clairette-de-Bellegarde
Côtes-du-Lubéron
LOIRE
St-Étienne
HAUTE-LOIRE
ISÈRE
DRÔME
ARDÈCHE
VAUCLUSE
ALPES-DE-HAUTE-PROVENCE
BOUCHES-DU-RHÔNE
GARD
Vienne
Beaurepaire
Annonay
Tournon-sur-Rhône
Valence
Grenoble
Villard-de-Lans
Privas
Die
Aubenas
Montélimar
Barjac
Donzère
Grignan
Valréas
Rousset-les-Vignes
Vinsobres
Nyons
Visan
St-Maurice
Bollène
Rochegude
Roaix
St-Gervais
Cairanne
Rasteau
Séguret
Sablet
Bagnols-sur-Cèze
Chusclan
Orange
Laudun
Beaumes-de-Venise
Mormoiron
Carpentras
Séderon
Forcalquier
Remoulins
Avignon
Gordes
Apt
Nîmes
Bonnieux
Cadenet
Arles
Salon-de-Provence
Rhône
Isère
Gard
Durance
A 72
N 82
N 88
A 7
N 92
A 49
A 48
A 41
N 91
D 533
N 75
N 85
D 111
N 104
N 102
N 86
D 93
D 104
D 94
D 542
N 106
A 9
N 570
N 100
A 51
A 54
N
0
20 km

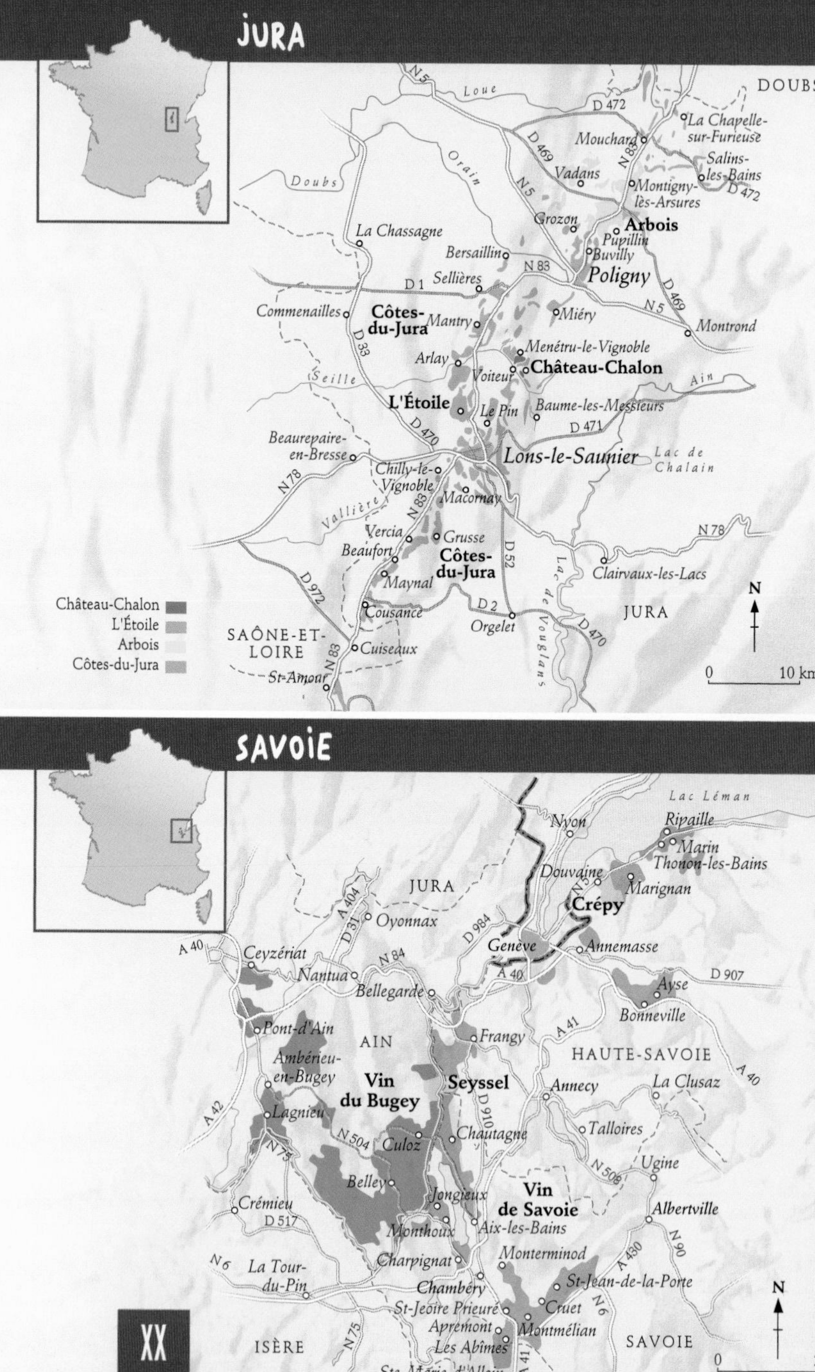
JURA
DOUBS
Loue
N5
D 472
La Chapelle-sur-Furieuse
Mouchard
D 469
N 83
Orain
Vadans
Salins-les-Bains
Doubs
Montigny-lès-Arsures
D 472
N5
Grozon
Arbois
Pupillin
La Chassagne
Bersaillin
Buvilly
N 83
Poligny
D 1
Sellières
D 469
Commenailles
Côtes-du-Jura
Miéry
N 5
Mantry
Montrond
D 33
Menétru-le-Vignoble
Arlay
Château-Chalon
Voiteur
Seille
Ain
L'Étoile
Le Pin
Baume-les-Messieurs
D 471
Beaurepaire-en-Bresse
D 470
Lons-le-Saunier
Lac de Chalain
Chilly-le-Vignoble
N 78
Macornay
Vallière
N 83
Vercia
Grusse
N 78
Beaufort
Côtes-du-Jura
D 52
Lac de Vouglans
Clairvaux-les-Lacs
Maynal
D 972
Château-Chalon
L'Étoile
Arbois
Côtes-du-Jura
Cousance
D 2
Orgelet
JURA
D 470
SAÔNE-ET-LOIRE
Cuiseaux
N 83
St-Amour
N
0
10 km
SAVOIE
Lac Léman
Nyon
Ripaille
Marin
Thonon-les-Bains
Douvaine
N 5
Marignan
JURA
A 404
Crépy
Oyonnax
D 31
D 984
Genève
Annemasse
A 40
Ceyzériat
N 84
Nantua
A 40
D 907
Bellegarde
Ayse
Bonneville
Pont-d'Ain
Frangy
A 41
AIN
HAUTE-SAVOIE
Ambérieu-en-Bugey
A 40
Vin du Bugey
Seyssel
Annecy
La Clusaz
D 910
A 42
Lagnieu
Talloires
N 504
Culoz
Chautagne
N 75
Ugine
N 508
Belley
Vin de Savoie
Jongieux
Crémieu
Albertville
D 517
Monthoux
Aix-les-Bains
N 90
Charpignat
Monterminod
A 430
N 6
La Tour-du-Pin
St-Jean-de-la-Porte
Chambéry
N 6
St-Jeoire Prieuré
Cruet
N
Apremont
Montmélian
ISÈRE
N 75
Les Abîmes
SAVOIE
A 41
Ste-Marie-d'Alloix
0
25

PROVENCE

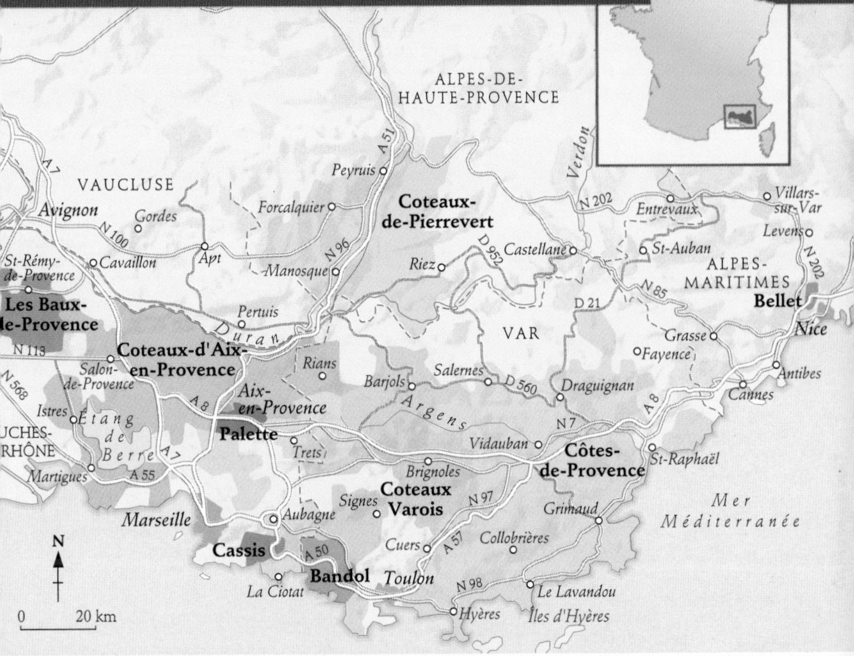

ALPES-DE-
HAUTE-PROVENCE
VAUCLUSE
Avignon
Gordes
Forcalquier
Peyruis
A 51
A 7
N 100
Coteaux-
de-Pierrevert
Verdon
N 202
Entrevaux
Villars-
sur-Var
Levens
St-Rémy-
de-Provence
Cavaillon
Apt
Manosque
N 96
Riez
D 952
Castellane
St-Auban
ALPES-
MARITIMES
N 85
N 202
Bellet
Nice
Les Baux-
de-Provence
Pertuis
Duran
D 21
VAR
Grasse
Fayence
N 113
Coteaux-d'Aix-
en-Provence
Rians
Salon-
de-Provence
Barjols
Salernes
D 560
Draguignan
Antibes
Cannes
N 568
Istres
Étang
de
Berre
A 8
Aix-
en-Provence
Argens
N 7
A 8
CHES-
RHÔNE
Palette
Trets
Vidauban
Côtes-
de-Provence
St-Raphaël
Martigues
A 7
A 55
Brignoles
Coteaux
Varois
Signes
N 97
Grimaud
Mer
Méditerranée
Marseille
Aubagne
Cuers
Collobrières
Cassis
A 50
A 57
Bandol
Toulon
N 98
Le Lavandou
La Ciotat
Hyères
Îles d'Hyères
N
0
20 km

CORSE

Vin de Corse
Coteaux-du-
Cap-Corse
Rogliano
Muscat
du Cap Corse
Nonza
Mer
Méditerranée
Patrimonio
Bastia
L'Île-
Rousse
St-
Florent
Calvi
Lama
Vin de Corse
Calvi
Calenzana
Vin
de Corse
Vescovato
Galéria
HAUTE-
CORSE
Morosaglia
Cervione
Golfe
de Porto
Porto
Golo
Corte
Piana
Vin
de Corse
Tavignano
Vico
Cargèse
BASSE-
CORSE
Aléria
Ghisoni
Ghisonaccia
Ajaccio
Gravona
Mer
Tyrrhénienne
Ajaccio
Taravo
Zicavo
Solenzara
Capu di
Muru
Zonza
Vin de Corse
Porto-Vecchio
Propriano
Vin de Corse
Sartène
Sartène
Porto-
Vecchio
Figari
Vin de Corse
Figari
Bonifacio
N
0
20 km

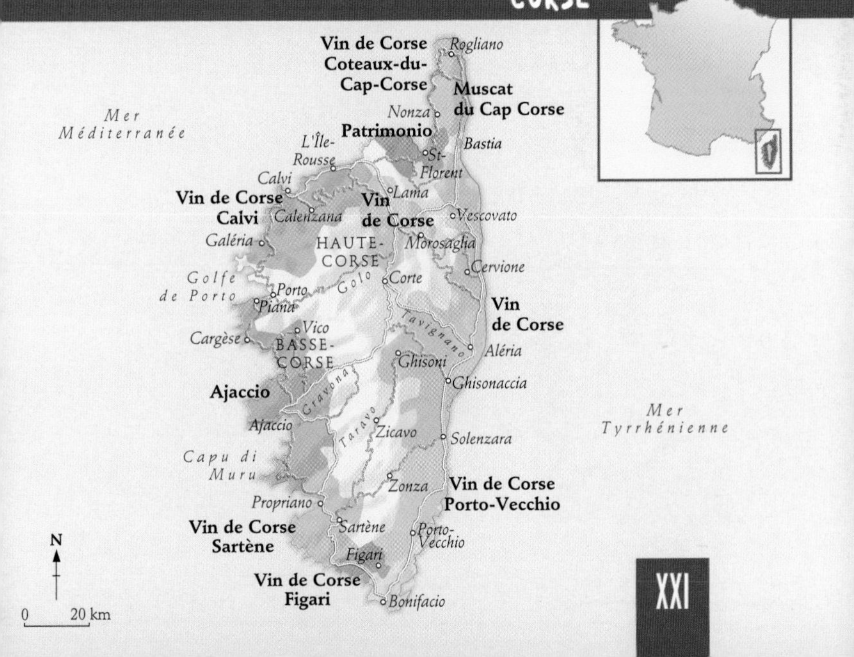

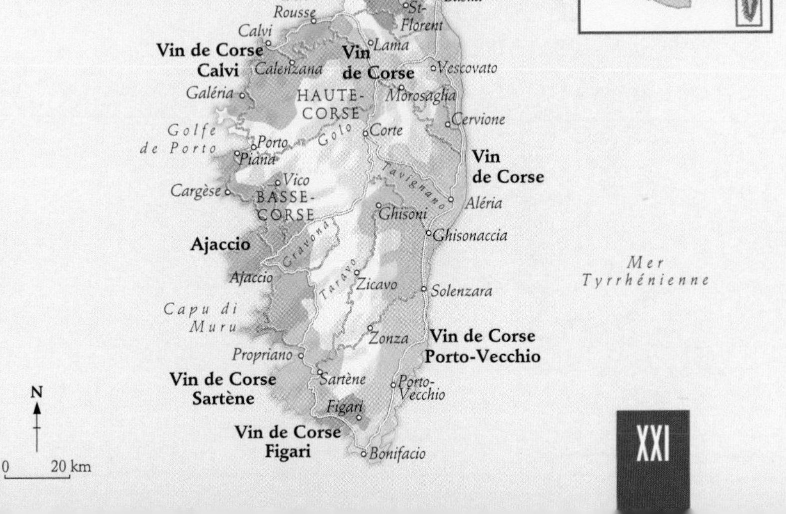

LANGUEDOC-ROUSSILLON

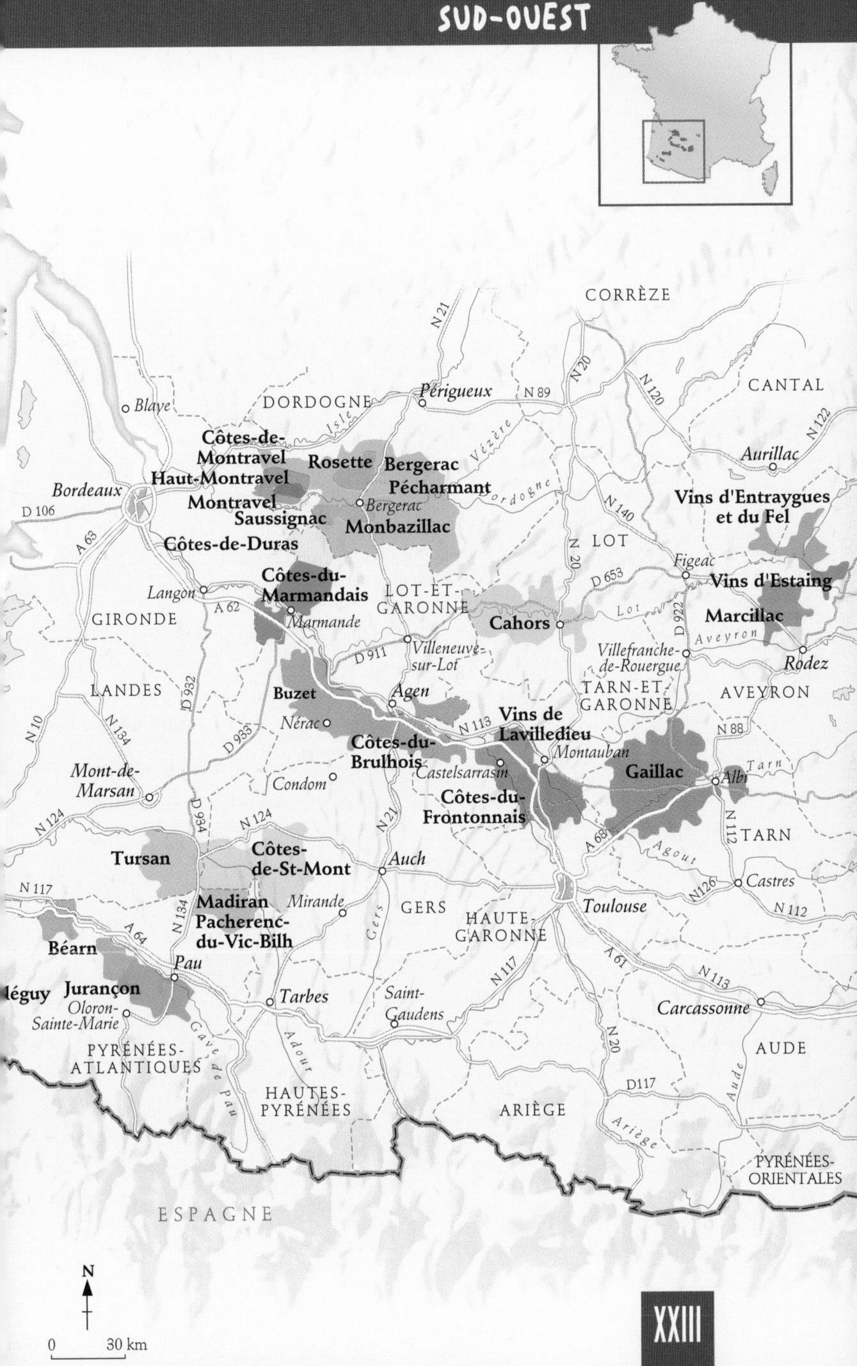
CORRÈZE
DORDOGNE
Périgueux
CANTAL
Blaye
Aurillac
Côtes-de-Montravel
Rosette
Bergerac
Pécharmant
Haut-Montravel
Bordeaux
Montravel
Bergerac
Saussignac
Monbazillac
Vins d'Entraygues et du Fel
Côtes-de-Duras
LOT
Côtes-du-Marmandais
Figeac
Vins d'Estaing
Langon
LOT-ET-GARONNE
Marmande
GIRONDE
Cahors
Marcillac
Villeneuve-sur-Lot
Villefranche-de-Rouergue
Rodez
LANDES
Buzet
Agen
TARN-ET-GARONNE
AVEYRON
Nérac
Vins de Lavilledieu
Côtes-du-Brulhois
Montauban
Mont-de-Marsan
Castelsarrasin
Gaillac
Albi
Condom
Côtes-du-Frontonnais
TARN
Tursan
Côtes-de-St-Mont
Auch
Castres
Madiran
Pacherenc-du-Vic-Bilh
Mirande
GERS
HAUTE-GARONNE
Toulouse
Béarn
Pau
Irouléguy
Jurançon
Tarbes
Saint-Gaudens
Carcassonne
Oloron-Sainte-Marie
PYRÉNÉES-ATLANTIQUES
AUDE
HAUTES-PYRÉNÉES
ARIÈGE
PYRÉNÉES-ORIENTALES
ESPAGNE
Isle
Vézère
Dordogne
Lot
Aveyron
Tarn
Agout
Gers
Adour
Gave de Pau
Ariège
Aude
N 21
N 20
N 89
N 120
N 122
N 140
D 653
D 922
D 106
A 63
A 62
D 911
D 932
N 113
N 88
N 10
N 134
D 933
D 934
N 124
N 21
A 68
N 112
N 117
A 64
N 126
N 112
A 61
N 117
N 113
N 20
D117
N
0
30 km

ITALIE
Régions viticoles du Nord
Albana di Romagna DOCG
Asti ou Asti Spumante-Moscato d'Asti DOCG
Barbaresco DOCG
Barolo DOCG
Brachetto d'Acqui ou Acqui DOCG
Franciacorta DOCG
Gattinara DOCG
Gavi ou Cortese di Gavi DOCG
Ghemme DOCG
Recioto di Soave DOCG
Valtellina Superiore DOCG
Principales zones DOC
(Denominazione di origine contr
Trentin-Haut-Adige
FRIOUL-VÉNÉTIE-JULIENNE
Haut-Adige Tyrol du Sud
Grave del Friuli
Collio Orientali del Friuli
Sondrio
Valtellina
Trentino
Trente
Prosecco
LOMBARDIE
Riviera del Garda Bresciano
Lessini Durello
Breganze
Collio
Piave
Lac Majeur
Morgex
VAL D'AOSTE
Bergame
Franciacorta
Bardolino
VÉNÉTIE
Trieste
Carema
Novare
Milan
Brescia
Valpolicella
Vicencea
Lison-Pramaggiore
Erbaluce di Caluso
Lugana
Vérone
Soave
Padoue
Venise
PIÉMONT
Pavie
Bianco di Custoza
Turin
Oltrepò Pavese
Asti
Roero
Barbera
Colli Piacentini
Parme
Lambrusco
Ferrare
Nebbiola d'Alba
Dolcetto
Gavi
Colli di Parma
Modène
ÉMILIE-ROMAGNE
Coni
Gênes
Bologne
Ravenne
LIGURIE
Colli di Luni
Colli Bolognesi
Mer Adriatique
Sangiovese di Romagna
SAINT MARTIN
Riviera Ligure di Ponente
Cinqueterre
La Spezia
Verdicchio dei Castelli di Jesi
Florence
Saint-Marin
Rossese di Dolceacqua
Pise
Pomino
Ancône
Livourne
TOSCANE
Rosso Cònero
Arezzo
Vernaccia di San Gimignano
Verdicchio di Matelica
Rosso Piceno
Mer Ligurienne
Sienne
Macerata
Bolgheri
OMBRIE
Montepulciano
Pérouse
MARCHES
Rosso Picenc
Piombino
Montalcino
Île d'Elbe
Montefalco
Controguer
Grosseto
Colline Teramane
Morellino di Scansano
Orvieto
Terni
Teramo
Pescar
Parrina
Montepulciano d'Abruzzo et Trebbiano d'Abruzzo
ABRUZZES
Rome
MOLISE
Campob
Régions viticoles du Centre
Chianti DOCG
Chianti Classico DOCG
Vino Nobile di Montepulciano DOCG
Brunello di Montalcino DOCG
Torgiano Rosso Riserva DOCG
Vernaccia di San Gimignano DOCG
Montefalco Sagrantino DOCG
Mer Tyrrhénienne
N
0
50
100 km

FRANCE
Txakoli
de Bizkaia
Txakoli
de Getaria
Corogne
GALICE
Oviedo
Santander
Saint-
Sébastien
Saint-Jacques-
de-Compostelle
ASTURIES
Bilbao
PAYS
BASQUE
CANTABRIQUE
Vitoria
Pampelune
NAVARRE
Ribeiro
Sacra
Bierzo
León
Ampurdán-
Costa Brava
Ribeiro
Miño
Valdeorras
Esla
Burgos
Logroño
Rioja
LA RIOJA
Navarre
Pyrénées
Somontano
CATALOGNE
CASTILLE-LEÓN
Huesca
Costers
del Segre
Pla de Bages
Monterrei
Cigales
Valladolid
Douro
Ribera
del Duero
Campo
de Borja
Èbre
Saragosse
Lérida
Alella
Barcelone
Toro
Rueda
Cariñena
Priorato
Tarragone
Calatayud
Terra Alta
Tarragone
Penedès
Salamanque
Mondéjar
ARAGÓN
MADRID
Tage
Conca de
Barberà
Madrid
ORTUGAL
Los Vinos de
Madrid
Méntrida
VALENCE
Mer
Méditerranée
Tolède
Utiel
Requena
Tage
La Mancha
ESTRÉMADURE
Valence
CASTILLE-LA MANCHE
Júcar
Mérida
Guadiana
Almansa
Valencia
Valdepeñas
Alicante
Ribera del
Guadiana
Valdepeñas
Jumilla
Yecla
Alicante
Bullas
MURCIE
Cordoue
Murcie
Condada
de Huelva
Guadalquivir
Montilla-Moriles
Binissalem
Génil
Séville
ANDALOUSIE
Palma
Huelva
Grenade
Jerez/Xérès
Málaga
MAJORQUE
Jerez de la
Frontera
Málaga
Cadix
ÎLES BALÉARES
Océan
lantique
Océan Atlantique
Lanzarote
Tacoronte-
Acentejo
Valle de
la Orotava
La Palma
Ycoden
Daute-Isora
Valle de Güímar
Abona
El Hierro
CANARIES
N
0
100 km
ons viticoles
denominación de origen (DO)
denominación de origen
calificada (DOC)
Limite de communauté autonome
N
100
200 km

ALLEMAGNE
Mer Baltiqu
ALLEMAGNE
PAYS-BAS
Saale-Unstrut
Halle
Leipzig
Mulde
Elbe
Unstrut
Freyburg
Naumburg
Saale
Elster
Saxe
Meissen
Radebeul
Dresde
Rhin
Bonn
Sieg
Ahr
Moyenne
Rhénanie
Lahn
Coblence
Nidda
Rheingau
Moselle-
Sarre-Ruwer
Moselle
Wiesbaden
Francfort-sur-le-Main
Main
Bingen
Mayence
Bernkastel-Kues
Darmstadt
LUX.
Trèves
Nahe
Bergstrasse
de Hesse
Würtzburg
Saarburg
Hesse
rhénane
Tauber
Franconie
Nuremberg
Heidelberg
Sarre
Palatinat
Sarrebruck
Pays
de
Bade
Heilbronn
Jagst
Kocher
Karlsruhe
Regensburg
Stuttgart
Wurtemberg
Neckar
Offenburg
Danube
FRANCE
Breisach
Fribourg-en-Brisgau
Munich
Constance
Lac de
Constance
AUTRICHE
SUISSE
RÉPUBLIQUE
TCHÈQUE
N
0
50
100 km

ALLEMAGNE

FRANCE

AUTRICHE

LIECHTENSTEIN

ITALIE

SUISSE

Suisse alémanique

Neuchâtel

Vaud

Valais

Tessin

Grison

Bâle

Rhin

Lac de Constance

Winterthur

St-Gall

Aarau

Zurich

Lac de Zurich

Wädenswil

Vaduz

Aar

Lucerne

Neuchâtel

Berne

Lac de Neuchâtel

Fribourg

Orbe

Coire

Rhin antérieur

Inn

Lausanne

Lac Léman

Genève

Airolo

Tessin

Aigle

Sierre

Brigue

Sion

Viège

Rhône

Bellinzona

Locarno

Martigny

A L P E S

Lac Majeur

Lugano

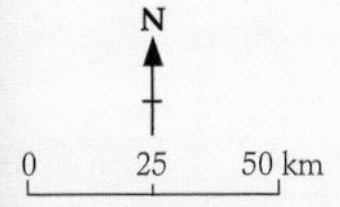

DANUBE ET AUTRICHE

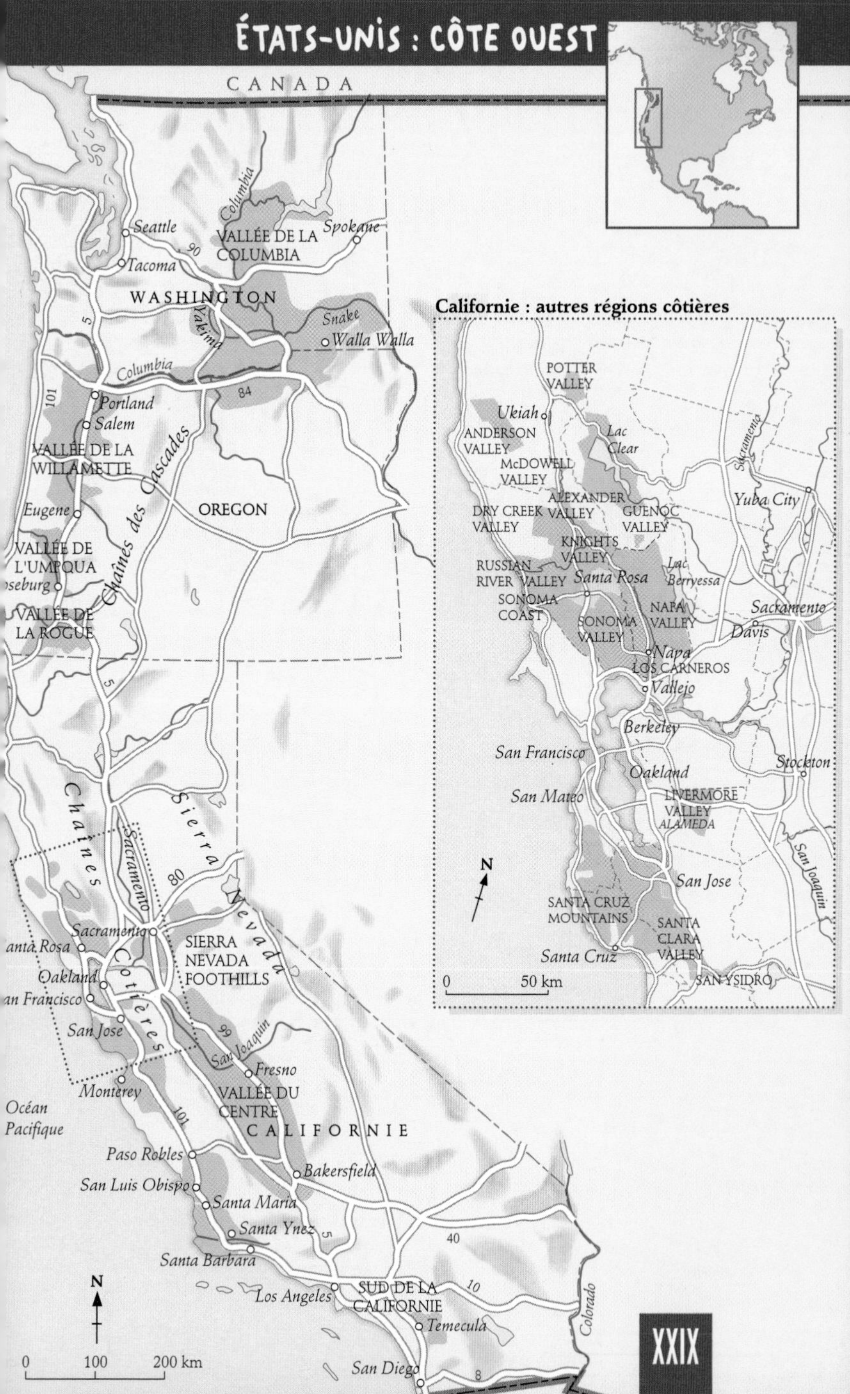
CANADA
Seattle
Tacoma
Spokane
Columbia
VALLÉE DE LA COLUMBIA
WASHINGTON
Yakima
Snake
Walla Walla
Columbia
Portland
Salem
VALLÉE DE LA WILLAMETTE
Chaînes des Cascades
OREGON
Eugene
VALLÉE DE L'UMPQUA
VALLÉE DE LA ROGUE
Chaînes Côtières
Sierra Nevada
Sacramento
Sacramento
Santa Rosa
Oakland
San Francisco
San Jose
SIERRA NEVADA FOOTHILLS
San Joaquin
Fresno
Monterey
Océan Pacifique
VALLÉE DU CENTRE
CALIFORNIE
Paso Robles
Bakersfield
San Luis Obispo
Santa Maria
Santa Ynez
Santa Barbara
Los Angeles
SUD DE LA CALIFORNIE
Temecula
San Diego
Colorado
0 100 200 km
Californie : autres régions côtières
POTTER VALLEY
Ukiah
ANDERSON VALLEY
Lac Clear
McDOWELL VALLEY
ALEXANDER VALLEY
DRY CREEK VALLEY
GUENOC VALLEY
KNIGHTS VALLEY
Yuba City
Sacramento
RUSSIAN RIVER VALLEY
Santa Rosa
Lac Berryessa
SONOMA COAST
NAPA VALLEY
Sacramento
Davis
SONOMA VALLEY
Napa
LOS CARNEROS
Vallejo
Berkeley
San Francisco
Oakland
Stockton
San Mateo
LIVERMORE VALLEY
ALAMEDA
San Joaquin
San Jose
SANTA CRUZ MOUNTAINS
SANTA CLARA VALLEY
Santa Cruz
SAN YSIDRO
0 50 km

COQUIMBO
SAN JUAN
San Juan
VALPARAÍSO
Vallée de l'Aconcagua
Mendoza
Viña del Mar
Valparaíso
Lujan de Cuyo
Maipu
Casablanca
Santiago
SAN ANTONIO
SANTIAGO
Vallée Maipo
Océan
Pacifique
MENDOZA
Rancagua
O'HIGGINS
San Rafael
CHILI
Colchagua
Curicó
Maule
Molina
Talca
ARGENTINE
Andes
MAULE
LA PAM
Chillán
Concepción
BIÓ-BIÓ
Colorado
NEUQUEN
Los Angeles
N
0
100 km

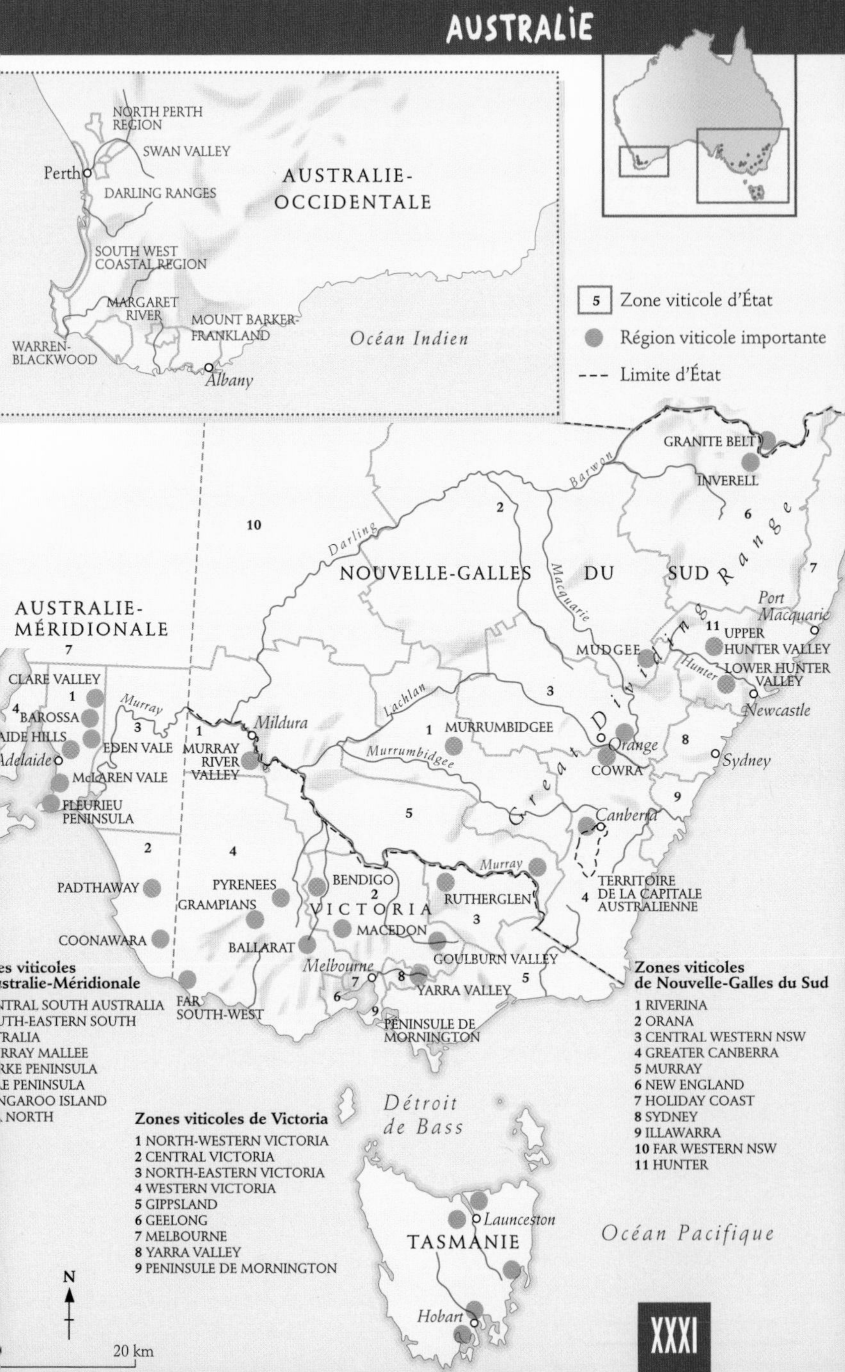
NORTH PERTH REGION
SWAN VALLEY
Perth
DARLING RANGES
AUSTRALIE-OCCIDENTALE
SOUTH WEST COASTAL REGION
MARGARET RIVER
MOUNT BARKER-FRANKLAND
WARREN-BLACKWOOD
Albany
Océan Indien
5 Zone viticole d'État
Région viticole importante
Limite d'État
GRANITE BELT
INVERELL
Barwon
Darling
NOUVELLE-GALLES DU SUD
Macquarie
Great Dividing Range
Port Macquarie
UPPER HUNTER VALLEY
LOWER HUNTER VALLEY
Hunter
MUDGEE
Newcastle
AUSTRALIE-MÉRIDIONALE
CLARE VALLEY
BAROSSA
Murray
EDEN VALE
Mildura
MURRAY RIVER VALLEY
Lachlan
MURRUMBIDGEE
Murrumbidgee
Orange
COWRA
Sydney
McLAREN VALE
FLEURIEU PENINSULA
Canberra
PADTHAWAY
PYRENEES
GRAMPIANS
BENDIGO
VICTORIA
RUTHERGLEN
TERRITOIRE DE LA CAPITALE AUSTRALIENNE
COONAWARA
MACEDON
BALLARAT
GOULBURN VALLEY
Melbourne
YARRA VALLEY
FAR SOUTH-WEST
PÉNINSULE DE MORNINGTON
Zones viticoles de Nouvelle-Galles du Sud
1 RIVERINA
2 ORANA
3 CENTRAL WESTERN NSW
4 GREATER CANBERRA
5 MURRAY
6 NEW ENGLAND
7 HOLIDAY COAST
8 SYDNEY
9 ILLAWARRA
10 FAR WESTERN NSW
11 HUNTER
Détroit de Bass
Zones viticoles de Victoria
1 NORTH-WESTERN VICTORIA
2 CENTRAL VICTORIA
3 NORTH-EASTERN VICTORIA
4 WESTERN VICTORIA
5 GIPPSLAND
6 GEELONG
7 MELBOURNE
8 YARRA VALLEY
9 PENINSULE DE MORNINGTON
Launceston
TASMANIE
Océan Pacifique
Hobart
N
20 km

AFRIQUE DU SUD

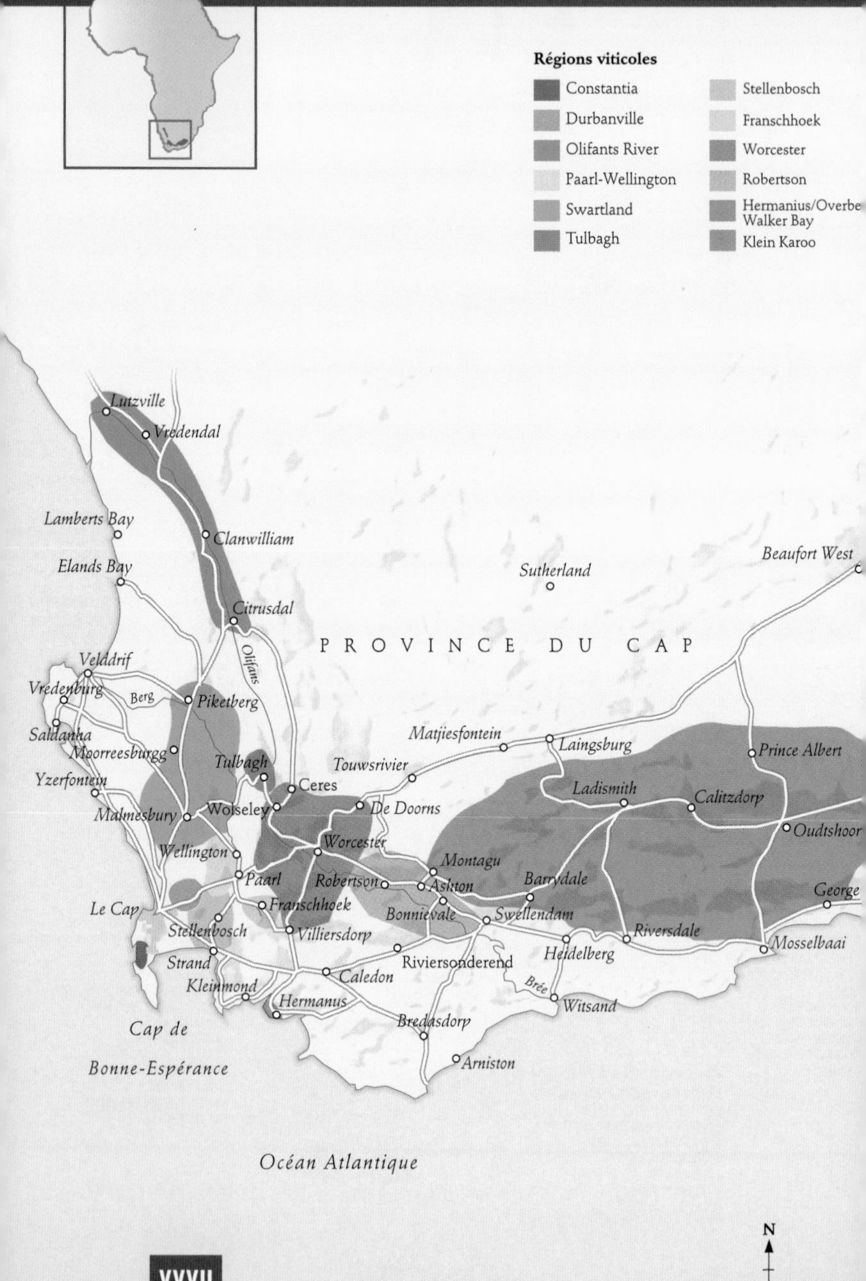

Régions viticoles

- Constantia
- Durbanville
- Olifants River
- Paarl-Wellington
- Swartland
- Tulbagh
- Stellenbosch
- Franschhoek
- Worcester
- Robertson
- Hermanius/Overberg Walker Bay
- Klein Karoo

Lutzville
Vredendal
Lamberts Bay
Clanwilliam
Elands Bay
Sutherland
Beaufort West
Citrusdal
PROVINCE DU CAP
Olifans
Velddrif
Vredenburg
Berg
Piketberg
Saldanha
Moorreesburgg
Matjiesfontein
Laingsburg
Prince Albert
Tulbagh
Touwsrivier
Yzerfontein
Ceres
Ladismith
Calitzdorp
Malmesbury
Wolseley
De Doorns
Oudtshoor
Worcester
Wellington
Montagu
Paarl
Robertson
Ashton
Barrydale
George
Le Cap
Franschhoek
Bonnievale
Swellendam
Stellenbosch
Villiersdorp
Riversdale
Mosselbaai
Strand
Riviersonderend
Heidelberg
Kleinmond
Caledon
Brée
Hermanus
Witsand
Cap de Bonne-Espérance
Bredasdorp
Arniston
Océan Atlantique

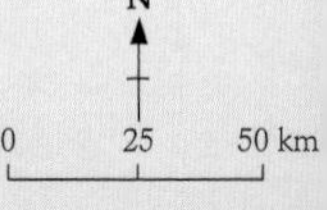

CAHORS

Carte page XXIII

Le Cahors, un des meilleurs vins rouges du sud-ouest de la France, provient de la vallée du Lot, plus particulièrement de l'ouest de la ville ancienne de Cahors. Au siècle dernier, il était connu comme un vin de garde, à boire après des années de cave, avec du gibier.

Aujourd'hui, parmi les vins de Cahors, on trouve des différences marquées de structure et de style. Les meilleurs, aptes à un long vieillissement, sont riches en fruit et en tanins, alors que d'autres, plus légers, sont destinés à une consommation rapide, au cours de leurs premières années. Si l'appellation Cahors est exclusivement rouge, cela n'empêche pas quelques cultures expérimentales de cépages blancs, tels le Viognier et le Chardonnay, entre autres, dont les vins sont actuellement commercialisés en vins de table.

La région de Cahors a beaucoup souffert pendant la crise du phylloxéra ; de nombreux vignobles ont été alors abandonnés. La région n'a commencé à revivre que dans les années 1960, et cette renaissance a été récompensée par la création d'une AOC en 1971. Depuis, le vignoble s'est considérablement agrandi, passant de 200 ha au début des années 1960 à 4383 ha en 2001. Cette superficie représente le maximum réalisable et correspond à l'aire plantée avant le phylloxéra. Les vignobles de Cahors, qui regroupent 45 villages, s'étendent maintenant sur 40 km jusqu'à Fumel à l'ouest.

Le site, le climat et le sol

Le climat subit l'influence de la Méditerranée et de l'Atlantique, car la ville se trouve à distance égale des deux. Sa situation à l'intérieur des terres explique les étés plus chauds et plus secs que ceux du Bordelais, et, pourtant, on redoute les gelées de printemps et la grêle. La topographie accidentée des vignobles crée une variété de microclimats. Le Lot a creusé une vallée très sinueuse, à tel point que, parfois, il semble rebrousser chemin, formant ainsi des boucles très larges. Les vignes poussent en terrasses sur les flancs de la vallée et sur les plateaux, ou causses, qui la surplombent.

Un grand débat concerne le sol et la situation de certains vignobles. Il existe trois types de terrains. Les vignobles les plus élevés sont situés sur les causses, plateaux arides qui dominent la vallée ; le sol est composé de craie et de pierre, avec une mince couche de sol arable. En dessous, les première et deuxième terrasses occupent les flancs de la vallée, et, plus bas encore, tout près de la rivière, se trouvent les terres d'alluvions fertiles. Le sol est alors composé d'argile et de craie en proportion variable, avec du sable, du gravier et de la roche en décomposition. Certains affirment que les vins des causses, qui proviennent des vignes plantées en sol mince et crayeux, possèdent une plus belle structure, alors que d'autres trouvent les vins des coteaux graveleux plus ronds et plus subtils.

Une étude détaillée du terroir de Cahors, qui prend en considération non seulement le sol et le sous-sol mais aussi l'approvisionnement en eau, est actuellement en cours. Il pourrait en résulter un classement des crus. Pourtant, d'autres facteurs influencent le goût des Cahors, en particulier les méthodes de vinification de chaque producteur.

Les cépages

Dans le Sud-Ouest, seul Cahors interdit le Cabernet-Sauvignon et le Cabernet Franc pour les vins de l'AOC. L'assise du vin est le cépage connu localement sous le nom d'Auxerrois ; l'appellation exige qu'il entre pour un minimum de 70 % dans le vin, seuil souvent dépassé ;

PRODUCTEURS ET NÉGOCIANTS

Il existe de nombreuses exploitations privées à Cahors, certaines bien établies, d'autres appartenant à une nouvelle génération de producteurs. Quelques négociants possèdent également des vignes. La cave coopérative est un des chefs de file de l'appellation.

CHÂTEAU DU CÈDRE
Charles Verhaeghe a hissé ses Cahors au premier rang. Que ce soit le « normal », le Prestige ou le Cèdre, on s'arrache ses vins. Ils ont la couleur du vin noir (ainsi appelait-on le Cahors), sont charnus, concentrés, et leurs tanins sont fins.

CHÂTEAU DE CHAMBERT
Situé sur des causses arides au nord de Cahors, ce domaine restauré, avec des vignes replantées, fait passer ses vins un an en cuve puis un an dans des barriques achetées à Château Margaux, dans le Médoc. On élabore ici plusieurs cuvées qui sont ensuite assemblées ; il n'existe qu'un seul vin du Château de Chambert, fruité, concentré et bien charpenté.

LES CÔTES D'OLT
La coopérative de Cahors produit à elle seule environ un tiers des vins de l'appellation, avec une variété de vins allant d'un Cahors classique et charpenté à des vins plus légers et fruités. Quelques-uns de ses meilleurs vins passent par des barriques.

CLOS LA COUTALE
Ce domaine, près du village de Vire-sur-Lot, évolue avec l'époque et bénéficie maintenant de l'installation de cuves d'acier inoxydable qui permettent de contrôler les températures de fermentation. Le vin est vinifié dans de grands foudres plutôt que dans des barriques de petite contenance.

CLOS DE GAMOT
La famille Jouffreau, qui possède également le Château du Cayrou, a beaucoup œuvré pour la renaissance des vins de Cahors. Son vignoble est constitué exclusivement d'Auxerrois, avec des parcelles centenaires, ce qui explique que le Clos-de-Gamot soit un vin de longue garde.

on atteint parfois les 100 %. Les cépages Merlot et Tannat apportent un complément d'équilibre.
C'est l'Auxerrois qui confère au Cahors son caractère robuste et solide et sa bonne structure tannique. Il est très sujet à la coulure, ce qui engendre de grandes fluctuations au niveau du volume de la récolte. Le Merlot adoucit l'Auxerrois, en l'arrondissant. Le Tannat, cépage tardif, apporte un supplément de tanins. Les avis diffèrent quant à sa valeur, certains prétendant qu'il ne fait qu'accentuer les défauts de l'Auxerrois.

La vinification

Pendant que le vignoble s'agrandissait, les techniques de vinification se sont considérablement modernisées. Les cuves en acier inoxydable ont remplacé celles en ciment, les barriques bordelaises ont pris la place des vieux fûts. Certains producteurs prolongent les fermentations afin d'obtenir une plus grande extraction ou font fermenter séparément les différents cépages avant de les assembler. Une sélection sévère des raisins donne parfois deux vins : une cuvée normale et une cuvée de prestige.

PRODUCTEURS ET NÉGOCIANTS

CHÂTEAU DE LAGREZETTE
C'est un beau château Renaissance acquis par Alain-Dominique Perrin, qui est conseillé par Michel Rolland. Il produit un vin complet et profond. Le second vin, Moulin de Lagrezette, est léger.

RIGAL
Propriétaires de Château Saint Didier, de Château de Grézels et du Prieuré de Cénac, les frères Rigal diffusent, sous leur marque, une gamme de vins génériques.

DOMAINE DES SAVARINES
Danielle Biesbrouck n'avait ni expérience ni formation dans la vinification quand elle a acheté ce domaine en 1970. Sur les conseils de M. Thiollet, son œnologue, elle a planté des vignes, restauré la maison du XVIIIe siècle avec les caves. Auxerrois et Merlot fermentent séparément et sont assemblés pendant l'hiver. Élevés en barriques pendant un an, ils donnent un vin harmonieux.

CHÂTEAU TRIGUEDINA
Les vins de ce domaine sont faits avec 25 % de Merlot, ce qui leur donne une agréable souplesse. Les Baldès ont été les premiers à Cahors à faire l'expérience des barriques de chêne neuf pour leur cuvée Prince Probus.

VIGOUROUX
Cette société de négoce est propriétaire d'un important vignoble. Vigouroux a replanté Château de Haute-Serre, au début des années 1970, un des tout premiers vignobles à reconquérir les causses. Il s'occupe également du vin de trois autres domaines, Château de Mercuès, Château Pech de Jammes et Château Lérat-Monpezat. Afin que chaque vin garde sa personnalité, Vigouroux vinifie les vins de chaque domaine sur place. L'élevage en barriques neuves est aussi déterminant pour le goût de ses vins.

AUTRES PRODUCTEURS
Parmi les autres producteurs de Cahors, il y a également le Château la Caminade, le Domaine d'Eugénie, le Château de Goudou et le Domaine de la Pineraie.

GAILLAC ET FRONTON

Carte page XXIII

La région du sud de Cahors (départements du Tarn, du Tarn-et-Garonne et du Lot-et-Garonne) s'enorgueillit de deux vignobles AOC, Gaillac et Côtes-du-Frontonnais, et de deux VDQS, Vins de Lavilledieu et Côtes-du-Brulhois. L'emplacement de ces vignobles les soumet à diverses influences. Influences climatiques tout d'abord : la Méditerranée toute proche leur apporte chaleur estivale et vents secs, l'océan Atlantique leur envoie la pluie, et le Massif central est responsable des hivers froids et des gelées printanières. Influence des cours d'eau, ensuite, qui engendrent une multitude de microclimats. Enfin, influence des sols très variés, qui permettent à ces régions de cultiver la plupart des cépages propres au Sud-Ouest.

Gaillac

Vignoble le plus ancien du Sud-Ouest, Gaillac constitue aussi l'une des appellations les plus variées. Il est classé AOC dès 1938 pour ses vins blancs, et il faut attendre 1970 pour que les vins rouges et rosés entrent dans l'appellation. Pourtant, c'est le vin rouge qui constitue actuellement l'essentiel de la production (60 %).
Le vignoble s'étend sur 73 villages du Tarn, autour de Gaillac, au nord-est de Toulouse. Albi marque la scission de l'appellation, avec quelques vignes situées dans 7 villages autour de Cunac, à l'est de la ville.
Quelques villages de la rive droite du Tarn (Broze, Cahuzac-sur-Vère, Castanet, Cestayrols, Fayssac, Lisle-sur-Tarn, Montels et Senouillac) sont autorisés à utiliser l'appellation Gaillac Premières Côtes pour leurs vins blancs doux, riches et aromatiques. En théorie, ces vignes doivent être mieux agencées et avoir un rendement plus faible (40 hl/ha au lieu de 45 hl/ha). En pratique, peu de producteurs utilisent cette distinction.
La composition des sols du vignoble de Gaillac est des plus variées : mélange d'argile et de calcaire sur la rive droite du Tarn, contre sable et gravier alluviaux sur la rive gauche. D'un côté, par exemple sur les vignobles en terrasses qui entourent le pittoresque village de Cordes, au nord de l'appellation, le sol est très riche en calcaire, ce qui est idéal pour les vins blancs. De l'autre côté, comme à l'est d'Albi, où le sol se compose de sable et de gravier, les conditions sont remplies pour la production de vins rouges très élégants.

Les cépages

Gaillac possède une multitude de cépages, ce qui explique la grande diversité de ses styles de vins. Les cépages traditionnels du Bordeaux, Sémillon et Sauvignon, coexistent avec les cépages locaux comme le Mauzac, pour les vins blancs. Ce dernier, le plus ancien de Gaillac, peut composer un vin plus ou moins sec suivant son degré de maturité. Une touche de Loin de l'Œil récolté à point lui apporte finesse et classe. Ces cépages, travaillés selon les nouvelles méthodes de vinification, donnent des vins qui s'améliorent de jour en jour.

Dans les cépages rouges, c'est le Duras qui prend largement la tête, suivi du Fer Servadou (appelé localement Braucol), de la Syrah, de la Négrette, assez rare, et du Gamay, l'ensemble de ces cépages devant représenter 60 % au minimum de l'assemblage, complété par du Merlot, du Cabernet Franc ou du Cabernet-Sauvignon.

Les styles de vin

Le vin blanc de Gaillac épouse tous les styles : sec, doux ou moelleux, tranquille, mousseux ou perlé. Le perlé est un vin blanc sec traditionnel. Pour le produire, il faut garder un peu de gaz carbonique de la fermentation malolactique lors de la mise en bouteilles. Dans le verre, les bulles ressemblent à des perles, d'où son nom.

Le Mousseux est élaboré soit selon la méthode traditionnelle, soit selon la méthode gaillacoise, ou méthode rurale dans d'autres régions de France. À l'origine, on interrompait la première fermentation en immergeant les barriques dans de l'eau glacée. Aujourd'hui, on utilise une centrifugeuse, et les lies de la seconde fermentation sont évacuées par remuage.

Le moelleux provient de raisins cueillis tardivement, lorsqu'ils sont très mûrs. La fermentation, très lente, est interrompue pour permettre au vin de garder son goût sucré. La teneur en sucre résiduel du Gaillac doux est de 70 grammes par litre, tandis que celle du moelleux est laissée à la libre appréciation de chaque éleveur.

Deux styles de Gaillac rouge, tous deux issus de Duras, se démarquent comme les plus typiques. Dans le premier, on ajoute du Fer Servadou pour la structure et de la Syrah pour la couleur tandis que, dans le second, proche du Bordeaux, on mélange du Merlot et du Cabernet. Un Gaillac rouge supporte de vieillir un peu, mais se consomme plutôt jeune.

Le Gaillac rouge nouveau ou primeur, issu de raisins Gamay soumis à une macération carbonique, est une alternative agréable au Beaujolais Nouveau.

Côtes-du-Frontonnais

Sur un plateau situé entre le Tarn et la Garonne, la petite région des Côtes du Frontonnais produit du vin rouge et un peu de rosé.

La composition du sol est si typique qu'elle suffit à délimiter la zone d'appellation. Elle oscille entre le rouget, gravier rouge additionné d'un fort pourcentage de fer, qui est considéré comme le terroir idéal, et les boulbènes limoneuses à base d'argile décomposée. Le Fronton tire son fruité caractéristique de la Négrette, qui doit entrer pour 50-70 % dans sa composition. Le vin ainsi obtenu est souple et fruité, avec une faible densité de tanin : il a tendance à s'oxyder facilement et à vieillir rapidement. Il faut donc le mélanger à d'autres cépages capables de vieillir, comme le Cabernet-Sauvignon, le Cabernet Franc, généralement privilégié, et le Fer Servadou. La part de chacun est plafonnée à 25 %. On trouve des vins de Négrette pure, mais, d'un point de vue technique, ils ne sont pas conformes à l'appellation.

Lavilledieu

À l'ouest de la ville de Montauban, au nord-ouest des Côtes du Frontonnais, se trouve une petite région vinicole comptant 12 villages regroupés autour de La Ville-Dieu-du-Temple. Ce vignoble de 150 ha a été classé VDQS en 1954 pour le vin rouge et le vin rosé, produits à partir de Négrette, Gamay, Cabernet Franc, Syrah et Tannat, mais de nombreux vignerons se cantonnent à la production de vins de pays et de vins de

PRODUCTEURS ET NÉGOCIANTS

À Gaillac, comme dans les plus petites zones des Côtes-du-Frontonnais, des Vins de Lavilledieu et des Côtes-du-Brulhois, ce sont les coopératives qui font la pluie et le beau temps.

GAILLAC

Trois coopératives se partagent la vedette : La Cave de Labastide de Lévis, de loin la plus importante, puis celles de Técou et Rabastens. Parmi les producteurs individuels, citons Château Larroze, Château de Lastours, Château Clément-Termes, Domaine des Très Cantous et Mas Pignou, qui illustrent tous la grande diversité des arômes qu'on peut trouver dans une même appellation.

CÔTES-DU-FRONTONNAIS

La coopérative du village de Fronton produit toute une gamme de vins, dont le Château Cransac, tandis qu'un choix de plusieurs cuvées démontre les innombrables possibilités de vinification. Son Haut Capitole, issu à parts égales de Négrette et de Cabernet, séjourne 6 mois dans du chêne neuf, ce qui lui donne un complément de structure ainsi qu'une pointe de vanille. Parmi les propriétés indépendantes, on peut dire que Château Bellevue la Forêt a donné au Frontonnais ses lettres de noblesse. C'est en 1974 que Patrick Germain achète un terrain couvert de vergers. Aujourd'hui, il possède plus de 100 ha de vignes et a installé des caves modernes très bien équipées. Les temps de fermentation varient de une à deux semaines, chaque cépage étant vinifié séparément.
La cuvée de prestige vieillit dans du chêne neuf pendant 12 mois. Parmi d'autres bonnes propriétés, on peut citer Château Flotis, Château Baudare et Château Montauriol.

table. Seule la coopérative locale vinifie de l'AOVDQS Lavilledieu.

Côtes-du-Brulhois

Promus VDQS en 1984 après avoir été de simples vins de pays, les Côtes-du-Brulhois couvrent deux petites zones coupées en deux par la Garonne (sud-est de Lot-et-Garonne et ouest de Tarn-et-Garonne). Le terme « Brulhois » vient du verbe « brûler », qui se réfère à une tradition locale utilisée pour la distillation. La patrie de l'Armagnac est toute proche ! L'appellation AOVDQS concerne le vin rouge et un peu de rosé, mais pas de blanc. Les cépages principaux sont le Cabernet-Sauvignon, le Cabernet Franc et le Tannat ainsi que, de façon plus restreinte, le Merlot, le Malbec et le Fer Servadou. Les méthodes de vinification sont simples, avec fermentation et stockage dans des cuves de ciment, pour un vin rouge rustique. Deux coopératives assurent la vinification des raisins récoltés sur 200 ha.

PYRÉNÉES

Carte page XXIII

Les vins produits dans les contreforts des Pyrénées se caractérisent par leur particularisme régional, qu'ils tiennent à conserver. Dès le IXe siècle, les vins de Gascogne, du Béarn et du Pays basque se font un nom en désaltérant les pèlerins en route vers Saint-Jacques-de-Compostelle. Aujourd'hui, les départements du Gers, des Landes et des Pyrénées-Atlantiques ont cinq AOC (Jurançon, Madiran, Pacherenc-du-Vic-Bilh, Irouléguy et Béarn) et deux AOVDQS (Côtes-de-Saint-Mont et Tursan). On ne peut pas parler d'un climat, mais de plusieurs climats, soumis à la fois à l'influence des montagnes et à celle de l'océan Atlantique, et qui se subdivisent en une multitude de microclimats et de sols.

Jurançon

Les vignobles du Jurançon sont situés au pied des Pyrénées, à une altitude moyenne de 300 m, au sud de Pau. L'appellation s'étend sur 976 ha, soit 25 villages, dont Jurançon, perdu aujourd'hui dans la banlieue de Pau, et Monein, autre village notoire. Il s'agit d'une région de polyculture, avec beaucoup de petites parcelles de vigne perdues au milieu de champs et de prés à vaches.

Les cépages et les styles de vin

On connaît plutôt le Jurançon pour ses vins blancs doux, bien qu'il en existe des secs, dotés d'une

appellation particulière, Jurançon Sec. Tous les deux sont composés à partir de cépages très différents de ceux du Bordeaux : Gros-Manseng, Petit-Manseng et Courbu.

Avec le Gros-Manseng, au rendement le plus important, on élabore le vin sec, tandis qu'avec le Petit-Manseng, aux baies très sucrées, on compose un vin plus doux. Ce deuxième cépage a un rendement plus faible et doit faire l'objet de plus de soins. Certains vignerons font l'impasse sur le Courbu ; ils ont l'impression qu'il dénature les Mansengs, en privilégiant la quantité au détriment du goût.

Contrairement à la plupart des autres vins moelleux, la concentration provient du passerillage, processus qui consiste à ramasser les raisins très tard dans la saison. Cette région connaît des automnes longs et ensoleillés, chaudement ventilés par le *froin*, en provenance directe d'Espagne. L'effet cumulé de la chaleur du jour et de la fraîcheur de la nuit recroqueville les baies, pleines d'un jus riche, et il faut procéder à plusieurs cueillettes, ou tries.

Le Jurançon Sec est produit comme la plupart des vins blancs secs, avec plus ou moins de recherche selon le vigneron. Certains l'évitent radicalement, d'autres expérimentent les tonneaux de chêne neuf, tout en étant conscients qu'un séjour trop prolongé risque de dénaturer les arômes délicatement piquants des Mansengs. C'est un vin qui se boit relativement jeune, même s'il devient complexe en vieillissant.

Le Jurançon moelleux vieillit bien en fût de chêne. Une bouteille d'un grand millésime peut côtoyer sans honte un bon Sauternes ; de plus, elle s'enrichit avec le temps.

Madiran, Pacherenc-du-Vic-Bilh

Il s'agit d'appellations jumelles pour le vin rouge (Madiran) et pour le vin blanc (Pacherenc-du-Vic-Bilh), qui concernent 37 villages autour de Madiran (3 dans le Gers, 6 dans les Hautes-Pyrénées et 28 dans les Pyrénées-Atlantiques). Le vignoble couvre 1 598 ha, à environ 40 km au nord de Pau.

Après avoir failli disparaître, le Pacherenc-du-Vic-Bilh fait son grand retour, même si sa production actuelle ne dépasse pas les 600 000 bouteilles (contre 7 millions de bouteilles de Madiran). Vic-Bilh, « vieux pays » en gascon, désignait autrefois la région. Pacherenc est une distorsion du patois « pachet en renc », soit « piquets en rangs » en français, indiquant que les vignes poussaient autrefois sur des piquets alignés.

Les vignes se trouvent sur les premiers contreforts des Pyrénées, avec des natures de sols très variables. Les versants les plus chauds, orientés au sud-ouest, sont aptes à la production de vin rouge, tandis que les versants plus frais, orientés sud-est, conviennent mieux aux cépages blancs. Les gelées tardives de printemps constituent l'un des plus grands dangers pour la récolte ; les étés sont assez chauds pour poser des problèmes de sécheresse. Les automnes, souvent longs et doux, précèdent des hivers particulièrement rigoureux.

Les cépages

Le cépage le plus caractéristique du Madiran est le Tannat, au grain riche en tanin et à la peau dure, qui était au début du siècle l'unique cépage du Madiran. Il arrive qu'on trouve encore ce type de vin, mais on a pris l'habitude d'assouplir les 40 à 60 % de Tannat exigés par l'appellation avec d'autres variétés comme le Cabernet Franc (appelé Bouchy localement) et surtout le Cabernet-Sauvignon.

Pour le Pacherenc-du-Vic-Bilh, les cépages utilisés sont le Gros-Manseng, le Petit-Manseng, le Courbu ainsi qu'une variété locale, Arrufiat ou Ruffiac, qui apporte une note originale.

Aujourd'hui, la grande majorité du Pacherenc-du-Vic-Bilh a tendance à être sec, exhalant des arômes délicats et parfumés, qui rappellent le Viognier de Condrieu, avec une touche d'onctuosité huileuse. Si les raisins sont suffisamment mûrs, on peut élaborer un vin doux, moelleux, au goût de miel, fidèle à l'origine du vin. En effet, comme son voisin le Jurançon, le Pacherenc-du-Vic-Bilh était traditionnellement moelleux, les grappes restant sur pied tard dans l'automne.

Irouléguy

Cette appellation tient son nom d'un petit village du Pays basque, au cœur des Pyrénées, non loin de la frontière espagnole. Après l'invasion phylloxérique du début du siècle, le vignoble du même nom a été abandonné jusqu'à ce qu'il soit replanté juste avant la Seconde Guerre mondiale. C'est ce vignoble qui a servi de base à l'appellation VDQS acquise en 1953, puis à l'appellation contrôlée de 1970. Les vins rouges composent les deux tiers de la production d'Irouléguy, et les blancs, bien qu'ils soient autorisés, restent rares. Le cépage Tannat donne au vin sa couleur foncée, ses arômes et sa richesse, mais les deux Cabernets tiennent également une grande place.

Béarn

Cette appellation comprend trois régions distinctes des Pyrénées : la première, le Jurançon, où les vignerons qui ont du raisin rouge produisent un Rouge de Béarn ; la deuxième, le Madiran, qui produit un Rosé de Béarn ; enfin, la troisième se concentre autour du village de Bellocq et de la pittoresque ville de Salies-de-Béarn. Les vins portent l'étiquette Béarn-Bellocq et peuvent être rouges, rosés ou blancs.

Comme dans tant d'autres endroits, les vignobles ont périclité après la crise du phylloxéra et n'ont dû leur renaissance qu'à la création de la

FRANCE

Cave Coopérative de Salies-de-Béarn-Bellocq en 1947. Son Rosé de Béarn parvient à conquérir une clientèle parisienne et le Béarn est classé VDQS en 1951. Il obtient le statut d'AOC en 1975 pour le rouge, le blanc et le rosé.

Le Tannat est, là encore, le cépage dominant pour le rouge et le rosé, leur apportant structure et corps. Le Cabernet-Sauvignon et le Cabernet Franc ajoutent bouquet et douceur. Le blanc de Béarn-Bellocq est issu du Raffiat de Moncade, un cépage original de la région.

En général, le Béarn est un vin simple et sans prétention. La coopérative de Bellocq est équipée correctement, mais les vins sont légèrement rustiques.

Certains des meilleurs Rouges de Béarn proviennent de la région de Jurançon, où la plupart des producteurs produisent du vin rouge en complément de leur gamme de vins habituelle. Ils peuvent le laisser vieillir quelques mois, ce qui contribue à affiner l'austérité du Tannat et du Cabernet.

Côtes-de-Saint-Mont

Les Côtes-de-Saint-Mont ont commencé comme vins de pays avant d'être promus VDQS en 1981. Grâce notamment aux efforts déployés par la coopérative Union de Plaimont (voir p. 524), ils obtiendront peut-être bientôt le statut d'appellation auquel ils aspirent.

Les vignobles des Côtes-de-Saint-Mont se trouvent sur les flancs des collines qui surplombent l'Adour, autour du petit village de Saint-Mont, au nord de Madiran et à l'est d'Aire-sur-l'Adour. Prolongement naturel des vignobles de Madiran et de Pacherenc-du-Vic-Bilh, ils utilisent des cépages identiques.

Tursan

Le Tursan est une AOVDQS à la pointe sud-est de la forêt des Landes, avec la petite ville de Geaune au centre. Vieille-Tursan est le plus important des 27 villages de la région, mais le plus célèbre est sans conteste Eugénie-les-Bains, grâce à la présence d'un des meilleurs chefs de France, Michel Guérard, qui y officie dans son hôtel-restaurant.

À l'origine, c'est le vin blanc qui a établi la renommée de Tursan, et il constitue encore un peu plus de la moitié de la production. Le rouge et le rosé n'ont fait leur apparition que dans les années 1960. Le cépage principal du Tursan blanc est le Baroque, sans grand intérêt. D'autres cépages ont récemment été autorisés, dans un souci d'apport d'arômes et de fraîcheur ; par exemple le Sauvignon, qui peut participer à hauteur de 10 %. Le Tursan blanc est un vin assez frais, avec une acidité fruitée. Le Tursan rouge, issu de Tannat, de Cabernet-Sauvignon et de Cabernet Franc, a un goût plutôt rustique. Le vin blanc de Tursan a un plus bel avenir.

PRODUCTEURS ET NÉGOCIANTS

Les coopératives constituent le nerf de la viticulture pyrénéenne, mais les appellations Jurançon, Madiran et Pacherenc-du-Vic-Bilh voient fleurir un nombre croissant de producteurs indépendants de très bonne réputation.

JURANÇON

DOMAINE CAUHAPÉ
Henri Ramonteu a fait plus que quiconque pour rehausser la réputation de son appellation. Il élabore trois vins secs : un standard, une cuvée bois qui, comme son nom l'indique, fermente dans le bois, et y vieillit pendant sept mois, et une cuvée Vieilles Vignes, issue de vignes de 80 ans, vinifiée après 24 heures de macération pelliculaire.
Ses vins moelleux sont tout aussi variés. Un premier provient de Gros-Manseng récolté début novembre, comme le veut la tradition ; un second, le Vendange Tardive, provient de Petit- et de Gros-Manseng à parts égales cueillis une ou deux semaines plus tard, et mûrit dans le bois pendant 12 mois. Le Noblesse de Petit-Manseng qui, comme son nom l'indique, est issu uniquement de Petit-Manseng, séjourne 18 mois dans le bois, fermentation comprise. Le Quintessence du Petit-Manseng, dont les raisins restent sur pied jusqu'au début de décembre, n'est élaboré que les meilleures années. Les rendements sont très faibles, et le vin reste 18 mois dans le chêne.

CAVE COOPÉRATIVE DE GAN
La coopérative du village de Gan a servi à améliorer l'image du Jurançon, notamment avec sa figure de proue : le Château les Astous.

CHÂTEAU JOLYS
Il s'agit du plus grand domaine de l'appellation, avec 12 ha de Petit-Manseng et 25 ha de Gros-Manseng. Trois vins sont proposés : un sec, un moelleux et un supermoelleux, la Cuvée Jean, réservée aux meilleures années.

AUTRES PRODUCTEURS
Charles Hours à Clos Uroulat ; Clos Cancaillau et Domaine Dru-Baché.

MADIRAN, PACHERENC-DU-VIC-BILH

CHÂTEAU BOUSCASSÉ
Alain Brumont mène la danse dans les deux appellations ; il possède également Château Montus. Il a provoqué un certain émoi en 1982 lorsqu'il a acheté certaines barriques de Château Margaux d'un an d'âge dans le Médoc. Depuis, plusieurs viticulteurs ont suivi son exemple. En effet, l'oxygénation est une partie importante du processus, qui assouplit le vigoureux Madiran, mais – quelquefois – l'abondance de chêne nuit aux arômes et au bouquet du vin. Le Madiran est à son apogée après un vieillissement de quelques années en bouteille. Alain Brumont peut se vanter de produire l'un des meilleurs vins rouges du Sud-Ouest.

AUTRES PRODUCTEURS
François Laplace au Château d'Aydie ; Domaine du Crampilh ; Jean-Marc Laffitte du Domaine Laffitte-Teston ; Patrick Ducournau de la Chapelle Lenclos.
Les coopératives sont importantes dans ces appellations. L'Union Plaimont (voir ci-après) produit une quantité considérable de Madiran, de même que la coopérative du village de Crouseilles. Celle de Saint-Mont a même contribué à la renaissance du Pacherenc-du-Vic-Bilh.

IROULÉGUY

CAVE COOPÉRATIVE DES VINS D'IROULÉGUY ET DU PAYS BASQUE
La coopérative d'Irouléguy, avec ses 50 membres, est le producteur principal. Les méthodes restent traditionnelles : après égrappage, on opère deux ou trois remontages au cours d'une fermentation de huit jours. →

PRODUCTEURS ET NÉGOCIANTS

Ensuite, le vin est conservé quelques mois dans des cuves avant sa mise en bouteilles. Il gagne à être consommé jeune.

AUTRES PRODUCTEURS
Deux autres producteurs sont à signaler : Jean Brana, négociant à Saint-Jean-Pied-de-Port et Domaine Ilarria.

BÉARN

LES VIGNERONS DE BELLOCQ
La coopérative du village est le producteur principal. Ses caves sont bien équipées, mais les vins (rouge, rosé, blanc) ont un parfum assez rustique.

CÔTES-DE-SAINT-MONT

UNION PLAIMONT
La dynamique coopérative de Saint-Mont contrôle la quasi-totalité de la production : renouvellement des équipements de vinification. Vendanges manuelles pour ne pas abîmer les grappes et éviter l'oxydation. Restriction de la quantité de raisins cueillis et vinifiés chaque jour pour ne pas surcharger les infrastructures. Contrôle attentif de la température pour une fermentation pratiquée dans des cuves en acier inoxydable. Les coûteuses barriques de chêne neuf, introduites récemment, sont utilisées avec succès.
La gamme de base se vend sous l'étiquette Cuvée Tradition ; les vins Cuvée Privilège séjournent quelque temps dans le chêne, tandis que les Collection Plaimont y restent plus longtemps.
La coopérative se consacre également à deux propriétés : Château de Sabazan et Château de Saint-Go. Bien que principalement intéressée par le vin local, elle produit également un bon Madiran, du Pacherenc-du-Vic-Bilh et du Vin de Pays des Côtes de Gascogne (en rouge, rosé, et en blanc).

TURSAN

CHÂTEAU DE BACHEN
Même si, officiellement, le vin blanc est issu à 90 % du cépage Baroque, cette propriété cultive également du Gros et du Petit-Manseng et du Sémillon, pour améliorer le goût du vin.

LES VIGNERONS DE TURSAN
La production est dominée par la coopérative locale. La coopérative gère actuellement le Domaine de la Castêle, où la nouveauté consiste à faire fermenter et vieillir le vin dans le chêne. Bien que ce procédé puisse réveiller le terne cépage Baroque, il risque aussi de masquer les arômes du raisin.

AVEYRON ET QUERCY

Carte page XXII

Le département de l'Aveyron possède une appellation d'origine contrôlée, Marcillac, et trois zones AOVDQS, Côtes-de-Millau, Vins d'Entraygues et du Fel et Vins d'Estaing. La région du Quercy produit une AOVDQS, Coteaux du Quercy, sur une zone de 420 ha qui s'étend au sud de Cahors, à cheval sur les départements du Lot et de Tarn-et-Garonne. Le cépage principal est le Cabernet Franc.

Marcillac

L'appellation de Marcillac est la plus prospère, grâce à la création d'une coopérative en 1965. Le statut d'AOC a été attribué en 1990. La coopérative compte 55 membres, soit 100 ha de vignes sur un total de 156 ha dans l'appellation. On plante de jeunes ceps et on restaure les terrasses en ruine.

Dans cette contrée, le regard s'attarde sur de belles rangées de vignes à flanc de coteau ou sur quelques pieds accrochés sur des escarpements entre 300 et 600 m d'altitude. Le sol se compose principalement de grès rouge. Les gelées printanières étant fréquentes, on ne cultive pas les versants les plus bas et les plus exposés au gel.

Le Fer Servadou, ou Mansois, représente 90 % des vignes. Il donne des vins rouges merveilleusement originaux, avec un certain goût épicé et un parfum de cassis. Les méthodes de vinification sont classiques, et le vin séjourne généralement quelque temps dans le bois (la coopérative utilise des cuves). Bien que les Marcillacs se boivent jeunes, certains méritent de vieillir.

Vins d'Entraygues et du Fel

Avant l'épidémie de phylloxéra, certains de ces vins montaient jusqu'à Paris. Il reste aujourd'hui 10 ha de vignes, tenus principalement par deux familles. Le minuscule Le Fel est renommé pour son vin rouge, et Entraygues pour son vin blanc. Aujourd'hui, la zone AOVDQS couvre les trois couleurs : le blanc à base de Chenin Blanc, le rouge et le rosé de Fer Servadou et de Cabernets. Les méthodes restent rustiques, comme il convient à un vignoble « perdu ».

Vins d'Estaing

Les 7 ha de la plus petite AOVDQS de France se situent plus haut dans la vallée du Lot. Les méthodes sont traditionnelles. Le meilleur vin est le blanc (Chenin Blanc assagi par du Mauzac). Le rosé est assez fruité et le rouge un peu âpre (Gamay, Cabernet Franc et Fer Servadou).

Côtes-de-Millau

Cette AOVDQS, qui s'appelait jusqu'en 1993 Vin de Pays des Gorges et Côtes de Millau, couvre environ 50 ha de vignobles près de Roquefort et des gorges du Tarn. La coopérative d'Aguessac est le producteur principal, avec du rouge, du rosé et du blanc.

Coteaux du Quercy

Devenu AOVDQS en 1997, ce vin surtout rouge est produit par trois caves : les Côtes d'Olt ; La Ville-Dieu-du-Temple ; et principalement les Vignerons du Quercy, à Montpezat-de-Quercy.

LES VINS DE PAYS

Les vins de pays tiennent une place importante dans le Sud-Ouest. Beaucoup d'entre eux viennent en deuxième position dans une appellation géographique. Ainsi, le Vin de Pays des Côtes du Tarn est dans l'AOC de Gaillac. Les deux vins proviennent des mêmes raisins : le producteur sélectionne les meilleurs vins pour l'AOC et vend le reste comme vin de pays.

VIN DE PAYS DES CÔTES DE GASCOGNE

Ce vin de pays s'est fait une place tout seul au fur et à mesure que les ventes d'Armagnac déclinaient. La région délimitée couvre le Gers.

Le vin blanc, produit à 80 %, est plus réputé. L'Ugni Blanc lui donne de la fraîcheur, et le Colombard lui apporte du fruité. Toutefois, des vignerons audacieux expérimentent d'autres cépages. Une fermentation en blanc classique est pratiquée à basse température. On pratique aussi la macération pelliculaire afin de rehausser les arômes des cépages blancs qui ont tendance à être assez neutres. On propose des vins « cuvée bois » élevés en fûts de chêne neuf ainsi que d'occasionnels vins moelleux, résultats de vendanges tardives. Les Côtes-de-Gascogne blancs se consomment dans leur plus tendre jeunesse pour leur fraîcheur et leur fruité. Les rouges restent assez rustiques. Le plus grand producteur est l'Union Plaimont. La famille Grassa a beaucoup fait pour promouvoir le vin : ses quatre propriétés sont les Domaines de Tariquet, de Rieux, de la Jalousie et de Plantérieu. On citera également Domaine de San de Guilhem et Domaine de Saint-Lannes.

VIN DE PAYS DES TERROIRS LANDAIS

« Vin de pays de zone » du département des Landes avec quatre secteurs de production distincts : les Sables de l'Océan, les Coteaux de Chalosse, les Côtes de l'Adour et les Sables Fauves. La moitié de la production est constituée de vin blanc, un tiers de vin rouge, et le reste de rosé.

VIN DE PAYS DES COTEAUX DE GLANES

Le Gamay et le Merlot sont les deux cépages de petites quantités d'un vin rouge doux et fruité produit dans le haut Quercy (département du Lot).

VIN DE PAYS DU COMTÉ TOLOSAN

Il s'agit d'un vin de pays régional qui couvre non moins de 11 départements de Midi-Pyrénées. Les vins rouges prédominent, avec une petite quantité de blancs et de rosés, composés à partir de cépages locaux et classiques.

ITALIE

Carte page XXIV

En Italie, la vigne est cultivée d'un bout à l'autre du pays et la diversité des vins y défie – et ravit – l'amateur. Chacune des régions de ce pays si varié est d'une grande fidélité à ses traditions locales. Cela donne près de 300 zones viticoles officielles et environ un million de producteurs. L'Italie propose tous les styles de vin, y compris de nombreux vins mutés et effervescents, et tire parti d'une myriade de microclimats et de sites pour accentuer encore cette diversité. Dans les pages suivantes, ce pays a été divisé en trois grandes zones : Nord, Centre, Sud et îles. Le Nord englobe une série de régions viticoles d'ouest en est, surtout situées sur les contreforts des Alpes et des Apennins. C'est ici que l'on trouve les grands vins du Piémont, comme le Barolo et le Barbaresco, de vastes vignobles consacrés à la production de Mousseux et de nombreuses régions productrices de vin rouge et, davantage encore, de vin blanc. Le Centre englobe la Toscane et ses alentours. Les vignobles toscans du Chianti sont aujourd'hui encore au premier rang des régions italiennes pour les vins de qualité. Au bord de la mer, dans des zones autrefois considérées comme impropres à la viticulture de qualité, et sur les contreforts voisins, de nouveaux terroirs se font activement une place au soleil. Cette fièvre de qualité se fait également sentir dans les régions voisines, de l'Ombrie aux Marches et aux Abruzzes. Le sud de la péninsule ainsi que les îles de Sicile et de Sardaigne maintiennent la tradition méditerranéenne, avec notamment des vins doux à fort degré, des rouges puissants et des spécialités comme le Marsala.

Tradition et évolution

La longue tradition viticole de l'Italie lui a valu d'hériter de certains vins absolument magnifiques, d'un grand nombre de vins de caractère et d'une multitude de vins très ordinaires.

Les années 1980 et surtout 1990 virent cependant l'Italie gagnée par le phénomène d'internationalisation du vin, avec des consommateurs plus critiques sur le plan national et des marchés extérieurs très conscients de la qualité et de la valeur des vins provenant du Nouveau Monde et d'Europe. Les vignerons italiens commencèrent à modifier leur attitude et leurs techniques. On prit conscience des limitations de la législation existante et des traditions autochtones. À Londres, Paris, New York ou ailleurs, on commença à apprécier la qualité de certains grands vins italiens. Si l'Italie reste largement indépendante sur le plan viticole – elle cultive ses propres cépages, fort nombreux, boit son propre vin et en importe relativement peu –, l'évolution a néanmoins été considérable et se poursuit.

La législation viticole

La législation viticole italienne s'est transformée à mesure que sont devenues évidentes les limites de la loi de 1963 sur les appellations. Cette loi, plus ou moins apparentée au système français des AOC, a introduit le concept de zone DOC *(denominazione di origine controllata)*, secteur où l'on fait un certain style de vin, d'une manière spécifique. Le législateur a laissé une grande place à la tradition vinicole, mais trop de DOC reflètent en réalité une façon désuète de produire un vin assez médiocre.

La nouvelle loi, adoptée en 1992, entre graduellement en vigueur, et les mutations qu'elle entraîne sont loin d'être terminées. Baptisée loi Goria, du nom du ministre Giovanni Goria, responsable de sa promulgation, elle a redéfini une pyramide de qualité. Tout en bas, on trouve le simple *vino da tavola,* vin de base pouvant être étiqueté rouge *(rosso),* blanc *(bianco)* ou rosé *(rosato),* mais sans mention de cépage ni de localité. La catégorie suivante, analogue à celle du vin de pays français, est celle des vins à *indicazione geografica tipica* (IGT) : ce vin provient d'une zone déterminée, qui peut être vaste (à l'échelle régionale ou même interrégionale) ou très restreinte (une seule commune), et le nom du cépage peut figurer sur l'étiquette. À ce jour, 117 vins IGT ont été reconnus. Viennent enfin les appellations DOC et DOCG, comme auparavant. La loi Goria prévoit la possibilité de supprimer des DOC sous-utilisées et de promouvoir au statut de DOCG les DOC ayant le plus de succès. On retrouve ainsi les grandes lignes du système français, qui permet une surveillance constante des AOC et leur adaptation en cas de nécessité.

Un élément nouveau réside dans l'utilisation de noms de vignoble, domaine et commune dans le cadre des DOC et DOCG. La nouvelle loi autorise la mention (par ordre décroissant de taille) de sous-zones, communes, localités, micro-zones, domaines et même parcelles spécifiques. Un travail gigantesque est en cours pour définir toutes ces zones et en dresser la liste. Cela rend toute son importance à la notion de site (ou terroir) dans le système qualitatif légal.

Enfin, la loi permet une évaluation des vins au moment de la vendange : s'ils ne remplissent pas certaines conditions, ils seront déclassés – passant par exemple d'une sous-zone spécifique à l'appellation DOC générique.

Les régions viticoles

Les vingt régions administratives d'Italie ont chacune leurs vignobles. Chacune possède sa propre gamme de microclimats et de sols, et la nature montagneuse d'une grande partie du pays fait que les conditions peuvent varier considérablement à quelques kilomètres près. Les généralités sur les zones viticoles ne sont donc d'aucune aide. Pour porter la confusion à son comble, les zones DOC se chevauchent parfois et les producteurs font du vin dans plusieurs d'entre elles. On peut néanmoins établir quelques grandes distinctions d'un bout à l'autre du pays. Le nord-est de l'Italie a quelques points communs avec l'Autriche et la Suisse, pays producteurs de blancs frais et légers, mais on y trouve aussi nombre de vins structurés, aux arômes et au corps bien développés. L'Extrême Sud prolonge la tradition méditerranéenne des vins puissants et forts en alcool. Entre les deux, de nombreuses régions, comme la Toscane, l'Ombrie, les Marches et les Abruzzes, offrent d'excellentes conditions pour la production de vins rouges et blancs.

Les cépages

L'Italie compte d'innombrables cépages autochtones. Avant la loi Goria, la plupart des règlements d'appellation excluaient l'emploi des cépages français si convoités dans tous les vignobles du monde, alors que ceux-ci étaient de plus en plus cultivés, vinifiés et diffusés en *vini da tavola.* L'une des raisons ayant poussé les vignerons à se détourner du système des DOC a justement été l'exclusion des cépages non traditionnels. Certaines DOC admettent néanmoins depuis toujours des variétés comme le Merlot, le Pinot Blanc et le Pinot Gris, introduites dans le nord de l'Italie au XIXe siècle. Quant au Cabernet-Sauvignon, son apparition en Toscane, dans la région du Chianti, date d'il y a deux siècles. La liste des cépages italiens s'allonge encore en raison de la profusion de clones et de sous-variétés.

Les variétés suivantes figurent parmi les principaux cépages italiens :

LIRE UNE ÉTIQUETTE DE VIN ITALIEN

ZONES ET NIVEAUX DE QUALITÉ

Les vins de qualité sont issus de zones réglementées, indiquées sur l'étiquette par la mention *denominazione di origine controllata* (DOC).

Denominazione di origine controllata e garantita (DOCG) désigne un niveau de qualité supérieur, répondant à des exigences plus strictes.

Vino da tavola signifie vin de table. Il s'agit le plus souvent de vins ordinaires, mais certains sont produits dans des zones DOC sans respecter les règles de l'appellation.

Indicazione geografica tipica (IGT) désigne un vin d'une catégorie intermédiaire entre DOC et *vino da tavola,* ayant une origine déterminée.

PRODUCTEURS ET VIGNOBLES

Les mots les plus courants pour désigner une propriété sont *fattoria, podere, tenuta* et *azienda agricola :* leur mention sur l'étiquette implique que le vin est mis en bouteilles à la propriété. Des vignobles spécifiques peuvent être identifiés par les termes *tenuta* (domaine), *podere* (ferme), *vigna* ou *vigneto*. Une *cantina sociale* est une coopérative.

STYLE ET QUALITÉ

Riserva ou *vecchio* s'applique à un vin DOC ou DOCG ayant subi un vieillissement plus long que la moyenne, en fût et/ou en bouteille. *Superiore* signifie que le vin a un peu plus d'alcool que le vin DOC standard. *Classico* se réfère à une zone restreinte, en général le cœur historique d'une DOC. *Novello* désigne un vin nouveau. *Secco* veut dire sec, *abboccato* légèrement doux, *amabile* un peu plus doux, et *liquoroso* un vin muté, généralement doux, *frizzante* légèrement pétillant, et *spumante* un vrai Mousseux, qui peut être étiqueté *metodo tradizionale, metodo classico* ou *talento,* s'il a été vinifié selon la méthode de la seconde fermentation en bouteille.

BARBERA : originaire du Piémont et désormais très répandue, elle produit plusieurs styles de vins rouges.

MALVASIA : cette famille de cépages d'origine très ancienne présente généralement des arômes marqués et peut donner des vins secs ou doux, sombres ou clairs, notamment dans le sud de la péninsule.

MONTEPULCIANO : il offre de vigoureux vins rouges en Italie centrale.

NEBBIOLO : c'est le roi des cépages rouges du Piémont, auquel on doit les vins de Barolo et de Barbaresco.

SANGIOVESE : cépage rouge du Chianti et d'autres zones d'Italie centrale.

TREBBIANO : cépage blanc dominant dans le centre et le nord de l'Italie.

Il faut encore citer le Primitivo, cépage rouge du sud de l'Italie, dont on pense qu'il est identique au Zinfandel californien.

PIÉMONT

Carte page XXIV

De la fraîche saveur d'amande de ses vins blancs secs au charme puissant d'un grand Barolo rouge, le Piémont offre des délices peu communes. Cette région du nord-ouest de l'Italie est à l'origine de vins uniques et passionnants, issus pour la plupart de cépages autochtones.

Le vignoble piémontais est le sixième d'Italie par la taille, bien que la région compte environ 43 % de sa superficie en zone montagneuse, souvent trop abrupte pour la culture de la vigne. Le Pô divise le Piémont en deux parties distinctes. Au sud du fleuve et au sud-est de Turin se trouvent la ville d'Alba et les collines de Monferrato et des Langhe. Cette région enregistre l'essentiel de la production piémontaise de raisin, dans de nombreuses DOC qui se chevauchent. Les collines des Langhe aux pentes escarpées abritent plusieurs DOC, ainsi que les illustres vins rouges DOCG de Barolo et de Barbaresco. Au nord du Pô, le vignoble occupe le sol rocailleux des basses collines alpines, entre Carema, à l'ouest, et Novare, à l'est.

Le style du Barolo

Depuis des siècles, Barolo est un nom magique. Les dégustateurs découvrant les charmes de ce vin lui trouvent des arômes de goudron, violette, chocolat, prune, tabac, truffe ou fumée automnale. Dans les bonnes années, les vins des meilleurs producteurs peuvent réellement offrir toutes ces nuances.

Le Barolo est issu du cépage Nebbiolo. Le vin présente une robe d'un rouge grenat intense, une texture dense et veloutée, des saveurs qui emplissent la bouche et persistent longuement, tout comme son bouquet. Une solide acidité vient compléter un fruité d'une exceptionnelle concentration. Le vin compte au moins trois ans de vieillissement, dont deux en fût, avant sa commercialisation. Il réclame un vieillissement ultérieur en bouteille, qui peut aller jusqu'à vingt ans.

La qualité du Barolo dépend beaucoup du vinificateur, du millésime et de l'emplacement du vignoble. Le Nebbiolo donne ses meilleurs résultats sur un sol de marnes calcaires, dans un climat frais. Comme en Bourgogne, les producteurs mentionnent souvent le nom du vignoble sur l'étiquette pour en signaler la qualité (bien qu'il n'existe pas de hiérarchie officielle des crus).

Depuis la fin des années 1970, on a eu une tendance à produire des vins pouvant être bus bien plus tôt. Traditionnellement, le vin fermentait au contact des peaux pendant une période pouvant durer deux mois, pour être ensuite élevé pendant des années dans de grands foudres de chêne ou de châtaignier appelés *botti*. Les vins ainsi vinifiés bénéficient d'un fruité d'une rare concentration et sont extrêmement tanniques : ils exigent au moins dix ans de bouteille pour arriver à maturation. Certains vignerons continuent de produire ce vin majestueux, quoique leurs méthodes aient un peu changé et que les rendements aient diminué pour favoriser la concentration aromatique. Mais la plupart des producteurs écourtent aujourd'hui la macération pelliculaire – dix-sept jours en moyenne – et laissent le vin en fût pendant la durée minimale prévue par la loi, c'est-à-dire deux ans. Certains utilisent de petits fûts (au lieu de *botti)* pour tout ou partie du vieillissement. Ces Barolo peuvent être bus dans les cinq ou six ans suivant la vendange.

Dans les deux cas, le Barolo présente toujours beaucoup de structure et de complexité. Ce n'est pas un vin à lamper hâtivement et son attrait n'est pas forcément immédiat pour les néophytes, mais il réserve de grands bonheurs à qui prend la peine de le découvrir.

Le Barbaresco

À l'est de Barolo, dans les collines des Langhe, s'étend la zone du Barbaresco DOCG. Les vignes de Nebbiolo sont plantées entre 200 et 350 m d'altitude ; le climat est plus sec et plus chaud qu'à Barolo. La réglementation n'exige ici que deux années de vieillissement, dont une en fût. Comme toujours avec le Nebbiolo, le site joue un rôle important. De même que dans le cas du Barolo, les styles diffèrent : il y a les traditionalistes et les tenants d'une approche plus internationale. En général, le Barbaresco présente un parfum grisant évoquant la violette. Son fruité intense s'accompagne d'une belle acidité et de tanins marqués. Certains vins peuvent exiger jusqu'à dix ans de bouteille, mais la plupart sont prêts au bout de quatre ou cinq ans.

Les autres vignobles au sud du Pô

Dans le sud-est du Piémont, les principaux cépages rouges sont le Nebbiolo, la Barbera et le Dolcetto.

Autour de la ville d'Alba, entre les zones DOCG de Barolo et de Barbaresco, on produit du Nebbiolo d'Alba DOC sur des sols argilo-siliceux. Le Nebbiolo d'Alba est d'un style variable, mais généralement moins puissant que ses célèbres voisins, et il est à boire dans les trois ou quatre ans.

La Barbera est le cépage rouge le plus planté d'Italie. Il connaît un regain de prestige dans son Piémont natal et donne un délicieux vin rouge sec et vif, dont les arômes évoquent la mûre, la framboise et la réglisse. Il atteint son apogée au bout de deux à quatre ans. Le Barbera del Monferrato DOC est un vin léger, souvent *frizzante.* Le Barbera d'Alba DOC a plus de corps. C'est cependant dans la province d'Asti que ce cépage atteint son sommet. Le Barbera d'Asti DOC a une texture soyeuse et un fruité opulent relevé par une plaisante acidité.

Les vins issus du Dolcetto, appréciés pour leur côté gouleyant, sont produits dans sept DOC au sud-est du Piémont. Ils ont une robe couleur de mûre avec de vifs reflets roses, sont fermes en bouche et bien structurés, avec un bouquet et une saveur très fruités. La plupart sont faits pour être bus jeunes, dans les deux ou trois ans suivant la vendange. Parmi les autres cépages rouges autochtones, il faut encore citer le Grignolino, le Brachetto et la Freisa. Le Grignolino donne des vins clairs et légers aux arômes floraux, au goût sec et très légèrement amer. Le Brachetto d'Acqui – promu DOCG en 1996 – est un vin rouge doux, tranquille ou *spumante,* dont les arômes rappellent la violette et la fraise. Les vins de Freisa ont une nuance cerise pâle et un succulent goût de framboise. Ce vin très gouleyant existe en plusieurs versions – sec, doux, pétillant.

Vins blancs et mousseux

Le principal cépage blanc du Piémont méridional est l'aromatique Muscat blanc à petits grains, dont est issu l'Asti Spumante DOCG, l'un des Mousseux les plus célèbres du monde. Ce vin est produit par une méthode régionale traditionnelle, comportant une seule fermentation en cuve close. Le moût est filtré sous pression avant la fin de la fermentation, ce qui donne un vin naturellement effervescent, doux et faible en alcool (entre 7 et 9,5 % vol.). Le Muscat est aussi à l'origine de l'élégant Moscato d'Asti DOCG, tranquille et encore plus pauvre en alcool (entre 4,5 et 6,5 % vol.). Ces vins devraient être bus aussi jeunes que possible, tant qu'ils conservent leur arôme de raisin frais. La zone de production

LES FACTEURS DE QUALITÉ

En Piémont, les notions de microclimat et de terroir jouent un grand rôle. Conscients de l'importance du sol, les vignerons sont fiers de leurs parcelles et mentionnent souvent sur l'étiquette le vignoble (par les termes de *vigneto* ou *vigna,* « cru ») et ses particularités.

CLIMAT ET MILLÉSIMES

En automne, un brouillard épais recouvre souvent les vallées. L'hiver est humide, froid, et il neige même parfois. Au printemps, moment crucial pour la vigne, il peut y avoir de la pluie et de la grêle, tandis que l'été peut être très chaud. En règle générale, cinq à huit millésimes de Barbaresco et de Barolo sur dix seront réussis. Un millésime médiocre sera le plus souvent le résultat d'un été maussade ou de pluies pendant les vendanges. Selon les cépages, un mauvais millésime pour tel vin peut être bon pour d'autres.

SOLS

Dans les collines des Langhe, ainsi que dans d'autres zones du Sud-Est, les sols alcalins prédominent, étant avant tout calcaires avec diverses proportions de sable et d'argile. Les communes de Barolo se distinguent toutefois nettement par leur type de sol. Monforte d'Alba, Castiglione Falletto et Serralunga d'Alba ont un sol teinté de bleu, à base de marnes calcaires riches en magnésium et en manganèse. Ici, les vins sont parfois qualifiés d'« héroïques », en raison de leur texture veloutée et de leurs arômes profonds. La Morra se trouve sur un sol constitué de marnes calcaires de couleur beige, riches en fer. Les vins produits sont très aromatiques, de grande longévité. Quant à la commune de Barolo, elle réunit des éléments de ces deux zones. Dans la zone de Barbaresco, le climat est plus chaud et plus sec, mais les sols sont semblables, avec une acidité marquée sur les pentes plus basses.

SITES ET EXPOSITIONS

Le Piémont est la région d'Italie qui a poussé le plus loin l'identification des différents emplacements du vignoble et de ses caractéristiques. Les étiquettes vont, par exemple, jusqu'à indiquer *sorì,* qui signifie « orienté au sud », ou *bricco* ou *bric,* « crête ». Les vignobles de Barolo et de Barbaresco sont d'ordinaire plantés sur des coteaux orientés au sud, à une altitude de 250 à 450 m. De faibles différences d'ensoleillement ou d'exposition au vent peuvent entraîner des variations dans la maturation du Nebbiolo. Les vignobles situés à plus haute altitude et plus au frais sont souvent plantés en Barbera, un cépage qui supporte mieux les variations climatiques.

traditionnelle se concentre autour de la ville de Canelli, dans la province d'Asti, et s'étend jusqu'aux provinces de Cuneo à l'ouest et Alessandria à l'est. Cette région a été promue Asti DOCG en 1993.

Les vins blancs secs issus du cépage Cortese sont vifs et délicatement fruités, avec une note citronnée. Le meilleur exemple en est le Gavi DOCG, produit dans la partie orientale des collines de Monferrato, à la lisière de la Ligurie ; les vins y présentent une certaine plénitude et une texture soyeuse. Il existe aussi en versions *frizzante* et *spumante*. Le Gavi devrait être bu dans les deux ans bien que, les bonnes années, les vins des meilleurs producteurs puissent facilement dépasser cette limite.

La zone du Roero DOC est formée par des collines assez élevées au nord de la ville d'Alba. Les sols sont surtout sablonneux, riches en fossiles et sensibles à l'érosion ; ils conviennent fort bien à la production de vins blancs aromatiques au charme simple et direct. L'Arneis, un cépage blanc local, donne un vin sec et vif, souple et frais en bouche. Il vaut mieux le boire dans les deux ans. On trouve également ici du vin rouge à base de Nebbiolo.

Le nord du Piémont

Le principal cépage blanc est ici l'Erbaluce, cultivé autour du village de Caluso, dans les collines de Canavese, au nord de Turin. Quand ils sont secs, les vins de Caluso DOC sont vifs et légèrement parfumés ; ils peuvent être tranquilles ou effervescents. Lorsque les baies d'Erbaluce sont à demi passerillées avant le pressage, elles donnent un vin tenant du nectar, appelé Caluso *passito,* velouté en bouche et doté d'amples arômes de noisette grillée et de miel. Mais le volume ainsi produit est infime. On trouve aussi du Caluso *liquoroso,* c'est-à-dire muté.

Les vignobles entourant la petite ville de Carema, à la frontière entre le Piémont et le Val d'Aoste, produisent l'un des meilleurs rouges de Nebbiolo (appelé ici Picutener, Pugnet ou Spanna). Ce cépage est sensible aux variations climatiques et donne dans ces terrains glaciaires des vins d'un style plus léger que les Nebbiolo du Sud. Le Carema DOC est issu à 100 % du Nebbiolo, et son élevage dure quatre ans – dont deux au moins en petits fûts de chêne ou de châtaignier. Il devrait être bu entre sa quatrième et sa sixième année.

Dans les collines de Vercelli et de Novare, le principal cépage rouge est encore le Nebbiolo, assemblé d'ordinaire avec la Vespolina locale et/ou la Bonarda. Les meilleurs vins ont de l'élégance et un séduisant arôme de violette. On peut généralement les boire quatre à cinq ans après la vendange. Le vin le plus connu est le Gattinara DOCG ; les vins DOC de Lessona, Bramaterra, Boca, Sizzano et Fara sont des raretés, tout comme le Ghemme DOCG.

PRODUCTEURS ET NÉGOCIANTS

Toujours plus nombreux, les producteurs piémontais de qualité produisent souvent des vins dans nombre d'appellations. La liste ci-dessous est donc très loin d'être exhaustive.

SUD DU PIÉMONT

Le sud du Piémont regroupe les provinces de Cuneo, Asti et Alessandria. On y trouve beaucoup d'appellations célèbres, à commencer par les DOCG de Barolo, Barbaresco et Asti (récemment rejointes par celles de Brachetto d'Acqui et Gavi), ainsi que des vins issus de Dolcetto, de Barbera et de Nebbiolo dans toute une série de DOC qui se chevauchent.

ELIO ALTARE
À La Morra, Elio Altare vinifie de magnifiques Barolo, un bon Dolcetto d'Alba et deux superbes Langhe DOC rouges, le Larigi et l'Arborina.

FRATELLI BERA
Ce domaine de La Morra présente une gamme très réussie (Barbera d'Alba, Langhe Rosso Sassisto, Moscato Su Reimond et Asti Spumante).

BRAIDA-BOLOGNA
Le Barbera d'Asti DOC reste à l'honneur avec trois crus (Bricco della Bigotta, Bricco dell'Uccellone, Ai Suma), mais il y a aussi les DOCG Brachetto d'Acqui et Moscato d'Asti. Bon Monferrato Rosso Il Bacialé.

FRATELLI CAVALLOTTO
Bons Barolo de style traditionnel (Bricco Boschis en tête), savoureux Dolcetto et Barbera d'Alba.

CERETTO
Les Bricco Asili (Barbaresco) et Bricco Rocche (Dolcetto) de ces huit domaines, totalisant 80 ha de vignes, ont la vedette, mais la qualité est générale.

PIO CESARE
Ce grand négociant d'Alba offre une gamme de vins denses et amples. En vedette, les Barolo Ornato et Barbaresco Il Bricco, mais aussi le Chardonnay Piodilei et le Barbera d'Alba Fides.

MICHELE CHIARLO
Une signature fiable pour l'ensemble du Piémont. Crus prestigieux à Barolo (Cerequio, Cannubi, Vigna Rionda) et Barbaresco (Asili, Rabajà). Excellents Barbera d'Asti, Gavi, Moscato d'Asti Smentiò et Barilot, un savoureux *vino da tavola.*

QUINTO CHIONETTI & FIGLIO
Voici un pionnier du Dolcetto dont on s'arrache les deux excellents crus (Briccolero et San Luigi).

DOMENICO CLERICO
L'un des meilleurs vignerons du Barolo nouveau style. À Monforte d'Alba, il produit deux Barolo d'élite (Pajana, Ciabot Mentin Ginestra) et d'autres vins toujours remarquables, comme le Langhe Arte et le Langhe Dolcetto Visadì.

PODERI ALDO CONTERNO
Un grand nom du Barolo, dont les vins illustrent le meilleur de l'école dite traditionnelle, avec une gamme où brillent notamment les Barolo Colonnello, Gran Bussia, Cicala. Très bons vins DOC Barbera d'Alba Conca Tre Pile, Dolcetto d'Alba, Langhe Bussiador (Chardonnay) et Langhe Favot (Nebbiolo).

GIACOMO CONTERNO
Dans ce vignoble de Monforte d'Alba, on produit de très beaux Barolo « traditionnels » de longue garde (Cascina Francia, Monfortino *riserva),* ainsi que de bons Dolcetto et Barbera d'Alba.

CONTERNO FANTINO
Réputé pour deux grands Barolo (Sorì Ginestra et Vigna del Gris) et le succulent Langhe Rosso Monprà. Savoureux Barbera, Dolcetto et Freisa.

LUIGI COPPO & FIGLI
À l'actif de ce négociant de Canelli, on compte de bons Mousseux, mais surtout l'IGT Chardonnay Monteriolo ainsi que les Barbera d'Asti Pomorosso et Camp du Rouss.

PRODUCTEURS ET NÉGOCIANTS

MATTEO COREGGIA
Chef de file du Roero, ce domaine à Canale est dirigé par un jeune vigneron qui élabore de splendides Barbera d'Alba Marun et Nebbiolo d'Alba Val dei Preti. Le tout nouveau Roero DOC Ròche d'Ampsèj fait sensation.

TENIMENTI DI BAROLO & FONTANAFREDDA
Réputée pour ses nombreux crus de Barolo, cette importante maison de négoce propose également de bons Mousseux (Contessa Rosa Brut, Gatinara Brut Talento) et un Diano d'Alba Vigna La Lepre très fruité.

GAJA
Angelo Gaja, figure de proue du vin italien depuis vingt ans, reste infatigable. Après la célébrité mondiale apportée au Barbaresco et au cépage Nebbiolo à travers les crus Sorì San Lorenzo, Sorì Tildìn et Costa Russi, le triomphe du Cabernet-Sauvignon (Darmagi) et du Chardonnay (Gaia & Rey) sur les pentes escarpées des Langhe, voici l'ère de l'expansion : en terre voisine de Barolo (superbes crus Sperss et Conteisa Cerequio) et en Toscane, avec l'acquisition de Pieve S. Restituta à Montalcino et Ca' Marcanda à Bolgheri. Le nom Gaja reste un synonyme d'excellence et de prix vertigineux.

BRUNO GIACOSA
Ce vinificateur hors pair de Neive élabore des joyaux dans le style traditionnel : ses Barbaresco S. Stefano, Gallina, Asili, ses Barolo Collina Rionda et Falleto sont complétés par un excellent *spumante* Extra Brut, du Dolcetto et du Nebbiolo d'Alba.

FRATELLI GIACOSA
En haut de gamme de ce négociant réputé, le superbe Barbera Maria Gioana, le Barbaresco Rio Sordo et le Barolo Vigna Mandorlo.

ELIO GRASSO
Ce domaine de Monforte consolide son excellente réputation. Têtes de liste, le Barbera d'Alba Vigna Martina et les Barolo Gavarini et Ginestra.

TENUTA CISA ASINARI DEI MARCHESI DI GRESY
Les vins issus de ce vignoble de Martinenga – Barbaresco Martinenga, Gaiun et surtout Camp Gross – ont beaucoup d'élégance. À retenir, l'excellent Langhe Rosso Virtus (Cabernet/Barbera).

LA SCOLCA
Les Gavi mousseux et tranquilles de ce domaine restent parmi les meilleurs.

LA SPINETTA
Après avoir porté leurs Moscato d'Asti au sommet, les frères Rivetti se sont tournés vers les vins rouges : superbes Pin et Barbaresco DOCG Vigneto Gallina et Starderi, de même qu'un explosif Barbera d'Alba Vigneto Gallina.

MARCHESI DI BAROLO
De très bons Barolo dans une large gamme de prix et de crus ainsi que de savoureux Barbera et Dolcetto.

BARTOLO MASCARELLO
Ce vigneron fervent et sans concession assemble à l'ancienne ses divers crus en un seul vin, beau et austère à son image.

GIUSEPPE MASCARELLO
Parmi les plus beaux vins de ce domaine à Castiglione Falletto, le superbe Barolo Monprivato et le Dolcetto d'Alba Bricco.

MONFALLETTO
Ce domaine de La Morra élabore de beaux vins charnus et denses, affinés en barriques. En vedette, le Barolo Enrico VI, le Barbera d'Alba et le rare Pinot Noir Curdè.

ANGELO NEGRO
Ce bon domaine de Roero produit les savoureux Roero Sodisfà, Barbera d'Alba Bric Bertu et Arneis *passito* Perdaudin.

CS PRODUTTORI DEL BARBARESCO
La coopérative de Barbaresco offre toute la gamme des crus de l'appellation et fait du très bon travail. →

PRODUCTEURS ET NÉGOCIANTS

PRUNOTTO
Ce grand nom du négoce d'Alba appartient désormais à la maison Antinori. Dans sa vaste gamme brillent toujours les Barolo Cannubi et Bussia di Monforte, le Barbera d'Alba Pian Romualdo et le Nebbiolo d'Alba Occhetti, mais le Barbaresco Bric Turot fait figure de vedette.

RENATO RATTI-ANTICHE CANTINE DELL'ABBAZIA DELL'ANNUNZIATA
Bons Barolo (cru Marcenasco), Dolcetto d'Alba, Nebbiolo d'Alba et Monferrato.

ALBINO ROCCA
Ce domaine de Barbaresco produit de très bons vins (non filtrés), au premier rang desquels le superbe Barbaresco Brich Ronchi.

BRUNO ROCCA
Le cru Rabajà de ce protagoniste du Barbaresco est couvert de lauriers, mais le reste de la gamme vaut largement le détour (Barbera d'Alba, Langhe Chardonnay Cadet, etc.).

ROCCHE DEI MANZONI
Ce domaine à Monforte offre dix vins excellents. En tête, de superbes Barolo de crus, le Quatr Nas et d'appréciables Mousseux.

LUCIANO SANDRONE
Ce vigneron continue d'éblouir par ses Barolo (Cannubi Boschis, Le Vigne) somptueusement charnus, aux tanins angéliques. Quant à ses divers Barbera, Dolcetto, Nebbiolo d'Alba, etc., ils sont évidemment pulpeux, élégants et d'une rare précision.

PAOLO SARACO
Ici, le vin est blanc. Non content d'offrir deux Moscato d'Asti parmi les plus beaux et l'excellent Chardonnay Bianch del Luv, ce domaine à Castiglione Tinella expérimente : le Langhe Bianco Graffagno est un assemblage de Riesling, Chardonnay et Sauvignon tout à fait prometteur.

PAOLO SCAVINO
Cannubi, Bric del Fiasc, Rocche dell'Annunziata, les crus de Barolo de ce vigneron hors pair de Castiglione Falletto rivalisent d'excellence et montrent une enviable régularité. Le Barbera d'Alba *« affinata in carati »* et le Dolcetto complètent superbement la gamme.

VIETTI
Ce domaine de Castiglione Falletto produit depuis un siècle d'excellents vins des Langhe (Barolo, Barbaresco, Barbera d'Alba, etc.). Les récents Barbera d'Asti sont à la hauteur.

ROBERTO VOERZIO
Les rendements de ce domaine de La Morra sont parmi les plus bas d'Italie, et les vins issus de ce vignoble soigné – divers Barolo de cru et le Barbera d'Alta Vigneto Pozzo – s'arrachent à prix d'or.

NORD DU PIÉMONT

Au nord du Piémont, les vins se répartissent en deux secteurs : la province de Turin (DOC Carema et Caluso) et les provinces de Vercelli et Novare (DOCG Gattinara et Ghemme). On y trouve de bons vins, mais les deux DOCG attendent encore des champions dignes de leurs ambitions.

ANTICHI VIGNETI DI CANTALUPO
Ce domaine à Ghemme élabore deux rouges vigoureux (Collis Breclemae et Collis Carellae) et deux bons *vini da tavola* d'assemblage, le Carolus (blanc) et le Primigenia (rouge).

ANTONIOLO
Les Gattinara de ce domaine comptent parmi les meilleurs (Vigneto Castelle, Vigneto Osso S. Grato).

TRAVAGLINI
Ce vigneron produit un Gattinara *riserva*, tannique et sévère, qui présente de beaux arômes complexes.

VAL D'AOSTE ET LIGURIE

Carte page XXIV

Le mont Blanc, le Cervin et le Gran Paradiso sont quelques-uns des sommets alpins qui séparent le Val d'Aoste de la France et de la Suisse au nord, du Piémont au sud et à l'est. Dans les deux régions viticoles, les viticulteurs peinent sur leurs lopins, au flanc de coteaux escarpés ou sur d'étroites terrasses. L'essentiel du vin produit dans cette province, la plus petite d'Italie, est consommé sur place, dans d'accueillants restaurants et chalets.

Le Val d'Aoste

Le relief montagneux d'Aoste rend la viticulture difficile, voire impossible. La plupart des vignes sont plantées sur des terrasses longeant la vallée escarpée de la Dora Baltea. La limite de l'aire Valle d'Aosta DOC épouse le cours de la rivière, qui partage la région en deux. Il existe sept sous-zones : Morgex et La Salle, Enfer d'Arvier, Torrette, Nus, Chambave, Arnad-Montjovet et Donnas.

Dans le haut de la vallée, à Morgex et La Salle, se trouvent les vignes les plus hautes d'Europe, plantées entre 900 et 1300 m d'altitude. Les vins, issus du cépage Blanc de Morgex, sont des blancs secs et vifs aux arômes délicats.

Les vins rouges du centre de la vallée sont un assemblage des cépages locaux Petit Rouge et Vien de Nus. Les vins sont secs et bien colorés, avec des arômes floraux. Le village de Nus produit aussi le Nus Pinot Grigio *passito,* légèrement doux, de couleur cuivrée, issu de raisins semi-passerillés. Chambave a son Moscato *passito,* un vin doré aux arômes généreux. Tous deux existent également en vins secs.

Le Nebbiolo, ici appelé Picutener ou Picotendro, est cultivé autour de la ville de Donnas, sur des sols sablonneux, argileux et graveleux dans le bas de la vallée. Le vin, issu d'un assemblage de Nebbiolo, Freisa et Neyret, est frais et vif, de couleur rubis sombre. L'Arnad-Montjovet est un autre vin à base de Nebbiolo, qu'on trouve rarement hors de la région.

La Ligurie

Étirée en un croissant autour du golfe de Gênes, sur la Méditerranée, la Ligurie voisine avec la Provence française à l'ouest, le sud du Piémont et les provinces d'Émilie et de Toscane au sud-est. Une série de montagnes abritent la région et lui valent un peu de douceur méditerranéenne. Parmi les vins, surtout consommés sur place, on trouve quelques rouges de garde et des blancs pour la plupart assez neutres. Les meilleurs vins de la

petite production ligure ont une réputation nationale, voire internationale. La zone DOC de Riviera Ligure di Ponente couvre une bonne partie de la Ligurie occidentale, de Gênes à la frontière française. Les quatre principaux cépages sont le Rossese et l'Ormeasco pour les vins rouges, le Vermentino et le Pigato pour les blancs. Le Rossese donne des rouges secs et frais aux arômes floraux. L'Ormeasco, un clone local du Dolcetto, produit des vins secs et vifs à la robe sombre, pouvant se garder plus longtemps que leurs cousins piémontais. L'Ormeasco Sciacchetrà est un rosé sec et fruité. Le Vermentino donne des blancs fermes et délicatement aromatiques, tandis que ceux de Pigato présentent un arôme floral avec des notes de pêche.

À l'extrême ouest de la Ligurie se trouve la petite DOC de Rossese di Dolceacqua. Le vin est un rouge souple et fruité agréablement parfumé.

À l'est, la Riviera di Levante compte deux zones DOC, Colli di Luni et le fameux Cinqueterre. La première donne de bons vins rouges issus du Sangiovese et des blancs de Vermentino au parfum séduisant.

Les terrasses escarpées des vignobles de Cinqueterre bordent la mer de Ligurie, à l'ouest de La Spezia. Le vin blanc sec de cette région est un assemblage de Bosco avec de l'Albarolo ou du Vermentino. Les meilleurs sont vifs avec un bouquet délicatement fruité. Les mêmes cépages, une fois passerillés, donnent le Sciacchetrà, muté ou non, doux et ambré.

PRODUCTEURS

VAL D'AOSTE

Les bonnes adresses sont : Les Crêtes d'Aymaville (Chardonnay, Fumin, Petite Arvine, Syrah, Pinot Noir) ; Charrère (rouges La Sabla, Les Fourches, Prëmetta) ; Institut agricole régional (bons vins de cépage, notamment Syrah, Pinot Gris, Petit Rouge et l'assemblage rouge Vin du Prévôt) ; coopérative La Crotta di Vegneron (bons Chambave et Nus, excellents Muscats) ; Grosjean (Torrette et Fumin rouges, Petite Arvine) ; Ezio Voyat (Moscato *passito* Le Muraglie), Anselmet (Chardonnay).
Les meilleures coopératives sont celles de Morgex, de Donnas et d'Arnad (La Kiuva).

LIGURIE

À l'ouest (Ponente) : blancs DOC de Pigato et/ou Vermentino de Bianchi (gamme Eretico), Bruna, Cascina Feipu, Cascina Terre Rosse (Pigato et rouge Solitario), Colle dei Bardellini, Tenuta Giuncheo (Vermentino Eclis, Rossese di Dolceacqua DOC), Lupi (Vermentino Vignamare, rouge Ormeasco), Terre Bianche (Arcana Bianco et Rosso, Rossese di Dolceacqua Bricco Arcagna) et Vio.
À l'est (Levante) : Colli di Luni DOC (surtout Vermentino et parfois rouges) d'Ottaviano Lambruschi, Cantine Lunae Bosoni, Il Monticello, Picedi Benettini et Il Torchio. Cinqueterre DOC de Walter de Battè (excellents) et de la coopérative de Riomaggiore.

LOMBARDIE

Carte page XXIV

À l'est du Piémont, la Lombardie partage le lac Majeur avec la Suisse et le lac de Garde avec la Vénétie. Le Pô forme une bonne partie de sa frontière sud. Les contreforts des Alpes, qui s'étendent du lac Majeur au lac de Garde en passant par les lacs de Côme et d'Iseo, constituent certains des meilleurs sites viticoles de Lombardie. Les vastes plaines de la vallée du Pô conviennent moins à la vigne. On trouve cependant au sud du Pô, entre le Piémont et l'Émilie, une zone viticole importante, le petit triangle de terre de l'Oltrepò Pavese.

Oltrepo Pavese

La DOC la plus productive de Lombardie produit malheureusement une série de vins de consommation courante et de *spumanti* souvent banals.

Le Rosso DOC, assemblage de Barbera et de Bonarda, est un vin vif de robe foncée, au goût de cerise amère. Les mêmes cépages se retrouvent dans les rouges Buttafuoco et Sangue di Giuda, souvent légèrement pétillants.

Barbera et Bonarda sont aussi vinifiés séparément, souvent en version *frizzante,* le premier donnant un vin plus incisif, le second présentant plus de souplesse et des arômes de petits fruits. Le Pinot Noir peut être vinifié seul, en vin rouge tranquille, en rosé ou en blanc (sans macération pelliculaire), bien qu'il soit souvent assemblé dans les nombreux Mousseux *metodo classico* de l'appellation.

Des vins blancs tranquilles, légèrement pétillants, voire effervescents sont aussi issus de divers cépages (Chardonnay, Cortese, Muscat, Pinot Gris, Riesling Italico, Riesling, etc.). Le Muscat *liquoroso* est une rareté locale. À base de Muscat, ce vin muté très aromatique, de robe dorée ou ambrée, peut être légèrement doux ou très moelleux.

Valteline

Près de la frontière suisse, au nord de la Lombardie, se trouve le vignoble alpin de l'appellation Valtellina DOC. Il occupe une frange de terre à l'est et à l'ouest de la ville de Sondrio. Les vignes sont cultivées sur de petites terrasses longeant des coteaux abrupts orientés au sud. Le cépage principal est le Nebbiolo, localement appelé Chiavennasca.

Le Valtellina générique devrait être bu rapidement. Quatre sous-zones – Sassella, Grumello, Inferno et Valgella – produisent du Valtellina Superiore DOCG, élevé au moins un an en fût et pouvant se garder de cinq à dix ans. Le Valtellina Sforzato (ou Sfursat) est un vin rouge sec à

base du cépage Nebbiolo semi-passerillé. Il a des arômes concentrés de fruit mûr et atteint environ 14,5 % vol. d'alcool.

Sud et sud-est de la Lombardie

La rive occidentale du lac de Garde abrite la vaste DOC Garda, qui s'étend jusqu'en Vénétie. On y produit notamment un vin rouge sec et rafraîchissant couleur cerise et un savoureux rosé ou *chiaretto,* tous deux issus d'un assemblage à base de Groppello, un cépage local. Cette appellation recouvre partiellement celle de Lugana DOC, qui donne d'élégants vins blancs corsés (en général tranquilles) à partir d'un clone local de Trebbiano. Le Tocai Friulano cultivé dans la même zone est utilisé pour le San Martino della Battaglia DOC, blanc léger et sec ou *liquoroso.* Au sud du lac de Garde, la province de Mantoue produit des Garda Colli Mantovani DOC, vins rouges, blancs et rosés assez simples. La plaine du Pô fournit le Lambrusco Mantovano DOC, vin rouge *frizzante*

PRODUCTEURS ET NÉGOCIANTS

La production est principalement assurée par des coopératives dans l'Oltrepò Pavese, par des maisons de négoce dans la Valteline, par des domaines individuels et de prestigieuses exploitations vinicoles en Franciacorta.

OLTREPO

La région progresse, mais la qualité n'est pas encore générale (Oltrepò Pavese DOC, ci-dessous O.P.).

FRATELLI AGNES
À Rovescala. Superbe gamme de rouges (Campo del Monte, Cresta del Ghiffi, Millenium, Poculum, Loghetto, etc.).

CA' DI FRARA
À Mornico Losana. Parmi ses classiques, les O.P. Malvasia et le Pinot Noir Il Raro, le rouge d'assemblage Il Frater et des vins de Vendanges tardives (O.P. Pinot Grigio, Riesling Apogeo).

FRECCIAROSSA
À Casteggio. Magnifiques O.P. Rosso Villa Odero *riserva* et Riesling.

LA FRACCE
À Casteggio. Les rouges de ce domaine « bio-intégré » sont réputés (O.P. Bonarda et Rosso Cirgà), talonnés par les blancs (O.P. Pinot Grigio et Riesling).

TENUTA MAZZOLINO
À Corvino S. Quirico. Les vedettes sont le Noir et le Blanc (l'un O.P. Pinot Nero, l'autre O.P. Chardonnay).

RUIZ DE CARDENAS
À Casteggio. Pinot Noir O.P. Brumano et Mousseux O.P. Brut Réserve et Extra Brut.

VALTELINE

La réputation en hausse de la région repose sur les efforts de quelques-uns et sur le charme du Sfursat semi-passerillé.

NINO NEGRI
Cette maison de négoce est le chef de file de la région. Splendide Sfursat 5 Stelle et les Valtellina Superiore DOCG (Inferno Mazer, Sassella Le Tense, Grumello Sassoroso) vinifiés par Casimiro Maule.

ALDO RAINOLDI
Les deux Sfursat (dont le superbe Ca' Rizzieri) et la gamme de DOCG (Crespino Inferno *riserva* et Sassella *riserva*) de ce négociant sont réputés.

CONTI SERTOLI SALIS
À Tirano. Un Sfursat d'anthologie (Canua) et

sec ou doux, semblable au Lambrusco de l'Émilie (voir p. 544).

Au nord-est de Bergame, la zone de Valcalepio DOC offre un rouge moyennement corsé – un assemblage de Cabernet-Sauvignon et de Merlot à l'arôme de cassis –, un blanc sec et frais à base de Pinot Gris et de Pinot Blanc, et un Moscato *passito*.

Entre le lac d'Iseo et la ville de Brescia se trouve la zone prestigieuse de Franciacorta. On y produit les Franciacorta DOCG, Mousseux *metodo classico* très réputés, issus de Chardonnay et/ou Pinot Blanc et/ou Pinot Noir. La DOC Terre di Franciacorta désigne des vins tranquilles rouges (assemblage Cabernets/Barbera/Nebbiolo/Merlot) et blancs (Chardonnay et/ou Pinot Blanc et/ou Pinot Noir).

Les collines entourant Brescia abritent trois petites DOC fournissant des vins de consommation locale issus d'assemblages variés : Cellatica et Botticino sont des vins rouges légers (comportant un peu de Schiava). Capriano del Colle produit un rouge à base de Sangiovese, Marzemino et Barbera, et un blanc de Trebbiano.

PRODUCTEURS ET NÉGOCIANTS

d'autres beaux vins (Saloncello, Torre della Sirena, Corte della Meridiana) vinifiés par Claudio Introini pour cette grande maison de négoce.

TRIACCA
À Tirano. Ce négociant produit de bons Valtellina (Prestigio, Sforzato) et un Sauvignon Del Frate.

FRANCIACORTA

Cette zone dynamique est surtout connue pour la qualité de ses *spumanti* DOCG, mais les Terre di Franciacorta (T.d.F.) tranquilles (rouges et blancs) ne sont pas moins intéressants.

BELLAVISTA
À Erbusco. Une réputation justifiée. Mousseux (excellent Gran Cuvée Brut, Franciacorta Brut, Gran Cuvée Pas Operé, etc.), blancs (T.d.F. Convento dell'Annunciata et Uccellanda) et rouge T.d.F. Solesine.

GUIDO BERLUCCHI
Un des principaux producteurs de Mousseux d'Italie. En haut de gamme, l'ample Cellarius Brut et deux Franciacorta signés Antica Cantina Fratta.

CA' DEL BOSCO
À Erbusco. Depuis vingt ans, le vin de ce domaine reste en haut du palmarès : Mousseux Franciacorta Satèn Millesimato, Brut Millesimato, Cuvée Annamaria Clementi, les IGT rouges M. Zanella et Pinero, le T.d.F. Chardonnay.

CAVALLERI
À Erbusco. Nombreux Mousseux et vins tranquilles réputés pour leur régularité. En haut de gamme, les Franciacorta Collezione Brut et Blanc de Blancs, les T.d.F. Bianco Seradina et Rampaneto, le T.d.F. Rosso Vigna Tajardino et l'IGT rouge Corniole.

AUTRES VINS

CA' DEI FRATI
À Sirmione. Excellents Lugana I Frati et Il Brolettino, IGT blanc Pratto et *vino da tavola* blanc Tre Filer.

CASCINA LA PERTICA
Bons Garda DOC Le Sincette et Gropello, et *vino da tavola* rouge Le Zalte.

LA PRENDINA
En tête, les Garda DOC Il Falcone et Vigneto La Prendina.

ÉMILIE-ROMAGNE

Carte page XXIV

Bien qu'elles diffèrent sur bien des points – notamment les vins qu'elles produisent –, l'Émilie et la Romagne forment une même région administrative. Bologne, la capitale, se trouve au beau milieu, avec l'Émilie à l'ouest et la Romagne à l'est. La région est limitée au nord par le Pô, à l'ouest par les Apennins. Les montagnes placent cette zone sous l'influence climatique de l'Adriatique : les étés sont chauds et la sécheresse n'est pas rare, tandis que les hivers sont humides avec des brouillards qui envahissent souvent les plaines.

Émilie

Plusieurs sous-variétés du cépage rouge local Lambrusco sont cultivées dans les grandes plaines d'Émilie, autour de Modène, et utilisées dans quatre appellations DOC distinctes. Le Lambrusco di Sorbara est connu pour son côté sec, sa vive acidité et son séduisant arôme de raisin. La zone adjacente du Lambrusco Salamino di Santa Croce produit un vin similaire. Au sud se trouve celle du Lambrusco Grasparossa di Castelvetro, aux vins plus tanniques et plus amples. Quant au Lambrusco Reggiano, à l'ouest, c'est celui qui est le plus produit – et exporté.

Le Lambrusco est le plus souvent légèrement pétillant *(frizzante)*, doux et gouleyant. Il est généralement rouge, bien qu'on puisse le vinifier en blanc ou en rosé. On en fait parfois un vin sec et, à l'occasion, un véritable Mousseux. Quel que soit son style, il est fait pour être bu rapidement.

Le nord-ouest de l'Émilie, à la limite de la Lombardie, comprend la zone des Colli Piacentini DOC, qui comporte de nombreuses subdivisions. Son vin rouge le plus connu est un assemblage de Barbera et de Bonarda appelé Gutturnio, généralement tranquille et sec, bien qu'il existe en versions moelleuse et *frizzante*. Le plus souvent sec, le vin de cépage Barbera possède une robe rubis. Celui de Bonarda est frais et fruité, de couleur sombre, et peut être sec ou assez doux. Une bonne partie du Pinot Noir cultivé dans cette région donne des Mousseux blancs ou rosés.

Les vins blancs de cépage des Colli Piacentini sont à base de Malvoisie, d'Ortrugo, de Pinot Gris ou de Sauvignon. Il en existe toute une gamme, secs ou doux, tranquilles ou *frizzante*, voire *spumante*.

Plus à l'est, on trouve les Colli di Parma DOC, qui peuvent offrir un bon vin blanc aromatique de Malvoisie, aussi bien sec que légèrement doux ou mousseux, et un rouge semblable au Gutturnio. Les vins *frizzante* et mousseux de l'appellation voisine

Bianco di Scandiano DOC, à base de Sauvignon, sont surtout exportés.
C'est dans les Colli Bolognesi DOC que l'on trouve actuellement les vins les plus intéressants et les producteurs les plus dynamiques. Cette vaste appellation comporte sept sous-zones, dont Monte San Pietro, Colline Marconiane, Zola Predosa. Cabernet-Sauvignon, Merlot, Chardonnay et Sauvignon sont admis. Les chefs de file sont la Tenuta Bonzara, très réputée pour son Bonzarone Cabernet-Sauvignon et son Merlot Rocca di Bonacciara, les excellents domaines Vallona et Terre Rosse. Le Pignoletto est un cépage blanc local, qui donne d'agréables blancs secs ou demi-secs, tranquilles ou *frizzante*.

Romagne

Les principaux vignobles de cette région s'étendent entre le sud-est de Bologne et la mer. Trois cépages sont majoritaires : Albana, Sangiovese et Trebbiano. L'Albana, variété autochtone promue au rang de DOCG et longtemps jugée inférieure à son statut, commence à donner des vins réellement intéressants, notamment en *passito* (comme le Scacco Matto de la Fattoria Zerbina, domaine vedette de la région).
Le Sangiovese di Romagna DOC continue de fournir des rouges légers et plaisants. Mais c'est aussi devenu un point fort chez les bons producteurs. Le Torre di Ceparano de Zerbina ; le Pruno de La Palazza ; le Thea de Tre Monti ; la série des Ronco de Castelluccio ; le Bottale et le Domus Caia de Ferrucci sont autant de réussites.
Le long de l'Adriatique, entre l'embouchure du Pô et Ravenne, se trouve la zone Bosco Eliceo DOC. On y produit du Sauvignon et un Bianco dont l'assemblage est dominé par le Trebbiano, vins blancs tranquilles ou mousseux le plus souvent secs. Le cépage local Fortana donne un rouge tannique, qui peut être tranquille ou pétillant, sec ou doux.

PRODUCTEURS

Les coopératives représentent 70 % de la production. Certaines, comme la Riunite, sont d'énormes groupements.

ÉMILIE

On trouve du bon Lambrusco chez Barbolini, Cavicchioli, Chiarli, Graziano, Ermete Medici & Figli, Moro Rinaldo Rinaldini. Monte delle Vigne et Isidoro Lamoretti font de bons Colli di Parma DOC.
En Colli Piancentini DOC, citons La Tosa, Conte Barattieri, Il Poggiarello, Luretta et surtout La Stoppa, qui y ajoute d'excellents *vini da tavola*.
Quant aux Colli Bolognesi DOC, ils sont à l'avant-garde de la région.

ROMAGNE

Outre Zerbina et Tre Monti, il y a La Palazza, Castelluccio, Cesari, Leone Conti, Ferrucci, Pandolfa, Fattoria Paradiso, Terre del Cedro et Uccellina.

VÉNÉTIE

Carte page XXIV

Les Alpes couvrent près d'un tiers de la Vénétie et leurs contreforts descendent jusqu'aux rizières de la plaine centrale et aux rives du lac de Garde, à l'ouest. Sur le plan géographique, la Vénétie est la plus variée des régions viticoles italiennes et offre de nombreux styles de vin.
Ses zones DOC sont réparties en trois grands secteurs : les bords du lac de Garde et les alentours de Vérone ; les collines de Vénétie centrale ; la Vénétie orientale, aux abords de Venise et de Trévise.
Dans le premier secteur, les vins sont en général issus de cépages autochtones. Plus à l'est (avec quelques exceptions), les vins sont à base de cépages plus internationaux. À moins d'une demi-heure de voiture, à l'est de Vérone, se trouvent les vignobles de Soave DOC (blanc). Au nord-ouest de la ville s'étendent le Valpolicella DOC et, un peu plus à l'ouest, au bord du lac de Garde, le Bardolino DOC, tous deux rouges. Avec, à ses portes, trois des appellations italiennes les plus connues dans le monde, on comprend mieux pourquoi la province de Vérone joue un rôle de leader en Vénétie.

Soave

Les meilleurs Soave DOC viennent toujours de la zone Classico, au centre de l'appellation, formée par quelques collines autour des communes de Monteforte d'Alpone et Soave. Les vignobles se trouvent à 250 m d'altitude environ, sur des coteaux peu pentus au riche sol rouge d'origine volcanique. Des rendements assez faibles et un microclimat favorable donnent au vin des arômes concentrés de fruits mûrs. Le principal cépage de Vénétie est la Garganega (blanc). Sec et savoureux, le Soave Classico présente une robe paille brillante, une plaisante acidité et de délicats arômes fruités, avec une note d'amande grillée. Le bouquet évoque les fleurs de cerisier et de sureau. Le Soave générique produit dans les plaines est nettement inférieur. Quelques producteurs vinifient du Recioto di Soave DOCG, un vin doux issu de raisins à demi passerillés, au goût et à la texture plus denses, plus alcoolisé aussi.

Valpolicella et Bardolino

Le Valpolicella DOC regroupe plusieurs styles de vins rouges : Valpolicella générique, Valpolicella Classico, Valpolicella Ripasso, Recioto della Valpolicella et Valpolicella Amarone. Le Valpolicella de base est un vin léger et savoureux de couleur rubis, au séduisant arôme de raisin frais, à boire jeune. Chez les meilleurs pro-

ducteurs, les vins ont davantage de concentration aromatique.
Beaucoup de producteurs de Valpolicella recourent désormais à la méthode du *ripasso,* qui consiste à soutirer le vin après fermentation pour le déposer sur les lies de *recioto* (voir ci-après) de l'année précédente. Les vins de *ripasso* sont charnus et concentrés, avec une robe cerise foncé, un bouquet intense, un goût de cerise âpre et une certaine longévité. Le terme *ripasso* n'est pas reconnu par le système officiel d'étiquetage, et il faut connaître les méthodes du producteur pour pouvoir identifier de tels vins.
Le Recioto della Valpolicella et l'Amarone sont issus de raisins sélectionnés, séchés à l'air dans des greniers entre la vendange et le mois de janvier. Doté d'arômes concentrés et d'une texture veloutée, fort en alcool, le sombre et doux Recioto della Valpolicella est souvent comparé au Porto et servi dans les mêmes circonstances. L'Amarone est, lui, un vin sec et généreux, magnifiquement opulent.
Les vignobles de Bardolino DOC s'étendent des basses collines du nord-est de la ville du même nom jusqu'aux rives du lac de Garde. Issu du même assemblage de cépages que le Valpolicella – les variétés autochtones Corvina, Rondinella, Molinara et d'autres –, le Bardolino est d'un style plus léger. De robe cerise ou rubis, ce vin a une bonne acidité et des arômes de cerise. Le Bardolino Chiaretto est un rosé bien structuré. Ces vins sont en général destinés à être bus sans attendre.

Autres vignobles de Vérone

Des vins blancs tranquilles et mousseux sont produits dans l'appellation Lessini Durello DOC, au nord de Soave, dans les collines de Lessini. Le cépage Durella a une forte acidité et une bonne structure convenant bien à des Mousseux de qualité, mais les vins tranquilles peuvent sembler acerbes à certains.
Les vignobles du Bianco di Custoza DOC entourent la pointe sud du lac de Garde. Ce vin blanc de plus en plus apprécié est généralement de bon niveau. Tranquille ou mousseux, c'est un apéritif agréable dont le fruité est souvent comparé à celui de la pêche et de la reine-claude. Mieux vaut le boire sans attendre.

Vénétie centrale

Les contreforts des Alpes s'allongent jusqu'au centre de la Vénétie, où les cépages bordelais – Cabernet-Sauvignon, Cabernet Franc et Merlot – prédominent ; ils présentent généralement d'agréables arômes variétaux.
L'appellation Breganze DOC, dans la haute plaine au nord de Vicence, regroupe des vins de cépage rouges et blancs. Les rouges sont le plus souvent issus de Cabernet ou de Pinot Noir et les blancs secs de Pinot Gris

ou Blanc. Le Vespaiolo, cépage local, donne un vin sec et vif au goût un peu citronné. Il existe aussi un Vespaiolo *passito* (vin doux de raisins à demi passerillés).

Outre le Cabernet et le Merlot, les Colli Berici DOC comportent un vin rouge à base de Tocai Rosso, de couleur framboise, à la saveur fraîche et fruitée. Les principaux vins blancs secs de l'appellation sont le Garganega, le Pinot Blanc, le Sauvignon et le Tocai Italico. Ces vins ont un fruité discret et doivent être bus sans attendre.

Les Colli Euganei DOC produisent un blanc et un rouge, ainsi que des vins de cépage. Le Bianco dei Colli Euganei est un blanc sec et souple issu des variétés locales Garganega et Serprina. On trouve aussi un blanc doux de Muscat au bouquet floral intense. Le Rosso dei Colli Euganei est un assemblage de Cabernet et de Merlot avec des cépages locaux.

Parmi les vins issus de variétés autochtones, le Gambellara DOC est un agréable blanc sec et velouté, issu du même assemblage que le Soave. On trouve aussi du Recioto di Gambellara, ainsi que l'un des rares *vin santo* (voir p. 557) produits hors d'Italie centrale.

PRODUCTEURS ET NÉGOCIANTS

En Vénétie, les petits domaines de qualité - souvent familiaux, et où l'on vinifie les différentes parcelles séparément - sont à l'avant-garde de la production.

ALLEGRINI
À Fumane. Magnifiques DOC monocrus (Valpolicella Classico La Grola, Palazzo della Torre), Amarone et Recioto Giovanni Allegrini. Mémorable *vino da tavola* sec La Poja.

ANSELMI
À Monteforte d'Alpone. Très réputé pour ses crus de Soave Classico (Capitel Croce et Capitel Foscarino), son Recioto di Soave DOCG I Capitelli (exemplaire vin de dessert élevé en barriques) et ses IGT San Vincenco et Realda.

BOLLA
À Vérone. En tête, Amarone et Recioto della Valpolicella, Valpolicella Classico Superiore Le Poiane-Jago, Soave Classico Le Tufaie.

MACULAN
Fausto Maculan produit un Breganze DOC de classe mondiale (Torcolato et Acininobili, Cabernet-Sauvignon Fratta et Ferrata, Merlot Marchesante, etc.). Superbe IGT de Muscat Dindarello.

MASI
En tête, la série des Amarone della Valpolicella, les Recioto, les IGT de cépages locaux Osar, Toar et Brolo di Campofiorin. Excellents Soave Classico Colbaraca et Bardolino La Vegrona.

PIEROPAN
Leonildo Pieropan a, le premier, vinifié un Soave DOC monocru, le Calvarino. Toute la gamme est admirable : Soave Classico, Recioto Le Colombare, etc.

QUINTARELLI
Valpolicella amples et complexes (Classico, Amarone, Recioto), fermentés longuement en fût et non filtrés. Fabuleux Amarone et *vino da tavola Alzero* (Cabernets passerillés).

VENEGAZZÙ-CONTE LOREDAN GASPARINI
Fameux assemblage de cépages locaux, l'IGT Venegazzù de la Casa reste l'un des grands rouges de Vénétie, encore surpassé par son jumeau, Capo di Stato.

Venise et Trévise

Dans les collines peu escarpées situées au nord de Trévise, la zone DOC du Prosecco di Conegliano-Valdobbiadene est dotée d'un blanc mousseux au léger goût d'amande, pauvre en alcool et d'une vive acidité. Les vignobles du secteur de Cartizze ont droit à leur propre sous-zone, généralement jugée supérieure, bien que cela varie beaucoup d'un producteur à l'autre. La zone de Montello e Colli Asolani DOC fournit également du Prosecco, ainsi que des vins rouges de cépage à base de Cabernet ou de Merlot. Dans les plaines au nord de Venise, les DOC du Piave et de Lison-Pramaggiore produisent d'agréables vins de cépage de consommation courante. La longue liste de cépages autorisés inclut Cabernet et Merlot en rouge, Pinot Blanc et Pinot Gris en blanc. Il faut cependant signaler deux variétés autochtones : Verduzzo et Raboso. Les vins blancs issus du Verduzzo ont une agréable acidité et un caractère bien fruité, avec une note d'amande commune à bon nombre de cépages italiens. Ces vins conservent souvent un léger pétillement en bouteille. Quant au Raboso, il donne un vin d'un rouge violacé au goût un peu terreux, tannique et supportant la garde.

TRENTIN-HAUT-ADIGE

Carte page XXIV

Dans cette région montagneuse du nord-est de l'Italie, 15 % seulement du sol est cultivable. Les vignobles dessinent un Y le long des vallées de l'Adige (Etsch en allemand, l'autre langue de la région) et de son affluent l'Isarco (Eisack) jusqu'à leur confluent au sud de Bolzano, puis suivent vers le sud le cours de l'Adige.

Le Trentin et le Haut-Adige sont deux régions distinctes réunies par un tiret administratif. La partie nord, le Haut-Adige (aussi appelé Südtirol ou Tyrol du Sud), correspond à la province de Bolzano. Elle jouxte la Lombardie à l'ouest et l'Autriche au nord. La plupart des habitants sont germanophones ; les panneaux géographiques sont en allemand et en italien, et les cépages allemands comme le Sylvaner et le Müller-Thurgau prospèrent. Le climat subalpin implique des hivers froids, des étés chauds et des nuits fraîches toute l'année. Les pentes montagneuses de la vallée sont escarpées et la vigne est souvent cultivée en terrasses.

À mesure que l'Adige se dirige vers le Trentin, la vallée s'élargit. Les vignobles du Trentin sont en général plantés à plus faible altitude, sur des

coteaux à pente plus douce et en plaine. Le climat est plus chaud et l'influence culturelle italienne devient très sensible.

Haut-Adige

En progrès constant, les vins de cette région ont acquis une réputation internationale. Les cépages blancs – Sylvaner, Müller-Thurgau, Riesling, Riesling Italico (Welschriesling), Chardonnay, Sauvignon et Pinot Blanc (Weissburgunder) – supportent bien l'altitude dans ces vallées ensoleillées et donnent des vins secs et vifs. Le Pinot Gris (Ruländer), un blanc savoureux, prend ici une note fumée. L'arôme de litchi du Gewürztraminer (Traminer Aromatico) est affiné par une vendange précoce et une macération pelliculaire écourtée. Les rouges gouleyants de la région sont destinés à la consommation locale. Quatre zones DOC sont consacrées à des vins surtout issus du cépage Schiava (Vernatsch en allemand). Celui-ci, surtout dans le Lago di Caldaro DOC (Kalterersee), donne un vin rouge clair doté d'un discret arôme de cerise et d'un arrière-goût d'amande, mais peut parfois prendre plus de couleur et de corps, comme dans les vins de Santa Maddalena DOC (St Magdalener).
Le Haut-Adige produit en outre des Mousseux issus d'un assemblage de Chardonnay et de Pinot Noir (les cépages du Champagne). On trouve aussi ces deux variétés vinifiées séparément en vins tranquilles. Le cépage rouge local Lagrein donne un vin robuste aux arômes de petits fruits appelé Scuro (Dunkel) et un rosé aromatique (Kretzer). Le Moscato Giallo (Goldenmuskateller) doré et le Moscato Rosa (Rosenmuskateller) rubis pâle sont deux vins doux de Muscat aux arômes floraux.
Les vignobles du Terlano DOC s'étendent sur des coteaux bordant les deux rives de l'Adige, à l'ouest de Bolzano, et sont réputés pour leurs bons vins blancs de cépage. On fait aussi ici un Mousseux sec, surtout à base de Pinot Blanc.
Les hautes pentes de la DOC la plus septentrionale d'Italie, Valle d'Isarco, le long de la rivière Isarco proche de Bolzano, fournissent d'élégants vins blancs de cépage, connus pour leur pureté aromatique.

Trentin

Cultivés à une altitude inférieure sous un climat plus chaud, les raisins du Trentin tendent à donner des vins plus tendres aux arômes plus développés. La plupart sont faits pour être bus sans attendre.
L'appellation Trentino DOC comprend bon nombre de vins de cépage identiques à ceux du Haut-Adige, ainsi que des Mousseux *metodo classico,* surtout à base de Pinot Blanc et de Pinot Noir. On trouve aussi trois remarquables cépages autochtones.
Le Marzemino (rouge très fruité) et la Nosiola (blanc) donnent des vins secs

tranquilles. La Nosiola est aussi l'élément principal du *vin santo*, un vin de dessert ambré ou cuivré issu de raisins passerillés. Enfin, le Teroldego possède sa propre DOC sur les sols graveleux de Campo Rotaliano. Il donne des vins rouges secs, le plus souvent légers et fruités, et de rafraîchissants rosés. Mais il peut aussi offrir de grands vins de garde au caractère affirmé chez les meilleurs producteurs, dans les vignobles près de Mezzolombardo.

D'autres zones du Trentin produisent des vins courants destinés à une consommation rapide : le Bianco (à base de Nosiola) et le Rosso (à base de Schiava) de Sorni DOC, ainsi que les rouges de Casteller DOC, à base de Schiava.
Les vins les plus ordinaires portent l'étiquette de l'appellation Valdadige (Etschtaler) DOC, qui recouvre les régions du Haut-Adige et du Trentin, ainsi qu'une partie de celle de la Vénétie.

PRODUCTEURS ET NÉGOCIANTS

Dans le Haut-Adige et le Trentin, les coopératives représentent l'essentiel de la production. Les meilleurs vins du Trentin viennent de domaines privés, mais les coopératives du Haut-Adige peuvent offrir des vins splendides (Alto Adige DOC, ci-dessous AA).

HAUT-ADIGE

VITICOLTORI DI CALDARO/KALTERN
Cette coopérative est réputée pour son magnifique AA Cabernet-Sauvignon Campaner ainsi que pour son Moscato Giallo *passito*, baptisé Serenade.

PRODUTTORI COLTERENZIO/ SCHRECKBICHL
Les vins magnifiques de cette coopérative de Cornaiano font l'unanimité chez les dégustateurs : AA Cabernet-Sauvignon Lafoa, Chardonnay et Lagrein Cornell ; AA Merlot Pradium ; AA Rosso Cornelius et IGT Cornelius Bianco Mitterberg.

TENUTA FALKENSTEIN
En tête des AA DOC de ce domaine de la Valle Venosta, un grandiose Riesling, un Pinot Bianco d'anthologie et un étonnant Gewürztraminer.

VIGNETI HOFSTÄTTER
À Termeno. Des vins réputés, à commencer par le *vino da tavola* Yngram Rosse et le Pinot Nero S. Urbano, premier d'une longue gamme d'AA de haute qualité.

ALOIS LAGEDER
Très beaux rouges Son Cor Römigberg et AA Cabernet, encore surpassés par les blancs (Chardonnay Löwengang, Pinot Blanc, Riesling, Traminer).

TENUTA MANINCOR
Le domaine du comte Enzenberg est l'un des plus beaux de la zone de Caldaro, et ses vins figurent désormais parmi les plus attendus. Majestueux AA Cabernet-Sauvignon Cassiano, Pinot Nero Mason et Lago di Caldaro Scelta.

SAN MICHELE APPIANO
Cette coopérative d'Appiano a fait du chemin : c'est sans doute aujourd'hui la meilleure d'Italie. Fantastique gamme d'AA Sankt Valentin (blancs) et un rapport qualité/prix imbattable.

PRODUTTORI SANTA MADDALENA
À Bolzano. Parmi les vins vedettes de cette coopérative, l'AA Cabernet Mumelterhof, deux AA Lagrein et le savoureux rouge AA Santa Maddalena Classico. →

PRODUCTEURS ET NÉGOCIANTS

CASTEL SALLEGG-GRAF KUENBURG
Ce domaine de Caldaro produit de beaux rouges et blancs, mais les plus recherchés sont le rare AA Moscato Rosa, vin doux de Vendanges tardives, et le *vino da tavola* Conte Kuenburg, très recherchés.

CASTELLO SCHWANBURG
Ce château de Nalles témoigne d'une rare qualité d'ensemble. En tête, l'élégant AA Cabernet et l'étonnant rouge de Lagrein. Les blancs suivent de près (AA Pinot Grigio, Riesling, Sauvignon, AA Terlano DOC, etc.).

PRODUTTORI DI TERMENO
C'est une coopérative qui progresse au galop. Les AA Pinot Nero et Lagrein Urbanhof, le AA Cabernet Renommée sont des rouges de grande classe, tout comme les blancs de Gewürztraminer (AA Nussbaumerhof et *passito* Terminum).

TRENTIN

CONCILIO
Cette maison de Volano peut compter sur 500 ha de vignes et offre une gamme de bons Trentino DOC. En tête, Chardonnay, Pinot Grigio, Merlot Novaline et assemblage bordelais Mori Vecio.

CESCONI
Les quatre frères Cesconi et leur petit domaine de Lavis s'affirment comme l'étoile montante de la région. En vedette, les blancs : Pinot Grigio, Chardonnay, Nosiola, Sauvignon, Traminer Aromatico et le superbe assemblage Olivar.

MARCO DONATI
Situé au cœur du Teroldego Rotaliano, ce domaine existant depuis 1863 est surtout réputé pour son splendide Teroldego Sangue di Drago, mais le reste de la gamme est à la hauteur.

FRATELLI DORIGATI
Bon négociant de Mezzocorona, spécialisé dans le Teroldego *(riserva* Diedri et Rebo) et auteur du bon *spumante* Methius.

FERRARI
Cet important négociant à Trente produit de bons Mousseux *metodo classico*. En vedette, le Giulio Ferrari *riserva* del Fondatore.

FORADORI
Ce domaine familial est un sanctuaire du Teroldego. Les superbes vins d'Elisabetta Foradori reflètent sa passion et sa patience. En vedette, une série de Teroldego, bien sûr (Granato, Vigneto Sgarzon, Vigneto Morei et générique), et les IGT rouges Ailampa et Karanar, et blanc Myrto.

LA VIS
La meilleure coopérative de la région, regroupant 800 ha de vignes, offre une gamme vaste et totalement fiable : tous les Trentino DOC Ritratti, la série Maso et le doux Mandolaia V.T.

POJER & SANDRI
Installés à Faedo, Mario Pojer et Fiorentino Sandri continuent de produire leurs superbes Trentino DOC de cépages. Les IGT Essenzia (botrytisé) et Faye (le blanc et davantage encore le rouge) font courir les amateurs.

TENUTA SAN LEONARDO
Sous l'impulsion du marquis Carlo Guerrieri Gonzaga, passionné de grands Bordeaux, ce magnifique domaine familial a acquis une réputation mondiale au fil des années. Raffinés, merveilleusement charnus et complexes, l'IGT San Leonardo et le Trentino DOC Merlot sont des vins enthousiasmants.

FRIOUL-VÉNÉTIE JULIENNE

Carte page XXIV

Le Frioul se trouve à l'extrémité nord-est de l'Italie. La montagne recouvre une bonne partie de la région, et la vigne est reléguée sur les basses collines (zones Collio DOC et Colli Orientali DOC) et dans les plaines (Grave del Friuli DOC) du Sud.

Une taille rigoureuse des ceps – les rendements du Frioul sont parmi les plus bas d'Italie – et une grande maîtrise technique ont valu à cette région une réputation internationale pour ses blancs secs, vifs et nets, et ses rouges frais et aromatiques. Ces vins privilégient généralement les caractéristiques du cépage, sans fermentation malolactique ni élevage en bois.

Collio et Colli Orientali del Friuli

Les DOC adjacentes de Collio Goriziano (ou Collio) et Colli Orientali del Friuli occupent les contreforts alpins voisins de la Slovénie, pays issu de l'ex-Yougoslavie. Calcium et dépôts fossiles enrichissent souvent le sol de ces vignobles en terrasses. Les deux zones produisent surtout des vins blancs de cépage, dont la plupart sont destinés à être bus sans attendre.

Le Tocai Friulano est le cépage blanc le plus planté. Pourtant, après des années de controverse, l'Union européenne a décidé, pour éviter toute confusion avec le Tokay hongrois – issu d'un assemblage de cépages hongrois –, que le Tocai italien devrait être rebaptisé. Le nouveau nom n'a pas encore été choisi (on parle de Friulano ou Furlan). Ce cépage produit un vin de robe paille à reflets verts, aux arômes d'amande. La Ribolla Gialla donne généralement des blancs secs et citronnés ; le Verduzzo tend à présenter un arôme de noisette. Le vin de Pinot Gris local est vif, sec et relativement ample. Sa robe est paille clair, mais la macération pelliculaire peut lui valoir de jolies nuances cuivrées. Le Sauvignon donne un bon vin sec, vif et très aromatique, tandis que la Malvasia Istriana apporte des arômes plus secs. Pinot Blanc et Chardonnay réussissent aussi très bien, qu'ils soient vinifiés dans un style jeune et frais, ou plus ample, grâce à une fermentation ou à un élevage dans le bois. Le Picolit et le Ramandolo (issu de Verduzzo) sont des vins de dessert.

Parmi les vins rouges, le Cabernet (Cabernet Franc et/ou Cabernet-Sauvignon) est sec, bien coloré et frais, avec des arômes de cassis et de poivron. Certains de ces vins rouges gagnent à vieillir. Le Merlot a une robe rubis et une texture veloutée, alors que le Refosco est légèrement

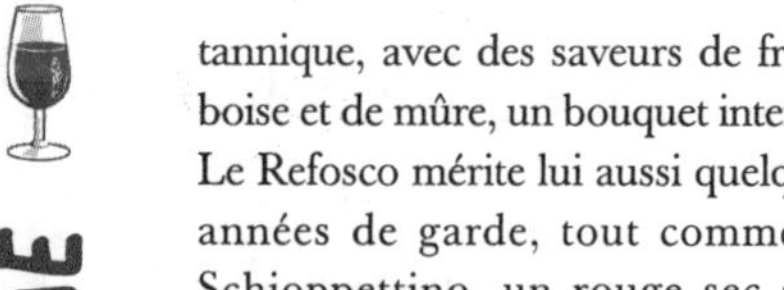

tannique, avec des saveurs de framboise et de mûre, un bouquet intense. Le Refosco mérite lui aussi quelques années de garde, tout comme le Schioppettino, un rouge sec aux arômes de baies sauvages.

L'un des vins les plus connus du Collio, le Vintage Tunina de Jermann (voir encadré ci-dessous), ne relève pas d'une DOC.

Grave del Friuli

Cette large plaine graveleuse qui s'étend à l'est de Venise jusqu'à l'Isonzo produit plus de la moitié des vins DOC du Frioul et environ deux tiers de la récolte totale. Les rouges plus ou moins corsés – à base de Merlot, de Cabernet-Sauvignon ou Franc, de Pinot Noir et de Refosco

PRODUCTEURS ET NÉGOCIANTS

La plupart des vins du Frioul sont l'œuvre de vignerons. Les parcelles sont très petites et dispersées, mais le domaine le plus modeste offre toute une série de vins, et la mise en bouteilles à la propriété est fréquente. Les rendements plus bas et les vinifications mieux soignées ont amélioré la qualité des vins, surtout des blancs.

COLLIO ET COLLI ORIENTALI

BORGO DEL TIGLIO
Une grande référence de la zone de Cormons, tant pour ses superbes Collio (Chardonnay Ca' delle Vallade, Malvasia, Tocai Ronco della Chiesa) que pour ses IGT Studio di Bianco et Rosso della Centa.

GIROLAMO DORIGO
Le Pignolo, cépage rouge local, doit sa survie à ce grand producteur de Buttrio. Excellents Colli Orientali DOC et Montsclapade, un rouge d'assemblage.

LIVIO FELLUGA
Figure historique de l'œnologie frioulane, Livio Felluga produit d'admirables Colli Orientali DOC à Brazzano di Cormons. Toute la gamme est à retenir, mais le blanc Terre Alte occupe la vedette. Prestigieux Picolit blanc et doux, superbes Merlot Sosso et Refosco, nouvel IGT Vertigo.

GRAVNER
Josko Gravner, grand vigneron d'Oslavia, en province de Gorizia, produit d'excellents Collio DOC (dont le Ribolla Gialla) et *vini da tavola*.

VINNAIOLI JERMANN
Silvio Jermann, de Farra d'Isonzo, est un vigneron mondialement connu. Il ne produit que des *vini da tavola*, de cépage ou d'assemblage, blancs pour la plupart. Le plus connu est l'opulent Vintage Tunina, blanc sec très aromatique, mais il y a aussi le récent Capo Martino (Tocai et Pinot), le fameux Chardonnay Where the Dreams have no End, le nouvel IGT Pignacoluse.

LE VIGNE DI ZAMO
Le vignoble de l'abbaye de Rosazzo, en province d'Udine, produit des Colli Orientali DOC et les superbes *vini da tavola* Ronco delle Acacie blanc et Ronco dei Roseti rouge, ainsi que le Pignolo, vin de garde très tannique.

MIANI
Enzo Pontoni vit, paraît-il, dans ses vignes de Buttrio. Ses vins reflètent en tout cas le soin qu'il en prend. Fabuleux Colli Orientali DOC, du Tocai Friulano au Refosco Vigna Clavari, sans oublier le Sauvignon et deux *vini da tavola*.

RONCO DEL GELSO
À Cormons, Giorgio Badin produit d'extraordinaires Isonzo DOC (Tocai Friulano, Sauvignon, Bianco Làtimis, Merlot, etc.).

local – dominent. Tocai, Pinot Gris, Pinot Blanc et Chardonnay donnent des blancs frais et fruités à boire jeunes. On trouve aussi un rosé de Merlot.

Autres vins du Frioul

Au sud-est de la région, la zone Isonzo DOC produit d'excellents rouges aromatiques et des blancs délicats. Le Carso DOC offre de solides rouges de Terrano, un clone du Refosco, et des blancs secs et vifs de Malvoisie. Enfin, les plaines longeant l'Adriatique abritent l'Aquileia DOC, l'Annia DOC et le Latisana DOC, petites appellations de vins rouges (surtout à base de Merlot) et blancs faciles à boire.

PRODUCTEURS ET NÉGOCIANTS

RONCO DEL GNEMIZ
Ce domaine de la province d'Udine est réputé pour son Colli Orientali Chardonnay, mais toute la gamme est à la hauteur.

RUSSIZ SUPERIORE
Cette propriété de Capriva appartient à Marco Felluga (également propriétaire d'un grand domaine à Gradisca) et à son fils. Elle donne une série de très élégants vins de cépage Collio DOC, dont un superbe Sauvignon. Intéressant IGT Verduzzo.

MARIO SCHIOPETTO
Les trois enfants de Mario Schiopetto, vigneron de génie et célèbre perfectionniste, travaillent désormais avec lui. Ils lui ont construit le chai dont il a longtemps rêvé. Le domaine compte 22 ha en Collio et 9 ha en Colli Orientali, et les vins sont toujours parmi les plus beaux de la région.
En tête, le fabuleux Pinot Bianco Amrità, le Tarsia (Sauvignon passé en fûts français), le Tocai Pardes, tous DOC, et l'IGT Blanc des Rosis. Bon IGT rouge Rivarossa et délectable gamme Podere dei Blumeri.

VILLA RUSSIZ
Ce domaine de Capriva produit une série de remarquables Collio DOC blancs (Tocai, Sauvignon, Malvasia Istriana, Pinot Bianco, etc.), sans compter les superbes Sauvignon et Merlot Graf de la Tour.

VOLPE PASINI
Après une période de transition, la qualité est de retour. En haut de gamme, la série des Zuc di Volpe et l'assemblage Bianco Le Roverelle.

GRAVE DEL FRIULI

PIGHIN
La famille Pighin est propriétaire du plus grand domaine privé du Frioul : 140 ha en Grave del Friuli DOC et 30 ha en Collio DOC. Leur chai de Risano, dans la province d'Udine, produit des vins des deux appellations et des *vini da tavola* : le rouge Baredo, issu de Cabernet-Sauvignon, Merlot et Refosco, et le blanc Soreli, à base de Tocai, Pinot Blanc et Sauvignon.

VIGNETI LE MONDE
À Prata di Pordenone, presque en Vénétie, Piergiovanni Pistoni produit de bons rouges de garde.

AUTRES VINS

CA' BOLANI
La propriété de la famille Zonin, important négociant de Vénétie, à Cervignano del Friuli produit des Friuli Aquileia DOC réputés et les excellents assemblages Opimio et Conte Bolani.

VIE DI ROMANS
À Mariano del Friuli, ce domaine produit d'admirables Isonzo DOC qui figurent parmi les blancs les plus élégants d'Italie. En vedette, les Sauvignon Piere et Vieris, les deux Chardonnay et le superbe Pinot Grigio Dessimis.

TOSCANE

Carte page XXIV

La Toscane ne cesse d'innover et de se renouveler, alors qu'elle est très certainement la région d'Italie, et peut-être d'Europe, où les traditions viticoles ont connu la plus longue continuité. Au XIVe siècle, à l'aube de la renaissance des arts, des sciences et de la culture, certaines grandes familles du vin – comme les Antinori et les Frescobaldi – établissaient leur renommée à Florence. Ces maisons sont aujourd'hui à la pointe du renouveau.

La Toscane est célèbre dans le monde entier pour les vins rouges de Chianti, qui, dans les années 1960, étaient pourtant réputés pour leur maigreur et leur insignifiance. Dans les années 1980, la région est devenue le fer de lance de l'innovation viticole en Italie. L'impulsion a été donnée par la principale zone d'appellation du Chianti, le Chianti Classico, et par la petite appellation de Chianti Rufina, plus au nord, où de spectaculaires progrès techniques ont été réalisés.

Le changement est également venu de régions côtières où le vin n'occupait autrefois qu'une place modeste, comme la zone de Bolgheri, dont sont issus deux des plus grands vins d'Italie – le Sassicaia et l'Ornellaia. Le Sassicaia est un vin rouge de Cabernet-Sauvignon et de Cabernet Franc dont la réussite a été acclamée dans le monde entier (voir p. 565). Stimulés par son succès, certains producteurs toscans doués d'imagination ont alors fait appel à des cépages importés pour créer toutes sortes d'assemblages. D'autres ont choisi de miser sur les cépages locaux, mais pas forcément de la manière prévue par les diverses DOC.

Tout cela a engendré un nouveau style de *vino da tavola* baptisé « Supertoscan ». Le contraste n'aurait pu être plus grand qu'entre un vin de table italien ordinaire et l'un de ces « vins design », à la présentation et au prix somptueux. Aujourd'hui, on constate un certain retour à l'équilibre. Le Sangiovese est choyé à l'égal du Cabernet. Bolgheri et Bolgheri Sassicaia sont devenus DOC grâce à la loi Goria. La région voisine de Maremme est gagnée par la fièvre, et de remarquables vins DOC y surgissent. La leçon des « Supertoscans » a toutefois été retenue. On recherche la qualité, on emploie de meilleurs clones et des techniques modernes pour compléter les méthodes traditionnelles.

Révolu aussi le temps où les vins blancs de Toscane étaient vieux avant l'âge et oxydés, ou fortement soufrés. Grâce aux nouvelles technologies, les bons producteurs réussissent des blancs nets et frais, comme le Galestro. D'autres se sont voués à l'élevage de vins de Chardonnay en barrique.

Les cépages

En Toscane, le grand cépage rouge est le Sangiovese. S'il lui arrive de donner des résultats médiocres – quand le clone est mal choisi et le rendement élevé –, il peut aussi produire des vins capables de rivaliser avec n'importe quel Nebbiolo du Piémont. Les vins DOCG de Toscane – Chianti Classico, au goût de cerise amère ; Brunello di Montalcino, charnu et puissant ; et le plus austère Vino Nobile di Montepulciano – en sont les illustrations classiques. Dans les collines au sud-est de Grosseto, près de la ville de Scansano, le Sangiovese est appelé Morellino et possède sa propre zone, Morellino di Scansano DOC, pour un rouge savoureux.

Le Mammolo, à l'arôme de violette, peut se trouver dans l'assemblage du Vino Nobile de Montepulciano et dans certains Chianti. Le Canaiolo Nero est encore très répandu, bien que son rôle dans le Chianti décline. Le Trebbiano Toscano (Ugni Blanc) est le cépage blanc le plus répandu dans le centre de l'Italie. Son caractère neutre et sa productivité l'empêchent de donner de grands vins, mais il peut en produire d'acceptables s'il est bridé et bien vinifié. Assemblé à des cépages locaux comme la Malvasia del Chianti, ou étrangers comme le Chardonnay, il peut être à la base de vins intéressants, autrefois inimaginables.

Le classement des vignobles

En 1716, le grand-duc de Toscane, Cosme III de Médicis, créa plusieurs des toutes premières zones d'appellation contrôlée en Europe, notamment Chianti, Carmignano et Pomino. En 1966, les premières DOC attribuées en Toscane furent

LE VIN SANTO

La tradition du *vin santo* (« vin saint ») est chère à de nombreux producteurs toscans, même les plus avant-gardistes. C'est un vin *passito*, c'est-à-dire issu de raisins passerillés. En Toscane, les raisins (en général blancs – Malvasia del Chianti, Trebbiano ou Grechetto) sèchent traditionnellement sur des claies au grenier, bien que certains chais modernes recourent à l'air chaud. Ces raisins sont ensuite pressés et le vin est scellé dans de petits fûts, les *caratelli*, puis laissé tel quel de quatre à six ans. Il peut être doux ou sec, bien que son nom à connotation religieuse semble indiquer qu'il était doux à l'origine. Dans les deux cas, ce peut être un nectar digne des dieux, surtout quand on trempe dans son verre les biscuits aux amandes appelés *cantucci*.

Brunello di Montalcino, Vino Nobile di Montepulciano et Vernaccia di S. Gimignano, vite rejointes par celles de Chianti et Chianti Classico, puis Carmignano et Pomino. Toutes (sauf Pomino) sont aujourd'hui des DOCG. Jusqu'à l'irruption du Sassicaia et au « sacre » du terroir de Bolgheri qui s'ensuivit, ces six zones pouvaient revendiquer les meilleurs vins toscans. Une trentaine d'autres portent le label DOC, et la « nouvelle » région de Maremme semble promise à un bel avenir.

Chianti et Chianti Classico

Six provinces toscanes comportent des vignobles ayant aujourd'hui droit à la vaste appellation Chianti DOCG, qui désigne un vin rouge comportant 75 à 100 % de Sangiovese, assemblé ou non avec un peu de Canaiolo, ainsi qu'une infime proportion des cépages blancs Trebbiano et Malvasia del Chianti. Cabernet-Sauvignon, Merlot et d'autres cépages rouges sont autorisés jusqu'à concurrence de 10 %. Huit zones ont le droit d'ajouter leur nom à l'appellation de base. La plus étendue, Classico, et la plus petite, Rufina, ont le plus contribué à améliorer l'image du Chianti. Dans les autres – Colli Senesi, Colli Fiorentini, Montalbano, Colli Aretini, Colline Pisanie, Chianti Montespertoli –, le changement est moins sensible.

Le passage du Chianti Classico du statut de DOC à celui de DOCG en 1984 apparaît aujourd'hui comme un grand succès. Grâce à un contrôle accru de la production, mais aussi du rendement, le volume a baissé de 380 000 hl en 1983 à 280 000 hl en 1998 ; la présence de raisins blancs dans l'assemblage (habitude inaugurée au XIXe siècle par le baron Ricasoli pour arrondir les tanins rêches du Sangiovese d'alors) est facultative. Beaucoup de Chianti sont encore destinés à une consommation plutôt rapide, mais pas le Chianti Classico : avec ses notes de framboise et de cerise noire, son côté très sec et sa forte acidité, il est difficile de le boire jeune ou en dehors des repas. Quant au Chianti Rufina, son acidité est encore plus marquée, mais il a sans doute davantage de fruit et de longévité.

Brunello di Montalcino

Les rouges puissants de cette appellation DOCG (depuis 1980) viennent des collines de Montalcino, dans la province de Sienne. Les vignobles, un mélange d'argile et de sol plus rocailleux appelé *galestro,* bénéficient d'un climat tempéré, plus chaud et sec que de nombreuses aires du Chianti, avec des soirées et des nuits fraîches. Le seul cépage autorisé est le Brunello ou Sangiovese Grosso (un clone de Sangiovese), et les vins ne peuvent être commercialisés que cinq ans, dont deux passés en fût, après la vendange (six pour le *riserva).* Ils ont une saveur intense et beaucoup de corps et peuvent vieillir en bouteille presque indéfiniment. Le Rosso di Montalcino DOC désigne des vins issus des mêmes vignobles et pouvant être vendus après un an d'élevage.

Vino Nobile di Montepulciano

Montepulciano, joli bourg de colline situé à environ 120 km au sud-est de Florence, est réputé pour ses vins rouges depuis des siècles. L'adjectif *nobile* leur a été attribué au XVIIIe siècle. La plupart des vignobles ont un sol argilo-sableux, qui est plus sablonneux que dans les zones de Chianti Classico et de Brunello. Le cépage principal est le Prugnolo (encore un clone local de Sangiovese), qui forme au moins 70 % de l'assemblage, adouci par un apport de Canaiolo Nero, accompagné par l'aromatique et facultatif Mammolo. Le vin est parfois un peu maigre, mais les meilleurs présentent de belles notes d'épices et de santal. Le Vino Nobile DOCG doit passer deux ans en fût ; les vins plus jeunes peuvent être vendus comme Rosso di Montepulciano DOC.

Carmignano

Ce petit vignoble, situé sur une série de collines à 16 km à l'ouest de la ville de Florence est réputé pour le sérieux des contrôles effectués avant toute attribution du label DOCG. Comme dans le Chianti DOCG, l'assemblage à base de Sangiovese peut comporter jusqu'à 10 % de Cabernet (Cabernet-Sauvignon et/ou Cabernet Franc), présent dans ce vignoble sous le nom d'*uva francesca* dès le XVIIIe siècle.

Bolgheri et Pomino

Ces deux petites zones font une large place aux cépages français. La première est une DOC récente au sud de Livourne. Proche de la mer, elle accueille notamment la catégorie Sassicaia, dont le négociant florentin Antinori s'est fait le pionnier dès 1974 (voir p. 565). Issu d'une région qui n'était pas réputée pour la qualité de ses vins, le Sassicaia exige 80 % minimum de Cabernet-Sauvignon. La seconde, surtout constituée par la Tenuta di Pomino de la famille Frescobaldi, occupe de hautes collines (jusqu'à une altitude de 700 m) à l'est de Florence. Créée en 1988, la DOC autorise jusqu'à 25 % de Cabernet et 20 % de Merlot dans le vin rouge, et jusqu'à 80 % de Pinot Blanc et/ou Chardonnay dans le vin blanc.

Vernaccia di San Gimignano

La Vernaccia, cultivée depuis le XIIIe siècle au pied des célèbres tours de la ville de San Gimignano, produit un vin blanc DOCG, doté d'une pointe d'acidité.

LES FACTEURS DE QUALITÉ

De toutes les régions d'Italie, la Toscane est l'une des plus adaptées à la vigne, avec ses nombreux coteaux descendant des Apennins, épine dorsale de la péninsule. Même des régions moins accidentées, comme la zone de Bolgheri, au sud-ouest, se sont révélées propices à la productions de grands vins.

CHIANTI CLASSICO

Tout le centre de la Toscane – des collines près d'Arezzo, à l'est, au pied des Apennins, jusqu'au bord de la mer, où le climat est plus chaud – produit du Chianti. La plupart des meilleurs vins viennent de la zone du Chianti Classico, entre Gaiole et Castellina, où les vignobles poussent souvent à 500 m d'altitude.

ORGANISATION

Dans le contexte parfois chaotique du vin italien, les producteurs de Chianti Classico et de Chianti Rufina sont, depuis longtemps, mieux organisés que d'autres, ce qui, dans un grand souci de qualité, a facilité les efforts nécessaires au progrès.

SÉLECTION CLONALE

Principal cépage rouge du centre de l'Italie, le Sangiovese a donné naissance à 14 ou 15 clones; le choix entre ceux-ci joue un rôle décisif dans la qualité des meilleurs vins. Il existe deux grandes familles de Sangiovese : Piccolo et Grosso. Le Piccolo donne des raisins plus petits à peau plus fine. Facile à cultiver et productif, il a été beaucoup planté après la Seconde Guerre mondiale. Le Sangiovese Grosso, ou Sangioveto, donne un vin meilleur. Un de ses clones, le Brunello, est utilisé à Montalcino depuis la fin du XIXe siècle. Le Prugnolo, autre clone de Sangiovese Grosso, est à la base du Vino Nobile di Montepulciano. Si, pour le Chianti, les vieux vignobles de Piccolo sont encore très présents, la qualité du vin s'améliore nettement, à mesure que les vignobles sont replantés avec de meilleurs clones.

ALTITUDE

Dans trois des plus grandes zones viticoles de la Toscane – Chianti Classico, Montalcino et Montepulciano –, les vignobles poussent jusqu'à 550 m au-dessus du niveau de la mer, ce qui garantit plus de fraîcheur aux raisins l'été. Les zones de Chianti Classico et de Rufina, plus au nord, sont plus fraîches que le reste de l'appellation. Le Chianti Classico profite aussi de sols mieux drainés (un mélange d'*albarese,* riche en chaux, et de *galestro,* plus rocailleux). Plus que dans d'autres régions, cette altitude élevée entraîne des variations selon les millésimes, souvent à la suite de pluies estivales.

PRODUCTEURS ET NÉGOCIANTS DE CHIANTI

Les grands noms du Chianti se trouvent dans la zone du Chianti Classico entre Florence et Sienne, autour des villes de Greve, Castellina, Radda, Gaiole et Castelnuovo Berardenga, et dans la petite zone de Chianti Rufina, au nord-est de Florence. Beaucoup sont aussi réputés pour leurs *vini da tavola* novateurs.

CASTELLO DI AMA
À Gaiole in Chianti. Domaine particulièrement réputé pour ses Chianti Classico de crus Bellavista et La Casuccia, ainsi que pour ses splendides IGT Vigna l'Apparita, Il Chiuso et Vigna al Poggio.

ANTINORI
En vedette de cette célèbre maison florentine, le Tignanello, symbole du renouveau italien dans les années 1970 ; s'y ajoutent désormais le Brunello di Montalcino Pian delle Vigne et le Bolgheri Guado al Tasso. Citons aussi les nombreux Chianti Classico : Pèppoli, Badia a Passignano, Villa Antinori, et les IGT Santa Cristina et Galestro, le rarissime Vinsanto Rosso, sans oublier la superbe gamme du Castello della Sala à Orvieto.

BADIA A COLTIBUONO
Le joyau du domaine est le glorieux *vino da tavola* Sangioveto, suivi de près par le Chianti Classico Selezione RS.

CASTELLO DI CACCHIANO
Ce beau domaine de Gaiole a décidé de recentrer sa production sur le Chianti Classico *riserva* Millenio, promu grand vin du château. Savoureux Rosso di Toscana et magnifique *vin santo.*

CASTELLARE DI CASTELLINA
En vedette, le *vino da tavola* I Sodi di San Niccolo ; excellents Chianti Classico (dont le Vigna al Poggiale) et IGT Canonico.

CASTELL' IN VILLA
À Castelnuovo Berardenga. Un Chianti Classico et le *vino da tavola* Santacroce, dignes de tous les éloges.

CENNATOIO
À Panzano. Très bons Chianti Classico ainsi qu'IGT Etrusco et Rosso Fiorentino.

FATTORIA DI FELSINA
À Castelnuovo Berardenga. En vedette de ce domaine baptisé le Margaux du Chianti, le splendide IGT Fontalloro et les deux Chianti Classico *riserva* Rancia et Berardenga, mais aussi le Chardonnay I Sistri et le Cabernet-Sauvignon Maestro Raro.

CASTELLO DI FONTERUTOLI
À l'avant-garde de la qualité, une série de superbes vins rouges : un Chianti Classico et un *riserva,* ainsi que le savoureux Morellino di Scansano Belguardo et les IGT Concerto et Siepi, ce dernier l'un des plus beaux vins toscans actuels.

TENUTA FONTODI
À Panzano. Un des plus beaux IGT toscans de Sangiovese, le Flaccianello della Pieve. Le reste de la gamme est à l'avenant : Chianti Classico (dont le *riserva* Vigna del Sorbo), beaux Pinot Noir et Syrah, l'IGT blanc Meriggio.

MARCHESI DE' FRESCOBALDI
En haut de gamme, le magnifique Chianti Rufina Montesodi et le *riserva* Castello di Nipozzano, mais aussi le Pomino Bianco Il Benefizio. Remaquable Brunello di Montalcino Castelgiocondo.

ISOLE E OLENA
À Barberino Val d'Elsa. Des vins portés aux nues par la critique : Chianti Classico, les *vini da tavola* (Cabernet Collezione De Marchi et Syrah l'Eremo, délectable Sangiovese Cepparello) et surtout le *vin santo.*

LA MASSA
À Panzano. Deux superbes Chianti Classico. Le Giorgio Primo est considéré comme une référence absolue.

LA SALA
À S. Casciano. Des vins étonnamment charnus, denses et nets. En tête, le Chianti Classico *riserva* et l'IGT Campo all'Albero.

ANTICA FATTORIA MACHIAVELLI
À S. Casciano Val di Pesa. Ce joyau di Gruppo →

PRODUCTEURS ET NÉGOCIANTS DE CHIANTI

Italiano Vini produit le *vino da tavola* Ser Niccolò Solatio del Tani, l'un des meilleurs vins de la maison, les deux autres vedettes étant le superbe Chianti Classico *riserva* Vigna Fontalle et l'IGT Il Principe, l'un des grands Pinots Noirs italiens.

MELLINI
En haut de gamme, le Chianti Classico *riserva* La Selvanella et le Vernaccia di S. Gimignano Le Grillaie.

FATTORIA MONSANTO
À Barberino Val d'Elsa. Excellent Chianti Classico *riserva* Il Poggio. Une gamme de bons *vini da tavola,* dont un Sangiovese et un Chardonnay réputés.

CASTELLO DELLA PANERETTA
À Barberino Val d'Elsa. Les IGT Quattrocentenario et Terrine font sensation.

PODERE POGGIO SCALETTE
À Greve. Somptueux IGT Il Carbonaione, issu de Sangiovese di Lamole, un clone rare et réputé.

CASTELLO DI QUERCETO
À Greve. Élégants Chianti Classico (dont le *riserva* Il Picchio) et IGT rouges, dont les superbes Cignale et La Corte.

AGRICOLA QUERCIABELLA
À Greve. Deux *vini da tavola* exceptionnels, Batùr et Camartina. Bons Chianti Classico.

CASTELLO DEI RAMPOLLA
À Panzano. Deux magnifiques *vini da tavola,* Vigna di Alceo et Sammarco, et excellents Chianti Classico.

BARONE RICASOLI
Francesco Ricasoli, héritier de l'inventeur du style du Chianti au XIXe siècle, produit un superbe trio de Chianti Classico, du Castello di Brolio, le grand vin du domaine, au Brolio et au *riserva* Rocca Guicciarda. Autre vedette, le splendide IGT Casalferro. Le Chardonnay Torricella, l'agréable Formulae rouge et le *vin santo* complètent dignement la gamme.

TENUTA DI RISECCOLI
À Greve. Succulent Chianti Classico *riserva,* un *vin santo* d'anthologie et le Saeculum, un IGT réputé.

RUFFINO
À Pontassieve. Trois *vini da tavola* spectaculaires : Cabreo Il Borgo, Cabreo La Pietra et surtout Romitorio di Santedame. Chianti Classico de bonne qualité. Magnifique IGT Il Pareto et excellent Chianti Classico riserva La Forra, produit par La Fattoria di Nozzole, à Greve.

SAN FELICE
Près de Castelnuovo Berardenga. Appréciables Chianti Classico, dont l'excellent *riserva* Poggio Rosso, ainsi que l'IGT Vigorello. Deux bons Brunello di Montalcino.

SAN GIUSTO A RENTENNANO
À Gaiole. Très beaux Chianti Classico, deux *vini da tavola* réputés, Percarlo et La Ricolma, ainsi qu'un magistral *vin santo.*

CASTELLO SAN POLO IN ROSSO
Ce domaine à Gaiole produit notamment le bel IGT de Sangiovese Cetinaia.

SELVAPIANA
Domaine réputé pour la qualité et la longévité de ses vins, parfois austères dans leur jeunesse. Élégants Chianti Classico, dont les *riserva* Fornace et Bucerchiale, remarquable *vin santo* et bon Pomino Rosso.

FATTORIA TERRABIANCA
À Radda in Chianti. Dans une gamme de grande régularité, la prime va aux deux IGT Campaccio et au Chianti Classico Vigna della Croce.

VECCHIE TERRE DI MONTEFILI
À Panzano. Réputé pour l'excellence de sa gamme. En vedette, le Chianti Classico et les IGT Anfiteatro et Bruno di Rocca.

CASTELLO DI VOLPAIA
À Volpaia, près de Radda in Chianti. Chianti Classico d'une remarquable longévité, mais austères certaines années. En haut de la gamme, les IGT Coltassala et Balifico.

AUTRES RÉGIONS ET PRODUCTEURS

Les zones d'appellation DOCG Brunello di Montalcino, Vino Nobile di Montepulciano et Carmignano, ainsi que les DOC Vernaccia di San Gimignano et Pomino se trouvent pour l'essentiel dans les limites de la vaste appellation Chianti DOCG. Les producteurs ont le choix : faire du Chianti standard – ou un *«super vino da tavola»* toscan – ou encore des vins DOC ou DOCG.

BRUNELLO DI MONTALCINO

ALTESINO
Ce domaine produit plusieurs bons Brunello, dont la version générique et le cru Montosoli très appréciés, tout comme les IGT Alte d'Altesi et Palazzo Altesi.

TENUTA DI ARGIANO
Le Brunello et le Rosso di Montalcino sont parmi les vins les plus réputés, mais la vedette de la gamme reste le *vino da tavola* Solengo.

BANFI
Une gamme de vins rouges très réputés. En vedette, le Brunello *riserva* Poggio all'Oro et le savoureux Rosso di Montalcino, mais aussi toute la gamme Sant' Antimo DOC (Colvecchio, Summus, Fontanelle, etc.) et l'IGT Excelsus.

FATTORIA DEI BARBI
En haut de gamme, le Brunello *riserva* Vigna del Fiore. Agréable Brusco dei Barbi. Bons Brunello Prime Donne et Leone Rosso, produits sous le nom de Donatella Cinelli Colombini.

BIONDI-SANTI
Le plus célèbre domaine de l'appellation, à l'origine du Brunello actuel. Vers 1880, Ferruccio Biondi-Santi se mit à produire un vin à partir d'un clone particulier de Sangiovese, qu'il baptisa Brunello. Ce vin massif et tannique était réputé pour sa longévité. Après une certaine période de désaffection – les vins ne semblaient plus à la hauteur (vertigineuse) de leur prix –, la maison a repris vigueur. Les Brunello commercialisés par Jacopo Biondi-Santi viennent du domaine Il Greppo, cœur de la propriété, mais aussi du bon petit domaine Poggio Salvi.
En vedette, les Brunello, l'IGT Sassoalloro et le Moscadello DOC Aurico.

TENUTA CAPARZO
En tête de la gamme de l'un des plus importants domaines de Montalcino, les Brunello Vigna La Casa et *riserva*, l'IGT Ca' del Pazzo. Bons Moscadello V.T. et Rosso di Montalcino La Caduta.

CASANOVA DI NERI
En train de devenir une référence intéressante de l'appellation. En tête, les Brunello *riserva* Cerretalto et Tenuta Nuova.

CERBAIONA
Un domaine très réputé pour son remarquable Brunello et son *vino da tavola* Cerbaiona.

TENUTA COL D'ORCIA
L'un des plus grands domaines de Montalcino appartient à la famille Marone Cinzano. Il a été rénové à grands frais et d'autres investissements sont en cours. Superbe Brunello *riserva* Poggio al Vento, l'Olmaia, un IGT de Cabernet-Sauvignon considéré comme l'un des meilleurs d'Italie. Excellents Rosso di Montalcino, Rosso degli Spezieri et Moscadella V.T. Pascena.

PODERE IL GALAMPIO
Des Brunello denses et élégamment boisés.

LA FIORITA
Un Brunello réputé pour son fruité mûr, mais surtout d'étonnants *vini da tavola* dans la gamme (bien) nommée Quadratura del Cerchio. À découvrir, le Terzo Viaggio, fascinant assemblage de Sangiovese toscan et de Primitivo des Pouilles (alias Zinfandel).

LA PALAZETTA
Les vins amples, charnus et complexes de Flavio Fanti collectionnent des lauriers, le Brunello comme le Rosso di Montalcino.

LA PODERINA
Très beau Brunello *riserva* et remarquable Moscadello. →

AUTRES RÉGIONS ET PRODUCTEURS

LISINI
La famille Lisini est installée à Sant'Angelo del Colle, dans un paysage sauvage. Deux Brunello, le générique et l'Ugolaia, justement réputés pour leur élégance et leur concentration.

MASTROJANNI
Tout le style du grand œnologue Maurizio Castelli est dans ces beaux Brunello denses et veloutés, Schiena d'Asino et *riserva* en tête.

SIRO PACENTI
Déjà réputé pour ses excellents Brunello, le jeune Giancarlo Pacenti participe avec passion au programme de recherches établies entre Montalcino et la faculté d'œnologie de Bordeaux. De nouveaux vins prometteurs en gestation.

PIEVE SANTA RESTITUTA
Entré dans l'orbite d'Angelo Gaja depuis 1994 (voir p. 537), ce domaine produit de superbes Brunello Sugarile et Rennina, et un élégant *vino da tavola* Promis.

SALVIONI-LA CERBAIOLA
Le Brunello de ce minuscule domaine fait courir les amateurs.

VAL DI SUGA
Ce domaine appartient à un groupe pharmaceutique et produit de superbes Brunello, dont le Vigna Spuntali et le Vigna del Lago.

VINO NOBILE DI MONTEPULCIANO

AVIGNONESI
Le domaine des frères Falvo comporte 200 ha de vignes et un palais du XVIe siècle. Sa superbe gamme de vins suscite l'enthousiasme. En tête de liste, les deux Vino Nobile *riserva* (parmi les meilleurs de l'appellation), le Rosso di Montepulciano DOC et toute une série d'IGT, des plus « simples » (savoureux Avignonesi Bianco et Rosso) aux plus ambitieux (Chardonnay Il Marzocco, Grifi Cabernet, etc.). Admirable *vin santo,* flanqué d'un rare Occhio di Pernice.

BINDELLA-TENUTA VALLOCAIA
Ce domaine appartient à un importateur suisse de grands vins, vigneron dans l'âme et passionné de qualité. Le vignoble comptera bientôt 30 ha, ce qui devrait calmer un peu la pression de la demande. Deux vins seulement (mais quels vins !) : le Vino Nobile DOCG et l'IGT Vallocaia.

BOSCARELLI
Avec l'aide de Maurizio Castelli, Paola De Ferrari et ses deux fils produisent régulièrement de superbes vins généreusement charnus, élégants et jamais dominés par le bois. Les deux Vino Nobile, dont le cru Vigna del Nocio, font le bonheur des amateurs. Sans oublier le Boscarelli, un « Supertoscan ».

FATTORIA DEL CERRO
Ce domaine figure parmi les meilleurs de l'appellation. En vedette d'une gamme très complète, de magnifiques Vino Nobile (dont le cru Antica Chiusina) et les IGT Manero et Poggio Golo. Remarquables Chianti dei Colli Senesi et *novello* Brescello.

FATTORIA LA BRACCESCA
Ces 140 ha (dont 30 en zone DOCG) appartiennent à Antinori (voir p. 561). Ils bénéficient du talent des œnologues Renzi Cotarella et Maurizio Angeletti. En haut de gamme, le Vino Nobile, le Rosso di Montepulciano Sabazio, mais surtout le somptueux Merlot IGT.

POLIZIANO
Un magnifique domaine mené de main de maître par Federico Carletti et l'œnologue Carlo Ferrini. Il doit son nom au poète de la Renaissance Ange Politien, né à Montepulciano. Exemplaires Vino Nobile, le cru Vigna dell' Asinone en tête, et les *vini da tavola* Elegia et Le Stanze, réputé à juste titre. Excellent Morellino di Scansano Lohsa.

VALDIPIATTA
Vins exemplaires vinifiés par Paolo Vagaggini, œnologue de talent, le Vino Nobile *riserva* en tête. Le nouvel IGT Trincerone fait sensation.

AUTRES RÉGIONS ET PRODUCTEURS

AUTRES VINS

Cette catégorie regroupe notamment l'élite des DOCG Carmignano et Vernaccia di San Gimignano, ainsi que des producteurs de grands *vini da tavola.*

BANTI
Le Morellino DOC Ciabatta reste un des meilleurs vins de l'appellation. À citer aussi, l'IGT Anno Primo.

CAPANNELLE
À Gaiole. Très bon Chianti Classico, mais les vins les plus réputés sont l'IGT Capannelle Rosso Barrique et le succulent 50 & 50.

TENUTA DI CAPEZZANA
Excellents rouges Carmignano DOCG, dont le *riserva,* et le Ghiaie della Furba, le vin le plus connu du domaine. Très beau Carmignano *vin santo,* un classique du genre.

TENUTA DI GHIZZANO
Deux IGT de grande classe : le succulent Veneroso et le magnifique Merlot Nambrot. Bon Chianti et très beau *vin santo* San Germano.

GRATTAMACCO
Très bon Bolgheri Superiore, le Grattamacco rouge.

GUICCIARDINI STROZZI
Toute une gamme de vins, dont plusieurs Vernaccia di San Gimignano (excellent *riserva* San Biagio), un savoureux Chianti Colli Senesi Titolato, mais les vedettes sont trois superbes IGT rouges : le Sodole, le Selvascura et surtout le Millani 994.

FATTORIA LA PIEROTTA
À Scarlino. Délicieux DOC Montereggio Selvaneta, concentré, net et élégant.

LE MACCHIOLE
Un grand Bolgheri Superiore, le Paleo Rosso. Les IGT Scrio et Messorio retiennent également l'attention.

FATTORIA LE PUPILLE
Excellents Morellino di Scansano DOC (savoureux générique et *riserva,* magnifique cru Poggio Valente), mais les IGT Solalto et surtout Saffredi sont plus réputés encore.

TENUTA DI MONTECUCCO
Le Montecucco Le Coste est une superbe réussite : beau fruité sauvage, tanins mûrs, bon boisé maîtrisé.

MORRIS FARMS
Très réputé pour ses Morellino di Scansano et son splendide IGT Avvoltore.

TENUTA DELL'ORNELLAIA
Des *vini da tavola* mondialement réputés : en vedette, les rouges Masseto et Ornellaia, le blanc Poggio alle Gazze.

PANIZZI
Meilleur producteur de Vernaccia di San Gimignano. Bon Chianti Colli Senesi et un intéressant IGT Bianco di Gianni.

PARMOLETO
Le vin délicieux de ce petit vigneron de Montecucco DOC prouve l'avenir de cette nouvelle DOC.

TENUTA SAN GUIDO
Ce domaine est à l'origine du légendaire Sassicaia, un vin de prestige mondial : finesse et élégance d'abord, bouquet raffiné, tanins mûrs sculptant un fruité succulent, longue plénitude aromatique en bouche lui valent tous les honneurs.

FATTORIA SONNINO
Parmi d'autres vins, le savoureux IGT Sanleone, particulièrement élégant.

CASTELLO DEL TERRICCIO
Dans ce domaine de Castellina Marittima, les cépages français ont la vedette. Un grand *vino da tavola,* le Lupicaia Rosso.

TERUZZI & PUTHOD
Les deux Vernaccia di San Gimignano (dont le cru Vigna a Rondolino) font référence. Deux IGT blancs, Terre di Tufi et Carmen, encore plus réputés.

VAL DELLE ROSE
Le Morellino di Scansano *riserva* est un beau vin «international» de grande élégance.

ITALIE CENTRALE

Carte page XXIV

Cyprès, oliviers et ceps de vigne, petits bourgs médiévaux et châteaux solitaires juchés sur les collines : le centre de l'Italie résume pour beaucoup l'image du pays tout entier. Ombrie, Marches, Abruzzes et Molise sont reliés par la chaîne des Apennins, dont les contreforts ensoleillés offrent un site idéal pour la vigne. Les cépages principaux – Sangiovese (voir p. 557) pour les vins rouges et Trebbiano (voir p. 557) pour les blancs – sont un trait d'union entre les vignobles, malgré la forte personnalité et l'essor des variétés locales.

Ombrie

L'Ombrie, région sans accès à la mer, cœur verdoyant de l'Italie, a beaucoup en commun avec la Toscane voisine : des coteaux relativement frais et, surtout, une nouvelle génération de producteurs qui ont commencé par défier avec succès les décrets d'appellation pour créer des « super *vini da tavola* », avant de se mettre (aussi) au service des appellations historiques de la région. Célèbre pour ses vins blancs d'Orvieto (voir encadré p. 569), l'Ombrie se révèle aujourd'hui, avec éclat, terre de rouges. Elle totalise onze DOC et deux DOCG (Torgiano Rosso Riserva et Montefalco Sagrantino).

Le Tibre serpente à travers la région et longe la plupart des principaux vignobles. Les zones DOC des Colli Altotiberini, Colli del Trasimeno, Colli Perugini, Colli Martani et Colli Amerini donnent des vins rouges, rosés et blancs à base de Sangiovese et de Trebbiano.

Les cépages présentent un intéressant mélange de variétés toscanes, autochtones et étrangères, avec notamment de très belles réussites en Merlot et Pinot Noir. Fierté locale, le Sagrantino peut donner de grands vins rouges. Les Montefalco Sagrantino DOCG, vigoureux et bien colorés, peuvent être secs ou doux, ces derniers étant vinifiés à partir de raisins partiellement ou complètement passerillés *(passito)*. La petite appellation Rosso di Montefalco DOC, dont le vignoble est situé entre Assise et Terni, désigne un agréable vin rouge, surtout à base de Sangiovese (60 à 70 %) et Sagrantino (10 à 15 %).

L'appellation Torgiano DOC a acquis une réputation mondiale grâce aux efforts de la famille Lungarotti (voir p. 568). Le cépage Sangiovese, qui s'est considérablement amélioré dans les années 1980, montre ici le meilleur de son potentiel. Le Torgiano rouge *riserva,* qui compte trois ans de vieillissement, a droit à la prestigieuse appellation DOCG depuis 1990.

Marches

Autrefois voués à apaiser la soif des touristes et à orner les trattorias du monde entier de leur bouteille en forme d'amphore, les vins des Marches retiennent désormais l'attention des amateurs. Leur bon rapport qualité/prix est un atout supplémentaire.

Le principal cépage blanc est le Verdicchio, qui donnait jusqu'ici des vins légers et citronnés (parfois effervescents), classique accompagnement des fruits de mer de l'Adriatique. Mais les efforts des meilleurs producteurs de Verdicchio dei Castelli di Jesi DOC – le plus connu – ont abouti à de délicieux vins de caractère, fins et aromatiques. La petite aire de Verdicchio di Matelica DOC produit, elle aussi, de bons vins, légèrement plus acides.

Les rouges ont le vent en poupe, mais restent minoritaires. Le Rosso Cònero DOC, un vin aux progrès fulgurants, est issu du cépage Montepulciano d'Abruzzo (avec parfois un peu de Sangiovese), cultivé sur les collines qui surplombent la ville d'Ancône, capitale régionale. Ce cépage – à ne pas confondre avec la ville toscane du même nom, où l'on cultive un clone de Sangiovese – donne chez les bons producteurs des vins charnus et savoureux, dotés d'une belle mâche. L'appellation Rosso Piceno DOC (Sangiovese et Montepulciano) est beaucoup plus vaste. La région compte sept autres DOC, moins connues, dont le rouge mousseux Vernaccia di Serrapetrona.

Abruzzes et Molise

Dans ces deux régions, le paysage se fait plus sauvage, les villes plus discrètes. Longtemps caractérisées par le plus haut rendement viticole d'Italie, les Abruzzes regardent de toute évidence vers le Sud. Le Molise est encore relativement inexploré, par les touristes comme par les amateurs de vin.

Les viticulteurs des Abruzzes ont commencé à prendre conscience du potentiel de leur terroir montagneux et de leur cépage vedette, le noir et tannique Montepulciano d'Abruzzo. Les vins gagnent en netteté et en élégance. Les pionniers de la qualité (Valentini et Illuminati) ont fait des émules, et tous démontrent que leur Montepulciano peut rivaliser de qualité avec celui des Marches, plus au nord, en fournissant des rouges charnus et veloutés – par exemple dans les collines de Teramo. Quant au Trebbiano d'Abruzzo, principal cépage blanc, il donne le plus souvent un vin sec plutôt ordinaire, mais non déplaisant.

Dans le Molise, la seule appellation d'importance est Biferno DOC, qui peut désigner aussi bien des vins rouges et rosés que blancs. L'influence viticole des Abruzzes, au nord, a eu pour conséquence que les principaux cépages cultivés aujourd'hui sont les mêmes dans les deux régions.

PRODUCTEURS ET NÉGOCIANTS

Aujourd'hui, les appellations de l'Italie centrale renouent avec la qualité, Orvieto en tête. Dans toute la région, la réputation des rouges ne cesse de s'accroître.

OMBRIE

La suprématie des blancs d'Orvieto a été remise en question par de nombreux *vini da tavola* comportant des cépages étrangers, en blanc comme en rouge.

FRATELLI ADANTI
L'un des bons domaines de Montefalco. Robustes Sagrantino di Montefalco DOCG, Montefalco Rosso et surtout Bianco DOC (Grechetto, Trebbiano et Chardonnay). Agréable Arquata Rosso IGT.

ANTONELLI
Des Sagrantino di Montefalco DOCG aux arômes puissants et complexes. Très bon blanc Vigna Tonda, un IGT 100 % Grechetto, fermenté en barriques.

BARBERANI-VALLESANTA
Domaine réputé pour sa gamme d'Orvieto Classico DOC (superbe Calcaia botrytisé, Castagnolo sec et Pulicchio demi-sec). À signaler, les rouges IGT Foresco et Polago, le Lago di Corbara DOC, vin léger à boire jeune, et l'IGT blanc Pomaio.

BIGI
Cette grande maison de négoce d'Orvieto (Gruppo Italiano Vini) a retrouvé son prestige grâce à ses vins de cru, notamment l'Orvieto Classico DOC Torricella (sec) et le Marrano, un blanc de Grechetto élevé en barriques. Excellent rapport qualité/prix.

ARNOLDO CAPRAI-VAL DI MAGGIO
En quelques années, l'énergique Marco Caprai a rendu célèbre un obscur domaine familial de Montefalco, acquis en 1971. Il produit un Sagrantino DOCG vedette soyeux et mûr (fermentation 100 % bois neuf), le «Selezione 25 Anni». On peut préférer la version « simple » ou l'élégant Montefalco Rosso *riserva,* dans lequel 20 % de Merlot s'allient magistralement au Sangiovese et au Sagrantino. Agréables blancs DOC Grecante et Vigna Belvedere.

CASTELLO DELLA SALA
Les vins blancs de ce château et vignoble, qui appartiennent à la maison Antinori, servent encore de modèle, de l'exemplaire Orvieto Classico DOC (sec) aux prestigieux IGT Cervaro della Sala et Muffato della Sala, sans oublier Chardonnay et Sauvignon della Sala. Bon rapport qualité/prix pour les Orvieto Classico Campogrande (sec) et Casasole *(abboccato).* Magistral Pinot Noir IGT.

CÒLPETRONE
Un Sagrantino DOCG et un Rosso di Montefalco DOC, nets, concentrés et très fruités, au premier rang de l'appellation.

DECUGNANO DEI BARBI
Près du lac de Corbara, des vins d'un bon rapport qualité/prix, comptant parmi les valeurs sûres de l'Ombrie. En vedette, les Orvieto Classico et, dans la gamme IL, un excellent rouge. À noter aussi, deux Lago di Corbara DOC et un Mousseux.

LA FIORITA-LAMBORGHINI
L'IGT Campoleone 97 a décroché chez Parker un 97. Un Colli del Trasimeno Rosso DOC fruité et très soigné, le Trescone.

CANTINE LUNGAROTTI
Disparu en 1999, Giorgio Lungarotti s'est battu avec acharnement pour démontrer que les vins italiens pouvaient être de la plus haute qualité. Il a créé presque à lui seul une appellation (classée DOC en 1968) à Torgiano, près de Pérouse, et introduit Cabernet-Sauvignon et Chardonnay dans ses *vini da tavola* de l'époque héroïque, le San Giorgio et le Vessillo, aujourd'hui IGT, et le Chardonnay I Palazzi (devenu DOC). Les cépages italiens sont à l'honneur dans les Torgiano DOC,

le Rubesco rouge (Sangiovese) et le Torre di Giano blanc. Le Torgiano Rosso Riserva DOCG est issu de vieilles vignes. Un bon Brut *spumante* et le Giubilante, un rouge de plaisir immédiat, complètent la gamme.

LA PALAZZOLA
Ce domaine est voué aux cépages internationaux. En vedette, un somptueux Merlot et le Rubino, bel assemblage rouge fruité et réglissé. Bons Pinot noir, Riesling *spumante* brut, Muscat demi-sec et *passito*.

PALAZZONE
Pureté de fruit, finesse, élégance, c'est la philosophie de Giovanni Dubini, appliquée sur des vignes près d'Orvieto. Les blancs (95 % de la production) sont exemplaires, en Orvieto Classico (Campo del Guardiano, Terre Vineate) et IGT (Grechetto, Viognier et un Sauvignon botrytisé). Remarquables rouges IGT Armaleo et Rubbio.

PIEVE DEL VESCOVO
Iolanda Tinarelli et l'œnologue Riccardo Cotarella recherchent la qualité d'abord. Excellents Colli del Trasimeno DOC, rouges et blancs. En vedette, le Lucciaio.

SPORTOLETTI
À Spello. Savoureuse gamme de vins très soignés, les Assisi DOC comme les IGT Villa Fidelia.

ORVIETO

Cette région produit surtout des vins blancs secs et frais. Le cépage principal est le Procanico, nom local du Trebbiano (40-60 %), amélioré par une proportion variable de Grechetto, Verdello, Drupeggio et Malvasia. Mais la réputation d'Orvieto vient surtout de ses vins doux, atteints de *muffa nobile (botrytis)*. La zone Classico entourant Orvieto est considérée comme la meilleure. À signaler, une nouvelle DOC baptisée Rosso Orvietano.

MARCHES

Le vin le plus connu est le blanc Verdicchio dei Castelli di Jesi DOC, mais les vins rouges ne cessent de progresser : les savoureux Rosso Cònero DOC et Lacrima di Morro d'Alba DOC, produits près d'Ancône, et le Rosso Piceno DOC. La Vernaccia di Serrapetrona est un délicat rouge mousseux sec et doux, issu de Vernaccia Noire cultivée dans une toute petite zone de la province de Macerata.

BOCCADIGABBIA
Ce petit domaine très réputé pour ses *vini da tavola* (les rouges Akronte et Saltapicchio, le Chardonnay Aldonis) a récemment acquis l'Azienda Villamagna, connue, elle, pour son excellent Rosso Piceno DOC et son Monsanulus blanc.

FRATELLI BUCCI
Ampelio Bucci produit des Verdicchio dei Castelli di Jesi Classico concentrés et élégants, surtout le Villa Bucci. Agréable Rosso Piceno Pongelli.

FAZI-BATTAGLIA
Créée en 1949, cette maison de négoce a « inventé la tradition » du Verdicchio dei Castelli di Jesi dans sa bouteille-amphore et a longtemps dominé le marché. Très bonne gamme de Verdicchio (Castelli di Jesi Classico, sélections Le Moie et San Sisto, ce dernier fermenté en barriques), savoureux Rosso Cònero et IGT Rutilus.

GIOACCHINO GAROFOLI
Remarquables Rosso Cònero (Vigna Piancada et *riserva* Grosso Agontano) et exemplaires Verdicchio dei Castelli di Jesi (cru Macrina, Serra Fiorese et Podium).

FATTORIA LA MONACESCA
Domaine réputé pour l'excellence de son Verdicchio di Matelica DOC, son Ecclesia Chardonnay et le remarquable Mirum.

FATTORIA LE TERRAZZE
Magistral Rosso Cònero Sassi Neri, renversant *vino da tavola* IGT Chaos et l'IGT Le Cave.

→

PRODUCTEURS ET NÉGOCIANTS

MORODER
Avec des vignes situées au cœur du parc naturel du Cònero et les conseils de l'œnologue Franco Bernabei, les Moroder se sont vite fait connaître : leur Rosso Cònero Dorico est un vin racé et aromatique à souhait.

ALBERTO QUACQUARINI
La Vernaccia di Serrapetrona est à son sommet : ce producteur propose deux versions très bien vinifiées, *secco* et *dolce (riserva* Capsula Nera).

SARTARELLI
Toute la gamme, du Classico de base au Tralivio de vieilles vignes et au splendide cru Balciana de Vendange tardive, témoigne avec éclat de l'élégance du cépage Verdicchio.

UMANI RONCHI
Deux chais distincts pour le Verdicchio et le Rosso Cònero, des recherches clonales et des essais de fermentation en barriques. Vaste gamme de très belle qualité, des vins génériques aux crus (Verdicchio Casal di Serra, Villa Bianchi et *riserva* Plenio ; Rosso Cònero Serrano, San Lorenzo et Cùmaro) et aux *vini da tavola* vedettes : Pelago, Le Busche et Maximo.

VILLA PIGNA
Outre de bons blancs, le Rosso Piceno DOC et les *vini da tavola* Cabernasco et Rozzano.

ABRUZZES ET MOLISE

Aux appellations génériques Montepulciano d'Abruzzo, pour les rouges, et Trebbiano d'Abruzzo, pour les blancs, se sont récemment ajoutées deux DOC : Controguerra et Montepulciano d'Abruzzo Colline Teramane. Dans le Molise, l'appellation Biferno DOC peut désigner des vins rouges, rosés et blancs.

BARONE CORNACCHIA
Un Montepulciano d'Abruzzo et un Trebbiano d'Abruzzo, tous deux réputés.

DINO ILLUMINATI
Ce domaine est l'un des meilleurs des Abruzzes. Des vins DOC des Abruzzes, concentrés et pleins de caractère, en blanc (Ciafrè, Costalupo) comme en rouge (Riparossa). En vedette, le voluptueux Zanna, noir d'encre, et le Lumen, dans lequel le Montepulciano se marie harmonieusement au Cabernet-Sauvignon. Le rouge Nicò (Montepulciano passerillé) est une curiosité.

MASSERIA DI MAJO NORANTE
Ce remarquable producteur des environs de Chieti s'est fait rapidement connaître. À signaler, la gamme Biferno DOC Ramitello (rouge), l'Apianae (Muscat doux) et le *vino da tavola* blanc Biblos.

GIANNI MASCIARELLI
Des vins de caractère, en rouge (Montepulciano d'Abruzzo Villa Gemma et Marina Cvetic) comme en blanc (Trebbiano d'Abruzzo et Chardonnay Marina Cvetic).

EMIDIO PEPE
Issu de culture biologique, un délicieux Trebbiano d'Abruzzo de vieilles vignes, millésimes anciens.

TENUTA STRAPPELLI
À Torano Nuovo. Un Montepulciano d'Abruzzo de garde, noir et concentré à souhait, aux arômes de chocolat, pruneau et café, issu de culture biologique.

CANTINA TOLLO
La meilleure coopérative des Abruzzes offre un excellent rapport qualité/prix avec sa gamme Colle Secco (notamment le Montepulciano Rubino). En haut de gamme, le noir et velouté Montepulciano Cagiòlo.

EDOARDO VALENTINI
C'est « le » domaine de référence dans les Abruzzes, qui a montré à quels sommets pouvaient parvenir les cépages Trebbiano et Montepulciano d'Abruzzo. Ce succès a rendu les vins chers et difficiles à trouver.

CICCIO ZACCAGNINI
Bon Montepulciano d'Abruzzo et un *vino da tavola* rouge, le Capsico.

ITALIE DU SUD

La tradition viticole du Sud remonte à la Grèce antique. Pour les Grecs, comme pour les Romains, ces côtes fertiles portaient le nom d'Œnotria, le pays des vignes. À la fin des années 1970, rien ou presque n'avait changé dans toutes ces régions depuis des siècles. Puis apparurent d'énormes coopératives, apparemment incapables de tirer parti de leurs coûteux équipements, sinon pour en extraire des subventions à la distillation toujours renouvelées. Dans cette ambiance déprimante, une poignée de producteurs s'obstinaient, au prix de mille difficultés. Ils ont eu raison... Leurs vins passionnants, misant sur les cépages autochtones, souvent d'un excellent rapport qualité/prix, ont prouvé que le Sud pouvait, lui aussi, réussir sa mutation.

Latium

Les 40 000 hectares de vignes du Latium restent majoritairement voués aux cépages blancs, la Malvoisie (Malvasia) se taillant la part du lion, suivie du Trebbiano. Les cépages rouges sont pourtant en expansion, certains purement locaux comme le Nero Buono di Cori et l'intéressant Cesanese, d'autres plus répandus (Sangiovese, Merlot, Montepulciano). Un important travail vient de commencer pour améliorer la sélection clonale et préserver certains cépages typiques de la zone.

La région compte 25 DOC, dont deux des appellations les plus connues d'Italie, Est ! Est !! Est !!! et Frascati. D'autres sont de création récente et une DOC réservée aux cépages rouges français a même vu le jour en 1999 (Atina DOC). Les vignobles sont regroupés en quatre zones principales. Au nord de Rome, près du lac de Bolsena, on produit le blanc Est ! Est !! Est !!! et le rare Aleatico di Gradoli, un rouge de dessert.

Campanie

La Campanie retrouve une réputation bien oubliée depuis les temps glorieux du Falerne, vin de prédilection de la Rome antique. En quelques années, une véritable explosion a eu lieu, centrée sur un incomparable patrimoine de cépages autochtones : Falanghina, Fiano et Greco di Tufo en blanc, Aglianico et Piedirosso en rouge. L'Aglianico, apte à donner de grands vins de garde, est à la base du Taurasi, l'unique DOCG méridionale d'Italie. À l'origine de tout cela, l'exemple de producteurs comme Mastroberardino et D'Ambra, les progrès considérables accomplis en matière de sélection clonale, enfin l'arrivée de grands œnologues-

conseils, venus épauler des vignerons passionnés toujours plus nombreux. D'un bout à l'autre de la Campanie surgissent continuellement de « nouveaux » grands vins rouges et blancs : dans l'aire historique du Falerne, au nord de Naples (Falerno del Massico DOC) ; dans les collines de l'Irpinia, fief du Taurasi DOCG et des DOC Greco di Tufo et Fiano di Avellino ; à Ischia, sur la Côte Amalfitaine et jusque dans le Cilento, aux abords de Salerne.

Basilicate

Le Basilicate, petite zone montagneuse et pauvre aux hivers rigoureux, peut revendiquer l'un des plus grands vins rouges du Sud italien, issu des pentes volcaniques du mont Vulture, mais l'Aglianico del Vulture DOC n'atteint réellement ce niveau que dans un nombre limité de propriétés. Leur réussite a cependant stimulé plusieurs coopératives, en net progrès, et éveille des vocations dans le reste de la région. On trouve aussi ici d'agréables vins blancs doux de Muscat.

Calabre

Malgré les efforts méritoires d'une poignée de producteurs et la présence de 12 DOC, cette région reste à la traîne. Les classiques problèmes de l'Italie méridionale semblent ici aggravés par l'inertie de populations, locale et touristique, apparemment peu exigeantes. Le vin le plus connu est le Cirò DOC rouge (surtout issu de Gaglioppo), mais sa réputation est hélas rarement justifiée.

Pouilles

L'esprit de renouveau est très présent. Vouée jusqu'aux années 1980 à la production d'une marée de vins de coupage, puis abandonnée aux effets pervers de la distillation subventionnée des surplus, la région a su redresser la barre, à l'exemple d'une poignée de maisons irréductibles. Les îlots de qualité se sont multipliés au rythme de la baisse des rendements. L'an 2000 a marqué un nouveau tournant avec l'arrivée d'investisseurs de calibre mondial : la maison Antinori a acquis deux domaines totalisant 600 hectares de vignes et d'autres s'apprêtent à faire de même.
Ici encore, un riche patrimoine en cépages attise l'intérêt : Bombino Bianco et Bombino Nero ; Negro Amaro, raisin « noir et amer » de Salento (souvent assemblé à la Malvasia Nera pour donner des vins rouges corsés comme le succulent Salice Salentino DOC) ; Uva di Troia et Primitivo, dont l'identité avec le Zinfandel de Californie se confirme.
Les plus connues des 22 DOC actuelles sont Castel del Monte (rouge, blanc et rosé) ; plus au sud, Locorotondo (le meilleur blanc) ; enfin et surtout Salice Salentino, près de Lecce.

PRODUCTEURS ET NÉGOCIANTS

Comme dans d'autres régions d'Italie, on trouve dans le Sud d'innombrables appellations officielles recouvrant des réalités très variables.

LATIUM

CASALE DEL GIGLIO
Impeccable gamme d'IGT et de *vini da tavola*. Superbes rouges (Cabernet-Sauvignon, Madreselva et Mater Matuta) ; blancs de bonne tenue (Satrico).

CASTEL DE PAOLIS
Du Frascati DOC de haut vol et de beaux IGT, comme le Selve Vecchie, le Quattro Mori ou le stupéfiant Campo Vecchio.

COLACICCHI
En tête des *vini da tavola*, le majestueux Torre Ercolana et l'aromatique Romagnano Bianco.

COLLE PICCHIONI
Ce domaine pionnier produit le blanc Marino DOC Selezione Oro et surtout l'IGT Vigna del Vassallo.

COLLI DI CATONE
Bons Frascati Superiore DOC Colli di Catone, Villa Catone et Villa Porziana.

FALESCO
Vins remarquables, de l'Est ! Est !! Est !!! Poggio dei Gelsi au Grechetto et à deux rouges réputés, l'élégant Merlot Montiano et le Vitiano.

FONTANA CANDIDA
Une gamme impeccable, du Frascati Superiore DOC générique à la sélection Santa Teresa, en passant par la ligne Terre dei Grifi.

GOTTO D'ORO
La meilleure coopérative de Frascati. Excellent rapport qualité/prix.

MAZZIOTTI
Le seul Est Est Est (sans points d'exclamation) issu de vignes familiales. Délicat générique et Sélection Canuleio. En prime, un délectable IGT rouge, le Volgente.

SERGIO MOTTURA
Des vignes « bio » et des brillantes intuitions matérialisées en vins IGT, le Magone en tête. À découvrir, le Muffo botrytisé, le délicat Poggio della Costa, le Latour à Civitella et le Chardonnay *spumante*.

GIOVANNI PALOMBO
Belle illustration de la nouvelle DOC Atina. En vedette, les rouges Duca Cantelmi et Colle della Torre.

PIETRA PINTACOLLE SAN LORENZO
Excellent IGT Colle Amato.

VILLA SIMONE
Bons Frascati Superiore. En vedette, l'aromatique Vigneto Filonardi et le rare Cannellino botrytisé. Remarquable *vino da tavola* La Torraccia.

CONTE ZANDOTTI
Savoureux Frascati Superiore : Rumon, Frascati *cannellino* et La Petrosa.

CAMPANIE

D'AMBRA
En tête, les IGT blanc Tenuta Frassitelli et rouge Tenuta Montecorvo.

CAGGIANO
Excellents rouges d'Aglianico – Taurasi DOCG Vigna Macchia dei Goti, IGT Salae Domini, *vino da tavola* Tauri – et le Mel, un délicieux blanc doux.

DE CONCILIIS
Deux superbes rouges IGT (Zero et Naima) et un Fiano V.T., le Vigna Perella.

FEUDI DI SAN GREGORIO
Incroyables blancs (Idem bianco, Privilegio et deux Fiano V.T., le Campanaro et le Pietracalda). Somptueux rouges d'Aglianico (Idem rosso, Serpico et deux Taurasi DOCG).

GALARDI
Splendide *vino da tavola* Terra di Lavoro.

GRAN FUROR DIVINA COSTIERA
Une gamme où brillent le Furore Bianco Fior d'Uva et le Furore Rosso *riserva*.

MAFFINI
Rouges Cenito et Kléos, et le blanc Kràtos, parmi les meilleurs de Campanie.

MASTROBERARDINO
Les appellations Taurasi DOCG, Fiano di Avellino DOC et Greco di Tufo DOC doivent leur existence à cette importante maison. Quant au Vesuvio Rosso DOC, il sauve l'honneur du Lacryma Christi. →

PRODUCTEURS ET NÉGOCIANTS

MONTEVETRANO
Un superbe vin qui a servi d'exemple à bien des rouges de Campanie.

VILLA MATILDE
En tête, le splendide Vigna Camarato, les Falerno del Massico DOC rouge et blanc, un délicieux *passito* de Falanghina (Eleusi).

BASILICATE

D'ANGELO
Gamme exemplaire, l'IGT Canneto et l'Aglianico del Vulture DOC *riserva* Vigna Caselle en tête.

BASILIUM
Trois réjouissants Aglianico DOC concentrés et charnus. Blanc de Greco, I Portali.

BASILISCO
Un Aglianico fruité d'une impeccable fraîcheur.

PATERNOSTER
En vedette, trois splendides Aglianico DOC et le Moscato IGT Clivus, discrètement pétillant.

CALABRE

LIBRANDI
Une des références en Cirò DOC (rouges *classico* et *riserva* Duca San Felice). IGT Critone, Gravello et *passito* Le Passule.

ODOARDI
À Cosenza. Appréciables Savuto DOC (dont le Vigna Mortilla), mais surtout les IGT de la gamme Scavigna.

FATTORIA SAN FRANCESCO
Exemplaires Cirò DOC rouges (Ronco dei Quattro Venti et Donna Madda), et le Cirò Rosato, un des meilleurs rosés d'Italie.

STATTI
Des vins de qualité, en blanc (Lamezia Greco DOC et IGT Ligeia) comme en rouge (deux IGT, le superbe Cauro et le frais Arvina).

POUILLES

ACCADEMIA DEI RACEMI
L'Accademia regroupe des petits domaines sauvés de l'abandon. La Pervini en est le chef de file avec une série de vins de grande qualité (Primitivo di Manduria DOC Archidamo, Primo Amore et I Monili ; IGT Bizantino Rosso).
À signaler aussi, les vins de Casale Bevagna (Salice Salentino DOC Te Deum), de Sinfarosa (splendide Primitivo di Manduria DOC Zinfandel), de Masseria Pepe (deux Primitivo di Manduria, le Portile et surtout le Dunico) et de Felline (rouges, Vigna del Feudo, Primitivo di Manduria et Alberello).

FRANCESCO CANDIDO
Domaine réputé pour ses Salice Salentino DOC rouge, rosé et blanc, son Aleatico di Puglia DOC (doux) et surtout pour ses *vini da tavola* rouges Duca d'Aragona et Cappello di Prete.

CASTEL DI SALVE
Trois remarquables vins rouges : le Priante, le Negro Amaro del Salento Armecolo et le Volo di Alessandro.

LEONE DE CASTRIS
Outre le Donna Lisa, parmi les plus beaux Salice Salentino DOC, une gamme de qualité : excellent rosé Five Roses, doux Aleatico DOC Negrino, divers vins fondés sur le Negro Amaro et de nouveaux vins issus de Primitivo, Santera (DOC) et La Rena (IGT).

RIVERA
Impeccables Castel del Monte DOC (en vedette, Il Falcone *riserva* et Chardonnay Preludio) et séduisant Moscato di Trani DOC Piani di Tufara.

ROSA DEL GOLFO
Le Salento Rosato, un des meilleurs rosés d'Italie, et le bon rouge Portulano.

TAURINO
Des vins splendides portés aux nues par Parker : Patriglione et Notarpanaro.

VALLONE
Des vins d'appellation Brindisi et Salice Salentino réputés. Très beau *passito* rouge, le Graticciaia.

VIGNETI DEL SUD
Deux IGT (Tormaresca Bianco et Rosso) au spectaculaire rapport qualité/prix.

CONTI ZECCA
Excellente gamme DOC en Leverano (Malvasia Vigna del Saraceno et Rosso *riserva)* et Salice Salentino (Rosso Cantalupi). En vedette, le *vino da tavola* Nero.

SICILE ET SARDAIGNE

La qualité progresse dans ces deux îles très différentes, confrontées à un même problème : une forte production de vins médiocres, dominée par les coopératives et difficile à commercialiser.

Sicile

L'histoire de la Sicile – depuis l'arrivée des Grecs au Ve siècle av. J.-C. – a laissé en héritage une culture éclectique et riche de contradictions. Le vin ne fait pas exception. Longtemps, une poignée de producteurs se sont battus dans l'indifférence générale. Leur exemple a pourtant suscité l'émergence d'une nouvelle génération ardemment convaincue du potentiel de son île. La Sicile redevient une terre de grands vins, notamment rouges, même s'il reste beaucoup de vins médiocres, souvent rendus impersonnels par la surproduction des vignes et une vinification de type industriel.

Ici aussi, de grands groupes italiens ont récemment acquis des centaines d'hectares, des œnologues de renom interviennent, et l'on s'attache à revaloriser les meilleurs cépages autochtones, Nero d'Avola (rouge) et Inzolia (blanc).

Les cépages blancs restent largement majoritaires, à commencer par le Catarratto (45 %), suivi du Trebbiano toscan. Autres cépages intéressants, le Grillo (à Marsala) et le Grecanico en blanc, le Nerello Mascalese, le Perricone et le Frappato di Vittoria en rouge.

La Sicile compte 17 DOC, représentant une infime partie de la production. À l'ouest, la province de Trapani enregistre la plus grande superficie viticole d'Italie et produit des flots de vin blanc sec (notamment en Alcamo DOC) ainsi que le Marsala (voir encadré p. 576). À l'est, on trouve des appellations historiques aux vins quasi introuvables, comme le rouge Faro de Messine, les Moscato di Noto ou di Siracusa. Le Cerasuolo di Vittoria (rouge) et les vins de l'Etna ont, eux, repris vigueur. Enfin, deux petites îles volcaniques perpétuent les vins doux de l'Antiquité, Moscato di Pantelleria (entre Sicile et Tunisie) et Malvasia delle Lipari (à Salina).

Sardaigne

La Sardaigne a de nombreux atouts – son climat, la préservation d'une bonne part de son héritage en matière de cépage et de types de vin, et la présence de producteurs de talent, y compris dans certaines coopératives. Les ombres au tableau sont une œnologie souvent approximative, un flot de vin blanc neutre loin d'être tari, une mise en valeur

des cépages autochtones et des terroirs encore timide.

Les bonnes nouvelles viennent surtout des vins rouges, avec de belles réussites issues de cépages comme le Carignano (Carignano del Sulcis DOC), le Cannonau (Grenache), le Nieddera, assemblés ou non avec Sangiovese, Cabernet, etc. En blanc, l'une des variétés les plus intéressantes est le Vermentino (le Vermentino di Gallura est l'unique DOCG de l'île). Les DOC Vernaccia di Oristano, Malvasia di Bosa et Nasco di Cagliari peuvent offrir de superbes vins de dessert.

MARSALA

Le Marsala est l'un des grands vins mutés du monde. Passé de la gloire à la décadence en quelques générations, il tente de reprendre le chemin de la qualité : la réglementation DOC a notamment interdit le nom de Marsala aux produits aromatisés qui en dérivent. Il est produit aux alentours de la ville portuaire de Marsala, à l'ouest de la Sicile, à partir de vins blancs issus des cépages Catarratto, Grillo, Damaschino et Inzolia (sauf la catégorie Rubino, ouverte aux cépages rouges). Les raisins fermentent de la façon habituelle, à l'exception d'une petite proportion transformée en agent édulcorant avant d'être ajoutée au vin. Le meilleur agent édulcorant est le *sifone* ou *mistello,* un mélange de raisins passerillés et d'alcool de vin, l'autre étant le *cotto,* un sirop de raisins caramélisé produit en chaudière. Le Marsala est en outre obligatoirement muté à l'eau-de-vie de vin.

CATÉGORIES

Au nombre de cinq, elles sont par ailleurs subdivisées selon leur teinte *(oro, ambra, rubino)* et leur richesse en sucre *(secco, semisecco, dolce).*

Fine : Marsala de base, vieilli un an, dont 8 mois dans le bois. Le *cotto* est exigé pour l'*ambra* (1 % au minimum) et interdit dans les autres.

Superiore et **superiore riserva :** plus alcoolisés que le *fine* (18 % vol. au lieu de 17 % vol.), 2 ans de bois (4 pour le *riserva*). Même usage du *cotto.*

Vergine et **vergine stravecchio :** le vin est toujours sec, sans *mistella* ni *cotto.* Le *vergine* est élevé 5 ans en bois, le *stravecchio* 10 ans. Le terme *soleras* peut aussi être utilisé.

PRODUCTEURS ET NÉGOCIANTS

Les producteurs les plus connus sont : De Bartoli (voir p. 577) ; Florio (Terre Arse, Baglio Florio, Targa Riserva 1840) ; Carlo Pellegrino (Ruby Fine, Vergine Soleras) ; Alvis-Rallo.

PRODUCTEURS ET NÉGOCIANTS

La Sicile et la Sardaigne progressent, la première à un rythme accéléré et d'un bout à l'autre de l'île ; la seconde, de manière plus limitée. Dans les deux cas, les vins rouges ont souvent la vedette.

SICILE

ABBAZIA DI SANT'ANASTASIA
La qualité des vins a grimpé en flèche : Litra, Baccante et Cinquegrani...

AVIDE
Excellents Cerasuolo di Vittoria DOC (Barocco et Etichetta Nera) et IGT Sigillo, tous rouges.

BENANTI
Savoureux Etna DOC Rosso Rovittello, IGT Lamorèmio.

COS
En tête, le Sciri, deux Cerasuolo DOC pulpeux à souhait et deux IGT blancs, Vigne di Cos et Ramingallo.

DE BARTOLI
Les Vecchio Samperi *riserva* 20 Anni et 30 Anni, ainsi que le Muscat de Pantelleria Bukkuram sont mondialement réputés. Exemplaires Marsala DOC mutés (Vigna La Miccia, Il Marsala Superiore 20 Anni).

DONNAFUGATA
Contessa Entellina DOC Chiarandà del Merlo (blanc) et Milleunanotte et Tancredi (rouges). Excellent Ben Ryè, un Moscato *passito* de Pantelleria.

DUCA DI SALAPARUTA
Bon rapport qualité/prix pour la gamme de base Corvo. En haut de gamme, le Duca Enrico et le Bianca di Valguarnera.

FIRRIATO
Des vins séduisants (Sant' Agostino, Altavilla, etc.).

BARONE LA LUMIA
Trois illustrations du Nero d'Avola : Signorio Rosso, Limpiados et Nikao, tous non filtrés.

SALVATORE MURANA
Du soleil changé en vin, voilà ce que sont les Moscato di Pantelleria DOC Martingana et Khamma.

MURGO
Des vins qui participent au renouveau de l'appellation Etna DOC. Bon Cabernet-Sauvignon Tenuta San Michele.

PALARI
Bons Faro DOC.

PLANETA
Une gamme de très bon niveau. En tête, un Chardonnay et l'élégant IGT rouge Santa-Cecilia.

REGALEALI
Excellents Rosso del Conte et Nozze d'Oro, un bon *spumante* brut et un Chardonnay réputé. Trois nouveautés : le blanc Leone d'Oro, les rouges Novantasei et Cygnus. Très fiable gamme de base Regaleali.

SETTESOLI
En haut de la gamme de cette coopérative, les rouges de Nero d'Avola et le blanc Feudo dei Fiori.

SARDAIGNE

ARGIOLAS
Charnu et aromatique *vino da tavola* rouge Turriga. Très bel IGT *passito* Angialis. Bons Vermentino di Sardegna DOC et Cannonau di Sardegna DOC.

TENUTE DI CAPICHERA
Exemplaires Vermentino di Gallura DOC. Prometteur *vino da tavola* Assajè Rosso.

GABBAS
Deux remarquables rouges : le Lillové, Cannonau di Sardegna DOC fruité et dense, et l'opulent Dune.

CANTINA SOCIALE GALLURA
Une des meilleures coopératives. Karana rouge et des Vermentino (version DOCG Canayli et Piras, *vino da tavola* Balajana).

GIAN VITTORIO NAITANA
Incomparable IGT Planargia Murapiscados, doux et vif.

SELLA & MOSCA
Rouges Alghero DOC Marchese di Villamarina et Tanca Farrà, le tout nouveau Raim et le réputé Anghelu Ruju doux. En blanc, le classique Alghero DOC Torbato Terre Bianche, le nouveau Vermentino di Gallura DOCG Monteoro et le Nasco *passito* Monteluce.

CANTINA SOCIALE SANTADI
En vedette de cette coopérative, les rouges Shardana, Terre Brune, Rocca Rubia et un vin de dessert (Latinia).

ESPAGNE

Carte page XXV

L'Espagne, premier vignoble au monde par sa superficie (plus d'un million d'hectares), n'est cependant que le troisième producteur de vin de l'Union européenne, derrière l'Italie et la France, devant l'Allemagne. Réputée pour ses vins mutés, comme le fameux Xérès (voir p. 612), elle produit aussi des vins rouges, des vins rosés, des vins blancs et des vins effervescents qui vont du plus modeste au plus raffiné. Ces vins héritent d'une personnalité marquée par la géographie du pays. En effet, l'Espagne se compose d'un vaste plateau central (Meseta) situé à 650 m au-dessus du niveau de la mer et limité de toutes parts par des massifs montagneux. Les meilleurs vins sont issus de cépages qui se plaisent en altitude (jusqu'à 500 m en Rioja Alta et Rioja Alavesa ; entre 700 et 800 m en Alt-Penedès et Ribera del Duero). Ces vignobles bénéficient d'une bonne exposition au soleil sans souffrir de la canicule ni de nuits trop fraîches. La plupart des grands vins d'Espagne proviennent du nord de Madrid, c'est-à-dire, d'ouest en est, de Galice, des vallées du Douro et de l'Èbre, et de Catalogne. Les meilleurs sites se trouvent le plus souvent dans ces vallées montagneuses aux sols relativement pauvres et aux sous-sols d'argile. En revanche, les vallées de l'Èbre et du Douro sont riches en terres alluviales. Le climat espagnol bénéficie d'une même diversité : l'Ouest subit l'influence de l'Atlantique, qui apporte fraîcheur et humidité ; les zones centrale et septentrionale connaissent un climat de type continental avec des étés chauds et des hivers froids ; la côte catalane jouit d'un climat méditerranéen.

L'histoire du vignoble

L'histoire du vignoble espagnol est riche et ancienne. À leur arrivée en Espagne, vers la fin du IIIe siècle av. J.-C., les Romains apportèrent leur propre méthode de vinification, qui consistait à fouler les raisins dans des cuves de pierre et à les laisser fermenter naturellement. Cette méthode, appelée *método rural,* est encore en usage dans quelques régions. À partir de son unification, en 1492, l'Espagne ne cessa de prospérer. Lorsque le phylloxéra s'abattit sur les vignobles français, dans les années 1860, les négociants n'hésitèrent pas à traverser les Pyrénées pour aller acheter du vin en Espagne. Puis, le phylloxéra finit par s'en prendre également au vignoble espagnol. Fort heureusement, à cette époque, on avait déjà trouvé une parade aux ravages de l'insecte : le greffage des variétés européennes sur des porte-greffes américains résistants. Aidés par les organismes officiels, les vignerons s'employèrent à replanter. Les *bodegas* les plus réputées d'aujourd'hui datent pour la plupart de cette époque. Littéralement, une *bodega* est un chai, un bâtiment de stockage construit au niveau du sol. Elle se distingue de la *cava,* terme supposant que l'entrepôt se situe dans une cave en sous-sol. Cela explique pourquoi les vins effervescents espagnols ont emprunté le nom générique de Cava : la prise de mousse en bouteille et la garde des vins sur lattes suppose un long élevage dans la fraîcheur des caves souterraines. À l'opposé, les vins tranquilles espagnols, généralement gardés en fûts, se bonifient mieux dans des chais au sol soumis l'hiver et l'été à des changements de température, *les bodegas.*
Au cours de la seconde moitié du XXe siècle, l'Espagne, jadis productrice de vins anonymes vendus en vrac, se hissa, en trente ans, au niveau des vins de qualité. Dans les années 1970, les vins de la Rioja commencèrent à bien s'exporter, bientôt suivis par ceux de domaines comme Vega Sicilia, puis par ceux de Valdepeñas et de Catalogne.

L'évolution récente

Depuis 1985, le vin espagnol vit une révolution qualitative qui semble sans précédents historiques. Le paysage vinicole a donc changé dans un pays composé de dix-sept régions autonomes *(autonomías)* qui ne constituent pas seulement un État décentralisé et presque fédéral, mais qui produisent aussi chacune des vins bien distincts sur les plans de la viticulture, de la réglementation légale et du cadre financier.
Dans ce contexte, il ne faut pas non plus oublier les arcanes propres aux appellations d'origine contrôlée espagnoles, système emprunté aux Français. Ces lois contraignantes fixent ainsi pour l'élaboration des vins des moyennes de cépages qui ne correspondent pas exactement à celles

LIRE UNE ÉTIQUETTE DE VIN ESPAGNOL

L'étiquette principale du vin indique son niveau dans la hiérarchie (voir encadré p. 582-583). Mais c'est généralement sur une contre-étiquette apposée au dos de la bouteille ou sur un sceau de papier collé à cheval sur le bouchon qu'on trouvera les informations les plus utiles. La contre-étiquette porte le sigle officiel du Consejo Regulador (l'organisme de tutelle des DO), un numéro d'ordre qui permet d'identifier l'origine de la bouteille, et, souvent, une carte du vignoble dont il est issu. L'information la plus importante reste la catégorie de vin par rapport à son mode d'élevage : *crianza, reserva* ou *gran reserva*. Si aucune de ces désignations n'est mentionnée, il s'agit sans doute d'un *vino joven*.

que les œnologues préfèrent. Il en est de même pour le temps que les *crianzas* et les *reservas* doivent passer en fût et en bouteille. Dans le cas des *grandes reservas,* par exemple, la réglementation exige qu'elles restent 24 mois en fût et 36 mois en bouteille. Ces dernières années, les vins de la Rioja, commercialisés souvent directement sur le marché de New York pour contourner cette législation contraignante, ont obscurci leurs teintes et allégé la légendaire *crianza.*

Régions viticoles et styles de vin

La Galice et le Pays basque possèdent quelques-uns des vignobles les plus septentrionaux du pays. L'océan Atlantique y influence le climat, l'économie (fondée principalement sur la pêche) et les vins, le plus souvent des blancs légers et secs se mariant bien avec le poisson. Toujours au nord, dans la haute vallée de l'Èbre, la Navarre, la Rioja – le vignoble espagnol le plus connu avant l'éclosion des Ribera del Duero – et l'Aragon ont toujours entretenu, de par leur proximité, des liens étroits avec la France. Leurs vins sont le plus souvent des rouges puissants après vieillissement et des blancs robustes qui accompagnent agréablement les poissons d'eau douce.

Située à l'embouchure de l'Èbre, la Catalogne possède une culture bien spécifique. L'importance de sa pêche et son climat méditerranéen l'avaient conduite naturellement vers les vins blancs. Elle est également le berceau des Mousseux espagnols, les Cavas.

La Castille-León est le vignoble traditionnel de la vallée du Douro. Son climat, de type continental, est tempéré à proximité du fleuve. Ses vins rouges sont charnus et puissants, quoique certains « nouveaux » vins jouent sur les nuances, et ses blancs secs ont du corps. L'influence française se fait beaucoup moins sentir dans le style des vins de Castille que dans la haute vallée de l'Èbre.

Les meilleurs vins espagnols sont issus des régions déjà citées ci-dessus, mais la vigne est également présente dans le centre et dans le sud du pays. Les vastes plaines de Castille-La Manche et les Vinos de Madrid, qui se trouvent sur le plateau de la Meseta, de même que le Levante, composé des *autonomías* de Valence et de Murcie, produisent surtout des vins de consommation courante.

L'Andalousie, à l'extrême sud de l'Espagne, constitue une seule et vaste *autonomía*. Les vins de Xérès, légendaires, sont désormais bus différemment. Il s'agit certes de vins mutés, mais longuement élaborés lors d'un élevage sous voile.

Enfin, il existe une petite production de vin dans les îles espagnoles. Les Baléares ont une géologie proche de celle de la Catalogne, et la viticulture s'y est développée dans le même environnement climatique. Les rouges sont frais et gouleyants ; les blancs, frais et fruités, sont consommés sur place par les touristes et sont à boire jeunes *(jovenes)*. Le sol des Canaries, complètement noir par endroits, repose sur un sous-sol volcanique. Il donne principalement des vins rouges légers faciles à boire, dans l'année qui suit la récolte.

Les cépages

Les vins blancs proviennent essentiellement d'une variété médiocre, le cépage Airén, le plus répandu dans toute la partie centrale de l'Espagne. On trouve aussi beaucoup de Grenache Blanc, en particulier en Catalogne, un cépage qui donne des blancs corpulents d'une forte teneur en alcool. Les autres cépages blancs courants sont les excellents Albariño de Galice et Verdejo, ce dernier étant considéré comme l'un des meilleurs blancs de Castille-León. Le Maccabeo (ou Viura), le Parellada (un cépage de très haute qualité et de rendement élevé) et le Xarel·lo servent à l'élaboration des vins effervescents de

LA LÉGISLATION ESPAGNOLE

Depuis 1986, l'Espagne est soumise à la législation de l'Union européenne, qui définit deux catégories de vins : les *Vinos de mesa* (vins de table) et les VCPRD *(Vinos de Calidad Producidos en Regiones Determinadas)*, qui sont, en fait, des VQPRD (Vins de Qualité Produits dans des Régions Déterminées).

LES NIVEAUX DE QUALITÉ

Outre les classifications officielles, l'Espagne conserve ses différentes appellations, inspirées du système français, mais aussi ses désignations, dans un souci d'information des consommateurs.

Vino de mesa est la catégorie de base. Les vins peuvent provenir de n'importe où en Espagne et ne porter ni mention d'origine géographique ni millésime. Le terme *vino de mesa* peut être suivi par le nom d'une région. Il s'agit dans ce cas d'une catégorie intermédiaire entre le *vino de mesa* et le *vino de la tierra*. 28 régions *(comarcas)* ont le droit d'utiliser leur nom pour décrire un vin, par exemple Vino de Mesa de Betanzos. Cette catégorie de vin s'appelle couramment *vino comarcal* (vin local). Ce type d'identification est aussi utilisé pour les vins qui ne rentrent pas dans le système d'appellations (voir plus bas). Par exemple, Yllera en Castille-León, qui prend ainsi le nom de sa province *(autonomía) :* Vino de Mesa de Castilla-León. Ces vins peuvent être millésimés.

Vino de la tierra est l'équivalent du vin de pays français. Il provient d'une des 28 zones délimitées reconnues pour leur caractère spécifique et aspirant à un futur statut DO.

Denominación de origen (DO) est une appellation donnée aux vins qui répondent à un certain encépagement, un mode de culture et une origine géographique. Elle est comparable à l'AOC française ou à la DOC italienne. En juin 2000, on comptait 51 DO. L'INDO (Instituto Nacional de Denominaciones de Origen), l'équivalent de l'INAO français, a été créé en 1970.

Cava. Ils sont largement plantés en Catalogne et dans la haute vallée de l'Èbre.

Par sa finesse et son caractère aromatique, le Tempranillo (alias Ull de Llebre, Cencibel, Tinto Fino, Tinta del País et Tinta de Toro) est le préféré des cépages rouges d'Espagne. Principal cépage de Castille-La Manche, de Castille-León, de la vallée de l'Èbre et de certaines parties de la vallée du Douro et du Levante, il a peut-être une origine commune avec le Pinot Noir français.

Le Grenache Noir (Garnacha Tinta) est le cépage le plus répandu d'Espagne, en particulier dans le centre du pays, dans la vallée de l'Èbre et en

Denominación de origen calificada (DOC) est une sorte de « super-DO » réservée aux vins répondant à des critères très précis de qualité et de régularité correspondant à la DOCG italienne. Jusqu'à présent, seul le Rioja a eu droit à cette appellation à compter du millésime 1991.

LES DÉSIGNATIONS DE VINS

La législation espagnole a été harmonisée afin que les termes qualifiant les vins soient toujours utilisés dans le même sens.

Vino joven (vin jeune) : mis en bouteille aussitôt après sa clarification, on l'appelle aussi *vino del año* (vin de l'année). L'Instituto Nacional de Denominaciones de Origen (INDO) encourage le remplacement du terme *sin crianza* par *joven* pour qualifier un vin qui n'a pas été élevé sous bois.

Vino de crianza (vin d'élevage) : il peut être commercialisé après avoir vieilli deux années entières, dont un minimum de 6 mois en *barricas* (barriques de chêne). Dans certaines régions, comme la Rioja, les 6 mois sont généralement dépassés. Les *crianzas* blancs ou rosés *(rosados)* doivent vieillir un an à la *bodega,* dont au moins 6 mois en *barricas.*

Reserva : les vin rouges de cette catégorie doivent vieillir 3 ans à la *bodega,* dont au moins deux en *barricas,* et être commercialisés dans leur quatrième année. Pour le rosé et le blanc, le délai est de deux ans, dont six mois en *barricas,* et ils peuvent être commercialisés dans leur troisième année.

Gran reserva : cette catégorie n'existe que pour les millésimes particulièrement réussis. (Les millésimes ne sont contrôlés que depuis 1979.) Les rouges doivent vieillir deux ans en barrique, trois en bouteille, et être vendus dans leur sixième année. Les *gran reservas* blancs et rosés sont très rares. Ils doivent être élevés pendant quatre ans, dont six mois au minimum en barrique, et ne sont commercialisés que dans leur cinquième année.

Catalogne. Il s'assemble bien avec le Carignan (Cariñena), qui donne des vins robustes et bien équilibrés. On le cultive beaucoup en Catalogne et dans la Rioja (où il porte le nom de Mazuelo), mais il est rarement utilisé dans les vins d'appellation de Cariñena, sa région d'origine. Le Graciano est un cépage peu productif apprécié pour le vieillissement en *crianza* – d'où son usage dans la Rioja. Peu répandu, il est le plus souvent mélangé avec d'autres raisins. Plusieurs régions d'Espagne cultivent par ailleurs des cépages classiques internationaux, dont les vins sont mentionnés dans les chapitres consacrés aux différentes régions.

LA RIOJA

Carte page XXV

L'histoire de la Rioja moderne commença dans les années 1860, lorsque Camilo Hurtado de Amézaga, marquis de Riscal de Alegre, revint au pays après un séjour à Bordeaux, armé de nouvelles idées, de nouvelles vignes et, le plus important de tout, de barriques de chêne neuves. L'un de ses pairs, le marquis de Murrieta, partageait ses convictions. Tous deux se mirent donc à planter du Cabernet-Sauvignon et du Merlot et se préparèrent à vinifier et élever leurs vins en s'inspirant du modèle bordelais. Le marquis de Riscal a notamment impulsé l'engagement par le Conseil d'Alava de l'œnologue bordelais Jean Pineau, afin d'améliorer les vins des différents producteurs de la région. Les vins des deux marquis ne tardèrent pas à atteindre des prix qu'on n'aurait jamais imaginés dans la région de la Rioja. Les marquis viticulteurs initièrent certains vignerons qui n'avaient pas les mêmes facilités pour se procurer les cépages importés. À leur grande surprise, ces vignerons découvrirent que les cépages locaux qu'ils travaillaient depuis toujours, en particulier le Tempranillo, donnaient d'excellents résultats avec les nouvelles méthodes, avec ou sans Cabernet-Sauvignon.

En 1991, le Rioja accéda au rang de DOC *(denominación de origen calificada)*, catégorie supérieure à la DO. Il est désormais soumis à une réglementation plus stricte. Comme le Bordelais, la Rioja produit toute une gamme de vins, du vin jeune (non vieilli) jusqu'au *gran reserva* vieilli en fût de chêne pendant des années.

Régions, climats et sols

Les vins de la Rioja proviennent de l'*autonomía* La Rioja et des *autonomías* voisines, le Pays basque et la Navarre. Les principales subdivisions du vignoble correspondent à celles de la région :

LA RIOJA ALAVESA est située au nord de l'Èbre dans la province d'Álava (Pays basque).

LA RIOJA ALTA, au sud d'Álava, comprend l'enclave de Burgos.

Ces deux zones se trouvent dans la partie haute de la Rioja, à une altitude comprise entre 400 et 500 m, dont les températures légèrement plus fraîches donnent des vins de la meilleure qualité. Le climat est tempéré par l'influence de l'Atlantique et abrité des vents du nord par les monts Cantabriques. Le printemps est précoce et ensoleillé, l'été chaud et long, l'automne doux et rafraîchi par des brises nocturnes. L'hiver peut être très froid et amener le gel et la neige dans certains endroits.

LA RIOJA BAJA, qui comprend également les secteurs viticoles de

Navarre, occupe la partie sud-est de la région et descend jusqu'à environ 300 m d'altitude. Le climat est plus méditerranéen, plus chaud et plus sec, voire semi-aride par endroits. La durée d'ensoleillement est plus longue et les raisins sont mûrs plus tôt. Les vins de cette région sont souples, s'épanouissent plus rapidement et leur teneur en alcool est généralement plus élevée que dans les deux autres régions de la Rioja. Le sol argileux de la Rioja est sillonné de dépôts de calcaire et de fer vers le nord-ouest, tandis que la Rioja Baja possède des sols sableux et alluviaux.

Les cépages

Le principal cépage rouge est le Tempranillo. Dans la plus grande partie de l'Espagne septentrionale, en particulier dans la Rioja Alta et la Rioja Alavesa, c'est le premier cépage rouge de qualité. Il possède une peau épaisse d'un noir brillant et doit son nom à sa maturation précoce *(temprano* signifie « tôt »), environ deux semaines avant le Grenache. Utilisé seul, il ne vieillirait pas aussi bien et aussi longtemps. C'est pourquoi il est presque toujours utilisé en assemblage avec d'autres cépages. Le Grenache Noir (Garnacha Tinta ou Garnacha Riojana) est le principal cépage de la Rioja Baja et entre dans presque tous les assemblages de vins de la Rioja. Il lui faut cependant un automne chaud et prolongé pour arriver à maturité complète. Le Graciano produit lui aussi des vins de grande qualité et apporte une réelle finesse à mesure que le vin vieillit.

Parmi les autres cépages rouges, il faut noter le Mazuelo (connu dans le reste de l'Espagne sous le nom de Cariñena), qui apporte aux Riojas des tanins et de l'acidité. Le Cabernet-Sauvignon est toujours considéré comme un cépage « expérimental », bien qu'il n'ait jamais cessé d'être cultivé au Domaine Marqués de Riscal. Un assemblage classique de vin rouge de la Rioja pourrait se composer ainsi : 70 % de Tempranillo, 15 % de Grenache, 10 % de Mazuelo et 5 % de Graciano.

Le Rioja blanc a considérablement changé depuis que l'on a abandonné l'élevage en fûts de chêne au profit de vins plus aromatiques issus de Viura et vinifiés à basse température dans le style *joven*. La Malvoisie (Malvasía Riojana) accompagne souvent le Viura dans les Riojas blancs. Elle joue même un rôle fondamental dans les blancs vieillis en fûts, car elle ajoute une dimension supplémentaire aux vins de Viura, naturellement neutres, et se marie admirablement avec le chêne. Le Grenache Blanc (Garnacha Blanca) produit quantité de vins de qualité raisonnable, qui manquent toutefois de fraîcheur.

Vinification et élevage

Aujourd'hui, la plupart des *bodegas* font fermenter leurs vins dans des cuves d'acier inoxydable ou de

résine. Lorsque la fermentation est terminée, les vins restent un moment en cuve avant d'être transvasés dans des barriques de chêne de 225 litres *(barricas)*. Le minimum de vieillissement est fixé par la loi avec précision, mais les *bodegas* sont libres de choisir la durée d'élevage de leurs vins en fonction de leurs ambitions, à condition qu'elle soit supérieure au minimum obligatoire. De nombreuses expériences d'élevage dans différents types de chêne sont en cours.

Les vins blancs fermentent presque toujours dans des cuves d'acier inoxydable dotées de systèmes de refroidissement. Seules quelques maisons continuent à effectuer des vinifications traditionnelles en laissant fermenter les moûts sans contrôle de température avant de loger les vins en fût.

C'est le système de vieillissement qui rend les vins de la Rioja uniques. La loi espagnole a défini des critères précis pour tous les types de vin, *crianza, reserva,* etc., mais ces règles sont encore plus strictes pour l'appellation Rioja. Le Rioja *joven* (ancien *sin crianza)* qualifie des vins qui ne sont pas passés en fût ou qui y sont restés un temps inférieur au minimum légal

PRODUCTEURS ET NÉGOCIANTS

Presque tous les Riojas commercialisés sont élaborés dans des *bodegas*. Celles-ci possèdent souvent un vignoble, mais achètent aussi des raisins ou du vin auprès de vignerons indépendants. Les vignerons qui exploitent quelques petites parcelles ont rarement des équipements de vinification et vendent souvent leurs raisins à des coopératives qui fournissent les moûts ou les vins aux négociants *(bodegas)*.

BODEGAS AGE
Marques : Romeral et Siglo (trois couleurs) ; Marqués del Romeral et Siglo Saco (rouges) ; et Azpilicueta *(crianza* et *reserva)*.

BODEGAS BERBERANA
Principales marques : Carta de Oro, Carta de Plata et Preferido (trois couleurs), Lagunilla *crianza* et Berberana (rouges).

BODEGAS BILBAÍNAS
Principales marques : Cepa de Oro et Viña Paceta (blancs), Ederra, Gran Zaco, Imperator et Viña Pomal (rouges), Viña Zaco et Vicalanda.

BRETÓN Y CIA
L'une des références des Rioja modernes. Les vedettes sont Alba de Bretón (100 % Tempranillo vieilles vignes, non filtré) et Dominio de Conte.

BODEGAS MARTÍNEZ BUJANDA
Cette *bodega* jouit d'une bonne réputation et travaille avec soin les raisins exclusivement issus de son vignoble. L'une des meilleure de Rioja, elle est connue pour ses marques Valdemar (blanc, rouge, rosé) et Conde de Valdemar (rouge).

BODEGAS MARQUÉS DE CÁCERES
Cette *bodega* a été fondée en 1970 par Enrique Forner, l'un des pionniers de la nouvelle technologie en Rioja, tant pour les blancs que pour les rosés. Elle se fournit en raisins auprès d'un groupe de viticulteurs, l'Unión Vitivinícola. Les vins sont de haute qualité et de style classique (trois couleurs).

BODEGAS CAMPO VIEJO
Le vignoble de cette *bodega,* la plus grande entreprise de Rioja, fournit la majeure partie du raisin.

pour un *crianza*. Quelques *bodegas* font des essais d'élevage de 2 ou 3 mois en fûts, mais ces vins restent dans la catégorie *joven* et peuvent être diffusés aussitôt après leur mise en bouteilles. Les Riojas de *crianza* sont des vins commercialisés dans leur troisième année après avoir été élevés au moins 12 mois en barriques. Dans la pratique, ils sont généralement mis sur le marché après une année supplémentaire de vieillissement en bouteille. Les Riojas rouges de *reserva* ne peuvent être mis sur le marché que dans leur quatrième année, après avoir passé au moins 12 mois en barriques et 12 mois en bouteilles. Les vins blancs et rosés de ce type doivent passer 6 mois en fût avant d'être diffusés à partir de leur troisième année. La désignation de *gran reserva* est réservée aux vins rouges produits dans des millésimes particulièrement réussis. Ils ne peuvent pas être commercialisés avant leur sixième année et doivent auparavant avoir été élevés au moins 12 mois en fût et 12 mois en bouteille. Les *gran reservas* blancs ou rosés, extrêmement rares, ont passé 6 mois en fût et peuvent être vendus à partir de leur cinquième année.

PRODUCTEURS ET NÉGOCIANTS

L'importante gamme de vins comprend notamment les Albor (rouge, blanc), Campo Viejo, San Asensio et Selección José Bezares (les trois couleurs), Marqués de Villamagna et Viña Alcorta (rouges).

CVNE (COMPAÑÍA VINÍCOLA DEL NORTE DE ESPAÑA)
Cette *bodega* jouit d'une bonne réputation bâtie sur le sérieux de sa production. Près de la moitié du raisin vient de son vignoble. Sa gamme de vins est fiable et généreuse : Corona *semi-seco* (blanc demi-sec), Cune (blanc, rouge, rosé), Monopole (blanc), Imperial (rouge), Viña Real (rouge).

COSECHEROS ALAVESES SA
Artadi Pagos Viejos, Viñas de Gain *crianza* et Viña El Pisón placent cette maison en tête du Rioja moderne.

BODEGAS DOMECQ
Cette antenne de la fameuse maison de Xérès (voir p. 612) est l'un des plus grands propriétaires de l'appellation Rioja Alavesa. Principales marques : Marqués de Arienzo (blanc, rosé, rouge) et Viña Eguia (rouge).

BODEGAS FRANCO-ESPAÑOLAS
Cette *bodega* ne possède pas de vignes. Marques principales : Diamante *semi-seco* (blanc demi-sec), Viña Soledad (blanc), Rioja Bordón (rouge).

FINCA ALLENDE
Autant l'Aurus (85 % Tempranillo et 15 % Graciano) que l'Allende, un pur Tempranillo, triomphent chez les dégustateurs.

GRANJA NUESTRA SEÑORA DE REMELLURI
Les Remelluri *crianza* et *reserva* de cette *bodega* plaisent aux Espagnols, qui achètent 70 % de la production.

BODEGAS MARTÍNEZ LACUESTA
Cette maison est fière d'être une *bodega* « ancien style » (fermentation en cuves de chêne). Marques principales : Campeador et Martínez Lacuesta (rouges).

BODEGAS LAN
Le nom de cette maison fondée en 1974 correspond aux initiales des trois provinces de Rioja qui produisaient du Rioja à l'époque : Logroño, →

PRODUCTEURS ET NÉGOCIANTS

Álava et Navarre. La *bodega* achète 90 % des raisins et produit des vins de bonne qualité. Principales marques : Lan (blanc, rosé, rouge) et Viña Lanciano.

BODEGAS BARÓN DE LEY
Cette *bodega* produit le Barón de Ley, un blanc 100 % Viura, et le Barón de Ley *gran reserva*, un rouge 100 % Tempranillo.

BODEGAS FAUSTINO MARTÍNEZ
Cette *bodega* existait déjà en 1860, époque où le Rioja était fait selon la *método rural*. Marques : Faustino V (trois couleurs) et Faustino I (rouge).

BODEGAS MONTECILLO
Principales marques : Viña Cumbrero (blanc, rouge), Montecillo (rosé, rouge) et Viña Monty (rouge).

BODEGAS MUGA
Cette entreprise familiale utilise encore des cuves de bois pour la fermentation et des blancs d'œufs pour le collage. Marques : Muga (blanc, rouge), Torre Muga et Prado Enea (rouges).

BODEGAS MARQUÉS DE MURRIETA
L'un des pionniers de la région, la *bodega* reste fièrement respectueuse des traditions. Tous les raisins proviennent de ses vignes à Ygay, non loin de Logroño. Les vinifications sont délibérément conduites à l'ancienne, et les vins sont élevés pendant plus de deux ans, beaucoup plus longtemps que dans d'autres *bodegas*. La petite gamme de vins inclut Marqués de Murrieta, le fameux Castillo Ygay, un *reserva* haut de gamme, rare et cher, et, depuis peu, du Dalmau (rouge).

BODEGAS PALACIO
Cette maison achète la majeure partie de son raisin. Marques : Glorioso (blanc, rosé, rouge) et Cosme Palacio y Hermanos (blanc, rouge).

BODEGAS FEDERICO PATERNINA
Marques principales : Banda Dorada et Federico Paternina (blancs), Banda Rosa (rosé), Banda Azul, Conde de los Andes et Viña Vial (rouges).

BODEGAS LA RIOJA ALTA
Le raisin provient en partie de viticulteurs locaux. Une partie de la fermentation se fait en cuves de bois, et la méthode d'élevage est traditionnelle, ce qui en fait l'une des meilleures *bodegas* de Rioja. Marques : Viña Ardanza (blanc, rouge), Reserva 904, Reserva 890, Viña Alberdi et Viña Arana (rouges).

BODEGAS RIOJANAS
Marques : Canchales, Monte Real et Puerta Vieja (blanc, rosé, rouge), Viña Albina (blanc, rouge) et Viña Albina Centenario (rouge).

RODA SA
Cette maison exporte 70 % de son Roda I Reserva (100 % Tempranillo).

SEÑORÍO DE SAN VICENTE
Cette *bodega* exporte la moitié de son San Vicente (100 % Tempranillo *peludo)*.

BODEGAS R. LÓPEZ DE HEREDIA VIÑA TONDONIA
Cette *bodega* continue à travailler de façon très traditionnelle : la moitié du raisin provient de son vignoble, tous les vins sont fermentés en cuves de chêne, transférés manuellement dans des fûts de chêne et encore collés au blanc d'œuf. Principales marques : Viña Gravonia (blanc, rouge), Viña Tondonia (blanc, rosé, rouge), Viña Bosconia et Viña Cubillo (rouges).

VIÑEDOS DEL CONTINO
Cette *bodega* produit l'une des étoiles de la Rioja moderne, le Contino, ainsi qu'une curiosité, le Contino Graciano (100 % Graciano).

VINOS DE LOS HEREDEROS DEL MARQUÉS DE RISCAL
Fondée en 1860, cette *bodega* fut à l'origine du renouveau de la Rioja à la fin du XIXe siècle. Première à introduire des cépages français en 1868, Riscal inventa le célèbre filet en fer pour empêcher les contrefaçons.
Le vignoble couvre environ 40 % des besoins en raisin. Marques : Marqués de Riscal et Cabernet-Sauvignon Barón de Chirel (rouges).

NAVARRE ET ARAGON

Carte page xxv

La Navarre

La DO de Navarre se trouve à l'est de la Rioja et au nord-ouest de l'Aragon. Elle est divisée en cinq sous-régions : Tierra Estella, Valdizarbe et Baja Montaña couvrent la partie plus humide et fraîche du nord, qui s'élève jusqu'à 560 m d'altitude ; Ribera Baja, au sud, est plus chaude et sèche et culmine à 250 m ; Ribera Alta, entre les deux, est la plus grande zone et jouit d'une altitude et d'une température intermédiaires. Le sol des zones du nord et du centre est étonnamment similaire : la surface profonde et fertile recouvre du gravier et le sous-sol est calcaire. Dans la Ribera Baja, le sol devient plus léger et sablonneux et, de ce fait, moins adapté à la vigne.

Le principal cépage, le Grenache, occupait 73 % du vignoble, mais le Consejo Regulador a encouragé la plantation de Tempranillo, visant à un encépagement de 34 % de Grenache, 31 % de Tempranillo et 11 % de Maccabeo (Viura) pour les vins blancs.

Le gouvernement de l'*autonomía* de Navarre a créé un institut de recherche appelé EVENA (Estación Viticultura y Enología de Navarra), qui cultive tous les cépages, sur tous les types de porte-greffe, dans tous les types de sols de la région, afin de déterminer les meilleures techniques culturales. Ses résultats sont impressionnants et confirment le potentiel de la région.

La Navarre est connue en Espagne pour ses délicieux *rosados* puissants et généreux, qui comptent parmi les meilleurs rosés du monde. À l'aveugle, ils pourraient presque passer pour des rouges légers. La recherche de la qualité a porté ses fruits : en 1998, la part des vins de *crianza* a augmenté de 59 % en Espagne et de 27 % à l'étranger, celle des rouges de réserve exportés a même frôlé les 219 %.

L'Aragon

Depuis les années 1980, les vins d'Aragon commencent à faire parler d'eux à l'étranger. La région compte quatre DO : Cariñena, Calatayud, Campo de Borja et Somontano.

Cariñena, la plus solidement établie des DO d'Aragon, a même donné son nom à un cépage qui, curieusement, n'occupe que 1,5 % de l'appellation. La plus grande partie du vignoble est plantée en Grenache (60 %) et en Viura (21 %). Les vignes poussent entre 400 et 800 m d'altitude, sur des sols très divers, et le climat est continental. Cette appellation est surtout connue pour ses rouges jeunes ou de *crianza,* mais elle produit

aussi des vins blancs et des rosés jeunes et frais. Elle est également autorisée à élaborer des vins effervescents de Cava (voir encadré p. 602).

Calatayud est la plus récente DO d'Aragon. Les vignobles sont plantés assez haut (500-900 m), le climat est continental et les faibles précipitations limitent les rendements. Le principal cépage rouge est le Grenache, suivi du Tempranillo, du Juan Ibañéz et du Monastrell. Les rosés sont issus de Grenache et les blancs, en majeure partie, de Viura, avec un peu de Grenache Blanc. Tous les vins sont faits dans le style *joven*.

Les vignobles de Campo de Borja sont situés à des altitudes légèrement inférieures. Ici encore, le cépage de base est le Grenache, qui couvre plus de 80 % de la superficie. La plupart des vins sont donc rouges et rosés, mais la DO produit aussi un *mistela* doux (non DO) à base de Muscat, qui est un mélange de jus de raisin et d'alcool.

PRODUCTEURS ET NÉGOCIANTS

En Navarre comme en Aragon, la tradition coopérative est bien établie. Les viticulteurs sous contrat sont encouragés à tenter des expériences sur de nouveaux cépages. Ils améliorent et modernisent leurs installations de vinification.

NAVARRE

Dans la DO de Navarre, 90 % des raisins sont livrés aux caves coopératives par les vignerons.

BODEGAS JULIÁN CHIVITE
Chivite est le plus grand exportateur de vins de Navarre. La cuvée de rouge que l'entreprise a élaborée pour célébrer son 125e anniversaire est entrée dans la légende. Les marques principales sont Gran Feudo (blanc, rosé, rouge), 125 Aniversario (rouge), Gran Feudo de Moscatel (moelleux) et Viña Marcos (rouge).

GUELBENZU SL
Les Guelbenzu Evo et Lautus de cette *bodega* de tradition figurent en tête des dégustations des dernières années.

LUIS GURPEGUI MUGA
Le Monte Ory de cette *bodega* est également coté en rosé et en rouge.

BODEGAS IRACHE
Cette entreprise possède des installations parmi les plus modernes de Navarre. Principales marques : Castillo Irache (rosé, rouge), Gran Irache et Real Irache (rouge).

VINÍCOLA NAVARRA
L'une des plus anciennes *bodegas* de Navarre (1864), cette maison n'en est pas moins dotée d'installations fort modernes. La plupart du raisin provient de viticulteurs sous contrat. Marques : Bandeo, Las Campanas et Viña Alaiz (blanc, rosé, rouge), Castillo de Javier (rosé) et Castillo de Tiebas (rouge).

BODEGAS OCHOA
Cette petite *bodega* travaille également pour l'EVENA. Son Ochoa Moscatel est un must.

NUESTRA SEÑORA DEL ROMERO
Cette coopérative produit le Malon de Echaide, l'un des rosés les mieux considérés d'Espagne.

SEÑORÍO DE SARRIÁ
Le mot *señorío* désigne un vaste domaine privé. Les caves possèdent tous les équipements les plus modernes. Les principales marques sont Señorío de Sarriá (blanc), Viña del Portillo (rosé), Viña Ecoyen (rouge), Gran Vino del Señorío de Sarriá (rouge) et Viña del Perdón (rouge).

À mi-chemin vers les Pyrénées, le vignoble de Somontano a peu de points communs avec les autres appellations d'Aragon – ou avec le reste de l'Espagne, – mais promet d'être l'une des plus intéressantes nouvelles appellations du pays. Depuis que ce vignoble a reçu la DO, en 1985, ses vignerons ont commencé à se rendre compte du potentiel de leur terroir. Les styles de vin produits ici sont assez originaux ; les rouges ont une forte personnalité, les blancs et les rosés sont légers et fruités. Les vignes sont plantées entre 350 et 700 m d'altitude dans des sols riches, souvent disposés en terrasses à flanc de coteau, dans les vallées.

Le principal cépage rouge est le Moristel (qui est introuvable ailleurs qu'à Somontano et qu'il ne faut pas confondre avec le Monastrell). Il couvre 25 % du vignoble, suivi par le Tempranillo. Pour les blancs, c'est le Viura qui domine, suivi de près par l'Alcañón, une autre spécialité locale.

PRODUCTEURS ET NÉGOCIANTS

CARIÑENA

BODEGA COOPERATIVA SAN VALERO
C'est la plus grande coopérative de la région, le plus grand exportateur de vins d'Aragon et l'une des *bodegas* les plus novatrices. Elle encourage la plantation de cépages de qualité et de cépages expérimentaux. Le raisin provient des vignes de ses adhérents. Ses vins, qui vont des plus simples aux *gran reservas*, sont régulièrement récompensés dans les concours. Principales marques : Don Mendo et Monte Ducay (blanc, rosé, rouge).

GRANDES VINOS Y VIÑEDOS SA
Cette *bodega* a imposé un Cabernet-Sauvignon, le Monasterio de las Viñas, et un pur Tempranillo, Corona de Aragón.

CALATAYUD

CASTILLO DE MALUENDA
Riche de 3 500 ha de vignes, cette *bodega* produit un rouge 100 % Grenache très équilibré, le Castillo de Maluenda Garnacha Selección.

CAMPO DE BORJA

BODEGAS BORDEJE
Les caves de cette toute petite *bodega*, qui existe depuis 1770, sont creusées dans les flancs des collines à l'extérieur du village. Elle vinifie exclusivement les raisins de son vignoble de 80 ha. Ses vins d'un style très traditionnel sont élevés pour la plupart dans d'immenses foudres de bois. Les marques principales de cette *bodega* sont Rosado de Garnacha (rosé), Abuelo Nicolas (rouge) et Don Pablo (rouge).

SOCIEDAD COOPERATIVA AGRÍCOLA DE BORJA
Cette coopérative est considérée comme une des meilleures. Ses principaux vins sont le Borsao (rouge) et le Gran Campellas (rouge).

SOMONTANO

PIRINEOS SA
Cette *bodega* joue la carte des cépages indigènes avec des rouges 100 % Parraleta ou Moristel ainsi qu'un superbe Montesierra *crianza* Moristel et Tempranillo.

VIÑEDOS Y CRIANZAS DEL ALTO ARAGÓN SA
Cette *bodega* est la deuxième de la DO, grâce en particulier à ses Enate (Chardonnay, Gewürztraminer, Cabernet-Sauvignon et un Tempranillo à 70 %).

CASTILLE-LEÓN

Carte page XXV

La Castille-León est le noyau historique de l'Espagne : les capitales des huit provinces constituant l'*autonomía* de Castilla y León sont toutes liées à la reconquête de l'Espagne. Traversant sept des huit provinces de l'*autonomía* de Castille-León, le Douro influence à la fois les microclimats et la géologie de quatre des cinq DO locales (Ribera del Duero, Rueda, Cigales et Toro). Les vins rouges et rosés que l'on y produit sont robustes, puissants, riches en alcool. La cinquième et plus récente DO, Bierzo, est séparée des quatre autres, et son style tient davantage de la Galice voisine. On y cultive différents cépages et les vins sont plus légers et plus frais.

Ribera del Duero

C'est la plus importante DO de la vallée du Douro et de Castille-León. Au milieu du XIXe siècle, tandis que le marquis de Riscal et le marquis de Murrieta importaient dans la Rioja (voir p. 584) des plants de vigne et des techniques venant de Bordeaux, une démarche similaire eut lieu près du village de Valbuena, dans la province de Valladolid. En 1864 vit en effet le jour une nouvelle entreprise, Bodega de Lecanda, qui utilisait les techniques bordelaises. En 1890, elle changea à la fois de propriétaire et de nom et devint Vega Sicilia – les premières bouteilles de Vega Sicilia remontent à l'année 1915 ou 1917. Pendant les 118 premières années de son existence, le Vega Sicilia resta classé en *vino de mesa,* alors qu'il était l'un des vins les plus rares et les plus chers du monde.

Ce n'est qu'en 1982, grâce à l'appui acharné d'autres viticulteurs de la région, qu'il accéda au statut de DO : Vega Sicilia avait réussi à prouver que le cépage rouge local, le Tinto Fino, ou Tinta del País (en fait, du Tempranillo), dans des conditions de culture adéquates, pouvait produire un vin de très grande classe. Aujourd'hui, le domaine utilise surtout le Tinto Fino les années sèches et le Cabernet-Sauvignon les années humides.

Le vignoble de Ribera del Duero suit le cours du Douro de Soria jusqu'à Valladolid, à une altitude généralement située entre 700 et 800 m. Un sol profond, léger et sablonneux recouvre une couche d'argile avec, ici et là, des affleurements de calcaire. Le vignoble se trouve à la limite des possibilités climatiques de culture de la vigne, ce qui explique son rendement moyen de 24 hl/ha seulement. Le climat est ici véritablement continental.

Les raisins ont une bonne acidité, les vins sont excellents et chers. Le Tinto Fino occupe 60 % de la surface cultivée. Alors que, dans la Rioja, il faut lui adjoindre d'autres cépages pour obtenir un parfait assemblage, ici il se suffit à lui-même et atteint complexité et équilibre grâce à l'altitude et à la fraîcheur du climat. La région ne fait que des vins rouges et rosés, et du Grenache a été planté à titre expérimental. Valbuena, le pays de Vega Sicilia, et quelques autres villages sont autorisés à replanter en cépages bordelais. On trouve ici quelques vins rouges de style *joven,* mais la plupart sont élevés en *crianza.* Les meilleurs *reservas* et *gran reservas* sont à la hauteur des meilleurs Riojas.

Rueda

Le véritable retour à la qualité de Rueda, dans les années 1970, est l'œuvre de Marqués de Riscal (voir p. 584), l'une des grandes maisons novatrices d'Espagne. Décidée depuis des années à ne pas faire de Rioja blanc, la Bodega Riscal cherchait un endroit pour produire un vin blanc portant son nom. Ses vinificateurs furent attirés à Rueda par un élément auquel personne sur place ne prêtait attention : le cépage local Verdejo. Ils découvrirent l'immense potentiel de ce cépage à produire un vin de qualité, à condition de ne pas laisser les vendanges s'oxyder avant le pressurage. Riscal possédait les moyens techniques pour récolter les raisins, les protéger, les transporter jusqu'à l'unité de vinification, les pressurer et les traiter sous gaz inerte, le tout suffisamment rapidement pour conserver au vin toute sa fraîcheur. Riscal alla plus loin en plantant plusieurs autres cépages à titre expérimental et en produisant un Rueda à base de Sauvignon.

D'autres *bodegas* suivirent la voie ouverte par Riscal, de sorte que le terme Rueda Superior est aujourd'hui réservé aux vins issus de Verdejo à 85 % au minimum. La région fit par ailleurs quelques expériences satisfaisantes de vieillissement en fûts de chêne ; lorsque Marqués de Riscal lança un *reserva* « Limousin » élevé six mois en chêne français, le débat s'ouvrit de nouveau.

Nombre de *bodegas* continuèrent néanmoins à faire leurs vins de type Xérès (appelés aujourd'hui Rueda Pálido pour les secs élevés sous la *flor* et Rueda Dorado pour les types *oloroso)* dans l'espoir de gagner tôt ou tard la faveur du marché.

Les vignobles de Rueda prospèrent dans un paysage vallonné dont l'altitude varie entre 600 et 780 m. Leurs meilleures parties se trouvent le plus souvent près du Douro, dans des sols riches en fer reposant sur une couche de calcaire. Le climat est nettement continental, puisque Rueda se situe sur la Meseta, le plateau du centre de la péninsule Ibérique. Les rares années où les précipitations sont réparties de façon égale, les vins peuvent être exceptionnels.

Le Verdejo, principal cépage, couvre 47 % du vignoble et doit atteindre 85 % au moins dans les assemblages pour la DO Rueda Superior et la nouvelle DO Rueda Espumoso (effervescent). Cette dernière appellation est la parade trouvée par le Rueda à l'interdiction qui lui a été faite en 1989 de produire des Cavas. Le deuxième cépage est le Palomino (25 % du vignoble), qui, tout comme le Rueda Pálido, vin dont il est issu, est en déclin. Le Viura représente 21 % de la surface plantée et s'associe bien avec le Verdejo, tant pour les vins tranquilles que pour les effervescents. Le Sauvignon, nouveau venu dans la région (7 %), vient de passer du stade de « toléré » à celui d'« autorisé », après avoir été introduit dans le pays par les Bodegas de Riscal.

Parmi les cépages « expérimentaux », on trouve le Tempranillo, le Chardonnay et même un peu de Cabernet-Sauvignon, bien qu'aucun vin rouge ou rosé ne soit encore autorisé dans l'appellation (ce projet est actuellement en cours).

Cigales

La région de Cigales n'a reçu son statut de DO qu'en 1991 alors qu'elle fait du vin dont, notamment, d'excellents rosés depuis des siècles. Située au nord et à l'ouest de Ribera del Duero (célèbre pour ses rouges) et de Rueda (parmi les meilleurs blancs du pays), elle tient de ces deux régions et produit d'excellents rouges à l'avenir prometteur.

Les vignes sont plantées au nord de la ville de Valladolid, à une altitude de 800 m. Le sol caillouteux de ce pays plat repose sur une base de calcaire. Le climat, qui est surtout continental, s'accompagne d'une bonne pluviométrie et convient assez bien à la culture de la vigne.

Le principal cépage est le Tempranillo (Tinta del País : 50 %), suivi du Garnacha Tinta (30 %) et du Garnacha Gris. Les vins blancs sont surtout issus de Verdejo et de Viura, mais également de Palomino et d'Albillo, qui couvrent plus de 20 % du vignoble mais tendent à diminuer. Les vins de Cigales sont très intéressants, notamment les essais de *crianza rosado* (rosé), qui suppose un élevage de six à huit mois en chêne. Le Cabernet-Sauvignon est cultivé à titre expérimental et ne peut servir pour les vins d'appellation. Les rouges de Tempranillo sont assez prometteurs, mais ce cépage est encore utilisé à 80 % pour les rosés, le plus souvent dans le style *joven,* dans lesquels il est pressé avec des raisins blancs.

Toro

La ville de Toro, sur les bords du Douro, est ceinturée de vignobles, mais les meilleures parties se trouvent surtout au nord-est de la zone. Depuis des temps immémoriaux, ce pays est connu sous le nom de Tierra del Vino (pays du vin) par opposition aux vastes plaines céréalières de Castille que l'on appelle Tierra del Pan (pays du pain). Le vignoble s'étage entre 600 et 750 m d'altitude, sur un sol très calcaire au nord, mais plus alluvial à mesure que l'on se rapproche du Douro et du Guareña. Le climat est totalement continental, mais, comme la Rueda, le Toro peut souvent recevoir des pluies inattendues apportées par les vents d'ouest. Le seul cépage « préféré » du Toro est le Tinta de Toro (Tempranillo), qui occupe 58 % des terres viticoles. Les vins rouges puissants, qui peuvent atteindre 14 % vol., voire davantage, doivent être issus d'un minimum de 75 % de Tinta de Toro, et entre un quart et un tiers de tous les vins rouges servent à la production du *crianza,* selon la réglementation des DO. Les cépages minoritaires, Grenache, Malvoisie (Malvasía) et Verdejo, sont utilisés pour faire les quelques rosés et blancs de la région.

Depuis l'attribution de la DO en 1987, les exploitations plus modernes ont su tirer parti du regain d'intérêt pour les Toro, et de nouvelles *bodegas* équipées de cuves en Inox et des nouvelles techniques de contrôle des températures commencent à faire parler d'elles. Mariano García, pendant vingt ans œnologue de Vega Sicilia, tout comme les frères Lurton, Antonio Sanz et même Vega Sicilia, Pesquera et San Vicente se sont entichés de cette DO.

Bierzo

La DO Bierzo se trouve dans une vallée protégée qui touche la DO Valdeorras, sur l'autre rive du Sil, en Galice. Les vignes sont généralement plantées entre 500 et 650 m d'altitude. Les sous-sols sont constitués soit d'alluvions dans les parties basses de la vallée, soit d'ardoise dans les parties hautes, et sont recouverts d'une couche arable relativement fertile et profonde. Le climat est tempéré et très ensoleillé.

Le principal cépage rouge, le Mencía, planté uniquement dans le Bierzo (62 % du vignoble) et le Valdeorras, est censé avoir un ancêtre commun avec le Cabernet Franc. Les recherches actuelles semblent indiquer qu'il a un potentiel considérable. L'autre cépage rouge est le Garnacha Tintorera et les cépages blancs de qualité, le Godello et le Doña Blanca, restent dans l'ombre du Palomino.

Les techniques de vinification sont en pleine mutation dans cette région : les cuves en ciment sont remplacées par des cuves en Inox et les pressoirs continus laissent la place aux pressoirs pneumatiques. Les vins rouges du Bierzo se déclinent dans tous les styles, du *joven* jusqu'au *gran reserva.* Mais les vins de qualité, étiquetés Vino de Mesa, sont plutôt issus de cépages non autorisés. On peut dire que les vins sont bons et prometteurs. Les blancs issus de Godello et de Doña Blanca sont frais et plaisants, même si nombre de *bodegas* les mélangent encore avec le prolifique Palomino, pour la simple raison qu'il faut bien en faire quelque chose. Des replantations avec d'autres cépages sont cependant en cours.

PRODUCTEURS ET NÉGOCIANTS

Ici aussi, les viticulteurs ont dû rénover leurs installations et mettre à jour leurs méthodes de vinification. Nombre de vignerons, tout en conservant la propriété de leurs petites parcelles, se sont regroupés en coopératives.

RIBERA DEL DUERO

BODEGAS Y VIÑEDOS ALIÓN SA
Créée en 1990 par Vega Sicilia, cette *bodega* est déjà une référence.

FÉLIX CALLEJO SA
Succès d'estime pour cette maison née en 1989 et son Gran Callejo *gran reserva*.

ALEJANDRO FERNÁNDEZ-TINTO PESQUERA SL
Le Pesquera (100 % Tempranillo) de cette *bodega* née en 1972 mais bien établie s'est imposé partout. Alejandro Fernández est l'une des locomotives de la DO.

CONDADO DE HAZA SL
Cette jeune maison ajoute aux exploits de son Condado de Haza un explosif Alenza *crianza*.

BODEGAS PEÑALBA LÓPEZ
Cette *bodega* recourt à une technologie ultramoderne.

MATARROMERA SA
Cette maison a ébranlé le marché avec deux vins superbes 100 % Tinto Fino : Matarromera *gran reserva* et Magnum Matarromera *reserva*.

MAURO SA
Grâce aux conseils avisés de Mariano García (ex-Vega Sicilia), cette maison a hissé au plus haut niveau ses Terreus, San Román et autres Mauro *crianza*, qui ne portent cependant pas l'étiquette de la DO.

MONASTERIO SL
Cette maison produit le singulier Hacienda Monasterio *reserva* (Tinta del País, Cabernet-Sauvignon, Merlot).

MONTEBACO
Le Montebaco *crianza* de cette maison est très applaudi.

HERMANOS PÉREZ PASCUAS SL
Le Viña Pedrosa *(crianza* et *reserva)* est issu d'un vignoble planté presque entièrement de Tinta del País.

DOMINIO DE PINGUS SL
Ce domaine produit un « vin de garage » : Pingus (100 % Tinto Fino). Les prix s'envolent…

BODEGAS RIBERA-DUERO
Cave coopérative depuis 1927. Principales marques : Peñafiel et Protos.

BODEGAS VEGA SICILIA
Établie depuis 1864, cette *bodega* se trouve véritablement à l'origine de la viticulture dans la vallée du Douro. Les cépages français (Cabernet-Sauvignon, Cabernet Franc, Merlot et Malbec) qui avaient été apportés de Bordeaux perdurent, mais le Tinto Fino prend une importance croissante. Les raisins proviennent exclusivement des vignes de la propriété, dont les rendements sont bas. La demande est bien supérieure à la production. La vinification est traditionnelle et les vins sont élevés dans 6 000 fûts de chêne. Les vins de Vega Sicilia ont beaucoup de caractère : ils sont très puissants, riches en alcool et en fruit, vieillis en *barricas* pendant trois à cinq ans et vendus sous le nom de Valbuena (rouge). Le *reserva* Vega Sicilia Unico (rouge) est vieilli dix ans. Le Valbuena, considéré comme un second vin, est en réalité un vin différent, qui est parfois extraordinaire.

ABADÍA RETUERTA SA
Depuis 1990, l'œnologue bordelais Pascal Delbeck a replanté ce vignoble. Avec quatre millésimes, cette maison a inscrit ses vins parmi les grands d'Espagne : El Palomar, El Campanario, Valdebellón, et Negralada.

RUEDA

ÁLVAREZ Y DÍEZ SA
Le Mantel Blanco Rueda Superior de cette *bodega* est un blanc 100 % Sauvignon. →

PRODUCTEURS ET NÉGOCIANTS

BELONDRADE Y LURTON
Cette maison a été créée en 1994 par Brigitte Lurton, de la dynastie des Lurton.

ANGEL LORENZO CACHAZO
Dès 1988, cette maison a imposé son Martivili Rueda Superior qui est une preuve éclatante des vertus du Verdejo.

GRANDES VINOS SL
Mirador Rueda Superior est le « vin de garage » le plus réussi de la DO.

VINOS BLANCOS DE CASTILLA
Fondée en 1972, cette *bodega* est une ambassade du marquis de Riscal.

CIGALES

COOPERATIVA DE CIGALES
Cette coopérative a été créée en 1957.

TORO

COOPERATIVA VINO DE TORO
C'est le principal producteur de la région.

FARIÑA SL
Fondée en 1940, cette *bodega* est une référence. Le Colegiata et le Gran Colegiata sont des exemples de ce que le Tinta de Toro peut donner de mieux.

MAURO-TORO SA
Œuvre de Mariano Rodríguez, le San Román est un vin qui gagne des concours.

BIERZO

Une seule grande et moderne cave coopérative domine la DO.

PRADA A TOPE
Créée en 1984, cette *bodega* vinifie la production de ses vignes ainsi que des raisins achetés.

GALICE ET PAYS BASQUE

Carte page XXV

Si le nord-ouest de l'Espagne diffère complètement du reste du pays, c'est sans aucun doute à cause de son climat influencé par la proximité de l'océan Atlantique. Mais c'est aussi parce qu'il est relativement coupé du reste du pays par la cordillère Cantabrique. Cette région a été surnommée l'« Espagne verte » en raison de sa luxuriante végétation due à un climat tempéré, d'abondantes précipitations et de sols riches. Trois vins sont classés en DO dans l'*autonomía* de Galice (Galicia) : Rías Baixas, Ribeiro et Valdeorras, un seul dans le Pays basque : Txakoli.

Rias Baixas

C'est la DO la plus récente et, aux dires de certains, la meilleure de Galice. En effet, les deux autres sont restées presque inconnues jusqu'à l'arrivée de cette nouvelle appellation sur la scène internationale en 1988. Le cépage principal est l'Albariño. Rías Baixas est un des « nouveaux » vins les plus intéressants d'Espagne. La DO Rías Baixas se divise en trois zones : Valle del Salnés (Val do Salnes en *gallego*, la langue locale) sur la côte ouest, près de Cambados, El Rosal (O Rosal) à la frontière portugaise et

Condado del Tea (Condado do Tea). La base du sol est granitique et le climat maritime en raison de la proximité de l'Atlantique : les hivers sont froids et les pluies abondantes. Les vins sont peut-être les meilleurs blancs d'Espagne.

Ribeiro

Les vignobles de Ribeiro, dans la province d'Orense, occupent trois vallées fluviales et jouissent d'un exceptionnel sol d'alluvions sur une base de granite. Le climat, tempéré, se caractérise par une plus grande amplitude thermique et moins de précipitations que près des côtes. Les principaux cépages sont le Treixadura (blanc) et le Caiño (rouge).

Le Ribeiro produit des vins légers et frais, blancs et rouges, de style *joven*. Il donne aussi de l'Enverado, un vin titrant de 8 à 9 % vol., fait avec des raisins cueillis avant maturité complète – gardant fraîcheur et acidité maximales. On y fait aussi un peu de vin de *crianza,* mais la plupart des vins sont faits pour être bus dans leur première jeunesse.

Valdeorras

La plus orientale des appellations de Galice, Valdeorras, est limitrophe de Bierzo, en Castille-León. Ses vins sont d'ailleurs dans le même esprit, légers, frais, de style *joven*. Encore fortement influencé par l'Atlantique, le climat est malgré tout plus continental, ce qui se traduit, par exemple, par une amplitude thermique plus grande que dans le reste de la région.

La plupart des vignes se trouvent dans la vallée du Sil, où elles poussent sur des sols fertiles assez calcaires. Le principal cépage rouge est le Grenache (35 %), mais le Mencía (8 %) est « recommandé ». Pour les blancs, le Palomino (25 %) domine, et c'est au tour du Godello d'être « recommandé ». On plante de plus en plus de Doña Blanca et de Lado, un nouveau venu, deux cépages qui commencent à donner de très bons résultats, mais l'avenir semblerait résider dans l'excellent Godello.

Txakoli

Le vin le plus septentrional d'Espagne est fait dans l'*autonomía* du Pays basque, composée de trois provinces : Vizcaya et Guipúzcoa au nord et Álava au sud. Álava fait partie de la DOC Rioja, mais les provinces du Nord ont leur propre vin de DO, Txakoli (ou Chacolí), la plus petite appellation d'Espagne. Sur le golfe de Gascogne, le climat est maritime et les vignes sont plantées au pied des collines dans des sols alluviaux. On fait un blanc sec frais et fruité (90 % de la production) et un vin rouge léger avec les cépages locaux Hondarribi Zuri (blanc) et Hondarribi Beltza (rouge), tous deux dans le style *joven*. Le vin blanc est bu comme apéritif et pour accompagner les fruits de mer.

PRODUCTEURS ET NÉGOCIANTS

Le vignoble du nord-ouest de l'Espagne est très morcelé : après des siècles de successions et de découpages, nombre de viticulteurs possèdent moins de 1 ha de terre. Les caves coopératives comptent souvent des centaines de membres, voire plus. Des capitaux considérables ont été investis pour moderniser les équipements de vinification, et tout est fait pour encourager le réencépagement avec des variétés de haute qualité.

RIAS BAIXAS

GRANJA FILLABOA
Cette entreprise familiale cultive depuis 1967 un joli domaine de 30 ha d'Albariño. Le vin, vendu sous la marque Fillaboa, est l'un des meilleurs de l'appellation.

BODEGAS MORGADÍO-AGROMIÑO
Cette *bodega* moderne d'Albariño produit des vins de qualité. Elle possède quelque 30 ha de vignes.

BODEGAS SALNESUR
Cette exploitation possède 140 ha de vignes. Les vins sont vendus sous l'étiquette Condes de Albarei.

BODEGAS DE VILLARIÑO-CAMBADOS
Cette cave coopérative compte 140 membres qui travaillent un vignoble de 100 ha à Albariño. La marque est Martín Códax.

BODEGAS MARQUÉS DE VIZHOJA
Les marques principales de cette entreprise sont Torre la Moreira (blanc) et Marqués de Vizhoja.

SANTIAGO RUIZ
Cette *bodega* porte le même nom que le regretté patriarche de la zone d'appellation et la rue dans laquelle elle se trouve. L'étiquette est aussi originale que le vin issu de 70 % d'Albariño, de 20 % de Loureiro et de 10 % de Treixadura.

TERRAS GAUDA SA
Depuis 1990, le Terras Gauda – Albariño, Loureiro, Caiño Blanco – est classé parmi les premiers vins de la région.

RIBEIRO

COOPERATIVA VITIVINÍCOLA DEL RIBEIRO
Fondée en 1967, cette coopérative a réussi à produire des vins blancs de qualité : Amadeus et Pazos de Ulloa.

PORTELA SAT
Cette *bodega*, avec un vignoble de 8 ha, est à l'origine du Sol da Portela, un vin blanc issu de 100 % de Palomino, et du Señorío de Beade, un rouge issu de 40 % de Caiño, de 30 % de Ferrón et de 30 % de Souson, qui représentent tous les deux le Ribeiro moderne.

EMILIO ROJO
Issu de cinq cépages (Lado, Treixadura, Loureiro, Torrontés et Albariño), le blanc emblématique de ce producteur porte sur son étiquette le nom d'une des personnalités de la DO.

VALDEORRAS

BODEGAS A TAPADA
Fondée en 1993, cette *bodega* produit deux vins blancs issus à 100 % du cépage Godello (Guitian), l'un élevé en barriques, l'autre non.

GETARIAKO TXACOLINA

EIZAGUIRRE
Cette petite *bodega* créée en 1980 appartient à la famille Eizaguirre, qui travaille son vignoble et achète du raisin à d'autres producteurs. Ses principales marques sont Berezia (blanc), Eizaguirre (blanc), Hilbera (blanc), Monte Garate (blanc).

TXOMIN ETXANIZ
Le propriétaire de ce vignoble, situé dans la Cantabrique, est un personnage de l'agriculture et de la politique basque. Il produit un excellent blanc, 85 % Hondarribi Zuri et 15 % Hondarribi Beltza, cépage rouge vinifié en blanc.

CATALOGNE

Carte page XXV

Comme d'autres *autonomías* du nord de l'Espagne, la Catalogne (Cataluña en castillan ou Catalunya en catalan) a derrière elle une longue histoire de pays indépendant. Jusqu'au milieu du XIXe siècle, cette région faisait des vins blancs oxydés à partir de toute une gamme de cépages mal adaptés. Le grand changement se fit en 1872, lorsque la première bouteille de Cava – vin effervescent obtenu selon la méthode traditionnelle (voir encadré p. 602) – fut produite par la famille Raventós. Josep Raventós, ayant constaté la popularité croissante du Champagne, avait en effet décidé que la Catalogne pouvait rivaliser avec celui-ci. On planta des cépages de bonne qualité, et nombre de producteurs ne tardèrent pas à comprendre que les raisins en excédent pouvaient faire un agréable vin blanc sec, surtout dans les vignobles les plus en altitude. D'autres expériences sur les vins rouges, dans les années 1950-1960, montraient que la Catalogne avait un réel potentiel.
Cette région possède aujourd'hui dix DO : Catalunya et Plá de Bages, les deux plus récentes, se sont ajoutées à Penedès, Conca de Barberà, Costers del Segre, Alella, Empordá Costa-Brava, Priorato, Tarragone et Terra Alta. L'*autonomía* de Catalogne produit également plus de 90 % des vins de DO Cava.

Catalogne

L'appellation Catalunya couvre quelque 60 000 ha et jouxte les terroirs de plusieurs autres DO. Créée dans le but de permettre aux vins des petites appellations de la région, comme la DO Conca de Barberà, de trouver un débouché sur le marché, elle a connu un grand succès dès l'an 2000. Cette appellation pourra absorber à terme les vins mis en bouteilles dans une DO, mais dont les raisins proviennent d'une autre.

Plá de Bages

La plus récente des appellations catalanes regroupe des petites unités territoriales qui, jusqu'à présent, ont vécu comme des satellites de l'univers du Cava. Maccabeo, Chardonnay et Picapoll en blanc, Ull de Llebre, Cabernet-Sauvignon et Merlot en noir sont les cépages prédominants, avec un peu de Sauvignon, Grenache, Pinot Noir, Malbec et, à titre expérimental, de la Syrah, du Gamay et du Gewürztraminer.

Penedès

Le Penedès se trouve juste au sud de la ville de Barcelone, dans les provinces de Barcelone et de Tarragone, et le centre régional des vins tranquilles est Vilafranca del Penedès. Le vignoble s'étage sur trois niveaux : la bande côtière de Bajo-Penedès, qui culmine à 250 m d'altitude et jouit d'un climat chaud, donne des vins assez ordinaires ; le Medio-Penedès, qui monte jusqu'à 500 m et dont le climat plus frais donne des raisins de meilleure qualité (la plupart des vignes de Cava se trouvent à ce niveau) ; l'Alt-Penedès, enfin, qui s'élève jusqu'à 800 m sur les contreforts des montagnes entourant le plateau central de la Meseta. C'est ici que poussent les meilleurs raisins, surtout pour les cépages rouges.

Depuis janvier 2000 une nouvelle réglementation délimite les meilleurs sols et impose la contre-étiquette «pédagogique» dans une DO qui a œuvré plus que toute autre pour faire entrer l'industrie vinicole catalane dans le monde moderne. La législation n'autorise pas moins de 121 cépages, même si, dans les faits, la plupart des viticulteurs se cantonnent à un bien plus petit nombre. Les rouges sont, par ordre de popularité : Ull de Llebre (Tempranillo), Garnatxa (Grenache), Monastrell, Cariñena (Carignan), Cabernet-Sauvignon et Samsó. Le Cabernet Franc, le Merlot et le Pinot Noir sont aussi autorisés. Les principaux cépages blancs sont le Parellada, le Xarel·lo, le Maccabeo et le Subirat-Parent (Malvasía Riojana), le Chardonnay et le Sauvignon étant par ailleurs autorisés.

La plupart des vignerons ne produisaient encore que des vins démodés, lourds, oxydés et plus ou moins mutés, mais les *bodegas* qui constituent l'avant-garde de l'appellation (comme Torres ou Jean León) n'ont pas attendu pour se lancer dans des expérimentations : c'est dans cette zone qu'ont été installés les premiers systèmes de contrôle des températures d'Espagne, les premières cuves de fermentation en acier inoxydable et tout l'attirail de l'œnologie moderne. Les plus hardies firent même des essais avec des cépages «étrangers» comme le Cabernet-Sauvignon et le Chardonnay et furent rapidement imitées par d'autres.

Conca de Barberà

Cette petite zone d'appellation entre Tarragone au sud et Costers del Segre au centre de la région produit des vins tranquilles pleins de fraîcheur, de charme et de fruit. 80 % de la production sont des vins blancs de type *joven.*

Le bassin (*conca* en catalan, *cuenca* en castillan) des rivières Francolí et Ganguera est protégé par des massifs montagneux. À une altitude moyenne de 500 m, il offre le genre de climat frais qui convient à la vigne de qualité. Son sol est à base de calcaire.

Les principaux cépages sont le Maccabeo et le Parellada pour les blancs (environ 70 % du vignoble), le Trepat, le Grenache et l'Ull de Llebre (Tempranillo) pour les rouges, avec des parcelles expérimentales de Cabernet-Sauvignon.

LES VINS EFFERVESCENTS DE CAVA

Contrairement à la plupart des producteurs de vins effervescents du monde, Josep Raventós (voir plus loin) s'est concentré sur les cépages catalans avant d'opter pour le Maccabeo (connu ailleurs sous le nom de Viura), le Parellada et le Xarel·lo, utilisés dans des proportions diverses ; certaines maisons modernes emploient même du Chardonnay.
On produit également des Cavas dans les provinces catalanes de Gérone (Girona), Tarragone et Lérida (Lleida). La DO couvre même des zones délimitées de l'Aragon (Saragosse), de Navarre, de la Rioja, du Pays basque (Álava) et quelques autres vers Valence, en Castille-León et en Estrémadure. Élaborés suivant la méthode traditionnelle de la seconde fermentation en bouteille (voir p. 250), les vins de Cava doivent passer un minimum de neuf mois en bouteille avant d'être commercialisés, mais la plupart des bouteilles restent en fait de un à trois ans dans les caves.

PRODUCTEURS ET NÉGOCIANTS

Codorníu. Codorníu, créée en 1551 par la famille Raventós, fut la première maison à produire des Cavas en 1872 et reste la plus grande. Les principales marques sont Ana de Codorníu, Extra Codorníu, Gran Codorníu, Non Plus Ultra, Jaume de Codorníu.

Freixenet. Second producteur de Cava, Freixenet occupe le premier rang mondial de la production de vins effervescents. Ses principales marques sont : Freixenet Brut Nature, Brut Barroco, Carta Nevada, Cordon Negro, Reserva Real, Cuvée DS, Segura Viudas, Aria, Castellblanch, Conde de Caralt.

Costers del Segre

Cette DO doit son nom au Sègre, dont le cours descend des Pyrénées pour rejoindre l'Èbre. Elle est divisée en quatre sous-régions : Valls de Riu Corb et Les Garrigues à l'est, Artesa au nord et Raimat à l'ouest. Raimat est un vaste domaine qui s'est fait connaître en adoptant les techniques californiennes pour vinifier les cépages Cabernet-Sauvignon, Chardonnay, Tempranillo et quelques autres. Partout ailleurs dans la DO, une bonne partie des raisins est vendue en vrac ou aux producteurs de Cava. Le vignoble s'étage entre 200 m d'altitude au nord et 400 m au sud, mais le sol est étonnamment uniforme d'un bout à l'autre : du calcaire recouvert de sable. Les principaux cépages sont le Maccabeo, le Parellada, le Xarel·lo, le Chardonnay et le Grenache Blanc pour les vins blancs ; le Grenache, l'Ull de Llebre (Tempranillo), le Cabernet-Sauvignon, le

Merlot, le Monastrell, le Trepat et le Mazuelo (Cariñena, Carignan) pour les rouges.

Alella

À une certaine époque, Barcelone fut sur le point d'absorber dans ses banlieues Alella et ses vignobles. Mais l'octroi d'autorisations de plantation, en 1989, pour de nouvelles zones de plateaux (soit quatre nouveaux districts connus sous le nom collectif de Vallés), a permis à Alella de rester le centre d'une zone viticole à la réputation croissante.
Les vignobles s'étendent de la côte jusqu'aux contreforts de la cordillère catalane, à une altitude atteignant 90 m près de la côte, 90-160 m au centre et 160-260 m dans les Vallés. Le sous-sol est granitique dans les terroirs d'altitude et le sol devient de plus en plus sablonneux à mesure que l'on se rapproche de la côte. Le climat est méditerranéen, mais plus frais dans les hauts vignobles de l'Ouest. Les principaux cépages sont le Pansá Blanca (Xarel·lo) et le Grenache Blanc pour les vins blancs, l'Ull de Llebre (Tempranillo) et le Grenache pour les rouges et les rosés.

Empordá-Costa Brava

Dans la province de Gérone (Girona), près de la frontière française, l'appellation la plus septentrionale de la Catalogne jouxte les appellations Banyuls et Côtes-du-Roussillon. Les vignes poussent sur les contreforts du massif pyrénéen, culminent à 200 m puis descendent jusqu'au niveau de la mer dans de bons sols assez riches en calcaire. Le climat méditerranéen, chaud et humide, est rafraîchi par la tramontane qui souffle du nord.
Les principaux cépages sont le Grenache et le Carignan pour les rouges et les rosés, le Maccabeo et le Grenache Blanc pour les vins blancs. Quoi qu'il en soit, le traditionnel vin de dessert rancio, appelé Garnatxa, n'a pas disparu : issu de Grenache, il est vinifié selon la technique du vin de paille, c'est-à-dire que les raisins sont séchés sur des claies de paille avant d'être pressés.

Priorato

C'est le véritable cœur de la viticulture traditionnelle catalane. Les vignes s'échelonnent entre 100 et 700 m d'altitude et sont généralement plantées en terrasses sur les flancs des montagnes. Le sol de licorella est unique dans toute l'Espagne. Le principal cépage est le Grenache Noir ou Blanc, et la gamme de vins va des blancs légers et fruités, de style *joven,* aux rouges dorénavant nuancés.

Tarragone

Tarragone faisait jadis un vin rouge doux, muté, souvent appelé « le Porto du pauvre ». Il existe toujours, sous la DO Tarragona Clásico, mais a

depuis longtemps été supplanté, en termes de quantité, par des vins plus légers, dans les trois couleurs. La plupart sont de style *joven,* mais certains rouges rappellent par leur puissance les vins du Priorato. Le cépage principal est le Carignan pour les rouges et le Maccabeo pour les blancs. Notons que subsiste une tradition de Moscatel et que des rouges issus de Tempranillo font leur apparition.

La région est divisée en trois zones entourant la ville de Falset : autour de la ville de Tarragone, jusqu'à 200 m d'altitude, Tarragona Campo couvre 70 % de l'aire d'appellation ; Falset-Comarca, à une altitude de 360 m, se situe dans une vallée de montagne ; enfin, Falset-Ribera del Ebro, sur le delta de l'Èbre, est à 100 m d'altitude. Les sols sont de type alluvial et le climat est chaud et méditerranéen.

PRODUCTEURS ET NÉGOCIANTS

Le vignoble catalan est en pleine mutation : nouveaux propriétaires, renaissance des variétés indigènes et expérimentation avec des cépages étrangers, ainsi que la généralisation de la mise en bouteilles, l'apparition du concept de château *(masía)* et de nouvelles appellations.

PENEDÈS

ALBET I NOYA
Cette maison pionnière de la viticulture biodynamique produit un bon Syrah 100 %, le Col·lectió.

RENÉ BARBIER
Excellents Mediterraneam blanc, issu des trois cépages locaux, et René Barbier Selección blanc.

CAN RAFOLS DELS CAUS SL
Cette *bodega* a su imposer ses Gran Caus et un Caus Lubis 100 % Merlot.

CELLERS PUIG ROCA SA
Josep Puig crée dans sa *bodega* des Augustus (Chardonnay, Cabernet-Sauvignon, Merlot, Cabernet Franc) primés partout.

CHANDON SA
Cette antenne de Moët & Chandon élabore un bon Cava et un Éclipse Chardonnay, dont on souligne le bel équilibre.

JUVÉ & CAMPS SA
Cette maison de Cava a créé son créneau sur le marché avec son Ermita d'Espiells (Maccabeo, Xarel·lo et Parellada) et son Casa Vella rouge (Cabernet-Sauvignon).

JOSEP MARIA RAVENTÓS I BLANC
Avec un 100 % Xarel·lo et son El Preludi, cette maison du Cava a su imposer son nom parmi les blancs tranquilles.

MIGUEL TORRES SA
L'œnologue Miguel A. Torres, qui dirige l'entreprise présente dans une centaine de pays, a résolu avec brio l'équation entre la quantité et la qualité.

COSTERS DEL SEGRE

CELLERS CASTELL DE REMEI
Les principales marques sont Castell del Remei et Gotim Bru (rouges).

RAIMAT
La *bodega* la plus avant-gardiste de la région, propriété de la famille Raventós, produit également du Cava sous l'étiquette Raimat. Ses vins tranquilles sont le Chardonnay (blanc), le Cabernet-Sauvignon (rouge), le Tempranillo (rouge) ainsi que quelques assemblages.

ALELLA

ALTA ALELLA
Cette entreprise est le plus grand propriétaire d'Alella. Principale marque : Marqués de Alella (blanc).

Terra Alta

Terra Alta, la plus élevée et la plus méridionale des DO de Catalogne, borde l'*autonomía* d'Aragon. Les vignes sont plantées en moyenne à 400 m d'altitude, dans des vallées inaccessibles cachées entre les montagnes, mais le sol calcaire et le bon drainage leur réussissent bien. Le climat est continental, l'ensoleillement, excellent, et l'altitude empêche les grosses chaleurs.

Le principal cépage est le Grenache Blanc (77 % du vignoble) et le style de vin traditionnel est le *rancio* doux ou vieilli en chêne. Grâce aux techniques modernes de vinification, on commence à voir apparaître des vins plus légers et plus frais. Par ailleurs, des expériences sont tentées actuellement avec des cépages français.

PRODUCTEURS ET NÉGOCIANTS

EMPORDA-COSTA BRAVA

CAVAS DEL CASTILLO DE PERELADA
Ce château élabore d'assez bons blancs et un excellent rouge, le Castillo Perelada Gran Claustro.

PRIORATO

ALVARO PALACIOS
Expatrié de sa Rioja natale, formé à Bordeaux, Alvaro Palacios s'est établi ici en 1989, guidé par son ami René Barbier. Avec l'Ermita (80 % Garnatxa), à l'époque le vin le plus cher d'Espagne, il a fait monter les enchères. Depuis, d'autres vins ont suivi, mais aussi des doutes sur les possibilités de garde des Grenaches.

CELLERS FUENTES HERNÁNDEZ
Avec 80 % de Garnatxa vieilles vignes, l'œnologue Josep M. Fuentes a composé un singulier Gran Clos 1995 presque noir.

CLOS MOGADOR
René Barbier a déclenché une révolution vinicole dans cette appellation. Merveilleux Clos Mogador et Clos Erasmus, qui n'ont rien à voir avec ses vins du Penedès.

COSTERS DEL SIURANA
Le Dolç de l'Obac récupère l'aptitude au sucré grâce à l'influence du Catalan Arnaud de Villeneuve, alors que le Clos de l'Obac préfère la puissance abrupte.

MAS MARTINET VITICULTORS
Avec son Clos Martinet, cette *bodega* s'est alignée sur les plus grands noms de l'appellation.

VALL-LLACH MAS MARTINET
Dans cette *bodega*, le chanteur folk catalan Lluís Llach tâte du métier de viticulteur avec son Cims de Porrera Classic (Cariñena, Garnatxa et Cabernet-Sauvignon).

TARRAGONE

JOSEP ANGUERA BEYME
Le Joan d'Anguera (Syrah, Garnatxa, Cabernet-Sauvignon) est d'un très bon rapport qualité/prix.

CELLER DE CAPÇANES
Cette *bodega* s'est mise au goût du jour avec son Val del Calás *crianza* et produit même un blanc et un rouge kasher.

CELLERS SCALA-DEI
Les caves d'origine de cette maison datent du XVIe siècle. Son meilleur vin, le Cartoixa, est un rouge magnifique et puissant.

TERRA ALTA

DE MULLER
Cette *bodega*, présente également dans les appellations Tarragona et Priorato, produit un vin de messe traditionnel, De Muller Vino de Misa.

LE CENTRE ET LE SUD DE L'ESPAGNE

Carte page XXV

La région qui s'étend au sud de Madrid et au nord de l'Andalousie constitue le royaume des vins de consommation courante, quoique, là aussi, on aspire à des vins de qualité. Dans ce pays où le climat est chaud et où les vignes sont robustes, la technique mène la danse et le consommateur est roi.

Cette vaste zone peut se diviser en quatre : le Levante à l'est, la Castille-La Manche autour et, en particulier, au sud de Madrid, l'Andalousie à l'extrême sud et, enfin, les différentes îles espagnoles.

Le Levante

Cette région s'étire le long de la côte est et inclut l'*autonomía* de Murcie (Murcia) et celle de Valence (Valencia), deuxième d'Espagne par la superficie de son vignoble.

Valencia est à la fois le nom d'une appellation viticole (DO) et de l'*autonomía* qui englobe deux autres DO, Alicante et Utiel-Requena. Les viticulteurs de Valence aimeraient obtenir une appellation générique pour l'ensemble de l'*autonomía* et de ses subdivisions. Ils l'ont presque obtenue, puisqu'ils ont le droit d'assembler des vins des trois DO pour les appeler « Valencia ».

Les vignobles partent du niveau de la mer à Valence et montent jusqu'à 300-400 m d'altitude à Alicante et au-dessus de 800 m à Utiel-Requena. Raisins et vins sont donc très variés. Sur la côte, le climat est méditerranéen et le sol alluvial, et, à mesure que l'on s'élève, le climat devient continental et le sol calcaire. Les principaux cépages sont le Monastrell, le Grenache, le Bobal et le Tempranillo, pour les rouges, et le Merseguera et le Maccabeo, pour les blancs. La plupart des vins que l'on trouve ici sont issus de raisins provenant indifféremment d'une ou de plusieurs des trois appellations locales.

Les *bodegas* de Valence produisent un petit vin de coupage bon marché étiqueté à la demande du client jusqu'à d'honnêtes rouges de *crianza* ou de *reserva* ainsi que des blancs doux.

Une nouvelle appellation, Bullas, est venue s'ajouter à Jumilla et Yecla, les deux DO de Murcie situées à l'ouest d'Alicante, dans un pays semi-aride, et qui ont toujours suivi à peu près la même évolution que Valence. Les vignes sont plantées jusqu'à 700 m dans un bon sol reposant sur un sous-sol calcaire. À cette latitude, l'altitude ne compense guère l'ardeur

du soleil, et seules des techniques viticoles sûres permettent aux raisins de conserver un minimum d'acidité jusqu'aux vendanges. Le Monastrell et le Cencibel (Tempranillo) sont les cépages préférés pour les rouges, le Merseguera et l'Airén pour les blancs. La mode actuelle va vers les vins de style *joven,* mais l'on trouve aussi des *crianzas* élevés dans des fûts de chêne américain.

Castille-La Manche

L'*autonomía* de Castille-La Manche est une vaste zone qui couvre toute la moitié sud de la Meseta. Bien que produisant à elle seule la moitié des vins espagnols avec un vignoble de près de 8 millions d'hectares, elle ne compte que cinq DO : Almansa, La Mancha, Méntrida, Mondéjar et Valdepeñas.

À l'extrémité est, Almansa tient bien plus du Levante que des autres DO de la Manche. Les vignes poussent dans les parties les plus basses, sur des terrains plats aux sols corrects, et le climat continental est à la limite du semi-aride. L'Almansa est un pays de vins rouges issus de Monastrell, de Cencibel (Tempranillo) et de Grenache, et au moins une *bodega* atteint le niveau des *reservas.* Le peu de Merseguera, cépage blanc, est généralement assemblé avec des cépages rouges pour faire des vins rosés.

La DO La Mancha, accordée en 1966, est la plus vaste appellation d'Espagne. Son nom fut longtemps associé à des vins de qualité médiocre vendus en vrac. Déterminés à faire quelque chose de l'omniprésent Airén, les nouveaux investisseurs arrivèrent à leurs fins au milieu des années 1980 : grâce aux nouvelles méthodes de vinification soignée, l'Airén finit par produire des vins agréables et bon marché.

Les vignes sont plantées en altitude, entre 500 et 650 m. La sécheresse et la chaleur sont extrêmes l'été, tandis que l'hiver est glacial. Les sols sont toutefois relativement bons, l'altitude et les températures extrêmes permettant aux pieds de vigne d'échapper aux insectes et à la pourriture. Presque tous les vins sont de type *joven,* quelle que soit leur couleur.

Méntrida, à l'est de Madrid, est une autre zone de très grande production. Les modifications apportées ces dernières années à la législation des DO en matière de puissance alcoolique pourraient bien réserver quelques bonnes surprises. Les cépages, principalement le Grenache et le Cencibel, ont un bon potentiel.

Juste à côté de la DO Méntrida, dans la province de Tolède, on trouve un bon exemple des capacités de cette région. Carlos Falcó (marquis de Griñón), œnologue diplômé de l'université de Californie (Davis), a importé le savoir-faire bordelais dans son vignoble de Malpica de Tajo : il a planté du Cabernet-Sauvignon et du Merlot et installé un système d'irrigation californien (le goutte-à-goutte, interdit en Espagne, sauf pour les

vignobles « expérimentaux »). Aujourd'hui, son vin est l'un des meilleurs d'Espagne, même s'il n'a droit qu'au nom de Vino de Mesa de Toledo (vin de table de Tolède).

Avec leurs quelque 750 ha, répartis sur vingt communes, les cinq *bodegas* de la nouvelle appellation Mondéjar produisent du vin rouge vendu jeune.

Valdepeñas, enfin, est la seule région de Castille-La Manche qui peut s'enorgueillir d'une longue et régulière tradition de vins de bonne qualité. Sur le plan géographique, elle constitue une sorte d'enclave à l'intérieur de la Manche : bien placée sur les pentes orientées au sud, à une altitude de 700 m, elle est protégée des vents dominants par les montagnes. Son sol est à base de calcaire, son climat tend vers le semi-aride, mais son sous-sol calcaire profond retient l'eau.

Les cépages utilisés en Valdepeñas sont les mêmes que dans la Manche, avec un peu plus de Cencibel et de vins rouges. Les blancs sont élevés dans le style *joven* et les meilleurs rouges (100 % de Cencibel) atteignent facilement le niveau *gran reserva.*

Les vignobles de la DO Vinos de Madrid fournissaient autrefois de bons vins de tous les jours aux habitants de la capitale. Aujourd'hui, la plupart sont faits dans le style *joven,* mais quelques producteurs sont convaincus que l'avenir des vins de Madrid réside dans les rouges de *crianza* à base de Tempranillo.

L'Andalousie

Le sud de l'Espagne ne comprend qu'une seule immense *autonomía,* l'Andalousie (Andalucía). C'est dans ce pays, à Jerez de la Frontera, qu'est née l'industrie vinicole espagnole. Le vin local, robuste et avec un fort degré alcoolique, fut en effet déjà exporté du port de Cadix par les Phéniciens à la fin du IIe millénaire avant notre ère. Depuis, toute la viticulture s'est développée dans le moule du Xérès. Mais, outre les appellations Xérès (Jerez) et Málaga (voir p. 612 et 620), l'Andalousie abrite deux autres appellations : Condado de Huelva, près de la frontière portugaise, et Montilla-Moriles, dans la province de Cordoue (Córdoba).

Lorsque le marché du Xérès commença à rétrécir, l'appellation Condado de Huelva, classée DO en 1964, se diversifia en vinifiant le cépage Zalema, une variété au goût assez neutre, en *joven afrutado,* un nouveau style de vin léger fermenté à basse température. Mais la région n'a pas pour autant interrompu sa production de vins mutés traditionnels, appelés Condado Pálido et Condado Viejo, équivalents des Olorosos.

Quant à l'appellation Montilla-Moriles, elle a réussi à se faire un nom tout en suivant la mode des *jovenes afrutados.* Classée DO en 1945, elle fait aujourd'hui des vins de style *joven,* des *vinos crianzas* (non mutés)

LES ÎLES ESPAGNOLES

LES BALÉARES

La première appellation non continentale, Binissalem, à Majorque, fut attribuée en 1991. Elle se trouve au nord-est de Palma, au centre de la plus grande des îles Baléares, à une altitude comprise entre 250 et 300 m. Le cépage principal est une variété locale, le Manto Negro (rouge). La DO autorise les trois couleurs, mais les vins blancs (issus principalement du cépage local Moll, avec du Parellada) et les rosés sont faits uniquement dans le style *joven*, et en bien plus petites quantités que les rouges. Issu de vignobles situés dans les vallées du centre et de l'est de l'île, le vin de pays *(vino de la tierra)* Plá i Llevant attend incessamment sa DO.

LES CANARIES

Sept DO en quelques années et deux « contrées viticoles », alors que la première DO, Tacoronte-Acentejo à Tenerife, n'a été créée qu'en 1992. Les autres DO sont Abona, El Hierro, La Palma, Lanzarote, Valle de Güímar, Valle de la Orotava et Ycoden-Daute-Isora. Dans ce vignoble au climat subtropical, il existe deux cépages locaux, le Listán Negro et le Negramoll, sans oublier le Malvoisie (Malvoisía).

PRODUCTEURS ET NÉGOCIANTS

Franja Roja, DO Binissalem (Majorque)

La *bodega* de José Ferrer est aujourd'hui la plus importante, la plus active et la plus moderne de l'île. La production est vendue essentiellement sous l'étiquette José L. Ferrer (blanc, rosé, rouge).

Carballo SL (DO La Palma)

Carballo a produit un très curieux Carballo Malvasía Blanco 1997 et le Negramoll 1998, rouge, ainsi que, dans la DO Lanzarote, le Mozaga Malvasía Dulce 1998.

Bodegas Monje (DO Tacoronte-Acentejo)

Cette *bodega* a réussi un excellent rouge, le Monje de Autor.

ainsi que les traditionnels *vinos generosos* (mutés et vieillis en *soleras*, comme les Xérès). Le principal cépage blanc est le Pedro Ximénez. Les vignes poussent entre 700 et 300 m d'altitude, là où la Meseta descend vers la côte sud : le climat va de semi-aride à continental, avec des étés très chauds (jusqu'à 45 °C) et des hivers courts et froids. Les meilleurs sols, qui se trouvent au centre de la région, sont des *albarizas* calcaires, comme à Jerez, et l'ensemble de ces vignobles de meilleure qualité est appelé collectivement la région Superior. Ailleurs, les sols sont plutôt sablonneux, et les rendements plus élevés.

PRODUCTEURS ET NÉGOCIANTS

Dans ces zones traditionnellement réservées à la production de vins ordinaires, mais avec des trésors comme les Fondillón, coopératives et *bodegas* investissent dans une technologie afin de diversifier leur production.

ALICANTE

Située dans la région du Levante, cette appellation s'étend sur les contreforts de la Meseta. La presque totalité de la production est élaborée par des coopératives, qui sont souvent mal équipées.

BODEGAS GUTIÉRREZ DE LA VEGA
Née en 1973, cette *bodega* (10 ha de vignoble) a révolutionné le marché des nouveaux Muscats avec Casta Diva, Cosecha Dorada et Cosecha Miel.

SALVADOR POVEDA
Cette *bodega* est une référence depuis 1918. Elle produit un surprenant Fondillón, un liquoreux issu à 100 % de Monastrell, ainsi qu'un Muscat et même un rouge Viña Vermeta, issu lui aussi à 100 % de Monastrell.

PRIMITIVO QUILES, NCR
Le Fondillón de cette *bodega* est l'un des vins moelleux les plus célèbres de la Méditerranée : l'austère roi Philippe II fit cadeau d'une bouteille à l'empereur du Japon et les mousquetaires de Dumas en font l'éloge. Le Fondillón Rancio Primitivo Quiles est l'un des premiers de la classe.

UTIEL-REQUENA ET VALENCIA

Ces deux appellations du Levante se trouvent dans l'arrière-pays de la ville de Valence.

VICENTE GANDÍA PLÁ
Établie depuis 1885 à Valence, cette *bodega*, dont la production est vendue dans 60 pays, élabore le Castillo de Liria, le plus populaire des rouges et des rosés, mais aussi un bon rouge, le Hoya de Cadenas (Tempranillo-Grenache).

JUMILLA

La production de cette zone d'appellation aride du Levante est dominée par la grande coopérative de San Isidro.

AGAPITO RICO
Cette *bodega* a produit le Carchelo 1997 (80 % Monastrell et 20 % Merlot, non boisé), l'un des vins espagnols dont tout le monde parle.

BSI SAN ISIDRO
Créée en 1935 sur un vignoble de 20 000 ha, BSI a su prendre le virage avec un blanc pur Airén (Sabatacha), le Gémina 1998, rouge, et le moelleux Lacrima Viña Cristina (100 % Monastrell).

ENCARNACIÓN OLIVARES GUARDIOLA
Sans l'étiquette de la DO, mais avec un succès d'estime et des ventes : Olivares Dulce (moelleux) est un Monastrell 100 % à la puissance insolite, nuancé par des notes grillées et de fruits confits.

YECLA

Cette appellation du Levante est enclavée entre les DO Jumilla, Alicante et Almansa.

CASTAÑO
Cette maison exporte 60 % de sa production. Son vin blanc, Maccabeo Castaño, et ses rouges, Castaño (90 % Monastrell), Hécula et Dominio Espinal, sont des modèles de la DO.

ALMANSA

Cette petite DO dans la région Castille-La Manche jouxte Jumilla et Yecla.

BODEGAS PIQUERAS
Cette *bodega* est une institution depuis 1915. Son Castillo de Almansa dans les trois couleurs (Airén ; Monastrell-Cencibel) est vendu à un prix très modeste.

LA MANCHE

Située au centre de l'Espagne, en Castille-La Manche, cette DO est la plus vaste appellation viticole de l'Europe. Elle compte 170 000 ha.

PRODUCTEURS ET NÉGOCIANTS

AYUSO SL
Cette *bodega* a imposé son Estola (100 % Cencibel), parfois trop boisé. Un changement de propriété incite à la prudence.

CENTRO ESPAÑOLAS SA
Cette maison convainc avec un Allozo *crianza* et un *reserva* 100 % Tempranillo.

COOPERATIVA JESÚS DEL PERDÓN
Cette coopérative a bien placé la marque Yuntero, dont le *crianza* est un heureux coupage de Cencibel (75 %) et de Cabernet-Sauvignon.

VINÍCOLA DE CASTILLA SA
Ce géant fait dans la nuance avec son Balada Cencibel Ecológico, un rouge biodynamique.

VALDEPENAS

Cette appellation jouxte celle de La Manche au sud.

MIGUEL CALATAYUD
Le Vegaval Plata Cencibel fait concurrence à un Cabernet-Sauvignon.

CASA DE LA VIÑA
Dans cette propriété du groupe Bodegas y Bebidas, le Cencibel s'exprime dans un Casa de la Viña *crianza* d'un bon rapport qualité/prix.

COSECHEROS ABASTECEDORES
Cette *bodega* produit un vin classique dont se détachent les Cencibel 100 % Pata Negra et Señorío de los Llanos.

FÉLIX SOLÍS
Ce domaine est le plus gros producteur de bouteilles de 75 cl sur le marché espagnol. Un vin populaire, Los Molinos, et le plus recherché Viña Albalí exaltent le Cencibel.

VIDEVA SA
Fondée en 1967 par six viticulteurs, cette maison est dotée d'un vignoble de 550 ha et a produit un nouveau vin élaboré 18 mois en barrique, le Pago Lucones, avec du Cencibel de vignes de plus de 30 ans d'un *pago* (l'équivalent du clos bourguignon) et 10 % de Cabernet-Sauvignon.

VIÑEDOS Y BODEGAS VISAN SL
En février 2000 encore, une bouteille de l'excellent Castillo de Mudela *reserva* 1987 (100 % Cencibel) coûtait moins de 100 francs.

CONDADO DE HUELVA

Cette appellation de l'Andalousie est située près de la ville de Huelva, entre la région de Jerez et la frontière portugaise.

VINÍCOLA DEL CONDADO SOC. COOPERATIVA
Cette coopérative produit le Privilegio del Condado, qu'elle élabore avec le cépage prédominant de l'appellation, le Zalema (blanc), et le splendide Mioro Pálido, issu d'un coupage de Palomino, Listán et Garrido Fino.

MONTILLA-MORILES

Cette DO est située à 40 km de Cordoue, en Andalousie.

ALVEAR
Établie depuis 1729, la doyenne de la DO est toujours gérée par un membre de la famille Alvear. Son Fino C.B. et son Pedro Ximénez 1927 sont excellents, le Pedro Ximénez 1830 est époustouflant.

GRACIA HERMANOS SA
Le María del Valle (100 % Pedro Ximénez) donne le « la » de cette *bodega* créée en 1962.

NAVISA (IND. VINÍCOLA ESPAÑOLA SA)
Ce domaine produit des Finos comme le Cobos ou le Pompeyo et un succulent Tres Pasas moelleux.

PÉREZ BARQUERO
Un siècle de vie et une marque, Gran Barquero, dont toutes les bouteilles n'ont rien à envier aux plus grands du genre.

BODEGAS TORO ALBALÁ SA
Depuis 1922, cette *bodega* érigée sur une ancienne centrale électrique a imposé son Eléctrico Fino del Lagar et le singulier Don PX (pour Pedro Ximénez), un vin doux naturel « sans ajouts et non filtré ». Dernier must : Marqués de Poley, issu du cépage Pedro Ximénez des vendanges 1945.

XÉRÈS

Carte page XXV

Situé dans la province de Cadix, à l'extrême sud-ouest de l'Andalousie, face à l'Atlantique, le vignoble du Xérès occupe le centre d'un triangle formé par trois villes, au nord de la ville de Cadix : Jerez de la Frontera, dans les terres, Sanlúcar de Barrameda, sur l'estuaire du Guadalquivir, et Puerto de Santa María, à la pointe de la baie de Cadix.

Le climat, généralement chaud, peut devenir très chaud et très sec pendant l'été, même s'il reste tempéré par l'océan. Deux vents dominent : le Levant, sec, qui vient de l'est, et le Ponant, qui apporte l'humidité de l'Atlantique. Le sol calcaire porte le nom d'*albariza*. L'association de ce sol idéal pour les vins blancs et du climat chaud, relativement humide, donne d'excellentes conditions de culture.

La région de Xérès tend à devenir la région d'un seul cépage blanc, le Palomino (Palomino Fino), qui couvre 90 % du vignoble et supplante peu à peu les autres cépages, comme le Pedro Ximénez – dont le vin doux sert toujours à faire des Xérès doux – et le Moscatel Fino, devenu très rare.

Du raisin à la flor

Au cours des premières semaines de septembre, les raisins sont récoltés et apportés au pressoir. Autrefois, les hommes portaient des chaussures cloutées pour les fouler au pied, mais aujourd'hui on utilise des pressoirs continus horizontaux ou des pressoirs hydrauliques modernes. Après fermentation complète du jus, on obtient un vin blanc sec qui atteint naturellement 13,5 % vol. au minimum. C'est à ce stade que les vins blancs de Xérès changent de nature, comme par magie. Même s'ils se déclinent plus tard en une gamme très diverse (voir encadré p. 614-615), on distinguera d'abord deux qualités, le Fino et l'Amontillado.

Lorsque la fermentation est terminée, on transvase le vin dans des tonneaux de 500 l qu'on ne remplit pas complètement. Tandis que les vins vieillissent dans la fraîcheur des vastes chais de la *bodega,* une fleur de moisissure *(Saccharomyces beticus)* appelée *flor,* apportée par le Ponant, apparaît à la surface du vin. Elle protège le vin de l'oxydation au contact de l'air, inéluctable dans ces fûts, et lui donne son caractère unique. En effet, la *flor* ne se développe naturellement que dans une seule autre région du monde, le Jura, pour le Vin jaune, et son effet n'est jamais exactement le même d'un fût à l'autre. C'est pour cette raison qu'on peut classer les vins de Xérès en différentes catégories dès le début de leur évolution. Les fûts qui présentent une *flor* abondante sont classés en *palmas* et mis à part ; ils donneront

LE SYSTÈME DE LA SOLERA

Le principe d'élaboration du Xérès réside dans l'assemblage de vins issus de fûts divers et d'âges différents.
Le principe de la *solera,* utilisé pour tous les types de Xérès, consiste en une succession d'assemblages : on commence d'abord par prélever une certaine quantité du vin le plus jeune et on le transvase dans des fûts de l'année précédente pour qu'il prenne le caractère du vin plus âgé. Pour faire de la place dans ces tonneaux, il faut auparavant les vider d'un tiers, que l'on reverse dans des tonneaux contenant le vin de trois ans, eux-mêmes vidés d'un tiers, que l'on a ajouté au vin de quatre ans.
Chaque étape de ce procédé s'appelle *criadera,* mot espagnol qui signifie «pépinière». Après cette opération renouvelée en moyenne 5 fois, il ne reste plus qu'un tiers du vin le plus vieux (qui porte le nom de *solera,* parce que, à l'origine, il sortait du fût posé sur le sol – *suelo* – à la base de la pyramide de fûts), que l'on met en bouteilles. Il arrive qu'on soutire un vin plus jeune, selon la qualité souhaitée, mais la loi oblige à 3 assemblages au moins avant la mise en bouteilles.
Le Xérès provient donc de multiples assemblages, car chaque bouteille contiendra des vins d'âges différents assemblés à l'intérieur d'une même *solera* et de différentes *soleras* entre elles.

naissance au Fino (avec la possibilité de classement en Amontillado lorsque la *flor* a terminé son travail). Ils sont légèrement mutés à l'eau-de-vie pour atteindre 15,5 % vol. au maximum. Les fûts où la *flor* ne se développe pas sont classés comme *raya* et serviront à faire l'Oloroso : ils sont immédiatement mutés à 18 % vol. (la *flor* ne vit plus au-delà de 17,5 % vol.) et élevés séparément.

L'évolution récente

Les graves problèmes de surproduction qu'a connus ce vignoble dans les années 1980 et 1990 ont donné naissance à un programme destiné à améliorer l'image du Xérès aux yeux d'un public amateur de blancs légers. La DO Jerez-Xérès-Sherry y Manzanilla-Sanlúcar de Barrameda est désormais l'appellation la plus réglementée d'Espagne. Plantations, rendements, prix des raisins et prix du vin, tout est contrôlé par le Consejo Regulador. Les vins doivent vieillir au moins trois ans et, afin d'encourager un élevage le plus long possible, les *bodegas* ne peuvent vendre que 29 % de leur stock chaque année. De plus, le Consejo Regulador exerce un contrôle particulier sur les maisons autorisées à faire de l'exportation.

LES DIFFÉRENTS STYLES DE XÉRÈS

Le Xérès est un vin blanc muté, sec à l'origine, qui offre toute une palette de styles, du plus sec au plus sucré. Il se boit seul, à l'apéritif, ou accompagne des plats ; on peut le servir au début du repas, ou à la fin. Pour cette raison, il est parfois qualifié de vin muté le plus universel. Lorsqu'il est sec, il ressemble davantage à un vin de table classique qu'à un vin muté.
Le Xérès se divise en deux familles, les Finos, secs et légers, et les Olorosos, plus colorés et plus puissants, dont sont issus tous les autres. Les Finos sont tributaires de la *flor* alors que les Olorosos ne le sont pas. Le Fino doit se boire très jeune et ne vieillit pas en bouteille, tandis que les autres Xérès peuvent se conserver plusieurs années.

LES FINOS

Manzanilla. Le Manzanilla est un style de Fino très sec qui est produit dans les *bodegas* du bord de mer, à Sanlúcar de Barrameda, à l'embouchure du Guadalquivir. C'est le plus sec et le plus léger de tous ; on s'accorde à lui reconnaître un goût particulier, légèrement salé, qu'on attribue à la proximité de la mer. La couche de *flor* y est souvent plus épaisse et la maturation plus lente. Comme les raisins récoltés sont généralement moins mûrs, le Manzanilla est légèrement plus acide. Il est muté à 15,5 % vol. avant son expédition.

Le Manzanilla remporte un grand succès en Espagne, et plus particulièrement parmi les jeunes.

Manzanilla Pasada. C'est un Fino de Manzanilla dans lequel la *flor* a disparu et qui a commencé à vieillir. On l'appelle Fino Amontillado à Jerez et Manzanilla Pasada à Sanlúcar.

Fino. Le Fino appartient à la catégorie des vins les plus secs, produits à Jerez et à Puerto de Santa María. Le Fino de Jerez, qui est le plus connu, est plus concentré, celui de Puerto est plus tendre et plus léger. Le Fino est élevé sous une couche de moisissure *(la flor)* qui le protège de l'oxydation et lui conserve toute sa fraîcheur. Issu de Palomino à 100 %, il est généralement muté pour atteindre 15,5 à 17 % vol. Celui qui est consommé dans la ville de Jerez n'est pas muté.

Une fois la bouteille ouverte, le Fino, qui paraît plus fragile, perd rapidement sa fraîcheur.

Fino Amontillado. Ce style de Xérès désigne un Fino dans lequel la *flor* a disparu, mais qui n'est pas encore arrivé au stade de l'Amontillado.

Amontillado. L'Amontillado est un vin qui a dépassé le stade du Fino Amontillado pour évoluer vers une teinte ambrée, presque dorée, et vers des arômes de noix. Le vin ne pouvant atteindre ce niveau avant d'être passé dans le système de *solera* pendant au moins huit ans, les Amontillados bon marché sont fabriqués par assemblage et en tuant la *flor* pour accélérer l'évolution du vin. L'Amontillado est naturellement sec.

Medium. C'est un Amontillado légèrement doux. Cette caractéristique s'obtient grâce à l'adjonction de Pedro Ximénez – un cépage donnant un vin très noir et sucré, car ses raisins sont séchés au soleil avant d'être pressés – ou, plus couramment, de vins très sucrés issus de Palomino, vinifié pour répondre au goût des consommateurs du nord de l'Europe.

Palo Cortado. Le Palo Cortado est un vin qui a commencé comme un Fino, évolué en Amontillado puis a été élevé comme un Oloroso. Il sera classé comme *dos, tres,* ou *cuatro cortados* selon son âge. C'est un vin rare et cher.

LES OLOROSOS

Oloroso. L'Oloroso (littéralement « parfumé ») désigne une catégorie de vin sur laquelle la *flor* ne s'est jamais développée ; muté jusqu'à 18 % vol. au début de son élevage, il peut ensuite atteindre 24 % vol. Comme l'authentique Amontillado, le véritable Oloroso est toujours sec, riche et concentré.

Cream. C'est un Oloroso sucré à la robe sombre, élaboré pour les mêmes marchés d'exportation que le Medium. Ce style de Xérès fut lancé par la maison Harvey de Bristol (voir p. 618) à la fin du XIXe siècle. Sa couleur s'obtient par adjonction de *vino dulce,* et sa douceur par addition de moûts de raisin.

Pale Cream. Le Pale Cream est issu d'un assemblage de Fino et d'Oloroso léger, adouci par adjonction de *dulce apagado* (vin doux obtenu par un apport d'eau-de-vie qui arrête la fermentation). Il a l'aspect d'un Fino et le goût d'un Oloroso. Ce style de Xérès fut mis sur le marché par la maison Croft (voir p. 617) dans les années 1970.

Brown Sherry. Ce vin riche de couleur foncée est obtenu par un assemblage d'Olorosos et de *rayas* (littéralement « rayures »), terme qui désigne les Olorosos de qualité inférieure.

AUTRES STYLES

East India (ou Amoroso). Par ce terme on désignait autrefois un Xérès dont on accélérait la maturation en lui faisant faire un aller et retour jusqu'en Inde.

Almacenista. C'est un Xérès élevé par des petits grossistes *(almacenistas,* du mot espagnol *almacén,* « magasin ») qui, selon la réglementation, n'ont pas le droit de vendre au public ni d'exporter. Beaucoup de ces vins sont assemblés, mais il arrive qu'ils soient mis en bouteilles et vendus tels quels.

PRODUCTEURS ET NÉGOCIANTS

Les maisons de Xérès siègent dans les villes de Jerez de la Frontera – pour la frontière entre chrétiens et musulmans –, Sanlúcar de Barrameda et Puerto de Santa María. Toutes disposent d'amples locaux de vinification et d'embouteillage ainsi que d'aussi vastes chais en surface, les *bodegas,* où s'empilent, sur jusqu'à cinq rangs, des milliers de fûts, afin d'effectuer les assemblages, la *solera*. Depuis 1999, les Sacristías ou Reliquias, vins qui avaient somnolé dans des barriques marquées d'un « non » parce que réservés à la famille, sont arrivés sur le marché et font grimper les prix.

MANUEL DE ARGÜESO
Fondée en 1822 par Don Leon de Argüeso, cette *bodega* de Sanlúcar est réputée pour ses *almacenistas,* les meilleures cuvées des meilleurs millésimes qui ne font l'objet d'aucun assemblage. Elle appartient aujourd'hui à Valdespino.
Hormis le Pedro Ximénez El Candado, la cuvée la plus célèbre de cette maison est le Manzanilla Señorita, élevé à Sanlúcar, tandis que le Fine Amontillado et le Cream of Cream sont élaborés à Jerez. Son Fino, Colombo, et son Amontillado sec, Coliseo, sont renommés dans la région, de même que ses deux eaux-de-vie, Tres Unios et Genesis.

HEREDEROS DE ARGÜESO SA
Le Manzanilla Las Medallas de Argüeso et surtout le San León de cette maison ne sont pas moins exquis que l'Oloroso Argüeso.

ANTONIO BARBADILLO
Créée en 1821, cette *bodega* est toujours dirigée par la famille Barbadillo. Elle possède 500 ha de vignes, en copropriété avec Harvey (voir p. 618), situées dans le Jerez Superior. La vieille *bodega* du centre-ville dispose d'installations modernes à la périphérie. Eva, Solear, Muy Fina, La Pastora et Mil Pesetas sont de bons Manzanilla, mais l'Amontillado Príncipe est pareillement coté.
Barbadillo a été l'un des premiers à élaborer un blanc sec non muté issu de 100 % Palomino, le Castillo San Diego.
En 2000, Barbadillo a présenté Reliquias, un Palo Cortado en quatre versions, chacune d'à peine 600 bouteilles. Chaque bouteille était vendue au prix de 150 euros.

HIJOS DE RAINERA PÉREZ MARÍN
Cette *bodega,* qui possède un vignoble de 300 ha et dispose de 16 000 *botas,* les caractéristiques barriques, a été fondée en 1865. Avec son Manzanilla La Guita, elle est devenue très populaire, surtout depuis que la jeunesse espagnole, et principalement celle de Madrid, s'est entichée de ce vin.

SÁNCHEZ ROMATE
C'est en 1781 que Juan Sánchez de la Torre a créé cette *bodega* familiale à Jerez de la Frontera, où elle possède 80 ha de vignoble et 5 600 barriques. Environ deux tiers de la production annuelle sont destinés à l'exportation. Dans les 30 000 m² de chais, situés en plein centre-ville, les vins – Fino Marismeño et Macharnudo, Amontillado N.P.U. et La Sacristía de Romate, Dulce Cardenal Cisneros et La Sacristía de Romate PX... – vieillissent à côté des eaux-de-vie les plus prestigieuses qui s'appellent Cardenal Mendoza et Cardenal Cisneros.

HIJOS DE AGUSTIN BLÁZQUEZ
Une des plus anciennes maisons, fondée en 1795. Bien qu'elle appartienne aujourd'hui au groupe Domecq (voir plus loin), son nom reste sur l'étiquette des Xérès et des eaux-de-vie.

BOBADILLA
Cette *bodega* est sans doute mieux connue pour son eau-de-vie – Bobadilla 103 – que pour son Xérès. Les Xérès de Bobadilla, généralement assez secs, sont bien représentés par le Fino Victoria.

PRODUCTEURS ET NÉGOCIANTS

LUIS CABALLERO
Outre ses propres marques et celles de John William Burdon, Caballero contrôle maintenant la maison Emilio Lustau (voir p. 618), dont il utilise la marque pour l'exportation.

CROFT
Sur le boulevard extérieur de Jerez, les installations imposantes de Rancho Croft cachent leur modernisme derrière une façade de *bodega* classique. À l'intérieur règne la plus haute technologie, comme il sied à l'un des derniers arrivés à Jerez.
La nouveauté ne vient pas de son Xérès (la maison date de 1678), mais de l'activité de production que Croft a ajoutée à celle du négoce en 1970.
Croft fut à l'origine d'une véritable révolution en créant le Croft Original Pale Cream, un Xérès de couleur pâle, qui paraît sec mais se fait doux en bouche, grâce à l'apport de *dulce apagado* (vin sucré). Croft représente 18 % du marché des Xérès, essentiellement grâce à ses ventes de Croft Original au Royaume-Uni.

DELGADO ZULETA
Propriété familiale de taille moyenne, cette *bodega* de Sanlúcar fut fondée en 1744. Son Manzanilla La Goya, qui constitue son haut de gamme, porte le nom d'une célèbre danseuse de flamenco, et son étiquette – noir, blanc et or – est familière en Espagne. L'Amontillado est fait de vins vieux – très bon Quo Vadis ? – et l'on sert souvent le Cream Puerto Lucero, au dessert, dans les restaurants de Sanlúcar.

PEDRO DOMECQ
Pedro Domecq est sans aucun doute un des noms de Xérès les plus connus, tant pour son célèbre Fino diffusé sous la marque La Ina que pour ses eaux-de-vie Fundador et Carlos. Cette entreprise domine le marché. Créée, curieusement, par un Irlandais du nom de Patrick Murphy en 1730, elle change de nom au XIXe siècle avec l'arrivée du Français Pedro de Domecq. Bien que la réputation de la maison Domecq ait été fondée sur son Fino La Ina, celle-ci mérite d'être connue tout autant pour ses Oloroso sec Rio Viejo et Sibarita, son Palo Cortado Capuchino et, enfin, son Dulce.

DUFF GORDON
Un nom connu, qui appartient aujourd'hui au groupe Osborne (voir plus loin). Fondée en 1768 par sir James Duff, consul britannique à Cadix, la maison fut dirigée par des Duff et des Gordon jusqu'à son rachat par Thomas Osborne.

GARVEY
Le Fino San Patricio est le vin le plus connu de cette *bodega* du centre de Jerez. Il doit son nom au saint patron irlandais et aux liens étroits que cette maison (fondée en 1780 par William Garvey) a gardés avec l'Irlande. Elle possède un important domaine en Jerez Superior. Outre le célèbre San Patricio, elle produit également le Palo Cortado Jauna et le Pedro Ximénez Gran Orden.

MIGUEL M. GOMEZ
Créée à Cadix en 1816, cette *bodega* s'est établie à Puerto de Santa María en 1969. Ses meilleurs vins sont le Fino Alameda et un Oloroso, le Mentidero.

GONZALEZ BYASS
L'achat par la famille Gonzalez des parts de la famille Byass a mis fin à une liaison durable entre l'Espagne et l'Angleterre. Redevenue entièrement espagnole, cette société se consacre aujourd'hui à l'amélioration de ses vins qui sont d'ores et déjà d'une qualité excellente. Elle possède de magnifiques *bodegas* près du château de Jerez. Celle de La Concha fut construite par Eiffel en forme de coquille.
Sa grande marque de Fino, Tio Pepe, et son Amontillado La Concha sont issus de *soleras* qui datent du XIXe siècle. Ses très vieux vins, l'Amontillado del Duque, l'Oloroso sec Apostoles et l'Oloroso doux Matusalem de même que le Noé (Dulce) sont considérés, à juste titre, parmi les meilleurs. →

PRODUCTEURS ET NÉGOCIANTS

JOHN HARVEY
Cette maison est le plus important négociant de Xérès, qui cependant n'a disposé d'aucun lieu de production à Jerez jusqu'en 1970, date à laquelle elle a acheté la petite *bodega* Mackenzie. L'acquisition de plusieurs autres *bodegas,* dont celles de Palomino y Vergara et Fernando A. de Terry (voir plus loin), lui a permis de se faire une place à Santa María et à Jerez. La maison Harvey commercialise un Dulce, Bristol Cream, qui est le numéro un du marché mondial.

EMILIO HIDALGO
Cette petite entreprise de négoce est connue plus particulièrement pour son Fino Pañesa, son Oloroso Gobernador et son eau-de-vie Privilegio.

VINÍCOLA HIDALGO
Le Manzanilla La Gitana est le plus célèbre vin de cette *bodega* établie à Sanlúcar. Tous les vins de cette marque, même les Amontillados et les Olorosos, se distinguent par cette finesse particulière des vins de Sanlúcar. Le nouveau venu est un blanc sec, le Pagollano.

BODEGAS DE LOS INFANTES ORLEANS-BORBÓN
Cette maison fut fondée par des descendants du duc de Montpensier, parent de la famille royale espagnole. À l'origine, le vignoble de Sanlúcar servait à produire les vins pour leur consommation personnelle ; le reste était vendu au négoce.
Le meilleur produit de cette maison, établie à Sanlúcar, est le Manzanilla Torre Breva.

EMILIO LUSTAU
Cette société a été la première à lancer les Xérès Almacenista sur le marché mondial (et à déposer la marque), puis les Xérès Landed Age, mis et élevés en bouteilles dans le pays d'exportation avant d'être vendus. Les experts plébiscitent les Pedro Ximénez, San Emilio, Moscatel Emilín, Oloroso Emperatriz Eugenia, Lustau Almacenista 1/50 Vides...

OSBORNE
Au cœur même de Puerto de Santa María, les vastes installations d'Osborne comprennent un dédale de cours ombragées, de jardins et pas moins de 40 *bodegas* disséminées autour de la vieille maison familiale des Duff Gordon, achetée par Osborne en 1872. Toujours propriété de famille, Osborne est à l'avant-garde des nouvelles technologies. La qualité des produits ne semble pas souffrir de l'immensité ni du modernisme de l'entreprise. Elle élabore des modèles de Xérès de Puerto, souples, élégants et légers, sans le mordant des Manzanillas de Sanlúcar ni la puissance des Finos de Jerez. On connaît surtout le Fino Quinta, l'Amontillado sec Coquinero et l'Oloroso sec Bailen. L'Osborne 10 RF (Reserva Familiale) est un Oloroso généreux et légèrement doux.

HEREDEROS DEL MARQUÉS DEL REAL TESORO
Le titre de marquis du Trésor royal fut créé par le roi Charles X en 1760 pour Joaquin Manuel de Villeña, seigneur de la marine espagnole qui, à bout de munitions lors d'un combat naval contre des pirates, avait fondu toute son argenterie pour alimenter ses canons.
La *bodega* fut créée par le petit-fils de ce seigneur, en 1879, et ses héritiers, qui la dirigent encore aujourd'hui, produisent deux gammes : la meilleure comprend le Fino Ideal, l'Oloroso Almirante et de vieux Amontillados ; l'autre, plus commerciale, est vendue sous l'étiquette Real Tesoro, principalement aux Pays-Bas. Mais, depuis peu, la maison a acquis un vrai symbole, le Fino Tio Mateo, un classique de la DO, et a imposé sur le marché son Manzanilla La Bailaora.

PEDRO ROMERO SA
Bodega de Sanlúcar, dont la principale étiquette est Viña el Alamo, mais on la connaît davantage pour son Manzanilla qui porte l'étiquette Aurora. Parmi les eaux-de-vie, il ne faut pas manquer d'évoquer

l'« Indiscutible », dont le nom est suffisamment éloquent.

SANDEMAN-COPRIMAR SA
La célèbre et familière silhouette noire du « Don », avec son *sombrero* et sa *copita,* fut créée dans les années 1920. Aujourd'hui, Sandeman appartient au groupe Seagram, et cette maison figure parmi les plus importants producteurs de Porto. Cependant, la famille Sandeman dirige toujours l'entreprise fondée à Londres, en 1790, par George Sandeman. Les lourds investissements de ces dernières années ont permis à cette maison d'améliorer considérablement la qualité de ses marques parmi lesquelles on compte le Don Fino, le vieil Amontillado Royal Ambrosante ainsi que le vieil Oloroso Imperial Corregidor, issus de très anciennes *soleras.*

JOSÉ DE SOTO
Cette entreprise familiale fut fondée à la fin du XVIIIe siècle. En Espagne, elle est notamment connue pour le Ponche Soto, une liqueur à base d'eau-de-vie, de Xérès et d'herbes aromatiques. Mais le Fino Don José María, l'Amontillado José de Soto et l'Oloroso sec Soto ont aussi leurs amateurs. C'est un membre de la famille qui inventa, au XIXe siècle, une nouvelle technique de greffage après l'attaque du phylloxéra.

BODEGAS FERNANDO A. DE TERRY
L'immense cour à arcades de la vieille *bodega* de Terry, aux limites de Puerto de Santa María, servit longtemps à présenter les chevaux « Cartujanos » et la collection d'attelages de cette entreprise familiale, qui appartient aujourd'hui au groupe Allied Lyons. De nos jours, on associe le nom de De Terry plutôt aux eaux-de-vie, bien que la production de Xérès reste toujours importante. Le nom de cette maison se cache souvent derrière les étiquettes personnalisées des revendeurs.

VALDESPINO
Ni le plus connu ni le plus grand des producteurs de Xérès, mais certainement le plus ancien : la famille Valdespino s'est établie dans la région de Jerez en 1264. Pour nombre d'*aficionados,* sa petite gamme de Xérès constitue ce qu'on fait de mieux. Ici, on fermente encore en barriques – même si l'Inox a droit de cité depuis ces dernières années – et on ne compte pas son temps : les vins continuent d'être classés fût par fût. On hésite même à augmenter la production pour répondre à la demande, par crainte d'une baisse de qualité. Le plus beau Xérès de la maison, le Fino Inocente, est un vin concentré et élégant qui provient d'un vignoble ancien situé aux portes de la ville. Valdespino est aussi connu pour son Amontillado sec aux arômes de noix, le Tio Diego, son Oloroso Don Gonzalo, le Pedro Ximénez *(dulce)* et son bon vinaigre de Xérès.

WILLIAMS & HUMBERT
Le haut de gamme de cette maison, commercialisé sous le nom de Dry Sack, est un très bon assemblage commercial d'Amontillado, d'Oloroso et de Pedro Ximénez. La bouteille, présentée dans un sac taillé dans la même grosse toile que celle qui, jadis, couvrait les tonneaux à bord des bateaux, eut un énorme succès dans les années 1970. Le Dulce Pedro Ximénez Don Zoilo est d'une belle intensité.

WISDOM & WARTER
Fondée en 1854, cette maison était fort connue au XIXe siècle. Indépendante jusqu'à son acquisition par Gonzalez Byass, elle en a adopté les méthodes et les exigences en matière de qualité. Le Manzanilla La Canoa, le Fino Los Búhos et le Very Rare Solera (Amontillado) atteignent tous un niveau de qualité honorable.

MÁLAGA

Carte page xxv

Ce qui reste aujourd'hui du vignoble de l'appellation Málaga se limite à moins de 10 000 ha de vignes. Il y a quelques années encore, la viticulture locale semblait vouée à la disparition, menacée par l'immobilier de loisir et une forte demande du marché pour le raisin sec.
En outre, les vins très sucrés avaient perdu la faveur des consommateurs et ne l'ont retrouvée que vers le milieu des années 1990. Aujourd'hui, la bodega López Hermanos vend 90 % des vins commercialisés sous l'étiquette Málaga, tout en continuant à les élaborer selon les règles traditionnelles.

Les cépages et les sols

Le cépage prédominant (plus de 50 %) de l'appellation est le Pedro Ximénez, appelé Pedro Ximén dans la région de Málaga, suivi de l'Airén (Lairén), du Moscatel et du Doradillo.
Les sols évoluent depuis ceux, rouges, aux composants calcaires, au bord de la mer, jusqu'à ceux aux ardoises en décomposition et en déclivité prononcée de l'Axarquía. Le climat est méditerranéen sur la côte (400 mm de pluie par an) mais continental, avec de fortes gelées, à l'intérieur (plus de 550 mm de pluie).

LES STYLES DE MALAGA

Jusqu'en 1997, on a classé les styles de vin en fonction de l'élevage, du degré de douceur et du cépage : *dulce* (doux, sucré) ; *lágrima* (à l'origine, le jus des raisins en train de sécher, puis le jus de goutte, avant le premier pressurage) ; Málaga *dulce color* (niveau de *vino de color* élevé) ; Málaga Moscatel (issu à 100 % de Moscatel) ; Málaga Pedro Ximén (issu à 100 % de Pedro Ximénez) ; *pajarete* (demi-sec) ; *seco* (sec) ; *soleras* (vins portant la date à laquelle a été commencée la *solera*, généralement considérés comme les meilleurs Málagas).
La nouvelle réglementation classe les vins de Málaga selon leur vieillissement :
Málaga : sans ou 6 mois de vieillissement
Málaga Criadera : 6 mois à 2 ans
Málaga Noble : 2 à 3 ans
Málaga Añejo : 3 à 5 ans
Málaga Trasañejo : 5 ans ou plus

PRODUCTEURS ET NÉGOCIANTS

Autrefois, on comptait plus d'une centaine de *bodegas* installées près du port, au centre-ville de Málaga. Depuis, leur nombre s'est considérablement réduit.

GOMARA SL

Les 200 barriques de la marque Gomara donnent un Fino, un Málaga Cream, un Moscatel et, pour les connaisseurs, un Gomara Málaga Trasañejo.

LARIOS SA

Plus connu pour son gin, Larios possède cependant 2 000 barriques. La maison appartient aujourd'hui au groupe Pernod-Ricard, mais les amateurs restent fidèles à l'exquis Oloroso Seco Benefique et au Málaga Larios Dulce.

LÓPEZ HERMANOS

Après un passé viticole dont il lui reste 250 ha de vignoble, cette maison de référence, fondée en 1885, a joué pendant un siècle le rôle de bouclier pour toute l'appellation. Son vin phare est le Málaga Vírgen, dont l'étiquette, connue dans le monde entier, a changé en 1997 lorsque la mention Pedro Ximén s'est substituée au mot *sweet.* Don Juan Pedro Ximénez, Don Salvador Moscatel et Seco Trasañejo Pedro Ximénez sont tous des grands noms.

TIERRAS DE MOLLINA

Le vignoble de 775 ha de cette maison créée en 1977 donne le Montespejo, un blanc sec, et les Carpe Diem – un Añejo et un Dulce Natural –, qui sont destinés à l'exportation.

Vinification et élevage

Le Málaga est muté à l'eau-de-vie de vin, ajoutée après fermentation. Il doit son caractère complexe et sa douceur à l'adjonction de vins doux, de sirops et de moûts concentrés. C'est l'adjonction d'*arrope* (jus de raisin chauffé et réduit), une technologie romaine, qui donne sa personnalité au vin en le caramélisant et en lui apportant sa couleur foncée, sa douceur et son épaisseur. Dans la région, on connaît quatre autres dérivés de vin pour muter les Málaga : le *mistela* (mistelle ou jus de raisin muté avant fermentation), le *vino de color (arrope* très concentré), le *vino maestro* (jus de raisin muté à 7 % vol. avant d'être fermenté jusqu'à 16 % vol.) et le *vino tierno,* un vin très sucré obtenu à partir de raisins séchés au soleil, puis fermentés et mutés. Ces différents éléments sont assemblés au vin en fonction du degré de douceur et du type de vin que l'on souhaite obtenir. Le futur Málaga est ensuite élevé en *conos* (fûts de châtaignier) selon un système de *solera* comparable à celui du Xérès.

Le Málaga est un vin dont la qualité dépend d'un long vieillissement en fût. Les meilleurs peuvent se garder en bouteille pendant des décennies, voire des siècles. On peut distinguer entre le Málaga, vin moelleux élaboré à partir du premier moût, et le Pedro Ximénez et le Moscatel, issus de monocépages. Depuis 1995, il est possible d'élaborer dans la région des blancs secs (le Málaga Blanco Seco) et des blancs doux naturels, c'est-à-dire sans augmentation artificielle du degré alcoolique.

PORTUGAL

Le Portugal est terre de contrastes. Ce pays long et étroit, qui n'occupe qu'un septième de la péninsule Ibérique, peut en effet se prévaloir d'une grande diversité de vins. Comparez un verre de Porto et un verre de *Vinho verde*. Le premier est un vin sombre, capiteux, concentré, tandis que l'autre est pâle, léger et presque pétillant. On ne saurait faire plus différent, et, cependant, ils proviennent de régions adjacentes. Au Portugal, le rôle de la topographie est primordial. Sur la côte, les vins sont façonnés par l'Atlantique alors qu'à l'intérieur des terres, au-delà des montagnes, l'effet régulateur de l'océan s'amoindrit. La pluviosité peut varier de 1500 mm par an sur la côte à moins de 500 mm à l'intérieur des terres. Les vignes sont omniprésentes du nord au sud du pays, exception faite des plus hautes montagnes, au climat trop ingrat pour la viticulture. On distingue trois régions viticoles différentes, délimitées par deux fleuves. Le Douro, au nord, grignote les montagnes granitiques qui s'élèvent à 2000 m d'altitude. C'est de cette région, le nord du Portugal, que proviennent de nombreux vins, dont le Porto. Vient ensuite le Portugal central, entre Douro et Tage (Tejo), vaste zone de production au climat tempéré, connue sous le nom de Ribatejo, comprenant les célèbres vignobles de Dão et de Bairrada. Au sud du Tage se trouvent les plaines immenses et chaudes de l'Alentejo et la région touristique de l'Algarve. Des exploitations ultramodernes voisinent avec de minuscules caves dont la production, souvent destinée à la consommation locale, n'a pas changé depuis des siècles.

NORD DU PORTUGAL

Vinho verde

C'est la plus grande appellation délimitée du Portugal ; elle couvre tout le nord-ouest du pays. Les vents, qui amènent la pluie, permettent une culture intensive de cette terre, qui s'étend du Minho au Douro, une des zones rurales les plus peuplées de la Péninsule. Elle compte plus de 80 000 viticulteurs pour un terroir de 25 000 ha. Les vignes poussent sur des treilles d'un type particulier, en culture haute, ce qui laisse le terrain disponible à d'autres cultures au-dessous et présente aussi l'avantage de réduire les risques de maladie par temps chaud.

Son nom, *Vinho verde* (vin vert), prête généralement à confusion. En effet, il ne s'agit pas d'une allusion à la couleur du vin – qui peut être aussi bien rouge que blanc – ni à des vendanges pratiquées avant la maturité complète des raisins, lorsque ceux-ci sont encore verts, bien que ce vin soit peu alcoolisé et riche en acidité. Son nom lui vient du fait qu'il doit être bu jeune, légèrement pétillant.

Douro

Le vin rouge et sec des montagnes de la vallée du Douro a été découvert vers la fin du XVIIe siècle par les Anglais, qui l'ont transformé progressivement en ce célèbre vin muté qu'est le Porto (voir. p. 629). Cependant, encore de nos jours, environ la moitié du vin du Douro, classé en zone DOC depuis 1982, est vinifié sans mutage. Longtemps traité de parent pauvre du Porto, ces vins non mutés ont considérablement amélioré leur qualité dans les dix dernières années.

Les principaux cépages dont sont issus les vins non mutés rouges du Douro sont ceux que l'on utilise pour le Porto. Pour les vins blancs, les cépages prédominants sont la Malvasia Fina, le Viosinho et le Gouveio.

LES NIVEAUX DE QUALITÉ

Les quarante régions classées DOC *(Dénominação de Origem Controlada)* sont les meilleures. Les plus célèbres sont celles de Porto (1761), Douro, Dão, Moscatel de Setúbal, *Vinho verde* et Bairrada. Les zones IPR *(Indicação de Proveniencia Regulamentada)* et *Vinho Regional* constituent les autres niveaux de désignation.

PRODUCTEURS ET NÉGOCIANTS

Les vignobles du Nord comprennent notamment les deux régions DOC Vinho verde et Douro. Les meilleurs Vinhos verdes sont élaborés et mis en bouteilles à la propriété, dans les *quintas*. Les producteurs de Porto utilisent aujourd'hui de nouvelles techniques de vinification afin d'obtenir des vins du Douro rouges assez souples, à partir de raisins normalement destinés aux Portos. Ils produisent également des vins blancs secs équilibrés, issus de raisins blancs cultivés en altitude, où il fait moins chaud.

ADEGA COOPERATIVA DE PONTE DA LIMA
Cette coopérative produit de très bons Vinhos verdes rouges et un excellent blanc issu du cépage Loureiro.

AVELEDA
Située à Penafiel, cette entreprise familiale a depuis longtemps conquis une réputation au Portugal et à l'étranger, grâce à ses Vinhos verdes, mais aussi à son eau-de-vie Adega Velhas. Plus récemment, Aveleda s'est également consacrée aux vins du Douro et a connu un grand succès avec sa marque Charamba.

BORGES
Cette société de Vila Nova de Gaia s'est fait un nom grâce à une vaste gamme de vins provenant de nombreuses appellations portugaises (Vin de Porto, Douro, Vinho verde, Bairrada, Dão, Rosé de Trás-os-Montes) ainsi que de Mousseux.

SOLAR DAS BOUÇAS
Ce domaine sur les rives du Cavado produit un Vinho verde sec, léger et parfumé, dominé par le cépage Loureiro.

PALÁCIO DE BREJOEIRA
Ce remarquable domaine, situé près de Monção, est considéré comme un « Premier Cru » parmi les *quintas* de Vinho verde. Son vin blanc est élaboré exclusivement à partir d'un seul cépage (l'Alvarinho blanc), ce qui explique sa rondeur et sa corpulence.

QUINTA DO CÔTTO
Cette *quinta* produit un vin rouge épicé très concentré sous l'étiquette Grande Escolha, une cuvée très spéciale qui n'existe que dans les meilleures années.

QUINTA DE COVELA
La Quinta de Covela est installée dans la vallée du Douro, sur la rive droite du fleuve, à la frontière de l'appellation de Vinho verde et de celle du Douro.

FERREIRA
Le Barca Velha est le plus grand vin du Portugal, créé par le maître vinificateur de Ferreira, Fernando Nicolau de Almeida. Il est élaboré avec des raisins de Porto de qualité, et, à l'instar des Portos Vintages millésimés, il n'existe que dans les meilleures années. Le reste est déclassé en Reserva Especial.

LUÍS PATO
Le terroir de Bairrada est sa passion. Son vignoble produit des vins de caractère, rouges, blancs et pétillants, auxquels se sont ajoutés un vin rouge issu du cépage Baga et des vins issus d'une même vigne, et qui de ce fait peuvent arborer sur leur étiquette le nom de leurs vignes d'origine : Vinha Pan et Vinho Barrosa.

REAL COMPANHIA VINÍCOLA DO NORTE DO PORTUGAL
La maison de Porto Royal Oporto est l'un des plus grands producteurs de vins du Portugal. Rouges et blancs sont vendus sous l'étiquette Evel.

SOGRAPE
La plus grande maison de vin du Portugal diffuse une importante gamme de vins, bien équilibrés, souvent primés, provenant des principales appellations portugaises.

CONDE DE SANTAR
Un des rares vins de Dão issus d'un domaine unique.

DOMINGOS ALVES SOUSA QUINTA DA GAIVOSA
Domingos Alves de Sousa a été ces dix dernières années l'une des grandes révélations du Douro en matière de vins, non seulement en raison de sa qualité mais aussi d'une offre variée de marques. Celles-ci portent le nom des *quintas* dont ils sont issus.

CENTRE DU PORTUGAL

La région viticole qui s'étend entre le Douro et le Tage est l'une des plus généreuses du Portugal. Bénéficiant de la douceur du climat océanique, de nombreux vignobles produisent toute une palette de vins très différents les uns des autres.

Les régions d'appellation DOC de Dão et de Bairrada sont réputées pour leurs vins rouges fermes et savoureux. Plus au sud, la zone côtière d'Oeste (« ouest ») est la région viticole la plus productive, mais, hormis quelques *quintas,* ses vins sont des vins de table ordinaires. Autre région viticole, le Ribatejo, situé sur les rives du Tage, produit l'un des meilleurs vins *garrafeira* du Portugal. Ce sont des vins rouges issus d'une sélection rigoureuse, mis en bouteilles après vieillissement en fûts, mais qui ne bénéficient pas de l'appellation d'origine contrôlée.

La ville de Lisbonne a envahi la quasi-totalité des trois DOC de l'estuaire du Tage. Carcavelos ne possède plus qu'un vignoble (Quinta dos Pesos), qui produit un vin doux muté. Colares, qui fut célèbre pour ses vins rouges colorés issus du cépage Ramisco, est en voie de disparition. Il ne reste guère que Bucelas, qui produit des vins blancs secs à partir de cépages acides (Arinto et Esgana Cão) et montre une volonté de renaissance.

Dao

Plus des deux tiers des vins de Dão sont rouges. Neuf cépages sont autorisés et autant pour les blancs. Les rouges sont traditionnellement des vins fermes, mais les macérations longues de raisins non égrappés les rendent souvent durs et austères. Autre handicap : ils perdent souvent leur note fruitée et le charme de leur jeunesse lorsqu'ils sont mis en bouteilles trop tard.

Bairrada

Le vignoble de Bairrada se situe au sud de Porto, sur un sol argilo-calcaire et sablonneux, entre les montagnes et l'Atlantique. Plus de 80 % des vins de Bairrada sont des rouges puissants et fruités, issus du cépage Baga. Les cuvées élaborées de façon traditionnelle ont besoin de vieillir en bouteilles pour s'assouplir, mais certains producteurs utilisent des techniques modernes, ce qui donne des vins corsés aux tanins développés, qui peuvent vieillir pendant plus de quinze ans. Outre un blanc effervescent, quelques vins blancs tranquilles sont élaborés à partir d'un assemblage de Maria Gomes et de Bical, autre cépage local. Lorsqu'ils sont réussis, ces vins blancs sont délicieusement nerveux et aromatiques.

PRODUCTEURS ET NÉGOCIANTS

La production viticole du centre du Portugal fut longtemps dominée par les grandes coopératives et les grands domaines privés. Mais, depuis la libéralisation du commerce des vins, qui a résulté de la chute du monopole des exportateurs, de nombreux petits domaines se montrent plus ambitieux, avec une volonté nouvelle d'élaborer des vins de qualité. Ces changements touchent aussi l'encépagement : certains cépages nobles de réputation mondiale, récemment importés, côtoient désormais les cépages indigènes traditionnels.

ADEGA COOPERATIVA DE CANTANHEDE

La ville de Cantanhede abrite la plus grande cave coopérative de la région historique de Bairrada. Fondée en 1954 par 100 associés, cette cave est l'une des meilleures unités du pays.

FIUZA & BRIGHT

L'œnologue australien Peter Bright, gérant et fondateur de cette société, produit des vins dans différentes régions : Douro, Bairrada/ Beiras, Estremadura, Ribatejo, Cartaxo et Palmela/Terras do Sado. Les vignes sont plantées avec des cépages français.

CAVES ACÁCIO-CAVES MOURA BASTO

Ces caves commercialisent des vins courants, des vins DOC (Verde, Dão, Douro et Bairrada) et des eaux-de-vie.

CAVES ALIANÇA

Installée au cœur de la région Bairrada, cette société a été fondée en 1927 dans le but de produire des vins mousseux et des eaux-de-vie. Depuis lors, la maison a élargi au fil des années sa gamme à d'autres régions. Outre les vins de Bairrada, les Caves Aliança produisent et commercialisent des vins Douro, Dão, des Vinhos verdes, Palmela, Alentejo et Regional Beiras.

CAVES MESSIAS

Cette société se situe à Mealhada, dans la région de Bairrada, où elle possède plusieurs *quintas*, en particulier la Quinta do Valdoeiro. Dans la vallée du Douro, elle dispose de deux *quintas*, la Quinta do Rei et la Quinta do Cachão, destinée à la production de vins de Porto et du Douro.

LE PALACE HOTEL, DE BUÇACO

La petite ville de Buçaco, perchée sur une colline entre Bairrada et Dão, n'appartient à aucune appellation. Son Palace Hotel possède un vignoble de 9 ha. Outre sa propre production, cette entreprise assemble les vins des meilleurs viticulteurs de la région du Dão et de Bairrada. Ses rouges sont généralement puissants, généreux, avec une robe sombre. Les blancs, secs mais riches et concentrés, ont des arômes de miel. Tous sont vendus sous la simple étiquette Buçaco exclusivement dans les hôtels du groupe, à Buçaco, Curia, Coimbra et Lisbonne. Ancien pavillon de chasse royal du début du siècle, le Palace Hotel garde dans ses caves exceptionnelles presque tous les millésimes depuis 1945.

CAVES SÃO JOÃO

Les vins rouges, de longue garde, de cette petite entreprise de Barraida comptent parmi les meilleurs de la région. Les *reservas* Frei João s'améliorent pendant vingt ans et plus. On y trouve également de bons Dãos rouges robustes, vendus sous l'étiquette Porta dos Cavaleiros.

QUINTA DE PANCAS

Ce domaine du XVIe siècle, près de la tranquille ville d'Alenquer dans l'Oeste, a ajouté le Chardonnay et le Cabernet-Sauvignon aux cépages traditionnels.

QUINTA DA LAGOALVA DE CIMA

Cette vaste propriété, l'une des plus grandes du Ribatejo, est située à 2 km environ de la petite ville d'Alpiarça. La vigne a récemment fait l'objet d'une restructuration et d'un transfert des terrains d'alluvions vers les terrains sablonneux plus pauvres, mais qui améliorent la qualité de la matière première.

SUD DU PORTUGAL

Le Tage partage le Portugal en deux : d'un côté la multitude des petites exploitations agricoles pauvres du Nord et du Centre et, de l'autre, les vastes propriétés riches *(latifúndios)* du Sud, là où les collines laissent place aux grands espaces et aux immenses plaines.

À l'exception de la péninsule de Setúbal, le sud du Portugal n'est pas naturellement une terre à vigne. Le sud et l'est de Lisbonne offrent un paysage de plus en plus aride et le climat se durcit. Verte après les pluies d'hiver, la campagne roussit puis brunit à mesure que la température se rapproche des 40 °C. Rares sont les rivières capables d'irriguer, et la sécheresse pose de véritables problèmes. Seuls les chênes-lièges parviennent à supporter la canicule des étés. Au XIXe siècle, les habitants de Lisbonne et ceux du nord du Portugal avaient coutume de se moquer de leurs compatriotes du Sud à cause de la pauvreté de cette grande région quasi désertique, et ils la surnommaient *terra de mau pão e mau vinho,* « le pays du mauvais pain et du mauvais vin ». La région sombra encore un peu plus dans la misère et l'anarchie à la suite de la révolution de 1974, car la plupart des grands propriétaires se virent dépossédés de leurs biens par les ouvriers agricoles. Quant à la région de l'Algarve, il semble qu'elle soit plus préoccupée par la promotion du tourisme que par la qualité de ses quatre appellations.

Péninsule de Setúbal

Le port de Setúbal a donné son nom au pays qui s'étend entre le Tage et le Sado. Setúbal est aussi la région de production délimitée d'un vin muté sucré élaboré principalement à base du cépage Muscat qui pousse sur les pentes calcaires de la Serra da Arrábida. On distingue deux styles de vins différents : le premier, aromatique et épicé, est commercialisé après une période de cinq années de vieillissement. Le second, vieilli pendant une vingtaine d'années, est de couleur foncée et extrêmement doux.

En dépit de l'expansion urbaine de Lisbonne, la viticulture se développe de façon paradoxale au nord de la ville et constitue aujourd'hui une des régions les plus intéressantes en matière vinicole. Cette situation est due à trois sociétés entreprenantes qui, multipliant les expériences sur différents cépages, indigènes ou importés, produisent des vins originaux en rouge comme en blanc.

Alentejo

Les plaines de l'Alentejo s'étendent depuis la côte atlantique jusqu'à la

frontière espagnole et occupent un tiers du Portugal. Sept vignobles enclavés dans ce pays ont été récemment promus au titre d'appellation DOC, dont Borba, Redondo et Reguengos. Dans ces trois appellations, les coopératives jouent un rôle prépondérant. Les meilleurs vins rouges sont corsés et résultent d'un assemblage des cépages Aragonez (le Tinta Roriz du Douro), Castelão Francês, Moreto et Trincadeira, tandis que les vins blancs sont plus décevants, généralement gras et lourds.

PRODUCTEURS ET NÉGOCIANTS

S'il existe aujourd'hui quatre régions DOC en Algarve, la plus grande partie des vins est élaborée dans les coopératives locales et consommée par les touristes en visite dans la région. Les vins les plus intéressants proviennent de quelques vinificateurs passionnés, dotés d'installations modernes dans l'Alentejo et la péninsule de Setúbal.

ADEGA COOPERATIVA DE BORBA
Une des coopératives les plus modernes du Portugal. Technique de pointe et sens du détail lui permettent de produire des vins rouges équilibrés malgré la chaleur du climat de l'Alentejo.

QUINTA DO CARMO
Domaine privé traditionnel où l'on foule encore les raisins au pied dans des *lagares,* cuves ouvertes taillées dans le marbre du pays. Avec ses 70 ha de vignes dans l'Alentejo, près de Borba, Carmo produit un des meilleurs vins rouges du Portugal méridional.

FUNDAÇÃO EUGÉNIO DE ANDRADE
Cette fondation caritative s'est installée dans un ancien monastère du XVIe siècle, situé à l'extérieur de la ville d'Évora, dans l'Alentejo. Elle dispose d'un vignoble de 7 000 ha et produit des vins plus connus sous le nom de Herdade de Cartuxa. Les vins blancs sont riches d'arômes exotiques, et les rouges ont une bonne structure avec des notes de menthe.

HERDADE DO ESPORÃO-FINAGRA
Située près de Reguengos de Monsaraz, au centre de la sous-région de l'Alentejo qui porte le même nom, cette société possède 600 ha de vignes plantés avec les cépages traditionnels de l'Alentejo et un petit pourcentage de cépages internationaux. Les installations sont impressionnantes. On y élabore tous les ans les vins les plus consistants de tout l'Alentejo, dont beaucoup ont déjà été récompensés au Portugal et à l'étranger.

JOSÉ MARIA DA FONSECA
Depuis plus d'un siècle et demi les marques de cette entreprise d'Azeitão constituent de véritables références. Ces dernières années, JMF a acquis des terrains dans les meilleures zones de production, principalement dans celles de Setúbal et d'Alentejo.

J. P. VINHOS
Les marques de cette entreprise constituent de véritables références en matière de qualité et d'innovation dans le panorama du marché portugais des vins.

JOSÉ DA SOUSA ROSADO FERNANDES
Créée en 1878, à Reguengos de Monsaraz dans l'Alentejo, cette maison a été reprise en 1986 par José Maria da Fonseca (voir plus haut), mais la vinification se fait toujours dans d'immenses pots de terre (les *talhas),* dans la fraîcheur des caves souterraines. Elle ne produit que des vins rouges qui sont de bonne tenue, corpulents et épicés.

PORTO

Le vignoble qui donne naissance au Porto se situe dans la province de Trás-os-Montes et du Beira Alta, sur les flancs d'un massif montagneux, tout contre la frontière qui sépare le Portugal de l'Espagne. Pendant longtemps, on ne put accéder à ces hautes vallées qu'à dos de mule, en longeant un fleuve (le Douro) qui a modelé une succession de gorges profondes ; puis fut construite une voie de chemin de fer, où un petit train pittoresque continue de suivre sagement les berges du fleuve. Aujourd'hui, de nouvelles routes permettent un accès plus facile, tandis que de nombreux barrages sont venus dompter le cours du Douro. Mais, en dépit de ces aménagements récents, la nature reste souveraine, sauvage, et les flancs abrupts des montagnes, couverts de vignes en terrasses, provoquent toujours un sentiment de magnificence et d'émotion intense, en toute saison.

La zone d'appellation couvre quelque 260 000 hectares sur les flancs des coteaux modelés par le fleuve Douro et ses affluents, de la petite ville de Peso da Régua à l'ouest jusqu'à la frontière espagnole à l'est, mais la surface en culture ne couvre que 10 à 12 % de la surface autorisée. Seuls les sols schisteux (du cambrien et du précambrien) ont le droit de produire du Porto, tandis que les sols granitiques ne peuvent produire que des vins non mutés.

Le vignoble du Douro doit affronter toute l'année des conditions climatiques extrêmes. Les hivers sont rudes avec une froidure toute montagnarde et une sécheresse plus marquée en altitude, à l'est, qu'en aval de la vallée, à l'ouest. L'été, c'est la fournaise caractéristique des vallées encaissées, sans un souffle d'air, où les jours à plus de 40 °C à l'ombre ne se comptent plus. Traditionnellement, les vignes sont plantées en terrasses ancrées solidement avec des murets de pierres sèches édifiés à la main, ou bien elles s'accrochent tant bien que mal sur des chemins de terre ouverts à flanc de coteau *(patamares)*. Un nouveau mode de plantation, consistant à planter les rangs de vigne dans le sens de la pente, semble faire de plus en plus d'adeptes, car il permet la mécanisation.

Curieusement, le vignoble de Porto était autrefois complanté d'un grand nombre de cépages, tant pour la production des vins rouges que pour celle des vins blancs. Ces vignes comptaient plus de 48 variétés différentes, souvent mélangées dans une même parcelle. À la suite de la révolution des Œillets de 1974, cinq cépages ont été recommandés pour la production du Porto rouge : Touriga Nacional, Tinto Cão, Tinta

LIRE UNE ÉTIQUETTE DE PORTO

Le vin de Porto correspond pour l'essentiel à une désignation géographique. La vallée du Douro ne produit pas un seul, mais différents types de vin, dont les règles de production et d'élevage sont codifiées par la loi.

Porto blanc : issu uniquement de raisins blancs et vieilli en bois, il peut être sec, demi-sec ou doux.

Porto Ruby : issu de divers assemblages et vieilli en bois, sa vive couleur rouge clair évoque la pierre précieuse du même nom.

Porto Tawny : de l'anglais *tawny* (« roussâtre »). Au cours du vieillissement en fût, la couleur rouge de ce Porto se pare de reflets orangés, en raison de l'oxydation du vin au travers du bois. Le caractère moelleux et la finesse s'accentuent avec l'âge. C'est le Porto le plus connu en France, où il est en général vendu après 3 à 5 ans de vieillissement.

Porto Tawny avec mention d'âge : issu d'un assemblage de vins de plusieurs récoltes. La moyenne d'âge (« 10 ans », « 20 ans », « 30 ans », « plus de 40 ans ») est indiquée sur l'étiquette.

Porto Tawny « Colheita » (ou « Reserva ») : issu d'une seule récolte et vieilli en fût jusqu'à sa mise en bouteilles. La date de cette dernière et le millésime figurent obligatoirement sur l'étiquette.

Late Bottled Vintage, ou LBV : Porto millésimé qui a été vieilli en fût pendant une période allant de 4 à 6 ans. Le passage sous bois le rend plus léger qu'un vrai Vintage.

Vintage : Porto millésimé d'une année exceptionnelle. Un Vintage est déclaré deux ans après la récolte, lorsque le Porto se bonifie bien et qu'il présente toutes les qualités requises pour une très longue vie. Mis en bouteilles, il continuera de vieillir. Il ne doit pas être bu avant 8 à 10 ans de garde, voire avant 15 à 20 ans, dans certaines grandes années.

Roriz, Tinta Barroca et Touriga Francesa.
Le vignoble est composé d'une multitude de parcelles. Pas moins de 25 000 vignerons produisent des raisins pour l'élaboration du Porto. Ils livrent leur raisin ou leurs vins aux maisons de négoce (les *shippers)* ou bien aux coopératives, qui ont reçu en 1986 le droit de mettre en bouteilles et d'exporter les Portos qu'elles élaborent.

L'élaboration du Porto

Les vendanges dans le Douro sont effectuées entre la mi-septembre et la mi-octobre.
La vinification, en rouge comme en blanc, est effectuée selon le même principe de mutage : on ajoute de l'eau-de-vie en cours de fermentation afin de stopper l'action des levures et de sauvegarder une partie des sucres fermentescibles naturels du raisin. L'adjonction de l'alcool de vin *(aguardente)* dans un rapport de 100 l (à 76-78 % vol.) pour 450 l de vin en fermentation se fait de façon progressive pour donner naissance au Porto.
Si quelques vignerons assurent maintenant l'élevage et le vieillissement de leur production dans leur propriété, la majorité des Portos du Douro est transportée dès le printemps vers Vila Nova de Gaia (en face de la ville de Porto), à l'embouchure de la rivière, jusque dans les immenses chais des maisons de négoce, les *lodges*. Une tradition qui repose sur deux observations : d'abord l'atmosphère humide de Gaia est plus propice au vieillissement en fûts que la sécheresse du Douro ; ensuite, c'est à Porto que les vins sont assemblés et, de là, ils sont expédiés.
La durée de vieillissement du Porto en fût varie en fonction du style de produit que l'on souhaite élaborer (voir encadré). Ces fûts que l'on appelle *pipas* (ou « pipes ») ont une contenance d'environ 630 l. Les Portos embouteillés au Portugal portent un sceau de papier fixé sur le bouchon ou autour de la capsule de chaque bouteille.

La réglementation

Le Porto est le premier vin du monde à connaître une réglementation, car les premières mesures datent du marquis de Pombal, Premier ministre portugais, qui, en 1756, délimita le vignoble de la vallée du Douro, et créa ainsi la première appellation d'origine contrôlée. En échange d'un contrôle des rendements et de la qualité des vins au sein d'une zone délimitée de production autorisée, la Compagnie Royale des Vins du Haut-Douro, fondée par édit royal, offrit une garantie de prix minimal aux vignerons. Cette première réglementation, qui visait à mettre un terme aux abus des acheteurs anglais sans scrupules, fut la clef de la réussite du Porto, dont le vignoble reste, aujourd'hui encore, le plus réglementé du monde.

PORTUGAL

Tout vin de Porto fait l'objet d'une classification parcellaire qui varie de « A » pour les meilleures parcelles à « E » pour les moins bonnes, en fonction du terroir, de l'exposition, du climat, des cépages, de l'âge moyen des vignes, du nombre de pieds, du rendement et de l'état général du vignoble. À cette classification correspond une échelle de prix de vente du raisin et un pourcentage de vin qui pourra être commercialisé en Porto (le solde étant déclassé en vin de table ordinaire). Le négoce est tout

PRODUCTEURS ET NÉGOCIANTS

Le commerce du Porto est, de façon traditionnelle, entre les mains de grandes maisons de négoce *(shippers)* de Vila Nova de Gaia qui élèvent les jeunes Portos acheminés de la région du Douro, les assemblent et les mettent en bouteilles avant de les expédier. Un grand nombre de ces maisons possède une ou plusieurs propriétés *(quintas)* dans le Douro, mais une grande partie de leurs vins est achetée à des vignerons.

ANDRESEN
Petite maison qui appartient à un groupe portugais et commercialise des Portos sous les marques Mackenzie, Pinto Pereira et Vinhos do Alto Corgo. Mackenzie, fondé par un Anglais (Kenneth Mackenzie) au XIXe siècle, est une marque connue pour ses Vintages.

BARROS & ALMEIDA
Aujourd'hui, le groupe Barros est constitué de plusieurs entreprises, acquises ou créées au fil des ans. Parmi celles-ci, citons Kopke, Hutcheson, Feuerheerd & Associados et H. & C. J. Feist - Vinhos S.A. Barros & Almeida est l'une des entreprises les plus réputées dans le secteur du vin de Porto, principalement renommée pour ses Tawnies avec indication d'âge et ses Vintages. Elle produit en outre tous les autres types de Porto et du vin du Douro et commercialise également des vins de Bairrada, du Dão et des Mousseux naturels.

SOCIEDADE DOS VINHOS BORGES
Voir p. 624.

J. W. BURMESTER
Fondée au XVIIIe siècle par une famille d'origine allemande, la maison Burmester jouit d'un excellent renom pour ses vieux Tawnies et ses Colheitas. Cette maison discrète, qui reste familiale, se fournit auprès d'une sélection de vignobles du haut Douro.

A. A. CÁLEM
Une des plus importantes maisons familiales portugaises, Cálem s'est taillé une réputation inégalée dans le monde entier pour ses Vintages, ses Late Bottled Vintages et ses Colheitas.
Propriétaire de nombreux domaines dans la région de Pinhão, son porte-drapeau reste la Quinta da Foz, où la vinification est toujours effectuée dans les fameux *lagares* (cuves ouvertes en pierre permettant le foulage au pied).
Sa dernière acquisition est la Quinta de Ferradosa (de Borges e Irmão). Cálem dispose d'un centre de vinification non loin de Vila Real, où sont élaborés ses Tawnies, commercialisés sous la marque Tres Velhotes.

CHURCHILL GRAHAM
Churchill Graham, dont la famille avait vendu sa propre maison de Porto à la famille Symington en 1970, a fondé sa société en 1981 et commercialise les vins de deux propriétés de John Borges, la Quinta da Agua Alta et la Quinta de Fojo. Sous l'étiquette Churchills est diffusée une gamme de Portos incluant des vieux Tawnies et un Late Bottled Vintage.

CINTRA
Voir Taylor p. 637.

autant réglementé puisqu'il est interdit de vendre plus d'un tiers de son stock par an, ce qui garantit un minimum de trois ans de vieillissement. Chaque expéditeur doit justifier les quantités de vins mis en circulation par un carnet très précis.

Enfin, chaque échantillon doit être agréé par des dégustateurs professionnels de l'Institut du Vin de Porto (Instituto do Vinho do Porto), organisme de l'État, avant de recevoir le sceau de garantie collé au col de chaque bouteille expédiée.

PRODUCTEURS ET NÉGOCIANTS

COCKBURN SMITHES
Cockburn est l'un des plus grands noms du monde du Porto. La maison dispose de nombreux vignobles dans le Douro, aux environs de Tua et de Pinhão (Quinta do Tua et Quinta da Eira Velha, qui sont commercialisées en Vintages) et dans la vallée de Vilariça du haut Douro. Leur qualité Special Reserve ainsi que leur Fine Ruby sont des classiques. Récemment, Cockburn a lancé une gamme de vieux Tawnies remarquables. Les déclarations de Vintages sont moins fréquentes que pour les autres maisons, et leur style reflète une finesse et un velouté (en particulier pour leur 1983 et leur 1985) qui ne semblent pas nuire pour autant à leur longévité.

CROFT
Croft, l'une des plus anciennes maisons de Porto, fondée en 1678, possède une affaire à Porto et une autre à Jerez ainsi que deux marques de Porto : Delaforce et Morgan Brothers. Croft offre toute une gamme de Portos dont la plupart, comme leur Distinction Finest Reserve, sont de bonne tenue. Leurs vieux Tawnies et leurs Vintages (dont leur Quinta da Roeda) sont parmi les meilleurs du genre.

DELAFORCE
Certains descendants de la famille de huguenots qui a fondé cette maison en 1868 travaillent encore dans l'affaire, et les vins sont toujours élaborés dans une *lodge* séparée à partir de vignobles bien spécifiques. Ils diffusent un Ruby Paramount en Allemagne et en Hollande, un Ruby et un Tawny courants en France. Un vieux Tawny, His Eminence's Choice, est très apprécié dans les pays anglo-saxons. Leurs Vintages, qui ont moins de corps et plus de finesse que ceux de leurs concurrents, proviennent essentiellement de la Quinta da Corte, dans la vallée du Torto.

DOW
Voir Symington p. 636.

H. & C. J. FEIST
Fondée par deux cousins allemands à Londres, en 1836, cette marque de Porto réputée pour ses Rubies et ses Tawnies a été reprise par Barros dans les années 1950.

FERREIRA
Ferreira fut l'une des maisons les plus dynamiques dans le développement du vignoble du haut Douro jusqu'à la frontière espagnole, à l'initiative de la grande dame du Porto au XIXe siècle, Dona Antonia Ferreira. Elle continue à élaborer de grands vins, surtout dans la catégorie des vieux Tawnies comme leur Duque de Bragança de 20 ans d'âge, ou leur Quinta do Porto de 10 ans d'âge, très fruité. Jusqu'en 1991, leurs Vintages n'étaient jamais commercialisés avant d'être prêts à boire. Plutôt doux, ils appartiennent à la plus pure tradition portugaise. Ferreira contrôle deux autres marques de Porto : Hunt Roope et Constantino.

FEUERHEERD
L'une des plus anciennes maisons de Porto, créée en 1815 par un Allemand, Dietrich Feuerheerd, →

aujourd'hui dans le giron de la famille Barros. Leur Quinta de la Rosa est néanmoins restée propriété de la famille Feuerheerd au moment de la reprise. En France, elle diffuse des Portos Commendador, Royal Banquet et Marqués de Soveral.

FONSECA GUIMARAENS
Fondée en 1822, Fonseca Guimaraens est une des maisons de Porto les plus réputées pour la qualité de ses Vintages, d'un style puissant mais velouté et assez doux. Cette originalité provient des vignobles de Pinhão dont sont issus leurs vins, et plus particulièrement de leur Quinta do Cruzeiro et de leur Quinta do Santo Antonio, qui représentent 80 % de leur approvisionnement. Dans les années difficiles, il n'est pas rare que Fonseca Guimaraens déclare un Vintage. Les meilleurs millésimes d'une autre propriété de cette maison, la Quinta do Panascal, sont souvent commercialisés en tant que Vintages. Fonseca Guimaraens commercialise toute une gamme de Portos, dont le fameux Bin 27, un Vintage Character, ainsi que de vieux Tawnies.

FORRESTER
Un des plus grands noms de l'histoire du Porto grâce à son fondateur, le baron Joseph James Forrester, qui eut une fin tragique, se noyant dans le Douro en 1861. Il fut en effet le premier à créer une carte des vignobles du haut Douro et à préconiser un traitement contre l'oïdium qui ravageait la vigne dans les années 1850. Son oncle avait rejoint l'affaire de la famille Offley en 1803 et, pendant des années, la maison de négoce s'est appelée Offley Forrester. Aujourd'hui reprise par le groupe Martini, la société commercialise sous le nom de Forrester, mais les vins portent le nom d'Offley sur leurs étiquettes. Leur vignoble principal, Quinta da Boa Vista, prête son nom à leur Vintage… et à un Late Bottled Vintage, source de confusion pour un consommateur. Parmi les autres Portos commercialisés, citons la Quinta do Cachucha, quelques vieux Tawnies et un Ruby, le Duke of Oporto.

GOULD CAMPBELL
Voir Symington p. 636.

W. & J. GRAHAM
Voir Symington p. 636.

GRAN CRUZ
Premier exportateur mondial de Porto, Gran Cruz dispose de ses propres chais de vieillissement au Portugal, ainsi que de deux *quintas* au cœur de la vallée du Douro : la Quinta da Granja et la Quinta do Castelo. Créée en 1955 par Jean Cayard, fondateur de la société La Martiniquaise, Porto Cruz est la première marque de Porto en France. Celle-ci est réputée et appréciée pour la qualité et la diversité de ses Portos : Tawny, Blanc, Special Reserve, Tawnies âgés (10, 20 et 30 ans), Colheita, LBV et Vintages.

QUINTA DO INFANTADO
Le nom de cette *quinta* est dérivé du mot *Infante* (en français, « dauphin »), car le domaine appartenait à l'origine au prince Dom Pedro, fils du roi du Portugal, Dom João VI, avant d'être acheté par João Lopes Roseira. Jusqu'en 1978, la propriété vendait ses *vinhos finos* – nom que l'on donnait au Porto avant l'installation de l'entreprise à Vila Nova de Gaia – aux exportateurs de cette ville, réservant des quantités variables pour les vieillir à la *quinta*. En 1979, Quinta do Infantado vendit les premiers Vins de Porto mis en bouteilles au domaine, renouvelant une tradition qui s'était perdue une cinquantaine d'années plus tôt. Depuis le changement de la loi, intervenu en 1986, ces vins autrefois commercialisés exclusivement au Portugal sont également exportés. Tous les Portos de Quinta do Infantado sont mis en bouteilles au domaine et chaque bouteille est datée et numérotée.

PRODUCTEURS ET NÉGOCIANTS

C. N. KOPKE
L'une des maisons de négoce de la famille Barros, la plus ancienne de toutes, créée en 1638 par Cristiano Kopke, consul des villes hanséatiques à Lisbonne. Aujourd'hui, c'est le joyau du groupe avec ses excellents Colheitas et ses agréables Tawnies vieillis.

MARTINEZ GASSIOT
Bien qu'appartenant à Cockburn, Martinez Gassiot a son propre entrepôt à Régua. Ses vins sont donc plus riches et possèdent ce goût de noix et de brûlé caractéristique du Douro. Cela convient particulièrement aux Tawnies vieillis, qui conservent ainsi un fruité impressionnant, même à 20 ans. En revanche, les Vintages et les Late Bottled Vintages souffrent des conditions d'entrepôt et tendent à perdre leur couleur. Les vins de Martinez proviennent aussi de *quintas* n'appartenant pas à Cockburn. Il s'agit de Quinta do Bartol (haut Douro), Quinta da Adega (Tua) et Quinta da Marcela (Pinhão).

MESSIAS
Marque très connue au Portugal et dans les anciennes colonies portugaises, Messias est sans doute plus connue pour ses vins du Dão, de Bairrada et ses vins non mutés du Douro. Ses propriétés dans la vallée du Douro sont Quinta do Cachão et Quinta do Rei.

MORGAN BROTHERS
Maison fondée en 1715, qui est aujourd'hui entre les mains de Croft.
Les amateurs de littérature anglaise retrouveront mention de son étiquette Double Diamond, dans un célèbre roman de Charles Dickens : *Nicholas Nickleby*. Aujourd'hui, ses Portos sont surtout vendus sous les marques des détaillants. Ses Vintages proviennent de vignobles du Rio Torto et de la vallée du Ronção.

NIEPOORT
Petite maison familiale fondée en 1842, réputée pour ses Colheitas et ses vieux Tawnies. Niepoort s'approvisionne en raisin auprès de *quintas* de la vallée de Pinhão. Leurs Vintages, moins connus, sont excellents.

OFFLEY FORRESTER
Voir Forrester ci-contre.

OSBORNE
Filiale de la maison de Xérès du même nom, créée en 1967. Cette maison dispose de ses propres entrepôts, mais ne possède pas de vignoble.
Elle diffuse une gamme complète de Portos.

MANOEL D. POÇAS JÚNIOR
Cette entreprise familiale, créée en 1918, est surtout connue au Portugal, en France et en Belgique.
Elle possède trois *quintas* (Quartas, Santa Bárbara et Vale de Cavalos) et commercialise de bons Vintages, des Colheitas et d'excellents vieux Tawnies.

QUARLES HARRIS
Voir Symington p. 636.

QUINTA DE SÃO PEDRO DAS AGUIAS
« Saint Pierre des Aigles », en français, est le nom de la plus ancienne quinta du Douro. Elle a été créée par des moines au XIe siècle.
En 1986, la Quinta de São Pedro fut achetée par Paul Vranken, un des plus récents négociants de Champagne. La propriété était à l'abandon, elle renaît aujourd'hui. L'abbaye est restaurée, les vignes replantées, et la première nouvelle récolte porte le millésime 1988.
La Quinta São Pedro commercialise une gamme de Tawnies (sous les marques São Pedro et San Marta) et un Porto blanc.

QUINTA DO NOVAL
Les terrasses escarpées de la Quinta do Noval dans la vallée de Pinhão sont si pittoresques qu'elles font partie de l'imagerie de la vallée du Douro. Cette superbe propriété, qui date de 1715, produit deux Vintages, le Quinta do Noval et le Nacional, ce dernier étant élaboré à partir d'une petite parcelle de 5 000 pieds de vignes non greffées qui n'a jamais connu le phylloxéra.
Aujourd'hui, sous la marque Noval, l'affaire de négoce diffuse une gamme de Portos, Ruby, LB Reserve, Late →

PRODUCTEURS ET NÉGOCIANTS

Bottled Vintage ainsi que des Tawnies de 10 ans et 20 ans.

ADRIANO RAMOS-PINTO
Une des plus belles maisons de Porto qui a toujours été en avance sur son temps, en matière de viticulture et de vinification aussi bien qu'en matière commerciale. Le Porto lui doit (entre autres) la sélection de cépages de qualité, la mécanisation de la culture de la vigne en plantation dans le sens de la pente, et, plus récemment, le développement de vins non mutés de qualité. Outre la superbe Quinta do Bom-Retiro, Ramos-Pinto possède Quinta da Urtiga, Quinta dos Bons-Ares et, dans le haut Douro, Quinta da Ervamoira. Deux de ces *quintas* (Bom Retiro et Ervamoira) sont commercialisées en vieux Tawnies, respectivement en 20 ans et 10 ans d'âge. Ramos-Pinto dispose d'une telle surface de vignes en production qu'il lui est possible de ne commercialiser que les vins de ses propriétés. Les Vintages signés Ramos-Pinto sont particulièrement élégants.

ROBERTSON BROTHERS
Bien que cette affaire de Porto appartienne à la maison Sandeman, elle garde néanmoins son indépendance en diffusant sa marque Rebello Valente, acquise en 1881. Robertson Brothers sont surtout, et depuis longtemps, réputés pour leurs excellents Vintages dont ils produisent de faibles quantités. Leur LBV entre dans la catégorie des Portos Crusted qui doivent être décantés et qui expriment une grande concentration d'arômes.

REAL COMPANHIA VINÍCOLA DO NORTE DO PORTUGAL
Créée en 1756 par décret royal, à l'initiative du marquis de Pombal (alias Royal Oporto Wine Company), la Companhia Geral da Agricultura das Vinhas do Alto Douro détint le monopole de la commercialisation de l'ensemble de la production de Porto, afin d'éviter la fraude et de réglementer le commerce. La « Real Vinícola » a perdu ce monopole d'élaboration et de vente aux maisons de négoce en 1858 et est devenue une société privée qui possède aujourd'hui le plus grand vignoble du Douro.

ROZES
Marque commerciale de la société Moët-Hennessy, créée en 1855 à Bordeaux pour la distribution de Portos importés. Très réputée en France pour ses Rubies et ses Tawnies, Rozes diffuse aussi des Vintages provenant de vins des vignobles de Pinhão.

SANDEMAN
Fondée en 1790 par un Écossais du nom de George Sandeman, Sandeman est la plus grosse affaire de négoce de Porto, avec un important volume de vente dans des qualités courantes de Rubies et de Tawnies en France et en Europe. En outre, Sandeman sait faire et commercialiser des grands vins, de vieux Tawnies (leur Royal de 10 ans est superbement fruité) comme des Vintages veloutés et fins, de maturité précoce. Sandeman ne possédait pas de vignoble, mais, depuis 1974, la société a progressivement repris des vignes dans les régions de Tua et de Régua. Elle est aussi devenue propriétaire de Quinta de Confradeiro et de Quinta de Celeiros à Pinhão, ainsi que de Quinta das Laranjeiras dans la région de Poçinho.

C. DA SILVA
Petite maison de négoce espagnole, installée au Portugal, qui commercialise toute une gamme de Portos sous des étiquettes multiples (Presidential, Dalva, da Silva, etc.), ainsi que quelques excellents vieux Colheitas, embouteillés et étiquetés sur commande.

SMITH WOODHOUSE
Voir Symington ci-dessous.

LE GROUPE SYMINGTON
Graham, Dow, Warre, Quarles Harris, Gould

Campbell, Smith Woodhouse sont autant de grandes marques de Porto qui appartiennent aujourd'hui toutes au même groupe. Warre, créée en 1670, est la plus vieille maison de Porto anglaise. Dow date de 1798 et Graham de 1822. Dow, installée à la Quinta do Bomfim, est réputée pour son style sec ; Graham, à la Quinta de Malvedos, produit un Porto riche et doux. Warre, avec sa Quinta da Cavadinda et la moitié de la Quinta de Bom-Retiro, élabore des vins d'une grande puissance. La famille Symington est aussi propriétaire de la superbe Quinta do Vesuvio.

AUTRES PRODUCTEURS

Depuis 1986, une nouvelle réglementation autorise l'expédition de Porto au départ de la vallée du Douro, permettant aux viticulteurs, et aux coopératives, de mettre en bouteilles et de vendre depuis la propriété.

Parmi ces nouveaux venus dans le commerce du Porto, citons : Adega Cooperativa de Alijó ; Adega Cooperativa de Mesao Frio ; Adega Cooperativa de Santa Marta de Penguião ; Aida Coimbra, Aires de Matos e Filhos ; Albertino da Costa Barros ; Cooperativa Vitivinicola do Peso de Régua ; Henriqué José de Carvalho ; Jaime Machado Aires Lopes ; Manuel Carlos Agrellos ; María Fernanda Taveira ; Montez Champalinaud ; Quinta do Cotto ; Serafim dos Santos Parente ; Sociedade Agricular Quinta do Casto ; Sociedade Agricola Romaneira ; Quinta de Val de Figueira.

TAYLOR, FLADGATE & YEATMAN

Créée en 1692, Taylor s'est forgé un nom, à partir du XIXe siècle, au cénacle des Portos Vintage. Cette société familiale contrôle aussi Fonseca Guimaraens (voir p. 634) ainsi que la marque de Porto Cintra. Taylor fut la première maison anglaise à posséder un vignoble dans la vallée du Douro, la Casa dos Alembiques (aujourd'hui transformée en centre de vinification), à Régua, ainsi que la superbe Quinta de Vargellas, achetée en 1893. Elle fut la première à commercialiser un Late Bottled Vintage et, plus récemment, la première à lancer sur le marché un nouveau style de Porto sans année, First Estate. Cette vocation de pionnier peut paraître paradoxale quand on constate l'importance des traditions respectées par Taylor. Juste à côté des batteries de cuves en acier inoxydable flambant neuf, où sont vinifiés les vins de moindre qualité, on perpétue, à chaque vendange, le foulage au pied dans les *lagares*, pour l'élaboration des futurs Vintages de la Quinta de Vargellas. Outre ses merveilleux Vintages, Taylor commercialise sa Quinta de Vargellas en *quinta* unique, des vieux Tawnies (dont le 20 ans d'âge est sans doute le meilleur), des Rubies ainsi qu'un Vintage Character.

VIEIRA DE SOUZA

Appartenant à la famille Barros, cette marque de Porto, créée en 1925 par Alcino Vieira de Souza, commercialise des Rubies et des Tawnies bon marché.

WARRE

Voir encadré p. 636.

WIESE & KROHN

Fondée par deux Norvégiens en 1865, reprise par la famille Cameiro en 1922, cette petite maison s'est spécialisée dans les Colheitas et autres excellents Tawnies. Leurs Vintages, puissants et doux, produits de façon traditionnelle, dans des *lagares*, en petites quantités, ne déméritent pas non plus. Les raisins sont achetés aux vignerons de la vallée du Rio Torto ou proviennent de sa Quinta do Retiro Novo.

MADÈRE

L'île de Madère, située à 600 km à l'ouest de Casablanca, dans l'océan Atlantique, a donné son nom au seul vin au monde qui sorte d'un four. Le nom de Madère provient d'un mot portugais qui signifie « bois ». En effet, cet archipel montagneux, aux falaises abruptes, était recouvert d'une forêt luxuriante au moment de sa découverte, dans les années 1418-1419. Tout le massif forestier fut brûlé par les Portugais et fit place à des terres arables composées d'un sol volcanique fertile, riche en potasse, idéal pour la culture de la vigne : les premiers ceps furent importés de Crète en 1453.

Madère était une escale pour l'approvisionnement en eau de la flotte marchande : les Anglais y installèrent bientôt des comptoirs et s'intéressèrent au commerce des vins locaux. Le vin de Madère devint l'une des denrées habituelles du chargement des navires marchands, qui partaient souvent pour le tour du monde. Or, lorsque le hasard voulut que certains fûts invendus soient retournés, les viticulteurs découvrirent un phénomène étrange : au cours des voyages, les fortes températures tropicales apportaient une amélioration notable à ces vins. Dès lors, on commença des expériences de chauffe du vin dans des fours ou d'immersion de conduites à haute température dans les cuves. Cette pratique porte le nom d'*estufagem,* dérivé du mot portugais *estufa* qui signifie « étuve ». Cette cuisson confère des arômes de brûlé et de grillé à un vin naturellement très acide et permet sa conservation pour l'éternité. Une bouteille de Madère ouverte reste longtemps inaltérée.

Le vignoble

Les 200 ha de ce vignoble insulaire sont divisés en petites parcelles perdues au milieu des bananeraies. Les vignobles principaux sont ceux de Câmara de Lôbos, à l'ouest de Funchal, la capitale de l'île, ainsi qu'à Santa Anna sur la côte nord. L'un des problèmes majeurs de la viticulture concerne l'encépagement, car les quatre cépages nobles qui complantaient l'île avant l'invasion du phylloxéra (voir encadré) n'ont pas été remplacés dans les mêmes proportions. D'autant que la plus grande partie du Madère exporté (80 %) est un Madère de cuisine, peu cher et peu glorieux, qui se contente d'une catégorie de cépage rouge moins noble : le Tinta Negra Mole, réputé pour ses forts rendements. De nouvelles réglementations, qui datent de l'entrée du Portugal dans l'Union européenne, stipulent qu'un vin commercialisé avec le nom d'un cépage noble sur son étiquette doit contenir au moins

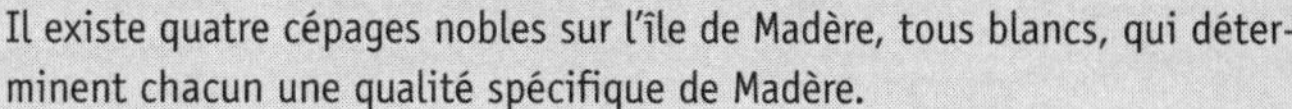

Il existe quatre cépages nobles sur l'île de Madère, tous blancs, qui déterminent chacun une qualité spécifique de Madère.

Sercial : produit les vins les plus secs, astringents dans leur jeune âge, avec une longévité extraordinaire.

Verdelho : cépage qui est à l'origine de vins demi-secs de couleur dorée.

Bual : cépage donnant des vins riches et concentrés semi-doux.

Malmsey : cépage Malvoisie très exubérant, produisant des vins doux, qui ont tendance à devenir plus secs avec l'âge.

LES STYLES

Les vieux Vintages de Madère sont très rares, et la plus grande partie des vins sont commercialisés sous le nom du cépage dont ils sont issus, avec une désignation d'âge correspondant au vin le plus jeune de l'assemblage.

3 ans d'âge : assemblage de moindre qualité, élaboré pour les usages en cuisine, à partir du cépage Tinta Negra Mole. L'étiquette mentionne son caractère plus ou moins sucré : *dry* pour le plus sec, *medium dry* pour le moelleux et *sweet* pour le liquoreux.

5 ans d'âge reserva : première catégorie où l'on trouve des cépages nobles.

10 ans d'âge reserva velha : ou Special Reserve.

15 ans d'âge : ou Exceptional Reserve.

Fresqueira vintage 20 ans d'âge : vin d'une seule année (un seul millésime) constitué de 100 % de cépages nobles, vieilli en fût pendant 20 ans.

85 % de ce cépage. Ce changement explique qu'une majorité de jeunes Madères de 3 à 5 ans d'âge ne sont plus étiquetés avec mention du cépage, faute de vignes.

L'élaboration du Madère

Le Madère est essentiellement un vin d'assemblage de récoltes de diverses années. Les méthodes d'élaboration peuvent varier considérablement selon le marché et le prix auquel le vin sera vendu. Le vieillissement artificiel peut ainsi être effectué par une cuisson dans d'immenses cuves en ciment émaillé ou dans des fûts en bois. Les meilleurs Madères sont en revanche vieillis par un chauffement au soleil. Le mutage peut se produire en cours de fermentation alcoolique, par adjonction d'eau-de-vie *(aguardente),* ou après fermentation, par addition d'eau-de-vie et de jus de raisin sucré. Le Madère est vieilli en fût fermé d'un bouchon enrobé d'une feuille de banane. Il sera embouteillé après assemblage.

PRODUCTEURS ET NÉGOCIANTS

Outre quelques maisons familiales, un grand nombre de marques de Madère sont regroupées au sein de la Madeira Wine Company (MWC), une ancienne association de négociants anglais aujourd'hui reprise par les familles Blandy et Symington (voir p. 636), qui expédie 25 % de l'ensemble de la production et 52 % du Madère en bouteilles. La qualité des vins de l'île est contrôlée et certifiée par l'Institut du Vin de Madère.

BARBEITO

La plus jeune maison de Madère, fondée en 1946, ne possède pas de vignes et achète des raisins à des viticulteurs. Elle élabore des vins caractérisés par leur légèreté et leur douceur : Island Rich et Island Dry sont ses marques de 3 ans d'âge, tandis que son Madère de 5 ans est diffusé sous la marque Crown.
La maison Barbeito détient des stocks de très vieux vins acquis au moment de sa création.

BLANDY BROTHERS

Cette grande maison de Madère, l'une des plus réputées, fut fondée par John Blandy, un ancien militaire détaché à Madère pour contrer l'éventuel débarquement des armées de Napoléon en 1807.
Sa gamme de vins comprend quatre marques de la catégorie des vins de 5 ans d'âge, déclinant les cépages sur les duchés de Sa Majesté britannique, Duke of Sussex Sercial, Duke of Cambridge Verdelho, Duke of Cumberland Boal, Duke of Clarence Malmsey, tandis que les vins de 10 ans d'âge Special Reserve sont des modèles du genre.

H. M. BORGES

Petite maison familiale réputée pour sa gamme de vins de 5 ans d'âge plutôt secs et de bonne tenue.

COSSART GORDON

Une des grandes marques de la Madeira Wine Company, issue de l'une des plus anciennes maisons de négoce de l'île : elle fut fondée en 1745 par Francis Newton et William Gordon, tandis que William Cossart n'arriva qu'en 1808.
Le style des vins de la maison Cossart Gordon est léger et élégant. Sous l'étiquette Good Company, elle diffuse un vin de 5 ans d'âge Reserve, tandis que ses Madères de 15 ans d'âge Exceptional Reserve portent le nom de Duo Centenary.

HENRIQUES & HENRIQUES

Cette société renommée a été créée en 1850 par João Joaquim Henriques.
En 1968, à la mort du dernier membre de la famille Henriques, les associés Alberto Jardim, Peter Cossart et Carlos Pereira héritent de la société. Actuellement, la société est gérée par John Cossart et Humberto Jardim. Depuis 1994, de nouvelles installations modernes lui ont donné la plus grande capacité de vinification et de vieillissement de toute l'île.

PRODUCTEURS ET NÉGOCIANTS

JUSTINO'S MADEIRA
Pendant près d'un siècle, les vins de cette société fondée en 1870 ont été appréciés en Europe avant d'être adoptés par les États-Unis et le Canada, puis par le Japon.
Une cave équipée des technologies les plus récentes élabore les vins dans le strict respect des méthodes de fabrication traditionnelles. Grâce à une qualité accrue de ses vins, la demande a augmenté significativement, et la compagnie Vinhos Justino Henriques a décidé de s'allier à l'un des plus grands groupes de distribution en France, devenant ainsi l'un des leaders du marché de l'exportation.

LEACOCK
Autre marque de la Madeira Wine Company, héritière d'une affaire de négoce fondée en 1741, à la même époque que Cossart Gordon. Leacock diffuse deux gammes principales : Saint John pour ses qualités ordinaires; Special Reserve pour ses vins de 10 ans d'âge. Ceux-ci ont tendance à être secs, ce qui en fait d'excellents Madères à boire en apéritif.

LOMELINO
Créée par des Portugais sous le nom de T. Tarquinio de Câmara Lomelino, cette maison est aujourd'hui sous le giron de la Madeira Wine Company. Sa Reserve en 5 ans d'âge et son Imperial Reserve en 10 ans d'âge offrent au dégustateur un goût de brûlé prononcé pour les vins secs et de riches arômes pour les vins sucrés.

MADEIRA WINE COMPANY
Les maisons de négoce qui ont constitué, à l'origine, la Madeira Wine Company sont les suivantes : Aguiar Freitas, A. Nobrega, Barros Almeida, Bianchi, Blandy, C. V. Vasconcelos, Cossart Gordon, F. F. Ferraz, F. Martins Caldeira, Funchal Wine Co, J.-B. Spinola, Krohn Brothers, Leacock and Co, Luiz Gomes, Madeira Victoria, Miles Madeiras, Power Drury, Royal Madeira, Rutherford & Miles, Socieda Agricola da Madeira, Madeira Meneres, Lomelino, Vinhos Adudarham, Vinhos Donaldson, Shortridge Lawton, Welsh Brothers.

PEREIRA D'OLIVEIRA VINHOS
Petite affaire familiale créée en 1820, qui dispose d'un chai à Funchal, de vignobles et d'un centre de vinification à San Martinho ainsi qu'à Câmara de Lôbos. Elle diffuse une palette de vins assez légers, secs et frais. Comme un certain nombre de maisons, elle dispose d'un stock de vieux Madères millésimés qu'elle vend à l'unité dans ses chais de Funchal.

VEIGA FRANÇA
Marque commerciale de Madère qui diffuse des Buals, des Malmseys très sucrés et des Madères de cuisine.

PAYS MÉDITERRANÉENS

Les rives de la Méditerranée ont été le berceau de la viticulture. Elles étaient réputées pour une certaine catégorie de vins très concentrés, souvent très sucrés, et quelquefois même aromatisés. Le Retsina, ce vin blanc grec auquel on ajoute de la résine de pin d'Alep, est sans doute l'un des vestiges de ces vins d'antan. À l'époque romaine, nombreux étaient les vins fumés pour une meilleure garde ou aromatisés d'aseptisants. Ces vins riches et très denses sont généralement issus de raisins dessiqués afin de condenser leurs arômes et leurs sucres. Pour obtenir un jus concentré, les grappes de raisin mûr sont laissées sur les vignes, étalées sur des clayettes au soleil ou pendues dans l'obscurité des greniers ; un élevage en petits fûts et les effets de l'oxydation accentuent le caractère prononcé de ces vins. Le meilleur exemple est le Mavrodaphne grec *(mavro* signifie noir) et le Commandaria de Chypre, comparables au *vin santo* italien et au Málaga espagnol. Aujourd'hui, la viticulture d'une partie de ces pays est confrontée aux influences religieuses de l'intégrisme musulman et à la perte du marché des vins de consommation courante en France. En dépit de ces handicaps, la production viticole de ces pays se maintient, et certains vins traditionnels sont les témoins d'un passé glorieux, tandis que d'autres, qui répondent à une nouvelle demande de vins fruités en Europe, sont l'aboutissement de récents investissements. Il reste néanmoins une forte production de vins sans grâce. À flanc de montagne existent de superbes vignobles qui représentent l'avenir des vins de qualité des pays de la Méditerranée.

GRÈCE

L'évolution récente

L'Institut de la vigne et du vin d'Athènes jeta dès 1952 les bases d'un système de classification qualitatif transformé en loi en 1969. Mais les modifications les plus considérables datent des années 1980, avec l'arrivée des techniques de contrôle de température et d'une nouvelle génération d'œnologues, formés pour la plupart en France, en Italie ou en Allemagne. La même époque vit les goûts évoluer vers des vins plus frais, plus francs et plus fruités.

Aujourd'hui, le marché du vin grec a pris une nouvelle allure : les grandes entreprises, propriétaires de vignes ou non, achètent la majorité de leurs raisins à de petits vignerons et possèdent souvent des unités de vinification dans différents endroits de la Grèce. Les coopératives vendent les vins soit directement sous leur propre étiquette, soit à des négociants, soit des deux façons. Un troisième type d'entreprise se dégage : souvent familiale, elle possède des vignes, vinifie ses raisins et achète parfois ceux de vignerons voisins, avec lesquels elle travaille en proche collaboration. Sa production, toujours restreinte, est plutôt réservée au marché national, qui en est friand, mais ces vins sont maintenant de plus en plus exportés. Une vingtaine d'entreprises ont une politique d'exportation très active ; les plus connues sont Boutari, Kourtaki, Tsantali et Achaia-Clauss. Mais on trouve désormais à l'étranger aussi les vins d'autres entreprises, tels que les domaines Hatzimichalis, Lazaridi, Gerovassiliou, Carras, Kokotos, Strofilia, Tselepos et Gaia, ainsi que les Muscats des coopératives de Samos, Lemnos et Patras.

Les sols et les climats

Le vignoble grec est situé entre 33 et 40° de latitude nord, mais la chaleur relative de cette zone du globe est en général tempérée par l'influence de la mer et, parfois, de l'altitude, qui peut dépasser 650 m. Assez régulières, les conditions climatiques n'empêchent cependant pas de légères variations d'un millésime à l'autre. Aucun type de sol ne prédomine, mais presque tous sont pauvres : rocailleux, ils contiennent du calcaire, du schiste, du terreau, de l'argile, du sable et possèdent, dans certaines îles comme Santorin, un sous-sol volcanique de pierre ponce.

Les cépages

La Grèce compte environ 300 cépages autochtones, dont bon nombre sont très localisés et dotés d'un caractère prononcé. La moitié du vignoble

PRINCIPALES RÉGIONS VITICOLES ET APPELLATIONS

LE NORD

Le nord de la Grèce, qui regroupe la Macédoine et la Thrace, est un pays de vin rouge. Le cépage Xinomavro domine dans les zones de Naoussa, Amynteon et Goumenissa. Amynteon produit aussi un vin rosé mousseux. L'autre zone d'appellation, les Côtes-de-Meliton, se trouve à Sithonia. On y cultive les cépages Roditis, Assyrtico, Athiri et le rare et aromatique Malagouzia, assemblés parfois au Sauvignon, pour les blancs. Les vins rouges sont issus de Limnio et de Cabernet-Sauvignon.

LE CENTRE

Le centre de la Grèce, l'Épire et la Thessalie, possède trois appellations. Au nord-ouest de Ioannina, Zitsa produit un vin blanc légèrement pétillant, demi-sec ou sec. Rapsani, situé au pied de l'Olympe, est un pays de vins rouges (toujours dominés par le Xinomavro), tandis que Anchialos, près de Volos, est celui des vins blancs secs, à base de Roditis et de Savatiano.

LE PÉLOPONNÈSE

Le sud de la péninsule grecque compte de nombreuses appellations. Sur un haut plateau près de Tripoli, le cépage Moschofilero donne le vin blanc aromatique de Mantinia. Le Némée (Nemea), près de Corinthe, est un rouge issu de l'Agiorgitiko, un cépage grec très coloré. Il est considéré comme ayant le plus grand potentiel qualitatif, car il donne des vins fruités, aux tanins fins et soyeux, qui peuvent s'améliorer considérablement avec un vieillissement en fûts de chêne neuf.

L'appellation Patras est donnée aux vins blancs secs issus du cépage Roditis, planté sur les collines autour de la ville

(150 000 ha) est destinée à la production de vin, l'autre aux raisins de table et aux raisins secs.

Plusieurs cépages blancs dominent en Grèce. L'Assyrtico est très aromatique quand il est vinifié à température contrôlée et d'une bonne acidité. Sans doute le meilleur cépage du pays, il commence à s'étendre au-delà de sa région d'origine, l'île de Santorin. Le Roditis est une variété à peau rose qui vient du Péloponnèse, mais que l'on rencontre aussi en Macédoine et dans la région de Thèbes. Le Savatiano est originaire de la région de Mesogea, en Attique, où il est célèbre comme cépage de base pour les meilleurs résinés du pays. Cependant, on s'est rendu compte qu'il pouvait également donner de bons vins blancs secs s'il est planté sur des terroirs adéquats. Les autres cépages blancs sont le Moschofilero, à la peau rose, délicat et aromatique, qui vient de Mantinia, le Robola de Céphalonie et le Vilana de Crète.

éponyme. Le Muscat de Patras (ou Rion de Patras) est un vin de liqueur, tandis que le Mavrodaphne de Patras est un vin rouge muté à environ 15 % vol. Issu du cépage auquel il doit son nom, il est longuement vieilli en fûts de chêne.

LES ÎLES

Céphalonie est la seule des îles Ioniennes à posséder des appellations, la principale étant Robola, un blanc sec et puissant.

Dans la mer Égée, les îles Lemnos et Samos produisent de très bons vins à partir du cépage Muscat. Le Muscat de Lemnos est un vin de liqueur. Il existe aussi en vin tranquille, sec, mais ce type quitte rarement l'île. À Samos, le vin est élaboré soit en mistelle (vin de liqueur, Samos doux), soit en vin doux naturel (en arrêtant la fermentation), soit encore en Samos nectar (à partir de raisins séchés au soleil).

Les principales appellations des Cyclades se trouvent à Paros et Santorin. Sur la première île, il s'agit d'un vin rouge sec issu d'un assemblage de Mandilaria, un raisin rouge fortement coloré, et d'un raisin blanc, le Monemvassia. La seconde fait un blanc sec et puissant issu d'Assyrtico et un blanc doux appelé Vino Santo.

Rhodes est la patrie d'un vin blanc sec issu d'Athiri et d'un rouge issu de Mandilaria. Mais cette île fait aussi des vins de table mousseux, obtenus selon différentes méthodes.

La Crète possède trois appellations de vins rouges secs ou doux : Archanes, Daphnes et Sitia. Les vins de Peza sont rouges ou blancs. Les cépages Kotsifali, Liatico (rouges) et Vilana (blanc) sont des variétés locales qui donnent dans l'ensemble des vins puissants et généreux.

Pour les raisins noirs, on trouve l'Agiorgitiko, ou Saint-Georges, qui produit les vins de Némée. Le Limnio, variété ancienne originaire de Lemnos, pousse bien aujourd'hui à Halkidiki, dans le nord du pays, où il fait des vins souples et gouleyants. Le Xinomavro est le cépage roi du nord de la Grèce, où il prédomine dans toutes les appellations. Le Mandilaria est largement planté sur les îles, où il donne des vins extrêmement colorés et tanniques. Le Mavrodaphne est principalement cultivé autour de Patras, où l'on en fait un vin rouge muté plein de caractère.

Les dix dernières années, plusieurs cépages internationaux ont été plantés dans toute la Grèce, mais en petites quantités. On trouve notamment le Cabernet-Sauvignon, le Merlot, la Syrah (qui donne d'excellents résultats), la Grenache, le Chardonnay, le Sauvignon, le Gewürztraminer, l'Ugni Blanc et un peu de Viognier dans le sud du pays.

LE RETSINA

Le Retsina (vin résiné) est un type de vin propre à la Grèce. Au sens strict du terme, c'est un vin aromatisé, dont l'origine remonte à l'Antiquité, lorsque le vin était transporté dans des amphores de terre cuite scellées. Les sceaux, composés d'un mélange de plâtre et de résine, empêchaient l'air d'entrer et permettaient de garder les vins plus longtemps. Comme ils leur donnaient un léger goût, on en vint à croire que les vins vieillissaient grâce à la résine : c'est ainsi que naquit la tradition d'ajouter de la résine. De nos jours, le Retsina est vinifié comme n'importe quel autre vin blanc sec, hormis le fait que l'on ajoute au moût des petits morceaux de résine de pin d'Alep.

Les styles de vin

La gamme des vins élaborés en Grèce est vaste : blancs secs, rouges, Muscats doux, rouges mutés (Mavrodaphne) et même effervescents. La production est dominée par les vins blancs, Retsina inclus. La plupart des vins, les blancs notamment, sont faits pour être bus jeunes, à part certains, dans des régions comme Naoussa et Némée, qui sont capables de vieillir. En outre, quelques petits domaines récents font des vins de longue garde, le plus souvent à base de Cabernet-Sauvignon.

La législation

La loi grecque définit deux catégories de vins, les VQPRD (vins de qualité produits dans une région déterminée) et les vins de table, chacune se subdivisant en deux. Le terme d'Appellation d'origine contrôlée s'applique uniquement aux vins doux de Muscat et de Mavrodaphne, qui se distinguent par un sceau bleu placé sous la capsule. Les vins secs ont droit à l'Appellation d'origine de qualité supérieure, leur sceau est imprimé en rouge sur fond rose. Il existe 27 zones délimitées pour une cinquantaine de vins différents. L'étiquette peut également porter la mention Réserve ou Grande Réserve, qui désigne les vins de qualité supérieure ayant subi un élevage plus long avant la mise en bouteilles. Le mot *cava* désigne, quant à lui, des vins de table produits en plus petites quantités et qui font l'objet d'un long vieillissement.

Le terme générique « vin de table » englobe aussi les Vins de pays. La Grèce en est riche et certains ne manquent pas d'intérêt. Les cépages internationaux y sont généralement autorisés. Bien des Vins de pays sont des assemblages de cépages locaux et importés. Les principales zones de production sont la Crète, l'Attique, le Péloponnèse et la Macédoine.

TURQUIE

Dans l'histoire du vin, la Turquie a sans doute une tradition plus ancienne que tout autre pays, mais, en raison d'une population en majorité musulmane, il lui est difficile d'en tirer parti. Kemal Atatürk s'efforça dans les années 1920 de faire renaître l'industrie viticole, mais, aujourd'hui encore, bien que la Turquie soit le cinquième producteur mondial de raisins, 1,5 % seulement du raisin est vinifié, pour une production totale d'environ 250 000 hl. La population ne boit en effet qu'un litre de vin par an et par habitant en moyenne, et le vin est consommé pour l'essentiel par une élite. Cette tendance est renforcée par la réglementation turque, qui exige de 11 à 13 % vol. d'alcool dans le vin, mais freinée par des taxes augmentant le prix du vin d'environ 35 % ; de plus, il n'y a pas de vins importés.

Tout cela pourrait évoquer une activité viticole sur la défensive, utilisant des techniques de vinification du passé pour produire des vins répondant au goût d'une minorité locale, à l'écart du monde extérieur. En fait, le tableau n'est pas si sombre. La superficie des vignobles a diminué, mais les rendements ont augmenté, surtout près de la mer Égée et en Thrace, de sorte que l'ensemble de la production n'a pas baissé dans les mêmes proportions.

La production de l'État turc représente presque 90 % du total, mais ni le secteur public ni le secteur privé ne travaillent à plein rendement. Les raisins sont cultivés par des viticulteurs qui les vendent à 22 entreprises d'État et 124 sociétés privées, et sont fréquemment transportés sur de longues distances en camion pour être vinifiés. Afin d'éviter une détérioration des raisins au cours du transport, certains vignerons, comme Diren, vendangent et transportent les raisins dans la fraîcheur de la nuit, pour les protéger.

Il existe officiellement 1 250 cépages, dont 50 à 60 seulement ont une importance commerciale. Les variétés européennes sont plutôt concentrées à l'ouest du pays. La production est partagée, presque à égalité, entre vins blancs et vins rouges, avec très peu de rosé. Vinification et vieillissement sont souvent effectués en cuves de ciment ou en vieux foudres, mais les plus grosses sociétés ont un équipement permettant une production adaptée au goût occidental.

Les vins de Turquie offrent une comparaison passionnante avec ceux d'autres pays de la mer Noire (voir p. 744). On retrouve le même fruité robuste, les mêmes rouges démodés – un qualificatif à ne pas interpréter dans son sens péjoratif – et pleins de caractère.

RÉGIONS ET PRODUCTEURS

Voici les sept grandes régions viticoles et les principaux producteurs.

Tekel : Entreprise d'État qui produit notamment le Hosbag, un Gamay de Thrace (Trakya), et le Buzbag, un rouge puissant à base de Bogazkarasi d'Anatolie.

MER ÉGÉE

Cette région englobe les secteurs de Smyrne, Manisa et Denizli et fournit environ 20 % de la production turque. Cépages rouges : Çalkarasi, Grenache, Carignan. Cépage blanc : Sémillon.

MER NOIRE

Région côtière comprenant Çorum et la vallée de Tokat. Cépages rouges : Dimrit, Sergikarasi, Bogazkere, Öküzgözü. Cépages blancs : Narince, Kabarcik.

Diren : entreprise familiale située dans la vallée de Tokat. Son meilleur vin est le Karmen Reserve à base des cépages Bogazkere et Öküzgözü.

ANATOLIE ORIENTALE

La production de vin est concentrée à Elazig. Cépages rouges : Öküzgözü, Bogazkarasi. Cépages blancs : Narince.

RÉGION MÉDITERRANÉENNE

Production concentrée à Burdur. Cépage rouge : Dimrit.

ANATOLIE CENTRALE

La production de vin concerne les villes et régions d'Ankara, Kirikkale, Neusehir, Kirsehir et Nigde. L'Anatolie connaît des hivers très froids et des étés chauds. Cépages rouges : Kalecik Karasi, Papazkarasi, Dimrit, Irikara, Çalkarasi. Cépages blancs : Emir, Hasandede.

Kavaklidere : vieux centre de vinification privée proche d'Ankara, appartenant au groupe Doluca. On y produit un des meilleurs rouges du pays, l'Ozel Special Reserve, à partir du cépage autochtone Ozel Beyaz.

ANATOLIE DU SUD-EST

Secteurs de Gaziantep, Mardin, Urfa et Diyarbakir. Cépages rouges : Horozkarasi. Cépages blancs : Dökülgen, Kabarcik.

THRACE ET MARMARA

Le cœur de la production vinicole turque (40 % du total) est concentré autour de Tekirdag, Çanakkale, Edirne, Kirklareli et Bilecik. Cépages rouges : Papazkarasi, Adakarasi, Karaseker, Gamay, Pinot Noir. Cépages blancs : Yapincak, Beylerce, Sémillon, Clairette, Riesling.

Doluca : entreprise privée dont le Villa Doluca, issu des cépages Gamay, Cabernet-Sauvignon et Papazkarasi, est le vin le plus populaire en Turquie. Le Moscado Demi-Sec est tout aussi réussi.

MOYEN-ORIENT

Si l'on y inclut la Turquie, la Méditerranée orientale peut être considérée comme le berceau de la vigne et du vin. Chaque fois qu'on décante une bouteille de Porto Vintage ou qu'on sort le Champagne du seau à glace, il faudrait remercier les pays du Moyen-Orient, car c'est là, dans ce paysage aride de figuiers et d'oliviers, que tout a commencé. Des milliers d'années avant le Christ, on produisait déjà du vin dans la région : c'était une denrée de base, comme le pain ou les fruits. Mais voilà longtemps que le vin est devenu adulte et a quitté sa terre natale.

Des efforts ont été faits pour moderniser le secteur vinicole dans cette partie du monde, parfois avec succès. Le climat est chaud et sec, les vignes sont généralement résistantes, mais pas forcément de grande qualité, et la vinification ne répond dans l'ensemble qu'aux exigences du marché local. Certaines régions de Californie et d'Australie produisent pourtant des vins honorables dans des conditions aussi difficiles. Dans chacun de ces pays, l'industrie vinicole ne rencontre aucun problème qui ne puisse être résolu par la recherche et les investissements, mais il faudrait des années de la première et d'énormes quantités des seconds.

La preuve que la qualité est possible est fournie au Liban par Château Ksara et Château Kefraya, qui, depuis l'introduction de nouveaux cépages, produisent les meilleurs vins non seulement du pays mais de toute la région. À un niveau un peu inférieur, on trouve les vins israéliens des hauteurs du Golan.

ISRAËL

En Israël, l'industrie vinicole actuelle a été fondée par le baron Edmond de Rothschild, qui a créé des vignobles dans les années 1880 avec des cépages français. En 1906, l'entreprise est devenue la coopérative de vignerons Carmel, qui exporte des vins kasher dans le monde entier pour la communauté juive. Israël compte aujourd'hui 3 033 ha de vignes produisant du raisin pour Carmel et 13 autres sociétés.

Les vins kasher sont en général doux et rouges. Pour des motifs religieux, ils répondent à de stricts critères de pureté, mais soit le moût soit le vin est pasteurisé, au détriment de la qualité. Le goût des Israéliens a récemment évolué vers des vins plus secs, mais, pour un juif pratiquant, le vin doit avant tout être kasher et son goût est secondaire. Néanmoins, quand le nouveau centre de vinification des hauteurs du Golan a commencé à attirer l'attention au début des années 1980 avec des vins kasher

de Sauvignon, Chardonnay et Cabernet-Sauvignon produits dans un climat plus frais, il a galvanisé le monde du vin israélien. Le temps d'un marché captif et complaisant est révolu.

LIBAN

Les deux principaux producteurs du Liban sont Château Ksara et Château Kefraya (voir encadré) ; le raisin de moindre qualité est réservé à la distillation de l'arak, une boisson anisée locale. Ces deux propriétés exploitent directement leur vignoble, soit environ 300 ha. La plantation de nouveaux cépages nobles dans les années 1990 leur a permis de produire d'excellents vins, dont certains ont acquis une réputation internationale. Le domaine le plus connu est sans doute Château Musar, créé dans les années 1930. La famille Hochar possède une cave où l'on peut découvrir des millions de bouteilles de 1953 à nos jours. Elle achète les raisins sur pied dans la plaine de Bekaa pour les vinifier à Jounieh, sur la côte.

CHYPRE

Une amélioration semble imminente depuis des années, car le vin muté, surtout le Commandaria, pourrait être de grande qualité, mais on attend toujours. Les raisins sont cultivés jusqu'à 900 m d'altitude sur les monts Tróodhos, mais restent trop longtemps au soleil après la vendange en attendant d'être vinifiés pour donner des vins frais et fruités. Il existe cependant un plan d'arrachage aux dépens des vignobles côtiers les plus médiocres. Et, bien que le cépage rouge Mavron, fort en alcool, tannique et peu fruité, soit aujourd'hui interdit à la plantation, il représente néanmoins 70 % de l'encépagement, suivi de très loin par le Xynisteri Blanc, avec 13 %. Autres variétés cultivées : Cabernet-Sauvignon, Grenache, Lefkas, Malaga, Palomino, Syrah, Chardonnay et Riesling.
Le Commandaria, célèbre vin de dessert chypriote, était autrefois particulièrement apprécié par les chevaliers de l'ordre des Templiers. Les raisins blancs de Xynisteri et noirs de Mavro Kypriako sèchent au soleil sur des nattes pendant une dizaine de jours avant la fermentation. La zone d'appellation comprend 14 villages, les meilleurs étant Yerasa, Zoopiyi et Kalo Chorio, mais le Commandaria actuel est essentiellement un vin commercial. Le Xérès de Chypre, un vin muté de médiocre qualité, n'a plus droit à cette appellation.

AUTRES PAYS DU MOYEN-ORIENT

L'Égypte, État laïc, compte un producteur de vin, Gianaclis, mais la plupart des vignobles sont consacrés aux raisins de table, aux raisins secs ou au jus de raisin. Il existe aussi des vignes dans des pays comme la Syrie, la Jordanie et l'Iraq, mais elles ne produisent que très peu de vin.

RÉGIONS ET PRODUCTEURS

ISRAËL

Les régions viticoles d'Israël comprennent plusieurs zones :

Shomron, secteur de Saron, en Samarie.

Néguev, autour de Beersheba.

Shimshon, à Samson, secteurs de Dan, Adulam et Latroun.

Galil en Galilée, secteurs de Canaan, Nazareth, Thabor et Cana.

Harei Yehuda dans les monts de Judée, secteurs de Jérusalem et Betin.

Centre de vinification des Hauteurs du Golan : vins rouges et blancs kasher de bonne qualité. La gamme de base est baptisée Gamla, le haut de gamme Yardon, et la gamme intermédiaire Golan.

Carmel : la plus grande entreprise vinicole d'Israël à production entièrement kasher est une coopérative de vignerons. Le haut de gamme porte l'étiquette Rothschild.

LIBAN

Château Kefraya : la Grande Cuvée 1996 – 60 % Cabernet-Sauvignon, 20 % Syrah et 20 % Mourvèdre – a été notée 91 par Parker.

Château Ksara : délicieux Chardonnay, vinifié en barriques neuves et bâtonné sur lies, et bons rouges.

CHYPRE

Chaque entreprise produit généralement une gamme de vins : rouges, blancs et Commandaria, un vin muté. Les vignobles s'étendent sur 20 000 ha concentrés dans une grande région, au nord et au sud des monts Tróodhos. On peut parfois trouver du Commandaria de petits producteurs : la recherche en vaut la peine.

Etko : la coopérative de Chypre produit sous la marque Nefeli un blanc assez frais de Xynisteri. Autres vins : Olympus, Grenache et Carignan Cornaro, Rose Lady, Semili, White Lady, Grand Commandaria.

Keo : les marques les plus connues sont Othello, Aphrodite, Bellapais, Thisbe et Commandaria Saint John.

Centre pilote Laona « Arsos » : un centre de production géré par l'État et voué à l'expérimentation des grands cépages.

Loel : l'un des quatre producteurs importants contrôlant à eux seuls 75 % du marché. Parmi ses marques, Palomino, Amathus, Orpheo Negro et Commandaria Alasia.

Sodap : produit les marques Afames, Arsinoe, Danae, Kolossi, Kokkinelli, Santa Marina et Commandaria Saint Barnabas.

ÉGYPTE

Gianaclis : la seule entreprise vinicole du pays est basée à Abu Hummus, au nord-ouest du delta du Nil. Elle produit des marques comme Omar Khayyam et Reine Cléopâtre.

AFRIQUE DU NORD

Aujourd'hui, il ne reste plus grand-chose de l'héritage viticole que la France a laissé au Maroc, à l'Algérie et à la Tunisie. Dans ces trois pays, la superficie des vignobles a diminué de plus de moitié depuis l'indépendance et le rendement a baissé, les vignes étant négligées.

Les régions viticoles

Les vignobles d'Afrique du Nord longent presque tous la côte, les meilleurs vins provenant des collines un peu en retrait. Le Maroc est le seul pays ouvert sur l'Atlantique et en retire une fraîcheur bénéfique pour le vin. Pourtant, comme dans les pays voisins, de grandes étendues de vignobles côtiers ont été arrachées. Sur les collines, la vigne peut pousser jusqu'à 1200 m d'altitude.

Les cépages et les styles de vin

Les vins d'Afrique du Nord conservent un certain attrait en France, en accompagnement des plats maghrébins. Ils s'apparentent surtout aux vins du Midi, mais il émane aujourd'hui tant de fruit et de fraîcheur du sud de la France que les consommateurs sont de moins en moins disposés à accepter la médiocrité. On oublie trop facilement que le Carignan, laissé à lui-même sous un climat chaud, peut donner un vin spectaculairement âpre et dépourvu de fruit, tout comme Cinsaut, Aramon et Alicante Bouschet, cépages rouges très présents en Afrique du Nord. On trouve aussi des variétés non françaises comme Farhana, Hasseroum, Rafsai, Zerkhoun, ainsi que d'excellents cépages français, du Cabernet-Sauvignon à la Syrah et au Mourvèdre. Il y a, en outre, du Grenache et du Pinot Noir : le premier tend à l'excès d'alcool et à la mollesse, le second réclame des climats bien plus frais. Le Carignan est omniprésent. Les vins blancs sont souvent issus de Clairette et d'Ugni Blanc, mais les meilleurs sont les Muscats de Tunisie, doux ou secs, qui ont leurs propres appellations.

Les meilleurs rouges viennent du Maroc, dont les installations de vinification sont sans doute les plus modernes d'Afrique du Nord. La production comporte 85 % de vin rouge, le reste étant surtout du rosé obtenu par saignée, vin très pâle parfois baptisé vin gris. Les rouges peuvent avoir de la mâche et du corps, mais les blancs sont peu réussis.

L'Algérie est organisée selon un système qualitatif développé à l'ère coloniale, avec 12 régions de VDQS. Les meilleurs vins sont les rouges provenant des vignobles de montagne.

RÉGIONS VITICOLES ET APPELLATIONS

L'Algérie, le Maroc et la Tunisie ont tous une législation viticole fondée sur le système français des appellations d'origine. Cet héritage se reflète souvent dans les noms des vignobles. Ceux des vins varient : de gros volumes sont exportés en vrac et les noms figurant sur les étiquettes peuvent être laissés à la fantaisie de l'embouteilleur.

ALGÉRIE

Sept régions ont droit à une appellation d'origine garantie (AOG).

Oran. L'AOG Coteaux-de-Mascara produit les meilleurs vins d'Algérie, des rouges généreux et rustiques. Clos Faranah et Sidi-Brahim sont parmi les plus connus. On trouve aussi du vin blanc. L'AOG Coteaux-de-Tlemcen, produit des vins rouges, blancs et rosés de bonne qualité, à la fois puissants et souples.

Alger. Miliana, vignoble «de montagne» des plus appréciés, produit de solides vins rouges, l'AOG Médéa une gamme de vins avec une certaine finesse. Dahra, située entre les provinces d'Alger et d'Oran, produit à la fois des vins rouges et des vins blancs de l'AOG Haut-Dahra.

Mostaganem-Dahra. Dahra-Mostaganem et Mostaganem produisent des vins rouges, blancs et rosés assez puissants; Rivoli-Mazagran donne des rouges solides, de robustes rosés et des blancs. Ain-Bessem et Coteaux du Zaccar sont des zones AOG, la première donnant généralement de meilleurs vins.

MAROC

Le pays compte 12 régions qui produisent des vins d'appellation d'origine garantie :

Berkane et Angad. Petite région à l'est du pays produisant de robustes vins rouges.

Meknès/Fès. Vignobles d'altitude au pied de l'Atlas. Bons rouges. Les appellations comprennent Guerrouane, Beni M'tir, Sais, Beni Sadden et Zerhoune.

Gharb. Les appellations de Gharb et Zemmour produisent le Gris de Boulaouane, un rosé léger.

Rabat. Les appellations de Chellah et Zaer, produisent des rouges légers.

Casablanca. Vignobles côtiers comprenant l'appellation Zenata.

TUNISIE

Les vignobles sont au nord-est du pays, à l'est et à l'ouest de Tunis. Le pays produit des vins rouges, rosés et blancs, ainsi que quelques vins bénéficiant d'une appellation d'origine. Aujourd'hui, c'est le Muscat qui réussit le mieux. Les vignobles entourant Bizerte, dans le Nord, s'en sont fait une spécialité, tout comme ceux de Hammam-Lif près de Tunis, Grombalia et Bou-Arkoub à l'Est.

ALLEMAGNE

Carte page XXVI

On sait que la nature du sol, le climat et le choix des cépages sont autant de facteurs déterminants pour le bouquet, la saveur et le style d'un vin. Les vignerons allemands aiment à souligner leur particularisme, face aux autres régions viticoles prestigieuses du monde, car la fraîcheur du climat du nord de l'Europe rend difficile l'obtention d'une bonne maturité du raisin. On compense ce handicap en plantant la vigne sur les sites les mieux exposés. C'est pourquoi la majeure partie des vignobles est située dans l'ouest et le sud du pays et épouse les courbes des vallées fluviales, notamment celles du Rhin et de ses affluents. Les meilleurs coteaux, choisis pour leur ensoleillement et leur proximité des fleuves, bénéficient d'un microclimat offrant une chaleur constante, plus favorable à la maturité des raisins. Chaque parcelle présente une combinaison de propriétés viticoles qui lui est propre, avec une hétérogénéité peut-être plus marquée encore qu'en France : les meilleures parcelles peuvent jouxter des parcelles médiocres. Les aléas climatiques sont autant de risques supplémentaires, car quelques heures de mauvais temps peuvent anéantir les efforts d'une année : les vins allemands résultent d'un travail dans des conditions limites de viticulture, ce qui explique que la teneur en alcool de ces vins soit souvent relativement basse, tandis que leur acidité peut être particulièrement élevée. L'Allemagne produit essentiellement des vins blancs, qui gardent leurs qualités de fraîcheur et d'élégance pendant plusieurs années. C'est le cas, par exemple, des vins issus du Riesling, qui reste le cépage de référence.

Les régions viticoles

Les premiers ceps furent plantés dans les régions du Rhin et de la Moselle par les Romains. Aujourd'hui, le Rhin dispense toujours ses bienfaits aux vignobles situés sur ses coteaux, en leur restituant la chaleur qu'il a absorbée pendant l'été et au tout début de l'automne, juste avant les vendanges. Il suffit de regarder où se situent les principales régions viticoles pour mesurer l'importance accordée à la proximité d'un cours d'eau. Les vignobles de Bade ne s'éloignent jamais du Rhin. Le Neckar et ses affluents serpentent entre les coteaux du Wurtemberg, avant de rejoindre le Rhin à Mannheim ; le Main, autre affluent du fleuve qui le rejoint à Mayence, façonne au passage les vignobles de Franconie. La petite région de la Bergstraße de Hesse s'étend face à la vallée rhénane, au nord de Heidelberg, tandis que, de l'autre côté du fleuve, la région du Palatinat se particularise en ayant supprimé de son appellation la mention « Rhin » (en 1992). Immédiatement au nord, on trouve la Hesse rhénane, bordée à l'est et au nord par le fleuve, et, sur la rive droite, les vignobles du Rheingau. Les vignobles escarpés des gorges du Rhin constituent la région du Mittelrhein. La Nahe, autre affluent, a également donné son nom à une région viticole. La région de la Moselle, une des plus connues hors des frontières allemandes, regroupe les vignobles de la Sarre et de la Ruwer. La belle région de l'Ahr est proche de l'extrémité nord des zones viticoles de l'ouest du pays. À l'est, les rivières Saale et Unstrut forment une région. Enfin, l'Elbe porte sur ses flancs les vignobles de Saxe (Sachsen).

La législation viticole

La réglementation viticole allemande a codifié ces divisions géographiques – et traditionnelles – en 13 *Anbaugebiete,* ou régions officielles, ellesmêmes divisées en *Bereiche,* ou districts.

Autrefois, il existait plusieurs milliers de petites parcelles, chacune sous sa propre étiquette, un peu comme en Bourgogne : une *Einzellage,* ou terroir particulier, équivaut à un cru. Mais une loi datant de 1971 a regroupé plusieurs de ces terroirs traditionnels en *Einzellagen* et leur a attribué une entité légale. Le fait de réduire le nombre des appellations a permis d'éviter la confusion, mais a également fait disparaître quelques nuances qualitatives importantes. De plus, cette loi instaure la notion de *Großlage,* ou terroir collectif, regroupant plusieurs vignobles de caractères similaires, même s'ils ne sont pas forcément contigus.

Ces deux mentions, *Einzellage* et *Großlage,* sont toujours précédées sur l'étiquette par le nom du village où se situe le vignoble. L'étiquette d'un vin allemand ne permet pas au consommateur de savoir si le vignoble cité est

LIRE UNE ÉTIQUETTE DE VIN ALLEMAND

Pour l'amateur non initié, la lecture des étiquettes de vins allemands reste une énigme ; cependant, celles-ci donnent une multitude d'informations utiles pour le consommateur.

Le nom du producteur figure généralement en première position, précédé, le plus souvent, des termes *Weingut* (domaine) ou *Schloss* (château).

Le nom du vignoble est toujours précédé du nom du village, auquel on ajoute en général le suffixe *«-er»*, marque de l'adjectif. Ainsi, pour dire qu'une bouteille provient de Bernkastel (nom du village), on écrira Bernkasteler («de Bernkastel»). Ainsi, Bernkasteler Doktor indique que le vin provient du vignoble «Doktor» à Bernkastel.

Les niveaux de qualité, Qualitätswein eines bestimmten Anbaugebietes (QbA) ou Qualitätswein mit Prädikat (QmP), sont toujours indiqués, le second figurant bien en évidence.

Décodée, l'étiquette fournit donc le nom du producteur, la région d'où proviennent les raisins et le niveau officiel de qualité. Elle peut en outre indiquer le millésime et le cépage, mais ces mentions ne sont pas obligatoires.

L'A.P. *(Amtliche Prüfung :* examen officiel) est une garantie de qualité. Sa présence atteste que le vin est issu de cépages autorisés, qu'il a atteint le taux de sucre minimal et que la région mentionnée est bien la région d'origine.

La mise en bouteilles est une mention facultative. Si l'étiquette précise *Erzeugerabfüllung,* cela indique que le vin a été mis en bouteilles par le producteur, éventuellement par une coopérative (voir p. 662) ; la mention *Gutsabfüllung* précise une mise en bouteilles au domaine.

une *Großlage* (dénomination collective, donc peu précise) ou une *Einzellage* (vignoble en général plus petit et plus spécifique).
Il faut noter que, en classement officiel des vignobles, il n'existe aucun Premier Cru ou Grand Cru.

Les niveaux de qualité

Si l'origine géographique est le premier critère de distinction des vins allemands, le second est leur niveau de qualité officiel, celui-ci étant classé en trois catégories selon la teneur en sucres du jus de raisin (ou moût).

TAFELWEIN (VIN DE TABLE). Catégorie des vins de table ordinaires. Si l'étiquette précise *Deutscher* (« allemand »), cela signifie que le vin est issu d'un vignoble allemand. Sinon, il s'agit d'un vin d'un autre pays de l'Union européenne mis en bouteilles par un négociant allemand. Il n'est pas rare que certains vins de grande qualité soient commercialisés sous la dénomination *Deutscher Tafelwein* dans le cas où leurs producteurs ne les soumettent pas aux dégustations officielles.

LANDWEIN (VIN DE PAYS). Désignation des meilleurs vins de la catégorie *Tafelwein*. Ils n'ont pourtant pas acquis la même renommée que leurs homologues français.

QUALITÄTSWEIN EINES BESTIMMTEN ANBAUGEBIETES (QBA). Échelon inférieur des vins de qualité. Désigne les vins de qualité d'une région délimitée.

QUALITÄTSWEIN MIT PRÄDIKAT (QMP). Littéralement, « avec distinction ». Échelon supérieur des vins de qualité. Les vins QmP, et c'est ce qui les distingue des QbA, sont élaborés à partir de raisins dont la teneur en sucres est suffisante pour ne nécessiter aucune chaptalisation. Ils sont subdivisés en six sous-catégories, toujours selon le même critère de densité du moût en ordre croissant.

KABINETT. C'est l'échelon de base des QmP.

SPÄTLESE. Littéralement, « Vendanges tardives ». Élaborés à partir de raisins plus mûrs, les *Spätlesen* peuvent être aussi bien doux que secs.

AUSLESE. C'est un vin élaboré à partir de grappes sélectionnées. Dans de bons millésimes, la sélection porte parfois sur des raisins atteints de pourriture noble *(Botrytis cinerea)*, produisant des vins doux opulents. On produit également de plus en plus d'*Auslesen* secs.

BEERENAUSLESE. Vin liquoreux, élaboré à partir de grains de raisins en surmaturité, sélectionnés un à un.

TROCKENBEERENAUSLESE (TBA). Vin élaboré comme les *Beerenauslesen* mais avec des raisins flétris et desséchés *(Trocken)* sous l'effet de la pourriture noble. Ce moût très concentré donne lieu à des vins très doux. Ils sont chers.

EISWEIN. Littéralement, « vin de glace ». Le moût est encore plus concentré, puisque les raisins ont gelé sur pied. Les *Eisweine* sont des vins rares et chers.

La densité du moût exprime la teneur en sucres naturels du jus de raisin, mais une densité élevée ne signifie pas automatiquement que le vin aura un goût sucré. La tendance actuelle chez les producteurs est d'obtenir des vins plus secs en les laissant fermenter jusqu'à la transformation de tous les sucres en alcool.

L'idée maîtresse de la sélection

Cette hiérarchisation officielle des vins allemands de qualité procède du raisonnement suivant : plus les raisins sont mûrs, meilleur est le vin. Elle reflète la difficulté de faire mûrir le raisin dans un climat aussi ingrat, mais traduit également de la part des viticulteurs une recherche de rareté et, par conséquent, de valeur ajoutée. La tradition, entérinée par la loi, est de laisser les raisins sur les ceps le plus longtemps possible, lorsque le temps le permet, pour atteindre une maturation optimale. Les vendanges peuvent donc s'étaler sur deux mois : elles commencent dans les vignobles destinés à produire des vins *Kabinett* tandis qu'ailleurs on rêve de voir s'installer la pourriture noble et de récolter des raisins surmaturés afin de produire un *Auslese* ou mieux encore. Certains propriétaires remettent en cause cette tradition en abandonnant les vins naturellement doux au profit de vins plus secs, afin de satisfaire à la nouvelle demande des consommateurs. Cette tendance encourage les viticulteurs à limiter leurs rendements, la concentration obtenue assurant ainsi l'équilibre habituellement fourni par le sucre résiduel.

Les vins secs et demi-secs

Une modification de la législation donne l'autorisation de porter la mention *Halbtrocken* (demi-sec) ou *Trocken* (sec) aux vins dont la teneur en sucres résiduels se situe audessous d'un certain taux (ou d'une certaine densité). Un *Riesling Trocken* a besoin d'une bonne teneur en sucres naturels et d'une bonne acidité. On réalise un *Spätlese Trocken* ou un *Auslese Trocken* en laissant la fermentation transformer tous les sucres en alcool.

Le caractère des vins

Les vins allemands sont blancs pour une large majorité d'entre eux, mais la superficie plantée en rouge, qui représente à peine 20 % du vignoble, est en augmentation.

Le caractère des vins allemands est déterminé par le district et le vignoble, le cépage, les différents niveaux de qualité décrits ci-dessus et la volonté du producteur. Il faut ajouter à ces critères le millésime, car le climat de l'année joue un rôle de première importance.

Pour chaque niveau de qualité est déterminée une densité de moût minimale, qui varie selon la région : pour obtenir la même qualification, les régions plus au sud doivent attein-

LE LIEBFRAUMILCH ET LES AUTRES VINS GÉNÉRIQUES

Le succès commercial des vins allemands à l'étranger, au cours des dernières décennies, est essentiellement dû au Liebfraumilch et à quelques autres vins blancs demi-secs produits en grosses quantités. Le nom de Liebfraumilch provient d'un petit vignoble près de Worms, autrefois propriété de l'Église. Jusqu'au XIXe siècle, cette dénomination s'appliquait aux vins issus d'un territoire beaucoup plus vaste, mais désignait toujours des vins de grande qualité.

Selon la réglementation actuelle, le vin peut provenir de n'importe quelle partie de la Hesse rhénane, du Palatinat, de la Nahe ou du Rheingau. Il s'agit donc d'un vin générique, élaboré principalement à partir des cépages Riesling, Müller-Thurgau, Sylvaner et Kerner. Il doit être un QbA, et afficher une teneur minimale en sucres résiduels. En raison de la concurrence internationale, la qualité du Liebfraumilch répond à des critères peu glorieux où il s'agit plus de ne pas dépasser un certain prix de vente que d'atteindre un niveau d'excellence.

La même approche marketing a été appliquée à d'autres vins génériques comme le *Bereich* Bernkastel, le Piesporter Michelsberg (une *Großlage*, ou district de production) et le Niersteiner Gutes Dorntal (autre *Großlage*). Ces derniers peuvent provenir d'un vaste district, ce qui permet aux producteurs de faire des assemblages. Certains producteurs, qui possèdent des vignobles réputés à Piesport ou à Nierstein par exemple, se plaignent que ces vins génériques sans intérêt, d'origine géographique aléatoire, font du tort à leurs vins de qualité portant le même nom.

dre une teneur en sucres naturels plus élevée que celle des régions situées au nord. Ainsi, un *Kabinett* de la Moselle aura un degré moindre d'alcool qu'un *Kabinett* de Bade.

La loi entérine donc les différences dues au climat et à l'environnement, puisque les vignobles septentrionaux sont les plus sensibles aux petites différences d'exposition et de nature du sol. Un domaine allemand peut être composé d'une douzaine de parcelles différentes et produire une grande variété de vins dont l'identité sera déterminée par le site et la maturité. Il est donc difficile de classer et de codifier des vins dont les caractères peuvent être aussi disparates.

Les vins allemands, comparés à des vins français ou italiens, ont pourtant une personnalité bien à eux qui se définit plus par un certain équilibre entre le fruité et l'acidité et par le cépage que par le degré d'alcool ou par les caractères dérivant de l'élevage en fûts de chêne, par exemple.

Le vieillissement et les millésimes

De tous les cépages plantés en Allemagne, c'est le Riesling, avec son équilibre bien marqué entre le fruité et l'acidité, qui produit les vins dotés du meilleur potentiel de vieillissement. En général, une bonne concentration en sucres à la vendange allonge la durée pendant laquelle le vin peut se bonifier en bouteilles. Les vins les plus concentrés, comme les *Beerenauslesen,* atteignent rarement leur apogée avant sept – voire dix – ans de bouteille. L'acidité est tout aussi essentielle pour un bon vieillissement du vin : les années très chaudes produisent souvent des vins de faible acidité, mais d'une teneur en sucres élevée ; ces vins gardent leurs qualités moins longtemps que ceux qui bénéficient dès leur naissance d'un meilleur équilibre.

De par la situation septentrionale des vignobles, les moindres variations climatiques ont, d'un millésime à l'autre, des répercussions importantes sur le style des vins. Une année fraîche ne permet pas toujours un mûrissement suffisant des raisins pour que les vins soient admis au rang de QbA ou même à celui de *Tafelwein.*

Les cépages classiques

Le cépage blanc qui sert de point de repère pour les vins allemands est le Riesling (voir p. 227). Il est capable de bien mûrir au cours des automnes ensoleillés, donnant ainsi des vins dans les différentes catégories de QmP. En Allemagne, il occupe les meilleurs sites qui sont les coteaux les plus escarpés, tels que ceux de moyenne Moselle (Mittelmosel) et du Rheingau, dont la bonne exposition, associée à la chaleur de l'automne, lui assure la longue période de mûrissement dont il a besoin. Au fur et à mesure que de nouveaux cépages se développaient (voir ci-dessous), le Riesling a perdu du terrain en faveur de cépages plus prolifiques et plus faciles à cultiver.

Le Sylvaner (voir p. 228) est l'autre cépage classique des vins blancs allemands. On l'associe surtout à la région de Franconie, mais les plus grands vignobles se trouvent en Hesse rhénane. Il donne des vins secs à la fois concentrés et vifs, aptes à bien vieillir, à condition que les vignobles soient bien situés et les rendements raisonnables.

Vignobles et cépages nouveaux

Depuis les années 1960, les vignobles allemands ont plus que doublé en superficie. Les sites les plus propices étant déjà plantés, souvent depuis des siècles, la plupart des nouvelles implantations manquent des qualités adéquates et ne permettent de produire que des vins bon marché.

De nombreux vignobles allemands ont fait l'objet d'un remembrement *(Flurbereinigung)* depuis les années

1960 pour faciliter la mécanisation dans le travail de la vigne et réduire les coûts d'exploitation. Les résultats de ce remembrement sont peu esthétiques, notamment pour les vignobles de Bade dans la région de Kaiserstuhl, et quelques producteurs ont même soutenu que ces bouleversements avaient changé le climat local. Parallèlement, en croisant des cépages anciens, les chercheurs ont obtenu de nouveaux cépages, moins sensibles aux maladies, capables de produire des vins de caractère tout en permettant de meilleurs rendements et une teneur en sucres plus élevée : une nouvelle concurrence pour les cépages traditionnels comme le Riesling et le Sylvaner. Le premier hybride créé, le Müller-Thurgau (Riesling x Sylvaner), permet à des vignobles bien situés de donner un vin blanc de qualité, à condition de maintenir des rendements faibles.

Le cépage Scheurebe (Sylvaner x Riesling), le meilleur des hybrides si l'on juge la qualité des vins, offre de belles réussites à la région du Palatinat. Ces vins s'affirment grâce à leur bouquet et à une acidité soutenue ; ils bénéficient d'un bon potentiel de garde.

Le cépage Kerner (Trollinger x Riesling), apprécié pour la constance de ses rendements, donne des vins de caractère robuste, même s'il leur manque la finesse et le charme du Riesling ; grâce à leur teneur en sucres, ces vins satisfont souvent aux critères de qualité leur permettant d'entrer dans les catégories des *Spätlesen* ou des *Auslesen.*

Les vins rouges et la famille des Pinots

Les vins rouges occupent une place grandissante dans l'univers viticole allemand. Les techniques de vinification se rapprochent de plus en plus du modèle français, ce qui entraîne certaines évolutions : des degrés alcooliques plus élevés, des sucres résiduels moins importants et l'utilisation de plus en plus fréquente de la barrique pour l'élevage des vins.

Les cépages utilisés sont, en rouge, principalement le Spätburgunder (Pinot Noir), mais également le Blauer Portugieser, qui donne des vins légers, et le Dornfelder, un nouvel hybride dont les vins ressemblent au Beaujolais. En cépages blancs, on trouve le Weissburgunder (Pinot Blanc), le Ruländer (Pinot Gris) et le Chardonnay (autorisé dans le Sud depuis 1991). Le Spätburgunder et le Weissburgunder atteignent, dans les districts de Bade, Kaiserstuhl et Ortenau, des niveaux de qualité suffisants pour pouvoir prétendre à une diffusion internationale. Ces deux Pinots prospèrent également dans le Palatinat, où les vins qu'ils donnent sont à peine plus acides qu'ailleurs. On trouve en effet des Spätburgunder de grande qualité dans plusieurs régions d'Allemagne, chez des viticulteurs qui ont acquis leur savoir-faire dans d'autres vignobles du monde.

Propriétaires-récoltants et caves coopératives

Exception faite du Bade-Wurtemberg, la majeure partie des meilleurs vins est issue de domaines privés ou de propriétés d'État (Rheinland-Pfalz, Hessen, Bayern), voire municipales. Les caves coopératives reçoivent le raisin (jamais de moûts ou de vins) de leurs membres, soit plus d'un tiers de la récolte. Dans le Bade-Wurtemberg, elles couvrent toute la gamme des vins. Ailleurs, la qualité et le style des vins de la coopérative peuvent varier en fonction de la politique commerciale de chaque cave. La nouvelle tendance affirme une volonté de produire de meilleurs vins et de les vendre plus cher. Ces derniers sont diffusés avec la mention *Erzeugerabfüllung* (mis en bouteilles par le producteur).

De nouveaux styles de vin

Le goût des jeunes consommateurs allemands se tournant vers des vins légers, plus secs et plus fruités, les vignerons produisent actuellement des vins issus de vieilles vignes à faible rendement et peu sensibles à la pourriture grise.

De plus, dans un souci d'écologie, ils privilégient désormais les engrais organiques et limitent le traitement chimique de la vigne. L'utilisation d'autres produits chimiques, mis à part une faible quantité de dioxyde de soufre, a été largement remplacée par un meilleur entretien des chais. Le vieillissement en bois neuf se pratique couramment pour le Pinot et d'autres cépages similaires. Une question reste posée : cette pratique améliore-t-elle ou dénature-t-elle le vin ?

La présentation de ces nouveaux vins se veut parfois originale, voire élégante. Ainsi, les régions de Moselle-Sarre-Ruwer et du Rheingau ont conçu des types de bouteille plus grands et plus élaborés que celui de la bouteille allemande traditionnelle, fine et d'un vert presque noir.

Labels de qualité et médailles

On peut trouver sur l'étiquette ou la bouteille de vin trois labels qu'il est bon de connaître. Le premier est un aigle aux ailes déployées, emblème du Verband Deutscher Prädikatsweingüter (VDP). Cette association rassemble des producteurs de QmP, et son aigle signale des vins de grande qualité – mais de nombreux producteurs de grands vins n'en sont pas membres (voir encadré p. 674). Le second se présente sous forme d'un macaron ou d'une collerette. Il correspond à la médaille (or, argent ou bronze) que les autorités agricoles allemandes, la Deutsche Landwirtschaftsgesellschaft (DLG), décernent à des vins primés par des jurys locaux. Le troisième, également attribué par la DLG, est un *Weinsiegel* (sceau) de couleur : jaune pour les *Trocken,* vert pour les *Halbtrocken* et rouge pour les autres vins.

AHR-MOYENNE RHÉNANIE

Carte page XXVI

Le creusement d'un fossé de drainage pour la source Apollinaris en 1853 a permis de découvrir les vestiges d'un rang de vigne, à plus de 4 m de profondeur, ainsi que des pièces de monnaie datant de 268 à 260 av. J.-C. éparpillées au milieu des ceps, témoins historiques d'une culture de la vigne très ancienne dans cette région de l'Ahr, longue de 25 km.

Le vignoble de l'Ahr

En moins d'un siècle, la superficie de la région a diminué des trois quarts. Le vignoble ne représente aujourd'hui plus que 522 ha, mais ses vins sont très réputés en Allemagne. La production favorise largement les vins rouges, avec 268 ha de vignes pour le Spätburgunder et 95 ha pour le Portugieser. Quant aux cépages blancs, le Riesling et le Müller-Thurgau, ils ne couvrent respectivement que 51 et 42 ha.

L'Ahr, descendant des anciens monts volcaniques Hohe Eifel (culminant à 762 m), s'écoule en direction de l'est, vers le Rhin. La vallée de l'Ahr, aux formations rocheuses étranges, accueille des vignobles escarpés sur ses flancs de schiste couronnés de belles forêts. De manière générale, les meilleurs terroirs sont exposés au sud-ouest ou au sud-est. Protégés des vents du Nord qui peuvent balayer la vallée, ils bénéficient en outre de la chaleur qui est renvoyée par les rochers.

Les vins de l'Ahr trouvent grâce auprès du demi-million de visiteurs que cette région attire chaque année. Les meilleurs clients viennent en touristes des Pays-Bas et de la Ruhr, et les producteurs n'ont aucun mal à satisfaire leurs goûts de néophytes en vacances : dans une ambiance de villégiature, entourés de magnifiques paysages, les touriste n'hésitent pas à payer très cher le privilège d'acheter directement chez le producteur. Cette manne touristique permet aux petits producteurs une commercialisation à bon compte. Par ailleurs, les coopératives ont une position dominante, car elles contrôlent 75 % de la production locale.

Une des spécialités de la région est un vin rosé, le *Weissherbst,* vin fruité, vif, rafraîchissant qui doit sa fraîcheur à une bonne teneur naturelle en acide tartrique, une qualité pour ce type de vin. Bien que cette vivacité soit assez commune à tous les vins des vignobles situés au nord de l'Europe, l'acidité tartrique est plus équilibrée que l'acidité malique, qui résulte d'un manque de mûrissement du raisin et donne au vin une saveur astringente de pomme verte. L'acide tartrique apporte aux vins du Nord une

structure que les vins français puisent dans leur tanin.

Moyenne Rhénanie

Face à l'endroit où Rhin et Ahr se rejoignent se trouve le joli bourg de Linz, dans le nord du vignoble de la moyenne Rhénanie (Mittelrhein), vaste de 700 ha. Les petits villages pittoresques des bords du fleuve constituent un passage obligé pour les touristes dans cette région. Les vignes, qui s'étendent sur 110 km, offrent un spectacle grandiose pour ces visiteurs, mais disparaissent progressivement depuis plusieurs années, certaines pour faire place aux lotissements de la ville de Coblence, entre autres ; d'autres par manque de

VILLAGES ET PRODUCTEURS

Des monts Eifel jusqu'au Rhin, les vignobles de l'Ahr (vins rouges principalement) longent le fleuve qui traverse une succession presque ininterrompue de bourgades, de villages et de hameaux. Les vignobles de la moyenne Rhénanie (vin blanc principalement) sont disséminés sur toute la longueur des gorges du Rhin.

AHR

L'appellation générique *(Bereich)* Walporzheim-Ahrtal couvre toute la vallée de l'Ahr.

BAD NEUENAHR-AHRWEILER
Outre le Weingut Adeneuer à Ahrweiler, il faut évoquer le plus grand domaine, le Staatliche Weinbaudomäne Kloster Marienthal, qui appartient à l'État du Palatinat rhénan. Mais ce sont les plus petits domaines qui offrent les meilleurs vins rouges au futur plein de promesses. Ces vins font l'objet d'une fermentation traditionnelle, avec rafles et peaux afin que l'extraction de tanins soit maximale, et ne contiennent pas de sucres résiduels. Ces vins puissants et austères ne plaisent pas toujours aux touristes en voyage dans la région, et on compte sur la fermentation malolactique pour les assouplir quelque peu. Pour leur élaboration, on utilise les raisins mûrs des vieilles vignes sur les parcelles les mieux exposées. Cette vinification à la française a souvent pour corollaire l'adjonction de sucre dans les moûts. On chaptalise donc ces vins qui n'ont désormais plus droit au classement en QmP et sont donc commercialisés en tant que *Tafelwein* (voir p. 657), c'est-à-dire en tant que vins de table ordinaires.

WALPORZHEIM ET MARIENTHAL
Walporzheim est réputé pour ses vins rouges de qualité comme le Weingut Brogsitters « Zum Domherrenhof », un domaine de 15 ha constitué des anciens vignobles de la cathédrale de Cologne, et le Weingut Nelles à Heimersheim.

DERNAU ET MAYSCHOSS
Le Weingut Meyer-Näkel de Dernau est un des chefs de file des nouvelles vinifications des vins de l'Ahr. Sa réputation demeure inégalée en Allemagne pour la qualité de ses Spätburgunder, quelquefois élevés en barriques. Le domaine produit surtout des vins rouges, mais aussi du Spätburgunder (Pinot Noir) vinifié en blanc et du *Weissherbst*.
Plus ancienne cave coopérative allemande, Mayschoß-Altenahr reste l'une des plus importantes de la région.
Parmi les autres bons producteurs citons aussi le Weingut Kreusberg et le Weingut Deutzerhof.

main-d'œuvre, ou parce que la viticulture sur ces coteaux escarpés n'est plus rentable. Malgré le réencépagement de nombreux vignobles, plus de la moitié des vignes de Riesling de la région ont au moins 25 ans. En dépit de l'état préoccupant de la viticulture dans cette ravissante gorge rhénane, tant admirée autrefois par les poètes et les peintres, la situation n'est pas désespérée et tous les espoirs sont permis. La qualité des meilleurs vins de cette région de moyenne Rhénanie commence à être reconnue de par le monde. Et, même à Coblence, « am Rhein und an der Mosel », les vins de moyenne Rhénanie ont plus de caractère que ceux de basse Moselle, région pourtant contiguë.

VILLAGES ET PRODUCTEURS

MOYENNE RHÉNANIE

Le nord de la moyenne Rhénanie (Mittelrhein) est traversé par une coulée volcanique qui provient des monts Eifel. Le reste de la région présente surtout des sols schisteux. Le Rhin et son fort volume d'eau tempère le climat favorisant les printemps précoces et les automnes doux. Malgré la bonne résistance du Riesling à la sécheresse, les pluies abondantes de juin à août sont toujours bienvenues, car les sols sont si peu profonds et le vignoble si escarpé que les eaux s'écoulent trop vite en aval de la vallée. En revanche, le gel d'hiver ou de printemps fait peu de dégâts.

BACHARACH
Ce village situé sur les rives du fleuve a prêté son nom au Bereich qui rassemble les vignobles du sud de la région ainsi que ceux de la rive ouest du Rhin. Six embouteilleurs des domaines du Mittelrhein, tous établis à Bacharach, adhèrent au prestigieux VDP (voir p. 662), et notamment le Weingut Toni Jost, le Weingut Walter Perll et le Weingut J. Ratzenberger. Les vallées profondes, modelées par quatre affluents du Rhin, produisent quelques-uns des meilleurs vins mousseux allemands, car le Riesling de ces vignobles apporte l'acidité nécessaire aux vins de base recherchés par les élaborateurs de Sekt de Coblence. Les membres du VDP ont démontré que cette acidité, nécessaire aux vins mousseux, constituait l'épine dorsale de leurs meilleurs vins tranquilles.

BOPPARD
Le vignoble de Hamm à Boppard a la réputation de produire de bons Rieslings. On peut retenir le nom de Perll, commun à deux domaines.

DE COBLENCE À KÖNIGSWINTER
Au nord de Coblence, sur la rive est du fleuve, se trouvent Leutesdorf et Hammerstein, deux villages réputés pour la qualité de leurs vins. Königswinter possède quelques vignobles sur les Siebengebirge, dont l'*Einzellage* de Drachenfels.

MÜHLENTAL ET LAHNTAL
La vallée de Mühlental, près de la forteresse d'Ehrenbreitstein à Coblence, mérite d'être mieux connue, car elle représente l'image modèle d'un vignoble allemand escarpé, complanté d'une variété de cépages. Aujourd'hui, sept producteurs seulement ont survécu. Ils produisent surtout des vins blancs.

AUTRES PRODUCTEURS
Parmi les bons producteurs citons le Weingut Lanius-Knab à Oberwesel et le Weingut Weingart à Spay.

MOSELLE-SARRE-RUWER

Carte page XXVI

La région viticole de Moselle-Sarre-Ruwer est l'une des plus spectaculaires d'Allemagne. Ses vignes (12 980 ha) suivent fidèlement le cours des trois rivières éponymes de la région et serpentent, sur leur trace, depuis Coblence jusqu'à la frontière française. Plus d'un quart d'entre elles se situent sur les coteaux vertigineux qui surplombent le fleuve. Parallèlement, un nouveau vignoble de superficie comparable a été créé, dans les années 1960 : des vignes de haut rendement ont été plantées sur un terrain plat, dans un sol qui aurait sans doute mieux convenu à des vergers ou même à des pommes de terre. Quoi qu'il en soit, c'est l'afflux de vins bon marché en provenance de ces vignobles qui explique en partie le prix dérisoire des vins de la région aujourd'hui, alors que, au siècle dernier, un bon vin de Moselle, issu des coteaux très escarpés, coûtait plus cher qu'un Premier Cru du Médoc.

Le style des vins de Moselle

C'est un cépage Riesling qui constitue les vignobles de Moselle, donnant un vin blanc sublime et des plus subtils. Les facteurs qui déterminent sa qualité sont examinés page 667, mais il ne faut pas pour autant oublier que la philosophie du producteur compte également. Les vendanges traditionnellement tardives et la fraîcheur des chais expliquent la présence de sucres non fermentés dans le vin en bouteilles. Quand elle est naturelle, elle équilibre de façon agréable l'acidité première du vin. Les meilleurs Rieslings sont appréciés jeunes, pour leur légèreté et leur fraîcheur, mais aussi pour leur faculté à se transformer, avec l'âge, en vins fascinants et complexes. Les années ensoleillées, les vins de qualité *Auslese* ou de qualité supérieure reflètent l'équilibre exquis entre le fruit et l'acidité propre au Riesling.

Les cépages classiques

Jusqu'au XVIIe siècle, la région était plantée en majorité avec le cépage Elbling, qui ne se trouve plus, actuellement, qu'en haute Moselle et parfois en basse Moselle. Le Riesling a pris place sur plus de la moitié des superficies et constitue l'unique cépage dans les sites les plus favorables. Les autres cépages sont le Müller-Thurgau et le Kerner, dont le rendement dépasse de 20 % celui du Riesling. Le cépage Optima a été introduit dans les années 1970, pour renforcer les vins légers ou pour accéder éventuellement de lui-même au rang d'*Auslese*. C'est un hybride de vignes européennes, qui produit des moûts chargés en sucre mais sans

LES FACTEURS DE QUALITÉ

La fraîcheur du climat de la région viticole de Moselle-Sarre-Ruwer explique que le choix du site, le cépage et les conditions climatiques du millésime sont, autant que les rendements, des facteurs de qualité déterminants.

CÉPAGES

Cépage classique de Moselle, le Riesling possède un excellent potentiel de qualité, mais à condition d'être planté sur un site très ensoleillé, car il mûrit lentement. Les autres cépages n'atteignent pas le même niveau de qualité.

SITES ET MICROCLIMATS

Le Riesling ne mûrit bien que s'il est planté sur un site en pente, bien exposé, qui lui assure un ensoleillement maximal et une chaleur suffisante d'avril à octobre ; à une altitude moyenne et à l'abri des vents froids, il doit également bénéficier d'un taux d'humidité convenable. Un classement officiel distingue les vignobles en pente raide (dénivellation supérieure à 20 %), les coteaux (de 5 à 20 %) et les vignobles en terrain plat. Une vigne plantée sur une forte pente et exposée plein sud va jouir d'un meilleur ensoleillement qu'une autre, plantée à mi-coteau ou dans la plaine. Située à trop haute altitude, elle manquera de chaleur ; mais, au pied d'un coteau, elle risquera de souffrir du gel. Les meilleurs terroirs ont des sols schisteux, car ils favorisent le mûrissement en restituant, la nuit, la chaleur emmagasinée le jour.

MILLÉSIMES

Une gelée au printemps ou des pluies en été peuvent empêcher le bon développement des raisins. Mais c'est l'ensoleillement d'août à octobre qui détermine le caractère du millésime. Les années froides, les vins ne dépasseront pas le niveau QbA ; avec un été normal, les vignobles les mieux situés arrivent à produire des QmP, alors qu'un bon ensoleillement en septembre et octobre les conduit au moins aux *Auslesen*. Ces années, trop rares, le Riesling donne de grands vins.

RENDEMENTS

Le progrès des techniques de viticulture a permis d'augmenter nettement les rendements, dont la moyenne a atteint, en 1982, 173 hl/ha. Un tel niveau a pour corollaire des vins d'une teneur en acidité anormalement basse, et d'une dilution qui ne permet aucune expression du terroir. La législation ne fixant aucune limite, certains domaines ont pris l'initiative de réduire leur production par la taille ou l'éclaircissage, afin d'obtenir des vins de meilleure qualité.

réelle distinction. Actuellement, la région revient aux vins de qualité qui ont fait sa réputation, c'est-à-dire au Riesling. Alors que le Müller-Thurgau a été largement planté dans les vignobles de deuxième catégorie et donne des vins corrects, dans l'esprit de la région, les meilleurs domaines sont restés insensibles au charme commercial des hybrides plus récents, incapables de donner à leurs vins le caractère régional.

Depuis peu, les cépages rouges, en particulier le Spätburgunder, reviennent timidement.

Les districts de la Moselle

La Moselle se divise en quatre différents districts : basse Moselle, moyenne Moselle, haute Moselle et Sarre-Ruwer. Chaque *Bereich,* ou district de production, possède son caractère propre et son style de vin. La

VILLAGES ET PRODUCTEURS

Les meilleurs vignobles de Moselle se trouvent surtout dans les régions de basse Moselle et de moyenne Moselle. Les vins de chacune de ces régions sont décrits ci-dessous, en remontant le fleuve du nord-est vers le sud-ouest.

BASSE MOSELLE

La basse Moselle se trouve dans le *Bereich* de Zell et se divise en six *Großlagen.* Elle réunit deux atouts pour obtenir des vins mûrs de bonne tenue : un sol schisteux et des coteaux escarpés. Le Riesling est le principal cépage.
Ces vins de Moselle présentent quelques points communs avec ceux de moyenne Rhénanie. Charpentés, ils développent un agréable goût de terroir sans toutefois rivaliser en finesse et en délicatesse avec les meilleurs vins du *Bereich* de Bernkastel.
Leur structure fait d'eux de bons vins secs (trocken), non dépourvus d'une certaine douceur. En effet, la législation allemande autorise une faible quantité de sucres résiduels, même dans les vins « secs ».

WINNINGEN ET KOBERN-GONDORF
Winningen est l'un des plus grands villages viticoles de Moselle. Il partage, avec son voisin Kobern, le beau vignoble en terrasses Winninger Uhlen.
La réputation récente de domaines privés – Richard Richter, von Schleinitz, von Heddesdorff et Heymann-Löwenstein, par exemple – s'est faite sur leurs Rieslings de caractère.
Heymann-Löwenstein, d'esprit très indépendant, ne produit que des vins QbA, dont la grande qualité peut justifier le prix.
Depuis quinze ans, l'association Deutsches Eck de Kobern-Gondorf œuvre efficacement en faveur de la qualité. Ses vins, tous des Rieslings, affichent des teneurs en sucres élevées et proviennent de vignobles très pentus, dont le rendement ne dépasse pas 80 hl/ha. Le président, Franz Dötsch, s'est fixé pour objectif de baisser encore ces rendements afin de ne pas dépasser 50 hl/ha.

COCHEM ET POMMERN
Cochem se trouve au centre de la *Großlage* Rosenhang. Weingut Reinhold Fuchs de Pommern se spécialise dans les vins secs – 90 % de sa production – mis en bouteilles à la propriété.

ZELL
À l'extrémité du *Bereich,* en amont du fleuve, se trouvent le bourg de Zell et

basse Moselle (Bereich Zell) est décrite, depuis longtemps, comme le parent pauvre de la moyenne Moselle. Et, pourtant, beaucoup de ses vignobles sont bien situés et capables de produire de bons vins. Le *Bereich* de moyenne Moselle s'appelle officiellement Bernkastel, comme la métropole de la région. Les vignobles apparaissent aux détours du fleuve, sur des coteaux raides, certains parfaitement exposés, d'autres moins bien. Vingt-cinq autres villages, dont certains sont célèbres depuis des siècles, comme Piesport, Wehlen, Graach, bordent le fleuve en amont et en aval ; ils produisent des vins qui atteignent le fabuleux niveau de *Trockenbeerenauslese,* et les grands millésimes se gardent des décennies.

Les meilleurs vins, les plus délicats et les plus stylés, proviennent des vignobles plantés au confluent de la Sarre et de la Ruwer.

VILLAGES ET PRODUCTEURS

les villages de Merl, Bremm et Bullay. La superficie de Zeller Schwarze Katz, seule *Großlage* dans le *Bereich* dont le vin soit connu à l'étranger, est passée de 10 à 410 ha. Zeller Schwarze Katz est un nom connu qui n'est pas toujours à la hauteur de sa réputation. D'ailleurs, Albert Kallfelz de Merl, à la limite de la *Großlage,* préfère mettre son propre nom en avant plutôt que celui des vignobles.

Le Grosser Ring

Les 27 membres du Großer Ring (littéralement « grande couronne »), section locale du VDP, représentent principalement les domaines de Sarre-Ruwer et ceux du secteur de la Moselle entre Erden et Trittenheim. Chaque automne depuis sa création (en 1908), le Großer Ring organise le grand événement viticole de la région : une vente aux enchères. Les prix atteints peuvent être très élevés, mais ils n'ont pas, sur le marché, les répercussions de ceux des Hospices de Beaune. Les membres du Großer Ring, propriétaires des vignobles les mieux situés, produisent sans doute les Rieslings les plus prestigieux de la région, et leurs efforts de promotion profitent à tous les bons vins de Moselle-Sarre-Ruwer.

MOYENNE MOSELLE

Ses paysages rappellent, en moins spectaculaire, ceux situés en aval.

Les meilleurs vignobles, sur les coteaux abrupts, sont morcelés par des vallées latérales.

Les étiquettes des domaines privés mettent rarement en évidence les noms des neuf *Großlagen,* sauf celle de Badstube, un petit vignoble de Bernkastel jouxtant le célèbre Doktor, car les domaines importants possèdent presque tous des vignes dans plusieurs villages. On révère plus ici les *Einzellagen* que dans les autres districts de moindre renommée. L'amateur de vin apprend donc à chercher l'étiquette qui associe le nom d'un domaine réputé à celui d'un des vignobles individuels connus.

Le charme des vins de moyenne Moselle réside dans le juste équilibre entre bouquet et saveur. Pour décrire la structure délicate de leurs vins issus du Riesling, les gens du pays emploient le mot Filigran (« complexe »).

DE BRIEDEL À KRÖV

Les vignobles du Bereich de Bernkastel commencent au village de Briedel et longent les méandres de la Moselle jusqu'à Erden, →

VILLAGES ET PRODUCTEURS

traversant Traben-Trarbach et Kröv. Les domaines de la région ne jouissent pas d'une grande réputation, car leurs vins, agréables, fruités et vifs, n'atteignent jamais des sommets de qualité.

DE ERDEN À GRAACH

Les importants vignobles de moyenne Moselle commencent à Ürzig, où la grande rivière fait un coude. Le village de Erden fait face à ses vignes, qui s'étendent sur la rive nord, bien exposées au soleil; ses vignobles, Prälat et Treppchen, ont bonne réputation. À Ürzig, le Würzgarten donne des vins aux notes épicées. Parmi les meilleurs domaines, on trouve Bischöfliche Weingüter, Weingut Ökonomierat Dr. Loosen, Weingut Mönchhof-Robert Eymael, Weingut Dr. Pauly-Bergweiler, Weingut Willi Schaefer, Weingut Erden à Wehlen et Weingut Markus Molitor à Bernkastel-Wehlen. Viennent ensuite des vignobles superbes, exposés au sud-ouest, à Zeltingen, Wehlen et Graach. Les plus prestigieux s'appellent Wehlener Sonnenuhr, Graacher Domprobst et Graacher Himmelreich. À retenir, les noms des producteurs J. J. Prüm, S. A. Prüm et Max-Ferdinand Richter.

BERNKASTEL

La gloire de Bernkastel est le vignoble « Doktor », qui domine, de son coteau abrupt, les toits du village, et, dans les meilleurs millésimes, donne l'un des meilleurs vins du monde : intense, doux, d'une grande longévité, sa réputation (et son prix) atteint celle d'un Château d'Yquem. Le vignoble appartient aux Domaines Wegeler-Deinhard, Dr. Thanisch, Lauerburg et Reichsgraf von Kesselstatt. De très bons vins proviennent également des vignobles Graben et Alte Badstube am Doctorberg tandis que la *Großlage* Kurfürstlay, vaste vignoble en amont de Bernkastel, fournit des vins de qualité moindre.

DE BERNKASTEL À PIESPORT

Avant d'atteindre Wintrich puis Piesport, la rivière contourne quelques villages peu réputés et d'autres que la qualité de leurs vins a rendus plus célèbres : Brauneberg, et son vignoble Juffer, Kesten et le Paulinshofberg.
Ce village a donné son nom à Piesporter Michelsberg, une *Großlage* exposée au nord, s'étendant en terrain plat, sur l'autre rive. Piesport a ainsi perdu un peu de sa renommée, même s'il peut encore se prévaloir de vignobles de grande classe, en particulier le grand Goldtröpfchen. Parmi les meilleurs producteurs, citons les Domaines de Trèves, von Kesselstatt, Bischöfliche Weingüter et Vereinigte Hospitien ainsi que Weingut Bernkastel, Weingut Reinhold Haart à Piesport, Weingut Fritz Haag à Brauneberg et Weingut Schloss Lieser à Lieser.

DE NEUMAGEN À LONGUICH

La moyenne Moselle s'achève aux villages de Neumagen (dont le meilleur vignoble s'appelle Rosengärtchen), Trittenheim (le vignoble Apotheke) et Klüsserath (le Bruderschaft) ainsi qu'au Domaine Friedrich-Wilhelm-Gymnasium, propriété d'une œuvre caritative.
Ce domaine, situé à Trèves, regroupe 21 parcelles disséminées. Les vins de chaque parcelle sont vinifiés séparément, puis élevés en barriques de chêne. Ils sont ensuite classés en vertu de leur classement officiel potentiel, de leurs sucres résiduels, et de leur cépage – le Riesling reste présent pour 90 %. Cette division parcellaire conduit à la production de 107 vins de millésimes différents, auxquels s'ajoutent deux Sekt. C'est un merveilleux domaine auquel, peu à peu, se sont ajoutées de nouvelles parcelles.
Il mérite sa grande renommée par l'authenticité et le caractère hors du commun de ses vins.

MOSELLAND

Moselland, cave coopérative régionale située à Bernkastel, traite 21 % des raisins de la région. Un tiers des 36 millions de bouteilles produites chaque année est vendu en vrac aux grands négociants ; 38 % sont exportés en Angleterre, où le marché semble prometteur pour les blancs demi-secs. Les dirigeants, estimant que la période de croissance rapide a pris fin, donnent maintenant la priorité à la qualité. Cette politique a entraîné la création d'une gamme de vins supérieurs pour les supermarchés et les magasins d'alimentation allemands ainsi que d'une gamme distincte, destinée aux cavistes. Cette importante cave coopérative contribue en outre au succès des Rieslings Sekt, fermentés en bouteilles.

SARRE-RUWER

La ville de Trèves rompt la succession des vignobles, et deux rivières confluentes de la Moselle, la Sarre et la Ruwer, dotent la région de ses meilleurs vignobles. La moitié des membres du VDP régional possèdent des vignobles dans le *Bereich* Sarre-Ruwer, district regroupant les deux vallées. Le Riesling couvre 70 % des surfaces en exploitation et, comme toujours, les terrains très en pente constituent les meilleurs sites. Le district n'est connu à l'étranger que pour ses grands vins.

RUWER

Ce sous-district s'est fait connaître grâce à deux prestigieux domaines, Karthäuserhof et von Schubert, et leurs Rieslings, délicats mais de longue garde. La Ruwer produit, en toutes petites quantités, des vins qui figurent parmi les meilleurs d'Allemagne.

SARRE

Les vignobles de la Sarre, en amont de la Moselle, produisent des Rieslings fermes, pleins de caractère et d'élégance.
Comme en Moselle, les sols regorgent de schiste, mais d'une nature plus friable. Dans les dégustations à l'aveugle, les vins de la Sarre se distinguent par leur bouquet particulièrement intense, chargé de ces notes minérales de schiste que le cépage Riesling sait mettre en valeur.
Les meilleurs domaines sont Schloss Saarstein, Weingut Bert Simon, Egon Müller-Scharzhof (le plus cher de tous), Weingut Reverchon et Weingut von Hövel, sans oublier les propriétés des œuvres caritatives de Trèves (voir plus haut Bernkastel) ainsi que Weingut Le Gallais à Wiltingen, Weingut Forstmeister à Geltz et Weingut Zilliken à Saarburg.

HAUTE MOSELLE

Les vins produits en aval de Trèves ne peuvent se comparer aux meilleurs vins de Bernkastel ou de Sarre-Ruwer. Rares sont les QmP, ce qui n'empêche pas une poignée de domaines de produire des *Trockenbeerenauslesen*.
La majorité des raisins est livrée chaque année à la coopérative centrale du Moselland à Bernkastel (voir encadré ci-dessus). Le calcaire coquillier remplace ici le schiste de moyenne Moselle. Aujourd'hui, le Weisser Elbling, un cépage prolifique d'origine inconnue, occupe 87 % de ce vignoble de 1165 ha. Dans cette région, il est souvent assemblé avec des vins légers issus du Sylvaner. Quelques producteurs ont opté pour une baisse des rendements et produisent des vins légèrement pétillants, d'une agréable fraîcheur.
À Remich, sur l'autre rive de la Moselle, le Domaine Schloss Thorn élabore un rosé à partir du cépage Roter Elbling.
Il commercialise également un Riesling et un rosé issu de Schwarzriesling (Pinot Meunier). Le Bereich Obermosel cultive, en petites quantités, les cépages Ruländer, Müller-Thurgau, Weissburgunder et de l'Auxerrois (de la famille des Pinots).

RHEINGAU

Carte page XXVI

Les producteurs du Rheingau qui assurent eux-mêmes la mise en bouteilles bénéficient, pour la commercialisation de leurs vins, de l'excellente réputation de cette région prestigieuse. Plus chers qu'ailleurs, les prix sont souvent justifiés par la qualité des vins : ceux-ci figurent parmi les plus grands blancs allemands. Le Riesling s'y est parfaitement adapté. Élégants dans leur jeunesse, les vins du Rheingau acquièrent, en vieillissant, de la complexité et un superbe équilibre.

Jusque dans les années 1980, les grands domaines appartenaient surtout à l'aristocratie – Schloss Johannisberg, Schloss Groenesteyn – ou à l'État fédéral de Hesse et assuraient, presque à eux seuls, la réputation des vins de la région. Plus récemment, des producteurs moins importants ont commencé à élaborer des vins d'une qualité admirable. Comme il est fréquent dans les plus anciens vignobles de la vieille Europe, la viticulture est un métier à temps partiel pour la grande majorité des producteurs.

Les vignes du Rheingau poussent principalement sur les coteaux inférieurs des monts Taunus. À l'est, une *Großlage* de 356 ha, Hochheimer Daubhaus (près de la ville de Hochheim), longe le Main et se trouve séparée du vignoble principal par les faubourgs de Wiesbaden. À l'ouest, les vignobles escarpés d'Assmannshausen et de Lorchhausen ressemblent beaucoup à ceux de moyenne Rhénanie.

La tradition du Riesling

Environ 60 % des vins du Rheingau sont classés en QbA, et 10 % de la récolte est élaborée en Sekt (voir p. 706). Le Riesling QbA représente bien le style régional, mais n'est pas toujours rentable à produire. Les QmP en général, et les *Spätlesen* en particulier, sont des catégories de vins qui permettent de meilleures marges bénéficiaires pour les domaines traditionnels privilégiant le Riesling.

Dans la région, les années où les rendements restent raisonnables, le Riesling restitue bien son goût de terroir, ce qui justifie l'utilisation du nom d'*Einzellage*. Ce goût est encore plus prononcé dans les vins les plus secs. Les bons Rieslings du Rheingau ont un caractère racé. Plutôt discrets dans leur jeunesse, ils évoluent lentement puis, tout comme les grands Bordeaux, présentent, avec l'âge, une certaine austérité que l'on ne trouve jamais dans les vins de régions plus chaudes. Dans les meilleurs millésimes, le Riesling du Rheingau compte parmi les plus grands vins du monde.

LES FACTEURS DE QUALITÉ

Le vignoble principal du Rheingau s'étire sur des coteaux en pente douce et exposés au sud, délimités par des forêts au nord et par le Rhin au sud. Cette orientation vers le sud constitue un facteur important de qualité. Le cépage Riesling est particulièrement bien adapté aux différents terroirs et microclimats de cette région, où il reste le cépage prédominant.

En quelques années, une sélection clonale a permis d'identifier des clones de Riesling qui ont l'avantage de produire des raisins avec de forts rendements.

CLIMAT

La région du Rheingau est protégée de la froideur des vents du nord par les monts Taunus et profite des effets calorifiques de la masse des eaux du Rhin. Ces conditions conjuguées créent des microclimats favorables à la viticulture. La pluviosité est faible et l'ensoleillement est suffisant. Mais l'exposition des parcelles crée des différences de maturité, les sites les plus protégés bénéficiant du meilleur échauffement et d'une bonne propension à conserver cette chaleur.

SITES ET SOLS

Les vignobles du Rheingau sont tous situés à moins de 5 km du Rhin ou du Main. Les parcelles en lisière de la forêt, sur la partie la plus haute des coteaux, jouissent d'un microclimat moins favorable du fait de leur altitude et de leur éloignement du Rhin. Mais, les années où les raisins arrivent à maturité avant le début officiel des vendanges, la qualité peut être supérieure dans ces vignobles (Rauenthal, Kiedrich ou Schloss Vollrads), car les raisins y mûrissent plus lentement. La date officielle de début des vendanges est fixée pour toute la région sans tenir compte des variations dues aux microclimats.

À Hochheim, à l'est, le sol est composé d'argile, de sable et de gravier, alors qu'à Lorch, à l'ouest, le schiste et le grès dominent. Mais, pour la qualité, le terroir importe moins ici que le microclimat.

SÉLECTION ET TENEUR EN SUCRES

La production de vins liquoreux à partir de raisins atteints de pourriture noble (ou *Botrytis cinerea)* a commencé aux environs de 1820. La tendance actuelle privilégie le Riesling Spätlese, au goût très franc, à partir de raisins exempts de *botrytis.* Les raisins destinés aux *Spätlesen* peuvent, eux, être cueillis, légalement, sept jours après le début officiel des vendanges; ceux destinés aux *Auslesen* peuvent être récoltés à tout moment.

L'ASSOCIATION CHARTA

Une cinquantaine de producteurs du Rheingau, dont une coopérative, font partie de cette association Charta, créée en 1984. Un jury officiel déguste les Rieslings avant et après la mise en bouteilles, afin de contrôler les normes de teneur en sucres et d'acidité. Ces derniers ne peuvent être expédiés pendant les 18 mois qui suivent la vendange. Techniquement, ce sont des vins demi-secs, bien que leur dégustation ne permette pas de déceler facilement la présence de sucres résiduels. Ils évitent également tout excès d'acidité pour rechercher tout simplement un bon équilibre. Les vins des membres de l'association Charta ont adopté la bouteille allemande en forme de flûte, marquée d'une double arche romaine et de l'inscription Rheingau Riesling. Ces vins sont destinés surtout à la restauration allemande et aux magasins de détail. Les producteurs du Rheingau s'intéressent beaucoup aux accords des mets et des vins, ce qui n'a pas manqué d'influencer le style de leurs vins.

Comprendre les noms des vins du Rheingau

Dans le Rheingau, comme ailleurs, le nom du vignoble individuel a perdu de son importance ces dernières années. La commercialisation de vins bon marché sous le nom générique de la *Großlage* y a sans doute contribué. De plus en plus, les producteurs du Rheingau mettent surtout en avant le nom du domaine. Certains ont élaboré des cuvées spéciales, tel le Geheimrat «J», de Wegeler-Deinhard. Cependant, malgré ces initiatives privées et le modeste succès du concept Charta, pourtant excellent dans son principe (voir encadré cidessus), la plupart des producteurs comptent également sur le nom du vignoble d'origine pour convaincre les acheteurs.

Le système de dénomination utilisé dans le Rheingau est d'une grande confusion. Par exemple, Johannisberger Erntebringer désigne une *Großlage* de 320 ha, mais Johannisberg est également le nom d'un village où se trouvent 9 *Einzellagen* (vignobles individuels tel le Johannisberger Hölle), tandis que le *Bereich*, ou district, de Johannisberg couvre toute la région du Rheingau.

Pour compliquer encore cette situation de noms difficiles à saisir, et toujours dans la famille des Johannisberg, citons le Schloss Johannisberg, le plus impressionnant des domaines du Rheingau.

Les anciennes lois régissant la succession ont conduit à une fragmentation croissante des propriétés, si bien qu'on peut trouver, dans un même endroit du Rheingau, autant de parcelles et autant de propriétaires que dans un vignoble bourguignon. Cette dispersion a été réduite, en certains endroits, par un remembrement, en liaison avec la *Flurbereinigung*, un programme officiel pour la reconstruction et la modernisation du vignoble.

VILLAGES ET PRODUCTEURS

La description du Rheingau, ci-dessous, se déroule d'ouest en est. Les vins de qualité de l'ensemble de la région peuvent utiliser le nom du Bereich de Johannisberg. Les grands domaines jouent ici un rôle important. Ils figurent sous le nom du village où se tient leur siège social, même si, presque tous, ils possèdent des vignes dans plusieurs villages.

DE LORCHHAUSEN À ASSMANNSHAUSEN

Les vignobles du Rheingau changent d'orientation en amont de Assmannshausen et suivent les gorges du Rhin sur la rive droite, jusqu'à Lorch et Lorchhausen, presque en face de Bacharach. Dans cette partie occidentale du Rheingau, les *Kabinettweine* offrent un bon compromis commercial entre quantité et qualité. Les vignobles sont plantés dans la proportion de 70 % en Riesling, complété par le Spätburgunder. Weingut Graf von Kanitz est le meilleur domaine de Lorch.

Assmannshausen est connu pour ses vins rouges issus du cépage Spätburgunder. Ce dernier n'est planté dans la région que depuis 1740 et a mis moins de 20 ans pour asseoir sa réputation. Les témoins de cette époque ont noté que le Spätburgunder présentait deux avantages : il arrive à maturité 14 jours avant le Riesling et produit toujours une bonne récolte, même les mauvaises années.

À l'époque, on qualifiait de « mauvais millésime » les années de Vendanges tardives où le producteur attendait désespérément que ses raisins soient bons à récolter. Ce n'est que beaucoup plus tard qu'on a appris à gérer un millésime de Spätlese.

Les meilleurs vignobles d'Assmannshausen sont éparpillés sur les 55 ha du site inégal de Höllenberg. L'Assmannshauser Frankenthal, planté en parts égales de Riesling et de Spätburgunder, jouxte le Rüdesheimer Berg, l'un des plus prestigieux vignobles du Rheingau. Parmi les grands noms, citons Domäne Assmannshausen der Hessischen Staatsweingüter, Weingut Robert König, Weingut Krone et Weingut Lorch.

RÜDESHEIM

Ce village siège au pied du Rüdesheimer Berg, célèbre pour ses coteaux recouverts de vignes dont la pente devient plus raide à l'approche du sommet. Les vins des parcelles les plus abruptes, comme l'*Einzellage* Berg Schlossberg, se distinguent, lors des dégustations de Rieslings du Rheingau, par une saveur particulière rappelant le sol de schiste. Les propriétaires les plus connus de la région sont (Staatsweingut Rüdesheim), Dr. Heinrich Nägler et Bernhard Breuer, un des fondateurs du groupe Charta (voir p. 674). Bernhard Breuer est, avec Georg Breuer (Rüdesheim), l'un des porte-parole du comité Erstes Gewächs, un mouvement plus récent et aujourd'hui plus important que la Charta. D'autres domaines réputés du Rheingau possèdent des parcelles de vigne à Rüdesheim : August Eser et Wegeler-Deinhard d'Oestrich, Balthasar Ress et Schloss Schönborn de Hattenheim, ainsi que le domaine du Prinz von Hessen de Geisenheim et le Weingut Josef Leitz. →

VILLAGES ET PRODUCTEURS

JOHANNISBERG ET GEISENHEIM

Le village de Johannisberg possède neuf vignobles individuels. Son nom a été choisi pour figurer sur les étiquettes des vins génériques de l'ensemble de la région, mais le plus connu de ses domaines reste l'imposant Schloss Johannisberg.

Situé sur un plateau, entouré de 35 ha de Riesling, ce château est visible de loin. Il possède un beau cellier ainsi qu'une collection de vins des grands millésimes, remontant à 1842 et même au-delà. Les vins du Schloss sont fermes, charpentés et portent une étiquette charmante dans le style du XIXe siècle.

Les différentes catégories de QmP se reconnaissent à des capsules de couleurs différentes, perpétuant ainsi une tradition commencée au milieu du XIXe siècle avec des sceaux de cire. Tout comme d'autres domaines, Schloss Johannisberg a son propre Gutsschänke, ou bar à vins, pratique qui se répand dans la région depuis les années 1970.

Plus près du Rhin que Johannisberg, Geisenheim est connu dans les cercles vinicoles du monde entier pour la Hessische Forschungsanstalt für Wein, Obst, und Gartenbau – l'Institut de recherches viticoles, fruitières et horticoles –, qui se consacre aussi bien à la formation qu'à la recherche. Son résultat le plus frappant, dans le domaine de la viticulture, est la sélection de clones à partir d'une population de vieilles vignes. L'institut possède un domaine de 20 ha dans les Einzellagen bien connues Geisenheimer Rothenberg et Kläuserweg. Les vins de Geisenheim possèdent quelquefois un agréable goût de terroir. Parmi les producteurs les plus importants, citons le Weingut Freiherr von Zwierlein à Geisenheim.

WINKEL ET OESTRICH

Contrairement aux Rieslings de Geisenheim, ceux de Winkel ont de la distinction sans toutefois posséder un goût et un arôme aussi marqués. Les plus célèbres, d'un style à la fois très fruité et d'une acidité soutenue, proviennent des vignes les plus élevées du Schloss Vollrads, membre éminent du groupe Charta, dont le vignoble, détenu par une banque, est vieux de 800 ans.

Même si les Rieslings du village voisin, Oestrich, sont très bons, ils n'atteignent pas le raffinement des meilleurs vins du vignoble Winkeler Hasensprung. D'autres grands vins d'Oestrich sont produits par le Weingut Peter Jakob Kühn et le Weingut Querbach.

HATTENHEIM

Caché dans les forêts au-dessus de Hattenheim, Kloster Eberbach prête son ambiance prestigieuse aux activités promotionnelles de la région, ventes de vins aux enchères, dégustations, concerts et séminaires. Depuis le XVIIIe siècle, son vignoble le plus connu, le Steinberg (31 ha), est entouré de murs de l'époque cistercienne, comme le Clos de Vougeot, son homologue en Bourgogne. Mais, contrairement à celui-ci, Kloster Eberbach appartient à un seul propriétaire, l'État de Hesse (Staatsweingut). Son vin, charpenté et concentré, est doté d'un fort caractère.

Le Steinberger Riesling Edelbeerenauslese 1959, dégusté trente ans après le millésime, a révélé beaucoup de vivacité et de style, sans faire preuve de la lourdeur pourtant caractéristique de ce millésime unique et chaud. Schloss Schönborn, Schloss Reinhartshausen et Langwerth von Simmern ainsi que le Weingut Hans Lang sont quelques-uns des producteurs de Hattenheim.

ERBACH

Peu d'œnophiles contesteraient à Erbacher Marcobrunn sa place dans le peloton de tête des bons vignobles, très nombreux dans la région. Ses 5 ha de vignes, coupés par une

ligne de chemin de fer (ce qui ne serait plus autorisé aujourd'hui) profitent d'une source d'eau souterraine. Ses vins se démarquent dans les millésimes moyens ou les années d'extrême sécheresse ; les grandes années, ils subissent la concurrence intense de toute la région. Si l'on cherche des comparaisons avec des herbes, des fruits et des légumes pour exprimer leur complexité, l'expression « bouquet garni » paraît leur convenir. Mélangeant arômes de végétaux et de fruits, ce vin robuste exige, pour atteindre son apogée, d'être gardé plus longtemps en bouteilles que d'autres crus.

Parmi les domaines d'Erbacher Marcobrunn, les plus vastes se trouvent les chefs de file de l'Einzellage : Schloss Schönborn, von Simmern, l'État de Hesse rhénane (Staatsweingut), Schloss Reinhartshausen ou encore Weingut Jakob Jung et Weingut Freiherr zu Knyphausen.

Sur une île protégée du gel, fréquentée selon les époques de l'année par des cormorans, des hérons, des martins-pêcheurs, des canards sauvages, des sangliers sauvages nageurs et habitée par des ouvriers viticoles, le Schloss Reinhartshausen a planté son vignoble dans le respect de l'environnement. Guidée par le souci d'équilibre naturel, la viticulture écologique s'installe lentement. La pourriture induite par l'humidité du Rhin a jusqu'à présent eu raison des efforts entrepris pour cultiver le Spätburgunder dans le vignoble Erbacher Rheinhell (16 ha). Si ce cépage ne s'adapte pas dans un proche avenir, il ne sera pas maintenu.

En revanche, les résultats des cépages Weissburgunder et Chardonnay sont jugés satisfaisants.

LES VINS ROUGES DU RHEINGAU

Le Spätburgunder (Pinot Noir) produit à Assmannshausen un vin rouge très apprécié des Allemands.

Domäne Assmannshausen, propriété de l'État de Hesse rhénane, fait un Spätburgunder léger, qui contient souvent un peu de sucres résiduels et reste difficile à apprécier pour les étrangers. Le domaine est connu également pour son Spätburgunder Eiswein.

Certains domaines ont adopté un style de vinification à la fois plus moderne et plus international, basé sur des fermentations plus longues en présence des peaux de raisin. La plupart des domaines du Rheingau pratiquent une fermentation malolactique pour la vinification en rouge, mais il n'existe pour l'instant aucun consensus sur l'élevage.

L'enthousiasme pour l'élevage en barriques neuves, en vogue dans les années 1980, s'est quelque peu calmé, mais il est réapparu ces dernières années. Le Weingut Robert Weil a ainsi une centaine de barriques.

La comparaison du chêne allemand de Hunsrück et Spessart avec celui des forêts de l'Allier, de Nevers et du Limousin alimente le débat.

RAUENTHAL ET KIEDRICH

Près des collines qui dominent le Rheingau, les villages de Rauenthal et Kiedrich produisent de grands vins dans les bons millésimes. Kiedrich est connu localement pour son église et son chœur.

Parmi les bons producteurs, citons le domaine Robert Weil, qui appartient à 90 % à la société japonaise Suntory d'Osaka.

ELTVILLE ET WALLUF

L'État de Hesse rhénane possède des domaines viticoles dans le Rheingau et la Hessische Bergstraße dont le siège se trouve à Eltville. Un peu en aval, le domaine J. B. Becker de Walluf produit un Spätburgunder charpenté de qualité exceptionnelle ainsi que des Rieslings ayant du style et une bonne concentration. →

VILLAGES ET PRODUCTEURS

HOCHHEIM
En Grande-Bretagne, on connaît le nom de Hochheim au moins depuis le XVIIe siècle, car le vignoble y a établi son meilleur marché étranger. Vers 1680, selon André Pourtant, le « Old Hock » que l'on consommait dans les tavernes londoniennes aux XVIIe et XVIIIe siècles avait probablement peu de rapport avec le village de Hochheim. La législation allemande en vigueur définit le « Hock » comme un vin de table ou de qualité (mais pas QmP) des régions septentrionales du Rhin.
La situation orientale de Hochheim, dominant le Main plutôt que le Rhin, lui a conféré une certaine indépendance. En effet, il n'a pas toujours fait partie du Rheingau. Fort d'une longue tradition de vinification, il se vante d'avoir vendangé des Spätlesen au moins 160 ans avant Schloss Johannisberg et d'avoir planté le Riesling en cépage unique alors qu'ailleurs il était mélangé avec d'autres. Certaines parcelles des meilleures *Einzellagen* de Hochheim – Domdechaney, Kirchenstück et Hölle – appartiennent aux domaines du Rheingau central, notamment Schloss Schönborn et Weingut Franz Künstler (le plus célèbre aujourd'hui). La ville elle-même regroupe quelques domaines célèbres comme Aschrott (racheté par Künstler), Domdechant Werner, Weingut Königin Victoriaberg ainsi que l'État de Hesse (Staatsweingut), et la majorité des vignes (27 ha) appartenant à la ville de Francfort est également située à Hochheim. Les sols sont composés principalement de sable et de gravier, ce qui explique le goût des vins, proche de celui de Rüdesheim tout en étant différent. La structure des vins se rapproche, elle, de celle des vins du Rheingau, mais le goût et le bouquet évoquent les vins de Franconie – les deux régions ayant le Main en commun.

NAHE

Carte page XXVI

Sols, zones viticoles et climat

La majeure partie des 4 635 ha actuellement cultivés se situe près de la Nahe et de ses affluents, les plus petits étant le Guldenbach, l'Ellerbach, le Gräfenbach et le Gäulsbach, et les plus grands le Glan et l'Alsenz. L'eau et les vallées qu'elle a creusées sur son passage dans les collines environnantes expliquent la configuration des vignobles de la Nahe sur les meilleurs coteaux. Le sol de la région regorge de minéraux qui enrichissent le goût des Rieslings, mais, comme le font remarquer les vignerons de Langenlonsheim, la composition du sol varie tellement qu'elle n'est pas forcément identique au sein d'un même village.

Le vignoble se divise en deux *Bereiche*, (Schlossböckelheim et Kreuznach), mais on distingue, en fait, trois

sites différenciés par la nature de leur sol. De Bingerbrück, à la confluence de la Nahe et du Rhin, jusqu'à Langenlonsheim, on trouve du schiste et du quartz ; dans les environs de Bad Kreuznach, du schiste rouge décomposé, du lœss et des alluvions ; de Bad Kreuznach jusqu'à Monzingen, du porphyre et du grès coloré. Ce découpage correspond à peu près aux basse, moyenne et haute Nahe (Untere, Mittlere, Obere Nahe), distinctions utilisées par les gens de la région.

Le climat est sec, avec une pluviométrie de 500 mm annuels seulement. Les pluies sont abondantes en août, au moment de la maturation des baies, mais cessent généralement en automne, pendant la période des vendanges. Les quelques vignobles plantés sur des coteaux escarpés qui disposent d'un matériel adapté peuvent être arrosés. Comme dans toutes les régions viticoles du nord de l'Allemagne, l'influence du microclimat l'emporte sur celle du climat en général.

Cépages et styles de vin

La Nahe produit principalement des vins blancs et, bien que la part des vignes plantées en cépages rouges soit en augmentation, la récolte de raisins noirs produit surtout du rosé ou *Weissherbst*. Le Müller-Thurgau et le Riesling couvrent chacun un quart de la superficie totale, et le Sylvaner, autrefois cépage important de la Nahe, renaît lentement. Les domaines qui, comme Klören à Laubenheim, avaient planté du Bacchus dans un moment de folie cultivent maintenant le Weissburgunder, de plus en plus populaire sur ces sols lourds, inadéquats pour le Riesling. Le Weissburgunder prend aussi la place du Müller-Thurgau dans certaines parcelles du remarquable Domaine Dönnhoff à Oberhausen. Quelques domaines, comme Crusius à Traisen et Steitz dans la vallée d'Alsenz, continuent de cultiver plusieurs cépages sur une même parcelle, à titre de curiosité mais aussi pour perpétuer une tradition ancestrale. Steitz va plus loin et ne greffe pas les vignes de ces parcelles. Le Sylvaner et le Riesling dominent, mais on y trouve aussi du Gewürztraminer, du Gutedel, de l'Elbling et les cépages rouges Sankt Laurent et Portugieser. Un tel mélange de cépages, dont les raisins mûrissent à des périodes très différentes mais sont vendangés en même temps, confère un intérêt supplémentaire important aux vins de la Nahe.

Plus vigoureux que ceux de Moselle, les vins de la Nahe reflètent un climat plus chaud et plus sec ainsi que la diversité des sols. Le Riesling apporte ici sa délicatesse, soutenue par une acidité tranchante qui permet au vin de bien vieillir. La Nahe a contribué à la promotion des vins secs, qui représentent aujourd'hui 22 % de la production nationale des vins de qualité.

Vignobles et domaines

Sur les 1562 propriétaires de vignobles de la Nahe, la moitié vend tout ou partie de sa récolte en bouteilles. Il y a trente ans, les bons domaines de la Nahe se comptaient sur les doigts d'une main et se situaient tous entre Kreuznach et Schlossböckelheim. Aujourd'hui, il existe de bons vignerons aux environs de Langenlonsheim, Laubenheim, Dorsheim ainsi

VILLAGES ET PRODUCTEURS

La région de la Nahe se divise en deux *Bereiche,* Schlossböckelheim et Kreuznach. Les villages les plus connus pour la qualité de leurs vins sont décrits ci-dessous, ainsi que les *Großlagen* et les *Einzellagen* les plus fréquemment rencontrées et leurs principaux domaines. La quasi-totalité des vins sont des blancs.

SCHLOSSBOECKELHEIM

Ce *Bereich* couvre la moitié sud de la Nahe et doit son nom au village vinicole principal de la région. Attention à ne pas confondre le village et le *Bereich*.
Plusieurs des meilleurs vignobles de la Nahe se trouvent entre Bad Kreuznach et les villages de Niederhausen et de Schlossböckelheim. Burgweg est la *Großlage* de cette zone.

SCHLOSSBÖCKELHEIM ET NIEDERHAUSEN
Kupfergrube et Felsenberg sont les meilleurs vignobles de Schlossböckelheim; Kupfergrube est le plus renommé de la région. Il appartient depuis 1998 à la famille Erich Maurer; on apprécie surtout ses Rieslings, concentrés et de longue garde. Weingut Hans & Peter Crusius et Paul Anheuser possèdent également des terres dans le Schlossböckelheim.
La plus petite *Einzellage* du bord de la Nahe, Oberhäuser Brücke (1,1 ha), près de Niederhausen, appartient au domaine Dönnhoff de Oberhausen, qui est sûrement le meilleur vinificateur de Riesling en Allemagne aujourd'hui. Il y a quelques années, son nom a été amputé du mot «Brücke»; l'*Einzellage* a été rattachée à Hermannsberg puis à Hermannshöhle avant d'être transférée à la *Großlage* Burgweg, sans nom de vignoble individuel, pour, finalement, récupérer son «Brücke». C'est à Niederhausen que se trouvent les caves du domaine d'État (Staatliche Weinbaudomäne), autrefois propriété de la Prusse (ce qui explique l'aigle noir sur l'étiquette) et maintenant celle de l'État de Rhénanie-Palatinat. La formation fait partie intégrante de la tradition dans ce domaine modèle, dont de nombreux employés ou anciens employés ont leurs propres vignobles.
Neuf dixièmes des 40 ha s'étirent sur des pentes de plus de 30 % où domine le Riesling. Les vins sont frais, fruités et légers. Ceux de Niederhausen et de Schlossböckelheim peuvent avoir une élégance incroyable. En revanche, les vins de basse Nahe (Untere Nahe) et d'Altenbamberg sur l'Alsenz sont moins fins, avec un goût de terroir plus prononcé.

TRAISEN
Le vignoble le plus renommé de Traisen est Bastei (2 ha), situé juste au-dessous de la falaise Rotenfels (200 m) et planté exclusivement en Riesling. Son vin, le Bastei, possède énormément de caractère ainsi qu'un bouquet et des saveurs d'une incroyable intensité que lui procurent, de toute évidence, le microclimat et le sol. Rotenfels, d'une superficie plus importante, produit

que dans les vallées adjacentes de la Nahe. En revanche, les prix des vins vendus en vrac suivent ceux de la Hesse rhénane, qui sont parmi les plus bas d'Allemagne. Beaucoup de ces vins sont assemblés pour être commercialisés dans les supermarchés. Les meilleures sources de vins bon marché sont les caves coopératives de Bretzenheim, près de Bad Kreuznach, et de Meddersheim, dans la haute Nahe.

VILLAGES ET PRODUCTEURS

un Riesling presque aussi bon. Weingut Crusius possède des vignes dans les deux *Einzellagen,* le domaine d'État seulement à Bastei.

KREUZNACH

Ce *Bereich* tire son nom de la station thermale Bad Kreuznach. La ville, entourée de vignobles, appartient à la *Großlage* Kronenberg. Quelques *Einzellagen,* Kahlenberg et Steinberg, par exemple, sont reconnues pour la qualité de leurs vins. August E. Anheuser, Staatsweingut Bad Kreuznach et Weingut Reichsgraf von Plettenberg comptent parmi les principaux domaines dont les sièges se trouvent à Bad Kreuznach. Le nom de Anheuser est connu depuis longtemps à Bad Kreuznach, où cette famille produit des vins de la région depuis le XVIIe siècle. Ses Rieslings sont souvent très légèrement pétillants (*spritzig*) et possèdent la structure nécessaire à une longue garde. Comme pour illustrer ce potentiel, le domaine possède une liste de vins rares, comprenant 36 millésimes, par exemple un Schlossböckelheimer Kupfergrube Riesling *Trockenbeerenauslese* de 1921. Il y a aussi des vins intéressants et plus récents, comme des Kreuznacher Riesling *Auslesen* de 1971. Ces vins démontrent à quel point les bons vins de cette région sont sous-évalués. Au nord-ouest de Bad Kreuznach, dans la vallée de Gräfenbach, l'important domaine de Schloss Wallhausen, Prinz zu Salm-Dalberg'sches Weingut, appartient au prince de Salm-Salm. Depuis 1990, Schloss Wallhausen n'a utilisé que le nom de ses meilleurs sites ; les autres vins ont servi à élaborer une cuvée spéciale. Cette rationalisation de la production facilite la compréhension des étiquettes des vins allemands et profite à la fois au consommateur et au producteur.

RÜDESHEIM

Le village de Rüdesheim – à ne pas confondre avec la ville du même nom dans le Rheingau – et la région environnante sont au centre de la *Großlage* Rosengarten. Ces vignobles produisent des vins courants mais plaisants, commercialisés sous l'étiquette Rüdesheimer Rosengarten.

DE BAD KREUZNACH À BINGEN

En aval se trouvent les villages de Winzenheim, Bretzenheim et Langenlonsheim où le Riesling cède le pas à d'autres cépages. Les blancs secs de Weingut Erbhof Tesch, à Langenlonsheim, jouissent d'une bonne réputation. Burg Layen, plus éloigné de la rivière, est la patrie du Schlossgut Diel, dont les meilleurs vignobles de Riesling se trouvent à Dorsheim, village tout proche. Le nom de la *Großlage* Schlosskapelle est souvent utilisé sur les étiquettes. Citons également le Weingut Emrich-Schönleber à Monzingen.

HESSE RHÉNANE

Carte page XXVI

Le vignoble

La région de Hesse rhénane représente un quart de la superficie viticole allemande. Si la France contrôlait encore cette région, comme au début du XIXe siècle, et imposait une appellation d'origine contrôlée, la petite zone de vignobles situés près du Rhin réclamerait sa propre AOC, pour se distinguer du reste de la région, car elle est surtout connue pour les vins ordinaires qu'elle produit en importante quantité.

Les meilleures parcelles, connues sous le nom de Rheinterrasse (« la terrasse du Rhin »), s'étendent à l'est de la région – de Mettenheim, au nord de Worms, via Nierstein jusqu'à Bodenheim, au sud de Mayence – et occupent 2500 ha, soit 10 % de la Hesse rhénane. C'est là que se trouvent les domaines célèbres qui produisent des vins du même niveau de qualité que ceux du Rheingau, mais à moitié prix.

D'autres zones de production connaissent un regain de popularité. Les villes d'Ingelheim et de Bingen, sur les flancs des collines faisant face au Rheingau, démontrent qu'on peut faire en Hesse rhénane des vins de grande qualité ailleurs que sur la Rheinterrasse. On trouve aussi dans l'arrière-pays quelques bons vignerons qui font la mise en bouteilles au domaine, mais ils sont moins nombreux cependant que dans la partie méridionale du Palatinat qui, autrefois, ne produisait pas de vin de qualité (voir p. 687).

L'attrait trompeur des marchés à grande échelle

La taille moyenne d'un domaine de Hesse rhénane (3,2 ha) dépasse à peine la moyenne française ou espagnole, mais représente le double d'un domaine allemand moyen. Cette situation a encouragé les viticulteurs à produire le plus de raisins possible et à vinifier eux-mêmes, avant de céder en gros et à bas prix leurs vins aux négociants. Leurs investissements dans le matériel vinicole les empêchaient de rejoindre des coopératives qui, par définition, n'acceptent que des raisins et non du vin.

À en juger par le volume des ventes, cette méthode a remporté un grand succès commercial, mais ces vins ne pouvaient être vendus qu'à des grandes surfaces ou à des négociants spécialisés dans l'exportation de vins bon marché. Face à cette demande de vins bas de gamme, ils n'ont pu garder leurs parts de marché qu'en baissant leurs prix, ce qui a entraîné un marasme économique et donné une mauvaise image de la région, au détriment des meilleurs domaines.

Les cépages et les styles de vin

Ce sont les vins bon marché et doux, principalement les blancs, qui ont fait connaître la région, mais la qualité étonnante des vins de certains domaines, surtout dans la Rheinterrasse, est encore largement méconnue. Le principal cépage est le Müller-Thurgau, suivi par le Sylvaner, le Kerner, le Scheurebe, le Bacchus, le Riesling, le Faberrebe (Weissburgunder x Müller-Thurgau) et le Portugieser. Les vins blancs dominent. Bien que les surfaces cultivées n'aient augmenté que de 8 % dans les années 1980, la part du Riesling a augmenté de 50 %. Certains spécialistes prétendent même qu'il a été planté sur des sites qui ne lui conviennent pas, ce qui n'empêche pas de constater, dans cette évolution de l'encépagement, la preuve d'une volonté de qualité. Néanmoins, c'est pourtant le Kerner, utilisé pour le Liebfraumilch (voir p. 659), qui a connu la plus grande augmentation.

Les vertus des vins « ordinaires »

La proportion de vins secs ne dépasse pas 13 % en moyenne, mais elle est bien supérieure dans les meilleurs domaines. Les clients de nombreux domaines privés tiennent le raisonnement suivant : puisque les vins les moins chers de Hesse rhénane sont demi-secs, les meilleurs doivent forcément être secs. S'ils ne subissaient pas diverses influences, les consommateurs du nord de l'Allemagne devraient montrer une préférence pour les vins demi-secs. Même les vins rouges de la Hesse rhénane contiennent souvent du sucre résiduel. Les producteurs lancent sur le marché, à titre de test, tous les styles de vin que la région permet de produire. Les domaines influents d'Anton Balbach, Heyl zu Herrnsheim et d'autres, à Nierstein, reviennent à des vins moins secs. La presse spécialisée a pour habitude de critiquer la qualité des vins bon marché et, pourtant, lors des dégustations à l'aveugle, note bien ces vins techniquement irréprochables. De plus, le débit rapide des ventes, dans les grandes surfaces où ils sont proposés, favorise leur consommation au bon moment, quand ils sont encore relativement frais et jeunes.

Le pays natal du Liebfraumilch

En 1992, l'Allemagne a exporté environ 336 millions de bouteilles, dont 45 % de Liebfraumilch, un vin d'assemblage où le Riesling, le Sylvaner, le Müller-Thurgau ou le Kerner doivent entrer dans la proportion de 70 % au moins. Les raisins proviennent obligatoirement de Hesse rhénane, du Palatinat, de la Nahe ou du Rheingau.

Peu consommé en Allemagne, le Liebfraumilch est généralement

vendu moins cher à l'étranger qu'un rosé d'Anjou ou que la plupart des vins rouges français de la catégorie « vins de pays ». Les vertus des vins ordinaires, exposées au paragraphe précédent, s'appliquent également au Liebfraumilch, puisque près de 60 % de ces vins blancs demi-secs proviennent de la Hesse rhénane.

À Worms, les vignobles entourant la Liebfrauenkirche (« l'église de la Vierge ») constituaient autrefois la seule source de Liebfraumilch. La maison Valckenberg possède aujourd'hui 90 % du vignoble d'origine, le Wormser Liebfrauenstift-Kirchenstück, et a l'intention de rebâtir sa réputation grâce à un encépagement de Riesling et de Weissburgunder, qui produiront des vins mis en bouteilles à la propriété.

L'avenir de la Hesse rhénane

Gunderloch, qui est le plus éminent domaine de Nackenheim, considère ses meilleurs vignobles comme des « Grands Crus » et souhaite ardemment introduire dans la région une classification des vignobles. Il est rejoint dans son souhait par bon nombre de producteurs de la Rheinterrasse. Pourtant, après l'insistance pendant plus de 150 ans sur le caractère individuel des vins allemands en fonction des dates et méthodes de vendange, des cépages et de la multi-

VILLAGES ET PRODUCTEURS

La Hesse rhénane est limitée au nord et à l'est par une boucle du Rhin, au sud par la ville de Worms et le vignoble du Palatinat et à l'ouest par les banlieues de Bad Kreuznach dans la région de la Nahe. La majeure partie des vins sont des blancs.

BINGEN ET LA PARTIE OCCIDENTALE

Bingen se trouve à l'extrémité nord-ouest de la Hesse rhénane, sur la rive sud du Rhin en face de Rüdesheim, dans le Rheingau, et des vignobles de la Nahe. Elle donne son nom au *Bereich* qui couvre toute la moitié ouest de la Hesse rhénane.

Depuis la colline qui domine la ville, les 35 ha de vignes de l'*Einzellage* Scharlachberg s'ouvrent au sud sur le paysage vallonné du *Bereich*. Ce vignoble, planté sur des coteaux pour la plus grande part, est l'un des rares à être connu hors de ses frontières. Weingut Villa Sachsen, le domaine le plus important, dispose de 22 ha de vignes. Il appartient à trois familles allemandes (Prinz Salm, Schriegle et Dietler) et produit surtout du Riesling. Les vins de Binger Scharlachberg et des autres sites sont bien faits. Ils vieillissent en fûts et sont nerveux et souvent pétillants.

GAU-BICKELHEIM

Plus au sud, à quelques kilomètres de l'autoroute E31 qui coupe la Hesse rhénane en diagonale, se trouve le village de Gau-Bickelheim. Il abrite la coopérative centrale Rheinhessen Winzer, qui regroupe la récolte de 16 pressoirs, bientôt réduits au nombre de 5 par suite d'une modernisation des installations. Elle vend 95 % de sa production en Allemagne. Par

tude de provenances, la classification cohérente des vignobles reste un problème non résolu.

Les caves coopératives participent avec d'autres producteurs à l'effort commercial, inauguré avec le millésime 1992, qui consiste à vendre des vins avec la mention Selection Rheinhessen («Sélection de la Hesse rhénane»). Cette désignation s'applique à des vins mis en bouteilles à la propriété et portant une capsule unique; ils titrent 12,2 % vol. au minimum sans chaptalisation, et les raisins, issus de cépages classiques, sont vendangés manuellement; les rendements restent inférieurs à 55 hl/ha. Ces vins secs sont, de surcroît, présentés à une commission de dégustation.

Depuis 1988, la réputation du Sylvaner s'affirme lentement. Il réussit bien dans plusieurs domaines en tant que *Qualitätswein mit Auszeichnung* (QbA) sec. RS (abrégé de Rheinhessen Sylvaner, autrement dit «Sylvaner de Hesse rhénane») est un vin sec, élaboré selon de nouvelles normes de vinification et de dégustation par environ une cinquantaine de producteurs. Lancé en 1986 avec une étiquette noir et orange, il remporte un modeste succès. À l'heure actuelle, beaucoup de producteurs, qui assurent eux-mêmes la mise en bouteilles, vendent leurs vins les moins chers sous le nom du cépage. Généralement secs, ces vins peuvent être très attrayants.

VILLAGES ET PRODUCTEURS

l'intermédiaire de sa filiale Winzerkeller Ingelheim, cette coopérative a prévu de développer une gamme de vins de qualité à prix moyen et de les diffuser dans le circuit des cavistes. Parmi les meilleurs producteurs citons le Weingut Klaus Keller, qui rivalise avec les grands domaines allemands Schales à Flörsheim, Michel Pfannebecker à Flomborn, Wittmann à Westhofen et Manz à Weinolsheim.

INGELHEIM

On dit que, depuis les collines surplombant Ingelheim, Charlemagne aurait vu la neige fondre sur les pentes du Rheingau, de l'autre côté du Rhin. C'est ainsi qu'il aurait décidé de la plantation de son futur vignoble. Mais, bien que la légende puisse se justifier, car c'est l'historien Bassermann-Jordan qui affirme cela, la principale source de gloire d'Ingelheim est depuis longtemps ses vins rouges issus de Pinot Noir (Spätburgunder).
Les vins d'Ingelheim restituent bien le caractère du Pinot, même s'ils sont malgré tout très légers : élégants, mais sans grande concentration.
Le vin produit par Weingut J. Neus reste à ce jour le plus connu.

RHEINTERRASSE

Il fut un temps où l'influence des religieux de Mayence s'étendait, comme leurs vignobles, aux deux rives du Rhin. à Bodenheim, à quelques kilomètres au sud de Mayence, les vignes étaient nombreuses et bien établies sur les pentes de la Rheinterrasse (« terrasse du Rhin »), cette longue falaise qui domine le Rhin. Plus au nord, le vignoble donne l'impression d'être mal orienté, soit vers l'est, soit au nord; pourtant, →

VILLAGES ET PRODUCTEURS

cela n'empêche pas Weingut Kühling-Gillot de produire, dans les bonnes années, un rouge de Pinot Noir qui titre 13 % vol d'alcool naturel tout en conservant quelques grammes de sucres résiduels tout comme le blanc de Pinot Gris. Preuve est faite de ce qu'on peut obtenir en sélectionnant méticuleusement.

NACKENHEIM

À Nackenheim, la terrasse se rapproche encore du Rhin. Son plus célèbre vignoble, le Nackenheimer Rothenberg, est planté sur une pente à 30 %, dans un sol schisteux qui a la couleur ocre de la terre cuite. Weingut Gunderloch, planté à 70 % en Riesling, y possède des parcelles. Comme d'autres bons domaines, Gunderloch s'est fixé un degré minimal supérieur à celui défini par la loi, et cela pour chaque catégorie de vin.
Ses Rieslings Spätlesen commencent avec un minimum de 12,2 % vol. d'alcool potentiel, ses Auslesen à 13,8 % vol., alors que les minima exigés sont respectivement de 11,4 % vol. et 12,5 % vol. à Gunderloch, les vignerons opèrent par tris successifs et passent jusqu'à cinq fois dans les vignes pour ramasser les raisins au meilleur moment, c'est-à-dire lorsque leur acidité est jugée satisfaisante.

NIERSTEIN

C'est le vignoble qu'on rencontre en quittant le Nackenheimer Rothenberg. Ici, comme pour d'autres villages de la Rheinterrasse, le remembrement (voir p. 660) est terminé depuis un certain temps. Il a coûté 80 000 DM par hectare, mais a permis une réduction des coûts de culture de la vigne. De plus, certains viticulteurs pensent que, sans cette modernisation, la viticulture sur la terrasse du Rhin aurait fini par disparaître par manque de rentabilité. L'époque où la bonne terre rouge était charriée par les fortes pluies d'orage et descendait le Rhin jusqu'à Mayence est désormais révolue.
Les meilleurs crus de Nierstein sont Glöck, Pettenthal, Ölberg et Brudersberg. Nierstein compte 150 viticulteurs dont les plus connus sont Weingut Heyl zu Herrnsheim, Weingut Bürgermeister Anton Balbach Erben, Weingut Sankt Anthony et Weingut Georg Albrecht Schneider.
La *Großlage* Niersteiner Gutes Domtal s'étend sur plus d'une quinzaine de villages, mais, 2 % seulement des vignes poussant à Nierstein même, les vins étiquetés Nierstein ont peu de chance de provenir véritablement du village éponyme, une pratique illégitime, mais légale, qui devrait être abandonnée.

OPPENHEIM

Les mauvaises relations qu'entretient la commune d'Oppenheim avec la Großlage Oppenheimer Krötenbrunnen posent le même problème qu'aux vignerons de Nierstein. Oppenheim est la plus grande ville de la Rheinterrasse et abrite bon nombre de domaines, dont Staatsweingut mit Domäne Oppenheim (domaine d'État) et Weingut Louis Guntrum, ainsi que le musée du vin le plus intéressant d'Allemagne. Sackträger est la meilleure *Einzellage* d'Oppenheim.

PALATINAT

Carte page XXVI

Le vignoble

Le Palatinat (Pfalz en allemand, anciennement Rheinpfalz) est une région étroite de 23 045 ha, qui s'étire à l'ouest du Rhin sur environ 80 km, sur un axe nord-sud. La plus grande partie du vignoble est plantée soit dans la plaine située entre le Rhin et les hautes forêts du Pfälzer Wald, soit sur les pentes douces qui descendent vers l'est, juste au-dessous des forêts qui les protègent des vents d'ouest. Le climat, doux et sec, se caractérise par l'arrivée précoce du printemps et par des étés et des automnes chauds.

La frontière franco-allemande de Wissembourg marque la limite sud du Palatinat, mais, en réalité, cette région prolonge naturellement le vignoble alsacien. La topographie est la même : le Rhin à l'est, les collines boisées à l'ouest, et des villages qui se succèdent sur le flanc des coteaux. La région est agréable à visiter. Des centaines de vignerons pratiquent la vente directe dans les jolis villages et les petites villes de la région.

Le Palatinat a longtemps produit des vins ordinaires. Il n'y avait que quelques grands domaines de bon niveau, concentrés dans une poignée de villages au centre de la région, le Mittelhaardt. Une nouvelle génération de propriétaires est venue agrandir la gamme des bons vins, ce qui permet au Palatinat de figurer maintenant parmi les meilleurs vignobles d'Allemagne.

Ces jeunes viticulteurs sont réalistes et ont le vent en poupe. Avec les quelques vieux domaines traditionnellement bons, ils contribuent à l'amélioration du niveau général du Palatinat. Nés pour la plupart dans des petits domaines, ils ont fait des études d'œnologie et se sont formés à l'étranger. Ils savent se remettre en question et réussissent à prouver qu'on peut faire de bons vins dans des régions très éloignées de celles qui ont toujours joui d'une bonne réputation. Mais la distinction d'origine persiste toujours : le Palatinat méridional reste la zone de grande production, tandis que le Mittelhaardt constitue le cœur de la qualité.

Viticulteurs, négociants et domaines

Près de la moitié de la production du Palatinat n'est pas mise en bouteilles au domaine mais vendue en gros au négoce. Plus d'un tiers des vins de qualité sont mis en bouteilles par le négociant, le long de la Moselle, pour être vendus soit sous l'étiquette Liebfraumilch (voir p. 659), soit sous son nom de *Großlage*. Cette tradition de

commerce entre les régions a commencé avant les lois de 1971, qui ont interdit cette pratique consistant à adoucir l'acidité des vins du Palatinat en les assemblant aux vins bon marché de Moselle. Actuellement, comme en Hesse rhénane, la région voisine, le nombre de viticulteurs du Palatinat a baissé et, de plus en plus, ceux qui restent pratiquent la mise en bouteilles au domaine.

Les coopératives ont une grande importance dans le Palatinat, et deux des plus grandes dominent le marché de la moitié sud, consacré aux vins de qualité inférieure (voir p. 690). Dans le Mittelhaardt, là où la qualité est, en moyenne, supérieure au reste de la région, le bon niveau des caves coopératives, comme celles de Bad Dürkheim, Deidesheim, Forst et Ruppertsberg, est régulièrement confirmé par leurs réussites dans les concours nationaux organisés par la Deutsche Landwirtschaftsgesellschaft (DLG).

Nombre de viticulteurs participent chaque année à ces dégustations, uniquement pour pouvoir comparer leurs vins avec ceux des concurrents. Certains préfèrent toutefois ne pas faire état de leurs succès, sachant pertinemment qu'en présentant un vin de même nom ils ne sont pas certains d'obtenir les mêmes récompenses chaque année ; or, les restaurateurs n'apprécient guère ce genre d'irrégularité. Les coopératives produisent moins de vins secs que leurs confrères viticulteurs-embouteilleurs, car elles ne s'adressent pas aux mêmes marchés.

Cépages et styles de vin

Le Palatinat se trouve dans une période de transition. La mode du vin blanc rustique, demi-sec ou doux, est en train de céder la place à celle d'un blanc plus sec et plus frais. D'autre part, le vin rouge gagne en importance. Le Müller-Thurgau arrive toujours en tête, suivi du Riesling, du Kerner, du Portugieser, du Sylvaner et du Scheurebe. Le Sylvaner trouve un second souffle grâce au vieillissement en fût. Les autres cépages à retenir, pour la qualité qu'ils permettent d'obtenir, sont le Pinot Noir et le Dornfelder en rouge, les Huxelrebe, Bacchus, Ruländer et Ortega en blanc.

Les caves d'État de Neustadt-Mußbach et le petit domaine familial de Knipser à Laumersheim font des essais avec le cépage Gänsefüßer (littéralement « pattes d'oie » à cause de la forme de ses feuilles). Largement planté autrefois, il donnait un vin qui était très apprécié, mais il fut abandonné à cause de ses rendements trop irréguliers. Le Gewürztraminer, lui aussi apprécié depuis toujours, tient bon sur un certain nombre de bons domaines, en dépit de son faible rendement et de l'intérêt modéré que l'on porte aux vins très aromatiques.

Il peut donner des *Auslesen* secs avec 15 % vol. ou plus d'alcool acquis, qui

sont très demandés dans le sud de la région, mais il n'est jamais aussi bon que lorsqu'il garde quelques grammes de sucres résiduels. Dans le Palatinat méridional, le Pinot Blanc se présente sous différentes formes, du vin de base pour des Mousseux *(Sekt)* aux riches *Auslesen* titrant plus de 16 % vol. Environ un quart des vins blancs produits dans la région sont secs. Aujourd'hui, l'ensemble des vins produits sont généralement plus secs que dans les années 1970.

Le degré d'alcool d'un vin *Kabinett* peut varier de 9,5 % vol. (minimum légal) à 12 % vol. selon les cépages, et il n'existe pas de définition exacte de son caractère propre : c'est souvent un *Spätlese* déclassé qui, dans ce cas, peut être très bon, mais il serait mieux défini si la loi fixait un degré d'alcool maximal. Dans un beau millésime, nombre de *Spätlesen* sont, en termes légaux, des *Auslesen* de moindre qualité. En effet, la demande pour les *Auslesen* reste limitée et les bons domaines se sont toujours imposé des minima de puissance plus élevés que ceux exigés par la loi (généralement un peu moins d'un degré). Le Riesling du Mittelhaardt rappelle un Riesling du Rheingau en termes de structure, avec une vivacité due à une bonne teneur en acide tartrique.

Les vins rouges et le bois

Dans le domaine des vins rouges, il semble que le cépage Dornfelder soit en train de remplacer le Portugieser pour les vins de consommation courante, simples et fruités. Le Pfälzer Dornfelder n'est jamais un grand vin, mais il peut acquérir une certaine complexité s'il est élevé dans des fûts de bois neuf. Au Domaine Münzberg, à Godramstein, dans le Sud, on pense que ce type d'élevage le fait ressembler au Merlot. Dans d'autres domaines, on préfère le laisser vieillir dans du chêne vieux pour qu'il ne prenne aucun tanin et garde ses arômes fruités.

Les discussions autour de l'élevage en fût vont bon train dans le Palatinat (voir p. 256). Si le bois neuf peut changer le caractère des vins de la famille des Pinots, le domaine Lingenfelder, à Großkarlbach, traite son Dornfelder différemment. Lorsque la fermentation est arrivée au point où il ne reste plus guère que 3 % vol. d'alcool en puissance, le vin est soutiré et mis en cuves d'acier inoxydable. Il passe ensuite 6 mois dans de grands foudres de chêne avant d'être légèrement filtré, sans collage préalable, puis mis en bouteilles. Il en résulte un vin plein de fruit, équilibré par son acidité.

Le Sud fut longtemps voué à produire des vins de table de consommation courante ; les vins de qualité supérieure sont encore une nouveauté et leur style reste à définir. Les viticulteurs vont-ils élaborer leur propre vin ou s'aligner sur les normes internationales ? Cette question essentielle reste encore sans réponse.

VILLAGES ET PRODUCTEURS

Le Palatinat est divisé en deux *Bereiche* – au nord, le Mittelhaardt/Deutsche Weinstraße, qui jouxte la Hesse rhénane, et, au sud, la Südliche Weinstraße, à la frontière française. Les villages viticoles se trouvent dans la partie méridionale du Mittelhaardt entre Kallstadt et Neustadt. On y produit des rouges et des blancs.

UNTERHAARDT

Le nord du Palatinat est connu sous le nom d'Unterhaardt. Il incluait jadis la vallée de l'Alsenz et plusieurs villages qui appartiennent maintenant à la Nahe. Son sol lourd ne permettait de produire que des vins ordinaires, mais, ces vingt dernières années, la réputation de cette région s'est considérablement améliorée. Le vignoble actuel commence juste au nord de Kirchheim-bolanden, et la Weinstraße («route des vins») part du village de Bockenheim, le plus important du Nord. Il y a d'autres bons villages comme Laumersheim et Großkarlbach. C'est d'ailleurs dans ce dernier que Weingut K. & H. Lingenfelder s'est fait une réputation pour ses vins rouges et blancs, vinifiés dans un style classique. Le Weingut Knipser à Laumersheim utilise différents cépages, dont le Chardonnay et d'autres cépages français, et produit un Riesling élevé en barriques. Grünstadt se trouve en bordure de la forêt et marque la frontière avec le Mittelhaardt.

MITTELHAARDT

C'est le cœur du Palatinat. Les villages viticoles se succèdent sur les coteaux situés sous le Pfälzer Wald («forêt palatine») : Kallstadt, Ungstein, Bad Dürkheim, Wachenheim, Forst, Deidesheim et Ruppertsberg. C'est dans cette région que se trouvent les vignobles de la plupart des viticulteurs membres du VDP.

KALLSTADT
Le plus septentrional des sept meilleurs villages se distingue par son meilleur cru, Steinacker. Les bons producteurs sont Weingut Koehler-Ruprecht et une coopérative, la Winzergenossenschaft Kallstadt.

UNGSTEIN
Riches, fruités, fougueux sont les termes qui décrivent le mieux les vins d'Ungstein. Le rouge figure en bonne place, mais les vins blancs de Riesling restent les meilleurs. Weingut Pfeffingen est réputé, ainsi que J. Koch & Sohn et Bärenhof.

BAD DÜRKHEIM
Cette petite ville d'eaux possède d'excellents vignobles. Elle organise chaque année une célèbre fête du vin en septembre, renommée pour être la plus importante au monde. Weingut Fitz-Ritter et Weingut Karl Schaefer sont parmi les meilleurs domaines.

WACHENHEIM
Village qui produit des vins de qualité, connu pour ses crus Gerümpel et Altenburg. Les vins blancs sont robustes et de bonne garde, dans la tradition locale. Certains domaines font aussi des vins plus secs, d'un style plus actuel. Le domaine le plus connu, Bürklin-Wolf, possède 100 ha de vignes réparties sur plusieurs villages du Mittelhaardt. C'est le plus grand des trois domaines célèbres du Palatinat, les trois «B», les autres étant Bassermann-Jordan et von Buhl (voir plus loin). Les vins sont vieillis en cuves d'acier inoxydable et en bois. Ils servent souvent de référence pour juger les autres vins de la région.

FORST
Forst est réputé pour ses Rieslings, dont la qualité varie selon le producteur et le terroir dont ils sont issus. En général, les Rieslings de Forst sont des vins droits, fermes et nerveux, dont le caractère est mis en valeur par les nouvelles techniques de vinification.
La surface du plus grand vignoble, celui de Ungeheuer, a beaucoup augmenté depuis 1971.

Le plus célèbre, Jesuitengarten, est planté à 100 % en Riesling, mais le meilleur est sans doute son voisin, Kirchenstück. On a coutume de faire venir du basalte des collines situées à l'ouest de Forst pour recouvrir le vignoble : plus le sol est sombre, mieux il retient la chaleur, dit-on. Citons également le Weingut Georg Mosbacher pour son Riesling de grande qualité.

DEIDESHEIM
Deidesheim rivalise avec Forst au cœur du Mittelhaardt, grâce à ses meilleurs crus Hohenmorgen, Grainhübel et Herrgottsacker. Les deux grands domaines qui dominent la production du village sont, avec Bürklin-Wolf, parmi les plus connus d'Allemagne. Le Domaine von Buhl, modernisé, est maintenant loué à un groupe japonais. Ses 54 ha (plantés en Riesling à 90 %) sont à cheval sur Forst, Deidesheim, Ruppertsberg et Friedelsheim. On y élabore des vins frais et nerveux, vinifiés pour une bonne garde.
Le Domaine Bassermann-Jordan compte 40 ha de vignes (Riesling exclusivement), bien placées à Forster Jesuitengarten et Deidesheimer Hohenmorgen.
Contrairement à von Buhl, Bassermann-Jordan élève ses vins en foudres de 2 400 litres.
Les deux domaines appartenant à Deinhard élaborent aussi des vins de qualité.

RUPPERTSBERG
Le dernier village du Mittelhaardt ne jouit pas tout à fait de la même réputation que son voisin Deidesheim, malgré ses crus de Hoheburg et Linsenbusch qui produisent de très bons vins.

AUTRES PRODUCTEURS
Parmi les meilleurs producteurs, citons Weingut Weik à Mussbach-Neustadt, Christmann à Gimmeldingen et surtout le Weingut Müller Catoir à Haardt-Neustadt, le plus célèbre du Palatinat.

SUEDLICHE WEINSTRASSE

Si la plupart des vins du Mittelhaardt ont un style qui les rapproche plutôt des vins de l'Allemagne du Nord, les petits vins du Bereich Südliche Weinstraße (aussi appelé Palatinat méridional) rappellent plutôt ceux d'Alsace ou d'Ortenau dans le pays de Bade.
Le rendement des vignes place les vignobles de la région au second rang de la productivité, en Allemagne, derrière ceux du Bereich Obermosel.
Avant les années 1970, aucun vin digne de ce nom n'était produit à grande échelle.
Le Riesling couvre 7 % du vignoble. Les raisins de la famille des Pinots se plaisent bien sous ces climats. Nombre de viticulteurs utilisent des barriques de chêne neuf pour leurs vins rouges.
En termes de volume, les plus grands producteurs sont les deux coopératives, Rhodt unter Rietburg et Deutsches Weintor. Parmi les domaines privés, on peut recommander Weingut Becker à Schweigen, Weingut Siegrist à Leinsweiler, Weingut Rebholz à Siebeldingen et Weingut Dr. Wehrheim à Birkweiler.

BERGSTRASSE DE HESSE

Carte page XXVI

Le vignoble

La Bergstraße de Hesse est un petit vignoble de 400 ha, à la lisière de l'Odenwald, séparé de Worms par la largeur du Rhin (200 m à cet endroit). Le gel est ici exceptionnel, la pluviométrie généreuse ; le sol n'est pas uniforme et se compose de sable, d'argile, de calcaire ou de lœss.

Le vignoble se divise en deux *Bereiche*. Le plus vaste, le Bereich Starkenburg, est en fait une extension géographique de la Bergstraße de Bade au nord d'Heidelberg. Le Bereich Umstadt est un petit vignoble isolé, qui se situe au sud de la ligne qui relierait Darmstadt à Aschaffenburg en Franconie, au nord-est de la région.

Cépages et styles de vin

La région produit majoritairement du vin blanc. Elle est plantée sur plus de la moitié en Riesling, suivi de Müller-Thurgau, de Sylvaner et de Kerner. Les Rieslings de la Bergstraße de Hesse peuvent facilement rivaliser avec ceux du Rheingau, mais, leur volume étant limité, ils sont plutôt rares hors de leur région d'origine.

Les vins produits sur les coteaux sont toujours meilleurs que ceux des plaines ou des plateaux, d'autant que les terrains en pente sont toujours moins fertiles, mieux drainés et mieux exposés que les plaines ou les plateaux. Un quart environ du vignoble est planté sur des pentes si abruptes ou dans des endroits tellement inaccessibles qu'il est pratiquement impossible de le cultiver autrement qu'à la main. Tout ici se fait à petite échelle – plus de la moitié des vignerons possèdent moins de 2,5 ha – et les coûts de production sont tels qu'il n'est pas toujours rentable pour chaque vigneron de faire sa propre vinification. C'est pourquoi la coopérative principale de Heppenheim, la Bergsträßer Gebietswinzergenossenschaft, reçoit les raisins de 70 % des surfaces cultivées. Quant aux viticulteurs du *Bereich* Umstadt, ils livrent leur récolte à leur propre coopérative d'Odenwald.

Bensheim est le centre d'un vignoble de grande réputation. Le Weingut der Stadt Bensheim cultive les cépages traditionnels de la région ainsi que du Rotberger, un croisement de Trollinger et de Riesling, qui donne des vins d'un niveau d'acidité élevé, pour produire du rosé et du Sekt. La coopérative locale élabore de bons QbA et toute une gamme de QmP, dont un *Eiswein*. Le Staatsweingut Bensheim se spécialise, quant à lui, dans l'*Eiswein*, qu'il élabore principalement sur l'Einzellage Heppenheimer Centgericht, produisant six cuvées différentes de Riesling en *Eiswein*.

FRANCONIE

Carte page XXVI

Vignobles et cépages

La Franconie se trouve au cœur de l'Allemagne, à l'est du Rhin, dans une région au climat dur, couverte d'épaisses forêts. Les vignobles se concentrent dans les recoins les plus chauds, le long du Main et de ses affluents. Le volume des vendanges peut varier considérablement selon les millésimes. Il n'y a donc jamais pléthore de bons vins. En revanche, l'offre est généralement supérieure à la demande en ce qui concerne le vin ordinaire. Dans les années 1990, les meilleurs vignerons ont réduit leurs rendements, en taillant plus court et en coupant une partie des raisins au mois d'août.

Près de la moitié du vignoble a moins de dix ans, car on a beaucoup replanté et restructuré. Malgré ses centaines d'années d'expérience, le vin allemand reste soumis aux caprices de la mode – ce qui ne signifie pas qu'il réagit aux lois du marché. Jusqu'à un certain point, les grands domaines établis maintiennent leur image et une certaine régularité dans la qualité, mais l'attirance pour les nouveaux hybrides a été irrésistible dans les années 1970, comme au Staatlicher Hofkeller de Würzburg. Il semble aujourd'hui que les viticulteurs se préoccupent davantage de leur avenir. En effet, beaucoup viennent de replanter des cépages qui ont fait leurs preuves depuis des siècles, comme notamment le Sylvaner, les cépages de la famille des Pinots et, dans une moindre mesure, le Riesling. Mais les hybrides comme le Müller-Thurgau (47 % du vignoble) et le Bacchus donnent parfois de meilleurs résultats.

Le Scheurebe n'est guère planté, mais il arrive qu'il surprenne et même impressionne des dégustateurs étrangers à la région. Il requiert un environnement favorable pour atteindre une maturité suffisante et donner des vins pouvant prétendre à la catégorie QmP. Il en est de même pour le Rieslaner, un croisement indigène de Sylvaner et de Riesling.

C'est le Bürgerspital qui planta du Riesling dans le célèbre vignoble de Würzburger Stein et commença à le vinifier en cépage unique à la fin du siècle dernier. Lorsqu'il est bon, le Riesling de Stein est un vin séduisant, d'une grande finesse, aux arômes délicats d'une grande longueur. Pour répondre à la demande de vins secs – ce qui nécessite d'éviter le *Botrytis cinerea* –, la production de vins doux *Auslesen* a diminué ces dernières années. Le Riesling, le Sylvaner, le Rieslaner et les Pinots noir, blanc et gris donnent de bons résultats dans le Würzburger Stein, et l'on fait aujourd'hui des expériences avec le Chardonnay ;

mais, à long terme, il sera sans doute préférable de se consacrer à une gamme plus réduite de cépages pour confirmer la réputation du vignoble.

Les styles de vin

Les meilleures cuvées de Franconie sont des vins de caractère, intenses et de bonne garde, mais très irréguliers d'un millésime à l'autre. La plupart des bons vins blancs de Franconie ont un léger goût de terroir, particulièrement marqué dans certains crus issus de Sylvaner. Aujourd'hui, les vins sont vinifiés selon les dernières technologies, c'est-à-dire qu'ils ont du caractère mais aussi de la fraîcheur et qu'ils sont vraiment très agréables. Pour plus de la moitié, il s'agit de *Fränkisch trocken,* ce qui désigne un vin contenant moins de 4 g de sucres résiduels. Le *Bocksbeutel,* la petite bouteille ronde et trapue, est utilisé pour les meilleurs vins de la région (environ la moitié). Sa forme originale, sa couleur verte ou ambre sont réservées, en Allemagne, aux vins de qualité issus soit de Franconie, soit de quelques villages de Bade situés sur le fleuve Tauber et près de Baden-Baden.

Surtout connue pour ses vins blancs, la région produit aussi quelques rouges. La demande des restaurateurs et des consommateurs s'accroissant, la production (du Steigerwald et du Mainviereck, principalement) a suivi et pourrait faire ombrage à l'identité régionale. Mais il est difficile pour les vignerons d'ignorer le succès des vins rouges et de ne pas répondre à la

VILLAGES ET PRODUCTEURS

Le vignoble de Franconie est délimité par les méandres du Main, qui dessinent de grandes boucles d'est en ouest. Il regroupe trois *Bereiche* : le Steigerwald à l'est, le Maindreieck autour de Würzburg au centre et le Mainviereck en descendant le Main vers l'ouest. Les vins blancs représentent 95 % de la production. Le vignoble est réputé pour son fameux Steinwein (un des crus de Franconie) ; ses meilleures cuvées, à base de Sylvaner, sont des vins secs et droits qui ressemblent beaucoup aux vins blancs français.

STEIGERWALD

La forêt du Steigerwald forme la frontière sud-ouest de la Franconie. Les villages viticoles les plus connus de ce *Bereich* se trouvent au sud de l'autoroute E43, où les pentes du Steigerwald offrent une bonne exposition au Sylvaner.

CASTELL
Le plus vaste domaine du *Bereich* est celui de Fürst Castell-Castell, situé dans le charmant village du même nom. L'ensemble du vignoble est en coteau, mais les pentes ne sont pas très escarpées. Curieusement, ce domaine est l'unique propriétaire de 8 *Einzellagen*.

IPHOFEN
Il n'est pas rare que les meilleurs vins du *Bereich* proviennent d'Iphofen. Son vignoble a été restructuré et occupe de vastes pentes. Dans l'*Einzellage* Julius-Echter-Berg, les bons vignerons font des *Kabinettweine* et des *Spätlesen* titrant presque un degré de plus

demande. Ils continuent donc de planter du Pinot Noir, du Portugieser, du Schwarzriesling et du Domina (un croisement issu du Portugieser et du Pinot Noir).

Domaines et terroirs

Les 31 membres du VDP sont répartis tout à fait irrégulièrement dans toute la Franconie. Würzburg abrite trois très vastes domaines.
Les meilleurs terroirs se concentrent sur les versants sud et sud-ouest des collines, plus exposés au soleil, mais aussi aux gelées de printemps. Les versants exposés à l'est sont plus frais et moins sujets aux gelées, mais les raisins y mûrissent moins bien que dans les célèbres parcelles des bords du Main.

Tandis que le gypse et le keuper sont des éléments importants du sol sur les bords du Steigerwald, le sol de Würzburg se caractérise par la présence de calcaire, auquel on attribue la capacité de donner de la finesse au vin. Depuis le début des années 1970, l'institut viticole d'état, en association avec le Staatlicher Hofkeller, a étudié l'influence que pouvaient avoir le sol et le climat sur les arômes, le bouquet et la composition chimique des vins. Ses conclusions, pour le moment, se résument ainsi : « Nous aimerions croire que le caractère d'un vin est conditionné par le type de sol sur lequel poussent les raisins, mais nous devons commencer par tenir compte du climat quand nous voulons parler de ce qui détermine le caractère d'un vin. »

VILLAGES ET PRODUCTEURS

que le minimum légal.
Parmi les bons producteurs d'Iphofen, citons le Weingut J. Arnold, le Weingut Bürgstadt, le Weingut E. Popp, le Weingut Johann Ruck, le Weingut Rupp, le Weingut Wirsching et surtout le Weingut Rudolf Fürst, dont le vin Paul Fürst est un des plus élégants de Franconie.

MAINDREIECK

Ce *Bereich* a pour centre Würzburg, le cœur viticole et culturel de la Franconie.

VOLKACH
Volkach est une agréable ville qui accueille chaque année, en septembre, quelque 8 000 personnes à l'ombre de ses châtaigniers et de ses tilleuls, pour participer à sa grande fête du vin. Au domaine des von Schönborn, Schloss Halburg, près de Volkach, les Rieslaner passent par une fermentation malolactique pour perdre leur acidité malique de fruit vert. Ce domaine élève aussi du Bacchus, prouvant ainsi que ce cépage peut quelquefois donner de bons vins.
Juste au sud de Volkach, une sorte d'île assez grande se dessine dans le méandre du Rhin et le canal qui le double. Les belles pentes de ce vignoble escarpé, connu sous le nom de Escherndorfer Lump, forment l'une des rares *Einzellagen* connues hors de Franconie.
Non loin de là, à Nordheim, se trouve l'une des meilleures petites caves coopératives. Elle reçoit les raisins de 265 ha, qui peuvent venir d'aussi →

VILLAGES ET PRODUCTEURS

loin que Steigerwald.
Ses vins (Müller-Thurgau, Riesling et un élégant Traminer étonnant par son acidité équilibrée) sont élevés en fûts de bois dans des caves datant du XVIIe siècle, aujourd'hui climatisées.
Cette cave jouit d'une bonne réputation, qui ne cesse de croître. Il en est de même pour les trois petites coopératives de Thüngersheim, Sommerach et Randersacker.

KITZINGEN
Kitzingen se trouve en aval de Volkach sur le Main.
Sa coopérative régionale, Gebietswinzergenossenschaft, traite un quart de la production de Franconie. Tout ici se fait à grande échelle, mais les 1 500 vins différents sont conservés séparément. Les vingt cépages sont en effet vinifiés à part selon leur village d'origine, leur cru et leur classement officiel, dans le but de réduire le nombre de cuvées à 600, comprenant des petits lots de qualité supérieure, destinés aux cavistes.

RANDERSACKER
À quelques kilomètres en amont de Würzburg, Randersacker abrite une bonne coopérative, un certain nombre de bistrots à vins rustiques et quelques bons domaines, dont Weingut Robert Schmitt, qui fait une belle gamme de QmP. On affirme souvent que Randersackerer Pfülben compte parmi les meilleurs terroirs de Franconie, grâce à son sol calcaire et son microclimat adapté au Riesling, au Sylvaner et au Rieslaner.

WÜRZBURG
Les trois domaines les plus réputés de Franconie appartiennent au Bürgerspital, au Juliusspital et au Staatlicher Hofkeller de Würzburg. Les caves de ce dernier sont situées sous la Residenz construite par les évêques de la famille von Schönborn.
Comme la majeure partie de la ville, elles furent sévèrement endommagées par des raids aériens en 1945, mais ont été reconstruites depuis et abritent à nouveau du vin. Le domaine couvre 120 ha répartis sur 14 communes, dont certaines se trouvent à la limite de la Franconie. Outre celles de Randersacker, les parcelles les plus célèbres, dont Stein, se trouvent sur le territoire communal de Würzburg.
Parmi les trois grands domaines de Würzburg, le Juliusspital est généralement considéré aujourd'hui comme le *primus inter pares*.
Ses 163 ha de vignes plantées progressivement depuis 1576 comptent d'importantes parcelles dans les meilleurs sites, ainsi que 8 ha à Bürgstadt, situé à l'ouest de Würzburg.

MAINVIERECK

Ce *Bereich* couvre la partie ouest de la région, en descendant le fleuve.

BÜRGSTADT
Bürgstadt ainsi que les villes et villages qui l'entourent de ce côté du Main sont surtout connus pour leurs vins rouges.
Le Domaine Rudolf Fürst se trouve dans cette partie du Mainviereck tout comme le Weingut der Stadt Klingenberg.
C'est une région de petites propriétés dont la plus étendue, Fürst Löwenstein, se trouve à Kreuzwertheim. Elle regroupe 7 400 ha de bois et de cultures, et 26 ha de vignes. Parmi ces dernières, 9 ha se trouvent sur les pentes abruptes de Homburger Kallmuth, en partie aménagés en terrasses.

SAALE-UNSTRUT ET SAXE

Carte page XXVI

Le vignoble

Avec la réunification de l'Allemagne, deux zones de production de l'ancienne Allemagne de l'Est sont venues s'ajouter aux 11 régions viticoles délimitées par la législation de l'Allemagne fédérale. Hormis quelques petits vignobles disséminés ici et là, les principales régions de production viticole sont les appellations de Saale-Unstrut (390 ha), au sud-ouest de Leipzig, et de Saxe, le long de l'Elbe, de chaque côté de Dresde. La viticulture de ces régions reste largement méconnue.

Les vignobles de Saxe et de Saale-Unstrut se situent au nord de la vallée de l'Ahr, à une même latitude que le sud-est de l'Angleterre. Leur climat est proche de celui de la Franconie, avec, curieusement, une amplitude de variation de températures plus importante. La culture de la vigne n'est donc possible que dans quelques endroits bénéficiant de microclimats, d'autant que les précipitations sont faibles, et le cycle végétatif plus court que dans le reste du pays.

En Saxe, le sol se compose de roche volcanique et de lœss, tandis qu'il est plutôt calcaire en Saale-Unstrut : à degré d'alcool égal, ces vins semblent donc plus ronds que ceux de Moselle, où le sol regorge de schiste. Les rendements ne dépassent guère 34 hl/ha, car les vignobles sont peu entretenus. Mais, là où les terrasses ont été reconstruites et les vignes rajeunies, ils atteignent de 50 à 60 hl/ha.

Cépages

Les vins, secs pour la plupart, s'apparentent à ceux de la Nahe. Leur degré d'alcool n'est jamais aussi bas qu'en Moselle-Sarre-Ruwer. La plus grande partie du vignoble est plantée de cépage Müller-Thurgau. Le reste se partage entre les cépages suivants, donnés par ordre alphabétique : Bacchus, Gutedel, Kerner, Riesling, Ruländer, Sylvaner, Traminer et Weissburgunder (Pinot Blanc), ainsi que quelques croisements entre cépages d'Europe de l'Est et *Vitis vinifera*. En Saxe, on trouve aussi des plantations de Goldriesling, un cépage moins noble que ce que son nom pourrait laisser croire, et qu'on rencontre en petite quantité en Alsace.

Producteurs et négociants

Les deux principaux producteurs de Saale-Unstrut sont le Staatsweingut Naumburg, qui appartient à l'État de Saxe-Anhalt, et la coopérative de Freyburg, appelée Winzervereinigung Freyburg/Unstrut. Tous les vins sont commercialisés sous le nom de leur cépage, sans indication de cru ni de commune. Citons également le Weingut Lützkendorf à Bad Kösen. En Saxe, la coopérative de Meißen reçoit les raisins récoltés par des viticulteurs qui travaillent à temps partiel. L'État de Saxe possède le Schloss Wackerbarth, à Radebeul, et les caves de Sekt, Staatsweingut Radebeul. Parmi les domaines privés, citons Weingut Schloss Proschwitz à Meißen et Weingut Klaus Zimmerling (biodynamique) à Dresde.

BADE

Carte page XXVI

Le vignoble de Bade est plus un regroupement de petites parcelles, découpées par le Rhin ou par d'immenses forêts, qu'une véritable région. Les vignes suivent la rive orientale du fleuve, au nord de Bâle, et s'arrêtent net lorsque les collines descendent vers les zones sujettes au gel de la plaine du Rhin. Des vergers couvrent les flancs orientés au nord et au nord-ouest depuis la Forêt-Noire, tandis que la vigne pousse sur ceux qui s'ouvrent au sud. Les propriétés sont, en général, trop vastes pour être abandonnées mais trop petites pour être rentables. Il y a donc beaucoup de coopératives et, entre autres, celle de Breisach, Badischer Winzerkeller, le plus grand producteur d'Europe (15346 ha).

Les cépages

Au début du XIXe siècle, la région de Bade comptait près de 200 variétés de raisins. De nos jours, il n'en reste plus que sept (dont six blancs), qui se répartissent 92 % du vignoble : un tiers en Müller-Thurgau, un quart en Pinot Noir (Spätburgunder), un tiers en Ruländer, Gutedel, Riesling, Pinot Blanc (Weissburgunder) et Sylvaner. La culture du Chardonnay, dont les plants ont été importés de France ou d'Italie, est aujourd'hui autorisée dans certaines parties de l'Allemagne, où 26 clones, et pas moins, sont à l'essai. Mais, pour se plaire en Allemagne, le Chardonnay requiert des conditions semblables à celles du Riesling. En fait, deux vins de Chardonnay de la région ont pour origine une erreur de livraison : l'un, produit par Badischer Winzerkeller, est issu de pieds fournis dans les années 1970 par l'Alsace comme étant du Weissburgunder. L'autre, un *Sekt* issu en réalité d'Auxerrois (famille des Pinots), est produit par une coopérative de Markgräflerland. Selon le découpage régional de l'Union européenne, la région de Bade se trouve en zone « B », tandis que le reste de l'Allemagne se trouve en zone « A » (voir p. 659). En vertu de cette classification, la réglementation stipule que le degré, dans les conditions d'un millésime normal, ne peut pas être relevé de plus de 2,5 % vol. par chaptalisation, ce qui est difficile à respecter pour certains districts comme celui du lac de Constance, par exemple. Lorsque les rendements ne sont pas trop élevés, le climat de Bade, relativement doux, permet d'obtenir des vins plus ronds et plus riches en alcool que dans les régions les plus septentrionales de l'Allemagne.

L'élevage des Pinots Blanc et Noir en fûts de chêne neuf se répand, car les vins gagnent en rondeur, mais reste encore expérimental dans la plupart des caves. Certains producteurs tiennent à utiliser le bois des forêts locales, mais, en général, les fûts utilisés sont issus des chênes de l'Allier, du Limousin ou de Nevers, malgré quelques essais avec du bois des Vosges ou de Slovénie.

Les bonnes coopératives

Les coopératives de Bade ont la réputation de faire des vins de qualité. Mais pourquoi en serait-il autrement puisqu'elles sont souvent le seul producteur du village et reçoivent toute la récolte, y compris les meilleurs raisins des meilleures parcelles ? Les amateurs connaissent bien les coopératives comme Sasbachwalden et Kappelrodeck, qui commercialisent un Pinot Noir, le cépage le plus courant, à un prix raisonnable.

Dans l'ensemble, les rendements, tous cépages confondus, Riesling et Müller-Thurgau inclus, sont encore trop élevés. Seules les cuvées de prestige sont issues de parcelles dont les rendements sont faibles.

Abstraction faite des problèmes d'équilibre financier entre qualité et quantité, l'habitude allemande qui consiste à séparer méticuleusement les raisins en fonction de leur maturité semble avoir trois inconvénients. Elle entraîne d'abord inévitablement une baisse de qualité des fins de vendanges ; elle multiplie et complique la mise en bouteilles et, enfin, augmente les coûts de production. Or, ce principe ne se justifie vraiment que pour les Rieslings du Nord et beaucoup moins pour les vignobles du Sud.

La gastronomie

La région de Bade, avec ses 3 688 ha de Pinot Noir (Spätburgunder), ne compte pas moins de 34 restaurants récompensés d'une étoile par le guide Michelin alors que la Côte d'Or, à titre de comparaison, n'en compte que 8 pour 5 802 ha du même cépage. L'intérêt des Allemands pour la haute gastronomie étant un phénomène récent, les progrès réalisés pour produire des vins (surtout des vins rouges) à la hauteur des mets sont admirables. Ce nouvel engouement mérite d'être marqué pour cette région, car, sans vouloir minimiser les efforts du Rheingau, la structure et la variété des vins de Bade leur permettent de s'associer à une vaste gamme de plats.

VILLAGES ET PRODUCTEURS

Les vignobles de Bade s'étirent tout le long du Rhin, du lac de Constance au sud jusqu'à la Franconie au nord, entre le fleuve et la Forêt-Noire. Ils font face aux vignobles d'Alsace tout en bénéficiant d'un climat différent, plus continental avec plus de nuages et de pluies, un microclimat qui doit son originalité à la proximité de la Forêt-Noire. Les vins de Bade, blancs à 75 %, sont des vins de fort rendement qui masquent leur légèreté, leur acidité et leur dilution par des notes florales séduisantes, lorsqu'ils sont réussis. La domination des caves coopératives, qui représentent près de 90 % de la production de cette région, n'exclut pas une coexistence avec de beaux domaines chargés d'histoire.

TAUBERFRANKEN

À la pointe nord-est, l'étroit *Bereich* Tauberfranken suit le cours de la rivière Tauber, juste avant qu'elle ne se jette dans le Main. Son climat continental entraîne de graves risques de gelées printanières.
La plupart des vins de Tauberfranken sont des blancs (deux tiers de Müller-Thurgau), vinifiés par des coopératives. Ils ressemblent beaucoup à ceux de Franconie, mais sont soumis à la réglementation de la zone méridionale « B » (voir pages précédentes). D'ailleurs, les meilleures cuvées sont conditionnées dans les traditionnelles bouteilles trapues *(Bocksbeutel)* de Franconie, comme pour rappeler le lien historique entre les deux régions.

LE NORD DU RHIN

Le Bereich Badische Bergstraße/Kraichgau couvre près de 2 000 ha face à la vallée du Rhin, au nord et au sud d'Heidelberg. Les vins de ce Bereich, provenant pour 40 % de Müller-Thurgau et pour 20 % de Riesling, sont réputés pour être les plus légers de la région.
Depuis Laudenbach, à l'extrême nord de la région, les raisins sont livrés à la coopérative de Heppenheim dans la Bergstraße de Hesse (voir p. 692). Plus au sud, dans la Bergstraße de Bade, des villages comme Weingarten et Weinheim attestent une tradition viticole établie de longue date. Trois des domaines de la région sont membres du VDP. Weingut Reichsgraf und Marquis zu Hoensbroech à Angelbachtal-Michelfeld produit presque uniquement des vins secs, à base de Pinot et de Riesling. Weingut Freiherr von Göler, Burg Ravensburg, à Sulzfeld, assemble 60 % de Riesling et 20 % de Lemberger, des proportions qui ne sont pas sans rappeler celles de son voisin le Wurtemberg.
À Östringen-Tiefenbach, le Domaine Weingut Albert Heitlinger est planté à 45 % en Riesling et produit un vin de table original, élaboré avec des raisins *Beerenauslese,* qui sont fermentés jusqu'à 20 g/l de sucres résiduels puis élevés en barriques. Heitlinger élabore des « produits » étonnants comme son eau-de-vie de topinambour.
Le Weingut Seeger à Leimen est réputé pour son Spätburgunder. La plus grande coopérative locale, Winzerkeller Wiesloch, fait le lien entre Bergstraße et Kraichgau, la région de collines située entre la Forêt-Noire et l'Odenwald.

ORTENAU

Au sud de la célèbre ville thermale de Baden-Baden, le Bereich Ortenau jouit d'une bonne réputation qui va en s'améliorant. Les vins issus des villages voisins atteignent des prix assez élevés et sont vendus dans des bouteilles de Franconie. Le vignoble, planté à 30 % en Riesling, couvre 2 244 ha tandis que la remarquable E*inzellage* Neuweierer, Mauerberg près de Baden-Baden, est exclusivement composée de Riesling.

AFFENTAL
L'Affental, littéralement « vallée des singes », regroupe quelques villages au sud de Baden-Baden. Ses vins rouges sont connus en Allemagne, en

partie grâce au singe gravé dans le verre des bouteilles.

DURBACH
Le village de Durbach est réputé pour ses Rieslings, ses restaurants et ses magnifiques vignobles sur des coteaux de granite et de gneiss dont les pentes peuvent être vertigineuses comme à Plauelrain.
Les Rieslings de Durbach ressemblent à ceux du Palatinat, en moins acide. Outre sa cave coopérative, Durbach possède un certain nombre de très bons domaines privés. Weingut Freiherr von Neveu possède 15 ha de collines au-dessus du village ; il est connu pour son Riesling ainsi que pour son vin rouge à base de Pinot Noir. Un autre domaine important, Gräflich Wolff-Metternich'sches Weingut, a été fondé à Durbach en 1180. En 1830, le marquis de Lur-Saluces lui apporta des plants de Sauvignon provenant du Château d'Yquem. Ce cépage pousse toujours sur ce domaine dont le rendement varie, selon les cépages, entre 40 et 60 hl/ha.
Markgräflich Badisches Weingut Schloss Staufenberg (domaine du margrave de Bade) se trouve juché en hauteur, au-dessus du village de Durbach : un emplacement de défense idéal entouré sur trois côtés par des vignobles vertigineux. Riesling et Traminer y furent plantés séparément dès 1776. Dans cette partie du vignoble d'Ortenau, ces cépages sont aujourd'hui respectivement connus sous les noms de Klingelberger et de Clevner.

ORTENBERG
La ville d'Offenburg possède son propre domaine dans le village d'Ortenberg au sud de Durbach, le Weingut der Stadt Offenburg. Ses 30 ha de vignes sont parfois plantés sur des pentes à forte déclivité. L'encépagement varié inclut le Cabernet-Sauvignon, dont le vin vieillit en barriques neuves.

BREISGAU

Le *Bereich* de Breisgau se situe au sud d'Offenburg, où les vignes côtoient des champs de maïs. La plupart des vins ressemblent à ceux du Kaiserstuhl, en plus léger et moins acide. Ils sont produits par la cave coopérative Badischer Winzerkeller. Le rosé élaboré avec du Pinot Noir (Spätburgunder) est généralement bien réussi, car, au lieu d'être issu de saignées de cuves de fermentation en rouge, il fait l'objet d'une vinification en rosé.
Les vignes montent jusqu'à 500 m d'altitude sur le Glottertal, en pleine Forêt-Noire. La grande ville de Fribourg-en-Brisgau possède elle aussi un vignoble. À Malterdingen, il faut signaler le Weingut Bernhard Huber.

KAISERSTUHL

Depuis le village alsacien de Riquewihr, on peut voir s'élever, à une quinzaine de kilomètres à l'est, la colline volcanique du Kaiserstuhl, dominant la vaste plaine du Rhin. Le Bereich Kaiserstuhl représente un tiers des vignobles de Bade et produit ses vins les plus célèbres. La moyenne des températures relevées dans cette région est la plus élevée de toute l'Allemagne, ce qui explique que l'acidité des vins soit moins marquée que dans les régions plus septentrionales.
Un certain nombre de domaines de grande qualité sont plus particulièrement réputés. Quatre d'entre eux, membres du VDP, Weingut Bercher, Weingut Dr. Heger, Weingut B. Salwey et Weingut Rudolf Stigler, sont presque aussi connus des amateurs allemands que les plus grandes propriétés du Rheingau. Tous travaillent en respectant l'environnement et se consacrent presque exclusivement aux cépages Pinot Noir et Riesling. Weingut Rudolf Stigler est un spécialiste du Riesling vif et frais (certains de ses clones viennent de Moselle), et, comme nombre d'autres producteurs du →

VILLAGES ET PRODUCTEURS

Kaiserstuhl, il fait de bons Pinots Noirs en rouge et en rosé (Weissherbst).
Les vins du Kaiserstuhl sont produits presque exclusivement par des coopératives. Celles des villages de Achkarren, Bickensohl, Bischoffingen, Oberrotweil, Burkheim et Königschaffhausen ont une bonne réputation.
À Achkarren, 40 % du vignoble (sur un total de 68 ha) est planté en Grauburgunder. Les meilleures cuvées ont un bouquet puissant marqué par le cépage et le sol volcanique.
Le Grauburgunder est aussi vendu sous le nom de Ruländer lorsqu'il est vinifié à l'ancienne, ce qui donne un vin tendre et souple, parfois botrytisé.
Mais c'est la coopérative de Bickensohl qui, dans les années 1980, a lancé un nouveau style de vins plus nerveux, obtenus en ramassant des raisins sains avant complète maturité.
Parmi les meilleurs producteurs, il ne faut pas manquer d'évoquer le Weingut Franz Keller (Schwarzer Adler), qui vinifie de grands vins.
Ce viticulteur s'est battu pendant 40 ans pour améliorer la qualité des vins allemands.

IHRINGEN

Sur le versant sud du Kaiserstuhl se trouve la célèbre *Einzellage* Ihringer Winklerberg, le vignoble d'origine datant de 1813 (les Romains n'étaient pas passés par là). Comme c'est fréquemment le cas, la nouvelle délimitation regroupe des terroirs aux sols et aux microclimats différents. Les meilleurs vins du vignoble d'origine proviennent du domaine Heger et de la coopérative Ihringen Kaiserstühler.

BISCHOFFINGEN ET BURKHEIM

Bischoffingen est un autre village réputé du Kaiserstuhl, grâce à sa grande coopérative et au Weingut Karl Heinz Johner. Ce dernier est un spécialiste de l'élevage en barriques de rouges et de blancs ; il a quitté la région de Bade pour diriger le Domaine Lamberhurst en Angleterre avant de revenir chez lui pour créer son domaine. Weingut Bercher, à Burkheim, élève aussi en fûts sa meilleure cuvée de Pinot Noir et ses autres vins.

TUNIBERG

Pour le visiteur, le terroir élevé du Bereich Tuniberg ressemble à un petit Kaiserstuhl auquel manquerait l'arôme qu'apporte un sol volcanique. Composée d'une épaisse couche de lœss, la terre est un peu trop fertile pour la culture de la vigne. Près de la moitié du vignoble est plantée en Pinot Noir et 43 % en Müller-Thurgau. La puissante coopérative Badischer Winzerkeller vinifie la presque totalité des récoltes. Cette « locomotive » de la viticulture badoise est la plus vaste coopérative d'Europe. Dotée d'immenses installations à Breisach, près de la frontière française, elle produit la moitié des vins de Bade. En outre, elle a joué un rôle précurseur dans différents domaines comme celui de la vinification individuelle de centaines de lots différents afin de sauvegarder l'identité de chaque parcelle. La cave vinifie les raisins de 5 000 ha de vignes qui se déclinent en une gamme de vins de tous niveaux et de tous styles, du plus ordinaire jusqu'aux cuvées vieillies en fût. Elle possède aussi à Breisach la cave de *Sekt* appelée Gräflich von Kageneck'sche Sektkellerei.

MARKGRAEFLERLAND

Entre Fribourg-en-Brisgau et la Suisse, le Bereich Markgräflerland se tient à bonne distance de l'autoroute E4 qui le sépare du Rhin. Dans ce joli paysage rural, les vignes poussent sur des collines douces, dont le sommet Hochschwarzwald culmine à 1 300 m d'altitude.
La douceur du paysage se retrouve dans les vins issus de Chasselas, le cépage le plus répandu, dont on explique mal l'origine du nom allemand, Gutedel, puisque, pour être bon

(gut), il n'est pourtant pas noble (edel). Ce Chasselas produit des vins blancs légers et plaisants. Lorsqu'on a la chance de trouver un Gutedel plus concentré, c'est une bonne surprise, vraiment rare. Schlossgut Istein est un petit domaine réputé de 8 ha situé à Lörrach, à l'extrémité sud, tout près de la frontière suisse, qui élabore, entre autres, un bon Pinot Noir. Les coopératives d'Auggen, Müllheim et de Wolfenweiler sont tout à fait dignes de confiance : outre le Gutedel, elles se consacrent au Müller-Thurgau (quelquefois commercialisé en vin « light » sous le nom de Rivaner) et au Pinot Noir, qui donne un rouge un peu mou, moins réussi qu'en Kaiserstuhl.

LE LABEL « BADEN SELECTION »

L'association des viticulteurs de Bade, consciente que la multiplication des étiquettes de vins haut de gamme apporte une certaine confusion auprès des consommateurs, a décidé de rendre les meilleures cuvées plus accessibles et plus facilement reconnaissables en créant un label de qualité. Ils l'ont appelé Baden Selection. Les vins doivent être issus de cépages de la famille des Pinots (avec un rendement maximal de 40 hl/ha), de Riesling, de Gutedel ou de Müller-Thurgau (avec un rendement maximal de 60 hl/ha).

Il peut paraître étonnant que le Müller-Thurgau ait été inclus dans cette liste, et non le Sylvaner, mais il faut comprendre que les vins de Müller-Thurgau obtenus avec un rendement de 60 hl/ha n'ont rien à voir avec ceux qu'on obtient avec 100 hl/ha, voire plus. Les vins labellisés Baden Selection doivent provenir de vignes de plus de 15 ans.

Le millésime, le cépage et la région d'origine figurent obligatoirement sur l'étiquette, mais, curieusement, il est interdit de mentionner un village ou un nom de cru. Tous les vins sont soumis à une dégustation. Les responsables considèrent que 3 % des vins devraient réussir cet examen de passage. On espère que cette nouvelle recherche de qualité séduira de plus en plus de vignerons, et l'objectif de labellisation s'élève à 10 % de la production, ce qui équivaut à 24 millions de bouteilles. De nombreux vins de coopérative d'une qualité proche de la gamme Baden Selection se sont déjà imposés sur la carte des vins de grands restaurants. Il faut espérer que les autres producteurs ne se montreront pas moins exigeants à l'avenir.

LE LAC DE CONSTANCE

La région du lac de Constance (Bodensee en allemand) regroupe trois *Bereiche*. Les deux plus petits appartiennent aux États du Wurtemberg et de Bavière, tandis que le Bereich Bodensee (400 ha) fait partie du pays de Bade. Le Pinot Noir pousse ici depuis le XIXe siècle, mais la première trace de plantation en tant que cépage unique date de 1705, à Meersburg. Il n'est guère cultivé que pour faire le petit rosé léger très apprécié localement : le Weissherbst. Comme en Franconie, les gelées printanières entraînent d'importantes variations de volume d'une récolte à l'autre. La forte pluviométrie (entre 800 et 1000 mm par an) et les brumes qui remontent du lac sont autant d'ennemies de la vigne à combattre pour éviter la pourriture. Il n'est donc pas facile d'élaborer des vins rouges véritablement colorés. Le lac de Constance est un lieu de villégiature de luxe où les hôtels, les restaurants, tout comme les vins coûtent cher. C'est là que se trouve le vignoble le plus élevé d'Allemagne, Hohentwieler Olgaberg, qui culmine à 560 m d'altitude. Le sol volcanique est planté en Müller-Thurgau, Pinot Noir, Ruländer, Traminer et Pinot Blanc.

WURTEMBERG

Carte page XXVI

La plus grande partie du Wurtemberg viticole s'étend de Stuttgart, au sud, jusqu'à Heilbronn, au nord, sur les deux rives du Neckar. Le vignoble, qui couvre 10314 ha, est planté en majorité sur les coteaux pentus qui dominent le fleuve et ses affluents, parfois en terrasses, ainsi que sur les pentes orientées au sud des collines boisées. Il y a 6 *Bereiche* différents, mais, dans la plupart des cas, le propriétaire est plus important que l'origine géographique des vins.

Les cépages

Les vins du Wurtemberg sont essentiellement consommés sur place, et l'on apprécie beaucoup, dans les cafés et les boutiques, ces vins rouges légers qu'on qualifierait ailleurs de rosés. Plus de la moitié du vignoble est plantée de cépages rouges et un quart de Riesling. Ce dernier occupe, avec les rouges Trollinger et Lemberger, les meilleurs terroirs. Les parcelles de Riesling sont disséminées dans toute la région, ce cépage ayant acquis une excellente réputation dans quelques villages, comme à Flein, au sud d'Heilbronn. Derrière le Riesling vient le Trollinger, qui couvre 22 % du vignoble, puis le Schwarzriesling (Müllerrebe ou pinot Meunier) sur 15 % et enfin le Kerner, le Müller-Thurgau et le Lemberger (ou Limberger, ainsi qu'il est officiellement, mais rarement, nommé). Le Samtrot, un hybride du Schwarzriesling, couvre 90 ha et l'on trouve également un peu de Frühburgunder, appelé ici Clevner.

L'escarpement des coteaux entraîne des coûts de production très élevés qui nécessitent un choix entre deux modes de culture : produire de grands volumes de vin ordinaire, ou de petites quantités de vin cher. La plupart des viticulteurs ont opté pour la première solution : le Trollinger a atteint une moyenne de 222 hl/ha dans l'exceptionnel millésime 1989. Le résultat est un vin rouge clair qui n'a rien de déplaisant en consommation courante, mais ne peut en aucun cas prétendre à la race ou à la profondeur qui font les bons vins rouges. Les coopératives, qui monopolisent 88 % de la récolte, n'ont rien trouvé de mieux que de chauffer la vendange de raisins rouges à 85 °C pendant six minutes afin d'obtenir une meilleure extraction. Cette vendange est ensuite refroidie, pressurée, centrifugée, afin d'obtenir un moût qui est rafraîchi à 18 °C avant d'être additionné de levure et de fermenter. On « arrondit » le résultat final en ajoutant du jus de raisin *(Süßreserve)* afin de rendre ce liquide buvable et commercialisable auprès des cafés et des supermarchés locaux.

Malgré la beauté de ses vignobles, malgré ses coopératives modernes dont la technique et l'hygiène sont irréprochables, le Wurtemberg est aujourd'hui la région la plus décevante d'Allemagne de l'Ouest en matière de production viticole. Cela n'empêche pas ses habitants d'aimer leurs petits vins rouges légers sans tanin et de défendre leur vin sans vergogne. Certains changements semblent se profiler et le potentiel de la région pourrait être exploité grâce aux efforts de 14 caves résolues à jouer la carte de la qualité, prenant exemple sur leurs confrères de Bade. Il reste que le seul cépage du Wurtemberg qui puisse donner un vin acceptable – avec une bonne couleur rouge et de bons tanins – est le Lemberger (le Blaufränkisch d'Autriche). Comme le Domfelder, il peut avoir une certaine concentration, et même supporter l'élevage en chêne neuf (souvent d'origine souabe). Quelques coopératives ont mis des vins sous bois, mais les domaines privés ont les initiatives les plus heureuses.

PRODUCTEURS ET NÉGOCIANTS

Dans le Wurtemberg, la qualité du vin dépend plus de la volonté du producteur que de l'emplacement des vignes. Même si quelques terroirs individuels sont meilleurs que les autres, les prix sont à peu près identiques partout. Cela démontre que la surproduction étouffe tout effort qualitatif et toute tentative d'individualisation.
Les caves coopératives vinifient 80 % des raisins. La plus grande, la cave centrale de Möglingen, au nord de Stuttgart, possède une capacité de stockage de trois millésimes, et les autres caves coopératives lui fournissent 15 % de leur récolte.
Hormis les cuvées haut de gamme des coopératives, quelques domaines produisent et mettent en bouteilles des vins de caractère. Parmi ceux-ci se trouvent les neuf membres de la récente section locale du VDP (voir p. 662).

WEINGUT GRAF ADELMANN
Ce domaine à Burg Schaubeck est l'une des propriétés les plus connues. Plus qu'aucune autre, sans doute, elle prouve à quel point le vin du Wurtemberg peut être bon. Le rendement moyen y est de 72 hl/ha, contre 109 pour la région, et 99 % de son vin est sec.

WEINGUT ROBERT BAUER
Ce domaine à Flein fait aussi de bons vins complètement fermentés qui vieillissent en fûts.

FREIHERRLICH VON GEMMINGEN-HORNBERG'SCHES WEINGUT
Ce domaine à Burg Hornberg, fondé en 1612, utilise des cépages traditionnels comme le Traminer pour élaborer ses vins.

SCHLOSSKELLEREI GRAF VON NEIPPERG
Ce domaine familial fondé en 1200, à Schloss Schwaigern, près de Heilbronn, possède 32 ha de vignes en rouge et blanc. La plupart de ses vins sont secs.

AUTRES PRODUCTEURS
Parmi les autres bons producteurs, citons surtout le Weingut Ernst Dautel à Bönnigheim, qui produit les meilleurs vins de la région, ainsi que Weingut Wöhrwag à Untertürkheim, Weingut Aldinger à Fellbach, Weingut Fürst zu Hohenlohe-Oehringen à Oehringen et Weingut Albrecht Schwegler à Korb.

LE SEKT

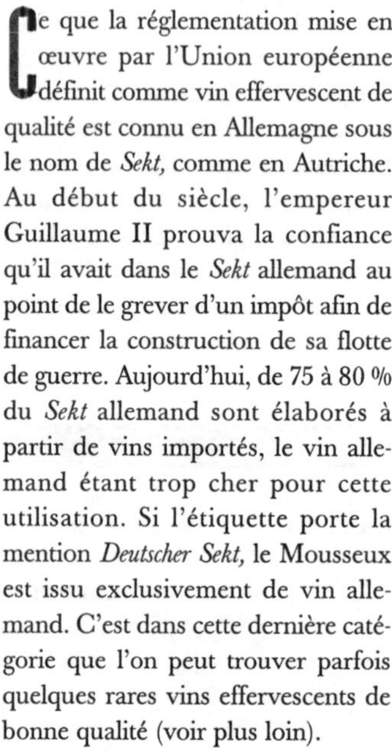

Ce que la réglementation mise en œuvre par l'Union européenne définit comme vin effervescent de qualité est connu en Allemagne sous le nom de *Sekt,* comme en Autriche. Au début du siècle, l'empereur Guillaume II prouva la confiance qu'il avait dans le *Sekt* allemand au point de le grever d'un impôt afin de financer la construction de sa flotte de guerre. Aujourd'hui, de 75 à 80 % du *Sekt* allemand sont élaborés à partir de vins importés, le vin allemand étant trop cher pour cette utilisation. Si l'étiquette porte la mention *Deutscher Sekt,* le Mousseux est issu exclusivement de vin allemand. C'est dans cette dernière catégorie que l'on peut trouver parfois quelques rares vins effervescents de bonne qualité (voir plus loin).

La consommation annuelle de vin mousseux en Allemagne, de 5 litres par personne, est l'une des plus élevées au monde. Le terme « vin mousseux de qualité » est la mention requise par l'Union européenne. Ses conditions d'élaboration sont si vagues que cette mention ne donne aucune information sur la qualité réelle du contenu de la bouteille. Près de 98 % des vins effervescents allemands sont classés comme *Sekt* et se vendent très bon marché, sous un nom de marque. Seulement 1 % du *Sekt* est vendu à un prix élevé.

Les principaux producteurs

Le *Sekt* est produit par près de 800 entreprises. Le plus grand centre d'embouteillage du monde, celui de Peter Herres, à Trèves, sort de sa chaîne 75 000 bouteilles à l'heure, tandis que 86 % des autres embouteilleurs n'en produisent pas plus de 20 000 par an. La production totale annuelle est de 492 millions de bouteilles, dont Henkell-Söhnlein, le groupe Reh et Seagram produisent à eux seuls les deux tiers.

Le style de *Sekt* préféré en Allemagne est celui que la réglementation européenne définit comme sec *(trocken* en allemand), c'est-à-dire qu'il contient entre 17 et 35 g de sucre par litre (en tant que vin effervescent). Quand on s'aventure dans le domaine du *Sekt* de qualité, on préfère généralement la catégorie des bruts (0 à 15 g de sucre par litre). Ces derniers, le plus souvent millésimés, sont généralement issus d'un cépage unique d'un vignoble allemand, de préférence le Riesling, dont l'acidité et la finesse donnent un vin effervescent élégant, bien que le Pinot Blanc gagne du terrain. Outre le millésime et, parfois, le cépage vinifié, l'étiquette mentionne quelquefois un nom d'origine plus précis que la région ou bien la province.

Les méthodes de fermentation

Jusqu'au milieu des années 1980, on ne se préoccupait guère, en Allemagne, de savoir où et comment se passait la seconde fermentation. On utilisait trois méthodes : la fermentation en cuve close ; la fermentation en bouteille suivie d'un dégorgement sous pression dans des cuves avant la mise en bouteilles ; et la fermentation dans la bouteille définitive (comme en Champagne). La préférence pour telle ou telle méthode dépendait des critères économiques de production. Les facteurs de qualité les plus importants étaient liés au vin de base (acidité élevée, pas ou peu de faux goût), au choix des levures, à la durée de conservation du vin sur ses lies, ainsi qu'à la volonté du vinificateur et à son savoir-faire.

Winzersekt

Nombre de producteurs de vins tranquilles commercialisent aussi un *Sekt* qu'ils élaborent eux-mêmes ou qu'ils font faire à façon. Comme il s'agit en général de petits volumes, la fermentation en bouteille est la solution la plus pratique; qui va également dans le sens de la qualité. Lorsqu'ils font un *Sekt,* les petits domaines vendent leur *Sekt* aux clients qui sont déjà ceux de leurs vins tranquilles. Contrairement aux buveurs de *Sekt* moyens, ces consommateurs s'intéressent à la qualité de la vinification et, pour eux, la « méthode traditionnelle » est une garantie.
La production de *Winzersekt,* le Sekt de propriété, a commencé tout doucement, dans les années 1980, pour atteindre aujourd'hui 6 millions de bouteilles par an. Ces vins sont vendus beaucoup plus cher que ceux produits en grande quantité. Une association de producteurs s'est créée à Sprendlingen. Elle compte quelque 700 membres qui vendent une gamme de *Sekt* d'origine locale – sans doute la seule réussite de la viticulture du Rheinhessen dans les années 1990. Une association de même type existe dans la Sarre et dans toute l'Allemagne et des coopératives ont ajouté un *Winzersekt* à leur gamme de produits.
L'industrie du *Sekt* a connu une croissance remarquable depuis les années 1950, avec une seule interruption due à une augmentation des taxes. Il reste que le *Sekt* ne bénéficie pas d'une bonne image, tant en Allemagne que dans le reste du monde. Pour un amateur de vin attentif à l'authenticité de ses choix, il est sûr que la majeure partie des *Sekt* peut décevoir tant par la diversité des vins de base que par les options industrielles des modes d'élaboration. Malgré ces réserves, il existe de très bons producteurs de *Sekt,* comme notamment Menger Krug à Gau-Odernheim.

PAYS DU BENELUX

Les pays du Benelux ne sont pas des régions où la viticulture est facile, car ils sont situés au-delà de la limite nord de la culture de la vigne (50°-53° de latitude nord). Si, paradoxalement, le vignoble mosellan du Luxembourg produit de bons vins qui ont une excellente réputation, en revanche, les petits vignobles de Belgique et des Pays-Bas ne représentent que quelques dizaines d'hectares de vigne dans des pays où domine la consommation de bière. Les petits vins de ces pays sont élaborés par un groupe de passionnés qui font partager le fruit de leurs efforts à quelques amis et autres clients locaux. Mais il n'en a pas toujours été ainsi. Des vignobles poussent en Belgique, principalement sur les coteaux de la Sambre et de la Meuse ainsi que dans les environs de Louvain (Leuven), depuis la conquête romaine (54 av. J.-C.). Il est bien sûr regrettable que la majorité du vignoble belge ait disparu, même si la qualité des vins était très moyenne. Au Luxembourg, la vigne a connu une histoire relativement paisible, à l'image de celle du pays. Elle y fut aussi introduite par les Romains, il y a presque deux mille ans. À cette époque, déjà, le principal site de plantation était la vallée de la Moselle, dont les coteaux sont bien exposés. Le vignoble qui survécut à la Révolution française et aux guerres napoléoniennes a connu au XIXe siècle un essor extraordinaire, tout particulièrement après la guerre de 1870. La Première Guerre mondiale mit brutalement fin à cette richesse. Entre les deux guerres est née l'union économique avec la Belgique, qui permit aux viticulteurs d'exporter, de nouveau, une grosse partie de leur production, mais cette fois vers la Belgique.

BELGIQUE

À la lecture des rares auteurs qui ont écrit sur les vins belges, on comprend que le vin belge était autrefois acide, de peu de tenue et qu'il voyageait mal, comme c'était jadis le cas pour beaucoup de vins. Si, au début du XIXe siècle, le vignoble liégeois fut épargné sur ordre de Bonaparte, des destructions pour ainsi dire définitives furent effectuées par les Allemands, en 1914. En fait, les autorités d'occupation profitèrent des circonstances pour supprimer la concurrence directe de la région du Rhin.
Aujourd'hui, la viticulture belge regroupe une petite centaine de vignerons, sur une superficie d'environ 30 ha seulement. C'est dire que les vignerons du pays sont très discrets ; parfois même, les adresses ne se transmettent qu'entre initiés. Quelques petits vignobles se sont « fait un nom »... qui ne dépasse pas les frontières.
Les principales zones de production se situent à Torgny, en Gaume, sur les rives de la Meuse, à Huy et à Saing, à Charleroi, où les vignes poussent sur le terril de Trazenie, et dans le Hageland, seule région où existent de véritables exploitations dont la taille va jusqu'à 5 ha. À côté de ces « grandes » zones, on trouve des vignerons amateurs un peu partout. Les désignations de lieux comme Hagelander ou Torgny sont cependant mises en exergue sur les bouteilles, bien qu'aucune législation locale n'existe sur les appellations, si ce n'est celle de l'Union européenne. Les vignes plantées sont en majorité du Pinot Noir pour les rouges et du Müller-Thurgau pour les blancs, et tous ces vins sont à boire jeunes, sur leur fruit.

PAYS-BAS

Il existe trois vignobles aux Pays-Bas ; deux sont situés au sud du pays, non loin de Maastricht, et un autre plus au nord, dans le Brabant-Septentrional. Les principaux cépages cultivés sont le Riesling, l'Auxerrois, le Müller-Thurgau et l'Optima (un croisement entre le Müller-Thurgau et le Sylvaner). Les vins blancs produits aux Pays-Bas sont vifs et légers.

LUXEMBOURG

Le Luxembourg est probablement un des plus petits, si ce n'est le plus petit, pays producteurs de vin du monde. Mais, en surface plantée en vigne (1 350 ha), il dépasse le vignoble anglais. Malgré la petite surface plantée, la production est importante, car le rendement à l'hectare est élevé (pas moins de 118 hl/ha). Les Luxembourgeois, eux, sont de grands consommateurs, puisqu'ils atteignent une consommation de 60 l de vin par an et par habitant.
Toute la production est concentrée sur les coteaux de la vallée de la Moselle, dont le sous-sol argilo-calcaire, l'exposition plein sud et les

pentes régulières favorisent la vigne. La rivière joue un rôle de thermorégulateur : la réflexion de la lumière sur l'eau aide au mûrissement du raisin. Le vignoble luxembourgeois fait face à celui de la Moselle supérieure allemande (voir p. 671).

Ces vingt-cinq dernières années, la production a connu des progrès gigantesques : pas uniquement en termes de quantité, mais aussi sur le plan de la qualité. En même temps, le nombre de caves particulières a fortement décru. 70 % de la production arrive des caves coopératives, 15 % de caves particulières, le restant de caves particulières vendant entièrement au négoce.

Actuellement, les principaux cépages sont le Rivaner, ou Müller-Thurgau, qui donne des vins que l'on peut qualifier de petits vins (ce cépage couvre un tiers du vignoble), le Riesling, mais aussi le Pinot Auxerrois, le Pinot Gris, le Pinot Blanc, l'Elbling (12 % de la surface plantée). De ces cépages sont issus des vins très légers servant de base à des vins mousseux. La production luxembourgeoise comprend 99 % de vins blancs – tranquilles ou mousseux – et 1 % de vins rouges, exclusivement à base de Pinot Noir.

C'est en 1935 que la Marque Nationale fut créée sous l'égide du ministère de l'Agriculture et de la Viticulture. En 1985 l'appellation Moselle Luxembourgeoise voit le jour et, en 1991, est lancée l'appellation Crémant du Luxembourg (cave Saint-Rémy à Remich).

Il existe un classement des vins établi lors de la labellisation : 18 à 20 points confèrent le titre de premier grand cru, 16 à 17,9 points celui de premier cru, 14 à 15,9 points celui de vin classé et 12 à 13,9 points celui de vin sans mention. En dessous de 12 points, les vins ne sont que vins de table.

SUISSE

Carte page XXVII

Voilà longtemps que l'efficacité est de rigueur dans les vignobles suisses ; elle est nécessaire, car la demande de vin dépasse largement le volume pouvant être produit : chaque Suisse consomme environ 20 litres de vin du pays et 30 litres de vin importé par an. Les vignobles, accrochés à des coteaux orientés au sud, le long des fleuves et en bordure des lacs (qui réfléchissent la chaleur), sont difficiles à cultiver et leur coût de production élevé rend les vins suisses notoirement onéreux. La plupart des vins ont longtemps été destinés à la consommation quotidienne, mais, aujourd'hui, la formation et les expériences menées ailleurs en Europe et dans le Nouveau Monde contribuent à l'apparition de vins suisses d'une qualité nouvelle. On trouve de la vigne presque partout, en rouge comme en blanc, mais les vignobles les plus importants sont situés dans les cantons francophones du Valais et de Vaud. La plupart des vins sont secs et 56 % sont blancs. Le principal cépage blanc utilisé dans les cantons francophones est le Chasselas, qui donne généralement un vin à boire dans les trois ans, mais pouvant surprendre agréablement au bout de vingt-cinq. Dans les cantons germanophones, le principal cépage blanc est le Riesling-Sylvaner – nom suisse du Müller-Thurgau. Le Pinot Noir (appelé Blauburgunder en Suisse alémanique) est le meilleur cépage rouge. On en fait l'œil de Perdrix, un rosé à peine teinté, dans les cantons francophones. Dans le canton plus ensoleillé du Tessin, en Suisse italienne, le Merlot est roi et donne certains des meilleurs rouges du pays.

L'industrie viticole

La surface moyenne d'une propriété viticole – moins d'un demi-hectare – représente le tiers de la moyenne communautaire. Pour la vinification, la plupart des viticulteurs s'en remettent à de grands centres ou à des coopératives, mais un nombre croissant de petits domaines, souvent dirigés par de jeunes vignerons, pratiquent la mise en bouteilles.

Comme le souci d'efficacité – entraînant recours excessif aux engrais et donc surproduction – a souvent abouti à des vins légers de faible acidité, le rendement des meilleurs crus est désormais limité par la loi. Certains estiment pourtant qu'un rendement de 112 hl/ha est encore trop si l'on veut éviter un épuisement précoce de la vigne.

Sur les 26 cantons suisses, 6 seulement sont francophones, mais ils contiennent les trois quarts des 15000 ha de vignes de la Confédération helvétique. Le canton italophone du Tessin en possède 1300 ha et le reste est éparpillé dans les 17 cantons de Suisse alémanique. La superficie viticole a augmenté de 20 % depuis les années 1960, mais d'un tiers dans le Valais, canton qui produit le plus de vin.

SUISSE ROMANDE

L'ouest de la Suisse, frontière du pays avec la France, produit les vins les plus intéressants. Valais et Vaud alignent, et de loin, les plus grandes superficies viticoles, mais Genève et Neuchâtel ont aussi une production non négligeable.

LA LÉGISLATION VITICOLE

En Suisse, les étiquettes de vin relevaient autrefois en grande partie de la fantaisie du producteur : les vins pouvaient porter des noms de lieu, de cépage ou de marque. Depuis les années 1993, des appellations d'origine sont nées dans les cantons producteurs. Ces appellations s'inspirent du système français, chaque canton ayant inventé sa propre méthode. Elles sont nombreuses : 32 à Genève, 19 à Neuchâtel, correspondant à 18 communes.

Le vin issu de Chasselas est appelé Dorin dans le canton de Vaud, Fendant dans le Valais et Perlan à Genève. Le rouge AOC Salvagnin dans le canton de Vaud porte l'AOC Dôle en Valais (Pinot-Gamay), le rosé est baptisé Œil de Perdrix à Neuchâtel (et Perdrix Blanche pour les Blancs de Noirs). Ce que l'on nomme Spécialité désigne des vins particuliers issus de cépages rares. Ce sont des vins en général excellents et chers.

Valais

Les vignes valaisannes (5 250 ha) sont situées sur les bas coteaux des montagnes environnantes. Commençant à 1 000 m au-dessus du niveau de la mer dans certains des plus hauts vignobles d'Europe, à Visperterminen, la vigne suit le Rhône à ses débuts jusqu'à l'angle droit qu'il forme à Martigny. Beaucoup de parcelles sont intensivement plantées (jusqu'à 15 000 pieds à l'hectare). Le rendement par cep peut donc être faible, mais, à l'hectare, il est proche du maximum autorisé pour un vin de qualité.

Il peut faire chaud et sec en Valais ; les vignobles entourant Sierre se contentent d'environ 400 mm de pluie par an, auxquels s'ajoute parfois une brève irrigation. Les raisins mûrissent facilement et la richesse en sucre ne varie guère selon qu'ils sont cultivés à 400 m ou 800 m d'altitude.

Les vins valaisans les plus courants sont le Fendant (nom local du Chasselas, ici à son niveau maximal d'alcool… et de prix) en blanc et la Dôle en rouge. La Dôle est une agréable spécialité du Valais, un vin d'assemblage fruité avec ce qu'il faut de structure, à boire dans les trois ans. Le Pinot Noir joue le rôle principal tandis qu'un rôle d'appoint est confié au Gamay, dont les raisins sont vendangés au même moment.

En l'absence de brouillard, donc avec moins de risque de pourriture, le Pinot Noir est un cépage intéressant dans le Valais, à condition d'éviter les endroits les plus ensoleillés. Des clones bourguignons ou suisses donnent des vins ayant l'acidité, donc la structure, nécessaire. Les viticulteurs bien formés n'attendent plus un taux de sucre très élevé, mais vendangent quand les raisins atteignent 12-13 % vol. d'alcool potentiel, avec un niveau d'acidité satisfaisant, ce qui donne un vin pouvant évoluer en bouteille pendant plusieurs années.

Quant à savoir s'il vaut mieux cultiver du Chardonnay et d'autres variétés d'importation récente ou s'en tenir aux cépages traditionnels, c'est une question de philosophie et de marketing à laquelle les producteurs donnent des réponses variables. Les partisans des cépages autochtones ont le choix entre plusieurs variétés intéressantes. L'Humagne Rouge (il y a aussi une version en blanc) est un cépage exubérant : si la vendange ne dépasse pas 80 hl/ha au maximum, le vin peut être robuste et assez concentré pour supporter un élevage en fûts de bois neuf d'environ 225 l. Sa saveur tannique rappelle à certains celle du Barolo. Sous ce climat presque aussi chaud que celui des Côtes du Rhône septentrionales, on cultive aussi de la Syrah.

Les raisins des anciens cépages blancs du Valais, Amigne et Petite-Arvine, ainsi que ceux du Cornalin (rouge) mûrissent tardivement, en octobre. Bien soignés et avec de petits rendements, ils ont beaucoup de caractère, les deux vins blancs ayant un goût

intense et fruité. Dans un genre plus doux et parfois très riche en alcool, le Valais a sa Malvoisie (Pinot Gris), le plus cher des vins traditionnels du canton. Le volume de ces spécialités est relativement faible.

Vaud

Quand le Rhône quitte le Valais pour le canton de Vaud, la vigne reste présente au long de la vallée, puis suit la rive septentrionale du lac Léman, qui joue un rôle prépondérant dans le climat tempéré de la région.

Vaud compte 3 850 ha de vignes, répartis en cinq zones : Chablais, Lavaux, La Côte, Côtes de l'Orbe-Bonvillars et Vully, ces deux dernières étant des enclaves éloignées du lac. Les Vaudois ont toujours vendu leurs vins sous le nom des meilleurs villages de chaque zone – comme Mont-sur-Rolle, Féchy, Aigle, Epesses, Saint-Saphorin, Dézaley et Yvorne – et ceux-ci sont bien connus en Suisse. Le Chablais s'étend sur la rive droite du Rhône jusqu'à l'endroit où le fleuve rejoint le lac Léman ; ses vignobles sont situés sur des pentes orientées au sud-ouest, dans des villages comme Aigle, Bex, Ollon, Villeneuve et Yvorne. Ses vins blancs de Chasselas et ses rouges issus de Pinot Noir et Gamay sont solides et pleins de caractère.

À l'est de Lausanne, les vignes escarpées et soignées de Lavaux, plantées en Chasselas, figurent parmi les plus belles d'Europe. Grâce à la chaleur réfléchie par les terrasses rocheuses, on cultive aussi du Pinot Noir, qui donne un vin agréable, mais généralement dénué de complexité. Les meilleurs villages incluent Calamin, Dézaley, Epesses, Lutry et Saint-Saphorin.

À l'ouest de Lausanne, où la plupart des vins sont faits par des coopératives ou des maisons de négoce, la

LIECHTENSTEIN

La principauté du Liechtenstein est située entre l'est de la Suisse et l'Autriche. Érigé en principauté depuis 1719, cet État constitué des seigneuries de Vaduz et de Schellenberg, a adopté en 1921 une nouvelle Constitution qui le rattache à son voisin la Suisse sur le plan économique. Les 15 ha de vignes qui serpentent entre les maisons du Liechtenstein appartiennent, pour l'essentiel, au comte Hans-Adam II. Les caves de son domaine, Hofkellerei des Fürsten von Liechtenstein, localisées à Vaduz, sont connues en Europe centrale pour leur Chardonnay issu de vignes à faible rendement et leur Pinot Noir provenant de vieilles vignes. Les vins ressemblent, par leur style et leur structure, à ceux des cantons voisins de Suisse alémanique.

zone de La Côte est parsemée de jolies maisons ; les vignes qui les entourent poussent sur des ondulations ou des coteaux peu escarpés permettant une vendange mécanique. Les cépages sont encore une fois le Chasselas, pour d'élégants vins blancs, et le Pinot Noir, pour des rouges souples et plaisants. Les villages les plus connus comprennent Féchy et Mont-sur-Rolle.

Genève

Le vignoble de 1350 ha rejoint celui du canton de Vaud, au nord du lac Léman. Les vins blancs de Chasselas (appelés ici Perlan) représentent environ la moitié de la production, qui tire son caractère léger et élégant de sols argilo-calcaires riches en minéraux. On fait aussi du blanc à partir des cépages bourguignons Aligoté et Chardonnay, et des rouges légers issus de Gamay.

Neuchâtel

Dans les régions plus fraîches, comme à Neuchâtel où les vignes (600 ha) peuvent atteindre 580 m au-dessus du niveau de la mer, l'altitude entre en ligne de compte pour évaluer la maturité du raisin et fixer la date des vendanges. Le climat est tempéré par le lac de Neuchâtel, et les collines calcaires situées au nord du lac peuvent, les bonnes années, produire certains des meilleurs rosés suisses issus de Pinot Noir. Le Chasselas donne des vins blancs vifs et légèrement pétillants.

SUISSE ALÉMANIQUE

Ce terme désigne la Suisse germanophone – la plus grande partie du pays –, mais la viticulture est concentrée dans les cantons proches de la frontière allemande, une région appelée Ostschweiz (Suisse orientale). Les vins qui en sont issus sont généralement bus dans l'année ; les blancs sont surtout à base de Riesling-Sylvaner (Müller-Thurgau) et les rouges de Blauburgunder (Pinot Noir, également appelé ici Klevner ou Beerli). Le Föhn, un vent chaud qui souffle des Alpes en automne, contribue au mûrissement du Pinot Noir. Les anciens cépages blancs, l'aromatique Completer et l'élégant Räuschling, sont très peu cultivés. Éparpillés dans la région, quelques vignerons s'efforcent de produire des vins rouges de Pinot Noir et des blancs de Chardonnay ayant un peu plus de structure qu'autrefois. L'élevage en barriques n'est pas rare.

SUISSE ITALIENNE

Le Tessin (en italien, Ticino), au sud de la Suisse, est surtout italophone. Ce canton doté de sommets élevés – et d'un fort taux de chômage – est connu pour ses vins rouges à base de Merlot, introduit ici en 1897. Les chauds étés tessinois ne favorisent pas la production de vin blanc et 3 %

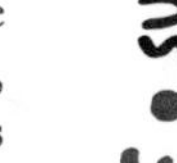

seulement des vignobles sont occupés par des cépages blancs (Chasselas, Sémillon, Sauvignon). Certains vignerons produisent cependant du blanc et du rosé à partir de Merlot et de Pinot Noir.

Le Merlot du Tessin est généralement un vin souple et facile à boire, mais certains sont élevés en fûts de chêne neuf pour plus de complexité. Du Cabernet-Sauvignon a été planté afin de reproduire un assemblage de type bordelais.

Le label officiel « ViTi » était autrefois une garantie de qualité, mais, à en croire la revue de vins *Alles über Wein*, certains producteurs de renom négligent désormais les dégustations ViTi : « Les beaux jours du label ViTi sont bien finis. Créé en 1949 pour protéger la qualité des vins tessinois, il est aujourd'hui synonyme de médiocrité contrôlée. »

GRISONS

Ce petit vignoble s'étendant sur environ 300 ha est exploité par une cinquantaine de producteurs. Quelques vignes sont situées au sud de Coire, la plupart des autres entre Coire et le Liechtenstein. Les cépages sont ceux que l'on trouve en Suisse romande ainsi que quelques spécialités : le Completer et le Räuschling, deux blancs, et même deux hybrides assez bons, le Seyval Blanc et le Léon Millot (R), que l'on cultive surtout en Angleterre. Ces vins grisons peu connus sont étonnamment bons.

PRODUCTEURS ET NÉGOCIANTS

SUISSE ROMANDE

VALAIS
Parmi les bons producteurs, citons Charles Bonvin, Simon Maye, le Domaine du Mont d'Or et les Vins Rouvinez.

VAUD
Parmi les bons producteurs, on trouve l'Association Viticole Aubonne, Badoux & Chevalley, Louis Bovard, Henri Cruchon, Hammel, Obrist et J. & P. Testuz.

SUISSE ALÉMANIQUE

Les principaux cantons vinicoles sont Zurich et Schaffhouse, bien qu'ils achètent aussi beaucoup de vin blanc du Valais. Le gros des vendanges zurichoises est vinifié par deux caves coopératives à Wädenswil et Winterthur. Près de 200 viticulteurs livrent aussi leurs raisins aux caves cantonales officielles, les Staatskellereien des cantons de Zürich. On trouve aussi du vin produit par de très petits domaines liés à un restaurant. En dehors des coopératives, l'un des producteurs les plus réputés est Kümin.

SUISSE ITALIENNE

Les vins les plus intéressants sont ceux de négociants ou de petits producteurs plutôt que de coopératives. Parmi les meilleurs, citons Agriloro, Guido Brivio, Tamborini et Vinattieri Ticinesi.

GRISONS

Parmi les producteurs, citons von Tscharner au Schloss Reichenau.

AUTRICHE

Carte page XXVIII

Forts d'une tradition profondément enracinée dans la moitié orientale du pays, les différents vignobles d'Autriche offrent une multitude de cépages et de styles de vin bien distincts. L'Autriche est avant tout un pays de vins blancs. Le Riesling arrive à une belle maturité dans la Wachau et le Kamptal-Kremstal, donnant des vins très riches sans sucres résiduels. Le cépage spécifique à l'Autriche est le Grüner Veltliner : présent un peu partout, il donne des vins légers et poivrés. Dans la Wachau et le Kamptal voisin, il peut même produire des vins aussi puissants que le Riesling. La Styrie, région au climat plus frais, est le fief des blancs aromatiques : Pinot Blanc, Welschriesling, Morillon (Chardonnay), Muskateller, Traminer et l'excellent Sauvignon. Comme partout, de gros efforts ont été accomplis pour améliorer la qualité des rouges. Après un engouement passager pour le Cabernet-Sauvignon, les vignerons se recentrent désormais sur leurs cépages autochtones : le Blaufränkisch, le Saint-Laurent et le Zweigelt, issu du croisement des deux précédents. Le Pinot Noir et le Blauer Portugieser sont également présents. Les meilleurs rouges viennent du Carnuntum, au sud-ouest de Vienne, et surtout du Burgenland, qui fournit par ailleurs une vaste gamme de vins botrytisés exceptionnels. Tirant la leçon des erreurs du passé, l'Autriche s'est dotée de la législation la plus stricte d'Europe en matière de vin, sans pour autant niveler sa spécificité. Elle seule offre ainsi un rosé vivifiant comme le Schilcher ou un blanc puissant et épicé comme le Zierfandler.

L'industrie vinicole

L'Autiche partage nombre de cépages avec l'Allemagne et s'est dotée d'un système de classement similaire. Mais ses vins présentent des styles plus variés et ressemblent davantage à ceux produits par ses autres voisins, comme la République tchèque, la Hongrie ou la Slovénie. Les principaux vignobles sont en effet situés dans la partie orientale du pays.

Comme en Allemagne, les vignerons exercent souvent leur activité à temps partiel, et la majorité des producteurs cultivent moins de 1 ha de vignes. Les vendanges manuelles sont donc fréquentes, et les coopératives occupent une place importante dans l'industrie viticole.

BASSE-AUTRICHE

Cette vaste province traversée par le Danube couvre tout le nord-est du pays. Les vins de qualité viennent des collines de la Wachau, des meilleures parties du Kamptal-Kremstal et de la Thermenregion, autour du village de Gumpoldskirchen.

Wachau

Avec 1 448 ha de vignes, la Wachau est l'un des plus petits vignobles d'Autriche, mais elle produit certainement les meilleurs vins blancs du pays. Le Grüner Veltliner et le Riesling dominent l'encépagement, mais on rencontre également du Neuburger, du Sauvignon et du Müller-Thurgau. Les vignes en terrasses exposées plein sud longent les gorges du Danube sur 16 km. Grâce à de remarquables terroirs volcaniques et des microclimats particuliers, les vins allient minéralité et puissance à un fruité subtil.

L'association Vinea Wachau, créée par des petits producteurs de la région, en 1985, pour promouvoir la production de vins de qualité, a défini son propre système de classement qualitatif pour les vins blancs secs, qui se traduit ainsi sur l'étiquette : le Steinfeder est le vin le plus léger (10,7 % vol.), suivi par le Federspiel (environ 11,5 % vol.). Le plus riche (l'équivalent d'un *Spätlese* sec allemand) s'appelle Smaragd et doit titrer un minimum de 12 % vol. Ces vins sont généralement issus de terroirs exceptionnels à faible rendement et de raisins vendangés tardivement. Lorsqu'ils sont réussis, ils sont superbes et vieillissent à merveille. Les noms des parcelles les plus célèbres figurent sur l'étiquette, précédés du mot *Ried.*

Kamptal-Kremstal

Cette zone cinq fois plus grande que la Wachau suit le cours du Danube jusqu'à la ville de Krems et s'étire au nord vers Langenlois et au sud vers le monastère de Göttweig. Le Riesling et le Grüner Veltliner poussent sur des sols volcaniques qui leur confèrent un style rappelant celui de la Wachau, en un peu moins puissant

LIRE UNE ÉTIQUETTE DE VIN AUTRICHIEN

La législation vinicole entrée en vigueur en 1985 est extrêmement stricte. L'étiquette doit mentionner obligatoirement certaines informations.

Le cépage : généralement en évidence, sa mention indique qu'il est présent pour 85 % minimum.

La catégorie de qualité : les différentes catégories sont à peu près les mêmes qu'en Allemagne (voir p. 657) et commencent par le *Tafelwein* (vin de table) et le *Landwein* (vin de pays). Tous les *Qualitätsweine* (vins de qualité) sont soumis à une analyse chimique et à une dégustation et doivent porter un numéro d'agrément *(Prüfnummer)*. Cette mention confirme que le vin répond à certains critères légaux, tels que la teneur en sucres des moûts (alcool potentiel). Dans la catégorie *Qualitätswein,* les vins sont classés (du moins sucré au plus sucré) en *Kabinett, Spätlese, Auslese, Eiswein, Beerenauslese, Ausbruch, Trockenbeerenauslese.*

La région de la Wachau a en outre mis en place son propre classement pour les vins blancs secs (voir ci-contre). Le Strohwein littéralement « vin de paille » et le *Schilfwein* sont des spécialités de la région du Neusiedlersee.

L'indication du degré de sucres résiduels : elle est obligatoire et se fait dans les termes suivants : *trocken* (sec) correspond à 9 g/l maximum, *halbtrocken* (demi-sec) à 12 g/l, *halbsüß* ou *lieblich* (moelleux) à 45 g/l, et *süß* (liquoreux) à plus de 45 g/l.

La région d'origine : elle est indiquée sur tout *Qualitätswein.* Il peut s'agir de l'une des 16 *Weinbaugebiete* (régions de production), du nom d'une commune ou de celui d'un vignoble particulier. Le vin doit provenir de là à 100 %.

Le millésime : s'il est mentionné sur l'étiquette, le vin doit provenir à 85 % au moins de l'année indiquée.

mais souvent plus élégant. À l'est de Krems, les vins issus des terrasses de lœss perdent en élégance ce qu'ils gagnent en corpulence, mais peuvent néanmoins être excellents. Et, même si les vins blancs dominent toujours, le nombre de vignerons produisant de bonnes cuvées de rouges ne cesse de croître.

Donauland-Traisental-Carnuntum

Coupée en deux par la ville de Vienne, cette étrange région qui suit le Danube de l'est de Krems jusqu'à la frontière slovaque est difficile à définir, car sa délimitation relève davantage de préoccupations administratives que d'une logique viticole. Le sol généralement caillouteux, mêlé d'argile et de calcaire, est prometteur pour les vins rouges comme le Zweigelt, en particulier autour de Göttlesbrunn.

Weinviertel

Première zone de production de raisin d'Autriche (31 %), le Weinviertel (littéralement « quartier du vin ») s'étend au nord et au nord-ouest de Vienne. Les vins sont généralement vinifiés pour être légers et faciles à boire. Quelques producteurs au nord ont décidé de se consacrer à l'*Eiswein*, dont la production est tout à fait compatible avec le climat sec de cette région.

Thermenregion

Le cœur de cette zone du sud de Vienne est le fameux village de Gumpoldskirchen, qui, s'il ne représente que 0,5 % du vignoble autrichien, a néanmoins longtemps joui d'une popularité nationale. Les vins issus de deux cépages locaux, le Zierfandler et le Rotgipfler, gagnent à être assemblés et donnent alors un vin blanc demi-sec, mais épicé et d'une grande ampleur. Lorsqu'il est réussi, le Gumpoldskirchen est un vin de caractère qu'on n'oublie pas.

Au sud de Gumpoldskirchen, d'autres vignobles comme Tattendorf sont en train de se bâtir une réputation pour leurs excellents rouges. Le prolifique Blauer Portugieser y cède de plus en plus de terrain au Zweigelt et au Cabernet-Sauvignon, au Blaufränkisch et au Saint-Laurent. Ce dernier cépage, tout aussi délicat à cultiver et à vinifier que le Pinot Noir dont il est le cousin, peut donner des vins ronds d'une grande finesse.

BURGENLAND

Représentant plus du tiers du vignoble national, cette province – la plus chaude d'Autriche – produit des vins rouges (22 %), des vins blancs ainsi que de très grands liquoreux.

Neusiedlersee-Hügelland

Cette région s'étend entre Vienne et la cuvette du Neusiedlersee. Son climat est excellent et l'humidité qui s'élève du lac à l'automne encourage le développement du *botrytis,* d'où de superbes vins moelleux. La ville historique de Rust doit sa renommée au Ruster Ausbruch, un vin liquoreux qui y est produit depuis quatre siècles. Selon la loi autrichienne, un Ausbruch s'élabore à partir de raisins dont le taux de sucre se situe entre celui d'un *Beerenauslese* et celui d'un *Trockenbeerenauslese.* Mais, pour Rust, elle définit aussi le style du vin, moins lourd qu'un *Trockenbeerenauslese,* car la fermentation est poussée plus loin. Des cépages comme le Pinot Blanc (Weissburgunder), le Welschriesling et le Pinot Gris (Ruländer) donnent de superbes vins botrytisés, ce dont le Sauvignon, le Neuburger, le Furmint et le Muskateller sont également capables. La région fournit également une gamme de vins rouges intéressants, où le Blaufränkisch et le Zweigelt côtoient le Cabernet-Sauvignon et le Merlot.

Neusiedlersee

De l'autre côté du lac, entre sa rive opposée et la Hongrie, se trouve la région du Neusiedlersee, également connue sous le nom de Seewinkel. Le vignoble est relativement récent et s'est tellement étendu autour des villages de Gols, Illmitz et Apetlon qu'il représente aujourd'hui 20 % de la production. On retrouve ici le même climat favorable qu'en Neusiedlersee-Hügelland, mais le sol en bordure du lac y est sablonneux, donnant des vins dotés d'une faible acidité. Cependant, vers le village de Gols, la composition du sol change et convient très bien à la culture de cépages rouges. Les années chaudes, la partie sud du vignoble produit des vins botrytisés en grande quantité. L'appellation offre maintenant une très vaste gamme de vins : Chardonnay, Pinot Noir vieilli en barriques, Schilfweine (raisin passerillé sur roseaux) et étonnants vins botrytisés.

Mittelburgenland

Au sud du Neusiedlersee-Hügelland, ce vignoble est planté à 95 % en cépages rouges dont, notamment, le Blaufränkisch. Souvent assemblé avec du Cabernet-Sauvignon pour l'apport tannique de ce dernier, le Blaufränkisch peut donner des rouges originaux et complexes. Cette région semble destinée à devenir une source fiable de vins rouges structurés.

Südburgenland

Bien que d'une vaste superficie, la région représente à peine 0,8 % du vignoble autrichien et, comme le Mittelburgenland, semble adapté davantage à la production de vins rouges.

STYRIE

Située au sud des Alpes et à la limite de la Slovénie, la Styrie est divisée, en termes de vins, en trois vignobles de

AUTRICHE

taille inégale : le Sud (Süd), le Sud-Est (Süd-Ost) et l'Ouest (West).

Styrie du Sud

C'est dans cette région, Südsteiermark en allemand, que naissent les plus grands vins de Styrie. Le plus petit des trois vignobles de la zone possède plus de vignes (1 561 ha) que les deux autres réunis. Les vins blancs sont aussi appréciés (et aussi chers) que ceux de Wachau, mais d'un style totalement différent. Les vignes sont cultivées sur des pentes abruptes, exposées au sud. Plus rude, le climat est sujet aux gelées de printemps et à la grêle. Les vins sont à la fois de structure délicate et marqués par une forte acidité. Seuls ceux issus de bas rendements parviennent à une maturité satisfaisante pour paraître équilibrés. Dans ce cas, ils sont fins et vigoureux.

Les cépages cultivés sont très nombreux : Pinot Blanc, Riesling, Chardonnay (Morillon), le populaire Welschriesling, Ruländer, Traminer et Muskateller. Le Sauvignon donne d'excellents résultats : ses vins racés, aux parfums végétaux, ne manquent pas de caractère.

Styrie du Sud-Est

Cette région (Südoststeiermark en allemand), presque aussi vaste que le Weinviertel, est la plus proche de la frontière slovène et correspond à 1,7 % du vignoble autrichien. Les différents cépages sont les mêmes qu'en Styrie du Sud.

PRODUCTEURS ET NÉGOCIANTS

BASSE-AUTRICHE

WACHAU
Les meilleurs viticulteurs sont Franz Hirzberger, Emmerich Knoll, F. X. Pichler et Prager-Bodenstein, suivis par Leo Alzinger, Nikolaihof, Josef Jamek, Rudolf Pichler et les coopératives Freie Weingärtner Wachau et Dinstlgut Loiben.

KAMPTAL-KREMSTAL
Parmi les meilleurs producteurs : Willi Bründlmayer (excellent Chardonnay ; Riesling et Veltliner remarquables), Jurtschitsch, Loimer, Malat, Mantlerhof, Nigl, Salomon et Schloss Gobelsburg.

DONAUTAL TRAISENTHAL-CARNUNTUM
Les bons producteurs sont Glatzer, Leth, Markowitsch, Neumayer, Pitnauer et Zimmermann.

WEINVIERTEL
Les bons producteurs sont Malteser Ritterorden (groupe Lenz Moser), Erich Nebenführ, Roman Pfaffl et Helmut Taubenschuss.

THERMENREGION
Parmi les meilleurs producteurs de cette région, on trouve Karl Alphart, Manfred Biegler, Franz Kurz et Gottfried Schellmann ainsi que Johann Reinisch et Erich Schneider.

BURGENLAND

NEUSIEDLERSEE-HÜGELLAND
Feiler-Artinger, Kollwentz, Leberl, Prieler, Schandl, Schönberger, Franz Sommer, Rosi Schuster, Ernst Triebaumer et Wenzel

Styrie de l'Ouest

Située entre la ville de Graz et la frontière slovène, cette région (Weststeiermark, en allemand) ne compte que 280 ha de vignes et produit le Schilcher, un rosé issu d'un cépage local, le Blauer Wildbacher. La vinification de ce cépage, qui se caractérise par une acidité très élevée, pourra en faire un vin charmant et vif ou, au contraire, d'une agressivité redoutable. De toute façon, il est fait pour être bu jeune. Sa rareté et sa personnalité en font un vin recherché.

VIENNE

La capitale est entourée de 700 ha de vignes et la presque totalité du vin est consommée sur place. Les villages vinicoles des portes de Vienne – Grinzing, Nussdorf, Neustift, Stammersdorf... – regorgent d'auberges, les *Heurigen,* dans lesquelles les vignerons vendent eux-mêmes leurs vins, généralement des blancs légers et fins qui se boivent dans leur première année. Ils peuvent être de très grande qualité, surtout lorsqu'ils sont issus des meilleurs terroirs, comme le Nussberg et le Bisamberg.

Le Grüner Veltliner est le cépage le plus populaire des alentours de Vienne, mais l'on produit aussi d'excellents vins issus de Riesling et de Pinot Blanc.

La grande majorité des vins que l'on consomme dans les *Heurigen* sont du *Gemischter Satz,* c'est-à-dire un mélange des différents cépages cultivés sur une même parcelle.

PRODUCTEURS ET NÉGOCIANTS

figurent parmi les meilleurs producteurs.

NEUSIEDLERSEE
Paul Achs, Kracher, Helmut Lang, H. et A. Nittnaus, Pöckl, Stiegelmar et Umathum sont des producteurs remarquables. Citons également Gsellmann, Haider, Gernot Heinrich et Velich, ainsi que le groupement de producteurs Pannobile.

MITTELBURGENLAND
Parmi les bons producteurs, citons : Gesellmann, Iby, Igler, Kerschbaum, Kirnbauer, Wellanschitz, Weninger et la coopérative du village de Horitschon.

SÜDBURGENLAND
Les bons producteurs sont Paul Grosz, Hermann Krutzler et Schützenhof.

STYRIE

STYRIE DU SUD
Les meilleurs producteurs sont Polz, Sattler et Manfred Tement, suivis par Alois Gross et Lackner-Tinnacher.

STYRIE DU SUD-EST
On compte Albert Neumeister, Gräflich Stürgkh'sches Weingut et Winkler-Hermaden parmi les bons producteurs.

STYRIE DE L'OUEST
Les meilleurs exemples du rosé Schilcher viennent de chez Erich Kuntner et Günter Müller.

VIENNE

Parmi les bons vignerons, on remarquera Fuhrgassl-Huber, Johann Kattus (vins pétillants), Franz Mayer, Herbert Schilling et Fritz Wieninger.

DANUBE

Carte page XXVIII

Les pays du bassin du Danube ont en commun une véritable tradition vinicole, avec des cépages et des styles de vin qui se ressemblent et sont soumis aux mêmes influences. Depuis la chute du communisme, on observe deux tendances : la restitution des terres à leurs anciens propriétaires, et l'adoption de nouvelles habitudes viticoles. Les pays du Danube ont un bel avenir devant eux, avec une production de bons vins de consommation courante, ainsi que la renaissance des perles rares comme le fameux Tokay de Hongrie. Les conseils et les technologies de l'ouest sont recherchés, car cette industrie vinicole en pleine expansion cherche à obtenir des débouchés commerciaux. Tout récemment, un certain nombre d'excellents vins de la région du Danube se sont exportés sous des étiquettes de cépages très connus comme le Cabernet-Sauvignon ou le Merlot. Malgré ces grands changements, chaque pays producteur a sa propre identité, avec des vins dont le caractère mérite d'être affirmé. La partie occidentale de la région – la République tchèque, la Slovaquie, la Slovénie et, dans une certaine mesure, la Hongrie – suit l'exemple de l'Allemagne et de l'Autriche en privilégiant les vins blancs. La Roumanie, la Bulgarie et la Serbie ont ajouté à leurs cépages traditionnels certains cépages réputés comme le Chardonnay, le Cabernet-Sauvignon et produisent des vins blancs comme des vins rouges classiques. L'avenir de ces régions est rempli d'espoir, avec une volonté farouche de satisfaire pleinement la curiosité des nouveaux consommateurs de l'ouest de l'Europe.

HONGRIE

Carte page XXVIII

La Hongrie se distingue par une originalité due à son identité nationale – des Magyars isolés au milieu de Germains et de Slaves – et à l'héritage fastueux de l'histoire de l'Empire austro-hongrois. Fiers de ces particularismes que la tentative de nivellement des régimes communistes n'a pas réussi à gommer, les Hongrois font les choses à leur façon. Leur langue, l'une des plus complexes d'Europe, est à l'image de l'encépagement de leurs vignobles : des cépages qu'on ne trouve nulle part ailleurs. Notons que nous leur devons le Tokay, un vin qui n'a pas d'égal dans le monde entier. Les vins de Tokay furent commercialisés en Europe dès le XVIIe siècle et étendirent leur réputation sous la domination autrichienne.

L'effondrement du régime communiste a laissé l'industrie vinicole hongroise dans un état de délabrement. Mais la Hongrie a su répliquer à cette situation en fournissant à l'Ouest un Sauvignon Blanc et un Chardonnay frais, de bonne facture et de qualité. Ces vins, fabriqués en Hongrie avec le savoir-faire occidental (souvent australien), sont destinés aux marchés riches en devises fortes et gourmands de vins blancs.

Ces dernières années ont vu la création de nombreuses exploitations familiales dont certaines font des vins d'une qualité remarquable. En particulier les propriétés de la région de Villány, dans le sud du pays, connaissent un grand succès. Dans la région de Tokay notamment, il existe en outre de nombreuses sociétés de taille moyenne (50 à 150 ha), correspondant souvent aux domaines historiques, et qui ont bénéficié d'investissements étrangers. Enfin, on rencontre de grandes structures, qui achètent en général les raisins aux petits producteurs : coopératives, fermes d'État (peu nombreuses), anciennes fermes d'État privatisées et sociétés nouvellement créées avec des capitaux hongrois ou étrangers.

Les cépages et les styles de vin

La Hongrie est principalement un producteur de vin blanc. Le vin rouge, qui ne constitue que 30 % de sa production, provient en grande majorité du sud, autour de Villány et de la Grande Plaine. La plupart des vins rouges ont un caractère assez léger, et même l'Egri Bikavér (« sang de taureau ») n'est pas aussi concentré que son nom pourrait le laisser supposer. Les vins blancs, lorsqu'ils sont conformes au goût local, sont épicés et plutôt doux. La Hongrie fait appel à des cépages nobles, blancs et rouges (Pinot Noir et Merlot, entre autres), mais il serait vraiment dommage qu'elle abandonne ses cépages traditionnels à leur profit. Il faudra du temps pour inventorier les qualités de ses cépages indigènes, mais on sait déjà que, dans les rouges, le Kadarka (difficile à cultiver, sensible aux gelées hivernales, mais très prometteur) pourrait être intéressant. On parle aussi du Kékfrankos, bien qu'il donne rarement un vin passionnant, et du Zweigelt, qui existe également en Autriche, où les viticulteurs l'apprécient pour son rendement.

Le cépage le mieux implanté et le plus répandu est un blanc, l'Olaszrizling (également appelé Laski Rizling ou encore Welschriesling). Le Leányka, plutôt neutre, est assez courant, ainsi que le Furmint, le Hárslevelü, le Tramini (ou Traminer), le Muscat Ottonel, le Juhfark, le Rhein Riesling (Rajnai Rizling), le Müller-Thurgau (Rizlingszilváni) et le Szürkebarát.

Le Centre et le Sud

Le vignoble hongrois compte environ 140 000 ha de vignes, implantées dans tout le pays à l'exception de l'extrême sud-est. Plus de la moitié pousse dans la Grande Plaine. Située au sud de Budapest et à l'est du Danube, la Grande Plaine connaît des conditions climatiques extrêmes, avec des étés torrides et des hivers très froids : le vent souffle si fort que le sol sablonneux a tendance à s'envoler et à s'éroder… sauf s'il est planté de vignes. Les vins sont mûrs, peu acides, assez légers ; la plupart du temps, ce sont des vins blancs, issus d'Olaszrizling, un cépage neutre. Il s'agit de vins de consommation courante, sans le potentiel de qualité que peuvent atteindre les vins d'autres vignobles hongrois plantés à flanc de coteau. La région de la Grande Plaine se divise en trois districts.

KISKUNSÁG : il produit surtout du vin blanc de cépage Olaszrizling.

HAJÓS-VASKUTI : il produit surtout du vin rouge à partir des cépages Kadarka, Cabernet et autres.

CSONGRÁD : il produit majoritairement du vin rouge à partir du cépage Kadarka.

Le Sud-Ouest

À l'ouest de la Grande Plaine, sur l'autre rive du Danube, se trouvent les vignes de la région transdanubienne du Sud.

VILLÁNY-SIKLÓS : il s'agit de la zone viticole la plus méridionale. Villány produit des rouges (issus du Merlot et du Cabernet-Sauvignon), au goût de prune, destinés à l'exportation. Mais la spécialité locale est l'Oportó rouge, dont la saveur ronde et la faible acidité correspondent davantage au goût hongrois. Siklós est réputé pour ses blancs.

MECSEK : un peu plus au nord, autour de Pécs, cette région produit surtout des vins blancs. Les vignes sont plantées à flanc de coteau avec les cépages Olaszrizling, Furmint, Chardonnay et Cirfandli (le Zierfandler autrichien). Les sols sont du sable volcanique ou du schiste, et les vins plutôt doux.

SZEKSZÁRD : encore plus au nord, le vin rouge domine de nouveau. Le Kadarka est très présent, mais on trouve également du Cabernet, du Merlot et du Kékfrankos.

DÉL-BALATON : le Dél-Balaton, ou Sud-Balaton, produit des vins blancs secs ou mousseux, à base d'Olaszrizling, de Sauvignon blanc et de Chardonnay, ainsi que des rouges (Cabernet-Sauvignon). Tous, y compris le Cabernet, sont plutôt doux. La grande ferme viticole de Balatonboglár se trouve sur la rive sud du lac Balaton. Les vignes sont plus récentes que sur la rive nord et comprennent plus de cépages importés.

Le lac Balaton

Les principales vignes de Balaton se situent, avec plusieurs autres districts, dans la région transdanubienne du Nord. Le rôle de l'énorme lac Balaton pour la viticulture régionale peut difficilement être exagéré : il tempère le climat en raison de l'importance de son étendue. Les sols sont sablonneux et volcaniques.

L'Olaszrizling est le cépage principal au nord du lac, mais les meilleurs restent les cépages indigènes (Furmint, Kéknyelü et Szürkebarát). Une amélioration des techniques d'élevage des vins dans cette région pourrait, dans l'avenir, donner des vins aromatiques de grand caractère.

La région du lac Balaton se divise en plusieurs districts.

BADACSONY : cette zone centrée sur un volcan éteint, sur la rive ouest du lac, produit des vins blancs qui sont issus des cépages Kéknyelü, Szür-Kebarát, Olaszrizling, Sauvignon Blanc, Rajnai Rizling, Zöldszilváni, Muskotály, Rizlingszilváni et Tramini.

BALATONFÜRED-CSOPAK : plus à l'est sur la même rive du lac, ce district élabore des vins blancs, principalement à partir de l'Olaszrizling.

BALATONMELLÉK : ce district produit surtout des vins blancs, à proximité du lac.

SOMLÓ : c'est la plus petite zone viticole de Hongrie, avec 500 ha situés sur un autre volcan éteint, en s'éloignant du lac vers le nord-ouest. Elle produit des vins blancs issus des cépages Furmint, Juhfark, Muscat Ottonel et Tramini.

MÓR ET SOPRON : s'éloignant encore du lac, mais toujours dans la région transdanubienne septentrionale, ces districts donnent des vins un peu plus acides, blancs pour Mór et rouges pour Sopron.

Située sur les premiers contreforts des Alpes à l'ouest du pays, Sopron bénéficie d'un climat plus tempéré que le reste de la Hongrie. La ville est en bordure d'un autre lac, le Fertö Tó (appelé Neusiedlersee en Autriche). Les hivers sont plus doux et les étés plus frais et plus humides. On y produit du rouge, issu des cépages Kékfrankos, Pinot Noir et Cabernet, et

LES NIVEAUX DE QUALITÉ

Les lois en vigueur dans le domaine du vin définissent quatre niveaux de qualité.

Asztali bor (vins de table) : conditionnés en général en bouteilles de 1 litre, avec un degré d'alcool minimal de 8 % vol. et une richesse de moût minimale de 9 %.

Tájbor (vins de pays) : d'une origine régionale déterminée, leur richesse de moût minimale doit s'élever à 9 %.

Minöségi bor (vins de qualité produits dans une région déterminée) : conditionnés en bouteilles de 75 cl, ils doivent avoir un degré d'alcool minimal de 10 % vol. L'étiquette doit mentionner le lieu d'origine, le cépage et le millésime. Le rendement maximal permis est de 100 hl/ha.

Különleges minöségü bor (vins de qualité supérieure) : mêmes critères que la catégorie précédente, mais leur richesse minimale de moût est de 12 % et le rendement maximal est limité à 75 hl/ha. La catégorie comprend tous les vins liquoreux (Vendanges tardives, Szamorodni et Aszú).

du blanc, issu des cépages Zöldveltelini, Tramini et Leányka. Malgré le grand intérêt que présente le Cabernet, presque toute la production de rouge est à base de Kékfrankos. La région de Mór se trouve entre Budapest à l'est et Sopron à l'ouest, assez près de la frontière slovaque. Sa spécialité est un blanc assez neutre, issu de cépage Ezerjó, mais le sol à base de lœss et de silice lui donne une agréable acidité.

Le Nord

C'est là que sont produits la plupart des vins qui ont fait la réputation de la Hongrie à l'étranger. Le Nord est la région de production de l'Egri Bikavér et du fameux Tokay. C'est également dans le Nord que se trouve le domaine Gyöngyös, qui est d'influence australienne.

EGER : la vieille cité d'Eger est la capitale d'une région dont le vin le plus connu reste l'Egri Bikavér, ou « sang de taureau » d'Eger. Composé pour l'essentiel du cépage Kékfrankos mélangé à un peu de Cabernet-Sauvignon, de Cabernet Franc, de Merlot et d'Oportó, il est élaboré sur le Domaine Egervin, qui cultive des vignes sur 6500 ha dans la région de Mátraalja-Egri. Une légende raconte qu'au XVIIe siècle les Magyars auraient réussi à libérer Eger assiégée par les Turcs en buvant beaucoup de vin ; sa couleur aurait conduit les Ottomans à penser que leurs adversaires s'abreuvaient du sang des taureaux. Aujourd'hui, le vin d'assemblage qui porte le même nom est rarement à la hauteur de sa légende.

BÜKKALJA : cette région importante, proche de la ville d'Eger, au pied des monts Bükk, est spécialisée dans les blancs.

MÁTRAALJA : cette région vaste et variée, sur les versants sud des monts Mátra, à l'ouest d'Eger, produit surtout des vins blancs de tous les styles, issus des cépages Olaszrizling, Rizlingszilváni, Tramini, Szürkebarát, Zöldveltelini, Leányka et Muscat Ottonel. C'est à Mátraalja que se trouve le vignoble Gyöngyös, où un certain Hugh Ryman, d'origine australienne, produit un Sauvignon Blanc et un Chardonnay, deux vins francs et nets. Ryman, l'un des premiers viticulteurs étrangers à investir en Hongrie, a révolutionné la viticulture sur la propriété. Son but n'est pas de faire de grands vins, mais des vins séduisants, capables de rivaliser en prix et en qualité avec des vins australiens moyens. Nagyréde, village de cette région, a acquis sa réputation grâce à des vins frais et fruités, notamment un bon rosé. La région de Tokay est décrite plus loin.

L'avenir de l'industrie vinicole

Avant la chute du communisme, les normes d'élaboration du vin étaient tombées au-dessous de ce que le monde imaginait. Pourtant l'équipement ne laisse pas à désirer, avec des pressoirs modernes et un matériel de vinification adéquat, des vignes en bonne santé, dotées de bons clones et bénéficiant de rendements raisonnables. Mais une exploitation moderne et des cépages de bonne qualité ne suffisent pas quand la vinification est négligée – ce qui a malheureusement été trop souvent le cas. Comme ailleurs en Europe de l'Est, l'industrie vinicole visait davantage la quantité que la qualité. Il reste donc à souhaiter que la tendance s'inverse. Une loi sur le vin, en cours d'élaboration, vise à aligner les normes sur celles de l'Union européenne. Toutefois, le vin hongrois ne pourra renaître et exprimer sa richesse que grâce à d'importants investissements. Déjà, les cépages classiques les plus populaires ont pris le chemin des coteaux hongrois. Ces nouvelles plantations, ainsi que le potentiel de certains cépages locaux, devraient permettre l'élaboration de cuvées de grande qualité, avec l'espoir de figurer parmi les meilleurs vins du monde.

Tokay

Pour Louis XIV, le Tokay était le roi des vins. À l'époque, c'était le vin le plus prisé en Europe, apprécié pour ses propriétés médicinales autant que pour son arôme riche et son caractère rafraîchissant. Aujourd'hui encore, il reste remarquable, ne serait-ce que par l'originalité de son élaboration. Et son potentiel de garde est étonnant : les meilleurs millésimes peuvent vieillir pendant deux siècles. Les

LES STYLES DE TOKAY

VINS	Teneur en sucres	Extrait sec	Années de vieillissement en fût
Szamorodni sec	0 - 10	25 +	2
Szamorodni doux	10 - 50	25 +	2
Aszú 3 *puttonyos*	60 - 90	30 +	5
Aszú 4 *puttonyos*	90 - 120	35 +	6
Aszú 5 *puttonyos*	120 - 150	40 +	7
Aszú 6 *puttonyos*	150 - 180	45 +	8
Aszú Eszencia	180 - 240	50 +	10 - 20

7 000 ha de vignes de Tokay sont plantés sur un sol de nature volcanique, en Hongrie et dans l'est de la Slovaquie, non loin de la frontière russe. Ils dominent la vallée de la Bodrog, dont les brumes automnales provoquent la pourriture noble, ou *Botrytis cinerea* (voir Sauternes, p. 315), sur les deux cépages principaux, le Furmint et le Hárslevelü. Le troisième cépage, le Muscat Jaune, est quelquefois vinifié et commercialisé séparément.

L'élaboration du Tokay

Décrite pour la première fois par l'abbé Szepsi Laczkó Máté en 1631, la méthode de vinification du Tokay est tout à fait originale. Les raisins botrytisés et passerillés (grains *aszú)* sont récoltés grain par grain lors de passages successifs dans les vignes dès la fin octobre. Les grains *aszú* tout d'abord stockés à part sont ensuite incorporés sous forme de pâte (ou entiers) à du vin ou du moût (vin de base ou moût de base), puis pressés après une macération de un à trois jours. La fermentation dure souvent de nombreux mois. Le nombre de hottes *(puttonyos,* sing. *putton)* de grains aszú ajoutées à chaque fût de 136 litres (fût de Gönci) détermine la concentration et la qualité du vin : 3, 4, 5, 6 *puttonyos*. Le vin le plus riche est l'Aszú Eszencia. Les vins *aszú* sont élevés en fûts de chêne pendant plusieurs années dans des caves séculaires pouvant atteindre plusieurs kilomètres de longueur, véritables labyrinthes souterrains où règnent une température et une humidité constantes. Les parois de ces caves sont tapissées d'une moisissure unique, le *Cladosporium caellare,* qui contribue aux bonnes conditions climatiques de la cave.

Aujourd'hui, on préfère cependant une oxydation ménagée (en barriques pleines). La durée d'élevage en barriques a été diminuée par la loi, avec un minimum de 2 ans pour les vins *aszú,* l'usage actuel étant entre

2 et 4 ans en fonction des propriétés. Le vieillissement des vins *aszú* en bouteilles a une grande importance.

Le Tokay n'est pas toujours du vin aszú. Les années où la pourriture noble n'affecte pas toutes les grappes et où la botrytisation est contrariée par des conditions climatiques défavorables, les grappes saines et celles qui sont atteintes de pourriture noble sont vinifiées ensemble normalement. Le vin résultant de ces moins bonnes années s'appelle le Szamorodni, qui peut être sec ou moelleux. À l'autre extrémité de l'éventail de qualité, on trouve l'Eszencia, du nom du jus coulant naturellement par exsudation des raisins *aszú*. Il est tellement riche en sucres qu'il peut mettre des années à fermenter pour ne titrer finalement que 3 % vol. Ce nectar est trop sirupeux, trop concentré pour être bu seul : on le réserve généralement aux assemblages, mais quiconque goûte ce vin (incroyablement cher) en garde un souvenir inoubliable.

Cette fabrication traditionnelle s'est trouvée malheureusement faussée par les pratiques douteuses de la ferme d'État centrale qui, pendant longtemps, a remplacé les traditions séculaires de l'élaboration du Tokay par une approche industrielle, sans le moindre putton dans les chais. Seules quelques petites fermes effectuaient réellement le mélange grappes

PRODUCTEURS

SUD-OUEST

VILLÁNY-SIKLÓS
Les bons producteurs de cette région, la plus méridionale sont notamment Tiffán, Gere Attila, Gere Tamás, Bock, Malatinszky, Kúria et Vylyan.

SZEKSZÁRD
Parmi les bons producteurs, citons notamment Dúzsi Tamás, Vesztergombi, Vida Péter et Möcsényi Kastélybor.

DÉL-BALATON
Les meilleurs producteurs de cette région située au sud du lac Balaton sont Légli Ottó, Szt Donatus Pincészet et Öregbaglas.

LAC BALATON

BADACSONY
Szt Orbán Pincészet (Szeremley) est un bon producteur.

BALATONFÜRED-CSOPAK
Figula produit de bons vins.

BALATONMELLÉK
Kál-Vin et Dörgicse Bor sont de bons producteurs.

SOMLÓ
Parmi les meilleurs producteurs, citons Fekete, Györgykovács et Inhauser.

MÓR ET SOPRON
Hilltop Neszmély et Weninger sont deux bons producteurs.

NORD

EGER
Parmi les bons producteurs, citons Gál Tibor, Thummerer, Pók Tamás, Tóth István et Vincze Béla.

MÁTRAALJA
Parmi les bons producteurs, citons Gyöngyös (Hugh Ryman), Szölöskert (Mátra Hill) et Szöke Mátyás.

TOKAY

Les meilleurs producteurs sont Disznókö, Szepsy, Hétszölö, Oremus, Gergely Vince, Pajzos, Royal Tokaj Wine Co. et Degenfeld.

botrytisées/vin décrit ci-dessus. Il reste que les fonctionnaires de la ferme d'État respectaient les proportions du mélange, assurant une certaine authenticité aux Tokays des quarante derniers millésimes.

LES ÉVOLUTIONS RÉCENTES. Depuis 1991, plusieurs domaines historiques ont été reconstitués dont l'ancien domaine impérial Hetszölö. Le processus de vieillissement, très long, permet d'affirmer qu'il faudra attendre une décennie avant que les domaines devenus indépendants atteignent leur but : revenir aux vins aszú spécifiques à chaque vignoble qui ont fait la gloire de la région. La ferme d'État a néanmoins réussi à élaborer des vins remarquablement bons, compte tenu des quantités produites, ce qui laisse à penser que l'explosion de ce grand vignoble en petites parcelles devrait aboutir à une augmentation sensible de la qualité.

Les plus grands investissements dans le Tokay ont été faits dans le Domaine de Disznókö (AXA-Millésimes, France), Hétszölö (GMF, France-Japon), Oremus (Vega Sicilia, Espagne), Degenfeld (Lindner, Allemagne), Château Pajzos et Megyer (Laborde, France) et Royal Tokaj Wine Company (groupe britannique auquel participe Hugh Johnson). Les premiers résultats de ces domaines sont très prometteurs et les vins aszú complexes, fruités et à la fois fins et puissants. Les meilleurs millésimes récents sont 1993, 1997 (en quantité très limitée) et 1999.

BULGARIE

Carte page XXVIII

De tous les pays de l'Europe de l'Est, c'est la Bulgarie qui a le plus séduit les consommateurs de vin occidentaux. Depuis 1975 environ, le Cabernet-Sauvignon bulgare, bien mûr et bien fait, s'est affirmé en rival des petits Bordeaux sur les tables allemandes, britanniques et scandinaves. Mais, depuis la chute du régime communiste, il n'est plus seul à s'imposer sur les cartes des restaurants à l'étranger, car la géographie viticole s'est diversifiée avec la multiplication des domaines, des cépages et des styles de vins. En outre, les vins blancs, traditionnellement moins intéressants et moins peaufinés que les rouges, s'améliorent très rapidement.

La Bulgarie, enserrée entre la mer Noire à l'est et les républiques de l'ex-Yougoslavie à l'ouest, semble avoir été bénie des dieux pour la culture de la vigne. Elle bénéficie d'un climat largement continental, aux étés chauds et aux hivers froids, avec des températures variant de 40 °C à – 25 °C. La mer Noire tempère ces écarts de température à l'est.

LES NIVEAUX DE QUALITÉ

La loi de 1978 distingue quatre niveaux de qualité.

Vins de pays : jeunes, destinés à être bus rapidement. Souvent issus de deux cépages.

Vins de cépage : vins d'origine géographique contrôlée. Les rouges ont souvent un certain âge, contrairement aux blancs. Certains, comme le Mavrud, sont vendus comme des vins de qualité supérieure.

Vins de réserve spéciale : provenant de sites sélectionnés, à partir de grappes soigneusement choisies. Ils sont élaborés en petite quantité.

Vins Controliran : fabriqués à partir de cépages contrôlés dans des sites précis. Ils obtiennent le statut de Controliran après soumission de trois récoltes successives au contrôle de l'État. Les années suivantes, le vin peut être déclassé s'il ne correspond plus aux normes de cette catégorie.

Il existe environ 27 vins de la catégorie de Controliran, qui proviennent le plus souvent des domaines de pointe. Dans ce cas, le mot Controliran figure très clairement sur les étiquettes.

Vins de réserve : de toutes les catégories, pourvu qu'ils aient deux ans d'âge (pour les blancs) ou trois (pour les rouges). Dans la pratique, la plupart des vins de réserve sont les meilleurs vins de cépage.

L'histoire de la vigne

Volonté de l'homme ou de la nature, peu importe, toujours est-il que la vigne poussait déjà en Thrace, ancienne Bulgarie, il y a 3 000 ans, comme en témoigne déjà *l'Iliade* d'Homère. Le vin bulgare a donc une longue histoire, mais une existence hachée par la domination de l'Empire ottoman (musulman) qui a limité l'exploitation viticole à une échelle locale de 1396 à 1878. Il a fallu attendre 1918 pour que la production de vin commence à prendre son véritable essor. Comme ailleurs, le régime communiste a entraîné la collectivisation des vignobles et du reste de l'agriculture, et ce n'est qu'au cours de la décennie 1970-1980 que les vins ont commencé à prendre leur forme moderne.

La nécessité d'exporter a forgé l'industrie vinicole actuelle de la Bulgarie. Son premier client fut l'ex-URSS, dont la soif de Mousseux et de vins de table doucereux semblait insatiable. Mais les vins bulgares firent aussi une incursion à l'Ouest grâce à l'entreprise américaine Pepsico, qui voulait écouler ses boissons gazeuses en Bulgarie et refusait d'être payée en monnaie locale ou en pièces détachées de tracteur ! Pour disposer de vin négociable à l'Ouest, le groupe américain mit les

Bulgares en contact avec des personnalités de l'industrie viticole californienne, comme le professeur Maynard Amerine, de l'université de Californie. Certains domaines viticoles, enflammés par l'enthousiasme californien, commencèrent à s'investir dans cette modernisation.

Le paysage doucement ondulé, de part et d'autre des Balkans, qui divisent le pays dans sa longueur, se trouva recouvert de longs alignements de Cabernet-Sauvignon et autres cépages classiques. Avant la collectivisation, les vignes étaient déjà cultivées non seulement sur ces terres plates mais aussi sur les coteaux aux versants plus abrupts, pratique qui fut abandonnée sous le régime communiste par manque de rentabilité. Quand ces coteaux seront replantés, il se pourrait qu'ils produisent les vins bulgares les plus fins.

La structure de l'industrie vinicole bulgare repose donc sur la production, en grosses quantités, de vins bien vinifiés, conçus pour le goût étranger (mais pas forcément occidental). Les progrès n'ont pas été uniformes, loin s'en faut. Un grand pas en avant avait été fait avec la mise en pratique des réglementations Controliran, qui établissent les origines géographiques des meilleurs vins afin d'y ajouter – soi-disant – un caractère régional. Certains domaines ont saisi les occasions d'exporter qui leur étaient proposées, tandis que d'autres n'ont pas été à la hauteur. C'est l'administration plutôt que la nature des sols ou le climat qui a classé les vignobles en différentes zones. L'individualité, dans l'élaboration du vin, connut des limites : un système de coupe à 1 mètre fut décidé pour l'ensemble des vignes, alors que certains cépages, comme le Mavrud indigène, auraient mérité une approche différente. Comme dans d'autres pays communistes, la commercialisation était assurée par un monopole, Vinimpex, tandis qu'une autorité de tutelle, Vinprom, contrôlait la production.

Les vins bulgares aujourd'hui

De 1975 à 1985 environ, l'industrie viticole bulgare a mangé son pain blanc. Les temps durs sont venus en 1984, lorsque le président Gorbatchev a décidé de restreindre la consommation d'alcool des Soviétiques. Visant surtout la vodka, cette mesure a cependant affecté tous les pays du Comecon exportateurs de vin. Les exportations bulgares sont tombées de 300 à 170 millions de bouteilles en une seule année, puis à 100 millions l'année suivante. Conséquence immédiate, un vaste programme d'arrachage des vignes et de mesures de restriction, comme le gel du prix du raisin, fut mis en place. Près de la moitié des vignobles furent détruits, et d'autres furent laissés à l'abandon. On a replanté depuis (en Chardonnay notamment), mais, en 1990, la production de vin n'a pas dépassé 240 millions de bouteilles (contre 600 en 1985).

En 1989, le régime communiste tombait. En 1990, l'industrie viticole était libéralisée (en 36 heures !), et, en 1991, la loi sur la restitution rendait la terre à ses propriétaires d'avant 1947. La plupart des vignes se sont donc retrouvées rapidement entre les mains de personnes obligées de maintenir la viticulture pendant cinq ans, mais pas toujours aptes à un entretien correct des vignes. Heureusement, la privatisation des grands centres de vinification s'est faite plus progressivement.

Les vignes et les vignobles

Quels que soient les changements de l'après-communisme, les éléments de base restent les mêmes. La production se répartit à peu près également entre vins blancs et vins rouges, qui sont élaborés dans plus de 130 « complexes agro-industriels » pratiquant la polyculture.

Les vignobles – environ 110 000 ha – occupent 4 % de la terre cultivée et les trois quarts accueillent des cépages non indigènes. Les vins rouges sont issus à 75 % de Cabernet-Sauvignon ou de Merlot. Viennent ensuite le Pamid, puis le Gamza, le Mavrud, le Melnik, le Pinot Noir et le Gamay. Pour les vins blancs, le cépage le plus courant est le Rkatsiteli.

Chaque domaine emploie une large gamme de cépages et, même si l'on observe certaines préférences régionales (pour le rouge au sud, pour le blanc à l'est), on ne trouve nulle part la spécialisation qui existe dans les pays d'Europe occidentale, avec des cépages adaptés aux conditions locales. Et, pourtant, la qualité y gagnerait ! Il faudrait que cette spécialisation se fasse à l'instigation des domaines viticoles eux-mêmes, qui constituent la force de l'industrie dans l'ère postcommuniste.

Il serait toutefois dommage que les lois du marché poussent les domaines à privilégier le Cabernet-Sauvignon et le Chardonnay au détriment des cépages nationaux. Le Mavrud, par exemple, devrait produire d'excellents vins. Ce cépage est cultivé au sud du pays, sur 100 ha autour d'Asenovgrad, sa région de prédilection. Donnant, en petites quantités, de petites baies, il est difficile à cultiver. Mais, lorsqu'il arrive à maturité (tard dans la saison), il produit un vin dense, riche en tanins, qui fait penser au Mourvèdre du sud de la France.

Le Melnik, autre variété de cépage rouge indigène, provient de la ville du même nom, dans le Sud-Ouest, près de la frontière avec la Grèce. Il n'est pas utilisé à sa juste valeur et l'entretien de la vigne ainsi que la vinification pourraient s'améliorer.

Le Gamza est largement cultivé, peut-être parce qu'il donne beaucoup de grosses baies lorsqu'il est abondamment arrosé. Il offre un vin pâle et léger qui s'oxyde rapidement. Un rendement plus faible permettrait de donner un vin meilleur, plus profond, capable de vieillir.

LES RÉGIONS VITICOLES

La Bulgarie comporte cinq régions viticoles qui couvrent tout le pays, à l'exception des environs de Sofia. Le Balkan (Stara Planina) constitue une barrière climatique et physique séparant le Sud, plus chaud, aux vins riches et concentrés, du Nord, plus frais, aux vins plus raffinés et voués à l'exportation pour lesquels dominent des cépages classiques. Les cépages indigènes sont surtout présents dans le Sud. Les étiquettes des bouteilles sont claires : elles indiquent le nom du domaine (souvent celui de la région), du cépage, ainsi que le niveau de qualité (voir encadré p. 733).

RÉGION SUD-OUEST

La région sud-ouest, proche de la frontière grecque, est de loin la plus chaude. Sa spécialité est le Melnik rouge, cultivé autour de la ville du même nom. Les Domaines de Petrich et Harsovo, en net progrès, ne font cependant pas justice au potentiel du Melnik. Le Cabernet-Sauvignon est mûr et très velouté.

RÉGION SUD

La région sud, très chaude, produit principalement du vin rouge, au moins en termes de qualité. On trouve en majorité du Mavrud (surtout à Asenovgrad) et du Pamid, ainsi que du Cabernet-Sauvignon, du Pinot Noir et du Merlot (particulièrement bon dans les régions de Haskovo, Stambolovo et Sakar).

Le Mavrud d'Asenovgrad est un vin Controliran : de couleur sombre et de goût épicé, il est capable de vieillir. Il provient des contreforts des monts Rhodope, qui forment la frontière avec la Grèce.

RÉGION EST

La région est, qui s'étend sur toute la côte, bénéficie des effets rafraîchissants de la mer Noire et produit les meilleurs blancs du pays, notamment ceux de Preslav et Shumen. La qualité s'est notablement améliorée ces der-

Quant aux cépages blancs indigènes, ni le Dimiat ni le Misket (croisement de Dimiat et de Riesling) n'offrent de bons résultats, bien qu'une vinification soignée rende leurs vins assez séduisants. Le Rkatsiteli n'est pas un cépage exclusif à la Bulgarie, puisqu'on le trouve dans d'autres pays jouxtant la mer Noire et qu'il a sans doute été importé de Géorgie : plutôt neutre, il pourrait révéler certaines qualités si ses raisins étaient vinifiés correctement.

Les entreprises bulgares ne sont pas toutes équipées pour tirer le meilleur parti de leurs cépages, quels qu'ils soient. Dans le meilleur des cas, elles disposent de rangées interminables

nières années, mais reste aléatoire. Les bons producteurs sont Trimontium et le Domaine Boyar à Shumen et Yambol, qui produit des vins standard mais aussi des vins de qualité, vieillis en barriques. Le Domaine de Preslav est le nec plus ultra en matière de vins blancs. Il produit le meilleur vin blanc bulgare. Il contrôle les entreprises de Khan Krum et de Novi Pazar, mais Shumen est sorti de sa tutelle. Dans l'avenir, il est probable que Khan Krum dépassera le maître en qualité. Les deux domaines produisent un bon Chardonnay, dont les vins de réserve vieillissent dans du chêne neuf.
Le domaine de la ville d'eaux de Burgas, au bord de la mer Noire, montre une préférence typiquement orientale pour les vins blancs, qui constituent environ 65 % de sa production. Les vins de pays peuvent être assez séduisants, surtout l'Aligoté.

RÉGION BALKAN DU SUD

La région Balkan du Sud, en dehors des roses, cultive beaucoup de cépages blancs ainsi que du Cabernet-Sauvignon et du Misket rouge, dans la région de Sungulare.

RÉGION NORD

Les meilleurs vins rouges proviennent des montagnes du Nord. C'est là que se trouve le Domaine de Suhindol, qui s'est fait un nom en construisant la renommée internationale du Cabernet-Sauvignon bulgare, mais ne détient plus forcément le titre de meilleur producteur.
Suhindol fut le premier domaine exportateur de Bulgarie à être privatisé. Il contrôle également le Domaine de Vinenka, l'un des plus anciens du pays, qui produit un très bon Cabernet-Sauvignon ainsi qu'un bon Merlot. Le centre de vinification Russe est l'un des meilleurs de Bulgarie. Le cépage cultivé le plus intensément est le Cabernet-Sauvignon, qui donne un vin élaboré selon de hautes exigences dans un établissement doté des meilleurs équipements.

de fûts de fermentation en acier inoxydable et, parfois, de barriques destinées au vieillissement de quelques vins rouges ou des meilleurs vins blancs de cépage Chardonnay. Mais certaines n'ont même pas l'équipement de base permettant de contrôler les températures de fermentation ; dans ce cas, les rouges sont généralement de meilleure qualité que les blancs. Il est donc essentiel que les consommateurs fassent la différence entre un domaine et un autre, comme dans n'importe quelle région viticole sérieuse : il faut lire les étiquettes avec plus d'attention, puisqu'il ne suffit plus de demander du « Cabernet bulgare ».

ROUMANIE

Carte page XXVIII

La Roumanie a une longue histoire vinicole derrière elle : les vignes du bord de la mer Noire ont été plantées il y a 3 000 ans par les Grecs ; les Saxons introduisirent ensuite des cépages germaniques en Transylvanie. Il fallut qu'une épidémie de phylloxéra décime la plupart des plants à la fin du XIXe siècle pour qu'ils soient remplacés en grande partie par des cépages français (Pinot Noir, Cabernet-Sauvignon, Merlot et Sauvignon Blanc). Quelques variétés indigènes ont toutefois été conservées : Tamiîoasa Romaneasca, Feteasca Alba, Feteasca Regala (blancs) et Feteasca Neagra (rouge). Avec environ 260 000 ha de vignoble, la Roumanie figure en bonne place parmi les pays producteurs de vin – largement devant ses voisins des Balkans –, et la vigne constitue une part importante de l'économie rurale. La plupart des vins roumains sont consommés sur place.

Les vignobles sont répartis en 8 régions, elles-mêmes subdivisées en 50 appellations. Ce système d'appellations est inspiré du modèle français, tandis que le principe des classifications s'inspire du modèle allemand, les vins étant classés en fonction de leur degré d'alcool potentiel et de la date des vendanges. La classification la plus basse correspond à du vin de table sans origine spécifique, qui titre entre 8,5 % vol. et 10,5 % vol. On trouve ensuite les vins de pays, toujours sans origine précise, qui titrent entre 10,5 % vol. et 11,5 % vol. En haut de l'échelle se trouvent les vins d'appellation, avec un degré d'alcool de 11,6 % vol. au minimum. On ne pratique pas la chaptalisation, non qu'elle soit interdite, mais parce que toute demande d'autorisation se perd dans les couloirs de la bureaucratie. Pour les mêmes raisons, la plupart des vignobles roumains n'ont jamais vu l'ombre d'un produit chimique.

Comme toute activité en Roumanie, l'industrie vinicole se trouve dans une phase de transition. Les équipements des chais peuvent varier du plus rudimentaire à la toute dernière technologie, car certains ont bénéficié d'investissements. En dépit de tous ces problèmes, il existe un réel potentiel pour produire des vins roumains de qualité.

Les meilleurs vins, voués à être bientôt découverts, proviennent de quatre régions principales, celles de Tîrnave, Cotnari, Dealul Mare et Murfatlar. En tant que pays septentrional des Balkans, la Roumanie a le climat le plus froid et privilégie donc les vins blancs. En effet, dans toutes les régions, excepté celles de l'extrême sud, les raisins noirs mûrissent difficilement, sauf les années particulièrement chaudes.

Les régions et les styles de vin

Au nord des Carpates, la région de Tîrnave, en Transylvanie, cultive des vignes sur un plateau entre deux rivières, la Tîrnave Mare et la Tîrnave Mica. Les vignes – plantées des cépages Feteasca Alba, Feteasca Regala, Riesling Italico, Muscat Ottonel, Sauvignon Blanc et Pinot Gris – produisent des vins blancs dotés de bons arômes et d'une bonne teneur en acidité.

Sur les contreforts sud des Carpates se trouvent les vignes de Dealul Mare, près de la ville industrielle de Ploiesti, au nord de Bucarest. Elles sont plantées dans un champ pétrolifère, ce qui donne un paysage surréaliste de derricks sur fond de vignes. Le climat, plus chaud, permet de cultiver quelques cépages rouges, surtout du Pinot Noir, ainsi que du Cabernet-Sauvignon, du Merlot et du Feteasca Neagra. Le Tamiîoasa est également un bon cépage.

La région la plus chaude et la plus sèche, Murfatlar, se trouve près du port de Constanta. C'est là que le Cabernet-Sauvignon s'exprime le mieux, grâce à l'influence chaude de la mer Noire qui permet au vin de gagner en maturité.

Il existe d'autres appellations : dans la plaine du Banat à l'ouest ; Segarcea, Stefanesti et Dragasani au sud, Odobesti et Nicoresti à l'est.

COTNARI

Au siècle dernier, les vins de Cotnari, pâles, au goût de miel, ont acquis une certaine réputation qui n'est pas sans rappeler celle du Tokay hongrois. Dans cette région située au nord-est de la Roumanie, près de la ville de Iasi, les automnes, généralement secs et ensoleillés, permettent de laisser les raisins sur la vigne tard dans la saison jusqu'à ce que les grains commencent à se déshydrater et à sécher, produisant un jus riche et concentré. Le Cotnari est issu des cépages Grasa, Feteasca Alba, Tamiîoasa romaneasca et Francusa (qui existent tous sous forme de vins de cépage). Le Grasa est une variété très riche sujette à la pourriture noble.

Le Feteasca Alba apporte de la finesse, le Tamiîoasa romaneasca un parfum d'encens, et le Francusa une note acide à un vin qui risquerait d'être doux jusqu'à l'écœurement.

Chaque cépage est vinifié séparément, puis mélangé, à raison de 30 % de Grasa, 30 % de Feteasca Alba, 20 % de Tamiîoasa et 20 % de Francusa. De grands fûts de chêne sont utilisés pour la fermentation et la maturation du vin pendant quelques années avant la mise en bouteilles. Le Cotnari vieillit bien, surtout dans les meilleurs millésimes.

SLOVÉNIE

Carte page XXVIII

La Slovénie est un pays tout jeune puisqu'il n'existe que depuis 1991, date de sa scission avec l'ex-Yougoslavie. On compte aujourd'hui 21 400 ha de vignobles.

À l'époque où la Slovénie faisait encore partie de la Yougoslavie, elle ne produisait que 6 % de la production vinicole annuelle yougoslave, mais était la région la plus prospère du pays. Avec la Serbie et le Kosovo, la Slovénie était un grand exportateur de vin. Ses chais sont aujourd'hui relativement bien équipés : des cuves en acier inoxydable côtoient de vieux fûts de chêne et des cuves en ciment. Bien que la plupart des vignes aient été rapidement privatisées, chaque région dispose de sa propre entreprise viticole centrale, qui vinifie à elle seule 97,5 % de la production annuelle du pays (8 millions de bouteilles, avec une même proportion de blanc et de rouge). Le reste est élaboré par un nombre croissant de producteurs privés, dont environ 150 mettent déjà eux-mêmes leur vin en bouteilles. Qu'importe la taille de leur cave (une ou deux cuves, une rangée de fûts de chêne noir), ils en sont fiers.

Le régime communiste permettait à chacun de posséder 10 ha de terre. En fait, la propriété moyenne est plus petite et, comme la polyculture est traditionnelle, beaucoup de propriétaires possèdent moins d'un hectare de vignes. La plupart choisissent de cultiver un mélange de cépages, variable selon la région. Les meilleurs producteurs sont le Domaine Movia qui, depuis des années, joue un rôle avant-gardiste, le Domaine Bjana dans le Sud-Ouest, le Domaine Kupljen, la cave Vipava, qui existe depuis 1894, dans la région de Primorska, et le Domaine Valdhuber.

Sur les huit autres républiques de l'ex-Yougoslavie, la Croatie était le plus grand producteur de vin (46 %, dont deux tiers de blanc), suivie de la Serbie (17 %, dont 70 % de rouge). Au lendemain d'une paix douloureuse, c'est la Serbie qui devrait avoir le plus grand potentiel de qualité. Avec 54 000 ha de vignobles, la Croatie, qui fait un bon rouge de qualité courante, a pris une bonne direction. L'Amselfelder, une des marques de vin rouge les plus vendues en Europe, venait du Kosovo. Il s'agit d'un Pinot Noir destiné, à l'origine, au marché allemand. La guerre a poussé les propriétaires de la marque à déplacer la production en Italie, où son style commercial plutôt doux est reproduit sans problème.

Les catégories de qualité

En attendant que toutes les républiques conçoivent chacune leur loi sur le vin, celle de 1974 reste en

LES RÉGIONS VITICOLES

Il existe trois grandes régions viticoles en Slovénie : la région du littoral (Primorski), sur la côte adriatique près de l'Italie ; celle de la vallée de la Drave (Podravski), au nord-est, près de l'Autriche, et celle de la vallée de la Save (Posavski), au sud-est. Elles ont toutes le même relief vallonné ; la plaine centrale de Slovénie ne comporte pas de vignes. Les régions suivantes ont bénéficié d'importants investissements.

Primorski : une partie de cette région est le prolongement du Collio italien, dans la région du Frioul-Vénétie-Julienne ; les vins ont d'ailleurs un style très italien. Parmi les vins rouges, on remarque un bon Merlot, quelquefois élevé en barrique, et un Cabernet-Sauvignon. Parmi les vins blancs, souvent excellents, on trouve des Pinot Gris et blancs mûrs, secs et aromatisés, un vin de Chardonnay, léger et bien structuré, ainsi qu'un vin de Malvasia, subtil, au goût d'abricot. La spécialité locale est le Refosk rouge, sombre, acide.

Podravski : les meilleurs vins du pays, et sûrement les meilleurs blancs, proviennent de cette région du Nord-Est, qui comprend la zone de Ljutomer. On y trouve des cépages et des vins blancs savoureux qui rappellent les meilleurs vins allemands ou autrichiens : Rulandec (ou Pinot Gris), Rhein Riesling, Traminéc (ou Traminer), un très bon Sauvignon Blanc et des vins de dessert issus de raisins botrytisés. Même le Laski Rizling, bu sur place de préférence, peut être frais et séduisant.

La zone de Ljutomer-Ormoz possède les meilleurs vignobles du pays ainsi que deux caves énormes, Ljutomer et Ormoz. Cette dernière, la plus grande, se démarque en termes de qualité, mais le vin portant l'étiquette Ljutomer provient des deux domaines, confusion qui fait du tort aux deux. Il existe un certain nombre de bons villages dans la région, dont l'un, Jeruzalem, aurait été fondé par des croisés qui auraient trop apprécié les vignes pour pouvoir repartir.

Posavski : les vins du sud-est de la Slovénie sont généralement sains, mais sans grand attrait.

vigueur en Slovénie. Elle définit plusieurs catégories de vins : les vins de haute qualité, les vins de qualité, les vins de table d'origine contrôlée et les vins de table ordinaires. Les vins sont classés par un jury après une dégustation confirmée par une analyse chimique : un vin peut donc, en principe, changer de catégorie d'une année sur l'autre. La chaptalisation est interdite pour tous les vins de haute qualité.

RÉPUBLIQUE TCHÈQUE ET SLOVAQUIE

Carte page XXVIII

Les vins de l'ex-Tchécoslovaquie étaient, jusqu'à l'effondrement du communisme, parmi les moins connus d'Europe. La plupart des pays du bloc soviétique exportaient leurs vins à l'intérieur du Comecon, sauf la Tchécoslovaquie, qui, à l'exception de quelques bouteilles commercialisées en Pologne, gardait toute sa production pour sa propre consommation, et importait, en plus, de la bière.

Lorsque cette industrie autarcique se mit à chercher des conseils, elle se tourna vers son grand frère russe. Le résultat fut à la mesure de la réputation communiste : deux ministères, un pour la gestion des domaines viticoles, un autre pour la culture des vignobles, et de lourdes subventions de l'État pour le raisin. Le vin, après une élaboration aléatoire, se retrouvait dans des bouteilles recyclées, contenant encore des substances indésirables. Il est à noter que, malgré tout, un certain nombre de vins ont retenu l'attention des investisseurs occidentaux, ce qui permet de penser qu'ils devraient mériter toute notre attention dans un futur proche.

Les régions et les cépages

La qualité et le potentiel de qualité sont à peu près identiques dans l'État de Slovaquie et dans la Bohême et la Moravie (16 000 ha de vignobles), les deux grandes régions de la République tchèque. La Bohême étant la région la plus froide, elle possède le plus petit vignoble, environ 400 ha au nord de Prague, suivie par la Moravie, à l'est. La Slovaquie, quant à elle, dispose d'un vignoble d'environ 23 000 ha.

Les cépages sont sans surprise pour un pays limitrophe de l'Allemagne, de l'Autriche et de la Hongrie : essentiellement du Frankovka (le Limberger allemand), et du Saint-Laurent, plus un peu de Pinot Noir, pour les rouges, et du Pinot Blanc, du Traminer, du Roter et Grüner Veltliner (du raisin blanc dans les deux cas, malgré le nom), du Müller-Thurgau, du Sylvaner, du Rhein Riesling, du Laski Rizling, de l'Irsay Oliver indigène, très parfumé, un peu de Sauvignon et du Pinot Gris pour les blancs. Les vins blancs représentent entre 60 et 85 % de la production totale.

Les vignes sont cultivées par des fermes collectives de plusieurs milliers d'hectares, pratiquant la polyculture. Elles semblent néanmoins occuper les sites les plus appropriés.

La privatisation – ou la restitution – a été rapide dans ces deux états de l'ex-Tchécoslovaquie, malgré les complications liées au changement de culture des terres. La privatisation des domaines viticoles a été une tâche plus simple, chaque entreprise centrale (avec une chaîne d'embouteillage) et ses satellites (celles qui n'avaient que les équipements de vinification et de stockage) devenant une société indépendante à part entière.

Les styles de vin

On peut comparer ces vins à ceux que l'on élabore en Autriche et en Hongrie : les meilleurs sont secs, bien mûrs et bien vinifiés, souvent assez légers, avec d'excellents arômes de cépage. Le vin issu de Pinot Noir, lorsqu'il est réussi, est très bon. Le climat est continental, chaud et sec avec des hivers froids, et, comme les vendanges se font en octobre ou en novembre, les risques de dépassement de température dans les cuves de fermentation sont minimes, même sans aucun système de refroidissement.

Si la plupart des vins ont un style septentrional, les exceptions proviennent des vins de Tokay. Ces vignobles, que l'on croit exclusivement hongrois, empiètent un peu sur la frontière slovaque. Sous le régime communiste, le gouvernement les avait loués à la Hongrie en échange de livraisons de bière, mais ils sont revenus sous contrôle tchèque depuis le début des années 1990, tout comme le droit à l'appellation Tokay.

PRODUCTEURS ET NÉGOCIANTS

Les centres de vinification qui ne sont plus sous le contrôle de l'État ont désormais la volonté d'affirmer leur individualité.

NITRA
L'un des plus grands domaines de Slovaquie, avec des vignes au sud-est de la province plantées sur des coteaux orientés au sud-ouest. C'est ici que sont élaborés les vins des cépages plus forts et plus aromatiques, comme l'Irsay Oliver, avec le concours d'experts occidentaux.

PEZINOK
Domaine slovaque au sud-est de la province, diffusant toute une gamme de vins avec l'aide des Occidentaux.

SALDORF
Domaine relativement petit qui cultive, entre autres, du Ruländer, du Rhein Riesling, du Sauvignon Blanc, du Müller-Thurgau et du Grüner Veltliner, dont les vins sont exportés à l'Ouest sous l'étiquette Archioni. Certains vieillissent bien (sauf le Grüner Veltliner).

VALTICE
Château médiéval ayant appartenu autrefois à la famille Liechtenstein qui compte 1 100 ha de vignes en Moravie. Conseillés par des Occidentaux, les viticulteurs de ce domaine produisent des vins blancs de type Rhein Riesling, Grüner Veltliner, Welschriesling et le rare Grüner Sylvaner, ainsi que des rouges de Frankovka et de Saint-Laurent.

ZNOVIN-SATOV
Centre de vinification morave produisant des vins robustes dont une partie est exportée sous l'étiquette Moravenka. Ils ont un style plus traditionnel que celui des vins produits pour la consommation des buveurs de l'Ouest à Nitra.

MER NOIRE

Dans le monde du vin, l'URSS passait pour l'énigme numéro un. On savait que la vigne poussait tout autour de la mer Noire, et plusieurs sources désignaient l'empire soviétique comme le troisième ou le quatrième producteur mondial. Les visiteurs en revenaient avec des histoires de « champanski » sucré et de bouteilles qui, malgré des étiquettes identiques, contenaient des vins manifestement différents, sans doute issus de régions et de cépages variés. Les rares exemplaires qui atteignaient les pays occidentaux entraient généralement dans la catégorie des « vins imbuvables ». Puis, en avril 1990 à Londres, Sotheby's vendit plus de 13 000 bouteilles aux enchères, en tout 124 vins différents, millésimés de 1830 à 1945 et prélevés dans la Cave impériale russe de Massandra en Crimée. Beaucoup de ces vins étaient bons, certains excellents, apportant soudain la preuve que la Russie avait su faire du vin autrefois. À la fin des années 1980 apparurent les premiers signes d'aptitude plus récente. De superbes et solides rouges de Moldavie, dans des millésimes des années 1960, 1970 et 1980, attirèrent l'attention et, à mesure que l'URSS se désintégrait, on put commencer à évaluer chacune des républiques viticoles. D'ouest en est, on trouve la Moldavie, l'Ukraine (Crimée comprise), la Russie, la Géorgie, l'Arménie et l'Azerbaïdjan. L'accélération de l'évolution politique et technique rend leur avenir imprévisible. La Moldavie montre déjà les signes de sa capacité à fournir des vins rouges intéressants. Les autres États de la mer Noire ne sont pas loin derrière.

La modernisation

Les pays de la mer Noire sont confrontés à de graves problèmes de modernisation. Le principal obstacle pour chacun d'eux est l'absence d'un élément fondamental : des chaînes d'embouteillage performantes. Puisque tout ou presque se faisait à l'extérieur, beaucoup de centres de vinification n'ont aucune installation de ce type, les autres étant généralement équipés de systèmes inadaptés à la production de vins de qualité.

D'autres éléments fondamentaux manquent : les bouteilles de 75 cl, essentielles pour exporter dans l'Union européenne, sont rares, tout comme étiquettes, bouchons et capsules. Un importateur britannique a résolu ce dernier problème en cachetant à la cire les bouteilles bouchées, comme certains portos vintages.

Autrefois, les problèmes de pénurie étaient atténués par la coopération entre centres de vinification. Mais la rupture avec Moscou a accru l'autonomie de chacun, et les centres qui collaboraient auparavant se font désormais concurrence.

La privatisation a été plus lente qu'en Europe de l'Est. Le vin est une industrie vitale dans ces pays, surtout en Moldavie, où il occupe la première place, et aucun gouvernement n'est pressé de renoncer à son contrôle. Pourtant, plus les centres de vinification prendront en charge leur propre commercialisation, plus le nombre de vins qui traverseront les frontières sera grand.

Le passage régulier de quelques vinificateurs occidentaux, qui viennent évaluer les possibilités de réaliser des produits spécifiquement adaptés au goût occidental, devrait inciter les producteurs à faire des vins plus frais, plus fruités et plus commerciaux.

MOLDAVIE

Plus on va vers l'est et moins les vins sont familiers aux palais occidentaux. À cet égard, la Moldavie est la plus européenne de ces régions : on trouve plus de cépages européens dans ses 160 000 à 200 000 ha de vignobles que dans toute autre république. Les immenses fermes viticoles peuvent compter jusqu'à 18 000 ha à la fois de Chardonnay, Cabernet-Sauvignon, Sauvignon, Aligoté et Pinots divers. Le Saperavi est un excellent cépage rouge indigène, riche, épicé et tannique. Le Rkatsiteli blanc indigène semble assez insipide, mais certains observateurs croient en son avenir s'il est bien vinifié. Le pays est petit, à peine 350 km du nord au sud, et la vigne est partout, sauf dans l'extrême nord. Les meilleures se trouvent cependant au centre et aux alentours du Dniestr, mais, si les terroirs de premier plan existent – et ils existent –, ils restent cependant à identifier. Les rendements sont remarquablement faibles – 20-40 hl/ha.

En matière d'équipement et de technique, la Moldavie a pris de l'avance

LES CÉPAGES

Les pays de la mer Noire rassemblent de très nombreuses variétés – plus de 1000 rien qu'en Géorgie, dit-on. L'ex-URSS a multiplié les recherches sur ce sujet, mais l'accès à ses archives (en russe et à Moscou) permettrait certainement d'établir combien de noms sont en réalité des synonymes pour un même cépage. Les principales variétés cultivées dans ces régions sont les suivantes.

BLANC

Aligoté : très répandu.

Chardonnay : Moldavie, Ukraine.

Fetjeaska : Moldavie, Ukraine.

Furmint : Moldavie.

Krakhuna : Géorgie.

Mtsvane : Géorgie ; souvent associé au Rkatsiteli.

Muscat : très répandu, de grande qualité.

Pinot Blanc, Pinot Gris : Moldavie, Ukraine.

Riesling : très répandu.

Riesling Italico : Moldavie.

Semillion : synonyme de Sémillon.

Tsitska : Géorgie.

Tsolikouri : Géorgie.

ROUGE

Aleatico : Crimée.

Bastardo : Crimée.

Cabernet-Sauvignon : très répandu.

Malbec : Moldavie, Ukraine.

Matrassa : Ukraine, Azerbaïdjan.

Merlot : Moldavie.

Muscat : très répandu, de grande qualité.

Pletchistik : Russie.

Saperavi : très répandu, de grande qualité.

sur ses voisines, mais reste en retard par rapport à des pays comme la Hongrie. Le potentiel y est cependant énorme, surtout en ce qui concerne les vins rouges. Le vieillissement est souvent lent et soigné, en vieux fûts de chêne, et certains vins des années 1960 conservent une surprenante fraîcheur. La Moldavie produit de 530 à 600 millions de bouteilles par an, autant que le Bordelais. Ses vins obéissent à un système de « millésimes », un millésime étant une année où les raisins atteignent 10 degrés Baumé, ou plus, de sucre naturel. Dans les vignobles du Nord, cela se produit une fois sur trois alors que dans le Sud – d'où viennent les meilleurs rouges – chaque année est un millésime.

UKRAINE

Les vignobles d'Ukraine sont plus plats que ceux de Moldavie, sa voisine au bord de la mer Noire, mais ont, eux aussi, la même latitude que Bordeaux. La ressemblance s'arrête là. L'Ukraine est spécialisée dans la production de vin blanc et, surtout en Crimée, dans l'élaboration de Mousseux. Elle produit notamment du Sauvignon, mais le style de ses vins tranquilles n'a rien de bordelais. Les cépages sont moins variés qu'en Moldavie. Les principales variétés ukrainiennes sont le Rkatsiteli et l'Aligoté. On y trouve du Riesling, mais dans un style fort peu rhénan. Outre les Mousseux, la Crimée produit des vins mutés et des vins de dessert issus de raisins cultivés dans d'étroits vignobles côtiers. Le terrain est en pente, mais les vignes sont plutôt en bas de côte ; malgré l'irrigation, le rendement reste faible. Le climat est agréable, avec des hivers doux et des étés pas trop chauds. Les vins mousseux viennent du Nord et sont produits soit selon la méthode traditionnelle de seconde fermentation en bouteille, soit selon celle de la cuve close, ou enfin selon le système russe dit « en continu » : on pompe les vins de base et la levure à travers une série de cuves et un flot constant de vin effervescent est mis en bouteille en bout de chaîne.

RUSSIE

La plupart des pays de l'ex-URSS produisent des vins mousseux, mais le potentiel de la République de Russie réside surtout dans les vins rouges tranquilles de Cabernet-Sauvignon.

Malgré la vaste étendue de son territoire, la Russie ne bénéficie pas de conditions favorables à la viticulture. La période végétative est très courte, et le climat continental se caractérise par des hivers rigoureux et des étés très chauds. La grande majorité des vignobles sont situés dans le nord du Caucase, dans la région de Krasnodar et au Daghestan. Certaines des plus grandes entreprises vinicoles se trouvent cependant dans le nord du pays, à Moscou et à Saint-Pétersbourg.

Les vins rouges sont produits au sud et à l'est du pays, les blancs et les Mousseux au nord et à l'ouest. Parmi les cépages, on trouve le Muscatel (pour les vins sucrés), le Sylvaner, le Riesling, le Cabernet, l'Aligoté, les Pinots Gris et Noir, le Pletchistik, le Pukhjakovsky, le Tsimlyanski et l'inévitable Rkatsiteli.

GÉORGIE

Les vignes et la vinification de ce pays apportent un dépaysement total. On y trouve peu de cépages européens à part le Muscat.

On pratique trois grandes méthodes de vinification. La méthode « européenne » implique la fermentation des moûts sans les peaux. Elle est surtout pratique dans l'aire viticole de Kartli. La méthode d'Imérétie consiste en une fermentation partielle du moût en présence des peaux dans de grandes jarres souterraines appelées *kvevri*, qui ressemblent un peu aux traditionnelles *tinajas* d'Espagne. Enfin, dans la méthode locale de Kakhétie, les peaux des raisins sont laissées en

contact avec le vin pendant trois à cinq mois. Les vins blancs ainsi produits (plutôt jaunes foncés et très tanniques) heurtent le goût des Occidentaux, en revanche les Géorgiens en raffolent.

Ajoutons que l'ancienne législation soviétique exigeait que tous les vins, rouges, blancs ou mutés, de toutes les républiques, vieillissent trois ans sous bois avant la mise en bouteilles. On comprend pourquoi les habitants n'ont pas l'habitude de rechercher le fruité ou la fraîcheur dans leurs vins blancs.

Le goût géorgien se porte aussi sur un haut niveau de sucres résiduels, dans les rouges comme dans les blancs. Sur le marché intérieur, les vins sont toujours identifiés par un nom et un numéro, une habitude très soviétique. Le nom peut être celui du cépage ou du lieu de production – ou tout autre chose : le Saamo n° 30 est un Rkatsiteli sucré provenant du village de Kardanakhi en Kakhétie et saamo signifie « agréable ».

ARMÉNIE, AZERBAÏDJAN, KAZAKHSTAN

L'Arménie et l'Azerbaïdjan sont spécialisés dans les vins sucrés, la première produisant en outre quelques vins rouges à fort degré et le second des rouges et des blancs secs.

La seule autre région viticole de l'ex-URSS se trouve au Kazakhstan, où l'on produit des vins blancs et des vins sucrés issus de raisins poussant sur les bords de la mer Caspienne.

PRODUCTEURS

Les centres de vinification issus d'une longue tradition se réveillent. Les plus récents émergent grâce à la modernisation. Parmi ceux qui témoignent du potentiel de ces vastes régions de l'ex-URSS, en voici trois.

MOLDAVIE

KRIKOVA
Centre moldave équipé d'une toute nouvelle chaîne d'embouteillage italienne. Produit de bons Kodru, Krasny et Cabernet-Sauvignon, étoffés et mûrs.

PURKAR
Centre moldave fondé en 1827 au bord du Dniestr. Les caves sont creusées dans le calcaire, offrant ainsi des conditions idéales et une température constante. Le Negru de Purkar est un assemblage de Cabernet-Sauvignon et de Saperavi, ample et de grande longévité.

UKRAINE

MASSANDRA
Le centre de Massandra en Crimée (Ukraine) ne produit plus de vin. On y élève, en bouteilles et en fûts, ceux qui viennent des vignobles côtiers de Crimée et sont vinifiés dans d'autres établissements.
À l'origine, Massandra approvisionnait la résidence d'été des tsars à Livadia. Il s'agissait surtout de vins sucrés et mutés, sur le modèle qui vient d'Europe occidentale : « Portos », « Malagas », « Madères », « Tokays », « Marsalas », « Cahors » et, bien entendu, « Champagnes ». Beaucoup étaient de très grande qualité.

INDE, CHINE, JAPON

Le vin n'a jamais fait vraiment partie de la culture de l'Inde et des pays d'Extrême-Orient, bien que la viticulture ait existé dans les régions où le climat le permettait. Quelques cépages de la famille de *Vitis vinifera* sont originaires de l'Inde et du Japon, et de nombreuses autres espèces existent sur ce continent, notamment *Vitis amurensis,* qui, croisée avec *vinifera,* a donné l'hybride chinois Beichun. L'Inde élabore du vin depuis 2 000 ans, mais il a fallu attendre les colons portugais du XVIe siècle pour que naisse une véritable industrie organisée. Les cépages portugais de Goa donnent toujours du vin, mais ce sont surtout les imitations des nouveaux vins européens qui connaissent aujourd'hui une certaine vogue. Quant à la Chine, la viticulture n'y est pas étrangère, mais elle n'a eu que peu d'importance dans l'histoire. Des vignobles furent plantés au début du XXe siècle par des missionnaires européens et des marchands dans la péninsule de Shantung (Shandong), au nord-est de la Chine, qui reste la principale région viticole. Bien que les Japonais ne boivent pas de vin, ils pratiquent la viticulture depuis fort longtemps. En 1186, le seul cépage *vinifera* nippon, le Koshu – qui donne des vins blancs fruités –, était cultivé dans des vignobles près du mont Fuji, au sud de la vallée de Kofu et à l'ouest de Tokyo. Cette région viticole demeure la plus importante, les meilleurs vignobles étant plantés sur des sols de graviers et volcaniques, sur des versants exposés au sud. La majorité des régions viticoles japonaises se trouve dans la moitié sud de l'île principale.

INDE

L'Inde possède environ 43 000 ha de vignes, mais moins de 1 % d'entre elles servent à élaborer du vin. La production est concentrée à l'est et au nord-est de Bombay, dans la région du Deccan, dont les plateaux offrent des conditions climatiques acceptables, sinon idéales, pour la viticulture. La législation obligeait autrefois les producteurs à exporter la totalité de leur vin. Depuis 1988, elle autorise la vente de 25 % de la production sur le marché national. Aujourd'hui, un certain nombre de sociétés indiennes sont liées à des investisseurs occidentaux qui les aident à exporter, en échange de quoi ces derniers peuvent s'introduire sur le marché indien fort de 1 milliard de personnes.

Les cépages tels que le Chardonnay, l'Ugni Blanc, le Muscat, le Pinot Noir, le Merlot et le Cabernet-Sauvignon sont de plus en plus plantés et la technologie s'améliore.

Les vins indiens, vendus dans des bouteilles fermées par une capsule à vis, sont traditionnellement épais, sucrés. L'année 1985 a vu la naissance de l'Omar Khayyam, un vin blanc mousseux élaboré selon la méthode traditionnelle. Ce vin primé a fait rêver le monde international du vin. Plus récemment, Grover Vineyards, un joint-venture franco-indien, s'est fait une réputation avec des vins élaborés à partir de cépages français, cultivés sur le plateau de Karnataka.

CHINE

La plupart des vignobles chinois sont situés dans des régions au climat frais, dont la température descend à 3 °C en hiver et s'élève à 26 °C en été. Par contre, les pluies sont abondantes, surtout pendant la période de croissance, en juillet et en août. Les typhons d'été constituent un danger. Les meilleurs vignobles sont généralement plantés sur les versants exposés au sud, sur des terres alluviales bien drainées. Les vignobles plus méridionaux, touchés par l'humidité, peuvent connaître des problèmes de pourriture.

Les cépages importés par les missionnaires – Rkatsiteli, Welschriesling, Gewürztraminer et le Muscat Noir de Hambourg – sont encore majoritaires. Traditionnellement, le Beichun, hybride rouge aux multiples qualités, assez résistant aux maladies cryptogamiques et au froid, et les cépages de raisin de table Dragon's Eye, Cow's Nipple et Cock's Heart servent tous à élaborer des vins chinois semi-doux, essentiellement blancs. Le vin le plus connu, le Kui hua chen chiew, est exporté dans tous les pays d'Extrême-Orient.

La Chine possède environ 90 exploitations, dont un tiers s'efforce de produire du vin de qualité honnête. Depuis les années 1980, caractérisées par un esprit d'ouverture aux investissements étrangers, plusieurs multinationales financent du matériel et des experts. Les raisins produits localement sont achetés à des petits vignobles familiaux sous contrat, en attendant que les nouveaux vignobles, plantés en cépages classiques européens, parviennent à maturité. L'objectif est la production d'assemblages de demi-secs essentiellement blancs, faciles à boire, destinés aussi bien au marché national qu'à l'exportation. Outre Rémy Martin, Hiram Walker et Pernod-Ricard (voir encadré p. 752), le groupe italien Impexital et Seagram s'intéressent également au partenariat avec la Chine.

Les exploitations d'État les plus avancées commencent à élaborer des vins de type occidental. Elles s'approvisionnent largement en Riesling et Chardonnay, ce qui fait monter les prix de ces cépages encore peu cultivés et rend ces vins bien plus chers que les vins traditionnels.

JAPON

Les cépages les plus courants sont les hybrides américains, rapportés par des Japonais, à la fin du XIXe siècle, après des recherches effectuées à l'étranger : le Campbell's Early (rouge et terne) ; le Delaware (un blanc délicat mais acide, particulièrement adapté aux Mousseux) ; le Muscat Bailey A (un hybride de Koshu et de *Vitis labrusca* qui produit des rosés acceptables). Ces cépages, ainsi que le Koshu, constituent 85 % du vignoble japonais. Le reste est planté en Sémillon, Riesling, Chardonnay, Cabernet-Sauvignon et Merlot. En 1997, la surface viticole totale de 21400 ha a produit 250900 tonnes de raisins, mais dont seulement 27000 tonnes étaient destinées au vin. Les hybrides sont mieux adaptés que les cépages européens ou asiatiques à cet archipel au climat bien différent (hivers rigoureux, typhons, mousson, vents salés) de celui du bassin méditerranéen à la même latitude. Les arômes « foxés » des vins hybrides sont partiellement masqués par les 260 g de sucre par litre autorisés par la loi – le consommateur appréciant le sucré. La première société de vinification japonaise, Dainihon Yamanashi Budooshu Gaisha (aujourd'hui Mercian) fut créée en 1877. À l'époque, deux jeunes hommes, Takano Masanari et Tsuchiya Ryuken, partirent en France pour apprendre les techniques de viticulture et de vinification, qu'ils appliquèrent dès leur retour, deux ans plus tard.

Les années 1970 furent celles des changements, avec l'arrivée d'experts étrangers – français et australiens –, et l'introduction de cépages français et allemands. Trois multinationales japonaises, Mercian, Manns et Suntory, construisirent des exploitations ultramodernes pour le marché national. Selon des chiffres officiels (1997), le Japon comptait 335 vinificateurs. Mais les trois premières marques (Mercian, Suntory et Sapporo) représentent 60 % du marché.

En 1998, les Japonais ont consommé un peu plus de 3 litres de vin par habitant. La plupart des vins sont importés.

Beaucoup de vins japonais sont assemblés à des vins d'importation bon marché et portent la mention « Produce of Japan ». Si l'apport étranger dépasse 50 % de l'assemblage, cela doit figurer sur l'étiquette. Mais cette pratique tend à disparaître à mesure que les vins importés sont distribués plus largement et à de meilleurs prix.

RÉGIONS ET PRODUCTEURS

INDE

C. I. LTD
Le multimillionnaire Sham Chougule possède une exploitation ultramoderne à 150 km de Bombay, à Narayangaon, dans les montagnes de Sahyadri. Le vignoble est situé sur un terrain riche en calcaire, exposé à l'est, à 750 m d'altitude. Son vin sec mousseux, l'Omar Khayyam, fut une surprise pour les dégustateurs européens. Avec son partenaire financier Pernod-Ricard, Chougule a lancé sur le marché indien, entre autres, la Marquise de Pompadour, version demi-sec de l'Omar Khayyam, et Riviera, un blanc issu deThompson Seedless et de Chardonnay.

GROVER VINEYARDS
Passionné de vin, le riche industriel Kanwal Grover a pu convaincre Georges Vesselle, ancien directeur technique de Mumm, de se lancer dans un joint-venture pour produire des vins de qualité dans la région de Bangalore. Le vignoble sur le plateau de Karnataka bénéficie d'un sol argileux et d'un climat sec et frais, permettant deux vendanges par an. Une sélection rigoureuse des cépages (d'origine française) a donné des résultats encourageants dès les premières récoltes : un Cabernet-Sauvignon léger et souple, un Blanc de Blancs de Clairette et un rosé frais et fruité, qui comptent désormais parmi les meilleurs vins du sous-continent. Depuis, Veuve Clicquot (LVMH) participe à cette entreprise et Michel Rolland y prodigue ses conseils.

CHINE

BEIJING FRIENDSHIP WINERY
Partenaire de Pernod-Ricard, cette exploitation produit le Dragon Seal blanc, un assemblage de cépages français et chinois.

HUA DONG WINERY
Cette société, qui appartient en partie à Hiram Walker, est associée à l'exploitation d'État de Shandong Peninsula Qingdao. Des consultants australiens ont fait planter un vignoble expérimental de Chardonnay. Les vins exportés les plus connus sont les blancs Tsingtao.

RÉMY MARTIN
Le premier vin blanc chinois de style moderne fut le Great Wall, élaboré en 1978, conjointement par Rémy Martin et le Bureau fermier de Tianjin. La production de Dynasty (rouge et blanc) est destinée tant au marché national qu'à l'exportation. Imperial Court, un blanc mousseux méthode traditionnelle issu de Chardonnay, de Pinot Noir, de Pinot Meunier et d'Ugni Blanc, est élaboré dans une exploitation près de Shanghai.

JAPON

Les vins japonais de qualité proviennent du Château Lumière (qui appartient à la vieille entreprise familiale de Toshihiko Tsukamoto) et du Château Mercian (appartenant à Mercian), dont les Chardonnays, Cabernets-Sauvignons et Merlots sont concentrés et profonds. Le meilleur vin de Suntory est le Château Lion, de type Sauternes, issu de Sémillon botrytisé. Il est vendu à un prix comparable à celui du Château d'Yquem.

AMÉRIQUE DU NORD

Carte page XXIX

Il fallut attendre ces trente dernières années pour que le reste du monde s'aperçoive qu'il existait réellement une industrie vinicole américaine : la qualité des vins californiens provoqua l'étonnement général, et on dut commencer à compter avec le Nouveau Monde. Les vins californiens n'ont cessé de séduire les connaisseurs depuis lors, mais les vins d'Amérique du Nord ne proviennent pas de la seule Californie. On élabore maintenant du vin dans presque tous les autres États – ceux de Washington, d'Oregon et de New York sont les producteurs les plus notables – et au Canada, mais les producteurs, comme les consommateurs, sont répartis de façon très inégale à travers ce vaste continent. La fantastique diversité de ses paysages, de ses sols et de ses climats a permis que s'y développe une incroyable variété de vins, de l'exotique Léon Millot et du Seyval Blanc de l'est des Rocheuses au Cabernet-Sauvignon et au Chardonnay qui ont valu à la Californie sa renommée internationale. Le concept des vins de cépage – issus d'une seule variété – fait autant partie de l'univers vinicole d'Amérique du Nord que de celui de l'Australie ou de la Nouvelle-Zélande. L'Amérique du Nord possède ses cépages indigènes qui, bien que de plus en plus souvent remplacés par divers hybrides (en général un croisement de *Vitis vinifera* française et de *Vitis labrusca* américaine) et par des cépages européens classiques, ont marqué à jamais l'histoire du vin grâce à leur résistance au phylloxéra. D'innombrables vignes du monde entier sont aujourd'hui greffées sur des souches de *labrusca*.

L'histoire du vin en Amérique du Nord

Pour raconter l'histoire du vin sur ce continent, on débute généralement par la saga de l'explorateur viking Leif Eriksson, qui débarqua à Terre-Neuve vers l'an mil. Ayant observé qu'une vigne sauvage y poussait en abondance, il nomma cette terre inconnue *Vinland.* Il est en revanche certain qu'au XVIIe siècle, sinon plus tôt, des vignes sauvages poussaient sur la côte est de l'Amérique du Nord, de la Géorgie au Canada. Les premiers vins furent des vins de messe : vers le milieu du XVIIe siècle, les missions jésuites produisaient du vin au Québec, tout comme les missions franciscaines au Nouveau-Mexique, le long du Rio Grande. (Il est du reste possible que les vignes soient arrivées au Nouveau-Mexique dès 1580, par le sud.)

Ces vignes, qui poussaient à l'état sauvage de la côte nord-est au centre de la côte atlantique, étaient de l'espèce *Vitis labrusca.* Le cépage le plus connu est le Concord, un raisin noir développé par Ephraim Bull, un habitant de Concord, dans le Massachusetts. Cette vigne robuste, à fort rendement et résistante aux maladies, fut peu à peu plantée dans toute la Nouvelle-Angleterre, le Middle West et sur la côte atlantique centrale. Dans le Grand Sud, une autre espèce indigène, *Vitis rotundifolia,* poussait à l'état sauvage et fut plus tard cultivée. Le cépage blanc le plus apprécié de cette espèce, le Scuppernong, fut planté des Carolines à la Floride, puis plus à l'ouest, vers le Mississippi et les États voisins.

On trouve les premières références à une industrie vinicole en Pennsylvanie, dans les États de la Nouvelle-Angleterre, dans le Kentucky et les Carolines, où l'on élaborait du vin à partir des cépages locaux. De nombreux producteurs essayèrent de trouver du raisin pouvant donner du vin de style européen, car les espèces indigènes, notamment *Vitis labrusca,* donnent un vin qui exhale des odeurs « foxées » déplaisantes de fourrure humide. Ils firent donc venir des boutures de cépages européens de l'espèce *Vitis vinifera,* mais tous leurs efforts furent vains : elles ne résistaient pas aux attaques de maladies et de parasites qui ne furent identifiés que deux siècles plus tard.

À l'ouest des Rocheuses, où ne poussait aucun cépage indigène, les premiers vins furent élaborés à partir de raisin venu du Mexique, le Criolla. Dans les années 1850, des centaines de boutures de cépages de *vinifera* européens furent apportées en Californie, où elles s'adaptèrent aux conditions proches de celles des régions méditerranéennes.

Ce n'est pas avant la seconde partie du XIXe siècle que la production vinicole prit de l'importance, d'abord en Californie (plus d'un million d'hectolitres à la fin du siècle), puis dans l'Ohio, le Missouri et sur la côte est, jusqu'à l'État de New York.

LA LÉGISLATION VINICOLE ET LES APPELLATIONS

L'appellation régionale la plus générale est celle de l'État (Californie, New York, Texas, etc.); les vins étiquetés Californie doivent être issus à 100 % de cépages cultivés dans cet État. Vient ensuite le nom du comté : au moins 75 % des raisins doivent provenir du comté nommé – sauf dans l'Oregon, qui en exige 100 % pour autoriser cette mention. Les comtés sont toutefois des entités politiques et non vinicoles; or, la loi américaine a institué en 1980 des AVA *(American Viticultural Areas)*, partiellement calquées sur les appellations européennes et pouvant dépasser les limites du comté. Délimitées en fonction des frontières climatiques naturelles, des régions topographiques ou des types de sols spécifiques, elles donnent une meilleure idée du style de vin. Les vins qui portent le nom d'une AVA doivent contenir au moins 85 % de raisin poussant dans la région mentionnée (encore une fois, la législation plus stricte de l'Oregon en exige 100 %).

La plus petite subdivision régionale est celle du vignoble; si son nom est mentionné, 95 % des raisins doivent en provenir.

La prohibition

La prohibition fit beaucoup de tort à l'industrie vinicole, qui, aux États-Unis comme au Canada, jouissait jusque-là d'un certain succès grâce à l'énergie et à l'expertise d'immigrants européens. Au XIXe siècle, elle prospérait dans l'Ohio, l'Indiana et la Virginie, aussi bien que dans le Missouri, au Nouveau-Mexique et en Californie. Mais ce succès fut de courte durée, car le phylloxéra fit son apparition en Californie dans les années 1880, tandis que d'autres maladies se propageaient dans le Middle West. Les vignes qui survécurent à la prohibition furent essentiellement les cépages américains destinés au jus de raisin, aux confitures et aux gelées. Outre le Concord, les cépages appréciés étaient le Catawba, le Norton et l'Isabella (rouges) ainsi que le Delaware, le Niagara et le Dutchess (blancs). Ils étaient à l'époque suffisamment bons pour produire des vins doux et des vins mutés de type Porto et Xérès.

Au moment de l'entrée en vigueur de la prohibition, en 1920, les États-Unis produisaient quelque 2 millions d'hectolitres et les vins de Californie étaient réputés jusqu'en Europe. Cinq ans plus tard, la production avait diminué de près de 95 % et à la fin de la prohibition, en 1933, on avait perdu en Europe jusqu'au souvenir du vin américain. Bien des États mirent des

LIRE UNE ÉTIQUETTE DE VIN AMÉRICAIN

Les noms des vins sont simples : le nom du producteur ou de l'exploitation est suivi de celui du cépage – par exemple, Pinot Noir – auquel on ajoute parfois une mention de type « Special Reserve ».

Les noms de marques, jadis réservés aux vins ordinaires, sont aujourd'hui utilisés pour désigner des assemblages de cépages de qualité supérieure.

Le style de vin. Le plus courant est le vin de cépage, nommé d'après le raisin dominant qui, selon la loi fédérale américaine, doit constituer au moins 75 % du contenu de la bouteille ou 90 % en Oregon (à l'exception du Cabernet-Sauvignon, afin de permettre quelques assemblages de type bordelais).

Les gros producteurs ont souvent recours à des noms génériques (tels que Bourgogne, Chablis, Chianti, Porto, Xérès, blanc sec, *blush*), mais l'utilisation d'un nom européen ne signifie pas qu'il s'agit de cépages européens : tous les cépages et assemblages sont autorisés. L'Oregon fait, une fois de plus, exception : les noms de lieux européens ne peuvent figurer sur l'étiquette.

La région d'origine. Voir encadré p. 755

Le millésime. Il n'est pas obligatoire, mais, si le vin en porte un, il doit contenir au moins 95 % de l'année mentionnée.

Autres informations. Le degré d'alcool et les mises en garde contre l'abus d'alcool figurent sur toutes les bouteilles destinées au marché américain (ces indications ne figurent pas sur les bouteilles destinées à l'Europe). Au Canada, bien que les lois et les zones officielles diffèrent (voir p. 820), les étiquettes portent des mentions très similaires.

dizaines d'années pour reprendre leurs activités vinicoles et, jusqu'au début des années 1960, toutes les régions, Californie incluse, élaborèrent essentiellement des vins mutés, des vins de table doux et des vins de consommation courante.

La situation actuelle

La plupart des producteurs d'Amérique du Nord n'existaient pas avant 1966. Au moins 70 % des entreprises vinicoles de Californie furent fondées après cette date et, dans l'État de New York, au moins 80 % après 1976. Dans l'Ontario (Canada), la première licence depuis 1929 fut accordée en 1975.

Un esprit d'adaptation et un enthousiasme sans bornes caractérisent les vignerons du Nouveau Monde. Leur ardeur et leur volonté de réussite furent évidentes dans les années 1970 et 1980, lorsque, s'attaquant aux problèmes à la source, ils parvinrent à faire abolir les coûteuses réglementations locales ainsi que les mesures fiscales imposées après la prohibition.

Jusqu'au milieu des années 1980, les vins produits aux États-Unis, même ceux des plus grandes entreprises, n'étaient pas destinés à l'exportation, situation qui a changé rapidement depuis. Dans les années à venir, il se peut que les États-Unis puissent concurrencer le Vieux Continent sur le marché mondial.

En 1991, les États-Unis devinrent le quatrième producteur mondial de vin derrière l'Italie, la France et l'Espagne, devant l'Argentine. Mais, en comparaison des pays européens, la consommation est faible : 8 litres par habitant contre 67 en France et 62 en Italie. Les Américains n'ont pas la même conception du vin : c'est une boisson réservée aux grandes occasions et nombreux sont ceux qui n'en boivent jamais. Six États – Californie, New York, Floride, Texas, Illinois et New Jersey – consomment la moitié du vin vendu dans le pays.

Les cépages américains

Les cépages indigènes donnent des vins au goût « foxé » prononcé. Les hybrides entièrement américains conservent les caractéristiques de l'espèce *labrusca,* alors que les hybrides américano-européens donnent des vins d'un goût beaucoup plus acceptable, mais les meilleurs vins sont issus de souches de *vinifera.*

On trouve aujourd'hui une large gamme de cépages *vinifera* dans toute l'Amérique. Et chaque cépage peut donner des vins très différents suivant l'endroit où il pousse. Un Chardonnay ou un Sauvignon de Californie, par exemple, auront un goût tout autre que ceux de l'État de Washington.

Les régions viticoles

L'Amérique du Nord possède cinq grandes régions ou États produisant du vin.

CÉPAGES ET HYBRIDES LOCAUX

Les cépages locaux sont encore très cultivés, bien que les hybrides – américains, franco-américains ou français – gagnent du terrain et que la proportion de cépages *vinifera* (voir chaque région) augmente.

Aurora. Hybride franco-américain, utilisé pour les vins doux et mousseux, généralement sans intérêt.
Baco Noir. Hybride français, qui donne des vins rouges foncés et capables de vieillir.
Catawba. Hybride rouge américain, très utilisé pour les Mousseux et les *blushes.*
Cayuga White. Hybride franco-américain, qui donne un blanc sec ferme, de qualité raisonnable.
Chambourcin. Hybride français apprécié, produisant des rouges pleins de corps et d'arôme, également utilisé dans les assemblages.
Chancellor. Hybride français donnant des rouges fruités, mais sans grand intérêt.
Chelois. Hybride français utilisé pour les rouges de type Bourgogne, les assemblages et les *blushes.*
Concord. Raisin rouge américain, qui donne des rouges foncés et plutôt ternes, avec un goût « foxé » caractéristique.
Cynthiana. Voir Norton.
De Chaunac. Hybride franco-américain populaire, donnant des rouges ordinaires fruités, à boire jeunes.
Delaware. Raisin américain rose, utilisé pour les vins tranquilles et mousseux, légèrement « foxé » quand il n'est pas trop sec.

LA CALIFORNIE domine complètement la production et cette situation ne risque guère de changer, car elle bénéficie d'un climat particulièrement doux, de cépages *vinifera* bien implantés et de producteurs dont la réputation n'est plus à faire.

LE NORD-OUEST recouvre, en termes de vin, principalement les États de Washington et de l'Oregon. C'est une région en plein développement dont la réputation de produire des vins de grande qualité va croissant.

LE NORD-EST, c'est surtout l'État de New York, second plus gros producteur, bien qu'il représente seulement 3 % de la production totale du pays. Il est l'exemple parfait des États viticoles de l'Est qui adoptent aujourd'hui les cépages de *Vitis vinifera* dans l'espoir de produire des vins plus traditionnels.

CÉPAGES ET HYBRIDES LOCAUX

Dutchess. Cépage américain, semblable au Delaware, donnant des vins blancs ordinaires.
Elvira. Vieux cépage blanc américain en voie de disparition.
Isabella. Vieux cépage rouge américain, de type très «foxé», en voie de disparition.
Léon Millot. Hybride français, similaire au Maréchal Foch, donnant des rouges de bonne qualité, corsés, capables de vieillir.
Maréchal Foch. Hybride franco-américain très cultivé – on le dit voisin du Gamay – donnant des rouges fruités bien équilibrés.
Melody. Hybride récent provenant du Pinot Blanc et produisant des vins blancs fruités et légèrement doux.
Niagara. Hybride américain voisin du Concord et cépage le plus «foxé». On l'utilise souvent pour les blancs doux.
Norton. Vieux cépage rouge américain donnant des vins lourds et «foxés».
Ravat. Le Ravat blanc, également nommé Vignoles, est un hybride franco-américain dérivé du Chardonnay et presque toujours utilisé pour des blancs doux de qualité.
Seyval Blanc. Hybride franco-américain dérivé du Chardonnay, donnant des vins de cépage blancs et fruités.
Vidal Blanc. Hybride dérivé de l'Ugni Blanc et utilisé pour une gamme de blancs de bonne qualité, y compris des vins de glace.
Vignoles. Voir Ravat.
Villard. Hybride franco-américain donnant des rouges et des blancs ternes.

Les autres États du Nord-Est qui produisent du vin sont la Nouvelle-Angleterre, le New Jersey, la Pennsylvanie et le Maryland, qui furent parmi les premiers producteurs du continent.

LE SUD ET LE MIDDLE WEST ont des producteurs petits, mais qui se sont avérés capables de faire de bons vins, que l'on découvre parfois dans des endroits insoupçonnés. Le grand potentiel vinicole de la région est encore largement inexploité.

LE CANADA est peut-être un producteur inattendu, étant donné la rigueur de son climat, mais il faut savoir que ses habitants y vendangeaient bien avant les Américains et qu'une industrie vinicole de qualité est en train d'y naître. Les deux principales régions viticoles sont l'Ontario, à l'est, et la Colombie-Britannique, à l'ouest.

CALIFORNIE

Carte page XXIX

Favorisée par son climat très hospitalier, la Californie produit des vins depuis près de deux cents ans. Mais ce n'est que dans les années 1960 que les consommateurs exigeants de San Francisco, de Los Angeles et d'autres villes californiennes commencèrent à rechercher une source locale de vins fins. Les producteurs déterminés et financièrement solides ne tardèrent pas à relever le défi. La Californie offre aujourd'hui autant de diversité que n'importe quelle autre région viticole du monde. Si la plupart de ses domaines viticoles produisent des vins blancs secs (principalement de Chardonnay) et des rouges (surtout de Cabernet-Sauvignon et de Zinfandel, cépage proprement californien), ils élaborent aussi suffisamment de vins rosés de couleur pâle (ou *blush),* de vins d'assemblage rouges (et quelques blancs), de vins de cépages, de blancs liquoreux issus de Riesling ou de Gewürztraminer botrytisés, de vins mutés ou effervescents, et une très longue liste d'autres vins pour satisfaire l'insatiable curiosité des œnophiles locaux.

Le vignoble californien

C'est d'Espagne, via le Mexique, que le raisin arriva en Californie, par l'intermédiaire des pères franciscains qui établirent des missions tout au long d'El Camino Real (la Route du roi, aujourd'hui US 101) : ils avaient pour mission de convertir les indigènes à la religion chrétienne et avaient besoin de vin pour la célébration de la messe. Avec la ruée vers l'or, en 1849, la viticulture se répandit à travers l'État : des hordes de jeunes gens venus pour retourner le sol à la recherche du métal jaune finirent par adopter des moyens de subsistance plus stables. La passion du vin fut donc l'une des conséquences du brassage de colons européens d'horizons divers. La diversité des régions du « Golden State », ensoleillé toute l'année, fournissait une gamme de terroirs sous microclimats allant des fraîches zones océaniques des bords du Pacifique, berceau des vins fins, jusqu'aux terres fertiles de San Joaquin Valley, à la chaleur torride, et aux petits domaines produisant des vins distingués sur les contreforts enneigés de la sierra Nevada. Après avoir survécu aux attaques du phylloxéra (d'abord dans les années 1880 puis au début des années 1990) et aux privations imposées par la prohibition entre 1920 et 1933, sans oublier la grande dépression des années 1930, l'industrie viticole californienne reste solide et prospère. L'État produit chaque année plus de 2 milliards de bouteilles, soit environ 90 % de la production des États-Unis. Un peu plus de la moitié des 350 000 ha de vignes de la Californie est consacrée au vin, la majeure partie du reste étant vendue en raisins secs et 10 % en raisins de table. À titre de comparaison, la Californie consacre au vin une superficie supérieure d'environ 50 % à celle du Bordelais et produit trois fois plus de vin, les rendements pouvant varier entre 95 et 190 hl/ha dans la vallée intérieure. En revanche, Napa et Sonoma produisent environ 50 hl/ha, un rendement plus proche de ceux des vignobles français.

Les régions viticoles

La diversité des vins de Californie reflète l'éventail presque illimité de ses sites viticoles : la vigne pousse dans 47 des 58 comtés de l'État. On peut diviser l'État en trois zones climatiques principales :
- les sites subissant l'influence du Pacifique (entre le comté de Mendocino, au nord, et San Diego, à l'extrême sud) ;
- la Vallée centrale (Central Valley), immense zone au climat très chaud ;
- les contreforts frais de la sierra Nevada, à l'est.

Les zones côtières sont de loin les plus importantes pour la production de vins de qualité. Les régions proches du Pacifique (vallée de Napa, comté de Sonoma, comté de Lake, vallée d'Anderson dans le comté de Mendocino, vallée de Livermore et montagnes de Santa Cruz, autour de la baie de San Francisco, comté de Monterey, comté de San Luis Obispo et Santa Maria dans le comté de Santa Barbara) bénéficient des brumes venant de l'océan, de la baie ou des fleuves, qui tempèrent les températures diurnes. Les raisins gardent ainsi leur acidité naturelle, ce qui favorise la production de vins de qualité fruités et vifs. Napa et Sonoma sont les régions les plus plantées en vignes.

La Vallée centrale fournit les vins de table de qualité standard qui constituent l'assise économique des vins de qualité. 85 % des vins californiens proviennent des terres fertiles s'étendant entre Bakersfield et le nord de Sacramento. Cette vaste vallée fournit aussi de superbes vins moelleux. Les exploitations individuelles tendent de plus en plus à tirer parti de l'étendue et de la diversité des sites viticoles de Californie. À partir de son siège, dans le comté de Lake, Kendall-Jackson a bâti sa réputation sur des Chardonnays provenant de tout l'État. Beringer, Franciscan, Mondavi et quelques autres sont propriétaires de vignobles dans plusieurs régions viticoles importantes. C'est dans la Vallée centrale que l'on trouve d'importantes exploitations vinicoles comme la maison Gallo (la plus importante au monde en termes de volume), mais aussi d'innombrables

petits producteurs qui pratiquent la viticulture et la vinification comme hobby et sont souvent installés en périphérie des villes. Grandes ou petites, la plupart des exploitations achètent des raisins ou sont propriétaires de parcelles dans plusieurs vignobles : le vinificateur révèle son talent dans les assemblages. Les raisins des vignobles situés dans des zones plus fraîches apportent de l'acidité et ceux des microclimats plus chauds donnent des vins plus charnus. Ainsi, les deux indications les plus importantes, celles qui livrent les clefs du style du vin, sont les noms du producteur et du cépage principal et figurent généralement en évidence sur l'étiquette.

Les noms des vins

La majorité des vins californiens, et avant tout ceux de qualité, sont des vins de cépage : ils portent le nom de leur cépage principal (voir encadré ci-

LES CÉPAGES SUR L'ÉTIQUETTE

En Californie, l'étiquette des vins de qualité porte généralement le nom du cépage. Les cépages les plus importants sont les suivants.

VINS ROUGES

Zinfandel. Ce cépage rare hors de Californie permet d'élaborer une large palette de styles de vin rouge, mais également des vins à la robe plus pâle. Étiquetés White Zinfandel et/ou *blush,* ils possèdent le plus souvent des arômes de fraise et sont légèrement doux ou demi-secs.

Cabernet-Sauvignon. Ce grand cépage rouge de Bordeaux obtient depuis longtemps de bons résultats dans les régions côtières.

Grenache. Cépage des zones méditerranéennes (vallée du Rhône, sud de la France et Espagne), il est ici utilisé dans des proportions importantes pour les vins de consommation courante de la Vallée centrale.

Pinot Noir. Le raisin rouge de Bourgogne prospère dans les zones plus fraîches – Carneros, la vallée de Russian River (comté de Sonoma) – et dans d'autres régions côtières du Nord. Il entre dans les assemblages de vins effervescents et s'utilise de plus en plus fréquemment en monocépage.

Merlot et Cabernet Franc. Autrefois destinés aux assemblages avec le Cabernet-Sauvignon, ils sont de plus en plus diffusés en vins de cépage.

Petite Sirah. N'ayant rien à voir avec la Syrah de la vallée du Rhône, la Petite Sirah a sa place dans des assemblages génériques.

Carignan. Le Carignan occupe des superficies importantes. Il est surtout utilisé en assemblage.

dessous). Ils peuvent ne pas être élaborés exclusivement avec le cépage indiqué, mais celui-ci doit représenter au moins 75 % de l'assemblage.

Les producteurs californiens savent depuis longtemps qu'un vin issu d'un seul cépage n'est pas forcément meilleur (un bon assemblage l'améliore souvent). Ainsi est née la désignation de « Meritage », qui donne une plus grande latitude au vinificateur pour faire des assemblages de style bordelais, à condition qu'il utilise les cépages Cabernet-Sauvignon, Merlot, Cabernet Franc, Petit Verdot et Malbec pour le rouge ; Sauvignon, Sémillon et Muscadelle pour le « Meritage » blanc. S'ils ne peuvent être étiquetés vins de cépage, ces vins sont toutefois supérieurs aux vins ordinaires. Un certain nombre de producteurs recourent à la désignation « Meritage », mais d'autres ont créé leurs propres marques.

La mention d'une région réputée, comme Napa ou Sonoma, aide à la

Barbera. Ce raisin entre surtout dans des assemblages de vins rouges génériques.

Gamay. Il donne des vins qui rappellent le Beaujolais, à Napa et Sonoma.

Syrah. Ce cépage se trouve sur de petites superficies ; les raisins s'utilisent surtout dans des assemblages.

Nebbiolo et Sangiovese. Un ou deux producteurs emploient ces cépages italiens pour les diffuser en vins de cépage.

VINS BLANCS

Chardonnay. Le grand cépage blanc de Bourgogne et de Champagne donne des vins blancs secs de styles variés.

Colombard. Planté sur des superficies importantes dans la Vallée centrale, il est utilisé pour les vins ordinaires.

Chenin Blanc. Il donne des vins de consommation courante ainsi que, de temps en temps, des vins secs ou liquoreux.

Sauvignon Blanc. Planté dans les comtés qui longent la côte, il est élaboré en vin de cépage sec ou utilisé dans des assemblages.

Muscat Blanc. Connu parfois sous le nom de Muscat Canelli, il est généralement utilisé pour des vins liquoreux.

Riesling. Ce grand raisin allemand (souvent connu sous les noms de Johannisberg Riesling ou White Riesling) donne des vins aromatiques, secs ou demi-secs.

Gewürztraminer. Il sert à l'élaboration de vins secs et, à l'occasion, demi-secs.

Sémillon. Il entre dans des assemblages de vins blancs de style bordelais, bien qu'il soit quelquefois diffusé en vin de cépage.

vente, mais ne peut figurer sur l'étiquette que si un pourcentage important des raisins provient de la région désignée (voir encadré p. 756).
Les vins effervescents élaborés selon la méthode traditionnelle mise au point en Champagne sont de plus en plus connus et identifiés sur les étiquettes sous le terme « méthode traditionnelle » (au lieu de « méthode champenoise », terme désormais interdit), mais les producteurs de Californie persistent à utiliser certains noms européens, tels que Chablis, Burgundy, Port ou Sherry (Xérès), pour décrire des vins génériques qui ressemblent fort peu à leurs illustres homonymes.

LES FACTEURS DE QUALITÉ

En Californie, la quête du terroir idéal est à l'inverse de celle de l'Europe du Nord. Si les vignerons européens recherchent surtout les sites ensoleillés, le climat étant souvent trop froid et rude pour le raisin, les viticulteurs californiens, eux, disposent d'un climat trop doux à tendance chaude : ils recherchent des endroits plus frais, où le raisin doit lutter pour atteindre sa pleine maturité plutôt qu'une maturité trop facile due à la chaleur. Leurs critères et priorités en matière de sols, de sites et d'exposition diffèrent aussi de ceux des Européens. Les innombrables sites exploitables, potentiels ou réels, commencent seulement à être explorés.

SITES ET EXPOSITIONS

Les coteaux sont très prisés pour le Cabernet-Sauvignon et le Zinfandel. Un peu partout, l'exposition au sud est jugée trop chaude : on lui préfère une exposition à l'est, voire au nord, qui offre davantage de fraîcheur et se révèle plus apte à donner un raisin de grande qualité.

TECHNIQUES

La Californie est sans doute le lieu où toutes les techniques possibles de vinification sont expérimentées, certaines avec grand succès. Parmi les clés des progrès accomplis, citons les fûts en chêne français et les cuves en acier inoxydable permettant de contrôler les températures de fermentation.

CLIMAT

Tandis que les Européens se dirigent vers les climats plus frais du Nord pour le Pinot Noir, le Riesling et les raisins acides nécessaires aux vins effervescents, les Californiens se tournent vers l'ouest et cherchent à se rapprocher de la côte. Dans le comté de Santa Barbara, par exemple, si l'on remonte le fleuve Santa Ynez sur un ou deux kilomètres, la température diurne moyenne augmente de un degré. Près

Les millésimes et l'élevage

La douceur du climat californien explique que les variations entre les millésimes soient plus faibles que dans les régions viticoles prestigieuses de la Vieille Europe. Si certains microclimats peuvent pâtir de pluies, de froid ou de chaleurs hors saison, les petits millésimes sont très rares en Californie. En raison des modes de vinification, la plupart des vins californiens peuvent être consommés dans leur jeunesse : un an ou deux après les vendanges pour les vins blancs, trois à cinq ans pour les vins rouges de qualité standard. Seuls les vins blancs de qualité supérieure

du Pacifique, le Pinot Noir est le cépage favori des viticulteurs ; un peu plus vers l'intérieur, le Chardonnay réussit mieux ; en montant vers le lac Cachuma, les températures plus élevées permettent de mener à maturité le Sauvignon, et même le Cabernet-Sauvignon les années de grande chaleur. Et Santa Ynez est située bien au sud de la vallée de Napa, où le Cabernet se trouve encore plus à l'aise.

Dans chaque vignoble, le climat est plus déterminant que la composition du sol pour choisir le cépage qui donnera les meilleurs résultats. Dans les régions côtières de l'est et du nord de San Francisco, en particulier dans les comtés de Napa et de Sonoma, un autre facteur entre en jeu : des brèches ouvertes dans la chaîne montagneuse parallèle à la côte permettent aux brises marines et au brouillard frais et humide de tempérer la chaleur des vallées. Carneros, au sud de Napa, est ainsi plus frais que des régions plus au nord.

SOLS

Depuis les années 1970, les viticulteurs californiens n'ignorent plus que chaque parcelle possède sa propre identité et sa propre expression. Ils ont aussi appris très vite que, planté sur un sol graveleux bien drainé, le Cabernet-Sauvignon peut produire un vin classique, alors que, sur des sols lourds et argileux, il a du mal à exprimer son fruit et donne des vins très herbacés, aux arômes végétaux.

Sauf pour les viticulteurs qui affirment qu'un sol calcaire est indispensable au Pinot Noir (Calera à San Benito, Chalone à Monterey), l'importance des sols se limite à leur texture, à leur pente et à leur exposition. Le bon drainage des sols est essentiel : la vigne n'aime pas « avoir les pieds dans l'eau ». Les sols des coteaux sont moins fertiles que ceux des vallées, mais cette pauvreté confère au fruit des arômes plus intenses.

(Chardonnay et Sauvignon de Sonoma et de Napa) peuvent se bonifier sept ou huit ans. Quelques rares vins rouges, surtout ceux de Cabernet-Sauvignon et de Zinfandel des meilleures zones côtières, peuvent se bonifier longuement – 20 ans ou plus –, mais ils sont agréables à boire bien avant les Crus Classés de Bordeaux et les Grands Crus de Bourgogne, qu'ils tentent d'égaler. La Californie, qui regorge de producteurs originaux, n'en offre pas moins l'une des meilleures formations du monde en matière de viticulture et d'œnologie (l'université de Davis). La fermentation et l'élevage du vin en barriques sont l'objet de constantes expériences. À partir des mêmes cépages, bien des producteurs proposent deux versions de vins blancs et rouges, l'une fruitée et d'évolution rapide, l'autre plus riche et élevée en barriques.

NAPA VALLEY

Carte page XXIX

Napa Valley, avec sa forme de croissant de lune, est la plus connue des régions viticoles américaines. Totalement vouée à la vigne, elle consacre plus de 30 000 ha (soit plus que le Médoc et Saint-Émilion réunis) à cette seule et unique activité. Le comté de Napa est deux fois moins grand que celui de Sonoma, mais compte deux fois plus d'exploitations viticoles ; sa superficie plantée en raisin représente un dixième seulement de la surface viticole de la Californie, mais ses quelque 250 domaines viticoles correspondent au tiers du total des exploitations de l'État.

La Highway 29 (autoroute 29), surnommée à juste titre « la Route du vin », parallèle au fleuve Napa, longe une succession presque ininterrompue de vignobles, de chais et de lieux de dégustation : de Trefethen (Oak Knoll Avenue), juste au nord de Napa, jusqu'aux coteaux de Zinfandel de Storybook Mountain (à la limite du comté de Sonoma), 48 km plus haut.

L'histoire de Napa

Napa, à l'évidence, était prédestinée à la vigne : ses cent cinquante ans d'histoire viticole et la clémence de ses zones climatiques (voir encadré p. 768-769) l'attestent. Ses caves en pierre, fondations solides bâties pour durer, sont des monuments qui ont vieilli en beauté.

Le magnifique Greystone, à la limite nord de St. Helena (aujourd'hui siège de l'Institut culinaire d'Amérique pour l'ouest du pays) ; le domaine Far Niente à Oakville, superbement restauré ; la façade en pierre du Château

Montelena à Calistoga ; les murs couverts de lierre d'Inglenook ; la petite structure en pierre qui forme aujourd'hui le cœur de Beaulieu : sans eux, l'extraordinaire expansion de Napa pendant les années 1970 aurait tourné au cataclysme.

Le premier vin de la vallée fut produit vers 1840 par George Yount, un natif du Missouri, qui, après s'être battu contre les Indiens, s'installa en 1836 à l'endroit appelé aujourd'hui Yountville. Il y planta un verger et des vignes en 1838 et, dès 1840, obtenait 20 000 l de vin par an.

Mais, jusqu'à la guerre de Sécession (1861-1865), le vin n'était à Napa Valley qu'une activité accessoire de l'agriculture : un verger par-ci, un potager par-là, et quelques rangs de vignes à l'endroit le plus ensoleillé.

Le véritable pionnier de l'industrie vinicole de Napa fut Charles Krug, Prussien d'origine, qui commença à produire du vin au début des années 1860. Il utilisa le premier pressoir mécanique et fonda à St. Helena la première exploitation vinicole de Napa Valley. Ce fut lui qui forma également les premiers vignerons célèbres de Californie : Clarence Wetmore (fondateur de Cresta Blanca), Jacob Beringer et Carl Wente.

En 1870, sous l'impulsion d'hommes comme Jacob Schram et Hamilton Walker Crabb, qui transformèrent ce passe-temps en affaire commerciale, le vin était déjà en voie de devenir une industrie. Après avoir visité le domaine Calistoga de Jacob Schram, l'écrivain écossais Robert Louis Stevenson décrivit son vin comme étant « de la poésie en bouteille ».

À cette époque, Crabb était en train de planter To Kalon Vineyard (il disait que cela signifiait « le vignoble du patron » en grec) à l'ouest d'Oakville, où il essaya plus de 400 cépages. Aujourd'hui, To Kalon est toujours un domaine expérimental : une partie du vignoble de Crabb est devenue le centre d'essais viticoles de l'université de Davis en Californie ; l'autre, Block P, appartient à Mondavi, qui y produit son Cabernet-Sauvignon Reserve.

En 1889, Napa Valley comptait au moins 142 caves, malgré les dégâts importants causés par le phylloxéra au cours des années 1880 et 1890.

Les treize années de prohibition brisèrent l'essor des exploitations viticoles, mais n'empêchèrent pas l'extension de la viticulture. Encouragée par les vinificateurs clandestins, la consommation de vin fit plus que doubler entre le début et la fin de la prohibition. Dans la période mouvementée qui suivit, les grandes coopératives régnèrent en maîtres sur l'industrie vinicole.

Dans les années 1940, des petits producteurs installés sur les hauteurs – Stony Hill, Souverain (aujourd'hui Burgess), Mayacamas – amorcèrent une conversion qui visait à passer des vins de dessert ainsi que des vins génériques aux vins de cépage Chardonnay et Cabernet-Sauvignon.

LES ZONES VINICOLES DE NAPA

Napa dispose d'une aire viticole (AVA) principale, qui recouvre l'ensemble du comté et plusieurs districts. Treize aires sont officiellement reconnues. Les raisins de Napa Valley étant très coûteux, leur nom occupe une place de choix sur les étiquettes de vin. La plupart des domaines possèdent des vignes dans plusieurs districts. Quoi qu'il en soit, l'aire viticole ne peut figurer sur l'étiquette que si le vin en provient à 85 % au moins.

Napa Valley. AVA principale, elle englobe toutes les vignes du comté de Napa, y compris Chiles Valley, Pope Valley et Wild Horse Valley, qui se trouvent à l'extérieur du bassin hydrologique du fleuve Napa.

Mount Veeder. L'aire viticole longe les monts Mayacamas, au nord et à l'ouest de la ville de Napa, en direction de Bald Mountain. Les vignobles sont cultivés en coteau entre 120 et 800 m au-dessus du niveau de la mer. Les sols volcaniques bien drainés favorisent de faibles rendements (jamais plus de 40 hl/ha) et l'élaboration de Cabernets-Sauvignons et de Chardonnays intenses et bien structurés de domaines comme Mount Veeder, The Hess Collection, Mayacamas Vineyard et Château Potelle.

Spring Mountain. Cette aire viticole remonte le long des collines situées à l'ouest de St. Helena. Les vieilles vignes fournissent des raisins aux arômes très concentrés. Les exploitations de premier plan sont Cain Cellars (Cain Five, un rouge Meritage), Smith-Madrone (un Johannisberg Riesling) et Robert Keenan (Merlot).

Diamond Mountain. Situé au sud de Calistoga, ce vignoble est l'un des plus escarpés. Certaines terrasses du vignoble Diamond Mountain de Sterling sont à hauteur d'homme et les rendements bas autorisent la production de Chardonnays fins et de Cabernets-Sauvignons fermes et nets. Diamond Creek Vineyards (voir p. 771) et Stonegate possèdent aussi des vignobles sur la colline.

Howell Mountain. Cette aire viticole borde la route Deer Park qui serpente sur la colline et s'étend de St. Helena au côté Vaca de la vallée, en passant par Angwin. Reconnue AVA depuis janvier 1984, elle est entièrement située au-dessus de 425 m, presque toujours au-dessus de la ceinture de brouillard matinal. Le Zinfandel est le cépage classique de Howell Mountain, mais de nouvelles plantations fournissent le Cabernet-Sauvignon de Dunn, compact et ferme, en un vin jeune, qui s'épanouit après quelques années de bouteille.

Atlas Peak. Cette AVA de 4500 ha, située au nord de Napa, est le fief de Atlas Peak Vineyard, appartenant au groupe Allied-Hiram Walker et bénéficiant de l'assistance technique du Champagne Bollinger et du célèbre producteur de Chianti Piero Antinori. On y cultive plus du quart du Sangiovese de Californie.

Stag's Leap District. Située à l'est de Yountville, cette AVA est connue pour les Cabernets-Sauvignons des domaines Clos du Val, Stag's Leap Wine Cellars, Stag's Leap Vineyard, Shafer, Pine Ridge et Silverado. Elle rivalise avec Rutherford comme producteur des meilleurs rouges de style bordelais.

Rutherford et Oakville. Situées au milieu de la vallée, elles ont chacune droit à leur propre AVA, mais sont parfois regroupées sous la désignation Rutherford-Oakville Bench. Le bench (banc) est une terrasse large, plate et basse, courant le long de la vallée et façonnée par le fleuve Napa : aussi les sols sont-ils riches en alluvions et en graves bien drainées. Rutherford est particulièrement célèbre pour ses Cabernets-Sauvignons de caractère, solides et tanniques, aux arômes légèrement herbacés. Oakville, plus au sud, se distingue par des sols plus variés. On y cultive le Cabernet-Sauvignon et d'autres cépages.

Los Carneros. C'est la plus méridionale des AVA du comté. Elle se caractérise par une fine couche de terre arable, un climat rafraîchi par la proximité de la baie, et se prolonge dans Sonoma Valley. Le Chardonnay domine, tandis que le Pinot Noir, qui donne ici des vins succulents aux arômes de fraise, représente un tiers des surfaces cultivées. Le Merlot, récemment « découvert » dans le vignoble Winery Lake de Sterling et dans d'autres, est de plus en plus planté.

Chiles Valley. Située au nord-est du comté, cette AVA bénéficie d'un climat particulier en raison de son orientation (du nord-ouest au sud-est). La majorité des vignobles sont situés entre 240 et 300 m d'altitude.

Saint Helena. Reconnue en 1995, cette AVA jouxte celle de Rutherford au nord-ouest.

Yountville. Cette AVA récente (1999) s'étend entre Mount Veeder et Stag's Leap District.

Wild Horse Valley. Cette AVA (2001) compte un seul vignoble.

En 1943, le père de Robert Mondavi sauva l'exploitation de Charles Krug du délabrement. En fondant sa propre affaire à Oakville, en 1966, Robert Mondavi construisit la première exploitation d'importance à Napa Valley depuis la fin de la prohibition. Plus de 95 % des entreprises vinicoles existant aujourd'hui à Napa Valley sont nées après celle de style « mission espagnole » de Mondavi.

Napa Valley, comme les autres zones de Californie, connut son véritable essor entre le milieu des années 1970 et les années 1980, époque à laquelle les Américains commencèrent à s'intéresser aux livres traitant du vin, à visiter les exploitations viticoles et à tout déguster, du Chenin Blanc au Chardonnay, du Pinot Blanc au Pinot Noir. Onze nouvelles exploitations furent créées dans la seule année 1972 à Napa Valley, dont Stag's Leap Wine Cellars, par Warren Winiarski et Clos du Val par Bernard Portet. Huit autres suivirent en 1973 et, à partir de là, rien ne put arrêter le développement de la région.

Aujourd'hui, Napa Valley est bien équipée pour accueillir les quelque 250 000 visiteurs annuels qui empruntent la Highway 29 et le Silverado Trail, la route qui lui est parallèle, plus à l'est. Restaurants et salles de dégustation abondent et, les matins sans brouillard, le ciel est constellé de montgolfières multicolores offrant une vue panoramique sur la vallée tapissée de vignes.

Les cépages et les styles de vin

La plupart des principaux cépages de Californie (voir p. 762-763) sont présents à Napa Valley et la majorité des vins portent le nom de leur cépage principal. Le Cabernet-Sauvignon domine pour les rouges et le Chardonnay pour les blancs ; ces deux cépages occupent plus de la moitié de la surface viticole de Napa (environ 30 000 ha). Les autres cépages importants sont le Pinot Noir et le Merlot pour les rouges. On utilise également le Zinfandel, non seulement pour les vins rouges, mais aussi pour les *blushes* (rosés), secs ou légèrement doux ; le Sauvignon pour des blancs secs ; et le Chenin Blanc pour des vins secs ou liquoreux dans le style de ceux du Val de Loire, et pour des vins qui usurpent sans vergogne le nom de Vouvray.

Depuis quelque temps, la tendance est aux cépages utilisés dans les assemblages de style bordelais, dits « Meritage » (voir p. 762) : Cabernet Franc, Malbec et Petit Verdot pour les rouges, Sémillon pour les blancs. Ces vins diffèrent des premiers vins de cépage californiens, aux arômes de chêne trop marqués, à l'extraction maximale et au fort taux d'alcool. De manière générale, les producteurs tendent aujourd'hui vers des nectars plus complexes et subtils. À mesure que les consommateurs américains deviennent plus exigeants, les prix montent.

PRODUCTEURS ET NÉGOCIANTS

Malgré l'intérêt croissant pour les aires viticoles, le critère de qualité le plus sûr, à Napa comme dans le reste des États-Unis, est la réputation du producteur. Le talent du viticulteur réside dans l'assemblage de vins aux caractéristiques différentes. Les domaines viticoles énumérés ci-après ont leur siège à Napa Valley, mais peuvent utiliser des raisins provenant d'ailleurs. La plupart des vins sont nommés d'après leur cépage : voir p. 762.

BEAULIEU
La réputation de cette vénérable maison repose sur le Cabernet-Sauvignon Georges de Latour Private Reserve, qui porte le nom du Français établi à Rutherford en 1892, et que le vinificateur russe André Tchelistcheff ne cessa ensuite d'améliorer durant près de 40 ans. L'un des rouges californiens issus exclusivement de Cabernet-Sauvignon et élevés en barriques de chêne américain, ce vin peut se bonifier pendant des dizaines d'années en bouteille.

BERINGER
Les frères Frederick et Jacob Beringer fondèrent en 1876, juste au nord de St. Helena, cette exploitation viticole. Cette réplique de leur Rhine House (maison du Rhin) familiale de Mayence, aussi exquise qu'originale (aujourd'hui salle de dégustation), est située à côté de caves creusées par des ouvriers chinois. Les vins vedettes sont le Cabernet-Sauvignon Private Reserve, massif mais équilibré, et un Chardonnay, aux arômes provenant des barriques. L'étiquette « Napa Ridge » est réservée aux vins plus souples.

CAYMUS
La famille Wagner débuta son activité agricole à Napa Valley en 1906, y planta du raisin en 1941 et commença à produire elle-même du vin, à Rutherford, en 1972. Les Wagner prouvèrent rapidement que les bâtisses baroques n'étaient pas indispensables à la production de grands vins comme le sensationnel Special Selection Cabernet-Sauvignon. Aujourd'hui, ils travaillent dans un superbe chai à façade de pierre. Conundrum est un vin blanc sec, assemblage de Muscat, Sauvignon, Chardonnay et Sémillon, fermenté en barriques.

CLOS DU VAL
Né en France, Bernard Portet, dont le père était régisseur au Château Lafite-Rothschild, apporte une touche bien française à cette exploitation viticole du district de Stag's Leap : ses Zinfandels et ses Sémillons sont des plus intéressants. Clos du Val (sur Silverado Trail, juste au nord de la ville de Napa) est également propriétaire du Domaine St. Andrews, où l'on s'efforce de produire un Chardonnay, et de Taltarni Vineyard en Australie (dirigé par Dominique, frère de Bernard).

CLOS PEGASE
À sa création, en 1984, Clos Pegase a déchaîné une polémique architecturale ; aujourd'hui, ses lignes singulières et sa teinte rose-rouge sont parfaitement intégrées au paysage du sud de Calistoga. Les vins produits sont un Chardonnay, un Merlot, un Cabernet-Sauvignon et un Meritage rouge, assemblage de Cabernet-Sauvignon, Cabernet Franc et Merlot.

CUVAISON
Fondée en 1970, suisse depuis 1979, cette exploitation de Calistoga utilise surtout des raisins provenant de ses vignobles de Carneros. Grâce au vinificateur, John Thatcher, les vins plutôt denses sont devenus élégants et savoureux : Chardonnay, Merlot, Carneros Pinot Noir et Cabernet-Sauvignon.

DIAMOND CREEK
Les quatre minuscules vignobles totalisant à peine 8,5 ha, sur le mont Diamond, possèdent chacun son propre terroir et sa propre exposition et produisent quatre Cabernets-Sauvignons bien différents les uns des autres. Volcanic Hill, au sol équilibré couleur de cendres, produit des →

PRODUCTEURS ET NÉGOCIANTS

vins austères; Red Rock Terrace, d'une couleur rouge ferrugineux, produit des vins pleins de fruit; Gravelly Meadow est frais et ses vins sont iodés avec des arômes de cerise; Lake est tout petit et ses vins, intenses et chers, ne sont produits que les grandes années.

DOMAINE CARNEROS
Eilene Crane a d'abord travaillé au Domaine Chandon (voir ci-après) avant de vinifier des vins blancs effervescents pour Gloria Ferrer (Sonoma). Aujourd'hui, elle exerce son noble art de la vinification au Domaine Carneros, au sud-ouest de Napa. Les chais, qui ressemblent à ceux d'un château français, sont le fruit d'une collaboration entre la maison de Champagne Taittinger et le distributeur américain Kobrand.

DOMAINE CHANDON
En 1973, Moët-Hennessy débarqua à Napa Valley et acheta des terres à vignes à Carneros, Yountville et en haut de Mount Veeder. Les blancs effervescents du domaine sont mis en valeur dans son élégant salon de Yountville et son charmant restaurant français, dont la carte propose des vins tranquilles et mousseux de Napa Valley. Fine et bien vive, Étoile est la tête de cuvée des Mousseux. Le Panache, autre création du domaine, est un apéritif à base de moûts mutés.

FAR NIENTE
Construite par le capitaine John Benson à Oakville en 1885, cette cave de pierre fut restaurée un siècle plus tard par Gil Nickel, un pépiniériste d'Oklahoma. Les Chardonnays sont riches et les Cabernets-Sauvignons regorgent d'arômes. Dolce, un blanc liquoreux, est un assemblage de Sémillon et de Sauvignon botrytisés.

FRANCISCAN
Après bien des hauts et des bas et de multiples changements de propriétaires, Franciscan, près de Rutherford, connaît enfin des jours plus calmes entre les mains de la famille allemande Eckes. Le Cabernet-Sauvignon provient de raisins d'Oakville, le Merlot de raisins d'Alexander Valley (Sonoma) et le Chardonnay de raisins du comté de Monterey, au sud de la baie de San Francisco. La société possède également Mount Veeder Winery et des propriétés au Chili.

FREEMARK ABBEY
Ces caves en pierre situées au nord de St. Helena datent de 1886, mais la propriété n'a jamais été une abbaye. Premier domaine de Napa à produire un blanc liquoreux de Riesling botrytisé (appelé Edelwein, en 1973), Freemark Abbey se spécialise actuellement dans les vins de Chardonnay et de Cabernet-Sauvignon. Les Cabernets-Sauvignons des bonnes années vieillissent remarquablement bien.

GRGICH HILLS
Originaire de Croatie, Miljenko (« Mike ») Grgich est connu pour ses Chardonnays généreux et équilibrés, de maturation lente. Après une période d'apprentissage chez Robert Mondavi, il fut engagé au Château Montelena, où son Chardonnay 1973 devint mondialement célèbre. En 1977, il créa cette exploitation de Rutherford avec son associé Austin Hills. On y vinifie aussi les cépages Cabernet-Sauvignon, Zinfandel, Sauvignon et Johannisberg Riesling.

HEITZ CELLARS
Le domaine de Joe Heitz, au sud-est de St. Helena, est célèbre pour son Martha's Vineyard Cabernet-Sauvignon, l'un des rouges les plus renommés de Californie pour sa structure classique et ses arômes très caractéristiques d'eucalyptus. David Heitz, le fils de Joe, est aujourd'hui responsable de la vinification.

INGLENOOK
Cette imposante bâtisse recouverte de lierre, située à l'ouest de Rutherford, est l'une de celles construites il y a plus d'un siècle par Hamden W. McIntyre (avec Beaulieu, Greystone, Far Niente, Château

Montelena). La réputation d'Inglenook est bâtie sur des Cabernets-Sauvignons très caractéristiques de Rutherford avec leurs arômes de cèdre, d'eucalyptus et de tabac. Gravion est un blanc sec Sauvignon/Sémillon de style bordelais.

CHARLES KRUG
Les chais datent de 1861, année où Charles Krug planta des vignes au nord de St. Helena et devint une sorte de «gourou» pour les pionniers du vin de Napa Valley. Krug appartient aujourd'hui à Peter Mondavi et à ses fils. Le domaine est connu pour son Cabernet-Sauvignon Vintage Selection, aux nuances poivrées, et un Chenin Blanc soyeux, aux arômes d'herbes et de foin.

LOUIS M. MARTINI
Michael et Carolyn, petit-fils et petite-fille de Louis M. Martini, dirigent de nos jours cette exploitation connue pour ses Cabernets-Sauvignons d'une grande finesse et d'une très bonne aptitude au vieillissement. Ceux des années 1940 à 1960 atteignent des prix élevés dans les ventes aux enchères. Le Muscato Amabile, un blanc doux de style Asti Spumante du Piémont, est un régal.

ROBERT MONDAVI
Robert Mondavi est la locomotive de l'industrie américaine du vin. Après avoir quitté Charles Krug, il fonda son exploitation à Oakville en 1966 et créa le Fumé Blanc, un Sauvignon complexe vieilli en barrique, qui tira le cépage vers des sommets de qualité. Il produit également des Cabernets-Sauvignons structurés, au bouquet complexe, des Chardonnays riches en fruit et des Pinots Noirs souples. Mondavi fait aussi à Woodbridge, dans Central Valley, des vins de cépage à prix très abordables. Son Opus One (en association avec Mouton-Rothschild) est un Cabernet-Sauvignon comparable à certains crus classés de Bordeaux.
Il possède aussi Vichon (connu pour son Chevrignon, un assemblage de Sauvignon et de Sémillon) et Byron (issu de Pinots Noirs provenant du comté de Santa Barbara).

CHÂTEAU MONTELENA
Ce vieux château situé au nord de Calistoga est un symbole d'excellence en matière de vinification : Chardonnays, Cabernets-Sauvignons fermes, Zinfandels au nez vif et Johannisberg Rieslings, avec une pointe seulement de sucres résiduels, évoquant l'abricot. Une authentique jonque chinoise trône sur le lac de 2 ha de la propriété.

MUMM NAPA VALLEY
Cette société en participation (entre la maison de Champagne Mumm et Seagram, le magnat canadien des spiritueux), située à l'ouest de Rutherford, est connue pour ses vins effervescents de méthode classique, commercialisés à des prix raisonnables. Le Blanc de Noirs est délicat, avec une note de cerise. La cuvée Winery Lake s'arrondit avec grâce en vieillissant.

JOSEPH PHELPS
Le portail de Phelps, exploitation construite en 1973 à St. Helena, est fait de traverses de chemin de fer centenaires. Walter Schug, vinificateur d'origine allemande, a fait la célébrité du domaine avec des Rieslings secs et liquoreux et des Cabernets-Sauvignons denses et massifs (Insigna), avant de créer son propre domaine. Le vinificateur actuel, Craig Williams, a imprimé sa marque avec un Syrah, un Grenache rouge et un blanc vif à base de Viognier.

RUTHERFORD HILL
Le Merlot, cépage des rouges légendaires (et chers) de Pomerol, intéresse de plus en plus les consommateurs et les critiques. Rutherford Hill (nord-est de Rutherford) et Freemark Abbey ont une majorité d'actionnaires communs. Rutherford élève son Chardonnay en barriques de chêne du Limousin et, dans ses assemblages avec le Cabernet-Sauvignon, utilise plus de Merlot que Freemark.

PRODUCTEURS ET NÉGOCIANTS

ST. CLEMENT
Cette ravissante maison victorienne située au nord de St. Helena date de 1878. L'exploitation viticole située dans son sous-sol débuta son activité dans les années 1960 sous le nom de Spring Mountain, fut rebaptisée St. Clement en 1975 et fut vendue au brasseur japonais Sapporo en 1987. Le Sauvignon Blanc, élancé, au nez de citron vert, évoque les vins de Graves ; les Chardonnays sont riches, mais ni trop boisés ni trop gras.

ST. SUPÉRY
Cette exploitation est un véritable bonheur pour les œnophiles de passage à Rutherford : ils peuvent visiter son vignoble mais aussi son musée vivant de l'histoire du vin de Napa Valley (Atkinson House), où l'on explique aux visiteurs les différences entre les vins et les cépages dont ils sont issus. Propriété de la famille française Skalli (qui possède la marque Fortant de France dans le midi de la France, voir p. 483), St. Supéry est dirigé par Michaela Rodeno. Son Sauvignon, élégant et complexe, possède des arômes évoquant l'herbe fraîchement coupée.

SAINTSBURY
Au cœur du district de Carneros, au sud-ouest de Napa, Dick Ward et David Graves sont spécialisés dans le Pinot Noir et le Chardonnay. Leur Pinot Noir Garnet, léger et plus fruité, regorge d'arômes de cerise.

SCHRAMSBERG
Jack Davies, ancien conseiller en gestion, et sa femme Jamie furent à l'origine des vins effervescents élaborés selon la méthode de la seconde fermentation en bouteilles. Ils fondèrent Schramsberg en 1965, à l'emplacement d'un vieux domaine de Calistoga datant de 1862. Blanc de Blancs et Blanc de Noirs vieillissent tous les deux très bien.

SILVER OAK
Ce domaine d'Oakville ne produit que des Cabernets-Sauvignons : un Cabernet Napa Valley, un Cabernet Alexander Valley (Sonoma) et un Cabernet Bonny's Vineyard (provenant d'un petit vignoble appartenant à Bonny, la femme de Justin Meyer). Tous pleins d'arômes de violette, ils sont des expressions puissantes du Cabernet-Sauvignon.

SILVERADO
Ce domaine élégant à la façade de pierre, niché sur une butte en contrebas de Silverado Trail, produit des vins élégants.
Le Sauvignon regorge d'arômes de pierre à fusil avec des notes herbacées ; le Chardonnay est gras et riche en arômes de réglisse et citron ; le Merlot se distingue par ses arômes de cassis et de mûre ; le Cabernet-Sauvignon exhale des notes subtiles de cèdre et de tabac avec un soupçon d'iode.

STAG'S LEAP WINE CELLARS
Dans son chai sur le Silverado Trail à l'est de Yountville, Warren Winiarski, ancien professeur de sciences politiques à l'université de Chicago, fait des Chardonnays ni trop boisés ni trop gras, avec un fruit extrêmement mûr, et des Cabernets-Sauvignons qui exhalent des arômes de petits poivrons et possèdent, sous leur cape soyeuse, une structure tannique ferme. Le Cask 23 Special Cuvée rouge provient de Cabernet-Sauvignon et d'autres cépages bordelais. Les vins de Winiarski sont réputés mondialement.

STERLING
Ce domaine, qui appartenait autrefois à Coca-Cola, se trouve aujourd'hui dans le giron du groupe Seagram. Perché sur le sommet d'une colline de Calistoga, il fait penser à un monastère grec avec ses murs blancs. Le Merlot est toujours exquis, les Cabernets-Sauvignons Diamond Mountain Ranch et les Chardonnays sont denses et bien construits. Le Winery Lake Pinot Noir se montre souple et opulent.

SONOMA

Carte page XXIX

Le comté de Sonoma, de par sa taille et sa géographie, donne aux vins des possibilités d'expression infiniment variées. Il représente deux fois et demie la superficie du comté de Napa pour une surface plantée en vignes équivalente et, si Napa pratique la monoculture, Sonoma brille par sa variété horticole. Enfin, Napa garde l'empreinte patricienne du Bordelais alors que Sonoma, pays de jardiniers, avec ses champs de fleurs, ses pommiers, ses pruniers et ses pâturages à vaches laitières et à chèvres, est davantage bourguignon.

L'histoire de Sonoma

Après s'être bien implantés au Mexique, les prêtres espagnols entreprirent d'établir des missions en Californie : ils commencèrent par San Diego, en 1767, et terminèrent par la petite ville de Sonoma, en 1823. Les pères apportèrent avec eux la vigne nécessaire à l'élaboration du vin de messe et de «l'eau de feu» (une eau-de-vie, l'aguardiente), qui les aidait à dormir. Les Russes vinrent ensuite s'établir à Fort Ross et donnèrent le nom de leur princesse au Mount St. Helena. Plus tard encore, des émigrants italiens étendirent la culture de la vigne : les Rossi, Sbarboro, Pastori, Nervo, Mazzoni et Seghesio furent les premières familles de colons.

Aujourd'hui, les noms ont une consonance bien plus internationale à Sonoma : des entreprises françaises, anglaises, japonaises, espagnoles et allemandes y possèdent d'importants domaines, et de vastes étendues de vignobles appartiennent à des exploitations situées de l'autre côté du Mayacamas Range (dans le comté de Napa).

Sonoma fut aussi la patrie d'adoption de Agoston Haraszthy, un sympathique arnaqueur hongrois qui se faisait appeler «comte» (et parfois «colonel») et qui échangeait avec le général Mariano Vallejo, le gouverneur mexicain de la ville, de longues conversations sur la viticulture. Deux de ses fils épousèrent les filles jumelles de Vallejo et, en 1857, Haraszthy fonda le domaine Buena Vista, planta plus de 100 000 ceps de vignes européens, dont, paraît-il, du Zinfandel (1861), mais il dut finalement partir en 1866 en raison d'indélicatesses financières.

La tradition de la vente en vrac des vins de Sonoma aux domaines d'autres régions prit fin avec l'essor du vin dans les années 1970. À mesure que de nouveaux domaines surgissaient un peu partout dans le comté, les vins élaborés dans ce comté commencèrent à se faire connaître pour leur diversité et leur fort caractère.

LES ZONES VITICOLES DE SONOMA

Les dix grandes aires viticoles (AVA) du comté de Sonoma sont présentées ci-après dans leurs grandes lignes, du sud vers le nord. Si tout vin produit dans la région peut être vendu sous le nom du comté ou sous celui de Northern Sonoma, pour la partie nord, certaines aires viticoles – Sonoma Valley, Russian River Valley, Alexander Valley –, bien plus vastes que celles de Napa, se sont forgé leur propre réputation. Elles apparaissent de plus en plus souvent sur les étiquettes, à condition que 85 % des raisins en proviennent.

Los Carneros. L'aire viticole la plus méridionale de Sonoma se prolonge à l'est dans Napa Valley, sa partie ouest correspondant à la partie sud de l'aire viticole Sonoma Valley. Carneros tire son nom des moutons qui paissaient autrefois sur ces sols de basse altitude, peu profonds et composés d'argiles compactes et d'alluvions. C'est une zone rafraîchie par la baie de San Pablo et par les vents réguliers de l'après-midi qui viennent du Pacifique et s'engouffrent par le Petaluma Gap. Ainsi, la plupart des vignobles sont complantés en Pinot Noir et en Chardonnay.

Sonoma Valley. Aire viticole en forme de croissant qui s'étire vers le nord-ouest de la baie jusqu'à Santa Rosa Plain, parallèlement à Napa Valley, à l'est, également en forme de croissant. Sonoma Valley forme un cercle autour de la place historique de la ville de Sonoma. Elle se consacre au Cabernet-Sauvignon, au Merlot et au Sauvignon, cépages qui s'épanouissent dans le fond et sur les bancs (larges terrasses naturelles) de la vallée. La partie supérieure des pentes est plantée en Zinfandel.

Sonoma Mountain. Cette aire viticole située à l'extrémité nord-ouest de la vallée est incluse dans l'AVA Sonoma Valley. Les vignobles grimpent jusqu'à 440 m d'altitude et, par conséquent, au-dessus des brouillards matinaux. On y privilégie donc les cépages aimant la chaleur : Cabernet-Sauvignon, Zinfandel et Sauvignon. On y cultive aussi le Chardonnay.

Russian River Valley. Cette aire viticole remontant au XIXe siècle est l'extension méridionale, plus fraîche, d'Alexander Valley : elles se rencontrent à l'endroit où la Russian River fait un coude vers l'ouest pour aller rejoindre l'océan. La rivière se jetait autrefois dans la baie de San Francisco, mais une éruption ancienne du Mount St. Helena la dérouta vers la mer. Pinot Noir, Chardonnay, Riesling et Gewürztraminer mûrissent lentement le long des méandres sinueux de la rivière. La majeure partie de la récolte est consacrée à la production de vins effervescents au fruit délicat et d'une bonne vivacité.

Green Valley. C'est l'un des deux districts de l'AVA Russian River. Situé du côté océanique de l'aire viticole, à 10 km du Pacifique, il est plus frais. Chardonnay et Pinot Noir prédominent.

Chalk Hill. Cette zone s'étend dans la partie la plus orientale et donc la plus chaude de Russian River, à la limite sud d'Alexander Valley. Ses sols brun foncé de cendres volcaniques, à l'ombre de la montagne qui les créa, sont plantés principalement en cépages blancs, Sauvignon et Chardonnay.

Sonoma Coast. Dans les parties les plus favorisées de cette AVA, le brouillard permet d'obtenir des vins intenses issus de raisins mûrs et regorgeant d'arômes de fruit. C'est toutefois une zone créée artificiellement, puisque ses différentes parties n'ont en commun que leur façade sur la côte.

Knights Valley. Bien que faisant partie du comté de Sonoma du point de vue administratif, cette aire viticole serait plutôt l'extension nord de Napa Valley ou l'extension sud d'Alexander Valley. Isolée de l'océan et de la baie, sa chaleur et le faible pH de ses sols sont tout indiqués pour les cépages Cabernet-Sauvignon, Merlot et Sauvignon. Beringer, basé à Napa, possède la majeure partie des vignobles.

Alexander Valley. Colonisée en 1833 par Cyrus Alexander, un pionnier cumulant les fonctions de marchand, trappeur, mineur et chasseur, cette AVA s'étend des rives de Russian River aux contreforts des monts Mayacamas et chevauche la partie nord de Russian River Valley. Les sols d'alluvions, riches et profonds, de la rivière donnent d'excellentes Vendanges tardives (de raisins botrytisés) issus de Gewürztraminer et de Riesling, ainsi qu'un Chardonnay ample ; les sols à la fine couche arable des terrasses surplombant la rivière produisent des Cabernets-Sauvignons et des Sauvignons.

Dry Creek Valley. Quoique plus petite et plus proche du Pacifique, cette AVA est plus chaude et plus humide que les régions voisines. Ses terrasses volcaniques et ses graves en terrain plat accueillent tous les cépages bordelais, rouges et blancs. On y trouve plusieurs sites de vignes centenaires de Zinfandel, qui produisent des rouges.

L'industrie vinicole de Sonoma

Avec 160 exploitations et 15000 ha de vignes, le comté de Sonoma connaît de nos jours une période de stabilité : il y a trente ans, on ne comptait que 30 domaines viticoles et à peine 4450 ha sous vigne. Dire que le monde a porté aux vins de Sonoma un intérêt croissant est donc un euphémisme.

Par le passé, les viticulteurs de Sonoma se refusaient à toute promotion et évitaient de faire parler d'eux ; aujourd'hui, plusieurs organismes sont chargés de faire connaître au reste du monde la qualité de leurs vins. Signe positif des temps, viticulteurs et vinificateurs, jadis adversaires acharnés, travaillent même souvent la main dans la main.

Le meilleur de ces organismes est le Carneros Quality Alliance, qui, non content de faire partager aux viticulteurs et aux négociants le même souci de qualité, a par ailleurs financé une étude scientifique très sérieuse sur l'identité du Pinot Noir dans la région. Malgré une proposition de label de qualité présentée par un groupe de Sonoma Valley, il reste prudent de se fier à la réputation de chaque producteur pour s'assurer de la qualité.

Le comté de Sonoma est, bien plus que d'autres régions de la côte ouest, d'une hospitalité irréprochable et offre bien des activités aux visiteurs s'intéressant à la gastronomie.

Le climat et les sols

Les conditions climatiques sont plus fraîches que celles qui règnent habituellement en Californie. Pour la vigne, cela induit un cycle végétatif plus long et plus lent, tempéré par le brouillard qui remonte la Russian River à partir de Jenner (où elle se jette dans l'océan Pacifique) ou qui, à l'intérieur des terres, part de la baie de San Francisco, remonte Sonoma Valley et traverse la région de Carneros. En ce qui concerne le raisin, les goûts et les arômes sont dus à une longue période de maturation plutôt qu'à l'action desséchante du soleil. Les arômes de ces raisins se retrouvent dans les vins dès leur jeunesse et se prolongent jusqu'à un âge vénérable tout en élégance.

L'individualité des vins de Sonoma reflète la grande variété de texture des sols et d'exposition au soleil, mais aussi les pluies et l'influence océanique (voir p. 764). Dans la partie haute d'Alexander Valley, à l'intérieur des terres, le climat est moins frais et les sols graveleux restituent, la nuit, la chaleur accumulée le jour : le Cabernet-Sauvignon et le Sauvignon s'épanouissent. À quelques kilomètres de là, dans Green Valley, les sols plus froids de certains méandres de la Russian River, la proximité du Pacifique et les brouillards matinaux créent des conditions parfaites pour les Pinots Noirs et les Chardonnays (parfois tranquilles, mais plus souvent effervescents).

Même si l'on comprend mieux le comté de Sonoma à travers ses aires viticoles (voir encadré p. 776), il importe de savoir que le nom du producteur demeure une meilleure garantie de qualité que celui de la région inscrite sur l'étiquette. Cela s'explique en partie par le fait qu'une aire viticole ne vaut pas davantage que le plus mauvais producteur ayant droit à la dénomination. Il arrive qu'un vin portant le nom d'une petite AVA ou d'un vignoble individuel soit le meilleur d'un producteur donné. Il se peut aussi que d'autres – que leurs producteurs ont pris autant de soin à assembler – n'aient pas droit à l'AVA, parce que moins de 85 % des raisins proviennent de la région. Par ailleurs, les limites des aires viticoles se chevauchent souvent.

Les cépages et les styles de vin

Alors que la plupart des régions vinicoles du monde visent à produire des vins d'un certain style, les aires viticoles variées de Sonoma permettent de faire des vins de styles très divers à partir de la gamme complète des cépages californiens (voir encadré p. 762-763). Les blancs secs de Chardonnay et les rouges de Cabernet-Sauvignon arrivent en tête de liste, mais les récoltes de Zinfandel (rouges et rosés), Pinot Noir et Merlot (rouges), Sauvignon, Chenin Blanc, Colombard et Gewürztraminer (blancs) et Cabernet Franc (rouges légers) ne sont pas négligeables. La plupart des vins tirent leur nom de leur cépage principal.

PRODUCTEURS ET NÉGOCIANTS

La diversité des vins de Sonoma ne peut être attribuée uniquement à la large palette des cépages utilisés (voir p. 762), dont les vins portent généralement les noms. Elle est également due aux différences entre les aires viticoles du comté (voir p. 776), chacune ayant son microclimat et son sol propre. La plupart des producteurs font plusieurs vins : rouges et blancs, tranquilles et mousseux.

ARROWOOD
La renommée de Richard Arrowood date des années 1970, époque à laquelle il fonda Château Saint Jean (voir plus loin), où il vinifia plusieurs Chardonnays et d'opulents Rieslings botrytisés. Avec sa parfaite maîtrise technique, il élabore aujourd'hui dans un bâtiment viticole blanc et bleu-gris des Chardonnays, des Cabernets-Sauvignons et des Merlots élégants issus de plusieurs vignobles ainsi qu'un Viognier et un Pinot Blanc. En 2000, Arrowood a été racheté par Mondavi.

BUENA VISTA
Agoston Haraszthy fonda le domaine en 1857 et Frank Bartholomew, patron d'United Press International, ressuscita le vignoble et la réputation du cru dans les années 1940. Appartenant aujourd'hui à des Allemands, Buena Vista centre ses efforts sur son vignoble de Carneros et fait autant la promotion de la région que de son domaine. La vinificatrice Jill Davis réussit bien les cépages classiques (Chardonnay et Pinot →

PRODUCTEURS ET NÉGOCIANTS

Noir), mais offre aussi des Merlots souples et soyeux et des Cabernets-Sauvignons aux arômes de cassis.

CLOS DU BOIS
Imaginez ce que représente la vinification en fûts de l'équivalent de 2 millions de bouteilles de Chardonnay, un beau vin, gras, avec des arômes de citron. Le Clos du Bois produit plus de 4 millions de bouteilles, dont un Merlot (autre spécialité) suave, soyeux et long en bouche avec des notes de cassis et de mûre, qui égale le Chardonnay en popularité. La vinificatrice Margaret Davenport fait aussi des Chardonnays d'un seul vignoble (ceux de Flintwood sont droits et austères, ceux de Calcaire plus ronds et charnus) et des Cabernets-Sauvignons (Briarcrest et Marlstone). Le Clos du Bois appartient au groupe Allied-Hiram Walker, qui dirige également Callaway dans le sud de l'État et deux domaines de Napa, Atlas Peak et William Hill Winery.

DRY CREEK
Depuis 1972, le propriétaire, David Stare, a fait de son Fumé Blanc (Sauvignon), aux notes de fougère, d'herbes et de figue, sa carte de visite. Le fait que ses premiers Fumés, à la texture grasse et élégante, se dégustent encore bien, atteste non seulement la qualité du cépage mais également la façon dont il est traité à Dry Creek. Le domaine se trouve au centre de l'aire viticole Dry Creek Valley, au nord de Healdsburg. On y trouve aussi un Zinfandel aux arômes de framboise et un rouge Meritage aux notes abondantes de cèdre et de framboise, tous deux typiques de la région.

GARY FARRELL
Travaillant à Davis Bynum Winery, sur Westside Road à Healdsburg, Gary Farrell extrait de belles notes fruitées du Pinot Noir de Russian River. Il est de ces vinificateurs talentueux qui élaborent des vins sous leur propre étiquette en bénéficiant des installations d'un collègue. Farrell vinifie également les vins de Davis Bynum.

FERRANI-CARANO
Don et Rhonda Carano sont propriétaires de cette exploitation de Healdsburg qui possède un chai souterrain de quelque 230 000 bouteilles. Un Fumé Blanc (Sauvignon) aux notes de figue et de melon et un Chardonnay aux arômes de fruits exotiques sont les vins principaux. Ils cultivent également le Sangiovese, un cépage rouge italien, qu'ils étudient de près.

GLORIA FERRER
José et Gloria Ferrer possèdent Freixenet, le géant du Mousseux espagnol (Cava) établi près de Barcelone. En 1982, José réalisa son rêve : étendre son activité à la Californie. Son vin effervescent Brut, de méthode traditionnelle, à la fois élégant et ample, comporte 90 % de Pinot Noir. La cuvée Carneros, plus intense, aux arômes de pain grillé, passe trois années sur lies ; les cépages Pinot Noir et Chardonnay comptent chacun pour moitié. On produit également des vins tranquilles dans ce domaine situé au sud de Sonoma.

FOPPIANO
Louis Foppiano Jr. perpétue la riche histoire du domaine – tout près de l'endroit où la Russian River passe sous la Highway 101, au sud de Healdsburg – construit en 1896 par son grand-père. Ses Cabernets-Sauvignons et ses Chardonnays haut de gamme sont vendus sous l'étiquette Fox Mountain, ses vins les moins chers portant l'étiquette Riverside Farm. Entre les deux, tout simplement nommés Foppiano Vineyards, les vins de cépage Petite Sirah, Zinfandel et Cabernet-Sauvignon pour les rouges, Chardonnay et Sauvignon pour les blancs sont faciles à boire et vendus à des prix raisonnables.

GALLO-SONOMA
En 1993, E. et J. Gallo lancèrent leur premier Sonoma Estate Chardonnay, charnu et élégant. Leur

domaine de plus de 800 ha, au nord de Healdsburg, produisit ensuite un Cabernet-Sauvignon onéreux.

GEYSER PEAK
Après avoir appartenu au brasseur Schlitz puis, en partie, à la société australienne Penfolds, Geyser Peak, près de Geyserville, est aujourd'hui de nouveau dans le giron de la famille Trione. Le vinificateur australien Daryl Groom réussit un Sémillon/Chardonnay ravissant, sec et plein d'esprit. Groom vinifiait autrefois le Grange Hermitage pour le compte de Penfolds. Reserve Alexandre est un Meritage rouge complexe.

GLEN ELLEN
Le clan Benziger a fait beaucoup de bruit avec son Chardonnay et son Cabernet-Sauvignon Proprietor's Reserve, aux prix abordables, ainsi qu'avec ses vins haut de gamme, surtout un Sauvignon, gras et agréable, et la gamme Imagery, élaborée avec de nouvelles méthodes de vinification de cépages rouges peu courants, Aleatico, Trousseau, Syrah et Cabernet Franc. Glen Ellen a été cédé à Heublein.

GUNDLACH BUNDSCHU
Jim appartient à la quatrième génération de Bundschu exploitant Rhinefarm Vineyard à Sonoma, planté en 1858 par Charles Bundschu et Jacob Gundlach. Les 120 ha actuels comprennent le vignoble Kleinberger, qui produit un vin blanc sec dans le style des Rieslings et un Merlot intense aux arômes de cassis.

HANZELL
Ce bijou de 13 ha, juste au nord de Sonoma, est doté d'un bâtiment viticole inspiré de la façade nord du Clos Vougeot en Bourgogne. Le fondateur, J. D. Zellerbach, grand amateur de vins de Bourgogne, planta d'abord du Chardonnay en 1953, puis du Pinot Noir. Il fut parmi les premiers à importer des barriques françaises et à vinifier en cuves d'acier inoxydable. Le Chardonnay issu d'une parcelle en coteau exposée au sud-ouest est particulièrement réussi.

IRON HORSE
La fraîcheur du climat de Green Valley convient parfaitement aux cépages Pinot Noir et Chardonnay, élaborés en vins effervescents (Brut Rosé et Wedding Cuvée, très fruités, sont remarquables ; Laurent-Perrier travaille avec Iron Horse) et en vins tranquilles. Le Cabernet-Sauvignon provient d'un vignoble appartenant au vinificateur Forrest Tancer, à plus de 48 km du domaine de Sebastopol, dans Alexander Valley.

JORDAN
Tom Jordan a construit son Domaine de Healdsburg à l'image d'un château bordelais, mais son vin blanc est un Chardonnay, cépage bourguignon. Le Cabernet-Sauvignon est suave et son fruit, évoquant le cassis, se prolonge en finale ; le Chardonnay est gras et possède des arômes de réglisse et d'anis. Jordan produit également une petite quantité de vin blanc liquoreux (Sémillon/Sauvignon) de raisins botrytisés, ainsi qu'un Mousseux aux arômes de pomme et de pain grillé, élaboré selon la méthode traditionnelle, et appelé « J ».

KENWOOD
Kenwood produit tranquillement chaque année près de 2 500 000 bouteilles de bons vins qui deviennent plus intéressants à chaque millésime : un Zinfandel aux notes poivrées, un Cabernet-Sauvignon Artist Series élégant, un Sauvignon aux arômes d'herbes et de citron, un Pinot Noir souple, un Chenin Blanc net et franc aux notes de melon et un Chardonnay charnu. La famille Lee a fait l'acquisition en 1970 de l'ancien Domaine Pagani Brothers, près de la ville de Kenwood.

KISTLER
Steven Kistler a fait trois millésimes à Ridge →

PRODUCTEURS ET NÉGOCIANTS

(baie de San Francisco) afin d'apprendre ce qu'il appelle la vinification « non interventionniste ». Le succès de son Chardonnay, franc à l'attaque puis suave et plus charnu en finale, lui a permis de créer à Glen Ellen une petite exploitation de 300 000 bouteilles équipée de sept chais à barriques dont la température et l'humidité sont contrôlées individuellement. On y produit aussi du Cabernet-Sauvignon et du Pinot Noir.

KORBEL
À Guerneville, non loin du Pacifique, sur les rives graveleuses des méandres de Russian River, Korbel ravit les visiteurs avec son jardin de roses anciennes et ses vieux bâtiments en brique couverts de vignes. Fondé il y a un siècle par trois frères tchèques (Francis, Joseph et Anton Korbel) et appartenant depuis 1954 à la famille Heck, Korbel produit chaque année plus de 12 millions de bouteilles de Mousseux très abordables et environ 4 millions de bouteilles d'eau-de-vie.

LAUREL GLEN
À partir d'une parcelle située sur les coteaux de Sonoma Mountain, hors de la zone de brouillards, à l'ouest de Glen Ellen, Patrick Campbell obtient l'un des meilleurs Cabernets-Sauvignons du pays. Regorgeant d'arômes de violette, de mûre et de cerise noire, ils ont toute la charpente nécessaire pour vieillir avec bonheur grâce à leur structure tannique et à une bonne teneur en acidité.

MATANZAS CREEK
Une exploitation qui affiche la devise « l'extrémisme dans la recherche de la qualité n'est pas un vice » est obligatoirement une force avec laquelle il faut compter. Les propriétaires Sandra et Bill MacIver emploient deux vinificateurs pour expérimenter et rechercher tous les paramètres de qualité imaginables. Cible de leur quête de qualité, le Chardonnay se révèle riche en arômes de caramel et de vanille, rehaussé par des notes de clou de girofle, de pomme et de réglisse. Un Merlot élancé se prolonge en bouche ou vieillit bien en bouteille ; un Sauvignon lui correspond en blanc.

PEDRONCELLI
Cette exploitation de Geyserville fut fondée en 1927 avec, à l'époque, les cépages Carignan, Burger et Petite Sirah. La direction est aujourd'hui entre les mains des enfants et petits-enfants de John Pedroncelli, et l'encépagement comprend Chardonnay, Sauvignon, Chenin Blanc, Cabernet-Sauvignon et Zinfandel (vinifié en rosé pâle, rosé et rouge).

PIPER-SONOMA RODNEY STRONG
Autrefois filiales de la même société, Piper et Strong sont toujours côte à côte près de Healdsburg. Le premier domaine appartient à Piper Heidsieck, produit des vins effervescents superbes, mais a diminué sa production en raison de la baisse de consommation. Le deuxième tire son nom de celui de son fondateur, Rod Strong, un vinificateur qui produit un remarquable Cabernet-Sauvignon, Alexander's Crown.

SAINT FRANCIS
On cultivait autrefois des noyers et des pruniers sur cette parcelle de 40 ha, et c'est maintenant le Merlot qui règne sur Kenwood, l'exploitation de Joe Martin. Le vinificateur Tom Mackey, qui officiait autrefois dans le district de Finger Lakes (État de New York), élabore aussi un Muscat Canelli blanc aromatique avec quelques grammes de sucres résiduels, ainsi que du Cabernet-Sauvignon, du Cabernet Franc et du Zinfandel.

CHÂTEAU SAINT JEAN
Depuis sa création près de Kenwood, en 1973, Saint Jean a pour porte-drapeau le Chardonnay, qui compte pour près de 70 % dans sa production de 2 700 000 bouteilles. Celui du vignoble Robert Young, extrêmement charnu,

exhale de forts arômes de pain grillé et celui du vignoble Belle Terre s'exprime dans le même registre en ajoutant des arômes de poire ; on y produit également un Sonoma County Chardonnay.
Les rouges reviennent en force (un Pinot Noir terreux et aux arômes « foxés » ne manque pas d'intriguer), le Riesling botrytisé aux notes miellées et le Gewürztraminer brillent de tous leurs feux. On vinifie un vin mousseux dans une autre installation.

SEBASTIANI
Créé en 1904 par l'immigré toscan Samuele Sebastiani, le géant du centre-ville de Sonoma a plusieurs fois changé de visage. Auguste Sebastiani introduisit des cépages courants. Son fils, Sam, a fortement réduit l'exploitation pour se consacrer à la production de vins de grande qualité, dont un blanc sec d'assemblage, aux arômes à la fois de fleur et de pierre à fusil, appelé Green Hungarian.

SIMI
Giuseppe Simi et son frère Pietro achetèrent en 1881 leur exploitation de Healdsburg et construisirent en 1890 une cave en pierre, cœur de l'exploitation actuelle. Ayant survécu à la prohibition, l'exploitation fut d'abord remise à neuf par Russ Green, puis par Moët-Hennessy. Les Chardonnays mettent en vedette des arômes de clou de girofle, de pomme et d'anis, les Cabernets-Sauvignons aux arômes de violette sont ronds et souples, et un assemblage nouveau de Sémillon et de Sauvignon (Sendal) se révèle puissant, avec des notes de figue mûre et de melon.

SONOMA-CUTRER
Dans cette superbe winery, le Chardonnay règne en maître incontesté. Un tunnel de refroidissement permet au raisin fraîchement cueilli d'arriver au pressoir à bonne température après passage sur une table de tri.
Les vins de Sonoma-Cutrer sont commercialisés sous les étiquettes des vignobles dont ils proviennent : Les Pierres, Cutrer, Russian River Ranches.

CHÂTEAU SOUVERAIN
Souverain fait aujourd'hui partie du groupe Nestlé (ainsi que Beringer) et fournit un excellent exemple de vins de Sonoma méconnus et, par conséquent, sous-estimés : un Zinfandel épicé, un Pinot Noir souple et un Chardonnay.

VIANSA
Quand Sam Sebastiani quitta l'exploitation créée par son grand-père, il démarra près de l'aéroport de Schellville, au sud de Sonoma (Carneros), une petite exploitation aux allures italo-californiennes avec des oliviers (pour l'huile), des cépages typiquement italiens (Sangiovese, par exemple) et une salle de dégustation qui ressemble à une place de marché. Son meilleur vin est un Cabernet-Sauvignon bien équilibré, aux arômes de cassis.

WILLIAMS SELYEM
Burt Williams et Ed Selyem font ce que l'on peut appeler sans hésiter le meilleur Pinot Noir de Healdsburg, à partir de raisins de Russian River qu'ils vinifient dans d'anciennes cuves à lait en acier inoxydable. Ces Pinots Noirs sont épicés, succulents et longs en bouche. Leur Zinfandel chargé en arômes de mûre et de café mérite d'être dégusté.

AUTRES RÉGIONS CÔTIÈRES

Carte page XXIX

Les très nombreuses exploitations situées en dehors de Napa et de Sonoma reflètent bien la fascinante diversité de la Californie. Hormis quelques producteurs qui s'identifient, comme en Europe, à un terroir défini et à un vin spécifique, il s'agit le plus souvent de toute une panoplie de vins dispersés, qui offrent un large éventail de styles et de qualités : ils peuvent en effet provenir de tous les principaux cépages californiens (voir encadré p. 762-763), auxquels se rajoutent quelques autres. Il est courant qu'une même exploitation produise du rouge, du blanc et du rosé *(blush),* un vin mousseux, voire aussi un ou plusieurs vins de dessert.

Lake et Mendocino

Au nord de ce que l'on surnomme en plaisantant « Sonapanoma » s'étendent les comtés de Lake et de Mendocino. Le premier compte trois aires viticoles plus petites (Benmore Valley, Clear Lake et Guenoc Valley), le second sept (Anderson Valley, Cole Ranch, McDowell Valley, Mendocino Ridge, Potter Valley, Redwood Valley et Yorkville Highlands). Bien qu'ils soient moins connus du reste du monde que Napa et Sonoma et que les producteurs y soient moins nombreux, ces comtés appartiennent à ce que les Californiens nomment la côte nord. Situés au nord de San Francisco, ils bénéficient, comme leurs voisins, des nombreux avantages du climat frais, ce qui est particulièrement vrai pour la vallée d'Anderson (à Mendocino), dont les vins jouissent d'une excellente réputation.

À l'intérieur des terres, autour de Clear Lake, le climat chaud du comté de Lake convient bien au Sauvignon (vins blancs) et au Cabernet-Sauvignon (vins rouges), ces deux cépages couvrant plus de la moitié du vignoble. Les sols y sont généralement volcaniques, souvenir des anciennes éruptions de Mount Saint Helena et de Mount Konocti. Les viticulteurs se considèrent comme de véritables pionniers, tant ils sont éloignés des circuits commerciaux habituels : à ce jour, pas une seule ligne de chemin de fer ne pénètre dans le comté de Lake pour desservir sa demi-douzaine d'exploitations. De nombreux vignobles appartiennent à des sociétés vinicoles dont le siège se trouve dans la vallée de Napa : Sutter Home, Louis Martini et Beringer (maintenant à Nestlé), entre autres.

Le comté de Mendocino se divise en deux zones principales : la chaude vallée intérieure d'Ukiah et la fraîche vallée d'Anderson, orientée à l'ouest, vers l'océan Pacifique. La viticulture s'y est installée en deux vagues successives, la première dans les années 1970, la seconde, plus importante, dans les années 1980. Une trentaine d'exploitations se répartissent les quelque 5 000 ha de vignes. Le Chardonnay (pour les blancs) couvre un quart de la superficie, le reste étant planté en Zinfandel, au goût de poivre et de framboise (essentiellement sur de hautes crêtes en bordure des forêts de séquoias), de Cabernet-Sauvignon et de Carignan rouge ordinaire. Le Pinot Noir gagne du terrain, mais sert le plus souvent à la fabrication de vins mousseux (Roederer, Scharffenberger). L'unique vignoble de la région viticole de Cole Ranch produit un excellent Cabernet-Sauvignon.

La zone de la baie

Une grande variété de sites viticoles entoure la baie de San Francisco, des basses plaines graveleuses de la vallée de Livermore aux versants de la forêt humide des montagnes de Santa Cruz (Santa Cruz Moutains AVA), avec des exploitations établies dans d'historiques caves de pierre aux hangars en tôle ondulée abritant aussi bien des citernes en Inox que des fûts de chêne français.

Dans cette zone, certains centres de vinification (comme Audubon et Rosenblum) se trouvent en plein centre-ville et s'approvisionnent en raisin dans diverses régions, alors que d'autres, plus petits, se concentrent sur un terroir précis (Ahlgren, Cronin, Fogarty, Hallcrest, Roudon-Smith, Santa Cruz Mountain Vineyard, Woodside).

Avec ses cépages Cabernet-Sauvignon pour les rouges, Sauvignon et Sémillon pour les blancs, la vallée de Livermore ressemble quelque peu aux Graves du Bordelais. Les montagnes fraîches qui dominent les comtés de Santa Cruz et de Santa Clara sont, elles, essentiellement plantées en Chardonnay et en Riesling pour les vins blancs, en Zinfandel et en Pinot Noir pour les rouges.

Monterey et San Benito

Plus au sud, les comtés de Monterey (sur la côte) et de San Benito (à l'intérieur des terres) offrent une variété encore plus grande de sites viticoles. Monterey, région au cycle végétatif long et ensoleillé, doit sa conquête à l'irrigation : la pluviométrie de la région ne dépasse en effet jamais 250 mm par an, soit la moitié des besoins du vignoble. Au cours des années 1960, Paul Masson, Mirassou et Wente introduisirent donc dans la vallée de Salinas des systèmes d'arrosage à jet et de goutte-à-goutte. Grâce à l'irrigation, au sol meuble et sablonneux, peu propice au phylloxéra, le vignoble couvrait déjà plus de 16 000 ha au milieu des années 1970 – essentiellement du Cabernet-Sauvignon qui, trop arrosé, monta en graine.

Aujourd'hui, le vignoble de la vallée de Salinas (qui englobe les régions viticoles de Santa Lucia Highlands,

Arroyo Seco, San Lucas et Chalone) ne couvre plus que 12 100 ha, dont près d'un tiers est planté en Chardonnay (pour les vins blancs). Viennent ensuite, par ordre décroissant d'importance : Cabernet-Sauvignon (mieux compris aujourd'hui, car on cesse de l'arroser après le mois de juin), Chenin Blanc et Riesling pour les blancs, Zinfandel et Pinot Noir (qui fait des merveilles près de la baie de Monterey) pour les rouges, Sauvignon et Pinot Blanc (surtout pour les vins effervescents). Delicato, une maison située dans la Vallée centrale, possède le vignoble San Bernabe près de King City qui, avec ses 3 450 ha, est l'un des plus grands vignobles d'un seul tenant au monde.

Le cépage rouge Merlot se comporte très bien dans les hautes terres de Santa Lucia (Smith & Hook est excellent), les Pinots Noirs concentrés viennent de sites plus frais (Pinnacles, Morgan), les Chardonnays ont des notes de fruits exotiques caractéristiques (Estancia, Lockwood), et J. Lohr produit un Gamay rouge au goût de cerise poivrée.

L'aire viticole de la vallée de Carmel, qui constitue une poche chaude à l'ouest de la rivière Salinas, est de son côté célèbre pour ses généreux Cabernets-Sauvignons aux arômes de cacao.

San Benito faisait jadis partie du comté de Monterey et devait sa célébrité au grand vignoble de la vallée de la Cienega planté par Almaden : à la suite d'un tremblement de terre, il fut coupé en deux par la faille de San Andreas. Ce sont les Pinots Noirs de Calera qui font aujourd'hui la réputation de ce comté. Les autres aires viticoles de ce comté, comme Lime Kiln Valley, Pacheco Pass et Paicines, sont moins connues.

San Luis Obispo

Paso Robles est la plus grande aire viticole du comté de San Luis Obispo (40 exploitations cultivent près de 4 000 ha de vignes), mais l'importance des vignobles de la vallée de l'Edna (au sud de la ville de San Luis Obispo) et d'Arroyo Grande va croissant.

Paso Robles est une haute vallée isolée, caractérisée par des journées d'été torrides et des nuits très froides en hiver. Surtout dans sa partie plus chaude, à l'ouest de la Highway 101, cette aire viticole est célèbre pour ses Cabernets-Sauvignons fruités, souples et accessibles (Castoro, Eberle, Meridian).

En 1913, le pianiste polonais Ignace Paderewski acheta 800 ha à l'ouest de Paso pour y planter des amandiers et du Zinfandel. Aujourd'hui, la ville de Templeton, juste au sud de Paso, est très appréciée des connaisseurs pour ses Zinfandels rouges fruités et poivrés (Ridge, Mastantuono). Chaque année, au mois de mai, Paso Robles est le siège d'un grand festival du vin.

L'aire viticole de York Mountains, qui couvre seulement 12 ha sur un plateau à l'ouest de Templeton, est le domaine exclusif de la York Mountain Winery, fondée en 1882.

Située au sud de la ville de San Luis Obispo, la vallée de l'Edna est surtout connue pour ses Chardonnays pleins de caractère (Edna Valley Vineyard, Corbett Canyon), tandis qu'Arroyo Grande se spécialise dans les vins effervescents vifs (Maison Deutz).

La région la plus méridionale du comté recouvre une petite partie de l'AVA vallée de Santa Maria, dont la majeure partie s'étend jusque sur le comté de Santa Barbara. Contrairement aux autres vallées viticoles de Californie, cette vallée s'étend d'est en ouest et est donc exposée aux brumes venant de l'océan Pacifique.

Santa Barbara et le sud de la Californie

Santa Barbara constitue le comté le plus méridional de la côte centrale. Contrairement au reste de la Californie, exposé à l'ouest, Santa Barbara possède, entre Point Concepcion et Rincon, 80 km de côtes orientées au sud et ressemble ainsi à la côte méditerranéenne de la France et de l'Espagne.

Ce furent les missions qui, en s'étendant vers le nord, introduisirent le raisin dans ce comté : Santa Barbara (en 1786), La Purisima Concepcion (Lompoc, en 1787) et Santa Ynez (Solvang, en 1804). Comme dans beaucoup d'autres régions de Californie, le vignoble y prospéra durant la seconde moitié du XIXe siècle, mais fut ruiné par la prohibition au début du XXe siècle. La Bodega d'Albert Packard, construite en 1865, était une structure en adobe de trois étages aux murs de 1 m d'épaisseur. Le chemin qui passait entre les vignes est aujourd'hui la rue De La Vina.

La résurrection de Santa Barbara débuta en 1962, lorsque le Canadien Pierre Lafond fonda Santa Barbara Winery. Connue à l'époque pour ses vins fruités, elle l'est aujourd'hui pour son Pinot Noir au goût de cerise, son généreux Johannisberg Riesling et son Zinfandel rouge plein de vitalité. Mais c'est surtout grâce à la promotion désintéressée et à la renommée de l'ancien marchand de pneus Brooks Firestone que Santa Barbara figure aujourd'hui sur les cartes viticoles.

À Santa Barbara, les propriétés de personnalités célèbres et les ranches avoisinent près de 4000 ha de vignes. Plus de la moitié sont plantés de Chardonnay, qui donne de riches vins blancs amples avec des notes de fruits exotiques, mais le Pinot Noir devrait avoir droit à une mention spéciale pour les rouges des fabuleux vignobles de Bien Nacido, Sierra Madre et Sanford. Les meilleures aires viticoles sont la vallée de Santa Maria, les plaines du nord-ouest du comté et la vallée de Santa Ynez, qui suit les méandres de la rivière du même nom du lac Cachuma jusqu'au Pacifique. Plus d'une vingtaine de centres de vinification y transforment le raisin en vin. Une troisième aire viticole, plus petite, Santa Rita Hills, a été reconnue en 2001.

De nombreux vignobles s'étendent au sud du comté de Santa Barbara. La premier centre de vinification fut fondé en 1824 à Los Angeles par Joseph Chapman. Ce dernier fut suivi par Jean-Louis Vignes, un Français né à Cadillac, dont le El Aliso Ranch devint une affaire très prospère. Après la ruée vers l'or – lorsque le vignoble se déplaça vers Napa, Sonoma et les contreforts de la Sierra –, le commerce du vin perdit de son importance à Los Angeles, en

PRODUCTEURS ET NÉGOCIANTS

Les vinificateurs californiens possèdent souvent des vignes dans plusieurs AVA différentes, voire dans plusieurs comtés, et peuvent en outre acheter du raisin à d'autres exploitations. Ils sont classés ci-dessous suivant la localisation de leur chai de vinification. Comme dans le reste de la Californie, la plupart des vins de qualité portent le nom du cépage dont ils sont issus (voir p. 762).

LAKE ET MENDOCINO

FETZER
Fondé par Barney Fetzer à Hopland (Mendocino) en 1969, Fetzer est devenu un gros producteur, mais ses vins restent superbes (l'entreprise appartient au groupe Brown-Forman, producteur du whiskey Jack Daniels). Un grand jardin botanique reproduit le cycle de la vigne et une école de cuisine enseigne l'art d'assortir les vins et les mets. Le Chardonnay Sundial, frais, au goût de poire et de pomme, est d'un rapport qualité/prix particulièrement intéressant.

GUENOC
Son vignoble près de Middletown, ancien ranch de la chanteuse britannique Lily Langtry, est situé à la fois sur les comtés de Lake et de Napa. Son rouge Langtry est un Meritage souple au goût de mûre ; le blanc Langtry possède un riche arôme d'olive et de réglisse. Son Chardonnay Reserve est également plein de personnalité, avec un délicat mais très net bouquet de citron et de crème.

KENDALL-JACKSON
L'empire de l'avocat Jess Jackson, qui a débuté à Lakeport, en 1983, par la construction du minuscule Château du Lac, produit aujourd'hui près de 12 millions de bouteilles par an grâce à l'acquisition des maisons J. Stonestreet (Sonoma), Cambria (Santa Maria Chardonnay) et Edmeades (vallée d'Anderson). Kendall-Jackson a fait de Chardonnay un terme générique désignant son blanc populaire, légèrement doux, au goût d'ananas. Le Cardinale est un coûteux assemblage de Meritage rouge avec un bouquet de cassis, d'iode et de tabac.

NAVARRO
Ted Bennett et son épouse Deborah Cahn possèdent 20 ha à Philo, dans la douce fraîcheur de la lointaine vallée d'Anderson, mais achètent aussi du raisin. Leurs Chardonnays secs et fermes et leurs souples Pinots Noirs sont aussi appréciés que leur Riesling et leur Gewürztraminer botrytisés, délicieusement doux. Ce dernier cépage sert également à élaborer du jus de raisin offert aux enfants des visiteurs.

PARDUCCI
Fondée par le père de John Parducci en 1932, cette exploitation de 140 ha, comme celles de ses compatriotes italiens, vaque tranquillement à ses occupations. Elle produit des vins fiables et abordables, comme sa

raison de la maladie des vignes (maladie de Pierce) et de l'urbanisation. Aujourd'hui, une infime partie des vignes du comté de Riverside approvisionne la petite douzaine de vinificateurs installés près de Los Angeles, le reste étant vendu en raisin de table. Quant aux sols sablonneux de l'aire viticole de Temecula, à l'extrémité sud-ouest du comté, ils sont connus pour leur Chardonnay, à la fois tranquille (Callaway) et effervescent (Thornton, anciennement Culbertson). L'aire viticole plus modeste de la vallée de San Pasqual possède à peine 40 ha de vignes.

PRODUCTEURS ET NÉGOCIANTS

Petite Sirah au goût épicé de prunes et de baies rouges. Les visiteurs se rendent par milliers à Ukiah pour découvrir l'exploitation, la boutique de souvenirs, la galerie d'art, le restaurant et la salle de dégustation.

ROEDERER
Créée par Jean-Claude Rouzaud en 1985, la filiale californienne de la maison de Champagne de Reims commença par élaborer du Mousseux de style outre-Atlantique avant d'assembler les vins de la vallée d'Anderson selon la fameuse méthode classique. Pour ce faire, elle acheta des terres situées à des altitudes différentes et plus ou moins près de la côte : les vignes les plus proches de l'océan sont à 18 km des plus éloignées. L'affaire est conçue pour produire 1 200 000 bouteilles à partir de ses 162 ha de vignes. Leur Roederer Estate Brut, vieilli en fûts de chêne, est élégant, avec des notes d'agrumes et de levain.

SCHARFFENBERGER
Les Champagnes Pommery et Lanson (du groupe français LVMH) sont les associés de John Scharffenberger à Philo (Mendocino). Les Mousseux blancs tendent à être très secs et austères, mais le Brut Rosé possède un riche arôme de pain grillé, de prune et de fraise.

ZONE DE LA BAIE

BONNY DOON
Randall Grahm élabore des vins très personnalisés, dont certains proviennent de son exploitation des montagnes de Santa Cruz. Son rouge savoureux dans le style des vins du Rhône, baptisé Le Cigare Volant, plein d'arômes d'airelle et de cerise, possède une étiquette originale représentant un ovni. Bonny Doon produit également une eau-de-vie de poire, un Muscat Canelli très doux, dans le style des *Eisweine* (ou vins de glace) allemands, et quelques autres imitations diverses et variées.

CONCANNON
La longue histoire de Concannon remonte à sa fondation en 1883 par le libraire irlandais James Concannon. Ses caves demeurèrent en production durant la prohibition, grâce aux liens entretenus avec le clergé catholique de San Francisco (et ses commandes légales de vin de messe). Concannon est l'un des derniers producteurs de Petite Sirah, un rouge un peu rustique au goût prononcé de prune, qui se complaît dans les sols graveleux de la vallée de Livermore. L'entreprise a été reprise par Wente.

MIRASSOU
Aux dires de sa cinquième et de sa sixième génération, la famille a acheté ses vignes de la vallée de Santa Clara dès 1854. Depuis les années 1960, la maison porte ses efforts sur ses 300 ha du comté de Monterey, où elle produit un Pinot Noir souple, un Cabernet-Sauvignon généreux au goût de poivron et plusieurs vins blancs →

effervescents (Au Natural est fruité et mordant) qui bénéficient du climat frais de Monterey. Les chais se trouvent à San José.

RIDGE
Fondée par un groupe de scientifiques, vignerons du week-end, cette entreprise vinicole basée à Cupertino appartient aujourd'hui à des Japonais.
Mais Paul Draper, le vinificateur chevronné de cette entreprise, continue d'y produire les Zinfandels les plus élégants dans des vignobles aussi différents et éloignés que Lytton Springs (Sonoma), Fiddletown (Amador) et Dusi (Paso Robles).
Son Petite Sirah York Creek (Napa), dense et presque noir, fait fureur auprès des amateurs.

WENTE
Comme leurs voisins, les Concannon de Livermore, les Wente commencèrent à cultiver la vigne dès 1883. L'affaire appartient toujours à la famille, qui a racheté les vignobles de Concannon et transformé les anciens chais de Cresta Blanca en restaurant et en centre de vinification de vins mousseux.
Wente possède un élevage de bétail à côté de ses vignes de Livermore et de nombreuses parcelles de vignes dans le comté de Monterey. Son Sémillon se distingue par un délicieux bouquet caractéristique évoquant le melon et la figue.

MONTEREY ET SAN BENITO

CALERA
La passion de Josh Jensen pour la Bourgogne le poussa à chercher un terrain assez calcaire.
Il trouva un ancien four à chaux (*calera* en espagnol) dans les collines surplombant Hollister, dans le comté de San Benito.
Les chais s'étagent sur sept niveaux le long du coteau.
Chaque vignoble (Jensen, Reeds, Selleck et Mills) donne un Pinot Noir différent, mais ce sont tous des vins concentrés aux arômes de cannelle et de cerise. L'entreprise produit également du Viognier, dans le style sobre des blancs du Rhône.

CHALONE
Situé à l'est de la ville de Soledad et du même côté des formations rocheuses basaltiques de Pinnacles que Monterey, Chalone vinifie aussi selon la tradition bourguignonne, afin de donner un maximum de caractère à ses Pinots Noirs et à ses Chardonnays. Associée avec Château Lafite-Rothschild, la société possède aussi Edna Valley (San Luis Obispo), Acacia (Napa), Carmenet (Sonoma) et Woodward Canyon (État de Washington).

JEKEL
Située à Greenfield, cette exploitation est l'exception à la règle selon laquelle « le Riesling ne donne rien de bon en Californie ».
La brume de la baie de Monterey permet au raisin de garder son acidité, si bien que même le Riesling sec conserve sa profondeur et sa vivacité, tandis que le vin de dessert botrytisé est richement fruité. Son Chardonnay a lui aussi du succès et, à maturité, son Cabernet-Sauvignon déploie des nuances de cacao.

THE MONTEREY VINEYARD
Fondée en 1974 près de la petite ville de Gonzales, l'exploitation appartient aujourd'hui au groupe Seagram. Son point fort est sa gamme Classic, aux vins abordables et faciles, notamment le Classic Pinot Noir et le Classic Red.

SAN LUIS OBISPO

EBERLE
L'ancien joueur de football Gary Eberle planta ses premières vignes à l'est de Paso Robles en 1972 pour Estrella River Winery (aujourd'hui Meridian), puis lança sa propre étiquette en 1980.
Un clone de Cabernet-Sauvignon à faible rendement, franc de pied, donne des vins tendres bien équilibrés avec de belles notes de fruits rouges. Eberle produit aussi du Chardonnay et d'infimes quantités de Barbera, Syrah, Zinfandel, Viognier, ainsi qu'un Muscat Canelli très floral.

MARTIN BROTHERS
En s'installant à Paso Robles, le vinificateur Nick Martin et le commercial Tom Martin apportèrent à ce lieu un souffle de culture italienne. Ils rendirent le Nebbiolo populaire, avec son goût marqué de violette et de grenade (sur l'étiquette figurent des reproductions de la Renaissance italienne). Leur Chenin Blanc, souple et sec, est caractéristique. Leur Vin Santo (voir p. 557) est issu de la Malvoisie. Les frères Martin distillent une grappa à partir de Nebbiolo.

MERIDIAN
Estrella River Winery, l'exploitation d'origine, fondée à Paso Robles, fut rapidement rachetée par Beringer (qui appartient à Nestlé/Wine World) à la suite de désaccords familiaux. Le maître vigneron Chuck Ortman supervise une production de 3 600 000 bouteilles, dont deux tiers de Chardonnay Santa Barbara aux notes de vanille et de melon. Home Vineyard produit du Cabernet-Sauvignon, de la Syrah et du Zinfandel.

WILD HORSE
Les chais de Templeton sont situés sur un plateau à l'est de la rivière Salinas, à 23 km seulement du Pacifique. Son Chardonnay a des arômes de pomme ; son Pinot Noir est impressionnant, avec des arômes de rose, de champignon et de cerise ; son Merlot a un goût de terroir, avec une pointe de camphre, d'eucalyptus et de tabac.

SANTA BARBARA ET LE SUD DE LA CALIFORNIE

BYRON
En 1984, Byron Kent (« Ken ») Brown fonda Byron au-dessus des vignobles situés à l'ouest de la vallée de Santa Maria. Le rapide succès de son Chardonnay et de son Pinot Noir incita Robert Mondavi à racheter l'affaire en 1990. On y produit aussi un Cabernet-Sauvignon aux notes de tabac et de groseille et un excellent Pinot Blanc.

CALLAWAY
Ely Callaway, magnat du textile à la retraite, fonda cette exploitation dans les terres sauvages de Temecula (à 90 km au nord de San Diego, dans le comté de Riverside) en 1969. Il la céda au groupe Hiram Walker en 1981. Sa spécialité est l'élaboration d'un Chardonnay élevé sur lies, appelé Calla-Lees. Le Fumé Blanc (un Sauvignon vieilli en fût) et un Sauvignon fruité (vinifié en cuves Inox) ont également du succès.

FIRESTONE
En 1972, Brooks Firestone constata que la vallée de Santa Ynez, dans le comté de Santa Barbara, convenait parfaitement à la culture de la vigne. À Los Olivos, il se spécialise dans des Rieslings (secs et doux) au goût d'abricot, un Pinot Noir et un Merlot très long en bouche. Sa femme Kate dirige Carey Cellars, l'exploitation voisine.

SANFORD
Rich Sanford commença à planter des vignes sur la rive sud de la rivière Santa Ynez à Buellton en 1971. Sa connaissance de la région lui a permis d'élaborer un Chardonnay au goût de beurre et de pamplemousse, des Pinots Noirs au riche bouquet de cerise, des Sauvignons vifs et un vin gris issu de Pinot Noir.

SANTA BARBARA
Cette entreprise est la plus ancienne du comté de Santa Barbara puisque sa création remonte aux années 1960. Elle produit d'excellents vins de style bourguignon, Pinot Noir et Chardonnay, ainsi que du Sauvignon Blanc et du Zinfandel.

RÉGIONS INTÉRIEURES

Carte page XXIX

Les deux régions viticoles de l'intérieur ne bénéficient pas de l'influence de l'océan Pacifique, mais offrent malgré tout quelques vins intéressants, de tous les styles imaginables. Outre les cépages californiens (voir p. 762), des cépages portugais sont cultivés dans la Vallée centrale pour faire des vins du type du Porto.

La Vallée centrale

La vallée centrale de Californie s'étend sur 640 km, des contreforts des monts Shasta au nord à Bakersfield au sud, à une centaine de kilomètres de Los Angeles. Sa partie viticole compte, du nord au sud, six AVA : (1) North Yuba (1985), au nord-est de Sacramento, sur la rive droite de la Yoruba, jouit du climat le plus tempéré ; (2) Dunnigan Hills (la plus récente, 1993), dans le comté de Yolo, au nord-ouest de Sacramento, compte déjà plus de 500 ha de vignes ; (3) Clarksburg (1984), au sud de Sacramento, qui bénéficie de la brume marine remontant de la baie de San Francisco, est surtout réputée pour ses Chenins Blancs très vifs ; (4) Lodi (1983), qui s'étend sur le sud du comté de Sacramento et le nord de celui de San Joaquin, compte des vignobles en plaine et en terrasses et est réputée pour ses Zinfandels framboisés ; (5) Merritt Island (1987), dans les comtés de San Joaquin et de Yolo, est aussi tempérée par les brises marines ; (6) Madera (1985), sur les comtés de Madera et de Fresno, qui ne compte pas moins de 15 000 ha de raisin de cuve, produit aussi une grande quantité de raisin de table et de raisin sec.

La vallée de San Joaquin, qui occupe la moitié méridionale de la Vallée centrale, est une des régions agricoles les plus riches d'Amérique, où la vigne voisine avec les champs de blé et de coton. Si les chaudes températures diurnes tuent l'acidité et ne permettent pas l'élaboration de grands vins, l'équilibre demeure suffisant pour la production de vins de consommation courante. Le Thompson Seedless fournit du vin blanc ordinaire, une base pour le Brandy, ainsi que du raisin de table et des raisins secs.

Le Colombard, le Chenin Blanc, le Zinfandel, le Grenache, le Barbera et la Petite Sirah donnent d'énormes quantités de vins ordinaires, rouges et blancs, qui portent ombrage aux vins blancs de Chardonnay, aux rouges de Cabernet-Sauvignon et aux Mousseux.

L'éventail des productions ne s'arrête pas là. Dans les années 1930 et 1940, la plupart des vins californiens étaient des vins doux et mutés. On les a presque oubliés aujourd'hui, mais, non loin de la plus grande exploitation du monde (Gallo produit plus de 12 millions de bouteilles par semaine), de minuscules producteurs (Quady et Ficklin) font d'excellents vins de dessert. Et, tout près, des géants anonymes (Sierra, Vie-Del, Noble) font des vins élaborés à façon pour des filiales de firmes prestigieuses (Heublein, Mondavi, Sebastiani) ou pour des producteurs de Brandy et de vins ordinaires (Delicato, Franzia, Bronco, Giumarra, Guild).

Deux des plus grandes écoles vinicoles sont situées dans la Vallée centrale : l'université de Californie à Davis et California State à Fresno.

Les contreforts de la Sierra

Le long de la bordure orientale de la Vallée centrale se trouvent les contreforts de la sierra Nevada, qui font la transition entre les plaines chaudes et sèches et les stations de sports d'hiver. La majestueuse sierra offre sans doute des paysages bien différents de ceux de la vallée, mais ses vins extrêmement fruités – des blancs de Chardonnay et de Sauvignon et des rouges de Zinfandel de Cabernet-Sauvignon, – sont tout aussi séduisants.

Les comtés des contreforts sont, par ordre décroissant de superficie : Amador (800 ha), El Dorado (200 ha), Calaveras (80 ha), Tehama (60 ha) et enfin Nevada (50 ha). Ils font partie de l'aire viticole plus vaste de Sierra Foothills, reconnue en 1987. Les autres aires viticoles des contreforts sont celles d'El Dorado, située à une altitude de 460 m à 910 m, Fair Play (reconnue officiellement en 2001), Shenandoah Valley-California (1987), à l'est de la ville de Plymouth, située principalement dans le comté d'Amador, et Fiddletown (1983), qui jouxte Shenandoah Valley à son extrémité est.

Bien avant que quiconque ait pensé à associer Napa ou Sonoma au vin, des chercheurs d'or avaient planté des vignes là où les chênes des plaines laissaient la place aux pins d'altitude. Les ruisseaux de montagne et les mines abandonnées abritaient plus d'une centaine de centres de vinification, jusqu'à ce que le phylloxéra et la prohibition, alliés aux difficultés de transport, ne mettent fin à ces activités pendant un demi-siècle.

La renaissance vinicole débuta dans les années 1970, lorsque arrivèrent sur le marché les Zinfandels du comté d'Amador élaborés par Sutter Home et Ridge. Et, rapidement, des noms comme Boeger, Karly, Stevenot, Madrona et Monteviña propagèrent la renommée de la région. L'explication en est simple : les vignes de coteaux, situées entre 460 et 910 m, ont des rendements faibles, mais produisent des vins de caractère ; l'absence de brume réduit tout risque de pourriture ; les prix très bas des terrains réduisent les coûts de production et, par conséquent, le prix des vins.

PRODUCTEURS ET NÉGOCIANTS

La Vallée centrale produit plus de 80 % de l'ensemble des vins californiens, mais il s'agit en majorité de vins ordinaires, destinés à être assemblés entre eux. Cette même région produit des vins mutés et des vins de dessert. Les hautes altitudes des contreforts de la sierra Nevada donnent aux vins d'intenses arômes, bien que l'on y fasse pousser les cépages californiens habituels (voir p. 762).

LA VALLÉE CENTRALE

J. F. J. BRONCO
La sixième exploitation des États-Unis produit essentiellement du vin de table de qualité courante et des Mousseux vendus sous les étiquettes J. F. J. Cellars et C. C. Vineyard. Au début des années 1990, Bronco commença à acheter des étiquettes prestigieuses : Grand Cru, Hacienda, Laurier, Black Mountain et les Portos J. W. Morris.

FICKLIN
La famille Ficklin élabore du Porto à partir des cépages portugais Tinta Madeira, Tinta Cão, Touriga et Souzão. Les vins, d'un prix raisonnable, sont délicieux et dotés d'un goût de cerise et de groseille.

GALLO
L'exploitation vinicole de Modesto est devenue la plus grande du monde (près de 800 millions de bouteilles par an) après qu'Ernest Gallo se fut vanté, à la mort de son frère Julio, d'être capable de vendre plus de vin que lui. La plupart des vins (vins de table, vins doux et vins effervescents) sont bon marché mais bien faits. C'est le Hearty Red Burgundy, un rouge légèrement sucré, qui l'a tout d'abord fait connaître, mais son vin de cépage issu de Sauvignon est d'excellente qualité.

R. H. PHILLIPS
L'exploitation de la famille Giguiere est située dans les collines de Dunnigan. Parce que le terrain est bon marché dans la vallée de Yolo, ses assemblages frais et fruités et ses vins de cépage sont d'un rapport qualité/prix très intéressant. Les vendanges nocturnes donnent des vins propres et vifs – surtout pour le Sauvignon.

QUADY
Andrew Quady a donné ses lettres de noblesse aux vins de dessert. Son Orange Muscat floral, nommé Essensia, son Black Muscat au goût de cerise (Elysium) et son Orange Muscat effervescent à 4 % vol. d'alcool (Electra) lui ont valu le surnom de « Roi du Muscat californien ». L'exploitation de Madera produit aussi des vins mutés qui ressemblent au Porto, dont certains portent l'étiquette Starboard.

LES CONTREFORTS DE LA SIERRA

BOEGER
Les vignes étant plantées jusqu'à 900 m d'altitude, le climat est frais et sans brume. Le Merlot et le Zinfandel de Greg et Susan Boeger sont aussi séduisants l'un que l'autre.

IRONSTONE
Entreprise créée en 1994 dans le comté de Calaveras par John Kautz. Bien que les vignes soient encore jeunes, il élabore déjà des vins de qualité issus de Cabernet Franc et de Syrah.

MONTEVIÑA
Le vignoble, planté sur le granite rouge décomposé du comté d'Amador, devint vite célèbre pour son puissant Zinfandel. L'exploitation, rachetée par Sutter Home (Napa) en 1988, se consacra alors à des cépages rouges italiens : dès le départ, le site donna le Barbera le plus fiable de Californie. De récentes plantations de Nebbiolo avoisinent des cépages tels que l'Aleatico, le Refosco et le Sangiovese.

RENAISSANCE
D'admirables vignobles en terrasses au-dessus de la ville de Renaissance, dans le comté de Yuba, produisent des vins de dessert issus de Vendanges tardives de Riesling et de Sauvignon. La maison est également connue pour sa Petite Sirah riche et concentrée.

NORD-OUEST DES ÉTATS-UNIS

Carte page XXIX

Les deux États du Nord-Ouest pacifique – Washington et Oregon – ne sont pas, comme la Californie, célèbres pour leur ensoleillement et la douceur de leurs températures. Mais, comme chez leur voisin méridional, leur climat, influencé par les chaînes de collines et de montagnes générant de nombreux microclimats, attire et inspire les vinificateurs. Dans l'État de Washington, la plus grande partie du vignoble est retirée à l'intérieur des terres et coupée de l'influence du Pacifique par la chaîne des Cascades. Celle-ci forme une barrière contre la pluie et crée un désert ; la vigne ne peut donc prospérer que dans les vallées de la rivière Columbia et de ses affluents. L'irrigation et une approche scientifique de la viticulture permettent l'élaboration d'une grande variété de vins ; ce sont les blancs secs et demi-secs issus de Chardonnay, Riesling, Sauvignon et Sémillon et les rouges de Cabernet-Sauvignon et de Merlot qui connaissent le plus de succès. Les meilleurs sont souvent les vins de cépage (voir p. 756). La principale région viticole de l'Oregon est la vallée de la Willamette, abritée entre la chaîne côtière et les Cascades, à l'est. Plus fraîche et pluvieuse que la Californie, elle jouit d'un climat semblable à celui de la Bourgogne, si bien que le cépage le plus cultivé est le Pinot Noir, tandis que le Chardonnay et le Pinot Gris donnent d'élégants blancs secs.

WASHINGTON

Carte page XXIX

L'État de Washington est en train de rattraper celui de New York, second producteur de vin de qualité du pays. C'est une région en constant développement. Cela dit, ni l'un ni l'autre ne seront jamais une menace pour la Californie. L'État de Washington cultive environ 15 000 ha de vignes (soit un dixième du vignoble californien), dont seulement 6 000 ha de *vinifera,* mais sa production ne représente que le trentième de celle de son voisin méridional. Les deux tiers des vignobles de l'État sont complantés de Concord, qui sert à faire du jus de raisin et non du vin.

LES ZONES VITICOLES

L'État de Washington compte cinq aires viticoles (AVA) : Columbia Valley, à l'intérieur des terres, qui se prolonge dans l'Oregon et englobe trois AVA secondaires, Yakima Valley, Red Mountain et Walla Walla Valley, et sur le Pacifique, autour de Seattle, l'AVA Puget Sound.

Columbia Valley, avec un vignoble de plus de 4000 ha, est de loin la plus importante. Elle a la forme d'un « T » renversé dont la tige est constituée par la Columbia, qui coule vers le sud avant de former la frontière avec l'Oregon.

Walla Walla Valley, qui forme le bras oriental du « T », ne compte que 0,5 % du vignoble de l'État, mais on y élabore des vins d'une qualité exceptionnelle.

Yakima Valley forme le bras occidental du « T » et compte 40 % des vignobles de Washington. Elle doit sa prospérité à l'irrigation.

Red Mountain constitue une AVA au sein de la précédente.

Puget Sound se trouve sur la côte du Pacifique. Le Müller-Thurgau et le Siegerrebe allemands s'y trouvent bien. On y cultive aussi du Pinot Noir.

Le climat

À l'est de la chaîne des Cascades, le centre de l'État possède un climat continental, avec des étés chauds, des hivers froids et peu de précipitations. Dans la partie abritée de la pluie par les Cascades (l'altitude du mont Rainier est de 4367 m au-dessus de la mer), la vallée de la Columbia est un plateau aride et désertique, où les précipitations annuelles ne dépassent guère 200 mm. Il a donc fallu recourir à l'irrigation pour faire pousser la vigne à l'est des Cascades : il s'agit d'énormes systèmes pivotants dont les bras démesurés arrosent près de 65 ha à la fois.

Il est par ailleurs essentiel d'endurcir les vignes pour les préparer aux rigoureux hivers des plaines d'altitude : on cesse de les arroser et de leur apporter des éléments nutritifs vers la mi-août, bien avant les premières gelées d'automne, afin que les plants pré-dormants puissent résister à la rigueur de l'hiver. En 1979, avant que l'on ait compris l'importance de ce procédé, plus de 400 ha de vignes furent détruits par le froid.

Tout comme en Europe du Nord, les viticulteurs de l'État recherchent les versants orientés au sud, afin de profiter de la lumière solaire l'été et de la protection relative contre le froid hivernal. La proximité d'une rivière – la Columbia ou la Yakima – modère également le climat. Les nuits fraîches assurent au raisin une bonne acidité. Les vendanges ont lieu plus tard qu'en Californie : elles commencent à la mi-septembre pour ne finir parfois qu'en novembre.

Les cépages et les styles de vin

Le Chardonnay et le Riesling, pour le vin blanc, sont les cépages les plus cultivés, suivis, pour le vin rouge, du Cabernet-Sauvignon et du Merlot. Le Sauvignon (pour les blancs) gagne du terrain. Bien que moins répandu, le Sémillon a aussi ses adeptes ; il sert parfois à l'élaboration de vin de cépage mais on l'assemble également au Sauvignon. Le Cabernet Franc et la Syrah progressent tandis que le Riesling diminue.

L'État doit sa réputation à ses blancs issus de Chardonnay, au fruité vif et frais, et de Riesling, au goût profond d'abricot ; à ses Merlots rouges, pétillants d'arômes de baies, et à ses Cabernets-Sauvignons peu tanniques, dont le fruité semble étonnant. Le goût fruité est très prononcé parce que la maturation du raisin est lente et régulière sous le soleil modérément chaud de cette latitude septentrionale. Les styles sont très variés. Certains vinificateurs font vieillir quelques mois en fûts de chêne leurs blancs de Chardonnay et de Sémillon ainsi que leurs rouges. Les Mousseux connaissent un succès croissant, notamment ceux du Château Sainte Michelle, le plus gros producteur de l'État.

PRODUCTEURS ET NÉGOCIANTS

L'histoire des vins fins de l'État de Washington a surtout débuté à la création de la société Columbia, suivie de celle du Château Sainte Michelle. Dans les années 1970 et 1980, le nombre de nouvelles sociétés vinicoles n'a cessé de croître. On en compte aujourd'hui 85 exploitant quelque 6 000 ha de vignes et produisant surtout des vins de cépage.

ARBOR CREST
Arbor Crest a d'abord attiré l'attention avec ses Chardonnays au riche bouquet. Sa salle de dégustation, Cliff House, est perchée sur un affleurement basaltique surplombant la rivière Spokane, à quelques kilomètres à l'est de Spokane. Le vignoble des frères Mielke se trouve sur Wahluke Slope, un site de la vallée de la Columbia exposé à l'est, et produit un Sauvignon de très grande classe et un Merlot généreusement fruité.

COLUMBIA
Fondée en 1962 par un groupe d'amateurs enthousiastes qui planta 2 ha dans la vallée de Yakima, Columbia doit sa célébrité aux superbes Cabernets-Sauvignons du vinificateur David Lake, issus de certains des meilleurs vignobles de Yakima : Otis, Red Willow et Sagemoor Farm. Columbia produit aujourd'hui environ un million de bouteilles par an, dont des vins de cépage rouges issus de Cabernet-Sauvignon, Merlot, Syrah et Cabernet Franc, et des blancs issus de Chardonnay, Riesling, Gewürztraminer et Sémillon.

COVEY RUN
Nommée à l'origine Quail Run, cette entreprise de Zillah (vallée de Yakima) fut créée par un groupe d'arboriculteurs fruitiers attirés par la vigne. →

PRODUCTEURS ET NÉGOCIANTS

L'odorant Lemberger vinifié en cuves Inox, un rouge très original, est l'une de leurs spécialités avec le Riesling et le Chardonnay. La Caille de Fumé est un assemblage blanc sec de Sauvignon et de Sémillon.

THE HOGUE CELLARS
Les Hogue dirigent une ferme diversifiée de 566 ha et une exploitation vinicole de 2,9 millions de bouteilles près de Prosser (vallée de Yakima). Mais un Sémillon blanc soyeux et des Merlots rouges à arôme de menthe ont incité la famille à s'occuper davantage de vinification. Leur gamme comprend maintenant aussi des rouges de Cabernet Franc et de Cabernet -Sauvignon.

LATAH CREEK
Mike Conway, propriétaire de cette société vinicole de Spokane, donne une note très personnelle à ses Chardonnays pleins de vitalité et à son Lemberger rouge élevé en fût de chêne.

LEONETTI
Gary Figgins commença à produire un Merlot et un Cabernet-Sauvignon typés dans la cave d'une maison de Walla Walla. Les rouges demeurent sa spécialité : 5 ha de Merlot entourent la maison (avec un peu de Syrah et de Sangiovese). Son assemblage de style Bordeaux s'appelle Walla Walla Valley Select.

PRESTON
Le vignoble de 20 ha, planté en 1972 sur les plateaux de désert sablonneux juste à l'est de Pasco, atteint aujourd'hui 73 ha. Le Chardonnay sec et le Riesling doux de Vendanges tardives sont depuis longtemps les spécialités de Preston, et son Gamay Rosé (qui porte l'étiquette Beaujolais) est frais et fruité.

QUILCEDA CREEK
Depuis 1979, la société ne produit à Snohomish (nord de Seattle) que 12000 bouteilles de Cabernet-Sauvignon (issu de raisin de la vallée de la Columbia), que les connaisseurs s'empressent d'acheter. Paul Golitzen a bénéficié des conseils du célèbre André Tchelistcheff, qui s'est distingué pendant près de quarante ans à Beaulieu (Napa).

CHÂTEAU SAINTE MICHELLE
Située dans la banlieue de Seattle, cette société vinifie du raisin local et est devenue d'ailleurs la plus influente de l'État en 1967, lorsque de gros investissements permirent d'engager André Tchelistcheff (de la vallée de la Napa) comme conseiller, et de commencer à faire des vins de cépage. Château Sainte Michelle produit aujourd'hui une gamme de vins de cépage (des Rieslings, du Cabernet-Sauvignon Cold Creek de la vallée de Yakima) et des vins mousseux portant son nom. La société mère, Stimson Lane, possède également une autre grosse exploitation, Columbia Crest à Paterson, connue pour ses blancs faciles à boire, ainsi que celle plus modeste de Snoqualmie, qui produit un Riesling de Vendanges tardives (doux) et un Muscat Canelli demi-sec.

PAUL THOMAS
Attaché au côté étonnamment sec des «vins» élaborés à partir de fruits, Paul Thomas a créé Crimson Rhubarb – un Blanc de Noirs fait avec de la rhubarbe –, une boisson devenue classique dans l'ouest de l'État de Washington. Son Chardonnay vinifié en fûts est aussi agréable que son rouge Cabernet-Sauvignon/ Merlot.

WOODWARD CANYON
Les spécialités, en rouge, du vinificateur Rick Small sont les Cabernets-Sauvignons et les Merlots, mais il produit aussi un Chardonnay de style bourguignon – vinification en fût, fermentation malolactique, séjour prolongé sur lies. Son rouge Meritage de type Bordeaux s'appelle Chabonneau. Il possède un vignoble près de son exploitation dans la vallée de Walla Walla et achète du raisin dans la vallée de la Columbia.

OREGON

Carte page XXIX

Sans commune mesure avec son importance quantitative, l'Oregon devint célèbre un jour de 1979 quand, lors d'une dégustation à l'aveugle organisée par Robert Drouhin, le Pinot Noir 1975 d'Eyrie Vineyard dû à David Lett fut classé deuxième, après le Chambolle-Musigny 1959 de Drouhin et avant le phénoménal Clos de Bèze 1961 du même vigneron. À cette époque, l'Oregon ne comptait qu'un peu plus de 100 ha de Pinot Noir. La vigne occupe aujourd'hui environ 3 000 ha (dont la moitié de Pinot Noir), soit moins de 2 % de la surface que la Californie consacre au raisin de cuve.

Les climats et les sols

La plus grande partie du vignoble est située à l'ouest de la chaîne des Cascades, orientée nord-sud et parallèle au Pacifique, à environ 160 km à l'intérieur des terres. C'est une région fraîche et pluvieuse, qui ressemble plus à la Bourgogne et aux autres vignobles du nord de l'Europe qu'à la Californie ou à l'État de Washington. Le cœur de la région viticole se trouve dans le comté de Yamhill, à l'intérieur des terres, près de Tillamook, qui possède le quart des vignes de l'État. La ville de McMinnville (10 000 habitants) est le centre du comté de Yamhill, dans la partie la plus septentrionale de la vallée de la Willamette (voir encadré). C'est là, au Linfield College, qu'a lieu chaque année au mois de juillet la Fête internationale du Pinot Noir (IPNC).

La vallée de la Willamette, jadis une mer intérieure, possède des terres d'origine volcanique (souvenir d'une ancienne éruption de l'Idaho), très riches en oxyde de fer couleur de

LES ZONES VITICOLES

Outre une partie de Columbia Valley, l'Oregon possède quatre AVA, la plus grande étant la vallée de la Willamette.

Willamette Valley s'étend du sud vers l'ouest, entre Portland et Eugene.

Umpqua Valley se trouve plus au sud et s'étend jusqu'à Roseburg.

Rogue Valley – qui inclut les vallées de l'Applegate et de l'Illinois – est juste au nord de la frontière californienne.

Applegate Valley forme une zone située au sein de Rogue Valley.

rouille dans la région de Dundee (Red Hills), bien que certains versants ouest de Yamhill présentent des couches sédimentaires jaunâtres. Les rendements sont généralement d'à peine 30-40 hl/ha dans la vallée de la Willamette, qui fournit les trois quarts des raisins de l'Oregon. Dans cette région fraîche, les vendanges durent généralement du début d'octobre à la mi-novembre. La vallée de la Rogue, un peu plus chaude, est légèrement plus précoce, sauf là où pousse le Cabernet-Sauvignon, toujours tardif.

Les premières vignes à vin furent plantées en 1961, lorsque Richard Sommer eut l'idée de produire à l'ouest de Roseburg le Riesling apte à vieillir. La Hillcrest Vineyard fut agréée en 1966. La même année furent plantés les premiers pieds de vigne du comté de Yamhill, à Eyrie Vineyard, où David et Diana Lett prouvèrent que le Pinot Noir n'a pas besoin d'avoir une couleur sombre pour être bon et bien vieillir. « Le Cabernet-Sauvignon possède un arôme particulier, où qu'il pousse », dit David Lett. « Mais le Pinot Noir peut tellement varier selon le site et le vinificateur que les gens ont du mal à le définir, et c'est ce qui le rend si intéressant. »

Les cépages et les styles de vin

En raison de son climat frais, l'Oregon convient aux cépages qui n'apprécient pas trop la chaleur. La moitié du vignoble de l'Oregon est planté en Pinot Noir. Presque tout le reste, ce sont des cépages blancs : le Chardonnay vient en deuxième position, suivi par le Riesling et le Pinot Gris.

Bien que le Pinot Noir soit l'objet de tous les soins, les années 1980 ont vu naître deux phénomènes nouveaux : le premier fut l'explosion du Pinot Gris, vinifié jadis à l'italienne (Pinot Grigio), et qui donne aujourd'hui un blanc sec au goût de pierre à fusil. Le deuxième se développa plus discrètement : on passa du Chardonnay de style californien, très épanoui, à celui plus subtil et plus élégant de l'Oregon, fruité et épicé. Les fermentations malolactiques arrondirent les accents rudes et trop acides dus au climat plus frais de l'Oregon.

Les blancs de l'Oregon, surtout les Chardonnays, peuvent vieillir trois ou quatre ans en bouteille. Les rouges de Pinot Noir présentent une grande variété – selon les vinificateurs et les millésimes –, mais la plupart sont prêts à boire au bout de quatre à six ans, bien que les meilleurs continuent de s'améliorer pendant bien plus longtemps.

Les années 1980 ont amené dans l'État des vinificateurs respectés venus de Californie (Willam Hill, Carl Doumani, Steve Girard), de France (Domaine Drouhin et Laurent-Perrier) et d'Australie (Brian Croser), possédant les talents et les moyens financiers nécessaires pour développer l'expérience viticole de l'Oregon.

PRODUCTEURS ET NÉGOCIANTS

Les exploitations vinicoles de l'Oregon, comme celles de l'État de Washington, datent des années 1970 et 1980. La plupart sont familiales et mettent l'accent sur des vins élaborés à partir de leurs propres raisins locaux. La majorité des exploitations énumérées ci-dessous se trouvent dans le nord de la vallée de la Willamette, entre Portland et Salem. Les vins portent généralement le nom du cépage, comme dans le reste des États-Unis.

ADELSHEIM

David et Ginny Adelsheim commencèrent à planter leur vignoble de 19 ha en 1971, sur les versants de Chelahem Mountain (comté de Yamhill), en quantités égales de Pinot Noir et de Pinot Gris. Plus tard, ils y ajoutèrent le Chardonnay, le Pinot Blanc et le Riesling. L'entreprise compte aujourd'hui six vignobles et possède un nouveau chai depuis 1998.

AMITY

La moitié du vignoble de 6 ha de Myron Redford, planté en 1970, est du Pinot Noir, dont une partie est vinifiée chaque année en vin nouveau.
Le Gewürztraminer Blanc mérite lui aussi d'être mentionné, ainsi que le Gamay. Amity produit des vins issus de l'agriculture biologique et vendus sous le label Eco-Wine.

BETHEL HEIGHTS

En 1977, les jumeaux Ted et Terry Casteel commencèrent à planter leurs 21 ha de vignes dans les collines d'Eola, à 19 km au nord-ouest de la ville de Salem. Depuis 1984, ils produisent du vin provenant uniquement de leur domaine. Presque la moitié des vignes sont du Pinot Noir, qui donne un vin souple. Le Chenin Blanc donne, quant à lui, un blanc sec.

DOMAINE DROUHIN

Après le triomphe lors d'une célèbre dégustation à l'aveugle du Pinot Noir du Californien David Lett (The Eyrie), Joseph Drouhin a créé une entreprise à Dundee dont le premier millésime de Pinot Noir, en 1988, a stupéfié les autres producteurs. Le vignoble est situé sur un coteau exposé au sud, dans les collines rouges de Willamette Valley. Il existe également une plantation expérimentale de Chardonnay.

ERATH

Le bûcheron Carl Knudsen et le vinificateur Dick Erath fondèrent en 1972 la plus grosse exploitation de l'Oregon (produisant aujourd'hui quelque 480 000 bouteilles), à l'ouest de Dundee.
La moitié de leur production est un Pinot Noir. Un Riesling au parfum de chèvrefeuille est élaboré en sec et dans le style des vins de Moselle (2 % de sucres résiduels). Leur Vin Gris (rosé) sec et fruité est issu de Pinot Noir; le Pinot Gris est fermenté en fûts de chêne français et vieilli sur lies.

THE EYRIE

C'est dans cette exploitation située sur un petit terrain industriel de la banlieue de McMinnville, dans le comté de Yamhill, que naquirent les grands vins de l'Oregon.
Les vignobles, plantés en 1966 dans les Red Hills de Dundee par David et Diana Lett, sont les plus vieux pieds de vigne de la vallée de la Willamette. Les vins qu'ils produisent sont étonnants. Leurs Pinots Noirs, intenses dans leur jeunesse, vieillissent aussi bien que certains des Bourgognes rouges qui leur ont servi de modèles : les meilleurs millésimes des années 1970 se sont gardés vingt ans, tandis que les moins bons se boivent au bout de cinq à dix ans. Leur Pinot Gris et leur Chardonnay sont également bons. Les produits les plus originaux d'Eyrie sont un subtil Muscat Ottonel blanc et un peu de rare Pinot Meunier rouge.

HENRY ESTATE

C'est en 1972 que la famille Henry commença à planter des vignes sur les rives de la rivière Umpqua, à 20 km au nord-ouest →

PRODUCTEURS ET NÉGOCIANTS

de Roseburg, et les chais furent achevés en 1978. Bien qu'il fasse plus chaud ici que dans la vallée de la Willamette, le Pinot Noir est malgré tout le vin prédominant. Les blancs sont un Chardonnay vieilli dans du chêne américain, du Gewürztraminer et du Müller-Thurgau.

OAK KNOLL
Ron et Marge Vuylsteke ne possèdent pas de vignes mais achètent leur raisin. Un Chardonnay vieilli en fûts de chêne vient en tête, suivi par un Pinot Noir soyeux, un Riesling et un Pinot Gris sec.

PONZI
Le domaine de Dick et Nancy Ponzi se trouve seulement à 24 km à l'ouest de Portland. Les raisins proviennent d'un vignoble proche du domaine et d'autres, situés sur les versants de Chelahem Mountain, ainsi que de viticulteurs sous contrat. Les Rieslings racés et les Pinots Noirs sont séduisants. Leur Chardonnay est vinifié dans des fûts de chêne de l'Allier.

REX HILL
Cette exploitation fut fondée en 1982 par ses propriétaires, Paul Hart et Jan Jacobsen. Le vinificateur Lynn Penner-Ash met l'accent sur de savoureux Pinots Noirs. Provenant de sept vignobles différents, ils représentent 60 % de la production de 360 000 bouteilles. Le Chardonnay sec possède un goût de pierre à fusil et un riche parfum de clou de girofle. Rex Hill produit également du Pinot Gris. Tous ces vins fermentent et vieillissent dans des fûts de chêne français, dont la moitié des barriques neuves.

SOKOL-BLOSSER
Susan Sokol-Blosser et son époux Bill commencèrent à planter des vignes sur les Red Hills de Dundee en 1971; leur premier millésime fut le 1977. Ils produisent un Müller-Thurgau (blanc) au parfum de chèvrefeuille et un Chardonnay aux notes d'agrumes ainsi que des Pinots Noirs aux notes de cerise.

TUALATIN
Le vinificateur californien Bill Fuller et l'homme d'affaires Bill Malkmus fondèrent en 1973 ce vignoble de 34 ha dans la minuscule ville de Forest Grove. Leur Riesling à goût d'abricot et de pierre à fusil, leur Pinot Noir à l'arôme de clou de girofle fumé et leur Chardonnay riche en pain grillé, en chêne et en clou de girofle sont très appréciés. Ils élaborent aussi des vins blancs issus de Sauvignon, de Gewürztraminer, de Flora (un hybride de Sémillon et de Gewürztraminer) et de Müller-Thurgau.

NORD-EST DES ÉTATS-UNIS

C'est dans le nord-est des États-Unis que sont nés les vins issus de cépages américains. Les nombreuses vignes qui y poussaient à l'état sauvage à l'époque coloniale ont donné naissance à des noms de lieux, tel « le vignoble de Martha », au large de la côte du Massachusetts, et à bien des noms de villes dans toute la Nouvelle-Angleterre comme dans les États voisins. Ces vignes sauvages robustes et résistantes sont les ancêtres du cépage Concord, patriarche de l'espèce *Vitis labrusca,* qui, depuis sa domestication, règne en maître dans le Nord-Est. Avant la prohibition, d'autres cépages de *labrusca* (Delaware, Dutchess, Elvira et Catawba) donnaient des vins tranquilles, des Mousseux et des vins mutés. Les hybrides français et les cépages de *vinifera* ne furent guère plantés hors de l'État de New York avant la fin des années 1960, lorsque la réglementation d'État fut modifiée pour encourager la création de petites entreprises vinicoles « fermières », en réduisant notamment les coûts prohibitifs de l'autorisation. C'est ainsi que l'on compte aujourd'hui plus de 200 entreprises vinicoles dans le Nord-Est (New York, Nouvelle-Angleterre, New Jersey, Pennsylvanie et Maryland), dont la moitié environ se trouvent dans l'État de New York. Tandis que ces petites sociétés se multipliaient, on commença également à planter davantage d'hybrides, de *vinifera,* ou des deux, si bien que l'on trouve maintenant de bons vins tranquilles et d'assez bons Mousseux dans cette région.

L'histoire des vins du Nord-Est

La plus ancienne région viticole est la vallée de l'Hudson, dans l'État de New York, où l'entreprise vinicole Brotherhood Winery, fondée en 1839, est censée être la plus vieille des États-Unis. Dès 1860, on élaborait du vin dans l'est de l'État de New York, dans le district des Finger Lakes. Celui-ci devint le centre de la production vinicole du Nord-Est et conserva son importance après la prohibition.

L'État de New York était alors le principal producteur de raisin et de vin de la région, au point que des viticulteurs de Pennsylvanie, du New Jersey et même du Canada envoyaient leur raisin à de grands producteurs de vin ou de jus de fruits de New York. La

région devint rapidement célèbre pour le jus de raisin Welch's, les vins aromatiques de *labrusca,* les vins kasher et les vins mutés bon marché.

L'implantation des vignes étrangères

On pensait généralement que le climat froid du Nord-Est, son cycle végétatif court et son humidité estivale excluaient toute possibilité d'y faire pousser des vignes autres que locales. Au cours des années 1960, quelques viticulteurs de l'État de New York et des États voisins commencèrent à planter des hybrides français résistant au froid et à de nombreuses maladies. Philip Wagner, de Boordy Vineyards, dans le Maryland, consacra de nombreuses années de recherche aux hybrides adaptés au climat continental, sélectionnant soigneusement les microclimats appropriés et faisant pousser des souches à l'abri du gel. Wagner fonda une pépinière viticole et fournit toute une gamme d'hybrides français aux viticulteurs du Nord-Est et du Middle West.

Deux autres pionniers, Charles Fournier et Konstantin Frank, cherchèrent une souche résistante permettant de faire pousser *Vitis vinifera* dans les climats froids, et, en 1957, leurs vignes expérimentales survécurent aux gelées désastreuses qui ravagèrent les Finger Lakes. C'est ainsi que les viticulteurs du Nord-Est s'intéressèrent à *vinifera.*

Les cépages et les styles de vin

Il n'est pas rare que les producteurs fassent des vins à partir des trois types de cépages – américains, hybrides et *vinifera.* Le choix se fait en fonction de ce que le vinificateur a pu se procurer et de la demande du marché. Certains producteurs ne vendent qu'aux résidents de la région ; d'autres ont pour clients des touristes, ou encore le marché plus sophistiqué des restaurateurs et des détaillants, à la fois dans la région et ailleurs.

Même les viticulteurs qui s'attaquent au marché international avec des vins fins offrent souvent aux touristes de passage des vins bon marché, doux et faciles. De nombreux vins issus d'hybrides portent un nom de propriétaire, ce qui est généralement plus accessible pour le novice que le nom du cépage hybride (plus difficile à prononcer). Au fil des ans, le Nord-Est a rendu un grand service au monde du vin en tentant de cultiver une si grande quantité de cépages hybrides de climat froid dans des sites et des sols différents. Plusieurs sont sortis du rang. L'hybride franco-américain Aurora est devenu très populaire lorsque les hybrides indigènes se sont révélés de piètre qualité, mais, aujourd'hui, il est petit à petit remplacé par le Cayuga White. Parmi les autres cépages blancs qui ont fait leurs preuves, les plus appréciés des viticulteurs du Nord-Est sont le Seyval Blanc et le Vidal Blanc. Le

Ravat (également dénommé Vignoles) semblerait être l'un des raisins blancs les plus versatiles, donnant des vins secs, doux ou mousseux.
Parmi les hybrides rouges, Baco Noir (le premier à avoir fait ses preuves partout), Chambourcin, Chelois, de Chaunac, Maréchal Foch et Villard Noir sont les plus performants. Mais aucun hybride rouge ne s'est encore révélé vraiment supérieur aux autres.

ÉTAT DE NEW YORK

Aussi loin que remontent les archives, l'État de New York a toujours été le deuxième producteur de vin des États-Unis ; mais les grands amateurs l'ont toujours traité avec mépris, en raison du volume de sa production de vins sucrés. Pendant des années, ses vins, issus pour la plupart de Concord, de Catawba et d'autres cépages de *labrusca,* étaient en effet plutôt vinifiés en doux afin de masquer les arômes « foxés » de ces raisins.
Les cépages américains furent les plus répandus jusque dans les années 1980, quelques grosses entreprises dominant la production. La situation commença à changer grâce à une loi, le Farm Winery Act de 1976, qui abaissait le prix de la licence et permettait aux petits producteurs (de moins de 240 000 bouteilles) de vendre directement aux consommateurs. Sur 88 entreprises vinicoles recensées en 1993, 73 ont été fondées après 1976.
Le Concord, malgré son recul, représente encore 75 % du vignoble. Bien que la surface viticole totale diminue à mesure que l'on supprime les cépages indésirables, la surface plantée en hybrides et en *vinifera* augmente. Les principaux hybrides sont l'Aurora, le Seyval Blanc, le Cayuga White et le Vidal Blanc pour les blancs, et, pour les rouges, le Baco Noir et le de Chaunac. Le principal cépage de *vinifera,* septième par ordre d'importance, est le Chardonnay. Le Riesling et le Gewürztraminer gagnent du terrain.
L'État de New York possède sept AVA. Au sud-ouest de Buffalo, 95 % de l'AVA Lake Erie sont plantés en Concord, dont la plus grande partie est transformée en jus de raisin. Les six autres AVA s'intéressent davantage aux vins de qualité. Finger Lakes et Cayuga Lake prennent un nouveau départ avec de jeunes producteurs, exigeants sur la qualité, qui cultivent des hybrides et des cépages de *vinifera*. L'AVA Hudson River, réputée pour ses hybrides parfumés et bien élaborés, cultive aujourd'hui des cépages de *vinifera*. Les trois autres AVA, situées sur Long Island, ont totalement misé leur avenir sur les vins de *vinifera*. Si l'industrie

vinicole de l'État de New York ne s'est pas développée au cours des dernières années, sa production annuelle atteint malgré tout en moyenne 180 millions de bouteilles.

Finger Lakes

Avec sa quarantaine d'entreprises, cette AVA produit plus de 85 % des vins de l'État. On y trouve tous les types de raisin – *labrusca*, hybrides et *vinifera*. Bien que la superficie totale du vignoble ait diminué, beaucoup de nouvelles vignes ont été plantées le long des rives un peu plus protégées des lacs Cayuga et Seneca, où les cépages de *labrusca* comme les hybrides sont remplacés par des cépages de *vinifera*. La plupart des sociétés les

PRODUCTEURS ET NÉGOCIANTS

Les grosses entreprises élaborant principalement des vins de faible qualité à partir de cépages indigènes sont enfin concurrencées par un groupe croissant de vignerons employant les meilleurs hybrides et les cépages de l'espèce *vinifera*.

FINGER LAKES

CANANDAIGUA WINE CO.
C'est l'une des plus grosses entreprises vinicoles américaines. Elle possède l'étiquette la plus ancienne, Virginia Dare, produit beaucoup de vins de *labrusca* mais aussi des vins de cépage haut de gamme, dont du Muscat.

GLENORA WINE CELLARS
Cette société a toujours mis l'accent sur les vins de cépage millésimés issus d'hybrides et, plus récemment, de Riesling et de Chardonnay. Glenora produit de bons Rieslings équilibrés et un riche Reserve Chardonnay vinifié en fût. Ses vins mousseux de méthode traditionnelle (Chardonnay et Pinot Noir) peuvent être remarquables.

KNAPP VINEYARDS
Sa vaste gamme de vins de cépage issus d'hybrides et de *vinifera* a valu à Knapp de nombreuses récompenses ces dernières années. Ses blancs, Rieslings secs ou de Vendanges tardives, Seyval Blanc et Vignoles, sont impressionnants.

WAGNER VINEYARDS
Depuis sa première vendange en 1978, Wagner est devenu le plus célèbre producteur de Chardonnay de la région des Finger Lakes (comté de Seneca). Il ne produit que des vins issus des vignes du domaine. Il faut aussi mentionner son Seyval Blanc vinifié en fût et son plaisant Reserve White. En 1988, Wagner a sorti deux vins de glace extraordinaires (issus de raisins gelés) de Ravat Blanc et de Riesling.

HUDSON VALLEY

BENMARL WINE CO.
Mark Miller a commencé à produire du vin à Marlboro en 1971, bien avant ses concurrents. 30 ha furent d'abord plantés d'hybrides, auxquels s'ajoutèrent plus tard du Chardonnay et du Cabernet-Sauvignon. Ses principaux vins sont le Seyval Blanc, le Baco Noir, le Chelois et le Vignoles.

CLINTON VINEYARDS
Cette société du comté Dutchess a trouvé sa voie en se spécialisant dans le Seyval Blanc, dont elle fait également un Mousseux. Elle produit aussi du Chardonnay et du Riesling.

MILLBROOK VINEYARDS
John Dyson a fait breveter un système original d'échalassement, qui lui permet de faire pousser 100 % de cépages de

plus anciennes – Taylor, Great Western, Gold Seal – se sont installées près des lacs Canandaigua et Keuka, où se trouve l'une des plus grosses entreprises américaines, la Canandaigua Wine Company. Les principales petites entreprises produisent d'excellents Chardonnays, Rieslings et Gewürztraminers et, dans la plupart des millésimes, le Seyval Blanc et le Cayuga White demeurent des hybrides fiables.

Hudson Valley

La plus ancienne région viticole de l'État est située à 110 km au nord de la ville de New York et compte plus de 20 entreprises, toutes relativement petites. En raison de l'humidité, la

PRODUCTEURS ET NÉGOCIANTS

vinifera à Millbrook, à l'est de l'Hudson. Le Chardonnay, dont un Reserve vinifié en fût, constitue plus de la moitié de sa production. Il produit depuis peu du Cabernet Franc, du Pinot Noir et du Tokay, et essaie les cépages du Rhône et des cépages italiens.

RIVENDELL WINERY
Le démarrage prudent, en 1983, de cette société de New Paltz, à l'ouest de l'Hudson, ne l'a pas empêchée de devenir en dix ans l'une des marques les plus recherchées. Sa réputation sans faille s'est bâtie sur son Chardonnay, son Seyval Blanc fermenté en fût, son Vidal Blanc, son Cabernet-Sauvignon et ses propres assemblages.

LONG ISLAND

BEDELL CELLARS
Cette petite société, dirigée par Kip et Susan Bedell, est installée dans une grange à pommes de terre rénovée. Ses premiers millésimes de Merlot et de Cabernet-Sauvignon étaient si riches et semblaient de si longue garde qu'ils ont immédiatement placé Bedell parmi les meilleurs producteurs en dehors de la côte ouest.

BRIDGEHAMPTON WINERY
L'un des rares producteurs de la côte sud, cette société modèle s'est fait un nom avec son Chardonnay, son Merlot et son vin de dessert, un Riesling de Vendanges tardives qu'elle produit à l'occasion.

HARGRAVE VINEYARDS
Fondée en 1973, elle fut la première société vinicole contemporaine du Nord-Est. Son succès est principalement dû à ses rouges, notamment son Cabernet-Sauvignon, son Merlot et son Cabernet Franc. Son meilleur blanc, le Chardonnay, manque malheureusement un peu de consistance. Elle fait aussi du Sauvignon, du Riesling, du Pinot Noir et du Gewürztraminer.

PALMER VINEYARDS
Créée en 1983 par le publicitaire new-yorkais Robert Palmer, cette société est située sur le domaine le plus ancien de North Fork. Palmer s'est vite fait une réputation avec son Gewürztraminer et son Merlot, et produit aussi du Chardonnay et du Cabernet-Sauvignon.

PINDAR VINEYARDS
Avec ses 85 ha de vignes à Fork, c'est la plus grosse exploitation de Long Island : 540 000 bouteilles par an. Elle offre une vaste gamme de vins et, grâce à son système de distribution sophistiqué, s'est fait une réputation internationale avec son Merlot et son Mythology, un assemblage rouge de type bordelais. Son Chardonnay est également très bon.

plupart d'entre elles commencèrent par planter des hybrides français – essentiellement du Seyval Blanc. Toutefois, la longueur du cycle végétatif (entre 180 et 195 jours) a éveillé un nouvel intérêt pour les *vinifera,* notamment Chardonnay et Cabernet.

Long Island

La partie orientale de Long Island se divise en deux AVA – North Fork, une zone rurale, et The Hamptons, domaine des belles résidences. Presque toutes les entreprises sont situées dans la North Fork, où les sols d'argile sablonneux et l'influence adoucissante de l'océan et de la baie créent un site particulièrement favorable pour les nobles cépages de *vinifera.* Seize producteurs y élaborent des vins de qualités diverses avec pour débouché la ville de New York. Depuis 1973, Hargrave Vineyards a convaincu même les plus incrédules que cette région convient à la viticulture : le succès de son Cabernet-Sauvignon et de son Merlot a poussé ses concurrents à planter des ceps de *vinifera.* Au cours de ses vingt premiers millésimes, Long Island a produit de nombreux Merlots riches et presque classiques, ainsi que de bons Cabernets-Sauvignons. Les efforts plus récents pour faire des assemblages de style bordelais pourraient bien être couronnés de succès. Le Chardonnay et le Sauvignon sont, quant à eux, les cépages blancs prédominants.

AUTRES ÉTATS DU NORD-EST

Les autres régions viticoles du nord-est des États-Unis sont certains États de la Nouvelle-Angleterre ainsi que le New Jersey, la Pennsylvanie et le Maryland. L'histoire viticole de toutes ces régions est similaire à celle de l'État de New York.

Nouvelle-Angleterre

Dans l'État du Massachusetts cultive la vigne depuis fort longtemps. L'île de Martha's Vineyard fut découverte en 1602, et ainsi nommée en raison des raisins *labrusca* qui y poussaient. Cette AVA possède aujourd'hui une gamme impressionnante de cépages *vinifera.*

Les six États de la Nouvelle-Angleterre ont tous joué un rôle dans la renaissance actuelle des vins américains. En 1973, White Mountains Vineyards, dans l'État du New Hampshire, fut la première société à ouvrir après la prohibition. Hélas, ce pionnier de l'espèce *vinifera,* qu'il fit pousser avec succès jusqu'à l'hiver

particulièrement rude de 1983, ne survécut pas.
Les meilleures régions viticoles de la Nouvelle-Angleterre se trouvent près de la côte ou dans les montagnes de l'intérieur. De 30 à 40 exploitations sont actuellement en activité dans cette région. Suivant la proximité de l'océan ou l'altitude, le cycle végétatif peut se réduire à 145 jours ou s'allonger jusqu'à 210. Les vignes couvrent aujourd'hui une totalité de 400 ha, en proportion à peu près égale de *vinifera* et d'hybrides français.
Les États en tête sont actuellement le Connecticut et le Massachusetts, qui possèdent chacun 10 exploitations, dont beaucoup sont situées sur une étroite bande côtière. De nombreuses sociétés produisent également des « vins » de fruits et de baies ou du cidre. Le sud-est de la Nouvelle-Angleterre (Southeastern New England) est devenu une AVA appréciée des producteurs du Connecticut, de Rhode Island et du Massachusetts. Ceux qui possèdent des vignes dans l'ouest du Connecticut préfèrent utiliser l'AVA Western Connecticut Highlands, bien que la première soit beaucoup plus chaude et mieux adaptée à *vinifera*.

New Jersey (AVA Warren Hills)

Le Farm Winery Act de 1981 a permis à l'État d'opérer une petite renaissance vinicole. Surnommé le Garden State (« État-jardin »), le New Jersey possède environ 260 ha de vignes, dont 75 % d'hybrides français. De nombreux producteurs possédant des vignes dans le comté de Hunterdon utilisent l'AVA Central Delaware Valley. La plupart des 19 producteurs de l'État connaissent un certain succès avec les hybrides, notamment le Seyval Blanc et le Chambourcin.

Pennsylvanie

Possédant actuellement 3 650 ha de vignes, dont 80 % de cépages *labrusca,* la Pennsylvanie a vu son vignoble décroître depuis quelques années. Conestoga Vineyard, le premier producteur de vin de l'histoire contemporaine de l'État, a été créé en 1963. En 1968, après que l'État eut autorisé les exploitations à commercialiser leurs propres vins, d'autres sociétés furent fondées : il en existe aujourd'hui plus de 40. La partie sud-est de l'État possède des terrains de choix pour les hybrides et *vinifera,* où les conditions climatiques ressemblent à celles de son voisin, le Maryland.

Maryland

Grâce aux travaux du pionnier Philip Wagner, qui fonda Boordy Vineyards en 1945, cet État produisait du vin bien avant ses voisins. Dès la fin des années 1960, Montbray Cellars, près de Baltimore, consacrait tous ses efforts à *vinifera*. Ceux qui le suivirent dans les années 1970 plantèrent des

hybrides ou essayèrent le Chardonnay, le Riesling et le Cabernet-Sauvignon. Seuls des cépages *vinifera* ont été plantés au cours des dernières années. Le Maryland possède maintenant 130 ha de vignes, dont environ une moitié est constituée de cépages hybrides, et l'autre de *vinifera*. La plupart des vignobles se trouvent tout à fait à l'est de l'État, près de la frontière avec la Virginie. Cabernet-Sauvignon et Chardonnay viennent en tête pour *vinifera*, le principal hybride étant le Seyval Blanc. Les sociétés commerciales du Maryland se trouvent dans une situation étrange : pour obtenir du raisin, elles doivent littéralement se battre contre

PRODUCTEURS ET NÉGOCIANTS

Depuis toujours, les producteurs du Nord-Est souffrent d'une situation financière précaire due à la législation de l'État (en cours de changement), aux conditions climatiques défavorables et aux réticences du marché face aux cépages non *vinifera*.

CONNECTICUT

CHAMARD VINEYARDS
Cette exploitation moderne de Clinton se consacre aux cépages *vinifera* – Chardonnay, Pinot Noir et Cabernet-Sauvignon –, mais également au Merlot et au Cabernet Franc pour ses assemblages. Sa production devrait augmenter substantiellement.

HAIGHT VINEYARDS
Première entreprise contemporaine de l'État, Haight planta des vignobles expérimentaux en 1978 et commença à commercialiser ses vins six ans plus tard. Situées dans le nord-ouest de l'État, dans le comté de Litchfield, ses vignes en coteaux couvrent 12 ha. Sa gamme comprend du Riesling, du Chardonnay, un assemblage de cépages rouges et blancs essentiellement hybrides étiqueté Recolte, ainsi qu'un peu de Blanc de Blancs mousseux méthode traditionnelle.

RHODE ISLAND

SAKONNET VINEYARDS
Ce producteur du comté de Newport a traversé une période difficile avant d'être racheté par les Samson en 1987. Ceux-ci ont porté la surface du vignoble cultivé à 17,5 ha et achètent du raisin dans les États voisins. Leurs vignes produisent du Vidal Blanc, du Chardonnay, du Gewürztraminer, du Pinot Noir et du Cabernet Franc. Leurs vins les plus appréciés sont deux assemblages, America's Cup White et Spinnaker White, issus en partie de Vidal et de Cayuga White.

MASSACHUSETTS

CHICAMA VINEYARDS
L'une des premières exploitations du Nord-Est à se consacrer aux cépages *vinifera*, Chicama fut fondée en 1971 par la famille Mathiesen. Chicama est située sur l'île de Martha's Vineyard, au large du Massachusetts, et cultive une gamme de cépages *vinifera*, dont le Chenin Blanc, le Chardonnay, le Sauvignon, le Gewürztraminer, le Cabernet-Sauvignon, le Merlot et le Pinot Noir. Le vinificateur de Chicama, Tim Mathiesen, s'intéresse surtout aux rouges, mais son Chardonnay mousseux, Sea Mist, a beaucoup d'avenir. La plupart de ses vins sont vendus aux touristes ou dans le Massachusetts. Ce domaine agricole a été converti à la culture de la vigne en 1986 et a commencé à produire du vin en 1989. C'est le plus vaste vignoble de Nouvelle-Angleterre.

les petits producteurs, qui proposent des prix d'achat plus élevés aux vignerons. Les grands gagnants de cette compétition sont les viticulteurs indépendants.

Bien que la plupart des producteurs fassent figurer « Maryland » sur leur étiquette, l'État s'est vu attribuer trois AVA. Cumberland Valley s'étend jusqu'en Pennsylvanie et inclut de nombreux vignobles hors pair. Cette appellation sera sans doute de plus en plus utilisée à l'avenir. Catoctin, dans les montagnes à l'ouest de Baltimore, est une région qui montre un fort potentiel pour les cépages *vinifera*. La troisième AVA, Linganore, doit encore faire ses preuves.

PRODUCTEURS ET NÉGOCIANTS

NEW JERSEY

RENAULT WINERY
Située à Egg Harbor City, c'est la plus ancienne exploitation de l'État de New Jersey (1864), et toujours l'une des plus appréciées. Fondée par le négociant champenois Louis Renault, arrivé aux États-Unis vers le milieu du XIXe siècle, elle produit aujourd'hui 300 000 bouteilles de vins divers, avec en tête de liste des Mousseux, dont leur Spumante.

TEWKSBURY WINERY CELLARS
L'une des premières exploitations à ouvrir (en 1979), elle est située dans le comté de Hunterdon, dans le nord-est du New Jersey, tout comme la plupart des meilleures exploitations de l'État. Son propriétaire, le vétérinaire Dan Vernon, a planté 8 ha en coteaux près de sa ferme et produit un Chambourcin, un Riesling et un Gewürztraminer appréciés.

PENNSYLVANIE

CHADDSFORD WINERY
Eric Miller, dont la famille possède Benmarl dans l'État de New York, a fondé sa propre exploitation dans le sud-est de la Pennsylvanie en 1982. Il produit plusieurs hybrides et assemblages vendus aux touristes et dans la région. Il achète son raisin aux vignobles de Philip Roth et de Stargazer, et ses excellents Chardonnays fermentés en fût ont été dûment récompensés. Il produit également du Cabernet-Sauvignon.

MARYLAND

CATOCTIN VINEYARDS
Jerry Milne n'avait d'autre ambition que d'être propriétaire de vignoble, mais les circonstances l'ont obligé à se lancer dans la vinification, et ses vins se sont avérés excellents. Situé dans le comté de Montgomery, Catoctin produit 48 000 bouteilles par an et fournit aussi du raisin à plusieurs autres producteurs. Ses meilleurs vins sont le Chardonnay et le Cabernet-Sauvignon.

BOORDY VINEYARDS
La plus grosse entreprise du Maryland produit une gamme d'hybrides issus des raisins de son propre petit domaine et de celui de viticulteurs de la région. Aujourd'hui située dans les Hydes ruraux et non plus dans les faubourgs de Baltimore, elle appartient à la famille Deford, qui a racheté ce vignoble historique à Philip Wagner.

MONTBRAY WINE CELLARS
G. Hamilton Mowbray, propriétaire de cette exploitation vinicole de Westminster, dans le comté de Carroll, élabore des vins depuis le milieu des années 1960 et s'est fait une certaine réputation dans l'État. Il produit une gamme de vins issus de cépages *vinifera*, ainsi qu'un Seyval Blanc exemplaire.

SUD ET MIDDLE WEST

La vigne indigène découverte par Walter Raleigh et les premiers explorateurs du sud-est des États-Unis appartenait au sous-genre *Muscadinia* de l'espèce *Vitis rotundifolia*. Pendant des années, le cépage le plus cultivé du Sud fut le Scuppernong, qui prospère toujours dans les climats chauds et humides des Carolines, de Géorgie et du Mississippi. Avant la prohibition, l'Ohio et le Missouri, qui cultivaient des cépages indigènes tels que le Catawba et le Delaware, étaient les plus gros producteurs du pays. Les premiers signes de renaissance n'apparurent qu'à la fin des années 1960. Dans les années 1970, la plus grande partie des États du Middle West (Ohio, Indiana, Michigan, Missouri) avait plus ou moins repris ses activités vinicoles, avec des cépages de *labrusca* et des hybrides. Aujourd'hui, chaque État du Middle West, y compris le Wisconsin et le Minnesota, produit du vin en quantité commerciale, l'Ohio et le Missouri venant en tête. Le premier a fait d'énormes progrès avec les hybrides franco-américains et commence à s'intéresser à *vinifera*. Le Missouri, peu porté sur *vinifera,* offre toute une gamme de bons vins issus d'hybrides et même de quelques bons cépages locaux. Le nouveau leader incontesté du Sud est la Virginie, qui s'est bâti une réputation internationale avec ses vins *vinifera* de style classique. À mesure que la population des États-Unis se déplace vers le Sud (et le Sud-Ouest), ces régions au potentiel vinicole encore inexploité – surtout le Tennessee, la Géorgie et la Caroline du Nord – feront peut-être du Sud le second producteur de grands vins, après la côte ouest.

LE SUD

Si l'histoire viticole de la Virginie remonte au vignoble de Thomas Jefferson à Monticello (où il tenta vainement de cultiver des vignes de *vinifera),* l'État fut cependant l'un des plus lents à développer son industrie viticole au cours des dernières décennies, produisant traditionnellement des vins de *labrusca* et des vins mutés. Il existe aujourd'hui quelque 600 ha de vignes, dont les deux tiers sont plantés en Chardonnay, en Cabernet-Sauvignon et en autres cépages *vinifera.* Plus de 200 vignerons vendent leur raisin à 50 centres de vinification de tailles diverses, dont la pro-

duction va de 100 000 à plus de 1 200 000 bouteilles. Bien qu'éparpillées à travers plusieurs AVA, c'est en Virginie centrale, le long des Blue Ridge Mountains, que ces exploitations sont le plus concentrées.

Le Tennessee, la Caroline du Nord, la Géorgie, la Floride, l'Arkansas et le Mississippi possèdent chacun plusieurs sociétés vinicoles. Le Tennessee, en particulier, a rejoint les rangs des États producteurs de vin et possède maintenant 240 ha de vignes, 15 exploitations et suffisamment de terres pour s'étendre davantage. Le nombre des exploitations en Géorgie est monté à 6, mais seulement 5 % de ses 500 ha de vignes sont de *vinifera.* La Caroline du Nord consacre environ 20 % de ses 160 ha de vignobles à *vinifera.* La Floride dispose de 240 ha de vignes et de 6 producteurs. Les producteurs de ces régions sont confrontés à des problèmes de climat : les hivers sont trop chauds en Floride et trop froids en Caroline du Nord pour *vinifera.* Des cépages autochtones, dont le Scuppernong (Caroline du Nord et Mississippi), des hybrides et des assemblages locaux donnent une large gamme de styles de vin qui viennent s'ajouter à ceux des cépages de *vinifera.*

LES ÉTATS DU SUD-OUEST

En 1975, le Texas ne possédait que 1 exploitation et 8 ha de vignes : en dix ans, ces chiffres sont passés respectivement à 26 et à 2 000, et plusieurs exploitations nouvelles semblent pleines de promesses. Avec le temps, certains cépages comme le Ruby Cabernet et le Carignan se sont révélés des choix malheureux pour la région. Plusieurs producteurs, notamment ceux qui avaient des intérêts dans l'industrie pétrolière, ont connu des difficultés financières au cours des années 1980, et d'autres n'ont pas abouti aux résultats espérés. Le Texas, avec une production annuelle de près de 12 millions de bouteilles, est le quatrième producteur des États-Unis. Au début des années 1990, il avait produit suffisamment de beaux vins à partir de Cabernet-Sauvignon, Sauvignon, Chenin Blanc et Chardonnay pour qu'on l'estime promis à un brillant avenir vinicole. Le Texas possède sept AVA, dont l'une des plus grandes du pays, Hill Country, qui couvre 40 000 km^2. La majorité des vignes se répartit entre trois régions : les plateaux des High Plains (à 999 m d'altitude) près de Lubbock ; l'ouest d'Austin dans Hill Country ; l'Ouest, où les vignes appartiennent à l'université du Texas.

L'histoire vinicole du Nouveau-Mexique remonte à 1580, lorsque les missionnaires plantèrent des vignes le long du Rio Grande. Une petite industrie survécut plus de 300 ans, dotant l'État de plus de 1 200 ha de vignes. La prohibition ayant mis fin à ces activités, la renaissance vinicole débuta dans les années 1980, grâce à 160 ha de cépages *vinifera* qui permirent d'alimenter les premières nouvelles exploitations commerciales. Les vignobles, situés le long des mesas, en bordure du Rio Grande, sont regroupés en trois AVA : Mesilla Valley, Middle Rio Grande Valley et Mimbres Valley.

La presque totalité de ces 2000 ha est plantée de *vinifera*. Plusieurs producteurs font de bons Cabernets-Sauvignons et Sauvignons, et leurs nouveaux vins mousseux ont donné des résultats remarquables.

Avec ses 100 ha de *vinifera* plantés dans l'AVA Sonita, l'Arizona n'en est qu'aux tout premiers stades de son histoire vinicole. Les vignobles de Sonita se trouvent à 1500 m d'altitude : le climat chaud et sec ainsi que la grande superficie encore disponible devraient encourager de nouvelles exploitations à se joindre aux 6 déjà existantes.

LE MIDDLE WEST

Quatorzième État vinicole des États-Unis, le Michigan dispose de 4500 ha de vignes, dont 800 seulement (surtout des hybrides et une moindre quantité de *vinifera)* sont destinés au vin. La production de Concord est expédiée dans l'État de New York, qui la transforme en jus de raisin. La plupart des vignobles bordent les rives du lac Michigan, les plus modestes se situant près du lac Érié. L'État compte 4 AVA : Fennville, Lake Michigan Shore, Leelanau Peninsula et Old Mission Peninsula.

PRODUCTEURS ET NÉGOCIANTS

De nombreux producteurs en sont encore à chercher les cépages les mieux adaptés à leur région. Certains complètent leur récolte avec du raisin provenant, notamment, de la côte ouest. Les cépages *vinifera* sont encouragés dans les États les plus chauds bénéficiant d'un système d'irrigation, tandis que les climats plus frais doivent s'en tenir aux hybrides.

CAROLINE DU NORD

CHÂTEAU BILTMORE
Située à Ashville, cette exploitation ne forme qu'une petite partie d'un domaine historique de 3250 ha, sur lequel la famille Vanderbilt construisit, en 1880, une fort belle demeure, devenue aujourd'hui une attraction touristique. Quelque 45 ha de Cabernet-Sauvignon et de Chardonnay furent plantés au début des années 1980. Depuis, d'autres cépages s'y sont ajoutés, et le domaine produit aujourd'hui toute une gamme de vins, dont notamment deux Blancs de Blancs mousseux, l'un sec, l'autre brut.

GÉORGIE

CHÂTEAU ELAN
Située à environ 48 km au nord d'Atlanta, cette exploitation reçoit plus de 250000 visiteurs par an dans son restaurant et son musée. Le vignoble de 80 ha est planté en Chardonnay, Sauvignon, Riesling, Cabernet-Sauvignon, mais également en Chambourcin et Seyval Blanc, deux hybrides appréciés. Château Elan vend la moitié de sa production dans la région et vise les 720000 bouteilles par an.

Grâce au soutien actif de l'État, le Missouri est près de regagner sa place d'autrefois dans l'industrie vinicole américaine. Son vignoble couvre plus de 500 ha. Le Catawba, utilisé pour les vins de table rouges et les Mousseux, est le cépage le plus planté. Le Vidal et le Seyval Blanc sont deux des meilleurs hybrides blancs du Missouri. Le Norton (Cynthiana), qui donne un vin rouge plein d'arôme, est aussi bien coté que le Chancellor et le Chambourcin pour les rouges. *Vinifera* est quasiment inexistante. Les 30 exploitations du Missouri produisent une gamme de vins de cépage et d'assemblage issus d'hybrides. Les AVA sont au nombre de 4 : Augusta, Hermann, Ozark Highlands et Ozark Mountain.

Après de longues années au cours desquelles les hybrides ont ouvert la voie à des vins de *vinifera* au succès mitigé, l'Ohio et l'Indiana connaissent un timide développement. L'Ohio possède 1 000 ha de vignes, dont la moitié d'hybrides français et de *vinifera*. À l'avenir, on compte planter davantage de *vinifera,* dont les cépages les plus prometteurs semblent être pour l'instant le Riesling, le Gewürztraminer et le Chardonnay. Le Cabernet-Sauvignon connaît un certain succès et plusieurs viticulteurs font des essais de Pinot Gris. Les AVA sont au nombre de 6 : Ohio River Valley, Grand River Valley, Isle St. George, Loramie Creek, Kaanawha River Valley et Lake Erie.

PRODUCTEURS ET NÉGOCIANTS

VIRGINIE

MONTDOMAINE CELLARS
Situé à Charlottesville, ce domaine possède un vignoble de 20 ha dans l'appellation Monticello. Il se concentre sur le Chardonnay et des assemblages rouges de type bordelais. Ses premiers millésimes de Cabernet-Sauvignon et de Merlot ont été très bien notés.

MEREDYTH VINEYARDS
À Middleburg, la plus ancienne exploitation de Virginie produit avec talent des vins issus d'hybrides et de *vinifera.* Son vignoble de 22 ha est situé dans les splendides montagnes Bull Run. Un Merlot correct s'est récemment ajouté à son Seyval Blanc, invariablement bon.

PRINCE MICHAEL VINEYARDS
Avec ses 45 ha dans la région de Montpelier, Prince Michael s'est fait une réputation avec son Chardonnay fermenté en fût et son rouge épicé de type bordelais, qui porte l'étiquette LeDucq Meritage.

PIEDMONT VINEYARDS
Cette exploitation de la région de Middleburg, non loin de Washington DC, produit d'excellents Chardonnays et Sémillons. Depuis sa fondation, en 1973, elle produit un agréable Seyval Blanc sur son vignoble de 25 ha, tandis que son assemblage rouge de type bordelais est une nouvelle tentative.

ARKANSAS

WIEDERKEHR VINEYARDS
Fondés en 1880, à Altus, par la famille suisse →

PRODUCTEURS ET NÉGOCIANTS

Wiederkehr, ces chais historiques, plusieurs fois agrandis, ont fait de Wiederkehr l'un des plus gros producteurs à l'est des Rocheuses. Les deux tiers du vignoble sont plantés de *vinifera* et produisent une vaste gamme de vins. Son Riesling et plusieurs vins issus de Muscat viennent en tête.

TEXAS

FALL CREEK
Sur ces 32 ha bordant le lac Buchanan, dans le comté de Llano, les Auler ont bâti la réplique d'un château français et produisent du Chardonnay, du Cabernet-Sauvignon et du Sauvignon. Ils font aussi un remarquable Reserve Chardonnay en quantité limitée.

LLANO ESTACADO
Pionnière de la renaissance vinicole du Texas, cette exploitation est aujourd'hui la seconde de l'État, avec une moyenne de 800 000 bouteilles par an. Elle produit un Chardonnay, un Chenin Blanc et un Sauvignon relativement bons. Son prochain défi sera le Cabernet-Sauvignon.

CAP ROCK WINERY
Construite en 1988 à Lubbock, cette exploitation « high-tech » a changé de mains avant sa première vendange. Dotée d'un vignoble de 48 ha, elle se spécialise dans le Chardonnay, le Cabernet-Sauvignon et le Sauvignon, et propose trois gammes de prix pour chacun. Elle fait également du Chenin Blanc, du *blush* (rosé) et du vin effervescent.

PHEASANT RIDGE
Souvent inégaux, les vins de cet autre pionnier de Lubbock sont parfois marqués par des traits de génie. Le propriétaire, Bobby Cox, produit du Chardonnay, du Chenin Blanc, du Sauvignon et du Cabernet-Sauvignon ; ce dernier vin devrait être sa meilleure cuvée dans le futur.

NOUVEAU-MEXIQUE

GRUET WINERY
Fondée en 1984 par la famille Gruet, d'origine champenoise, cette exploitation se spécialise dans les vins mousseux élaborés selon la méthode traditionnelle : Brut, Blanc de Noirs et un Blanc de Blancs millésimé.

ANDERSON VALLEY VINEYARDS
Située au nord de la vallée du Rio Grande, cette société fondée en 1973 fut la première de l'État à produire des vins de qualité. Avec son vignoble de 47 ha autour d'Albuquerque, elle s'est fait un nom grâce à son Cabernet-Sauvignon, son Sauvignon et ses autres vins issus de cépages *vinifera*.

MISSOURI

STONE HILL WINE CO.
Un des premiers géants du Missouri (fondé à Hermann, en 1847), Stone Hill était la deuxième exploitation du pays en 1910. Rouverte en 1965, elle produit toute une gamme de vins, partiellement issus de son vignoble de 25 ha. Ses immenses chais attirent des milliers de touristes qui apprécient les vins de *labrusca* et d'hybrides. Le Catawba et le Norton ont toujours du succès, tandis que les hybrides comme le Seyval Blanc, le Vidal et le Vignoles pour les blancs, et le Villard Noir pour les rouges, inspirent un respect croissant.

MOUNT PLEASANT VINEYARD
Cette société historique du Missouri fut fondée en 1881 et rénovée en 1968 par Lucian Dressel, son propriétaire et vinificateur. Elle produit 240 000 bouteilles d'une gamme de vins de cépage et de Mousseux issus de son vignoble de 28 ha. Le Vidal Blanc est souvent d'une qualité remarquable, de même que le Seyval Blanc, un délicat Missouri Riesling et un vin muté de type Porto. Dressel a contribué à faire d'Augusta une AVA, la première appellation américaine à avoir reçu l'agrément fédéral.

PRODUCTEURS ET NÉGOCIANTS

HERMANNSHOF WINERY
Cette ancienne brasserie abandonnée, située à Hermann, a été reprise au début des années 1980 par un banquier de la région, James Dierberg. Il a rénové tout le bâtiment, y compris les caves, pour le plus grand plaisir des touristes, et produit une gamme d'hybrides français. Ses vins les plus demandés sont le Cynthiana et sa gamme de Mousseux.

TENNESSEE

TENNESSEE VALLEY WINERY
Ancienne association de viticulteurs amateurs, cette exploitation du comté de Loudon est maintenant dirigée par la famille Reed. Elle produit des vins issus de cépages américains, d'hybrides et de *vinifera*, les meilleurs étant Aurora, de Chaunac et Maréchal Foch. La qualité du Chardonnay et du Cabernet-Sauvignon s'est montrée inégale.

MICHIGAN

CHÂTEAU GRAND TRAVERSE
Fondée en 1974, cette société du Michigan appartient à la famille O'Keefe, qui ne cultive que des cépages *vinifera* dans l'AVA Leelanau Peninsula, à l'extrémité nord du lac Michigan. La moitié de la production est une gamme de Rieslings plus ou moins doux.

ST. JULIAN WINE CO.
Fondée en 1921, St. Julian est l'une des rares exploitations de la région, jadis prospère, de Paw Paw à se porter toujours aussi bien. Sa vaste gamme de vins de table issus d'hybrides et ses Mousseux sont appréciés, et les ventes sont montées en flèche lorsqu'un jus de raisin gazeux non alcoolisé y a été ajouté. Cette boisson existe maintenant en 14 variantes, et les salles de dégustation attirent de nombreux visiteurs. Les ventes annuelles de vin dépassent 2 400 000 bouteilles, et l'on peut estimer que St. Julian produit 50 % des vins du Michigan.

OHIO

FIRELANDS WINERY
Cette société appartient à Paramount Distillers, de Cleveland, dont le président, Bob Gottesman, a maintenu en vie à lui tout seul l'industrie vinicole de l'État. Paramount, qui possède Lonz Winery, Mon Ami Wine Company et Meier's Wine Cellars (tous dans l'Ohio), a fait d'importants investissements dans Firelands. C'est par ferry que l'on accède à cette exploitation située dans l'AVA Isle St. George, sur le lac Érié. Avec ses 16 ha de *vinifera*, Firelands se spécialise dorénavant dans le Chardonnay, le Cabernet-Sauvignon et le Gewürztraminer.

CHALET DEBONNÉ
L'un des courageux pionniers de Madison, dans le comté de Lake, Debonné débuta en 1971 avec des hybrides. Il a, depuis, ajouté des *vinifera* à son vignoble qui compte 25 ha. Les hybrides comprennent le fiable Chambourcin et, les bonnes années, un Chardonnay et un Riesling étonnamment bons.

MINNESOTA

ALEXIS BAILLY WINERY
Juriste de profession et fermier de vocation, David Bailly s'est d'abord intéressé au vin en tant que passe-temps. Il lui fallait beaucoup de courage, car le climat est si rigoureux que les ceps doivent être enterrés en hiver pour survivre. Au cours des années 1970, il a planté quelques hectares d'hybrides sur ses terres du sud-est de Minneapolis, puis construit de petits chais. Les hybrides rouges – Maréchal Foch et Léon Millot – donnent des vins de cépage de couleur sombre, la plupart du temps équilibrés et aromatiques. Nan, la fille de David, s'occupe aujourd'hui de la vinification.

CANADA

Il peut paraître surprenant de trouver plus de 70 sociétés vinicoles dans un pays universellement connu pour la longueur et la rigueur de ses hivers : plus de 8 000 ha de vignes sont pourtant cultivés dans l'Ontario, la Colombie-Britannique et, de façon marginale, en Nouvelle-Écosse et au Québec. Et les Canadiens consomment plus de vin par habitant que leurs voisins américains. Plus de la moitié du vin produit au Canada est blanc, mais la mode est désormais aux rouges, depuis l'émission de télévision « Le paradoxe français », au cours de laquelle un médecin suggéra que les Français, malgré une forte absorption de cholestérol, étaient moins sujets aux maladies cardiaques parce qu'ils buvaient régulièrement du vin rouge. Au Canada, les vins de qualité doivent beaucoup au Vintners Quality Alliance, un système d'appellation instauré en 1988 par la région viticole la plus importante du pays, l'Ontario, et suivi deux ans plus tard par la Colombie-Britannique.

L'histoire du vin canadien

S'il faut en croire les sagas norvégiennes, l'explorateur viking Leif Eriksson aurait découvert le raisin en débarquant sur le continent américain en l'an 1001, et baptisé ce lieu *Vinland* (« Pays de la vigne »). Peut-être s'agissait-il de raisin sauvage, mais l'histoire du vin canadien ne remonte, en fait, pas si loin.

C'est Johann Schiller, un caporal allemand qui combattit dans trois guerres américaines, qui est considéré comme le père du vin canadien. En 1811, il prit sa retraite sur une concession, juste à l'ouest de Toronto. Il y planta un petit vignoble avec des boutures de vignes sauvages trouvées sur les rives de la Credit River, vinifia son raisin et vendit son vin à ses voisins. Trente-cinq ans plus tard, le « domaine » fut racheté par un aristocrate français, Justin de Courtenay, qui avait essayé sans succès d'élaborer au Québec un vin qui ressemblât au Bourgogne rouge.

La première véritable entreprise vinicole commerciale naquit au Canada en 1866, lorsque trois gentlemen-farmers du Kentucky achetèrent des terres sur l'île Pelée (lac Érié), à l'extrême sud du Canada, et y plantèrent 12 ha de raisin Catawba. Quelques mois plus tard, deux frères anglais, Edward et John Wardoper, les rejoignirent et plantèrent leur propre vignoble de 6 ha.

Peu à peu, des vignes furent plantées ailleurs, vers la péninsule du Niagara, à l'est, où se trouve aujourd'hui la majorité des vignobles. Dès 1890, le Canada possédait ainsi 41 sociétés vinicoles, dont 35 dans l'Ontario. Dans la vallée d'Okanagan (Colombie-Britannique) et sur les rives du Saint-Laurent (Québec), ce fut l'Église plutôt que les fermiers qui encouragea la viticulture et l'art de la vinification.

Durant les quinze années de la prohibition (1919-1933), on put légalement élaborer et vendre du vin au Canada (grâce au puissant lobby des viticulteurs, qui réussit à faire exclure le vin de la loi instaurant la prohibition), et les Canadiens eurent le droit d'acheter des vins doux à base de *labrusca* qui titraient 20 % vol. Après la prohibition, le système de la Régie des alcools fut instauré dans tout le pays : le gouvernement de chaque province réglementait la vente et la distribution des boissons alcooliques. On créa des magasins gouvernementaux, dont les produits étaient fortement taxés afin de freiner la consommation tout en générant d'importants bénéfices. Ce système persiste de nos jours, bien que l'Alberta et le Manitoba aient décidé de privatiser le commerce de détail, tout en conservant le contrôle des prix de gros.

L'industrie vinicole canadienne se divise en trois catégories : de grosses entreprises commerciales, des propriétés viticoles et de petites affaires artisanales.

Le climat

Le pays étant frais, la qualité varie d'une vendange à l'autre, tout comme dans les vignobles du nord de l'Europe.

On a longtemps pensé que la vigne de type *Vitis vinifera* ne survivrait pas aux rigueurs de l'hiver canadien, suivi par des périodes successives de gel et de dégel au printemps. Aussi planta-t-on essentiellement de robustes cépages de *labrusca* (principalement du Concord pour les rouges et du Niagara pour les blancs), ainsi que des hybrides à fort rendement et à maturation rapide. Dans l'Ontario, les cépages de *labrusca,* avec leur arôme « foxé », ne sont heureusement presque plus utilisés depuis 1988 pour les vins tranquilles (ils servent encore pour les « Portos », les « Xérès » et les vins à 7 % vol.), et les cépages traditionnels européens remplacent de plus en plus les hybrides.

Les cépages et les styles de vin

Bien que l'industrie vinicole canadienne date du début du XIXe siècle, il fallut attendre les années 1960 pour que des cépages hybrides tels que Seyval Blanc, Vidal, Baco Noir, Maréchal Foch ainsi que des cépages européens traditionnels commencent à remplacer les variétés de *Vitis labrusca* indigènes. Aujourd'hui, au Canada, on met l'accent sur les vins tranquilles issus de Chardonnay, Riesling, Pinot Gris et

Pinot Blanc pour les vins blancs ; de Pinot Noir, Cabernet-Sauvignon, Cabernet Franc, Gamay et Merlot pour les rouges. Bien peu de gens savent que le Canada est le plus grand producteur d'Ice Wine, ce « vin de glace » rare, blanc et doux. Chaque année, entre novembre et Noël, la température descend si bas dans l'Ontario et la Colombie-Britannique que les raisins tardifs gèlent sur les vignes ; les grains sont pressés alors qu'ils sont encore congelés. Les cépages privilégiés pour le vin de glace sont le Riesling et l'hybride blanc à peau épaisse nommé Vidal. Si ce coûteux nectar a accumulé les médailles d'or, de Bordeaux à Vérone et de Londres à l'État de New York, les vins de table secs élaborés à partir de cépages européens commencent également à avoir du succès, aussi bien au Canada qu'à l'étranger. Outre les vins de glace, les Rieslings et les Vidals de Vendanges tardives méritent réellement d'être dégustés dans l'Ontario et la Colombie-Britannique. Un Mousseux étiqueté « Champagne canadien » est élaboré selon la méthode traditionnelle, et l'on continue à produire aussi des « Portos », des « Xérès » et des vins à faible teneur alcoolique (7 % vol.).

La législation vinicole

La production et la vente des boissons alcooliques sont réglementées par les provinces, si bien que la législation varie selon les régions. Le pays étant en partie bilingue, certaines mentions doivent figurer sur les étiquettes en anglais et en français ; on y trouve à peu près les mêmes indications qu'aux États-Unis (voir p. 756). La Vintners Quality Alliance (VQA), inspirée par le système d'appellation contrôlée français, ne s'applique pour l'instant qu'à la Colombie-Britannique et à l'Ontario. Ses normes imposent que les vins proviennent de cépages cultivés dans la province où ils doivent également avoir été mis en bouteilles. Il existe deux catégories : provinciale et géographique.

L'appellation provinciale admet l'utilisation de raisins hybrides ou de *vinifera,* dont un minimum de 75 % du cépage mentionné. L'étiquette spécifiera « Produit de l'Ontario » ou « Produit de la Colombie-Britannique ».

Les appellations géographiques s'appliquent à des régions viticoles précises, mentionnées sur l'étiquette. Seuls les cépages de *vinifera* sont autorisés, avec un minimum de 85 % du cépage mentionné. Un vin d'assemblage tel qu'un Riesling/Chardonnay ou un Cabernet-Sauvignon/Merlot doit contenir au moins 10 % du second cépage mentionné. Les vins millésimés doivent contenir un minimum de 95 % de vin de la même année. Les vins VQA sont dégustés par un groupe de professionnels, qui jugent leur style et leur qualité. Les vins approuvés reçoivent un sceau noir VQA ; les vins notés 15 sur 20 ont droit à l'appellation supérieure du sceau d'or.

ONTARIO

Les régions viticoles de l'Ontario, d'où proviennent au moins 85 % des vins canadiens, sont à une latitude proche de celle du Languedoc-Roussillon et du Chianti. Mais, du point de vue de la température et des précipitations, le climat ressemble davantage à celui de la Bourgogne. Les années chaudes et sèches, on peut y élaborer des vins rouges de type Bordeaux, ainsi que de puissants Gamays et Pinots Noirs de style Bourgogne. La plupart du temps, le Chardonnay et le Riesling donnent des vins honnêtes, voire très bons, grâce aux microclimats chauds des lacs Ontario et Érié, ainsi qu'à la circulation d'air provoquée par l'escarpement du Niagara. Cette ancienne rive de lac préhistorique amortit, en effet, les brises du lac, réduisant ainsi les risques de gel.

L'Ontario possède trois VQA : Peninsula, Lake Erie North Shore et Île Pelée. Selon la législation vinicole, les producteurs peuvent produire des vins VQA à partir de raisins cultivés à 100 % dans la région (étiquetés « Produit de l'Ontario ») ou assembler jusqu'à 75 % de vin produit ailleurs avec du vin local, pour des vins qui ne porteront pas la mention VQA, mais seulement « Produit du Canada ».

COLOMBIE-BRITANNIQUE

La vallée d'Okanagan, où se trouvent la plupart des sociétés vinicoles de la Colombie-Britannique, est en réalité un désert. Dans sa partie méridionale, la température diurne monte jusqu'à 35 °C, mais les nuits sont très fraîches. Elle se trouve à la même latitude que la Champagne et le Rheingau, mais les étés torrides, l'absence de pluie et la fraîcheur des soirées rendent l'irrigation nécessaire. De nombreux cépages allemands peu connus y ont été plantés (Optima,

PRODUCTEURS ET NÉGOCIANTS

ONTARIO	COLOMBIE-BRITANNIQUE	QUÉBEC
Parmi les meilleurs producteurs, il faut citer Cave Spring Cellars, le Château des Charmes, Henry of Pelham, Hillebrand Estates, Inniskillin, Konzelmann Winery, Marynissen, Pelee Island Winery, Reif Estate, Southbrook Farms, Stoney Ridge, Vineland Estates.	Parmi les bons producteurs, de cette province, il faut citer notamment Blue Mountain Vineyard, Brights, Cedar Creek, Domaine de Chaberton, Gehringer Brothers Estate, Gray Monk, Hainle Vineyards, Le Comte Estate, Mission Hill, Sumac Ridge, Summerhill.	Parmi les meilleurs producteurs, il faut citer le Vignoble de l'Orpailleur, Vignoble Dietrich-Joos, Vignobles le Cep d'Argent.

Ehrenfelser, Siegfried Rebe), ainsi que du Riesling, du Gewürztraminer, du Bacchus et de l'Auxerrois. Les rouges, essentiellement du Pinot Noir, du Merlot et des hybrides, n'ont, à de rares exceptions près, pas encore atteint la qualité des blancs.

Il existe trente sociétés vinicoles, réparties dans les quatre régions d'appellation : Okanagan Valley, Similkameen Valley, Fraser Valley et Vancouver Island. Les vignobles ont connu une croissance impressionnante depuis 1988, de 40 à 60 ha supplémentaires étant plantés chaque année. Les nouvelles plantations sont toutes en *Vitis vinifera*. Ce sont les petites et les moyennes exploitations qui ont connu la plus forte expansion.

Suivant la législation de la Colombie-Britannique, seules les plus grandes sociétés vinicoles sont autorisées à mettre en bouteilles le vin « importé », qui peut être assemblé à du vin local. Les petites et moyennes entreprises ne peuvent mettre en bouteilles que le vin provenant de raisins de la région, qui aura droit à l'étiquette VQA s'il satisfait à l'examen de dégustation.

NOUVELLE-ÉCOSSE

Située à mi-chemin de l'équateur et du pôle Nord, la Nouvelle-Écosse possède trois entreprises vinicoles et un total de 60 ha de vignes, composées surtout d'hybrides et de vieux cépages rouges russes tels que le Michurinetz et le Severnyi. Le cycle végétatif court réduit le nombre des cépages que l'on peut planter dans la vallée d'Annapolis et le détroit de Northumberland. Aussi s'efforce-t-on de trouver des clones à maturation rapide. Les trois sociétés vinicoles de cette province (notamment Sainte Famille) se fournissent auprès de 38 viticulteurs.

QUÉBEC

Le Québec est la région la moins favorable à la viticulture. La ville de Dunham est le centre de la petite région viticole du Québec, où quinze sociétés ont reçu leur agrément depuis 1985. Pendant les mois d'hiver, des machines recouvrent les vignes de terre pour les protéger du froid, et il faut ensuite les déterrer à la main au printemps. La région de Dunham jouit d'un ensoleillement moyen de 1 150 heures durant le cycle végétatif (contre 2 069 dans le Bordelais), mais de nombreux microclimats créent des poches chaudes où seules les vignes les plus résistantes survivent et, parfois, prospèrent.

Les petites sociétés vinicoles produisent essentiellement (90 %) du vin blanc, surtout du Seyval Blanc très frais. On ne peut se procurer ces vins que chez le producteur, mais le paysage vaut le détour.

Malheureusement, ni la Nouvelle-Écosse ni le Québec n'ont accepté les normes VQA, ce qui aurait permis au Canada d'avoir un système d'appellation national.

AMÉRIQUE LATINE

La vigne, introduite en Amérique par les conquistadores espagnols, fut ensuite cultivée par les missionnaires, qui avaient besoin de vin pour célébrer leurs messes. Hernán Cortés, gouverneur de la Nouvelle-Espagne (Mexique actuel) au XVIe siècle, ordonna à chaque colon de planter 1 000 pieds de vigne chaque année. C'est ainsi que, en partant du Mexique, la viticulture se répandit vers le nord et le sud du Nouveau Monde, atteignant le Pérou à la fin du siècle, puis le Chili et l'Argentine, et, au siècle suivant, la Californie. Vers le milieu du XIXe siècle, l'afflux d'immigrés européens en Amérique du Sud accrut l'intérêt porté au vin et encouragea des essais sur toute une gamme de cépages, avec les premiers vignobles importants de *Vitis vinifera* d'origine française. Tandis que le phylloxéra ravageait les vignobles européens, un certain nombre de vignerons s'installèrent en Amérique du Sud, où *Vitis vinifera,* qui leur était familière, prospérait. Pendant des décennies, la réputation des industries vinicoles d'Amérique latine a été ternie par les difficultés économiques et politiques locales. À la fin des années 1980, la stabilité restaurée dans de nombreux pays attira les investisseurs étrangers, et les producteurs de vin purent se consacrer davantage aux marchés d'exportation et à accroître la qualité de leurs vins plutôt que leur quantité. De nouveaux styles de vin, capables de concurrencer ceux d'Europe, de Californie et d'Australie, permirent d'obtenir des vins blancs aux arômes de fruit frais et des rouges, riches, d'une couleur profonde et possédant des goûts et des arômes intenses.

Climat et irrigation

Entre ces latitudes de 32° et 36° sud, les différents cépages de *vinifera,* plantés au milieu du XIXe siècle en Argentine et au Chili, mûrissent suffisamment pour que la chaptalisation ne soit pas nécessaire. Sans les brises rafraîchissantes de l'océan Pacifique tout proche, la plupart des vignobles du Chili seraient trop chauds pour des cépages sensibles, et les viticulteurs chiliens n'ont eu à déplorer que quelques rares vagues de froid ou de gel juste avant les vendanges. Les ressources naturelles de l'Amérique du Sud, encore plus que son climat, font des envieux chez les vignerons des autres pays. Santiago et Mendoza, capitales vinicoles respectives du Chili et de l'Argentine, ne sont distantes que de 240 km, mais elles sont séparées par la cordillère des Andes, qui fournit toute l'eau nécessaire à la culture de la vigne.

Dès que les abondantes ressources en eau des Andes furent maîtrisées par des systèmes d'irrigation, il fut facile d'établir des vignobles. Au Chili, la plupart sont situés près des principaux fleuves coulant vers l'ouest, en direction de l'océan Pacifique. Ces fleuves et leurs affluents, généreusement alimentés par la montagne, ne s'assèchent jamais. Au moyen de canaux et de fossés, les producteurs ont conçu un système à base de sillons permettant d'irriguer à tout instant les rangs de vignes. De l'autre côté des Andes, les producteurs argentins ont conçu un système plus élaboré et plus complexe de réservoirs, digues, canaux et fossés pour capter et distribuer l'eau de la fonte des neiges. L'eau ne coulant pas toute l'année, ce système permet de la capter en quantité suffisante, de la stocker, puis d'irriguer plus tard, au cours du cycle végétatif, les vignobles situés au pied des Andes.

Instabilité politique et économique

Au Mexique, la viticulture connut deux coups durs au début du XXe siècle : l'un fut le phylloxéra, l'autre la révolution de 1910. Au Chili, pays isolé par les Andes et, par conséquent, à l'abri du phylloxéra, les producteurs durent faire face en 1902 à des taxes excessives sur les vins, puis, de 1938 à 1945, à l'interdiction de planter de nouvelles vignes.

Au début des années 1970, la réforme agraire démantela de nombreux vignobles chiliens. Au cours des années 1970, plusieurs pays sud-américains connurent des périodes d'inflation galopante et de taux d'intérêt exorbitants qui, d'une part, portèrent préjudice aux marchés intérieurs, et, d'autre part, découragèrent les investisseurs étrangers.

La révolution viticole

À mesure que les conditions politiques et économiques se stabilisaient dans les années 1980, les investisseurs étrangers commencèrent à s'intéresser de plus près aux terres d'Amérique du Sud pouvant convenir à des vignobles, et des sociétés internationales bien établies y investirent des capitaux. L'époque s'y prêtait on ne peut mieux : au Chili et en Argentine, les marchés intérieurs, qui absorbaient jusque-là toute la production, étaient en plein ralentissement.

Pour assurer leur survie à long terme, les producteurs visent aujourd'hui les marchés d'exportation. Ils ont été amenés par conséquent à repenser leurs méthodes. La plupart des gros exportateurs ont modernisé leurs installations et développé des styles de vin et des techniques de vinification nouveaux, comme l'utilisation de petites barriques de chêne pour le vieillissement de leurs meilleurs vins, Chardonnay et Cabernet-Sauvignon. Les chais construits il y a plus d'un siècle font contraste avec les rangées de cuves brillantes en acier inoxydable, les centrifugeuses, les pressoirs dernier cri et les chaînes de mise en bouteilles. Certains producteurs plus traditionalistes refusent ces progrès, mais la plupart les considèrent comme la seule voie possible. Au début des années 1990, les vins chiliens s'étaient fait accepter sur de nombreux marchés, et l'Argentine se préparait, elle aussi, à l'exportation. L'un des plus grands obstacles que rencontrent les producteurs reste l'inclination naturelle des viticulteurs à laisser les vignes produire des récoltes trop importantes. Maintenant que les vins d'Amérique du Sud jouent un rôle de plus en plus important sur le marché mondial, une révolution se prépare dans le monde vinicole.

Les régions viticoles

Le Mexique est certes le plus ancien producteur américain, mais son industrie de vins de qualité est relativement récente. Les vins rustiques et l'eau-de-vie dominent toujours sa production, et le pays reste éclipsé par ses voisins du Nord et du Sud.

LE CHILI est le champion des exportations. Il est désormais le troisième fournisseur de vin d'importation aux États-Unis, derrière l'Italie et la France, supplantant ainsi l'Australie et l'Allemagne. Il a obtenu ce résultat en proposant des vins sous des noms de cépages connus, et à des prix très abordables.

L'ARGENTINE, géant qui s'éveille, dispose de si vastes sites convenant à la viticulture qu'elle pourrait prendre le rôle principal sur la scène sud-américaine. C'est la plus importante région vinicole du continent et celle qui a le plus fort potentiel. Ses exploitations les plus connues sont relativement modernes, mais elles ont toujours visé la production massive.

LE BRÉSIL, troisième producteur de vin d'Amérique du Sud, profite d'une nette amélioration de son économie. Avec 60 000 ha plantés, il n'a pas encore percé à l'exportation, car sa production couvre tout juste ses besoins.

MEXIQUE

En dépit de son riche passé et de son rôle essentiel dans la viticulture américaine, le Mexique est une anomalie dans le monde du vin. Ce pays, qui a introduit la vigne et la vinification au nord et au sud de ses frontières, est considéré souvent comme trop chaud et trop inhospitalier pour la viticulture. La moitié de son territoire se situant dans la zone torride du sud du tropique du Cancer, on cultive la vigne sur le plateau central, à une altitude de 1 600 m, et en Basse-Californie.

L'histoire vinicole

À la fin du XIXe siècle, la famille Concannon, pionnière de la viticulture en Californie (Livermore Valley), persuada le gouvernement mexicain de tirer parti du potentiel viticole du pays et introduisit quelques douzaines de variétés françaises de *vinifera* au Mexique. James Concannon quitta le Mexique en 1904, mais, six ans plus tard, un autre vinificateur californien, Perelli-Minetti, planta une autre gamme de cépages sur des centaines d'hectares, près de Torreón.

Vers 1900, une grande partie des vignobles mexicains fut détruite par le phylloxéra, et des problèmes politiques perturbèrent le pays pendant de nombreuses années après la révolution de 1910. La viticulture ne connut un regain d'intérêt qu'au début des années 1940, lorsque des fermiers remplacèrent leurs champs de coton par des vignes.

L'industrie vinicole moderne

Aujourd'hui comme hier, la priorité reste la production d'eau-de-vie. Plusieurs entreprises internationales ont investi dans la viticulture mexicaine et créé leurs propres exploitations afin d'éviter les lourdes taxes d'importation européennes pesant sur les eaux-de-vie. La famille espagnole Domecq fut la première à faire de gros investissements, en 1953. Son siège est à Mexico, mais ses installations de production d'eau-de-vie et de vin sont réparties sur onze sites. Les Espagnols Gonzalez-Byass et Freixenet, les Français Hennessy et Martell, les Italiens Martini & Rossi et Cinzano, le Japonais Suntory ainsi que le groupe nord-américain Seagram sont d'autres firmes réputées possédant d'importants intérêts au Mexique. Par des efforts considérables, en temps et en argent, dans la production de vin, Domecq s'est affirmé comme le premier producteur de vin de qualité et exporte plusieurs de ses gammes aux États-Unis.

Les vignobles mexicains comptent plus de 40000 ha. Près de 80 % des vins sont destinés aux distilleries d'eau-de-vie ou à l'élaboration de Vermouth, mais la production de vins de consommation a progressé depuis 1980. Compte tenu du nombre croissant de vignobles se reconvertissant dans les cépages nobles et du développement des sites côtiers ou d'altitude, la dynamique des années 1990 devrait se poursuivre.

RÉGIONS VITICOLES ET PRODUCTEURS

La production est dominée par les grandes sociétés internationales. Par ailleurs, les petits producteurs sont découragés par une administration tatillonne et le fait que la plupart des Mexicains préfèrent le mescal, la tequila et la bière au vin.

BASSE-CALIFORNIE

Le nord de cette région bénéficie d'un climat relativement frais pour le Mexique et son vignoble de plus de 10000 ha s'étend rapidement.
La plupart des vignobles se trouvent dans les vallées de Guadalupe, de Santo Tomás et dans les environs d'Ensenada. Un des plus anciens et le plus connu des producteurs, Santo Tomás, fait des Cabernets-Sauvignons et des Chardonnays très prometteurs. L.-A. Cetto élabore des vins de Cabernet-Sauvignon, de Nebbiolo, de Petite Sirah et du cépage californien Zinfandel. Les Cabernets-Sauvignons de Cava Valmur et Pedro Domecq sont aussi renommés.

PARRAS, SALTILLO

La vallée de Parras, au nord de Mexico, serait le berceau du vin américain. Les meilleurs vignobles se situent à 1500 m d'altitude, là où le climat convient à la production de vins de qualité. Viñedos San Marcos, exploitation moderne, est surtout connue pour son Cabernet-Sauvignon et son Mousseux. Bodegas de San Lorenzo (appartenant à Casa Madero), dont la fondation remonte à 1626, produit une gamme de vins de *vinifera* et des eaux-de-vie. Cette zone compte plusieurs grosses distilleries.

LAGUNA, DISTRICT DE TORREON

Dans ce district largement dédié à la culture du coton, le climat est trop chaud pour la culture des cépages nobles.
L'entreprise la plus connue, Vergel, fondée en 1943, a modernisé ses installations et utilise des cuves en acier inoxydable avec régulation de température.

SAN JUAN DEL RIO

Le développement de cette région viticole située à 160 km au nord de Mexico est relativement récent.
La plupart des vignobles sont à une altitude de 1800 m. Cava de San Juan donne l'exemple avec des *vinifera* nobles comme le Cabernet-Sauvignon et le Pinot Noir (étiquette Hidalgo) et un Mousseux (Carte Blanche). Martell produit ici des vins tranquilles de qualité.

SONORA

Près de 20000 ha de vignes largement consacrés au Thompson Seedless et à d'autres raisins de table ainsi qu'au raisin de cuve destiné à la distillation.

ZACATECAS

Avec ses vignobles situés à 2000 m d'altitude, c'est la région viticole la plus haute et la plus fraîche.
La viticulture y débuta dans les années 1970 et le premier producteur fut Bodegas de Altiplano.

CHILI

Carte page xxx

Le Chili est un des rares pays vinicoles d'importance qui ont été épargnés par le phylloxéra. Le puceron meurtrier, qui ravagea tous les vignobles d'Europe et d'Afrique du Nord, n'a jamais franchi la cordillère des Andes ni la grande zone désertique du nord et n'a pu atteindre le vignoble côtier. Les vignes chiliennes sont donc franches de pied puisqu'elles n'ont pas besoin d'être greffées. C'est pourquoi les œnophiles observent avec passion les progrès des méthodes de culture et de vinification qui devraient permettre au Chili de nous donner des vins comptant parmi les meilleurs du monde.

Les producteurs étrangers ne sont pas restés insensibles aux possibilités qu'offre cette situation privilégiée. Ainsi, le Catalan Torres s'est laissé tenter par l'aventure chilienne dès 1979, bientôt imité par des producteurs bordelais (notamment Cos d'Estournel, Margaux et Lafite), de Chablis, d'Alsace, puis par des Californiens. Un Cabernet-Sauvignon chilien a créé la sensation à Vinexpo en rivalisant avec les plus grands châteaux bordelais – il provenait de la *bodega* Los Vascos, dans la vallée de Rapel, contrôlée par les Rothschild de Lafite.

Par ailleurs, certaines entreprises purement chiliennes ont fait appel, pour hausser la qualité de leurs vins, à des œnologues français (notamment Michel Rolland, Jacques Lurton et Jacques Bassenot), des vinificateurs volants australiens et néo-zélandais, dont Brian Bicknell, et des conseillers californiens comme Edward Flaherty.

La surface viticole est d'environ 140 000 ha (près de deux fois plus de raisin de table que de raisin de cuve), et la production (y compris de vin destiné à la distillation) d'environ 5,5 millions d'hectolitres. Les trois quarts des vins fins chiliens sont exportés.

Les régions viticoles

La plupart des vignes sont plantées entre les 32° et 38° de latitude, ce qui correspond au sud de l'Espagne et à l'Afrique du Nord. Mais le climat y est plus proche de celui que l'on trouve dans le Bordealais.

L'appellation contrôlée *(denominación de origen)* instaurée en 1995 distingue cinq régions, divisées en plusieurs sous-régions correspondant à des vallées distinctes :

ATACAMA (vallées de Copiapó et de Huasco). Région septentrionale, qui s'étend de la côte aux contreforts des Andes, où l'on n'élabore pas de vin de qualité et où le raisin de table compte pour l'essentiel de la production viticole.

COQUIMBO (vallées d'Elqui, Limari et Choapa). Vignobles dispersés dans une région montagneuse dont on tire surtout du raisin de table et du vin médiocre destiné à la distillation de l'eau-de-vie nationale, le *pisco*.

ACONCAGUA (vallées de l'Aconcagua et de Casablanca). Région proche du port de Valparaíso, à environ 100 km au nord-ouest de la capitale, Santiago.

– Dans la vallée de l'Aconcagua au climat de type méditerranéen, on cultive surtout sur des sols alluviaux ou graveleux les cépages rouges bordelais et, depuis quelques années, la noble Syrah.

– La vallée de Casablanca, dont le développement est relativement récent (on n'y trouvait pas un seul vignoble en 1980), bénéficie des brises fraîches du Pacifique. Le sol sableux-crayeux est favorable à la culture du Chardonnay qui donne un vin délicatement aromatique. Cette zone convient bien aussi au Merlot et au Sauvignon Blanc.

VALLÉE CENTRALE (avec, par ordre croissant d'importance, les vallées de Maipo, Rapel, Curicó et Maule – près de 45 000 ha de vignes), à mi-distance de l'océan Pacifique et des Andes.

– Proche de Santiago, la vallée de Maipo est la plus ancienne région vinicole du Chili et reste celle où la concentration des vignobles est la plus élevée. Les terroirs sont très variés et les vins peuvent être de grande qualité.

– La plus grande partie de la vallée de Rapel, un peu plus pluvieuse que celle de Maipo, bénéficie pendant l'été de l'influence modératrice des vents du sud. Elle a connu un développement spectaculaire dans les années 1990. Les cépages rouges comme le Cabernet-Sauvignon s'y trouvent particulièrement bien.

– Située à environ 200 km au sud de Santiago, la vallée de Curicó est réputée pour ses Chardonnays. On y fait aussi de bons rouges de Cabernet-Sauvignon, de Merlot et de Pinot Noir.

– La vallée de Maule est la plus méridionale et donc la plus froide et la plus nuageuse de la vallée centrale. Son climat est fortement influencé par l'océan Pacifique. On y cultive encore beaucoup de País, mais ce cépage médiocre cède graduellement la place aux cépages nobles, notamment Chardonnay, Sauvignon Blanc et Merlot.

RÉGION DU SUD (vallées d'Itata et Bió-Bió).

– L'héritage de l'ère coloniale est encore très présent dans la vallée d'Itata, dominée par le País, mais, pour répondre à une demande croissante de vins de qualité, on commence à y cultiver des cépages nobles.

– La vallée de Bió-Bió, la plus méridionale du Chili vinicole, compte relativement peu de vignobles. Le Chardonnay, le Pinot Noir et le Riesling se plaisent à cette latitude, où les températures sont plus basses.

PRODUCTEURS ET NÉGOCIANTS

La plupart des producteurs nomment leurs vins destinés à l'exportation selon le cépage : Cabernet-Sauvignon, Merlot, Chardonnay et Sauvignon Blanc sont les plus fréquemment rencontrés. Mais il devient habituel pour les producteurs de proposer des mises en bouteilles d'un ou de plusieurs types de cépages à des prix variés et/ou sous diverses appellations.

ALMAVIVA
Entreprise franco-chilienne créée en 1997, dans laquelle les Rothschild de Mouton et Concha y Toro, le plus gros producteur du Chili, se sont associés à parts égales. Almaviva propose un seul vin issu des deux Cabernets, qui se veut l'égal d'un Cru classé.

AQUITANIA
Ce domaine proche de Santiago, créé il y a quelques années à Quebrada de Macul, dans la vallée de Maipo, produit pour l'instant un Cabernet-Sauvignon étiqueté Domaine Paul Bruno.

CALITERRA
Cette exploitation ultramoderne créée en 1989 à Curicó produit 7 millions de bouteilles de Cabernet-Sauvignon, Merlot, Chardonnay et Sauvignon Blanc.

CANEPA
Cette entreprise de la vallée de Maipo exploite plusieurs grands vignobles dans les vallées de Maipo, Rapel, Curicó et Maule. Récemment modernisée, elle produit des vins issus de cépages bordelais rouges et blancs ainsi que de Zinfandel et de Gewürztraminer. Les vins sont étiquetés selon leur destination : Montevenuto, Petroa, Rowan Brooks, ou portent la marque de l'acheteur.

CARMEN
Fondée en 1850, Viña Carmen est une des plus vieilles entreprises vinicoles du Chili. Située dans la vallée de Maipo, elle a été entièrement modernisée en 1992. Les vins, issus de cépages bordelais, de Pinot Noir, de Petite Sirah et de Grande Vidure, sont élaborés sous la direction d'Alvaro Espinoza, un des meilleurs œnologues du pays.

CASA LAPOSTOLLE
Le groupe français Marnier-Lapostolle, qui cherche à se diversifier dans les vins du Nouveau Monde, s'assure le concours de l'œnologue Michel Rolland, acquiert 51 % du capital d'une *bodega* de la région de Rapel en 1994, l'équipe du matériel le plus moderne et rachète 300 ha de vignes : le vignoble de Casablanca dans la vallée de ce nom (principalement Chardonnay et Pinot Noir), les vignobles de Requinoa (Cabernet-Sauvignon et Sauvignon Blanc) et d'Apalta (vieilles vignes de cépages rouges bordelais). Le reste provient de viticulteurs sous contrat. La production comprend les gammes Casa Lapostolle (Sauvignon, Chardonnay, Cabernet-Sauvignon et Merlot) ; Cuvée Alexandre (Chardonnay, Merlot et Cabernet-Sauvignon) ; Clos Apalta (assemblage haut de gamme de Merlot, Carmenère et Cabernet-Sauvignon).

CONCHA Y TORO
Fondée en 1883 dans la vallée de Maipo, cette *bodega*, modernisée dans les années 1980, est le principal producteur du Chili. Outre les vins des cépages bordelais classiques, elle fait aussi des vins de Pinot Noir et de Syrah. En ordre de qualité croissante, les vins sont étiquetés Concha y Toro, Trio ou Explorer, Casillero del Diablo, Marqués de Casa Concha, Amelia (Chardonnay vinifié et élevé en barrique) et Don Melchior (Cabernet-Sauvignon).

CONO SUR
Entreprise créée en 1993 par Concha y Toro à Chimbarongo, dans la vallée de Colchagua (Rapel), qui a fait appel à l'origine au Californien Edward Flaherty pour l'élaboration des vins, tous destinés à l'exportation. Une gamme étendue (Chardonnay, Gewürztraminer et Viognier en blanc, Cabernet-Sauvignon, Merlot, Pinot

Noir et Zinfandel en rouge) est distribuée sous les étiquettes Cono Sur, Tocornal (pour les supermarchés) et Isla Negra (haut de gamme).

COOPERATIVA DE CURICÓ
Créée en 1939, cette coopérative a modernisé ses installations dans les années 1980 et fait appel au vinificateur volant Peter Bright. Elle exporte, sous l'étiquette Los Robles, du Cabernet-Sauvignon, du Merlot et du Sauvignon Vert, représentant environ la moitié d'une production de quelque 50 000 hl.

ERRÁZURIZ
Créée en 1870 à Panquehue, dans la vallée de l'Aconcagua, cette entreprise a fait appel au vinificateur volant néo-zélandais Brian Bicknell, puis au Californien Edward Flaherty pour élaborer des vins ayant beaucoup de personnalité. L'entreprise exploite des vignobles dans les vallées de l'Aconcagua, Maipo, Casablanca et Curicó, où l'on cultive essentiellement, suivant le terroir, Merlot, Cabernet-Sauvignon, Chardonnay et Sauvignon Blanc.

COUSIÑO MACUL
Le domaine de Macul est connu pour son Cabernet-Sauvignon, son Merlot et son Chardonnay, vins issus en général de vieilles vignes, dont le style est plus européen qu'américain.

MONTES
Fondée en 1988, la Discovery Wine Company a depuis adopté le nom de son œnologue, Aurelio Montes. L'entreprise, fixée dans la vallée de Curicó, produit sous de nombreuses étiquettes la gamme habituelle : Sauvignon, Cabernet-Sauvignon et Chardonnay, ainsi qu'un Merlot remarquable.

SAN PEDRO
En moins de 10 ans, cette entreprise, fondée en 1865, est devenue une des plus grandes et des plus modernes d'Amérique latine. Connue pour ses vins étiquetés Gato Negro et Gato Blanco, elle distribue aussi sous d'autres étiquettes, par exemple Santa Helena et Castillo de Molina, pour les vins de prestige. Les exportations sous le nom de San Pedro consistent surtout en Chardonnay et en Merlot.

SANTA CAROLINA
Créée en 1875 à Santiago, Santa Carolina possède plus de 600 ha de vignes dans les vallées de Casablanca, Maipo et Rapel et achète beaucoup de raisin à des viticulteurs indépendants. Elle produit, sous la houlette du talentueux maître de chai Maria del Pilar Gonzalez, du Cabernet-Sauvignon, Cabernet-Sauvignon/Merlot, Merlot, Sauvignon Blanc et Chardonnay, complétés par du Malbec, de la Syrah et du Gewürztraminer.

SANTA EMA
La famille Pavone, d'origine piémontaise, qui cultivait du raisin dans l'île de Maipo depuis 1931, a fondé la Viña Santa Ema en 1955 pour élaborer elle-même son vin plutôt que de vendre son raisin à d'autres producteurs. Elle possède quelque 300 ha dans la vallée de Rapel. La plupart des vins (Merlot, Cabernet-Sauvignon, Chardonnay et Sauvignon Blanc, élevés dans du chêne français et américain) sont élaborés dans le style extraverti typiquement nord-américain.

SANTA EMILIANA
Cette société ambitieuse a été créée en 1986 à Maipo. Elle exploite plusieurs vignobles dans les vallées de Casablanca, Rapel et Maipo et produit près de 20 millions de bouteilles de Cabernet-Sauvignon, Merlot et Chardonnay ainsi que de Mousseux élaborés en cuve close.

SANTA MÓNICA
L'œnologue chilien Emilio de Solminihac, formé à Bordeaux, et sa femme, Mónica, acquirent un domaine vinicole à Rancagua, dans la vallée de Rapel, en 1976 – à une époque où l'avenir du vin chilien était pour le moins incertain. Solminihac aime innover. Aussi fait-il du Riesling en plus des habituels Cabernet-Sauvignon, Merlot et Chardonnay – le →

PRODUCTEURS ET NÉGOCIANTS

meilleur étant vinifié en fût. Les meilleurs vins sont étiquetés Tierra del Sol.

SANTA RITA
Créée en 1880 à Buin, cette entreprise possède 2000 ha de vignes dans les vallées de Casablanca, Maipo et Maule, mais achète également du raisin. Pour les meilleurs vins, on fait abondamment usage de barriques en chêne français pour la vinification et/ou l'élevage. La production est principalement vendue sous trois étiquettes désignant des vins de qualité croissante : « 120 », Riserva et Medalla Real. Mais on trouve aussi des vins de Carmenère, de Sémillon/Viognier, Petite Sirah/Merlot et Pinot Noir.

TARAPACÁ EX-ZAVALA
Tarapacá produit près de 13 millions de bouteilles de Cabernet-Sauvignon, Merlot, Chardonnay et Sauvignon Blanc, les meilleurs vins étant élevés en barriques de chêne américain ou français suivant leur destination. Le Cabernet-Sauvignon 1988 et le Sauvignon Blanc 1999 ont remporté une médaille d'or à Vinando 1999, à Mendoza, en Argentine.

MIGUEL TORRES
Cette entreprise très innovatrice commença en 1979 avec l'achat d'un vieux vignoble dans la vallée de Curicó par Miguel Torres, de la célèbre famille espagnole de producteurs de vin. Torres introduisit au Chili des cuves en acier inoxydable avec régulation de température, des pressoirs modernes et des barriques en chêne français. Sur ses trois principaux vignobles de Curicó et de Maule, Torres se concentre sur le Sauvignon Blanc, le Chardonnay et le Cabernet-Sauvignon, mais il ne cesse d'innover, avec notamment le Carignan, la Syrah et le Gewürztraminer ; il fait aussi du vin effervescent Brut Nature méthode classique, issu du Chardonnay et du Pinot Noir. Près des trois quarts de la production sont destinés à l'exportation.

UNDURRAGA
Créée en 1885, Undurraga fut une des premières entreprises à exporter aux États-Unis, au début du XXe siècle. La production de ses vignobles des vallées de Maipo et Maule (près de 1000 ha) est complétée par du raisin de viticulteurs indépendants. Les vins, dont les meilleurs sont vinifiés et/ou élevés dans le bois, sont issus de l'assortiment de cépages bordelais et du Pinot Noir.

VALDIVIESO
Cette entreprise, dont l'origine remonte à 1879, est surtout connue pour son Mousseux, mais produit aussi des vins tranquilles, surtout des rouges de Pinot Noir, Cabernet-Sauvignon et Malbec.

LOS VASCOS
Domaine célèbre créé en 1750 dans la vallée de Limari, dans la région de Colchagua, par le Basque Miguel Echenique. Les descendants du fondateur, expropriés lors de la réforme agraire des années 1960, reconstituèrent le domaine, parcelle par parcelle, dans les années 1970. Ces acquisitions entraînèrent des difficultés financières, obligeant les propriétaires à trouver un associé, les Rothschild de Château Lafite, qui entreprit de moderniser les installations, de faire venir de Lafite des centaines de barriques et d'appliquer les méthodes en usage à Pauillac. Il n'est pas étonnant dans ces conditions que le Cabernet-Sauvignon de Los Vascos ait un style plus médocain que californien.

VILLARD
Le Français Thierry Villard a acheté en 1989 une terre dans la vallée de Casablanca, planté un petit vignoble, installé un matériel moderne et importé des barriques en chêne français. Le raisin vient de ce petit vignoble et de la vallée de Maipo. Villard fait une quantité encore limitée de vins de Chardonnay, Sauvignon Blanc, Cabernet-Sauvignon, Merlot et Pinot Noir.

ARGENTINE

Carte page xxx

Les premiers vignobles furent créés au milieu du XVIe siècle par des missionnaires et des conquistadores venus du Pérou et du Chili, au pied des Andes, dans l'actuelle région de Mendoza, qui est restée la principale région vinicole d'Argentine. Au XIXe siècle, après l'indépendance, puis la construction du chemin de fer Buenos Aires-Mendoza, les vignobles andins prirent une grande importance et des vagues successives d'immigrants italiens, français et espagnols implantèrent des cépages de leur pays d'origine. Cependant, avec une production vinicole de 12 673 000 hl, l'Argentine occupe toujours le cinquième rang mondial derrière l'Italie, la France, l'Espagne et les États-Unis. La consommation est passée de 90 l par habitant en 1980 à 50 l en 1997 (sixième rang mondial). En revanche, les exportations ont augmenté de façon spectaculaire : elles ont atteint 1 205 000 hl en 1997 contre 220 000 hl dans les années 1980.

Les vignobles s'étendent sur plus de 1 770 km à l'ouest du pays, où ils bénéficient de l'irrigation, indispensable sous le climat de l'intérieur. Un réseau de canaux amenant l'eau de la fonte des neiges à des réservoirs répartis dans les régions viticoles est complété par des forages profonds à gros débit. Le centre de l'industrie vinicole, d'où proviennent environ 70 % des vins argentins, est la province de Mendoza, à quelque 960 km à l'ouest de Buenos Aires – à la latitude de Santiago et des meilleures régions vinicoles du Chili. La plupart des vignobles sont situés dans les vallées et sur les plateaux des basses Andes. Au sud de la ville de Mendoza se trouvent deux zones de haute altitude au climat plus frais, Maipu et Lujan de Cuyo, où sont cultivés les cépages nobles, notamment le Cabernet-Sauvignon et le Malbec. À l'ouest, au pied du pic Tupungato, le Chardonnay et le Merlot réussissent très bien. San Juan, la deuxième région viticole du pays, au nord de Mendoza, est beaucoup plus chaude. Elle fournit peu de vin de grande qualité, mais beaucoup de vin destiné aux eaux-de-vie et aux Vermouths ainsi qu'une grande quantité de moût concentré. Les autres régions sont quantitativement moins importantes. Salta, encore plus loin au nord, est proche du tropique du Capricorne. Ses vignes sont cultivées à 1 700 m d'altitude, où la fraîcheur convient aux cépages blancs. Bien que ne fournissant qu'environ 5 % de la production, la région la plus méridionale, Rio Negro, en Patagonie, est encore plus fraîche que les vignobles d'altitude du nord. Elle est idéale pour la culture des cépages blancs de grande qualité et la production des vins de base pour les Mousseux.

Les cépages et les styles de vin

Le cépage hérité des débuts de la colonisation, le Criolla, fournit encore d'énormes volumes de vin rouge ordinaire, même s'il a été la première victime de la diminution de la surface viticole. Le Malbec donne en Argentine le meilleur de lui-même, avec des vins de garde bien charpentés à la robe profonde, riche en arômes de cassis mûr et d'épices. Le Bonarda rivalise avec lui pour la place de cépage rouge de qualité le plus abondant. Le Cabernet-Sauvignon est en progrès – marché international oblige –, le plus souvent assoupli avec du Merlot et/ou du Malbec. En plus du Bonarda, les

PRODUCTEURS ET NÉGOCIANTS

L'Argentine exporte une proportion non négligeable de son vin en vrac. Celui-ci est mis en bouteilles par l'acheteur qui lui donne souvent un nom de son choix. Ainsi, l'étiquetage d'un même vin peut varier selon le pays importateur ou même selon le distributeur. Sur le marché argentin, la plupart des vins effervescents portent le nom de *champaña,* qu'ils soient produits sur place ou importés, élaborés en cuve close ou par la méthode traditionnelle.

LA AGRICOLA
Le Bonarda/Sangiovese est sans doute le plus intéressant de la gamme Santa Julia, qui présente un excellent rapport qualité/prix. La Agricola propose aussi un Torrontes vif et aromatique.

BODEGAS BALBI
Divers vins pour l'exportation, dont un rouge d'assemblage complexe issu de quatre cépages (Cabernet-Sauvignon, Malbec, Merlot et Syrah) distribué sous l'étiquette Barbaro.

BIANCHI
Entreprise du groupe Seagram. Les meilleurs vins sont un Chardonnay et un Malbec. Bianchi produit aussi un *champaña.*

LUIGI BOSCA
Bosca produit des vins issus du Chardonnay, du Cabernet-Sauvignon et du Chardonnay.

HUMBERTO CANALE
Vins du Sud, de la région de Rio Negro (Patagonie). Le Sémillon et le Malbec sont remarquables.

CATENA
Gros volume pour le marché intérieur de vins étiquetés Trumpeter, et, principalement pour l'exportation, des vins de style international, de Malbec, Cabernet-Sauvignon et Chardonnay, sous les noms de Alamos, Catena, Viña Esmeralda, Rutini et San Felician. Les vins de prestige sont étiquetés Catena Alta.

DOMAINE CHANDON
Créée en 1960 par Moët & Chandon, cette entreprise, le plus grand producteur de *champaña,* s'est diversifiée avec des vins tranquilles, dont un Chardonnay et un vin rouge d'assemblage baptisé Castel Chandon.

ETCHART
Etchart (groupe Pernod-Ricard) produit une gamme étendue de bons vins, dont, dans la région de Salta, de délicieux Torrontes et Chardonnays, et, dans la région de Mendoza, du Malbec et du Cabernet-Sauvignon.

FINCA FLICHMAN
Cette vieille entreprise modernisée, qui a fait appel au vinificateur volant Hugh Ryman, complète les cépages nobles classiques, Malbec, Cabernet-Sauvignon et Merlot, par les Barbera et Sangiovese italiens, le Tempranillo espagnol et la Syrah de la vallée du Rhône. La gamme de ses vins de cépage ou

immigrants italiens ont introduit d'autres cépages rouges dont le Barbera Dolcetto et le Sangiovese. Enfin, le Tempranillo espagnol joue un rôle non négligeable. Les débuts de la Syrah sont prometteurs, mais le Pinot Noir prouve une fois de plus qu'il est un cépage difficile à maîtriser.

Le cépage blanc le plus intéressant est le Torrontes, qui engendre des vins vifs et aromatiques agréablement épicés. Le Muscat d'Alexandrie et le Pedro Ximénez sont abondants, des vins plutôt neutres sont issus de l'Ugni Blanc et du Chenin Blanc, et le Chardonnay donne des vins de style international surtout destinés aux marchés anglo-saxons. Enfin, on cultive également le Sémillon et le Viognier.

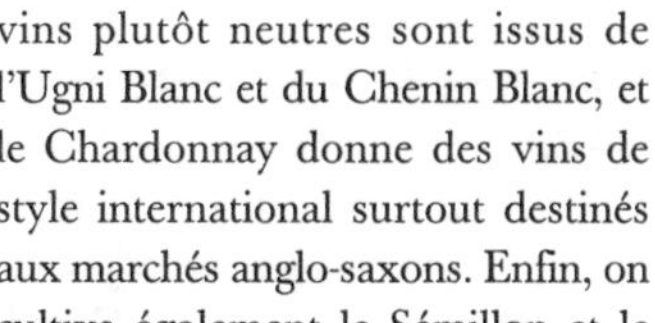

PRODUCTEURS ET NÉGOCIANTS

d'assemblage est étendue. Le Cabernet-Sauvignon distribué sous l'étiquette Caballero de la Cepa est épanoui et puissamment aromatique. L'étiquette Fond de Cap est réservée aux vins de haut de gamme.

BODEGAS LURTON
Jeune entreprise exportant un grand Cabernet-Sauvignon (Gran Lurton) et un assemblage Tempranillo/Malbec.

NAVARRO CORREAS
Marque commune à trois producteurs pour l'exportation. Monocépages de Malbec et de Syrah ainsi qu'un assemblage Merlot/Malbec étiqueté Colección Privada.

NORTON
Vins de cépage (Malbec et Merlot) et beaux assemblages Cabernet-Sauvignon/Malbec et Cabernet-Sauvignon/Merlot.

HENRI PIPER
Marque utilisée sur le marché argentin pour le *champaña* élaboré sur place par la maison Piper Heidsieck.

FINCA EL RETIRO
Créée en 1912 dans la région de Mendoza, cette entreprise familiale a fait appel au concours d'un œnologue italien, Alberto Antonioni. Ses vins rouges sont concentrés, notamment le Tempranillo.

SAN TELMO
Ce producteur en gros volumes montre une remarquable aptitude à élaborer des vins de style international : Malbec, Cabernet-Sauvignon et assemblage Malbec/Cabernet-Sauvignon (Cuseta del Madero).

TRAPICHE
Bodega du groupe géant Peñaflor, qui s'appuie sur les conseils de l'œnologue Michel Rolland. Ses vins les plus connus sont, en rouge, les Cabernet-Sauvignon, Malbec, Syrah et un vin rouge d'assemblage de style bordelais étiqueté Medella ; en blanc, les Chenin, Chardonnay et Torrontes. Un Cabernet-Sauvignon de haut de gamme porte le nom d'Andean Vineyard.

VISTALBA
Cette entreprise française installée dans la région de Mendoza produit une gamme de vins de Cabernet-Sauvignon, Malbec, Syrah et Barbera.

BODEGAS WEINERT
Depuis sa modernisation, en 1975, par le Brésilien Bernardo Weinert, dont elle porte le nom, cette entreprise créée à la fin du XIXe siècle s'est hissée au rang des meilleurs producteurs d'Argentine, avec notamment un Chardonnay, un Merlot et un Cabernet-Sauvignon. Le Cavas de Weinert est un remarquable assemblage Merlot/Malbec. Les vins rouges, souvent élevés en fûts de chêne, sont la plus belle expression du style argentin traditionnel.

BRÉSIL ET AUTRES PAYS

Avec près de 2800000 hl de vin, le Brésil est le troisième producteur du sous-continent. Les premiers vignobles furent créés par les jésuites au XVIIe siècle dans le Rio Grande do Sul avec le Criolla provenant d'Argentine, mais ils furent abandonnés après la destruction des missions. Au XVIIe siècle, les Portugais essayèrent d'implanter les cépages de leur pays, mais sans grand succès, le climat tropical faisant pourrir *vinifera* avant la maturité du raisin. Dès les années 1830, on importa des États-Unis l'hybride Isabella, cépage rouge mieux adapté au climat. Il est encore présent, ainsi que divers métis et hybrides américains et européens comme le Couderc Noir et les cépages blancs Delaware, Niagara, Dutchess et Seyval Blanc. Ce sont les immigrants, notamment italiens, qui introduisirent ensuite *vinifera* dans l'État du Rio Grande do Sul. Aujourd'hui, les cépages *vinifera* les plus répandus sont les rouges Barbera, Bonarda, Cabernet Franc, Cabernet-Sauvignon, Merlot, et les blancs Malvoisie, Muscat, Trebbiano (Ugni Blanc) et Sémillon.

Les régions viticoles

Les quelque 600 producteurs se trouvent principalement dans les États de São Paulo, Santa Catarina et surtout

LES MEILLEURS PRODUCTEURS DU BRÉSIL

VINICOLA AURORA
Avec une production de quelque 20 millions d'hectolitres, cette immense coopérative fondée en 1931 à Bento Gonçalves, dans l'État du Rio Grande do Sul, est le plus grand producteur et le principal exportateur du Brésil. Elle compte plus de mille membres cultivant plus de 20000 ha de vignes. Une partie de sa production de quelque 130 millions de bouteilles est destinée à la marque américaine Marcus James (voir ci-dessous). L'entreprise a fait appel au vinificateur volant John Worontschak pour améliorer ses vins. Les meilleurs sont étiquetés Conde de Foucauld (Cabernet-Sauvignon) et Clos des Nobles (Cabernet Franc).

CASA MOËT & CHANDON
La grande maison champenoise a créé une entreprise équipée de cuves de vinification en Inox à régulation de température, à Garibaldi, dans la Serra Gaucha (Rio Grande do Sul). Elle y fait, comme de juste, du vin effervescent vendu sous le nom de Champaña, mais également des vins tranquilles.

DREHER
Fondée par Heublein, cette société a créé des vignobles de *vinifera* dans les montagnes proches de Bagé dans la récente région vinicole de Frontera, qui jouxte l'Uruguay. Elle exporte du Cabernet-Sauvignon, du Barbera et,

Rio Grande do Sul où nombre de nouveaux vignobles de coteaux, très prometteurs, s'inscrivent dans un triangle défini par trois villes : Bento Gonçalves, Garibaldi et Caxias do Sul. Le long de la frontière uruguayenne, la région vinicole de Frontera se développe vite autour de Bagé et Livramento. De nombreuses sociétés internationales ont été attirées par le Brésil. National Distillers a fondé une filiale d'Almaden Vineyards dans les années 1970, imité ensuite par Cinzano, Martini & Rossi, Rémy Martin et Moët & Chandon.

Autres pays d'Amérique du Sud

L'URUGUAY est avec 1132000 hl le quatrième producteur sud-américain. Plus de la moitié du vignoble est consacrée à *vinifera* (principalement Cabernet-Sauvignon, Sémillon, Merlot et Pinot Noir).

LE PÉROU produit 120000 hl de vin dont une grande partie sert à la distillation du *pisco*. Parmi les rares vins présents sur le marché mondial, ceux du vignoble de Tacama (150 ha), dans la vallée de l'Ica, à 400 m d'altitude, sont élaborés avec le concours d'œnologues français. On y cultive les cépages bordelais traditionnels et quelques autres, dont le Chenin et l'Ugni Blanc.

LA COLOMBIE ne consacre que 1500 ha à la vigne, le cépage largement majoritaire est l'Isabella, et le pays produit surtout des vins mutés.

LE PARAGUAY, LA BOLIVIE et **L'ÉQUATEUR** produisent de très petites quantités de vin de faible qualité.

LES MEILLEURS PRODUCTEURS DU BRÉSIL

sous l'étiquette Castel Marjolet, un assemblage de Cabernet-Sauvignon et de Merlot.

DE LANTIER
Cette entreprise créée par Martini & Rossi dans la Serra Gaucha (Rio Grande do Sul) produit avec un matériel moderne notamment des vins tranquilles de cépages nobles de *vinifera* étiquetés Baron de Lantier et des vins effervescents par la méthode classique, qui portent l'étiquette De Gréville.

RIOGRANDENSE
Pionnière dès les années 1930 des cépages de *vinifera*, cette exploitation proche de Caxias do Sul (Rio Grande do Sul) cultive quelque 60 ha de Merlot, Cabernet-Sauvignon et Trebbiano (Ugni Blanc). Elle distribue la plupart de ses vins sous l'étiquette Granja União.

MARCUS JAMES
Cette marque, dont les vins sont élaborés à Vinicola Aurora, est la propriété de la société américaine Canandaigua Wine Company. Elle propose une large gamme de vins de cépage, dont Chardonnay, Cabernet-Sauvignon, Merlot et Zinfandel. La production annuelle approche les 12 millions de bouteilles.

PALOMAS
Cette entreprise de la région de Frontera (Seagram) cultive plus de 1000 ha de cépages de *vinifera* et a entrepris de moderniser ses installations, ce qui s'est traduit par une amélioration notable de la qualité.

AUSTRALIE

Carte page XXXI

Le style bien distinct des vins australiens met l'accent sur l'éclat, la fraîcheur et la mise en valeur des arômes primaires du raisin. Les vins, souples, fruités, très aromatiques, sont le reflet du climat ensoleillé. Ils sont appréciés parce qu'ils correspondent bien au style du vin que le marché recherche et qu'ils sont prêts à être bus dès leur mise en bouteilles. C'est là une caractéristique largement répandue, même si les exceptions sont nombreuses. Les meilleurs vins australiens se distinguent par leur complexité, leur structure et leur fort potentiel de vieillissement : les vins de Sémillon et de Riesling peuvent être magnifiques à 20 ans, ceux de Cabernet-Sauvignon à 30 ans et le Grange Hermitage de Penfolds à 40 ans ou plus. Alors que les grandes entreprises vinicoles produisent des vins techniquement irréprochables et d'une qualité constante, plus de 800 autres producteurs élaborent des vins d'une grande diversité de style et de qualité. Les vins australiens restèrent cependant méconnus à l'étranger jusqu'à ces trente dernières années. Puis, moins isolés en général, encouragés par un marché intérieur en pleine expansion, aidés par une technologie massive, les producteurs australiens se mirent à produire les types de vin qu'attendait le marché international. Avec quelque étonnement, ils découvrirent que leurs vins étaient appréciés et acclamés dans le monde entier pour leur rapport qualité/prix. La réputation des producteurs de cette partie de l'hémisphère Sud ne cesse de croître, et leurs vins continueront à surprendre et à passionner au fur et à mesure qu'ils réaliseront pleinement leur potentiel.

Les régions viticoles

On cultive de la vigne quelque part dans chacun des États et territoires d'Australie (on trouve même un petit vignoble dans la fournaise des Territoires du Nord). Toutefois, les régions viticoles importantes se situent dans le Sud-Est – le long de la côte et dans les bassins de la Murray et de son affluent, le Murrumbidgee – et à l'extrême sud-ouest, pour l'essentiel dans les quatre États suivants :

NOUVELLE-GALLES DU SUD, le plus ancien et le plus chaud des États viticoles, qui comprend notamment la célèbre Hunter Valley, au nord de Sydney, et la grande région irriguée de Murrumbidgee, dans l'Ouest. Cet État occupe le deuxième rang avec 34 % de la production vinicole, et on y a fait 26 % de plus de vin en 1999 qu'en 1997.

AUSTRALIE-MÉRIDIONALE. Les vignobles sont concentrés dans la partie sud-est de cet État qui se classe au premier rang avec 46 % de la production vinicole, avec une augmentation de seulement 9 % entre 1997 et 1999. On produit certains des meilleurs vins d'Australie (par exemple, dans Barossa Valley) et aussi, à l'intérieur des terres, dans le Riverland, au nord-est d'Adélaïde, une énorme quantité de vin de consommation courante, vendu en Cubitainer.

VICTORIA. L'État le plus méridional et le plus petit, mais celui qui compte plus de régions viticoles que tout autre État. Occupant le troisième rang avec 17 % de la production, il propose une gamme très variée de vins dont la qualité générale ne cesse de s'améliorer et dont certains comptent parmi les meilleurs d'Australie. Sa production a augmenté de 18 % entre 1997 et 1999.

L'AUSTRALIE-OCCIDENTALE. Dernier converti à la viticulture, cet État – bien que sa production ait augmenté de 59 % entre 1997 et 1999 – ne compte que pour 3 % du vin australien. Les vignobles sont concentrés dans le sud-ouest, près de la capitale, Perth. Le climat y est varié, mais le manque d'eau est la préoccupation majeure des viticulteurs.

Les millésimes et le climat

Le climat de cet immense pays est difficile à décrire, mais il faut noter que la diversité des vins australiens est accentuée par les variations qui existent d'un millésime à l'autre. Les conditions climatiques au cours du cycle végétatif peuvent, contrairement à ce qui est généralement admis, avoir un impact considérable sur le style en particulier et sur la qualité de la production dans les régions prestigieuses. Rares sont les millésimes médiocres au sens européen du terme – peu de sucre naturel, beaucoup de mildiou ou de pourriture –, mais les millésimes ne se ressemblent pas : chacun a son caractère propre, qu'un dégustateur averti peut reconnaître.

LES PRINCIPAUX CÉPAGES

La physionomie de la viticulture australienne a été profondément modifiée par la plantation de nouveaux vignobles qui a permis de doubler la production en moins de 10 ans et le remplacement d'une partie des cépages médiocres par des cépages nobles. C'est ainsi que le Chardonnay, pour ainsi dire inexistant en 1970, occupe maintenant la première place. Les six principaux cépages, qui comptent ensemble pour plus de la moitié de la production, sont les suivants, en ordre quantitatif (entre parenthèses, production en tonnes, en 1999) :

Chardonnay (210 770). Ce cépage, qui s'illustre dans le Bourgogne blanc et le Champagne, est devenu une vedette mondiale. On en tire en Australie des vins riches et fruités ayant beaucoup de personnalité, qui bénéficient souvent d'un élevage dans le chêne.
Syrah (192 330). Appelé ici Shiraz, le noble cépage de la vallée du Rhône est capable en Australie du meilleur, par exemple dans Barossa Valley et Hunter Valley, comme du pire, dans l'océan de vin rouge ordinaire des grandes régions irriguées.
Cabernet-Sauvignon (127 494). L'illustre cépage des grands Bordeaux se plaît en Australie, seul ou assemblé avec la Syrah et le Merlot.
Sémillon (80 191). Ce cépage bordelais donne d'excellents vins blancs. Ceux de Hunter Valley comptent parmi les meilleurs du monde.
Colombard (34 781). Cépage délaissé en France, mais dont les Australiens apprécient la capacité à donner des vins blancs très vifs dans les régions chaudes.
Merlot (31 801). Utilisé surtout pour arrondir le Cabernet-Sauvignon.

Les vins de tous les jours et les vins fins

L'idée selon laquelle l'Australie est un continent chaud et ensoleillé est valable pour 90 % de sa superficie. Or, de nombreuses régions productrices de vins de qualité sont situées dans les 10 % restants, où le climat, pour ensoleillé qu'il soit, est bien plus frais. Pour comprendre le rapport entre le climat australien, le style des vins, leur qualité et le choix des cépages, il convient de distinguer entre vins fins et vins courants, crus classés et vins ordinaires.

Tout comme la France et la Californie, l'Australie a sa région de vins sans prétention, Riverland, à la frontière de l'Australie-Méridionale et de Victoria. Le climat est terriblement chaud et ensoleillé, mais l'irrigation a transformé cette zone semi-désertique en vignobles verdoyants à fort rendement, qui fournissent des raisins bon marché de qualité régulière. On les utilise pour les vins vendus en Cubitainer et en bonbonnes (deux tiers des ventes intérieures), mais aussi pour des vins exportés en vrac. En tout, la région de Riverland fournit environ 60 % de la production et devrait conserver ce rôle de premier plan encore longtemps.

Les noms des vins

La plupart des vins australiens, et en particulier ceux de qualité, tirent leur nom du cépage dont ils sont issus (voir encadré ci-contre). L'Australie utilisait déjà les noms de cépage quand ceux-ci n'étaient que des mots techniques et obscurs pour les Européens. Elle a également employé des noms européens pour identifier les styles de vin : ainsi pouvait-on trouver sur les linéaires des magasins australiens des « Clarets » de Coonawarra et des « Chablis » d'Australie-Méridionale. Une autre convention d'étiquetage, toujours en vigueur, consiste à désigner des vins par un numéro de cuvée *(bin)* pour les vins particulièrement remarquables. Une nouvelle réglementation et des accords récents concernant les étiquettes ont clarifié la situation (voir encadré p. 842).

Le nom de la région, et parfois celui du producteur, figure de plus en plus souvent sur l'étiquette. Si les styles de vin sont aussi nombreux que les producteurs, l'origine des raisins et le nom de la parcelle *(paddock)* sont désormais fréquemment cités. Cette évolution signifie que les producteurs prennent conscience que l'adéquation entre le cépage et le terroir a son importance.

Les fûts de chêne et l'élevage

Les cépages blancs Chardonnay, Sémillon et Sauvignon, auxquels ce système est profitable, sont le plus souvent vinifiés sous bois. L'élevage en barriques de chêne français dure entre 6 et 9 mois pour les meilleurs vins. Quant aux cépages plus aromatiques comme le Riesling et le Gewürztraminer, ils sont vinifiés en cuve et mis en bouteilles peu de temps après.

Les producteurs élèvent fréquemment leurs vins rouges de qualité en petits fûts de chêne : le Cabernet-Sauvignon et le Shiraz (Syrah) tirent profit d'un séjour en fûts de 6 mois à 2 ans.

Les vins blancs d'Australie ont tendance à évoluer rapidement. À l'exception de certains Sémillons de Hunter Valley, qui se bonifient sur une période de 20 ans, les autres arrivent à maturité entre 2 et 6 ans. Les vins rouges aussi sont conçus pour être agréables à boire bien plus rapidement que leurs homologues européens. Quelques grands vins rouges, le Grange Hermitage de Penfolds, par exemple, sont vinifiés pour une

LA RÉGLEMENTATION ET LES ÉTIQUETTES

L'Australian Wine and Brandy Corporation, organisme de droit public, a récemment introduit un programme baptisé « vérité des étiquettes » destiné à compléter la législation régissant et faisant respecter un système d'appellations d'origine : toute revendication de millésime, de cépage ou de région doit être exacte et vérifiable.

Les noms nouveaux. Un accord conclu avec l'Union européenne entraînera la suppression progressive de noms comme « Chablis », « Champagne », « Bourgogne » et « Bordeaux » sur les étiquettes de vins australiens destinés au marché intérieur (ces noms ont déjà été abandonnés pour les vins australiens vendus à l'exportation). Pour les remplacer, les principaux producteurs continueront de développer des noms de marque comme Jacob's Creek de la société Orlando ou Bin 65 Chardonnay de Lindemans. Les petites exploitations mettent davantage l'accent sur le cépage, la région et, bien évidemment, leur propre nom.

Les étiquettes. Les étiquettes des vins australiens ne sont pas d'une grande aide pour les étrangers. Si l'on fait abstraction des messages commerciaux et des mentions obligatoires portées sur la contre-étiquette, l'étiquette principale paraît fort simple. En fait, il faut connaître la réglementation, avoir de solides notions de géographie et posséder un certain flair pour déterminer si le lieu de production et l'origine du vin ont quelque chose en commun. En résumé, si les producteurs doivent obligatoirement indiquer leur adresse, ils ne sont pas tenus de révéler l'origine des raisins (et donc du vin) et, s'ils choisissent de le faire, 85 % du raisin doit provenir de là. Il en va de même pour les vins de cépage, qui doivent contenir 85 % des cépages mentionnés. Enfin, si plusieurs régions ou cépages sont indiqués, ils doivent figurer par ordre décroissant d'importance.

longue maturation en bouteilles, mais, dans la grande majorité des cas, les rouges atteignent leur apogée entre 5 et 10 ans. Le climat australien ne convient guère aux caves particulières, aussi quelques producteurs ne commercialisent-ils leurs vins que lorsqu'ils sont arrivés à maturité. Le développement récent de l'industrie australienne ne permet pas un recul suffisant pour juger de l'évolution des différents styles de vin et domaines.

L'histoire du vin australien

Si l'on comparait les cartes viticoles de l'Australie de 1890 et 1990, on constaterait peu de différences. En revanche, les producteurs ont connu des hauts et des bas au cours du siècle. Apparu à Geelong (Victoria) en 1875, le phylloxéra entraîna une destruction massive du vignoble de cette région (épargnant, fort heureusement, les autres). Le krach bancaire et la crise de 1893, tout comme la suppression des taxes entre États (consécutive à leur fédération en 1901), affectèrent l'ensemble de l'industrie vitivinicole : la possibilité pour les producteurs de vendre dans les autres États aida l'expansion de l'Australie-Méridionale (Riverland et Barossa Valley), stimulée par ailleurs par la demande croissante de vins mutés destinés, notamment à l'Angleterre de l'époque victorienne.

Les vins mutés dominèrent le marché au détriment des autres styles de vin jusqu'aux années 1960, lorsque la demande de vins non sucrés, malgré leur qualité médiocre, se fit de plus en plus forte. À partir de cette époque, d'autres facteurs contribuèrent à donner à l'industrie vinicole sa forme actuelle : le développement d'un savoir-faire technique d'un niveau élevé et l'extension du Cabernet-Sauvignon (à partir de 1960) et du Chardonnay (à partir de 1970) pour répondre à une demande accrue de vins de qualité. Suivant l'exemple donné en 1963 par le docteur en médecine Max Lake, à Lake's Folly en Nouvelle-Galles du Sud, une kyrielle de médecins, d'avocats, d'hommes ou de femmes d'affaires créèrent des centaines d'exploitations pour agrémenter leurs week-ends ou leur retraite. Celles-ci sont réparties sur des terroirs et des zones climatiques aussi divers que ceux rencontrés entre la Champagne et le Languedoc-Roussillon.

L'essor des vins fins

Un grand courant d'air frais souffle sur les vignobles australiens : en 1985, un tiers de la production provenait de cépages nobles ; en 1999, cette proportion a atteint près des deux tiers. En 1970, le Riesling et le Sémillon étaient les seuls cépages blancs de qualité produits en quantité commerciale. La même année, la production de Chardonnay ne dépassait pas les 50 tonnes, alors que celle de 1999 a dépassé 210 000 tonnes, l'emportant ainsi sur tout autre cépage. Les cépages blancs, dont le Colombard, remplacent donc progressivement les cépages de moindre qualité et sont déjà majoritaires dans le Riverland. On constate une même tendance pour les cépages rouges. Vient ensuite le Riesling, appelé ici Rhine Riesling pour le distinguer de nombreux faux Rieslings. On en tire des blancs secs à demi-secs vifs et délicats de style plus français qu'allemand. Le Pinot Noir sert surtout à l'élaboration des Mousseux. On en tire aussi dans les régions les plus fraîches quelques vins de cépage possédant une qualité indéniable.

La technologie dans l'industrie vinicole

Le vin d'Australie est le produit d'une industrie dont le niveau technologique est actuellement inégalé dans le monde. Cela est à porter au crédit de l'Institut australien de recherche vinicole et aux universités Charles Sturt en Nouvelle-Galles du Sud et d'Adélaïde.

La révolution technologique de l'industrie vinicole débuta au milieu des années 1950 par l'introduction, pour le Riesling et le Sémillon, des cuves en acier inoxydable. En moins de vingt ans, les producteurs prirent conscience de l'importance de la technique pour réussir des vins de qualité malgré le climat chaud et aride qui caractérise de nombreuses régions.

L'irrigation, désapprouvée dans nombre de zones viticoles traditionnelles, est indispensable presque partout en Australie pour améliorer la qualité du fruit et assurer de bons rendements. De nos jours, on utilise plusieurs techniques visant à protéger les vignes du soleil pendant le cycle végétatif : on teste en permanence de nouveaux coteaux, plus frais, et la sélection clonale. Les vendanges mécaniques sont effectuées de nuit pour récolter les raisins à bonne température ; leur transport se fait sous réfrigération. Enfin le processus de contrôle des températures durant la vinification garantit aujourd'hui un produit de grande qualité.

L'impact de la technologie s'est doublé d'une volonté de la part des producteurs de partager leurs connaissances : tous les deux ans se tient une conférence technique nationale qui attire des experts du monde entier et la plupart des régions organisent des conférences locales.

Les concours vinicoles

L'Australie a mis au point un système de concours vinicoles très développé qui attire beaucoup l'attention (et un certain nombre de critiques), car les négociants de vins australiens font grand état des prix et des médailles obtenus. Chaque capitale des sept États réunit durant quatre jours une vingtaine de producteurs éminents qui jugent près de 2 000 vins dans des conditions très strictes. Pendant le concours, les discussions sur la technique, le style mais aussi les tendances de l'industrie vont bon train. Une semaine après l'annonce des récompenses, une centaine de producteurs se réunissent pour déguster et comparer leurs vins à ceux qui viennent d'être jugés les meilleurs du pays.

NOUVELLE-GALLES DU SUD

Carte page XXXI

La Nouvelle-Galles du Sud fut le premier des États australiens à cultiver la vigne. Dans Hunter Valley, près de la côte, on produit de nos jours quelques-uns des meilleurs vins d'Australie. Possédant, en plus, deux zones à l'intérieur des terres, Mudgee et Murrumbidgee Irrigation Area, cet État fournit plus du tiers de la production totale des vins australiens.

Trois personnages dominent le développement de l'industrie vinicole de la Nouvelle-Galles du Sud. Le capitaine John Macarthur, plus connu en tant que père de l'industrie lainière australienne, voyagea en France et en Suisse en 1815 et 1816. Il en rapporta différents cépages dont il étudia la culture et, en 1820, créa un vignoble à des fins commerciales à l'ouest de Sydney. Gregory Blaxland, par ailleurs explorateur et éleveur de bétail, exporta les premiers vins australiens en Angleterre en 1822. Enfin, James Busby, un jardinier écossais, rapporta d'Europe en 1831 quelque 600 greffons – pratiquement toutes les variétés connues de *Vitis vinifera*.

En 1825, Busby acheta à Hunter Valley un domaine dont il confia la gérance à son beau-frère, William Kelman. Le développement de ce vignoble commença réellement à son retour d'Europe, en 1831, année où George Wyndham, fondateur de ce qui allait devenir le plus grand établissement viticole de Hunter Valley, planta des vignes avec succès à Dalwood, près de Branxton. Un an plus tard, la Nouvelle-Galles du Sud comptait dix domaines viticoles, allant de 0,5 à 1 ha.

Hunter Valley

Grâce au développement de Upper Hunter Valley (bref dans les années 1860 et 1870, mais plus important depuis 1960), la domination de la zone de Hunter Valley paraît assurée. Pourtant, en matière de viticulture, cette domination reste une anomalie qui ne s'explique qu'en partie par la proximité de Sydney, la ville la plus peuplée d'Australie. Lower Hunter Valley semble, en effet, bien mal adaptée à la culture de la vigne : la majeure partie des pluies tombe au mauvais moment (souvent au tout début des vendanges), le sol très argileux est mal drainé, les températures estivales atteignent des sommets. En revanche, les nuages de l'après-midi protègent les vignes, et le taux d'humidité élevé et les brises marines les aident à supporter la chaleur. De plus, les rendements sont faibles, ce qui donne de bons raisins, et les cépages Sémillon et Syrah montrent une affinité inexpliquée pour ce terroir.

Hunter Valley produit parmi les meilleurs vins secs issus de Sémillon du monde, comme l'ont illustré les vins majestueux de 20 ou 30 ans produits par Lindemans. Les vignobles à l'origine de ces vins blancs uniques ont cessé de produire au début des années 1970, mais McWilliam's, Tyrrell's et Rothbury (ainsi que Lindemans, mais à une moindre échelle) élaborent toujours des vins superbes et distingués, très caractéristiques du terroir. La magie du Sémillon de Hunter Valley – élaboré sans élevage dans le bois – tient à sa façon d'évoluer d'un vin mince, légèrement végétal, anémique dans sa jeunesse, en un vin opulent, aux arômes de miel et de noisettes grillées lorsqu'il arrive à sa pleine maturité.

Au cours de sa vie, le Shiraz subit une métamorphose différente mais tout aussi remarquable. Charpenté et tannique dans sa jeunesse, le vin de Hunter Valley révèle à maturité une texture de velours et des arômes de fruits rouges et noirs, mais aussi de terre, de cuir, de chocolat, de café et de paille.

Du côté des cépages blancs, le Chardonnay est à l'heure actuelle plus cultivé que le Sémillon tandis que, pour les rouges, le Cabernet-Sauvignon rattrape rapidement la Syrah : ces quatre cépages occupent aujourd'hui les trois quarts du vignoble. À Upper Hunter, les blancs dominent. Le Chardonnay, omniprésent, y produit un vin suave, très commercial, aux arômes de pêche et d'une évolution rapide. Le Cabernet-Sauvignon, employé pour les rouges, réussit mieux en Lower Hunter, même si le caractère régional domine avec l'âge.

Mudgee

Mudgee occupe l'extrémité sud-ouest de la vaste Orana Zone, à la même latitude que Hunter Valley, mais à l'ouest du Great Dividing Range. Le viticulteur allemand Adam Roth y planta les premières vignes en 1858. Le vignoble et l'exploitation viticole (Craigmoor) qu'il a créés restèrent dans la famille jusqu'en 1969.

Bien que Mudgee ait bâti sa réputation sur les Shiraz rouges, riches et concentrés, à la robe intense (et, plus tard, les Cabernets-Sauvignons), le petit-fils de Roth planta en 1930 des greffons de cépages blancs obtenus auprès du Kaluna Vineyard de Laraghy. Vers la fin des années 1960, ces derniers furent identifiés par le Dr Denis Bourbals, un ampélographe français renommé, comme des clones

de Chardonnay de très grande qualité exempts de tout virus. Ils devinrent ainsi une importante source de Chardonnay dans le grand périple que fit ensuite celui-ci dans toute l'Australie. Avec son climat relativement plus sec et ses sols plus propices à la vigne, Mudgee devint pour Hunter Valley, entre autres, un fournisseur de raisins et de vins souvent méconnu mais hautement fiable. Personne ne fut surpris lorsque Wyndham Estate, de Hunter Valley, acquit les vignobles et les établissements viticoles de Mont-rose (de loin le plus gros producteur), Craigmoor et Amberton, à la fin des années 1980. Rothbury Estate, de Hunter Valley, loue aujourd'hui l'immense Augustine Vineyards de Mudgee, tandis que Rosemount Estate et Tyrrell's, deux autres sociétés de Hunter Valley, ont passé des contrats d'achat à long terme avec les producteurs de cette région.

Murrumbidgee

Les quelques milliers de tonnes de la production annuelle de Mudgee et de Hunter Valley paraissent insignifiantes comparées aux 123 000 tonnes de raisin récoltées chaque année par la Murrumbidgee Irrigation Area, dans la Riverina Zone. Les vins blancs, de Sémillon et Trebbiano pour plus de la moitié, comptent pour 70 % de la production ; 50 % des rouges sont issus de la Syrah. À une exception près – le Sémillon botrytisé –, les vins sont de qualité courante. Les considérations de quantité et de coût de revient dominent : les pluies printanières et estivales étant faibles, on doit s'en remettre à l'irrigation, qui permet des rendements prolifiques.

Le reste de Nouvelle-Galles du Sud

On commence enfin à explorer systématiquement les coteaux en altitude et d'exposition ouest du Great Dividing Range pour identifier des sites de vignobles possibles. Tyrrell's a planté un vignoble important à Inverell, dans la New England Zone. Le directeur des vinifications de Rosemount, Philip Shaw, s'est associé avec Rosemount pour cultiver la vigne à Orange, dans la Central Western Zone : les premiers vins de Rosemount Orange Region ont vu le jour en 1993. Il a ainsi rejoint Bloodwood Estate (également sous contrat avec Rosemount) comme premiers producteurs de la région à commercialiser leurs vins. Mais d'autres attendent leur tour.

La Central Western Zone inclut aussi Cowra Region, qui se trouve plus au sud, mais à plus basse altitude, et fournit à Cowra Estate et Rothbury Estate des vins de Chardonnay. Encore plus au sud, mais plus en altitude, se trouve la Young Region (dans la Great Canberra Zone). La société McWilliam's, propriétaire actuel de Barwang Estate, produit en quantité limitée, mais croissante, des vins de

Syrah et de Sémillon. Un certain nombre d'autres viticulteurs y font eux-mêmes de petites quantités de vin ou vendent leurs raisins aux producteurs de Greater Canberra, un ensemble d'exploitations florissantes réparti dans tout le Territoire fédéral de la capitale. Le regard probablement tourné vers l'est, à l'approche du prochain millénaire, la zone comprend seize régions, de Goulburn, au nord, à Snowy River et Bega Valley, au sud. Dans la partie méridionale de la Nouvelle-Galles du Sud se trouve le district de Tumbarumba, qui appartient à la Murray Zone et bénéficie du climat toujours frais des Snowy Mountains. Southcorp, le groupe

RÉGIONS, PRODUCTEURS ET NÉGOCIANTS

À l'exception notoire de Riverina, les régions viticoles de Nouvelle-Galles du Sud sont fortes d'une tradition de petites exploitations familiales et furent à l'avant-garde de l'essor des vinificateurs «du week-end». Les régions sont présentées par ordre d'importance et sont suivies de quelques producteurs importants qui n'en font pas partie.

LOWER HUNTER VALLEY

Avec Barossa Valley, c'est la région viticole la plus ancienne et la plus connue d'Australie. La diversité des sols, les étés chauds ou très chauds et les pluies insuffisantes posent des problèmes. Malgré tout, on y fait de grands vins : Sémillons au lent vieillissement, Chardonnays qui évoluent rapidement, Shiraz veloutés de longue garde, et des Cabernets-Sauvignons de caractère.

ALLANDALE
Ce domaine met l'accent sur les vins de Sémillon, Chardonnay, Syrah et Cabernet-Sauvignon, tous fidèles au style régional.

ALLANMERE
Le propriétaire, Newton Potter, et le vinificateur, Geoff Broadfield, élaborent des vins de Chardonnay et de Sémillon superbes ainsi que des rouges. Durham est l'étiquette Reserve.

BROKE ESTATE
Ce nouvel arrivant ambitieux, qui met des experts à contribution, a débuté avec un vin d'assemblage remarquable à base de Cabernet et avec un Chardonnay bien construit.

BROKENWOOD
Il s'agit d'une petite exploitation des plus prisées, qui produit une gamme de vins de qualité allant du Graveyard Hermitage (rouge), issu des raisins du domaine, au Sauvignon/Sémillon et au Cabernet/Merlot (étiquette Cricket Pitch). Le Chardonnay et le Cabernet-Sauvignon Hunter Valley sont très demandés.

DRAYTONS
Cette exploitation familiale datant de 1853 fait des vins à prix modéré mais de qualité régulière. Verdelho (blanc) et Hermitage (rouge) sont ses spécialités.

EVANS FAMILY
Cette exploitation familiale du «gourou» du vin Len Evans cultive du Gamay, du Pinot Noir et du Chardonnay, ce dernier étant le seul remarquable.

LAKE'S FOLLY
Max Lake, un docteur en médecine, fut le fondateur de la première de ces exploitations «de week-end» si importantes dans le monde du vin australien. Son fils Stephen dirige les vinifications et produit des Cabernets-Sauvignons et Chardonnays.

LINDEMANS
L'exploitation Lindemans remonte jusqu'à l'année 1870. Elle est fière de sa longue tradition qui

géant d'Australie-Méridionale, est son principal client : il y achète du Chardonnay et du Pinot Noir pour ses vins effervescents de qualité et, depuis le millésime 1992, commercialise en Australie-Méridionale un Sauvignon étonnant fait d'un assemblage de raisins de Tumbarumba et de Padthaway.

Enfin, on trouve les exploitations situées sur la côte, entre Port Macquarie, dans Hastings Valley, au nord (Cassegrain), et Begain, au sud (Grevillea Estate). Exception faite de Cassegrain, la production de ces petites exploitations côtières vise ouvertement le marché des touristes, et la qualité est, au mieux, médiocre.

RÉGIONS, PRODUCTEURS ET NÉGOCIANTS

comprend des vins d'assemblage à forte proportion de Sémillon, des Shiraz – qui sont aujourd'hui ses meilleurs vins – ainsi que des Chardonnays sophistiqués.

MCGUIGAN BROTHERS
Brian McGuigan, un génie du marketing, s'occupe de la production de vin. La société, largement vouée à l'exportation, produit fièrement des vins commerciaux.

MCWILLIAM'S MOUNT PLEASANT
C'est l'opération de prestige du clan McWilliam, installé à Riverina. La société de cette famille prolifique, fondée dans les années 1880, dominait davantage le marché autrefois. La qualité des vins produits par McWilliam's Mount Pleasant ne peut être prise en défaut : le Sémillon Elizabeth, mis en vente après un élevage de 6 ans, est un véritable bijou.

MURRAY ROBSON WINES
Robson a connu des hauts et des bas, mais, sous la direction de son riche propriétaire, cette société est aujourd'hui florissante avec ses étiquettes et ses styles de vin nombreux, dont le Chardonnay, le Sémillon, le Shiraz et le Cabernet-Sauvignon.

RICHMOND GROVE
Membre du groupe Wyndham (qui appartient à la société Orlando d'Australie-Méridionale), cette exploitation utilise principalement les raisins d'un vignoble ultramoderne de Cowra.

ROTHBURY ESTATE
Création de l'écrivain Len Evans, cette société vinicole produit annuellement 3 millions de bouteilles. Dans cette importante production, il faut noter un Cowra Chardonnay, un Hunter Chardonnay et un Shiraz particulièrement concentré, sans oublier le Sémillon.

TULLOCH
La réputation de cette exploitation a souffert depuis que la famille Tulloch, qui la dirigeait depuis 1895, l'a vendue en 1969. Membre du groupe Southcorp, Tulloch ne brille plus qu'occasionnellement avec son Chardonnay.

TYRRELL'S
Cette petite exploitation fut établie par Edward Tyrrell à Hunter Valley en 1864. Murray Tyrrell l'a tirée d'une relative obscurité pour la hisser à un niveau international. Depuis 1888, elle n'a eu que deux propriétaires : « Uncle Dan » Tyrrell, qui fit 70 millésimes consécutifs (jusqu'en 1958), et Murray Tyrrell (avec son fils Bruce au poste de directeur général). Murray a créé un habile équilibre entre la tradition et les contraintes commerciales de l'exploitation et fut le premier à se rendre compte du potentiel du Chardonnay. Le curieusement nommé →

RÉGIONS, PRODUCTEURS ET NÉGOCIANTS

Vat 47 Chardonnay, créé en 1971, resta dix ans sans rival et conserve une grande réputation. Il vient en tête d'une liste comprenant les divers « Vats », la gamme Old Winery et deux vins produits en grande quantité et étiquetés Long Flat Red et Long Flat White.

WYNDHAM ESTATE
De loin le plus gros producteur de Hunter Valley, Wyndham (groupe Orlando) jouit d'une longue tradition. L'exploitation d'aujourd'hui est le résultat des fougueuses années 1970, époque où elle était dirigée par Brian McGuigan.

UPPER HUNTER VALLEY

Les sols profonds, fréquents dans cette région, expliquent que les rendements soient plus élevés que dans Lower Hunter. Les cépages Chardonnay et Sémillon ont fait la réputation de cette région qui recense deux vignobles importants : Denman Estate (propriété de Rothbury) et Segenhoe Estate (propriété de Tyrrell's).

ARROWFIELD
Les meilleurs vins de cette exploitation japonaise sont élaborés à partir de raisins venant d'autres régions, et même de Nouvelle-Zélande. La plupart des blancs sont élevés en barriques de chêne.

REYNOLDS YARRAWA
Jon Reynolds, ancien vinificateur de Houghton (Australie-Occidentale), élabore des vins solides et savoureux, dont un Chardonnay et un Cabernet/Merlot.

ROSEMOUNT ESTATE
Grand succès depuis sa fondation en 1969, Rosemount obtient des vins remarquablement réguliers. Les Roxburgh Chardonnay et Show Reserve, tous deux voluptueux, sont les fleurons du domaine.

MUDGEE

Les pluies sont ici moins abondantes pendant le cycle végétatif, les nuits plus fraîches et les journées d'été plus chaudes qu'à Hunter Valley. Les meilleurs vins sont un Sémillon (éclipsé toutefois par celui de Hunter Valley), un Chardonnay, un Shiraz et un Cabernet-Sauvignon.

BOTOBOLAR
Gil Wahlquist fut l'un des premiers à se convertir à la culture organique. Il produit des blancs éclectiques, des Shiraz et des Cabernets-Sauvignons étoffés.

CRAIGMOOR
Fondée en 1858, la deuxième plus ancienne exploitation australienne, magnifiquement située, est une attraction touristique. Craigmoor appartient de nos jours à Wyndham.

HUNTINGTON ESTATE
Bob Roberts, un autodidacte, élabore de ravissants vins de Cabernet-Sauvignon, Syrah et Cabernet/Syrah qui gardent pendant quelques décennies leurs arômes de fruit.

MIRAMAR
À l'inverse de ce qui se pratique habituellement à Mudgee, Ian MacRae produit davantage de blancs que de rouges : Riesling, Sémillon, Sauvignon, Traminer et Chardonnay.

MONTROSE
Cette exploitation (groupe Orlando) produit d'importantes quantités de vins blancs et rouges, souples et suaves, dont les meilleurs exemples portent l'étiquette Poets Corner. Montrose réussit parfois des joyaux : le Chardonnay 1991, aux notes de melon et de pêche, en est un bel exemple.

STEIN'S
Bob Stein fait des Shiraz regorgeant de notes épicées et d'arômes de fruit (cerise noire).

THISTLE HILL
Dave Robertson peut produire des vins de Chardonnay extrêmement bons, aux notes fumées et exotiques, ainsi que des vins de Cabernet-Sauvignon.

MURRUMBIDGEE IRRIGATION AREA (MIA)

La MIA, ou région de Riverina, est née d'un semi-désert transformé par un vaste plan d'irrigation de 1906 à 1912. Les cépages sont essentiellement blancs, le Sémillon venant en tête. Le Shiraz est le seul rouge d'importance. Le Sémillon botrytisé est la spécialité de la MIA.

DE BORTOLI
Cette exploitation, fondée en 1928, produit 36 millions de bouteilles par an. L'opulent Noble One, un Sémillon botrytisé, est un grand vin et le fleuron du domaine.

LILLYPILLY
Petite exploitation familiale, Lillypilly est dirigée par Robert Fiumara. Les blancs doux sont ses meilleurs vins : un Muscat d'Alexandrie épicé et botrytisé et un Riesling botrytisé.

MCWILLIAM'S MOUNT PLEASANT
Fondé en 1877, McWilliam's produit près de 18 millions de bouteilles. La société a de l'ambition, mais, aujourd'hui encore, son fonds est constitué de vins mutés de style Sherry et Porto et de vins sans grande originalité.

MIRANDA
Cette société ambitieuse a relevé sa qualité en achetant une exploitation à Barossa (Rovalley) et des raisins d'Australie-Méridionale. Les vins de Chardonnay au goût caractéristique et les Rieslings aux notes de citron vert (étiquette Wyangan Estate) sont fort réussis.

CANBERRA

Il n'y a pas de Freehold Title dans le Territoire fédéral de la capitale. Aussi les exploitations se concentrent-elles près de la frontière et comptent-elles énormément sur les ventes directes aux clients de passage. Le climat est continental et la plupart des vignobles sont situés à 500 m d'altitude ou plus. Les meilleurs vins sont ceux de Cabernet-Sauvignon, Riesling et Chardonnay.

BRINDABELLA HILL
Roger Harris réussit ses Rieslings aux arômes de citron vert, ses assemblages Sémillon/Sauvignon vifs, aux notes végétales, et ses Cabernets frais et éclatants.

DOONKUNA ESTATE
Le regretté sir Brian Murray était le seul gouverneur à être exploitant viticole. Sa veuve poursuit son œuvre avec notamment des Rieslings très parfumés, des Sauvignons subtils et des Chardonnays élégants.

HELM'S WINES
Ken Helm est un ambassadeur infatigable pour le district. La qualité peut être inégale, mais les Rieslings et les assemblages Cabernet/Merlot sont bons.

LARK HILL
Selon l'avis de beaucoup, c'est la meilleure exploitation de la région. Ses Rieslings, Spätlesen Rieslings, Chardonnays et Cabernets/Merlots arrivent en tête.

AUTRES PRODUCTEURS

CAMDEN ESTATE
Camden Estate est situé non loin de Sydney et tout près d'un des premiers vignobles australiens. Son Chardonnay est étoffé et complexe.

CASSEGRAIN
Cassegrain, dans Hastings Valley, est connu pour son Chardonnay étoffé et riche et son Merlot vif d'un style nouveau.

TRENTHAM ESTATE
La famille de Tony Murphy cultive des vignes depuis longtemps à Mildura, sur le Murray, du côté de la Nouvelle-Galles du Sud. Son exploitation de Trentham s'est vite créé une réputation avec une gamme étonnante.

QUEENSLAND

Carte page XXXI

Le Queensland, État du nord-est de l'Australie, ne possède qu'une faible superficie de vignobles. Mis à part des avant-postes comme Roma (dans la partie ouest, reculée et torride), Atherton Tablelands et Ipswich, toutes les exploitations du Queensland sont établies dans Granite Belt (« ceinture de granite »), une région fruitière située à l'extrémité sud de Darling Downs, à quelques kilomètres de la frontière avec la Nouvelle-Galles du Sud.

Les vignobles se trouvent tous à une altitude comprise entre 750 et 900 m. Le débourrement est tardif et les gelées printanières sont une menace réelle. Après les chaleurs de l'été, les températures baissent rapidement. Les pluies sont abondantes pendant la saison végétative et peuvent se poursuivre pendant les vendanges.

Les cépages et les styles de vin

Les deux cépages qui conviennent le mieux à cette région sont le Sémillon, au goût caractéristique, et la Syrah, poivrée et épicée, à l'origine du Shiraz. Cependant, le Chardonnay et le Cabernet-Sauvignon ont également leur importance à Ballandean. Dans ce climat à caractère subéquatorial, la qualité des vins reste généralement modeste, mais il existe quelques bons producteurs (voir ci-dessous). La production totale est faible et principalement destinée à la vente directe aux touristes de passage dans la région.

À Roma, situé au centre-ouest de l'État, une seule cave élabore depuis plus d'un siècle des vins de dessert de qualité.

PRODUCTEURS ET NÉGOCIANTS

BALD MOUNTAIN
Denis Parsons cultive méticuleusement ses vignes. Il fait faire ailleurs, sous contrat, ses vins de Sauvignon et de Chardonnay ronds et suaves et son Shiraz épicé.

BALLANDEAN ESTATE
La plus ancienne exploitation vinicole de la région produit des vins de styles et de cépages variés, en particulier des *Auslesen* Sylvaner (blancs) – une rareté – ainsi que des rouges d'une belle texture.

RUMBALARA
Rumbalara est spécialisé dans le Sémillon et obtient quelques très bons vins, quoique la qualité reste variable. Le domaine sort parfois un Cabernet-Sauvignon velouté.

STONE RIDGE
Cette société a bâti sa réputation sur son Shiraz très poivré, mais propose aussi maintenant un Chardonnay élégant.

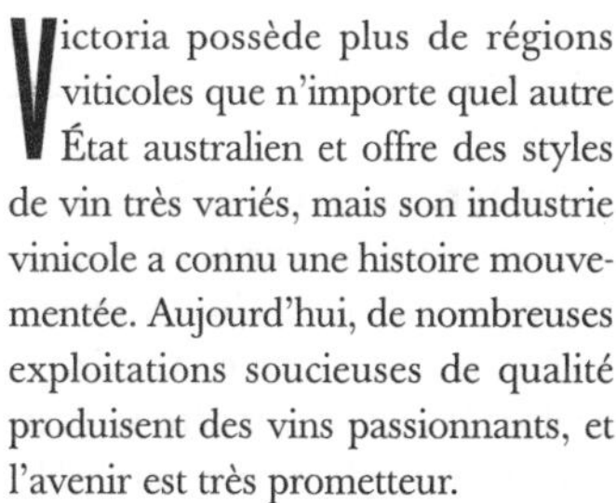

VICTORIA

Carte page XXXI

Victoria possède plus de régions viticoles que n'importe quel autre État australien et offre des styles de vin très variés, mais son industrie vinicole a connu une histoire mouvementée. Aujourd'hui, de nombreuses exploitations soucieuses de qualité produisent des vins passionnants, et l'avenir est très prometteur.

Les premières vignes arrivèrent de Tasmanie à Victoria en 1834, mais nul ne sait ce qu'il en advint. Trois ans plus tard, William Ryrie, originaire de Nouvelle-Galles du Sud, passa les Snowy Mountains, créa une ferme dans ce qu'on appelle aujourd'hui Yarra Valley et y planta les greffons qu'il avait apportés.

À la fin des années 1840, trois régions pouvaient être fières de leur production : Melbourne Metropolitan (autour de la capitale de l'État), Geelong et Yarra Valley. Elles restèrent importantes jusqu'aux alentours de 1880, mais la découverte d'or en 1851 à Ballarat, dans le Central Victoria, changea le cours de l'histoire : l'Australie devint, pendant une brève période, le pays le plus riche du monde (en revenu par habitant). C'est ainsi que les vignobles connurent une rapide expansion vers le nord à Ballarat, Bendigo, Great Western et Rutherglen.

Un éleveur de bétail, Lyndsay Brown, fut malgré lui le précurseur du vignoble australien en plantant de la vigne à Rutherglen, l'année de la découverte de l'or : il affirmait que, «pour découvrir de l'or, il suffit de creuser sur 45 cm de profondeur et de planter des pieds de vigne». En 1875, Victoria était de loin l'État viticole le plus important et, en 1890, fournissait bien plus de la moitié de la production australienne.

La chute et le renouveau du vin de Victoria

En 1875, le phylloxéra fit son apparition dans la région de Geelong, puis gagna progressivement le nord, traversa Bendigo et dévasta Rutherglen et Milawa avant la fin du siècle. Certaines régions – dont Yarra Valley et Great Western – furent mystérieusement épargnées. Victoria fut le seul État à avoir été profondément affecté par le phylloxéra. La chute de la production se poursuivit inexorablement. La fédération des États australiens, en 1901, entraîna la suppression des barrières douanières et des taxes entre les États. Simultanément, les habitudes des consommateurs évoluèrent vers des vins mutés bon marché et des rouges secs et charpentés. À l'exception de quelques avant-postes éparpillés, tel Château Tahbilk, toutes les régions du sud de Victoria cessèrent de produire.

La renaissance de l'industrie vinicole de Victoria eut lieu dans la seconde partie des années 1960, alors qu'une petite douzaine d'exploitations subsistaient en dehors de la zone North-East. Vingt-cinq ans plus tard, elles étaient plus de 200 et il s'en créait presque quotidiennement.

La délimitation des régions viticoles australiennes que propose l'industrie du vin divise l'État en neuf zones : North-Western Victoria (Murray Valley), Central Victoria, North-Eastern Victoria, Western Victoria, Gippsland, Yarra Valley, Geelong, Melbourne et la péninsule de Mornington. Ces zones se subdivisent à leur tour en 17 régions et 82 sous-régions. La division des sous-régions est parfois si subtile qu'elle en est incompréhensible, même pour le plus motivé des amateurs de vins australiens ; dans d'autres cas, les limites sont une démarcation claire entre des terroirs et des climats bien distincts. Les zones et régions ne présentent pas toutes un intérêt commercial.

Les régions viticoles et les zones climatiques

Pour aléatoire que soit toute généralisation, on distingue cependant trois régimes climatiques dans cet État.

TRÈS CHAUD. Les régions de Murray River Valley, Central Northern Victoria (une région de Central Victoria Zone) et North-Eastern Victoria Zone (à l'exception des sous-régions en altitude de King Valley Region) sont très chaudes, avec des températures élevées le jour et fraîches la nuit. Elles produisent des vins mutés de la meilleure qualité et, surtout dans Murray River Valley, de grandes quantités de vins blancs pour la vente en fûts.

TEMPÉRÉ. Les zones de Western et Central Victoria englobent Grampians (anciennement Great Western), Pyrenees, Bendigo et Goulburn Valley. Le climat tempéré se prête parfaitement à la production de Shiraz et de Cabernets-Sauvignons charpentés, riches et étoffés. La maturité des raisins est garantie, et le climat n'est pas chaud au point d'inhiber l'expression des cépages.

FRAIS. Les régions qui, sur le plan géographique, appartiennent aux deux zones précédentes mais, du point de vue climatique, se rapprochent de la partie sud de l'État sont le Far South-West (dont Drumborg), Macedon et Ballarat. Elles forment avec Yarra Valley, Geelong, la péninsule de Mornington et Gippsland un groupe au climat frais.

Le Pinot Noir, qui, tout comme le Chardonnay, se plaît dans les régions plus fraîches, sert à l'élaboration des vins tranquilles et des Mousseux. À leur meilleure expression, Pinots Noirs et Chardonnays prennent des tonalités nettement bourguignonnes qui s'accentuent quand ils arrivent à maturité (de 3 à 5 ans pour le Pinot Noir et 10 ans pour le Chardonnay). Ce sont les particularités d'un microclimat et/ou d'un millésime qui déterminent si les cépages plus tardifs, Cabernet-Sauvignon et Syrah, vont atteindre leur maturité optimale, source de toutes les saveurs. Le Sauvignon et le Merlot sont des raisins qui mûrissent plus tôt, et leur culture ne peut que se développer davantage.

La Murray River Valley

Cette région célèbre fournit plus de 80 % des raisins de Victoria. Aussi n'est-il pas surprenant que la plus grande exploitation d'Australie (Karadoc, propriété de Lindemans) soit située à l'extrémité ouest de la vallée, non loin de la ville de Mildura. Mais la région compte d'autres grandes exploitations : la plus importante, celle de Mildara – située aux abords de la ville –, paraît quelque peu obsolète par rapport à celle de Lindemans. Plus au sud, à Irymple, la société Alambic Wine Company, qui a longtemps fourni du vin en gros aux autres exploitations sans utiliser son nom, promeut aujourd'hui avec succès ses propres marques, Salisbury Estate et Somerset Crossing. Enfin, de l'autre côté de Murray et, géographiquement, dans la Nouvelle-Galles du Sud, se trouve l'exploitation Buronga Hill (BRL Hardy).

Le reste de l'État de Victoria

Un examen attentif des statistiques révèle clairement l'importance et la nature de la production du reste de l'État de Victoria. Presque la moitié de la production de Murray River Valley est assurée par le Muscat Gordo Blanco et le Sultana, deux cépages peu prestigieux dont l'importance ne cesse de diminuer. De l'autre côté, 65 % des quatre cépages rouges nobles (Cabernet-Sauvignon, Syrah, Pinot Noir et Merlot) et presque 40 % des cépages nobles blancs (Chardonnay, Riesling et Sauvignon) viennent du sud de Murray.

Dans un avenir proche, la contribution du reste de l'État à la production de vins de qualité croîtra régulièrement, car, depuis 1970, son industrie vinicole a connu plus de changements qu'aucun autre État australien et son développement ne montre aucun signe de ralentissement.

Si la frontière nord-sud entre l'Australie-Méridionale et Victoria avait été fixée 20 km plus à l'ouest, Coonawarra – la plus prestigieuse des régions australiennes pour les rouges – aurait fait partie de Victoria ; si elle avait été établie 30 km plus à l'ouest, ce sont les grands vins blancs de Padthaway qui auraient fait partie de Victoria. La théorie selon laquelle le climat et le style de vin de ces deux régions réputées sont plus proches de ceux de Victoria que de ceux du reste de l'Australie-Méridionale se défend.

L'influence de l'altitude, la latitude et la confluence de l'océan Indien et de la mer de Tasman créent un paysage viticole extraordinairement riche, et cela partout dans cet État.

RÉGIONS ET PRODUCTEURS

Bien que les producteurs de vin en vrac dominent, les petites propriétés individuelles soucieuses de qualité, créées depuis une dizaine d'années, étendent leur influence. Dans la région de Murray River, Victoria compte de nombreux gros producteurs également présents en Nouvelle-Galles du Sud. Les zones les plus importantes sur le plan commercial, ou les régions à l'intérieur de ces zones, figurent ci-dessous par ordre alphabétique.

BENDIGO

Les vignobles clairsemés sont entourés de forêts d'eucalyptus qui, semble-t-il, contribuent au caractère des vins, Shiraz, Cabernet-Sauvignon et vins d'assemblage Syrah/Cabernet-Sauvignon, charpentés et à la robe profonde.

JASPER HILL
Ron et Elva Laughton élaborent deux rouges puissants, Georgia's Paddock Shiraz et Emily's Paddock (Syrah/Cabernet Franc), qui vieillissent bien.

MOUNT IDA
Propriété de Mildara-Blass, Mount Ida produit un excellent Shiraz.

PASSING CLOUDS
Graeme Leith signe un délicieux Shiraz, ainsi que des vins d'assemblage à base de Cabernet.

YELLOWGLEN
Yellowglen utilise des raisins de tout le sud-est de l'Australie et a amélioré la qualité de ses meilleures cuvées.

GEELONG

Les plaines et pentes douces, relativement fraîches, peu arborées et balayées par les vents, conviennent bien à la production de Chardonnays et de Pinots Noirs aromatiques. On y produit également des vins aux notes épicées issus de Syrah, de Cabernet-Sauvignon, de Sauvignon et de Riesling.

BANNOCKBURN
Des vignobles à pleine maturité, des rendements bas et des méthodes de vinification empreintes d'influence française produisent des Sauvignons et des Chardonnays, ainsi que des Pinots Noirs (la spécialité du domaine) et des Shiraz.

CLYDE PARK
Gary Farr vinifie à Bannockburn, mais possède son propre vignoble à Clyde Park. Le Chardonnay est son meilleur vin.

IDYLL VINEYARD
Les Sefton produisent des Traminers savoureux, de caractère, ainsi que des Shiraz et des Cabernets-Sauvignons en barriques.

PRINCE ALBERT
C'est l'un des deux domaines australiens qui élaborent des vins 100 % Pinot Noir à partir d'un site planté au XIXe siècle. Les vins sont plaisants, mais plutôt légers.

SCOTCHMANS HILL
Depuis 1990, ce domaine a produit de grands vins, dont des Chardonnays, des Pinots Noirs (surtout) et des Cabernets, à la fois souples et savoureux.

GIPPSLAND

De grandes distances séparent les petits vignobles qui parsèment ce paysage de plaines souvent desséché. Comme on peut l'imaginer, les rendements, extrêmement bas, permettent d'obtenir des Chardonnays très concentrés et d'une belle texture ainsi que quelques Pinots Noirs magnifiques. On y produit également des vins de Cabernet.

BASS PHILLIP
C'est l'autre domaine voué uniquement au Pinot Noir. Phillip Jones réussit des vins élégants.

BRIAGOLONG ESTATE
Le Dr Gordon McIntosh réussit des vins de Chardonnay et de Pinot Noir très personnels mais pleins de saveur.

MCALISTER VINEYARDS
Le seul vin produit par ce domaine est le McAlister, un assemblage de Cabernet-Sauvignon, Cabernet Franc et Merlot à la fois puissant, complexe et musclé.

NICHOLSON RIVER
Ken Eckersley élabore un Chardonnay qui regorge de notes de miel et de nuances de pain grillé provenant des barriques.

GOULBURN VALLEY

La bourgade de Tabilk et le Château Tahbilk constituent depuis toujours le centre de cette région viticole. Ils ont été rejoints par Mitchelton, un voisin plus récent. Les meilleurs vins comprennent des Shiraz, des Cabernets-Sauvignons de grande garde ainsi que de puissants Rieslings.

CHÂTEAU TAHBILK
Dans ce domaine historique et familial, on produit du vin depuis les années 1860 : quelques vignes de Syrah plantées en 1862 sont encore en production. Les spécialités sont des vins de Marsanne élégants, des Shiraz et des Cabernets-Sauvignons de longue garde, parfois tanniques.

MITCHELTON
Ce producteur vend très bien à l'exportation une gamme importante, dont des vins de Marsanne élevés en barriques de chêne, de bons Rieslings charnus et un assemblage Syrah/Cabernet-Sauvignon riche en fruit.

GRAMPIANS

Depuis 140 ans, l'or et le vin sont inextricablement liés dans cette région (ancien Great Western), avec plusieurs types de Shiraz illustrant qualité et régularité, des Cabernets-Sauvignons charnus et suaves et des Chardonnays.

BEST'S
Ce vignoble historique possède des vignes plantées dans les années 1860 et des cépages inconnus partout ailleurs. Les vins de Syrah et de Cabernet-Sauvignon, soyeux, sont excellents, tout comme ceux de Chardonnay, aux arômes de melon et de pêche.

MONTARA
Les vins de Chardonnay, Riesling, Ondenc (blanc), Chasselas (blanc), Pinot Noir, Syrah, Cabernet-Sauvignon et les « Portos » viennent tous des vignes du domaine. De temps en temps, le Pinot Noir excelle – contre toute attente puisque le climat est, en théorie, trop chaud.

MOUNT LANGHI GHIRAN
Trevor Mast produit quelques-uns des plus grands Shiraz d'Australie. De texture merveilleuse, ses vins regorgent d'arômes.

SEPPELT GREAT WESTERN
Fondé en 1865 par Joseph Best et racheté en 1918 par Seppelt, c'est le centre de production de tous les Mousseux commercialisés par Penfolds sous les étiquettes Seppelt, Seaview, Minchinbury et Killawarra. La qualité s'est améliorée depuis le milieu des années 1980, à mesure que le Chardonnay et le Pinot Noir supplantaient les cépages moins intéressants.

KING VALLEY

BROWN BROTHERS
Établi en 1889 dans North-Eastern Victoria, Brown Brothers a toujours su garder son avance sur la concurrence. Brown Brothers s'est surtout distingué en procédant à la première évaluation systématique des innombrables cépages qui n'avaient pas encore été utilisés et en créant des vignobles d'altitude, au climat plus tempéré, sur les contreforts des Alpes australiennes. La société est spécialisée dans les vins monocépages et produit plusieurs vins blancs, parmi lesquels le Dry Muscat Blanc et le Family Reserve Chardonnay, alors que son meilleur rouge est le délicieux Koombahla Cabernet-Sauvignon.

MACEDON

Les districts de Macedon sont très contrastés : Sunbury se trouve dans les plaines, alors que Kyneton et Macedon Ranges sont situés sur des coteaux. Ils ont en commun un sol granitique →

RÉGIONS ET PRODUCTEURS

relativement dur, des vents mugissants et un climat très frais. Les millésimes ensoleillés donnent des vins de Cabernet et de Syrah de grande distinction ; les années plus fraîches favorisent les Pinots Noirs pleins de sève et les Chardonnays bien structurés.

CLEVELAND
Ce domaine obtient ses meilleurs résultats avec le Chardonnay et le Pinot Noir. On y produit également des vins effervescents et un Cabernet-Sauvignon.

COBAW RIDGE
Vinificateur autodidacte, Alan Cooper produit des vins de Chardonnay et un Shiraz.

COPE-WILLIAMS
Gordon Cope-Williams, un architecte anglais expatrié, fait un excellent Mousseux, Macedon Brut.

CRAIGLEE
Craiglee réincarne depuis 1976 un vignoble historique de Macedon à Sunbury. On y produit d'excellents Shiraz et un Chardonnay séduisant.

GOONA WARRA
Fondé en 1863, ce domaine revit depuis 1983 dans des superbes bâtisses en trapp d'Australie. Les vins de Sémillon, Chardonnay et Cabernet Franc issus des vignobles de ce domaine sont tous de grande qualité.

HANGING ROCK
John et Ann Ellis produisent une gamme de vins allant du Mousseux des vignobles du domaine à des vins sans prétention, Picnic White et Picnic Red.

ROCHFORD
Des Pinots Noirs légers ou moyennement étoffés sont les vins de ce domaine à surveiller attentivement.

VIRGIN HILLS
Ce domaine produit un seul vin rouge de grande qualité (les meilleures barriques sont mises en bouteilles sous l'étiquette Reserve), élaboré sans adjonction de dioxyde de soufre à partir des cépages Cabernet-Sauvignon, Syrah et Merlot du domaine, cultivés organiquement.

WILDWOOD
Après des débuts incertains en 1983, Wayne Stott produit des Pinots Noirs aromatiques et des Cabernets à l'arôme de menthe.

PÉNINSULE DE MORNINGTON

Autrefois villégiature des habitants fortunés de Melbourne, cette région recense 35 domaines viticoles, dont la plupart pourvoient aux besoins des touristes et des clients de passage en leur fournissant des vins réguliers et de bonne qualité. La fraîcheur du climat maritime favorise les vins délicats et élégants ; les cépages Chardonnay, Pinot Noir, Syrah, Merlot et Cabernet-Sauvignon dominent.

DROMANA ESTATE
Impeccablement tenus, les vignobles de Garry Crittenden produisent du Chardonnay et du Cabernet/Merlot (étiquette Dromana Estate), ces deux vins faisant l'admiration de tous. En outre, des raisins sont achetés ailleurs pour une gamme éclectique commercialisée sous l'étiquette Schinus.

ELGEE PARK
Bailleu Myer fut le pionnier de la renaissance que connut la péninsule de Mornington au XXe siècle pour y avoir introduit le premier cépage Viognier d'Australie. Ses meilleurs vins sont le Chardonnay et le Riesling.

KING'S CREEK
L'œnologue-conseil Kathleen Quealy fait, en petite quantité, d'élégants vins de Chardonnay et de Pinot Noir.

MAIN RIDGE
Nat White a choisi l'un des sites les plus frais de la péninsule pour produire des vins de Chardonnay, Pinot Noir et Cabernet-Sauvignon légers, nets et vifs.

MASSONI
Leon Massoni, un restaurateur de Melbourne, et Ian Home, l'ancien propriétaire de Yellowglen, ont l'ambition d'augmenter leur production de Pinot

Noir, de Chardonnay, et d'un vin blanc effervescent.

MERRICKS ESTATE
L'avocat George Kefford et sa femme Jacquie produisent un Shiraz, succulent et épicé, vinifié sous contrat.

MOOROODUC ESTATE
Le Dr Richard McIntyre réussit depuis 1983 des vins de Chardonnay d'une texture remarquable, ainsi que d'élégants Pinots Noirs et Cabernets-Sauvignons.

PORT PHILLIP ESTATE
Jeffrey Shera, avocat éminent, a commercialisé en 1991 ses premiers vins de Pinot Noir, Cabernet/Merlot et Chardonnay.

STONIERS MERRICKS
Il s'agit d'un domaine qui connaît un développement rapide et vinifie plusieurs vins pour le compte des autres. La qualité est exemplaire, avec en tête de liste des Pinots Noirs élégants, qui défient les meilleurs du genre de Yarra Valley.

T'GALLANT
Un couple d'œnologues-conseils, Kevin McCarthy et Kathleen Quealy, dirige ce domaine et produit un Chardonnay, Holystone (un blanc d'assemblage Pinot Noir/Chardonnay), et un Pinot Gris.

TUCK'S RIDGE
Établi en 1993, ce domaine encore modeste semble destiné à devenir le plus important de la région quand les vignes récemment plantées deviendront productives. On y produit des vins de Riesling, Chardonnay, Pinot Noir et Cabernet-Sauvignon.

MURRAY RIVER VALLEY

Le puissant Murray prend sa source dans le Great Dividing Range, court le long de la frontière entre Nouvelle-Galles du Sud et Victoria, et se jette à l'ouest dans l'océan Indien (1000 km), près d'Adélaïde. Des deux côtés du fleuve, la viticulture dépend totalement de l'irrigation. De gros volumes de vins blancs de consommation courante font vivre la région.

LINDEMANS KARADOC
C'est le vaste centre de production de la branche Lindemans du groupe Southcorp, avec plus de 5 millions de bouteilles de Bin 65 Chardonnay, expédiées chaque année aux quatre coins du monde.

MILDARA
Le nom remonte à 1888, mais le domaine d'aujourd'hui est quelque peu désuet. Il appartient au groupe Mildara-Blass et propose une gamme importante de boissons allant de vins de Riverland aux eaux-de-vie en passant par des vins mutés. Les vins de haut de gamme commercialisés sous l'étiquette Mildara-Blass sont, pour la plupart, vinifiés ailleurs.

SALISBURY ESTATE
Les vins vendus sous l'étiquette du domaine ne représentent qu'un faible pourcentage des quelque 20 millions de bouteilles de vins vendus à d'autres domaines.

TISDALL
Tisdall fait partie de Mildara-Blass depuis 1993. Il est probable que sa gamme de produits soit prochainement réduite. Le meilleur vin du domaine est un Cabernet/Merlot de qualité régulière.

FAR SOUTH WEST

Le vignoble Seppelt Drumborg (Southcorp) est de loin l'entreprise la plus importante, bien que les raisins soient vinifiés à Great Western. Le temps, parfois très frais et variable, rend la viticulture difficile, mais l'effort est compensé par des Mousseux, quelques Rieslings botrytisés et, de temps en temps, un Cabernet-Sauvignon de caractère.

CRAWFORD RIVER
Vinificateur à ses heures, John Thomson réussit contre toute attente à réaliser des Rieslings, des Rieslings botrytisés, des vins d'assemblage Sémillon/Sauvignon Blanc et de bons Cabernets-Sauvignons. →

RÉGIONS ET PRODUCTEURS

YARRA VALLEY

Cette belle vallée bordée de montagnes possède un climat plus sec mais plus frais que celui du Bordelais (et plus chaud que celui de Bourgogne). Les sols anciens, bien drainés, se prêtent bien à la production de Chardonnays élégants, de Shiraz épicés, de Merlots somptueux et de Cabernets-Sauvignons de haute qualité. Mais c'est le Pinot Noir qui a fait le succès exceptionnel de la région : comptant parmi les meilleurs vins du monde, il a rétabli la réputation prestigieuse dont la région bénéficiait au XIXe siècle.

COLDSTREAM HILLS
Fondé et encore dirigé par James Halliday, le plus connu des écrivains sur le vin d'Australie (mais cédé au groupe Southcorp), ce domaine a remporté plus de récompenses que quiconque à Yarra Valley. Il connaît un beau succès avec son Pinot Noir et son Chardonnay.

DE BORTOLI
Premier producteur de la vallée, De Bortoli connaît un développement rapide. Il propose des vins généreux sous l'étiquette De Bortoli et d'autres, à des prix très étudiés, sous l'étiquette Windy Peak.

DIAMOND VALLEY
David Lance élabore avec talent un Riesling, un Chardonnay et un Cabernet d'assemblage, mais se dépasse avec son Pinot Noir.

DOMAINE CHANDON
Exploitation de rêve à Yarra Valley, ce domaine appartenant à la société Moët & Chandon élabore plusieurs cuvées de vins effervescents de style et de qualité extraordinaires dont la marque Green Point.

LONG GULLY ESTATE
Ce domaine important produit une large gamme de vins non vinés qui se vendent bien à l'exportation.

MOUNT MARY
Considéré par beaucoup comme le meilleur producteur de la région, John Middleton élabore en petite quantité des Cabernets parfaitement équilibrés et de longue garde, des Pinots Noirs fins et racés et des blancs austères et élégants.

OAKRIDGE ESTATE
Avec ses vignes plantées dans des sols rouges volcaniques, ce domaine est spécialisé dans les Cabernets-Sauvignons et obtient des vins de grande classe, d'une belle définition.

SEVILLE ESTATE
Peter McMahon produit de grands vins en petite quantité, notamment un Shiraz aux allures de vin du Rhône et des Rieslings très botrytisés.

ST. HUBERT'S
Premier des domaines à avoir été relancés, St. Hubert's, qui appartient à Rothbury Estate, produit d'excellents vins de Chardonnay et de Cabernet-Sauvignon.

TARRAWARRA
Magnat de l'industrie vestimentaire, Marc Besen fait des vins de Chardonnay et de Pinot Noir puissants, concentrés, à la longévité impressionnante.

YARRA EDGE
Créé en 1982, ce domaine n'a commencé qu'en 1990 à vendre sous son nom ses vins, dont un bon Cabernet-Sauvignon.

YARRA RIDGE
Ce domaine a connu depuis son premier millésime, en 1989, une expansion rapide. Des raisins de toutes les zones et régions de Victoria sont utilisés pour les vins, dont un Cabernet-Sauvignon qui connaît un grand succès.

YARRA YERING
Bailey Carrodus produit des vins rouges charnus et complexes, dont le Dry Red No 1 (à base de Cabernet) et le Dry Red No 2 (à base de Shiraz).

YERINGBERG
Le baron Guillaume de Pary produit des vins voluptueux sur ce domaine fondé par son grand-père dans les années 1860. Les cépages Marsanne et Roussanne sont les spécialités de la maison.

AUSTRALIE-MÉRIDIONALE

Carte page XXXI

L'Australie-Méridionale contribue pour un peu moins de la moitié à la production vinicole du pays. La zone à fort rendement de Riverland propose surtout des vins divers sans grande distinction, mais le reste de la région produit des vins rouges, blancs et mousseux qui font partie des meilleurs d'Australie.

Qui, en Australie-Méridionale, fut le premier à faire du vin destiné au commerce ? La question n'est toujours pas résolue. L'un des prétendants au titre, Walter Driffield, après avoir envoyé en Angleterre douze bouteilles de vins blancs du millésime 1844 à la reine Victoria, fut traduit en justice pour avoir fait du vin sans autorisation. L'histoire ne dit pas ce que la reine a pensé du vin. La production a débuté dans les jardins de la banlieue de la ville d'Adélaïde, mais s'est rapidement étendue vers Reynella, au sud, et vers Clare et Barossa Valley, au nord. Une bonne partie de Barossa Valley doit son développement à des Allemands luthériens de Silésie.

Les premiers vignerons s'aperçurent que le climat de l'Australie-Méridionale convenait bien mieux à la culture de la vigne que celui de leur Europe natale. Les sols variés, mais, en général, bien structurés, retenaient suffisamment les pluies d'hiver et de printemps pour alimenter les vignes pendant les étés secs. Les bons rendements de raisins sains étaient en principe garantis, et les teneurs élevées en sucres certaines.

Le climat et les zones viticoles

Située à une latitude de 35° sud, Adélaïde, capitale de l'Australie-Méridionale, est comparable sur le plan climatique à la côte centrale de Californie. Une bonne partie de l'Australie-Méridionale subit une influence maritime, la fraîcheur des mers améliorant des conditions qui, autrement, seraient trop chaudes pour produire des vins de grande qualité.

Avec 46 % de la production vinicole, l'importance de cet État est évidente. Il est divisé en trois zones : Central, South-East et Murray Mallee. (Quatre autres zones, la péninsule de Yorke, la péninsule d'Eyre, l'île Kangaroo et Far North, sont d'un intérêt purement académique.)

La Central Zone pourrait être qualifiée de salle des machines de l'industrie australienne. Cette zone englobe les régions traditionnelles – et les plus connues – d'Australie-Méridionale.

Barossa Valley

Barossa Valley est de loin la région la plus importante. Malgré cela,

pendant les années 1970 en particulier, elle a traversé une période difficile. À la même période, les régions viticoles de climat frais acquéraient une certaine renommée, le Chardonnay remplaçant le Riesling et le Cabernet-Sauvignon prenant la place du Shiraz comme cépage et vin les plus recherchés. La superficie cultivée a diminué et, à mesure que les petits propriétaires-récoltants gagnaient les faveurs du public, les grands domaines de la Barossa étaient desservis par leurs options industrielles. Le déclin de Barossa Valley est dû à l'arrachage des vignes à petit rendement qui servaient autrefois principalement à la production de vins mutés. Pourtant, les raisins noirs des vieux ceps de Syrah, Mourvèdre et Grenache qui subsistent, sans palissage ni irrigation, sont aujourd'hui très recherchés.

La renaissance de Barossa Valley révèle ses points forts : elle convient parfaitement à la production de vins rouges riches, charnus et généreux, comme le démontre le Grange Hermitage de Penfolds. On continue néanmoins d'y produire de grandes quantités de vins blancs, Rieslings et Chardonnays, mais la production de raisins rouges dépasse de loin celle des raisins blancs.

Clare Valley et Eden Valley

C'est dans Clare Valley, au nord de la Barossa, ainsi que dans Eden Valley, entre Barossa Valley et les Adelaide Hills, que s'épanouit le Riesling, appelé Rhine Riesling. Il porte l'empreinte très particulière du style australien. En effet, le vin blanc acéré qu'il engendre ne ressemble en rien au Riesling d'Allemagne et guère à celui d'Alsace, mais il évolue en bouteille de la plus belle façon pendant 10 à 20 ans.

Clare Valley jouit d'un climat particulier, plus continental que maritime, qui convient tout aussi bien aux cépages rouges Cabernet-Sauvignon, Syrah et Malbec. Les vins de ces cépages ont une robe profonde, de la concentration et de la puissance, sans être trop mûrs ou confits.

McLaren Vale

McLaren Vale, situé au centre de la région de Southern Vales, à environ 40 km au sud d'Adélaïde, a forgé sa réputation sur la production, depuis un peu plus d'un siècle, de vins rouges très concentrés. Bien que l'on continue de produire des Shiraz et des Cabernets-Sauvignons, plusieurs vignobles conviennent aussi bien aux raisins blancs, Sauvignon, Sémillon et Chardonnay. En général, ils bénéficient d'un climat maritime et réussissent mieux les années plus fraîches.

Adelaide Hills

L'industrie du vin d'Australie-Méridionale est née dans certains endroits des plaines asséchées entourant la ville d'Adélaïde. Le développement urbain a chassé bien des viticulteurs vers le climat plus frais des Adelaide Hills. Dans la sous-région de Clarendon, au nord des Adelaide Hills, on trouve des Rieslings puissants et des Cabernets-Sauvignons aux accents de cassis et d'une finesse exceptionnelle. En gagnant de l'altitude, en direction de la sous-région de Piccadilly Valley, vers le nord, le climat devient nettement plus frais : le Chardonnay et le Pinot Noir dominent et une part importante de la production sert à l'élaboration de vins effervescents. Plus loin, vers le nord-est, la sous-région de Lenswood produit tous les cépages classiques du Bordelais et de la Bourgogne.

South-East Zone

La South-East Zone, à plusieurs centaines de kilomètres au sud-est d'Adélaïde, comprend deux sous-régions très importantes, Coonawarra et Padthaway.

Le climat de Coonawarra s'est révélé idéal pour le Cabernet-Sauvignon : il est nettement maritime, mais suffisamment chaud pour éviter des arômes végétaux excessifs et suffisamment frais pour permettre la pleine expression du caractère des cépages. La Syrah prospère elle aussi depuis toujours dans le Coonawarra : des notes épicées ressortent les années fraîches, tandis que les arômes de cerise noire et de cassis dominent les années plus ensoleillées. Les vins de Cabernet-Sauvignon et de Syrah partagent la même texture souple et soyeuse : les tanins sont fins et doux.

Quelques-unes des plus importantes sociétés viticoles emploient des techniques à la pointe du progrès – mais controversées. Ces méthodes réduisent le coût de production du raisin à des niveaux très bas par rapport aux normes mondiales. En revanche, elles n'optimisent pas le potentiel de qualité des vins.

Plus au nord, Padthaway, une région un peu plus chaude, privilégie les raisins blancs, bien que tous les cépages principaux soient cultivés dans les deux régions. Les Chardonnays de Padthaway, en particulier, possèdent un caractère régional très marqué, avec des arômes et des goûts évoquant immanquablement le pamplemousse.

Murray Mallee

Le célèbre Riverland – dans la zone de Murray Mallee – est une région de plaines arides et chaudes, que le fleuve Murray traverse d'est en ouest en partant de la frontière de l'État de Victoria. La viticulture n'y est possible que grâce à un vaste système d'irrigation. D'énormes quantités de vins ordinaires, qui n'en sont pas moins très demandés, sont produits pour la vente en fûts, en Cubitainer ou en vrac à l'exportation. Il s'agit principalement de vins blancs. Les vendanges sont mécaniques et les rendements élevés.

RÉGIONS ET PRODUCTEURS

Jusqu'à ces dernières années, les importantes sociétés viticoles de Riverland ont dominé l'industrie du vin d'Australie-Méridionale au détriment des petites exploitations. Beaucoup de petits producteurs se regroupent actuellement pour obtenir davantage de pouvoir et d'influence. Les régions les plus importantes sur le plan commercial figurent ci-dessous par ordre alphabétique.

ADÉLAÏDE

La forte urbanisation a cantonné la viticulture à Angle Vale et Gawler River, dans les chaudes plaines du nord de la ville.

PENFOLDS MAGILL ESTATE
Cinq précieux hectares de Syrah entourent encore la maison construite par Christopher Rawson Penfold à son arrivée d'Angleterre en 1844. On y produit le Magill Estate Dry Red.

PRIMO ESTATE
Joe Grilli produit un Colombard vif, un Joseph Cabernet-Sauvignon concentré et un Riesling botrytisé.

ADELAIDE HILLS

La région produit avec régularité des vins tout en élégance et en finesse.

ASHTON HILLS
Stephen George, également œnologue-conseil à Vendouree dans Clare Valley, élabore d'élégants vins de Riesling, de Chardonnay, de Pinot Noir ainsi qu'un vin d'assemblage issu de Cabernet-Sauvignon et de Merlot.

GRAND CRU ESTATE
Ancien directeur de Seppelt, Karl Seppelt produit des Chardonnays et des Shiraz, ainsi qu'un Cabernet-Sauvignon.

PETALUMA
Brian Croser produit des vins au sommet de la qualité. Le Mousseux s'appelle Croser, la deuxième étiquette des vins tranquilles est Bridgewater Mill.

STAFFORD RIDGE
Geoff Weaver a agrandi son propre domaine de Stafford Ridge. Rieslings, Sauvignons et Chardonnays intensément aromatiques.

BAROSSA VALLEY

Un climat tempéré, des pluies hivernales et printanières, des étés généralement secs et des sols variés font de Barossa Valley une région idéale pour la production de vins rouges corsés.

BASEDOWS
Ce domaine datant de 1896 produit avec détermination des vins qui ne déçoivent jamais, tel un Sémillon élevé en barriques.

CHARLES MELTON
Graeme (Charlie) Melton joue un rôle prépondérant dans la renaissance de Barossa Valley, surtout avec son vin rouge, Nine Popes (Syrah, Grenache et Mourvèdre).

ELDERTON
Le Shiraz et le Cabernet-Sauvignon sont les meilleurs vins.

GRANT BURGE
Fondateur de Krondorf, Grant Burge a constitué un vignoble très important où il produit des rouges et des blancs.

KAISER STUHL
Fondée en 1931, cette ancienne coopérative fait désormais partie du groupe Southcorp. Seul le Red Ribbon Shiraz a des prétentions de qualité.

KRONDORF
Partie intégrante de Mildara-Blass, Krondorf est un succès commercial. Les raisins viennent de l'ensemble de l'Australie-Méridionale.

ORLANDO
Appartenant aujourd'hui à Pernod-Ricard, mais fondée en 1847, Orlando produit avec Wyndham et plusieurs autres membres du groupe un vin de réputation mondiale, Jacob's Creek (rouge et blanc). Parmi les autres étiquettes, on compte St. Hugo, St. Helga, Gramps et RF.

PENFOLDS
La force de Penfolds réside dans ses vins rouges, de son Grange Hermitage (le plus grand vin du pays) à son Koonunga Hill en

passant par Magill Estate, St. Henri, Bin 707 Cabernet-Sauvignon, Clare Estate, Bin 389 Cabernet Shiraz, Bin 128 Coonawarra Shiraz et Bin 28 Kalimna Shiraz. Depuis 1990, Penfolds s'est lancé avec succès dans la production de vins blancs.

PETER LEHMANN
Ses vins de Riesling, Syrah, Sémillon, Chardonnay, Cabernet-Sauvignon et un assemblage de Cabernet-Sauvignon/Malbec sont des valeurs sûres.

RICHMOND GROVE
Fondé en 1931, le domaine de Leo Buring est depuis longtemps considéré comme le producteur des plus grands Rieslings australiens. Ce sont des vins blancs qui évoluent merveilleusement pendant 20 ans et plus.

ROCKFORD
Rocky O'Callaghan vinifie à l'ancienne pour produire des vins de très fort caractère, dont le Riesling et le Shiraz.

ST. HALLETT
St. Hallett a beaucoup contribué à rétablir la réputation de la région. Le mérite en revient à Bob McLean, qui s'est associé avec le vinificateur Stuart Blackwell et Carl Lindner, viticulteur depuis fort longtemps en Barossa. Le Old Block Shiraz, élaboré à partir d'une série de vignobles plantés en vignes de plus de 60 ans, a des arômes intenses, sans être tannique ni rude. Sa texture souple et soyeuse a été renforcée par l'utilisation de barriques neuves. La société produit aussi un vin blanc qui ne passe pas en barrique, le Poachers White, un assemblage Sémillon/Chardonnay/Sauvignon et un Barossa Shiraz.

TOLLANA
Fondé en 1888, Tollana (Southcorp) s'est forgé sa propre identité avec son Eden Valley Riesling concentré, ses Sémillons, Sauvignons et Chardonnays vinifiés en barriques et ses vins rouges élégants et pleins de sève.

TOLLEY
Tolley produit un éventail classique de vins bien faits et de prix raisonnables, ainsi qu'un Gewürztraminer très aromatique.

WOLF BLASS WINES
Depuis les années 1960, Wolf Blass a développé l'une des marques les plus réussies d'Australie, qui comprend des assemblages de vins de plusieurs cépages et plusieurs régions, tous élevés dans du chêne américain.

YALUMBA
Datant de 1863, Yalumba est l'un des plus grands domaines familiaux d'Australie et connaît un franc succès avec son Mousseux Angas Brut bon marché, ses vins de cépage commercialisés sous l'étiquette Oxford Landing et ses vins de marque.

CLARE VALLEY

Parmi les vins, on trouve des Rieslings superbes, de longue garde, des Shiraz puissants et une spécialité régionale, un assemblage complexe de Cabernet-Sauvignon et de Malbec. Le Sémillon et le Chardonnay s'y plaisent.

EAGLEHAWK ESTATE
Ce domaine fondé en 1856 produit aujourd'hui une sélection limitée de vins agréables.

GROSSET
Jeffrey Grosset élabore de très bons Rieslings et Chardonnays, mais aussi le Gaia, un superbe Cabernet-Sauvignon/Merlot.

JIM BARRY
La grande famille Barry est propriétaire de quelques vignobles où elle élabore des Rieslings et l'Armagh, un concurrent de haute volée pour le Grange de Penfolds.

LEASINGHAM
Appartenant aujourd'hui à BRL Hardy (Southcorp), elle produit des vins de Riesling, Chardonnay, Syrah et Cabernet/Malbec.

MITCHELL CELLARS
Depuis 1975, Andrew et Jane Mitchell élaborent un Riesling classique ainsi qu'un Cabernet-Sauvignon solide et tannique. Ils ajoutent aujourd'hui à leur liste un Chardonnay et un Shiraz aux arômes de menthe. →

RÉGIONS ET PRODUCTEURS

SEVENHILL
Établi en 1851 par la Jesuit Manresa Society, qui dirige toujours le domaine, Sevenhill élabore des vins de messe et des vins issus de cépages habituels et inhabituels, le Crouchen (blanc), le Grenache et le Touriga (rouges).

SKILLOGALEE
Les vignobles escarpés de Skillogalee produisent des Rieslings, des Shiraz et des vins d'assemblage (Cabernet-Sauvignon/ Cabernet Franc/Malbec).

TAYLORS
Qualité et prix modestes : cette recette donne de bons résultats pour le Chardonnay et le Cabernet-Sauvignon.

TIM KNAPPSTEIN
Tim Knappstein produit des Rieslings, Chardonnays, Fumés Blancs et Cabernets/Merlots ainsi qu'un Riesling botrytisé exceptionnel, un Sémillon et un Pinot Noir de Lenswood.

WENDOUREE CELLARS
Établis en 1895, ces vignobles possèdent un microclimat unique et produisent en petite quantité des vins rouges qui sont extrêmement concentrés et profonds, Shiraz, Mourvèdre, Malbec et Cabernet-Sauvignon.

WILSON VINEYARD
Les vins de John Wilson sont éclectiques et comprennent un Zinfandel et un rouge effervescent.

COONAWARRA

Cette région possède toutes les caractéristiques d'une véritable appellation : un sol calcaire très particulier (rouge en raison de dépôts de fer) appelé *terra rossa* et un microclimat tempéré unique. La région produit en abondance les plus grands Cabernets-Sauvignons d'Australie et des Shiraz de grande qualité. Les Rieslings, Sauvignons et Chardonnays y sont tout aussi à l'aise.

BALNAVES
Doug Balnaves fait vinifier une partie de ses raisins sous contrat. Vins de Chardonnay, Cabernet-Sauvignon et Cabernet/ Merlot riches et fruités.

BOWEN ESTATE
Doug Bowen est un petit producteur qui se surpasse avec des Shiraz corsés et des Cabernets-Sauvignons concentrés.

BRANDS LAIRA
Les conseils techniques des McWilliam's, les nouveaux copropriétaires, ont amélioré l'éventail de Rieslings, Chardonnays, Shiraz, Cabernets-Sauvignons et Cabernets/Merlots. Il faut rechercher leur Original Vineyard Shiraz.

HOLLICK
Ian Hollick produit des rouges de qualité et Patrick Tocaciu élabore des Rieslings et de subtils Chardonnays.

KATNOOK ESTATE
De bons vins de Sauvignon, des Chardonnays de grand style et des Cabernets-Sauvignons sont en tête de la sélection Katnook. Riddoch est la seconde étiquette diffusée.

LECONFIELD
Ralph Fowler élabore des Rieslings et des Cabernets-Sauvignons de grande qualité.

LINDEMANS
Lindemans (Southcorp) s'est installé en Coonawarra dans les années 1960. L'accent est mis sur les vins rouges, avec, en tête de liste, le St. George Cabernet-Sauvignon et le Limestone Ridge (Syrah/Cabernet).

MILDARA
Cette société a été fondée en 1888 à Mildura dans l'État de Victoria. Le succulent Jamiesons Run, un assemblage de vins de plusieurs cépages, est à l'origine de son succès commercial.

PARKER ESTATE
Deux Cabernets-Sauvignons, dont le meilleur porte l'étiquette Terra Rossa First Growth et est extrêmement concentré.

PENLEY ESTATE
Des Chardonnays aux arômes complexes et des Cabernets-Sauvignons sont ses meilleurs vins.

REDMAN
Un nom célèbre qui est revenu récemment à un bon niveau avec son Claret

(Syrah) et son Cabernet-Sauvignon.

ROUGE HOMME
Une marque séparée de Lindemans composée de vins d'assemblage de Syrah et de Cabernet ainsi que de Chardonnays.

RYMILL
Peter Rymill est passé de la viticulture à la vinification en 1987. Son Cabernet-Sauvignon est intense, son Shiraz très concentré et son Chardonnay excellent.

WYNNS COONAWARRA ESTATE
Fondé à la fin du XIXe siècle, Wynns est peut-être le plus célèbre producteur de la région, et sans aucun doute celui qui a le mieux réussi. John Riddoch Cabernet-Sauvignon et Michael Hermitage (rouge) sont ses porte-drapeaux, produits en petite quantité. Wynns, qui fait maintenant partie de Southcorp, fait aussi des vins de Riesling et de Chardonnay.

ZEMA ESTATE
La famille Zema taille et vendange à la main, ce qui est rare dans la région de Coonawarra. Elle élabore des Shiraz et des Cabernets-Sauvignons.

EDEN VALLEY

L'extrémité nord des Adelaide Hills, balayées par le vent, s'est toujours considérée comme une extension de Barossa Valley. Le Riesling prospère, rivalisant en qualité avec celui de Clare Valley, mais possède son style propre, un peu plus fruité. Le climat relativement frais convient également aux élégants Chardonnays, Shiraz et Cabernets-Sauvignons.

HEGGIES
Des Rieslings fermes aux notes d'agrumes, d'autres très intenses, botrytisés, et des Chardonnays sont les meilleurs vins.

HENSCHKE
Ce petit domaine, datant de 1868, dirigé par Stephen et Pru Henschke, figure parmi les meilleurs de la région, avec un large éventail de vins méritant presque toujours des superlatifs. En tête de liste, un Hill of Grace Shiraz à la texture veloutée, qui provient de vignes vieilles de cent vingt ans.

HILL-SMITH ESTATE
Le Sauvignon, le Chardonnay et le Cabernet/Syrah sont tous bien réussis.

MOUNTADAM
David Wynn et son fils Adam élaborent des vins de Chardonnay, Pinot Noir et Cabernet-Sauvignon concentrés.

PEWSEY VALE
Ce vignoble fut le premier que Yalumba ait possédé en dehors de Barossa Valley. Un Riesling ferme est sa récompense.

PÉNINSULE DE FLEURIEU

La péninsule est une zone d'influence maritime où il fait bien plus frais que l'on ne s'y attendrait. La sous-région de Langhorne Creek fournit depuis longtemps des raisins aux gros producteurs de Barossa Valley, le fruit, légèrement végétal, s'assemblant parfaitement avec celui des régions plus chaudes.

BLEASDALE VINEYARDS
Ce bijou d'intérêt historique – fondé en 1850 et toujours dirigé par la famille Potts – produit du Verdelho (blanc) dans le style des Madères et un vin aux notes boisées.

CURRENCY CREEK
Sous influence maritime, ce vignoble produit des Sauvignons Blancs, des Chardonnays et des vins effervescents élégants.

McLAREN VALE

Depuis le début du siècle, McLaren Vale est le centre des petites exploitations professionnelles. La région possède un charme unique et produit de grands vins, notamment dans les millésimes frais. Sauvignon, Chardonnay et Cabernet-Sauvignon sont les plus réussis.

ANDREW GARRETT
Ce domaine produit de très agréables vins de Riesling, Chardonnay, Syrah et Cabernet/Merlot. →

RÉGIONS ET PRODUCTEURS

BRL HARDY
L'un des quatre grands groupes australiens, produisant des vins honnêtes et sans surprise.

CHAPEL HILL
C'est la grande réussite des années 1990. Les vins de Chardonnay, Syrah et Cabernet-Sauvignon sont d'une grande opulence.

CHÂTEAU REYNELLA
Il produit des vins de qualité sous l'étiquette Stony Hill et un grand « Porto » millésimé.

CORIOLE
La famille Lloyd produit un superbe Shiraz, un Sangiovese (rouge), et quelques blancs secs.

D'ARENBERG
D'Arry Osborn et son fils Chester élaborent des vins rouges de grand caractère et de belle qualité à partir de vieilles vignes de Syrah et de Grenache.

GEOFF MERRILL
Il élabore des vins d'une élégance surprenante sous l'étiquette Geoff Merrill et des vins plus exotiques sous celles de Mount Hurtle et Cockatoo Ridge.

INGOLDBY
Ingoldby produit sans faille des Cabernets-Sauvignons bien charpentés aux saveurs généreuses.

KAY BROS
Colin Kay perpétue une tradition familiale vieille d'un siècle. Son meilleur vin est le Block 6 Shiraz.

NORMAN'S
Domaine familial datant de 1851, Norman's produit avec une grande régularité des vins de qualité. Les meilleurs sont le Shiraz et le Cabernet-Sauvignon (sous l'étiquette Chais Clarendon).

RICHARD HAMILTON
Richard Hamilton est également propriétaire de Leconfield (voir p. 866). Un Chardonnay succulent et un Shiraz épicé provenant de vieilles vignes sont ses meilleurs vins.

SHAW & SMITH
Michael Hill-Smith, premier Master of Wine d'Australie, et Martin Shaw, ancien vinificateur volant, produisent un Sauvignon de grande qualité et un Chardonnay à fort caractère vinifié en barrique.

WIRRA WIRRA
C'est une exploitation dynamique et couronnée de succès que l'on connaît depuis longtemps pour son Sauvignon net et précis aux arômes végétaux et un Chardonnay de grande qualité et complexe. Il faut désormais ajouter un excellent Mousseux, The Cousins, et un Cabernet-Sauvignon soyeux, baptisé The Angelus.

WOODSTOCK
Les meilleurs vins de Scott Collett sont un Cabernet-Sauvignon aux notes de fruits rouges et un vin blanc liquoreux, bien botrytisé, d'une intensité impressionnante.

MURRAY MALLEE

C'est le pays du désert et du bush, qui ne peut vivre que grâce à l'irrigation.

ANGOVE'S
Ensemble impressionnant de modestes vins blancs et rouges, de vins mutés et d'eaux-de-vie de grande qualité provenant tous des raisins du domaine.

RENMANO
Renmano est la moitié BRL du groupe BRL Hardy (groupe Southcorp). Parmi les vins, on trouve le Chairman's Selection, des Rieslings et des Cabernets-Sauvignons savoureux, ainsi qu'un Chardonnay et un « Porto » Tawny.

PADTHAWAY

Southcorp (Lindemans, Seppelt, Wynns, BRL Hardy) et Orlando s'y partagent plus de 90 % des vignes et un seul petit producteur réside sur place, Padthaway Estate. Avec un climat légèrement plus chaud que celui de Coonawarra et des sols très bien drainés et structurés, la région produit des rendements confortables de raisins de bonne qualité, surtout des cépages Chardonnay, Riesling et Sauvignon. Une proportion importante des raisins entre dans des assemblages anonymes, utilisés notamment pour des vins effervescents.

AUSTRALIE-OCCIDENTALE

Carte page XXXI

L'Australie-Occidentale fut le dernier des États australiens à posséder un vignoble important, mais sa surface viticole a augmenté de 48 % de 1997 à 1999. Cette région au climat très contrasté possède des vins tout aussi variés. On planta Swan Valley en premier, mais les vignobles du sud de Perth, au climat plus frais, sont aujourd'hui les plus intéressants et ont un avenir prometteur.

La colonisation de l'Australie-Occidentale commença à l'arrivée du navire *Parmelia* en 1829 : l'un de ses passagers, le botaniste Thomas Waters, apportait dans ses bagages des ceps de vigne. Un domaine de 20 ha lui fut attribué à Guildford, sur le fleuve Swan, où il planta ses vignes et creusa les caves d'Olive Farm, le tout premier établissement vinicole australien.

La Swan Valley

En 1840, John Septimus Roe planta le vignoble Sandalford dans la Swan Valley, fondant ainsi une dynastie viticole qui a duré 130 ans. Vers la même époque, Houghton, aujourd'hui le plus important établissement vinicole d'Australie-Occidentale, fut créé à proximité.

La viticulture resta concentrée dans Swan Valley jusqu'au milieu des années 1960, les colons yougoslaves y étant majoritaires (de la même façon que les luthériens à Barossa Valley). À une certaine époque, Swan Valley comptait davantage d'établissements vinicoles que les États de Victoria ou de Nouvelle-Galles du Sud.

L'évolution du style de vie et de la demande, l'incursion des vins en vrac d'Australie-Méridionale, vendus aux supermarchés, et l'émergence des régions plus méridionales, au climat plus frais, modifièrent progressivement la situation. En 1979, Swan Valley fournissait 58 % des raisins de l'Australie-Occidentale, contre 25 % seulement en 1992. On a pu constater depuis une stabilisation de la production viticole.

C'est le climat le plus chaud de toutes les régions viticoles australiennes, les pluies d'été étant les plus faibles et le nombre d'heures d'ensoleillement le plus élevé. Les vendanges débutent fin janvier, durent un mois, et deux tiers de la récolte sont des raisins blancs.

À l'exception d'une petite quantité de Cabernet-Sauvignon, utilisé pour la plupart pour le Houghton Rosé, le seul cépage rouge planté en quantité est le Grenache, destiné surtout aux vins mutés. Le cépage blanc majoritaire est le Chenin, suivi des cépages Verdelho et Chardonnay, puis Muscadelle et Sémillon. La plupart des

raisins blancs de cette région servent à l'élaboration du Houghton White Burgundy (connu à l'étranger sous le nom de Houghton Supreme). C'est le vin blanc sec qui fut pendant longtemps le plus vendu d'Australie. Cette région est maintenant sur le déclin.

Les régions du Sud

La Margaret River Region, à 250 km au sud de Perth, s'est taillé une réputation internationale pour la qualité admirable de ses vins, mais elle possède également un caractère unique et des paysages d'une grande beauté. Tous les cépages importants ont été essayés dans ce climat tempéré : on trouve les Cabernet-Sauvignon, Sémillon, Merlot, Sauvignon, Chenin, Chardonnay et Syrah alors que le Riesling et le Pinot Noir ont échoué. En revanche, un petit vignoble de Zinfandel, spécialité californienne, est un grand succès.

La région de Mount Barker-Frankland, qui se trouve tout à fait au sud, au climat plus frais, s'étend vers le nord, de la ville d'Albany (bien connue à l'époque de la chasse à la baleine) à Mount Barker. Les premières vignes plantées près de Mount Barker datent de 1966, un an avant

RÉGIONS ET PRODUCTEURS

Les zones plus récentes et plus fraîches de l'Australie-Occidentale se distinguent par de nombreuses petites exploitations qui se consacrent à des styles de vin plus complexes. Dans la mesure où elles sont situées à l'écart des marchés principaux localisés à l'est, certaines doivent encore réaliser leur potentiel.

MARGARET RIVER

Les eaux relativement chaudes de l'océan Indien et l'absence de montagnes proches se conjuguent pour donner à la région de Margaret River l'un des climats les plus tempérés du monde vinicole. Elle produit des blancs très caractéristiques, issus des cépages Sémillon, Sauvignon et Chardonnay, ainsi que des Cabernets-Sauvignons puissants qui vieillissent avec bonheur.

AMBERLEY ESTATE
Albert Haak connaît un succès commercial avec sa spécialité, des Chenins faciles à boire et vendus à des prix modérés.

ASHBROOK ESTATE
Les frères Devitt élaborent soigneusement des vins de cépage qui impressionnent toujours par leur qualité.

BROOKLAND VALLEY
Magnifiquement située, cette exploitation produit des Chardonnays et des Sauvignons vifs et légers.

CAPE MENTELLE
Ce grand producteur de la région appartient en majorité à la maison champenoise Veuve Clicquot. Il fait un Sémillon mordant, un Chardonnay vinifié en barrique, très caractéristique, et des vins de Zinfandel, Syrah et Cabernet-Sauvignon voluptueux.

CHATEAU XANADU
Les bouteilles de Xanadu portent des étiquettes surprenantes. Vif, avec des notes végétales, le Sémillon est de qualité régulière.

CULLEN WINES
La famille Cullen produit de nombreux grands vins avec, en tête, des Cabernets/Merlots.

celles de Vasse Felix à Margaret River. Dès le départ, des Rieslings fermes, d'une bonne aptitude au vieillissement, et des Cabernets-Sauvignons classiques et austères se sont imposés. Sauvignon, Chardonnay, Pinot Noir (surtout à Albany) et Syrah ont prospéré depuis lors sans remettre en question la primauté des cépages Riesling et Cabernet-Sauvignon.

À mi-chemin de Margaret River et Mount Barker se trouve Warren Blackwood, zone plus connue sous le nom de ses sous-régions, Manjimup et Pemberton. On nourrit de grands espoirs pour cette jeune région, en particulier avec les cépages Pinot Noir et Chardonnay.

La South-West Coastal Region, de Margaret River jusqu'au nord de Perth, a la forme d'une anguille. Les vignobles sont plantés dans un sol sableux appelé Tuart Sands et le climat est bien plus chaud à l'extrémité nord qu'à l'extrémité sud.

Darling Range, à l'est de Perth, regroupe quelques domaines et, surtout, des petites exploitations. Son climat est à peine plus frais que celui de Swan Valley. Enfin, la Northern Perth Region est très chaude et vouée presque entièrement à la production de raisins blancs.

RÉGIONS ET PRODUCTEURS

DEVIL'S LAIR
La production est appelée à augmenter dans cette exploitation neuve : Chardonnays aux notes florales et Cabernets-Sauvignons puissants.

HAPPS
Erland Happ cherche à se spécialiser dans le Merlot, mais, pour l'instant, il réussit mieux un Chardonnay complexe.

HAYSHED HILL
Cette société fondée en 1993 en offre un Cabernet-Sauvignon très fruité et un Sémillon riche, aux notes boisées.

LEEUWIN ESTATE
Le domaine de Leeuwin produit un Chardonnay merveilleux, de longue garde, et un Cabernet-Sauvignon.

MOSS WOOD
Keith Mugford élabore amoureusement deux cuvées de Sémillon, un Chardonnay voluptueux, le Cabernet-Sauvignon le plus sensuel de cette région et un Pinot Noir excellent, tous d'une grande élégance.

PIERRO
Grâce à son travail, Michael Peterkin obtient un Chardonnay faisant partie des plus riches et des plus complexes d'Australie ainsi qu'un Sémillon/Sauvignon.

VASSE FELIX
La plus ancienne des exploitations de la région appartient maintenant à la famille Holmes à Court. Elle produit un « Classic Dry White », un Noble Riesling botrytisé et un Shiraz.

WILLESPIE
Ce domaine produit avec régularité un Sauvignon regorgeant d'arômes, un Verdelho (blanc), un Sémillon et un Merlot.

MOUNT BARKER-FRANKLAND

Le climat de cette région très pittoresque est maritime à Albany, où prospèrent Chardonnay, Sauvignon et Pinot Noir. Il est continental mais tout aussi frais plus au nord, où dominent Riesling, Syrah, Cabernet-Sauvignon et Malbec. →

RÉGIONS ET PRODUCTEURS

ALKOOMI
Producteur remarqué de Riesling et de Chardonnay structurés et de longue garde, de Cabernet-Sauvignon et de Malbec quelquefois opulent.

CASTLE ROCK
La famille Diletty élabore des Rieslings et des Chardonnays délicats ainsi que des Cabernets-Sauvignons complexes.

CHATSFIELD
Ken Lynch et sa fille Siobhan élaborent un Chardonnay délicieux, un Riesling, un Shiraz épicé.

FRANKLAND ESTATE
Barrie Smith et Judy Cullan font un Riesling excellent et un Sauvignon, bien construit.

GALAFREY
Ian et Linda Tyrer ont beaucoup de succès avec leur Riesling aux notes végétales, leur Shiraz intense et leur Chardonnay.

GOUNDREY
La plus importante exploitation de la région appartient au vinificateur volant Michael Goundrey, propriétaire des marques Windy Hill et Langton, de moindre renommée. Les vins de cette dernière peuvent être d'un excellent rapport qualité/prix, tout particulièrement le Chardonnay et l'assemblage Sauvignon/Sémillon.

HOWARD PARK
Le vinificateur de Plantagenet, John Wade, réussit dans sa propre exploitation des Rieslings méticuleusement faits et des Cabernets-Sauvignons/Merlots épicés, aux notes de chêne et de cerise, de très grande classe.
La deuxième étiquette s'appelle Madfish Bay.

PLANTAGENET
Plantagenet, premier producteur à cultiver du raisin à Mount Baker, a gagné le respect de tous avec ses Chardonnays intenses et élégants (la cuvée Omrah Vineyard ne passe pas en barrique), ses Shiraz épicés, et un Cabernet-Sauvignon souple et soyeux.

WIGNALLS
Ce vignoble convient exceptionnellement bien à la production de Pinots Noirs aromatiques et pleins de sève, au caractère bourguignon. Bons Chardonnays et Sauvignons.

SOUTH-WEST COASTAL

Bande côtière étroite, cette région viticole est l'une des plus insolites au monde. L'industrie vinicole s'y est installée en raison du terroir, un sable fin baptisé « Tuart » d'après le nom des gommiers qui y poussent. Les styles de vin sont variés.

BALDIVIS ESTATE
Ce domaine fait partie d'une exploitation horticole qui produit des blancs agréables et légers de cépages Sémillon, Chardonnay et Sauvignon, ainsi qu'un rouge (Merlot et Cabernet-Sauvignon).

CAPEL VALE
Peter Pratten fait appel au talent du vinificateur Rob Bowen pour produire des Rieslings éclatants, des Chardonnays aux arômes de figue et de melon qui vieillissent avec bonheur et Baudin, un vin d'assemblage à base de Cabernet-Sauvignon et de Merlot.

KILLERBY VINEYARDS
Killerby a été fondé par le regretté Barry Killerby, dont la fille Anna s'occupe maintenant du domaine avec son époux Matt Aldridge (autrefois chez Rosemount), qui s'occupe des vinifications. Ils font des vins blancs élégants et un Cabernet-Sauvignon qui a remporté des médailles dans les concours.

PAUL CONTI
Excellent vinificateur, Paul Conti produit une gamme de vins sans prétention. Son Frontignac (blanc) Vendange tardive, très pur, aux arômes d'épices et de raisins frais, et son excellent Manjimup Hermitage (rouge) aux arômes de cerise sont toujours bons.

SWAN VALLEY

En dépit d'un climat horriblement chaud et sec en été, les sols d'alluvions profondes retiennent bien l'eau. Mais l'évolution de l'industrie a contribué au déclin de plusieurs exploitations et à la concentration de la production à Houghton.

EVANS & TATE
Les bâtiments viticoles et l'un des vignobles (Gnangara) de l'exploitation se trouvent ici, mais les meilleurs vins proviennent des raisins de Margaret River : un Sémillon frais et aromatique, un Chardonnay vif et plein de caractère, un Merlot soyeux, aux arômes de fruits rouges, et un Cabernet-Sauvignon charpenté, dont les arômes de pain grillé proviennent de la barrique.

HOUGHTON
Houghton fut fondé en 1836. John Fergusson y fit le premier vin en 1859 et, pendant un siècle, le domaine resta dans les mains de la même famille. L'arrivée en 1930 du regretté Jack Mann, vinificateur de grand talent, fut l'événement le plus important de l'histoire du domaine. Leur vin blanc (Chenin et Muscadelle) est devenu l'un des plus vendus d'Australie ; à lui tout seul, il a fait gagner à Swan Valley ses lettres de noblesse. Après 10 à 15 ans de bouteille, il devient d'une richesse comparable à un Sémillon de Hunter Valley d'âge équivalent. (Ni l'un ni l'autre ne font appel au chêne.) Les successeurs de Jack Mann ont affiné le style en ajoutant du Chardonnay et en diminuant la proportion de Muscadelle. Houghton fait partie de BRL Hardy (Southcorp).

LAMONT
Corin, la fille du regretté Jack Mann, a repris les méthodes de son père pour produire un White Burgundy, un Light Red Cabernet, un Hermitage et un Chardonnay.

MOONDAH BROOK ESTATE
Cette marque de Houghton utilise des raisins de Chenin et Verdelho du vignoble Moondah Brook et du Cabernet-Sauvignon de Margaret River et Frankland.

OLIVE FARM
Plus vieille exploitation vinicole d'Australie, Olive Farm a été fondée en 1829. Elle continue à produire avec compétence une gamme complète de vins de table et de vins mutés.

SANDALFORD
Fondé en 1840, Sandalford possède un vignoble important à Margaret River. Ses vins ont pourtant été décevants jusqu'au millésime 1993, qui a vu l'arrivée du nouveau vinificateur, Bill Crappsley. Le Cabernet-Sauvignon assure le gros des ventes, mais les blancs de Verdelho sont plus prometteurs.

WESTFIELD
John Kosovich, dont le père a fondé le vignoble en 1922, fait des merveilles depuis longtemps avec le Verdelho, le Chardonnay et le Cabernet-Sauvignon de Swan Valley. Il récoltera bientôt les premiers raisins de son petit vignoble situé à Pemberton.

WARREN BLACKWOOD

C'est l'une des régions viticoles les plus récentes d'Australie. L'altitude est variable, mais rafraîchit bien le climat et favorise les pluies d'hiver et de printemps. Quasiment tous les cépages importants y sont expérimentés, mais on porte une attention toute particulière au Chardonnay et au Pinot Noir.
Parmi les producteurs : Donnelly River, Gloucester Ridge, Mounford, Piano Gully, Smithbrook, Warren Vineyard.

DARLING RANGE

Darling Range, appelé aussi Perth Hills, se trouve à 15 km de Perth. La plupart des vignobles sont situés entre 150 et 400 m d'altitude et n'ont pas besoin d'être irrigués. Les cépages blancs dominent (Chardonnay, Sémillon et Sauvignon), mais ils ne totalisent à eux tous qu'environ 50 ha.
Parmi les producteurs : Avalon, Carosa Vineyard, Chittering Estate, Coorinja Vineyard, Cosham, Darlington Estate, Hainault, Piesse Brook, Scarp Valley.

NOUVELLE-ZÉLANDE

L'industrie vinicole moderne en est à ses débuts en Nouvelle-Zélande, mais elle a acquis une réputation mondiale sans aucun rapport avec sa dimension et son ancienneté. Avec le slogan « des vins de climat frais », les vins néo-zélandais se sont donné une personnalité facile à mémoriser et immédiatement populaire. Ils sont vifs et fruités, possèdent acidité et concentration aromatique, et évitent une certaine lourdeur au profit de l'élégance et de l'équilibre. Ils sont parfaitement représentés par deux vins blancs qui ont séduit les dégustateurs du monde entier. Le premier est le Sauvignon, issu du cépage qui donne naissance aux grands blancs français que sont le Sancerre et le Pouilly Fumé. En Nouvelle-Zélande, il prend une intensité aromatique magnifique. Le second est issu de Chardonnay, autre cépage présentant dans ce pays une remarquable acidité naturelle, équilibrée par la rondeur due à la fermentation malolactique, au recours au bois neuf, et de belles notes de fruit. À ces deux types de vin s'en ajoute un troisième, en rapide progrès : le Cabernet-Sauvignon, assoupli avec un peu de Merlot, dont l'élégance commence à se rapprocher de celle des vins de Bordeaux. La position isolée de ce pays au sud de l'océan Pacifique lui vaut un climat variable, avec de forts vents du sud – souvent froids – soufflant de l'Antarctique. La région de Northland, à la pointe septentrionale de l'île du Nord, est en fait semi-tropicale, alors que l'extrême sud de l'île du Sud peut connaître des hivers rigoureux et des étés frais. Dans les deux îles, les vignobles se situent entre ces deux extrêmes climatiques.

L'histoire des vins

L'industrie vinicole actuelle – orientée vers la production de bons vins de cépages issus surtout de variétés françaises – a connu un développement rapide depuis les années 1970, mais la viticulture néo-zélandaise, comme celle de l'Australie, date en fait de la colonisation européenne. La vigne fut introduite en 1819 par un missionnaire anglais, le révérend Samuel Marsden, qui planta à Kerikeri, dans la région du Northland, les premiers ceps apportés d'Australie. Les premiers vins furent en revanche l'œuvre de James Busby, qui joua lui aussi un rôle considérable dans le développement de la viticulture australienne. Il arriva en Nouvelle-Zélande en 1832 et, quatre ans après avoir planté ses premiers ceps, il faisait du vin à Waitangi, toujours dans le Northland.

Outre les fervents Britanniques de la première heure, des immigrants français, allemands et dalmates apportèrent indirectement leur contribution à la croissance de l'industrie vinicole au cours du XXe siècle : venus exploiter la gomme (résine fossilisée d'un arbre, le kaori) et ne pouvant se passer de vin sur leur lieu de travail, ils finirent par s'occuper de vinification à plein temps.

Outre les problèmes dont souffrirent tous les vignobles au XIXe siècle – dont le phylloxéra, qui atteignit la Nouvelle-Zélande en 1895 –, les producteurs de ce pays durent affronter la chute de la consommation résultant d'un puissant mouvement de tempérance. Les effets de cette tradition d'abstinence continuèrent à se faire sentir jusqu'en 1989, lorsque les supermarchés furent pour la première fois autorisés à vendre de l'alcool.

Les tendances récentes

Jusque vers les années 1970, une grande partie du vin produit était mutée et vendue sous les noms de « Sherry » ou « Porto », selon le style et le degré de douceur. Depuis, les vins non mutés ont pris une importance croissante. À la même époque, plus des deux tiers des vignobles de Nouvelle-Zélande étaient en outre plantés d'hybrides – croisement de variétés américaines et européennes – qui ont presque totalement disparu aujourd'hui. En matière de viticulture, la Nouvelle-Zélande est toujours en pleine mutation, et ce n'est que depuis les années 1980 que des zones viticoles ont été définitivement établies, avec une culture de cépages spécifiques et une expérimentation continue.

Quand l'implantation de cépages européens prit le dessus sur celle d'hybrides, il fut décidé de planter des variétés allemandes, en particulier le cépage blanc Müller-Thurgau. Or, peu à peu, les viticulteurs comprirent que le climat néo-zélandais ressemblait plus à celui du centre de la France qu'à celui de l'Allemagne et se mirent à planter du Sauvignon au

début des années 1970 et du Chardonnay au milieu des années 1980. Les cépages allemands, qui formaient la base de la production de vins bon marché en vrac ou en Cubitainer, furent remplacés par des variétés françaises, considérées comme plus adaptées au style particulier des vins de Nouvelle-Zélande. Parmi les cépages rouges, seul le Cabernet-Sauvignon, déjà planté par James Busby, a une longue histoire dans le pays.

Après la campagne d'arrachage de près d'un quart des vignes lancée en 1986 en raison d'une surproduction, la surface viticole a recommencé à croître, surtout en cépages nobles, passant de 5000 ha en 1988-1990 à 9000 ha en 1998. Aujourd'hui, la croissance de la production dépend en grande partie du marché mondial. Les exportations ont connu une augmentation spectaculaire : 23000 hl en moyenne par an entre 1986 et 1990, 131000 hl en 1997 (sur une production de 550000 hl). L'avenir vinicole de la Nouvelle-Zélande est une question de qualité et non de volume. Or, si elle peut facilement rivaliser avec l'Australie sur le plan de la qualité, elle aura plus de difficultés sur celui du prix.

La structure de l'industrie vinicole

Pour satisfaire la demande intérieure et extérieure, l'industrie du vin s'est à la fois concentrée et diversifiée. En 1992, trois gros producteurs représentaient à eux seuls 85 % des ventes, 78 % de la production et 65 % des exportations, mais on trouvait aussi 163 exploitations plus petites. En cela, comme en bien d'autres choses, le secteur vinicole de Nouvelle-Zélande ressemble à celui de l'Australie. Dans les deux pays, les géants dominent, mais offrent aussi – heureusement – une gamme de qualité. On trouve également des points de vente dans quelques petites caves qui produisent certains des meilleurs vins et ont un service commercial très actif. Entre les deux, des exploitations vinicoles offrent certains vins de grande qualité dans des quantités relativement importantes. Beaucoup d'investisseurs ont traversé la mer de Tasman : Cloudy Bay, par exemple, la plus célèbre exploitation de Marlborough, est associée au producteur Cape Mentelle d'Australie-Occidentale.

L'évolution de la viticulture

En Nouvelle-Zélande, l'industrie du vin s'est développée vers le sud en partant de la région d'Auckland. Dans bien des endroits, la viticulture est apparue pour des raisons plus sociologiques que climatiques, de sorte que les vignobles ne sont pas forcément implantés là où l'on s'y attendrait. Beaucoup d'exploitations qui cultivaient autrefois leurs raisins à Auckland les achètent aujourd'hui

LES CÉPAGES ET LES STYLES DE VIN

CÉPAGES BLANCS

Le Chardonnay est le cépage blanc le plus répandu en Nouvelle-Zélande : on en trouve dans chaque région viticole, celles de Marlborough et de Hawke's Bay produisant les styles de vin les plus typiques. Les vins de Chardonnay sont généralement élevés dans le bois et associent des saveurs bien mûres à une belle acidité.

Le Sauvignon est le second cépage de qualité. La plupart viennent de Marlborough, tandis que ceux de Hawke's Bay ont plus de rondeur.

Le Riesling provient surtout de South Island et de Hawke's Bay, où il donne des vins blancs secs et des vins liquoreux.

Le Müller-Thurgau vient juste après le Chardonnay en termes de superficies plantées. Il donne des vins blancs demi-secs ou moelleux utilisés dans des assemblages ou pour la vente en Cubitainer. On le cultive surtout à Gisborne.

Parmi les autres cépages blancs, on trouve le Sémillon, le Gewürztraminer, le Chenin et le Palomino (pour des vins de type Xérès).

CÉPAGES ROUGES

Le Cabernet-Sauvignon est le cépage rouge le plus répandu en Nouvelle-Zélande. Il est surtout cultivé dans la région d'Auckland, en particulier dans l'île Waiheke ; à Hawke's Bay, dont les vins ont beaucoup de caractère, et à Marlborough, qui commence à se faire une réputation dans ce domaine. Ce cépage est de plus en plus souvent assemblé avec du Merlot pour obtenir des vins plus équilibrés ; quand il est vinifié seul, il prend un goût légèrement herbacé.

Les Pinots Noirs de Nouvelle-Zélande sont pour la plupart produits dans la région de Wairarapa, autour de Marlborough, mais d'autres, à Canterbury, et à Central Otago notamment, ont à l'occasion donné un vin exceptionnel, qui laisse présager le grand potentiel de ce cépage. Pour l'instant, une bonne partie du Pinot Noir est assemblée avec du Chardonnay pour produire des vins effervescents méthode traditionnelle, surtout à Marlborough.

Le Merlot de Hawke's Bay et de Marlborough est parfois vinifié seul. C'est une indication que la Nouvelle-Zélande est capable de produire des vins de niveau mondial dans cette catégorie. Pour l'instant, la belle maturité normalement atteinte par ce cépage est surtout utilisée pour arrondir des vins de Cabernet-Sauvignon parfois trop verts, donnant ainsi des vins d'assemblage.

à des viticulteurs sous contrat dans des zones convenant mieux à la vigne. Certains continuent de vinifier les raisins sur place, alors que d'autres les transportent du vignoble au chai en utilisant des camions frigorifiques.

Beaucoup de régions, même celles où la viticulture est récente, enregistrent une pluviosité forte ou assez forte, de sorte que le principal problème est souvent la croissance exubérante des vignes. Une taille sévère pendant la période de croissance et une conduite de la vigne assurant aux baies un maximum d'exposition ont été adoptées. Ces techniques ont été imitées ailleurs.

L'île du Nord

Les trois quarts des vignes de Nouvelle-Zélande sont toujours cultivées dans l'île du Nord, en dépit des inconvénients climatiques, mais les producteurs tendent à prendre leurs raisins plus au sud, en achetant ou en plantant des vignobles, ou encore en achetant leur récolte à des viticulteurs.

AUCKLAND, au nord de l'île, est la plus ancienne région viticole de Nouvelle-Zélande, mais son climat humide aux fortes pluies automnales favorisant le mildiou ne convient pas à la vigne. Les sols sont le plus souvent lourds et argileux, de sorte

LA LÉGISLATION VINICOLE

Convaincus qu'un vin se vend pour son goût et non pour sa provenance, les Néo-Zélandais sont moins soucieux de législation que les Européens en matière d'étiquettes. Comme d'autres nouveaux pays vinicoles, les producteurs de Nouvelle-Zélande ont utilisé des noms français et allemands pendant des années pour identifier le style de leurs vins. Depuis 1983, la législation est devenue plus stricte et les étiquettes portant un nom de cépage sont désormais pratique plus courante. Un vin de cépage doit être issu à 85 % du cépage indiqué; si c'est un vin d'assemblage, le cépage dominant est mentionné en premier. Les autres informations sont classiques : millésime, producteur, contenance et degré alcoolique. On peut trouver la mention «estate-bottled» (mis en bouteille au domaine), mais elle ne signifie pas grand-chose en Nouvelle-Zélande, où l'on transporte couramment les raisins sur des centaines de kilomètres, du vignoble au centre de vinification.

Un nom régional figure sur l'étiquette si le vin provient en totalité de cette région (raisins cultivés et vinifiés sur place) : Marlborough et Hawke's Bay sont les régions les plus fréquemment citées.

qu'un bon drainage est indispensable. Bien que la surface totale du vignoble ait diminué – il produit aujourd'hui moins de 7 % des raisins du pays –, des zones relativement importantes subsistent à Henderson, Kumeu, Huapai et sur l'île Waiheke dans la baie d'Auckland. C'est plutôt une région de vin rouge, avec le Cabernet-Sauvignon pour principal cépage.

WAIKATO ET LA BAIE DE PLENTY, au sud d'Auckland, sont deux zones relativement proches, mais distinctes. Cette partie du pays a été colonisée plus tard en raison des guerres du XIXe siècle entre Maoris et Européens pour l'occupation des terres, mais elle est depuis longtemps associée à la viticulture. Romeo Bragato, un viticulteur italien venu d'Australie, y créa un vignoble expérimental dès la fin du même siècle, et la station gouvernementale de recherche viticole se trouve à Te Kauwhata.

Le risque de fortes pluies automnales entraînant la pourriture du raisin persiste, avec les pertes que cela implique. Les sols varient. Les vignobles de Waikato sont situés près de Hamilton et autour de l'estuaire de Thames, alors que la baie de Plenty se trouve plus à l'est. Les cépages les plus cultivés sont le Sauvignon et le Chenin, en remplacement du Müller-Thurgau.

La zone de Wairarapa, avec la ville de Martinborough, s'est imposé elle-même un système d'étiquetage : une petite étiquette adhésive portant la mention « 100 % Martinborough Terrace Appellation Committee » certifie que le vin est originaire à 100 % de la région.

Depuis 1994, un système d'enregistrement délimite les zones de production en traçant les frontières de régions reconnues, de sous-régions et même de vignobles portant un nom.

Le gouvernement de Nouvelle-Zélande soutient l'industrie du vin depuis la fin du XIXe siècle. Dans les années 1960 et 1970, les fermiers – pas seulement les producteurs de vin – furent encouragés à planter de la vigne sur les terres disponibles. Cela explique les grandes quantités de raisins fournies actuellement à l'industrie par des viticulteurs sous contrat, mais également l'arrachage de nombreux hybrides de piètre qualité.

Plus récemment, le gouvernement a décrété plusieurs plans d'arrachage pour lutter contre la surproduction. Le dernier, mis en place après la vendange de 1985, ne concernait pas que des cépages inférieurs. Pourtant, en raison d'une demande aujourd'hui tournée vers l'exportation, le vignoble est actuellement plus étendu qu'en 1985.

GISBORNE, au sud-est de la baie de Plenty, avec de riches sols alluviaux à haut rendement, est une région de forte production. Il y pleut en automne, mais rarement assez pour endommager la récolte. Le principal problème est celui des gelées de printemps, une menace récurrente. C'est surtout une zone de vins blancs où le Müller-Thurgau domine encore, suivi par le Muscat Dr Hogg, le Chardonnay, le Reichensteiner et le Gewürztraminer. Une bonne partie du vin part en vrac pour être conditionnée en Cubitainer. Les exploitations locales sont rares ; parmi elles se trouve la seule entreprise néo-zélandaise appliquant les méthodes de biodynamie.

HAWKE'S BAY, sur la côte est de l'île du Nord, entre Napier et Hastings, a longtemps été une région pionnière et convient bien à la viticulture : grâce à beaucoup de soleil et à de faibles pluies en automne, le raisin mûrit bien, en dépit du risque de gelées printanières. Les meilleurs sols sont composés de graves bien drainées.

Le cépage de loin le plus cultivé est le Müller-Thurgau, suivi d'un cépage rouge, le Cabernet-Sauvignon. Cette zone est en effet à l'origine de certains des meilleurs vins rouges du pays. Beaucoup d'autres régions achètent des raisins à Hawke's Bay, la plus grande zone viticole de qualité de l'île du Nord.

WAIRARAPA, au sud de l'île, possède un vignoble encore relativement peu étendu, mais ses rouges de Pinot Noir ont une réputation internationale. Son arrivée dans le monde du vin est récente (les premiers vignobles contemporains ont été plantés en 1978), mais c'est la « nouvelle » région viticole la plus en vogue de Nouvelle-Zélande. On y cultive aussi certains cépages blancs, dont le Chardonnay, le Sauvignon et le Gewürztraminer.

Au cœur de Wairarapa se trouve la ville de Martinborough, située au centre d'un petit plateau appelé Martinborough Terrace. Cette zone est abritée par les montagnes de Tararua, de sorte que la pluviosité annuelle est faible. Le seul problème est le vent, qui impose l'installation de brise-vent. Les meilleurs sols sont des limons graveleux bien drainés, autour de Martinborough.

L'île du Sud

Plantés en même temps que ceux de North Island, la plupart des vignobles avaient été abandonnés, et les producteurs n'ont compris leur potentiel que dans les années 1970.

NELSON, sur la côte nord, est une région viticole peu étendue, bien que la culture de la vigne y remonte aux années 1860. C'est l'endroit le plus chaud de l'île, où l'ensoleillement est important malgré un risque de pluie en automne et de gel au printemps. Chardonnay et Riesling sont les cépages les plus courants.

MARLBOROUGH, au sud-est de Nelson, dans les larges plaines de Wairau, est désormais la plus grande région viticole de Nouvelle-Zélande. Pourtant, c'est seulement en 1973 que Montana, la plus grande société vinicole du pays, y a créé un premier vignoble. C'est l'une des zones les plus sèches et les plus ensoleillées de tout le pays, même si des gelées peuvent se produire au printemps, et les conditions de lente maturation conviennent aux cépages blancs – Müller-Thurgau, Sauvignon, Chardonnay et Riesling. Le Cabernet-Sauvignon est le principal cépage rouge, mais donne ici des vins au goût herbacé en raison du manque de maturité des raisins. Plusieurs exploitations d'Auckland achètent du raisin à Marlborough, ou y font faire leur vin.

CANTERBURY-CHRISTCHURCH, à l'est de l'île, est une région dont l'intérêt date du début des années 1970. Des colons français y ont planté des vignes en 1840. Une grande confusion continue de régner quant au type de vin sur lequel les producteurs devraient faire porter leurs efforts, dans cette région plutôt fraîche. Sa faible pluviosité et ses longs automnes aux journées chaudes et aux nuits fraîches conviennent très bien à la viticulture. Les sols sont composés de limons recouvrant du gravier d'origine fluviale.

CENTRAL OTAGO, plus au sud, est la plus petite zone viticole du pays. Son climat convient particulièrement bien au Pinot Noir, au Gewürztraminer et aux autres cépages blancs. La belle saison y est courte, mais les automnes sont secs et bien ensoleillés.

PRODUCTEURS ET NÉGOCIANTS

Les quatre cinquièmes des raisins utilisés par l'industrie vinicole de Nouvelle-Zélande sont fournis par des viticulteurs sous contrat et non pas cultivés par ceux qui les vinifient. Cela explique l'importance accordée dans la liste ci-dessous à la provenance des raisins. Le moindre centre de vinification possède des équipements de technologie récente et se caractérise par son autonomie et l'enthousiasme accompagnant une industrie nouvelle.

L'ÎLE DU NORD

La plupart des centres de vinification établis de longue date se trouvent sur l'île du Nord.

ATA RANGI
Ce petit mais remarquable vignoble de Wairarapa produit un beau Pinot Noir, un vin rouge baptisé Célèbre (Cabernet-Sauvignon, Merlot et Syrah) et un magnifique Chardonnay.

BABICH
La famille Babich achète des raisins, mais possède des vignes à Henderson, au nord d'Auckland. La gamme Irongate, provenant de Hawke's Bay, est la meilleure : elle comprend un Chardonnay et un assemblage Cabernet/Merlot. Un Sauvignon Blanc vient de Marlborough et un Sémillon/Chardonnay de Gisborne.

BROOKFIELD
Peter Robinson possède 3,5 ha à Hawke's Bay et achète le reste de ses raisins dans la région. Ses deux principaux vins sont un Chardonnay et un assemblage de Cabernet et de Merlot.

COLLARD BROTHERS
La famille Collard est l'une des rares à produire de →

PRODUCTEURS ET NÉGOCIANTS

beaux blancs de Chenin. Elle fait aussi des Chardonnays issus des quatre principales zones viticoles du pays : Auckland, Hawke's Bay, Gisborne et Marlborough.

COOPERS CREEK
Cette jolie exploitation vinicole située à Huapai, au nord d'Auckland, produit une large gamme de vins de cépage dont le plus célèbre est sans doute le Swamp Reserve Chardonnay, issu de raisins locaux. Un Chardonnay provenant de Parker's Vineyard à Gisborne s'est ajouté à la liste en 1992. Le Coopers Red est issu de Pinot Noir.

CORBANS
Deuxième entreprise vinicole de Nouvelle-Zélande, le groupe a des centres de vinification à Te Kauwhata, Hawke's Bay, Gisborne et à Marlborough, ce dernier en commun avec la société australienne Mildara-Blass. Les meilleurs vins sont ceux de Stoneleigh Vineyard à Marlborough – du Chardonnay, du Sauvignon et, plus récemment, des rouges comme le Malbec. Les Rieslings sont depuis longtemps une spécialité de la marque Corbans. La marque Cooks, quant à elle, est réservée aux vins de Hawke's Bay.

DELEGAT'S
Delegat's, une exploitation vinicole familiale de Henderson, a rationalisé son abondante gamme de produits. De Hawke's Bay viennent une série de vins de cépage bon marché et la gamme supérieure Proprietor's Reserve ; un Chardonnay et un Sauvignon (marque Oyster Bay) proviennent de Marlborough.

DE REDCLIFFE
Ce petit centre de vinification est situé dans la région de Waikato. De Redcliffe produit une gamme variée allant d'un savoureux Riesling ou Sauvignon Blanc de Marlborough, aux arômes typiquement végétaux, à des blancs de Sémillon très boisés. Un Chardonnay et un Pinot Noir proviennent de Hawke's Bay.

DRY RIVER
Neil McCallum cultive son petit vignoble à l'écart des tendances générales de la région de Wairarapa. Bien qu'il produise du Pinot Noir, il consacre plus de temps à des cépages blancs comme le Riesling, le Gewürztraminer et le Pinot Gris. Son Gewürztraminer sec est particulièrement réussi, tout comme son Pinot Gris, dont il extrait les arômes secs et poivrés qu'un tel vin présenterait en Alsace.

ESK VALLEY
Depuis son rachat en 1987 par Villa Maria, le changement de cap de cette entreprise vinicole de Hawke's Bay est spectaculaire. Désormais spécialisée dans les vins de qualité, elle produit de bons assemblages de Cabernet et de Merlot.

GOLDWATER
L'île de Waiheke s'est fait connaître grâce au vin de « style bordelais » de Goldwater. Cet assemblage de Cabernet-Sauvignon, Cabernet Franc et Merlot a besoin de temps pour mûrir, mais il présente toujours de belles notes fruitées au-delà de ses tanins. Au rouge s'ajoutent maintenant le Dalimore Vineyard Chardonnay, qui passe de 9 à 10 mois dans le bois, et le Sauvignon Blanc élevé en barriques de chêne.

KUMEU RIVER
On est passé ici des vins mutés à un style ouvertement français, avec des Chardonnays à goût de miel, du Sauvignon vinifié dans le bois et un assemblage de cépages bordelais (Cabernet-Sauvignon, Cabernet Franc et Merlot).

LINCOLN
Cette exploitation appartient à la famille Fredatovich. Sa gamme comprend un Chardonnay de Parklands Vineyard à Brighams Creek, un Chenin Blanc et des vins de cépages allemands aromatiques.

MARTINBOROUGH
Le Pinot Noir et le vignoble de Martinborough sont indissolublement liés. Il y a aussi du Chardonnay, du

Sauvignon et du Gewürztraminer.

MATAWHERO
Les principaux vins produits sur ce vignoble de 30 ha situé à Gisborne sont un Chardonnay, un Gewürztraminer, un assemblage de Cabernet et de Merlot, un Pinot Noir et un Syrah. Denis Irwin, le propriétaire, n'utilise que des levures naturelles.

MATUA VALLEY
L'une des exploitations les plus innovatrices produit une large gamme de vins de cépage dont certains, comme M – l'un des meilleurs vins effervescents de Nouvelle-Zélande –, ne peuvent être achetés qu'au chai de Waimauku, au nord d'Auckland. La famille Spence figure parmi les premiers producteurs de Sauvignon en Nouvelle-Zélande. Elle a récemment commencé à produire dans la région de Marlborough du Sauvignon, du Riesling et du Chardonnay sous la marque Shingle Peak.

THE MILLTON VINEYARD
Cette entreprise renommée se trouve à Gisborne, où la famille Millton produit un Chardonnay vinifié dans le bois, très réputé, un Riesling botrytisé et un Chenin dans le style des vins de Loire. Son système de culture biodynamique utilise des plantes au lieu de produits chimiques pour lutter contre maladies et insectes.

MISSION
Presque âgée de 150 ans, cette exploitation de Hawke's Bay appartenant à un ordre religieux produit une vaste gamme de bons vins de cépage à bas prix. Témoignant d'un renouveau qualitatif, le Chardonnay Saint Peter Chanel Vineyard Reserve présente beaucoup d'intensité et de saveur.

MONTANA
C'est le plus grand groupe vinicole du pays et l'un des plus novateurs. Montana a été le premier à planter du Sauvignon à Marlborough. Son excellent blanc mousseux méthode traditionnelle, Deutz Marlborough Cuvée, est issu de raisins provenant de Marlborough. Une association avec la société australienne Penfolds vise à rehausser le niveau des vins rouges. Plus récemment, Montana a repris des vignobles de Hawke's Bay (marque Church Road). La société produit une vaste gamme de vins bon marché, dont certains sont très populaires : Wohnsiedler, Blenheimer, Chablisse et Chardon. Elle possède des centres de vinification à Gisborne, Hawke's Bay, Marlborough et Auckland.

MORTON ESTATE
Cette exploitation vinicole de la baie de Plenty s'est fait une solide réputation, surtout grâce à son Chardonnay. Responsable des vinifications, John Hancock utilise des raisins de Riverview Vineyard pour son Black Label Chardonnay. Son vin rouge issu de Cabernet et de Merlot est ample et robuste. La gamme comprend aussi deux Pinots Noirs et trois vins mousseux méthode traditionnelle, dont le tout nouveau Black Label.

NGATARAWA
Alwyn Corban gère selon des méthodes biologiques ce vignoble de 15 ha situé à Hawke's Bay. La gamme de la maison comprend le Glazebrook, issu de Cabernet et de Merlot, le Chardonnay Alwyn et un Riesling botrytisé.

NOBILO VINTNERS
Propriété de la famille Nobilo, cette exploitation vinicole est l'une des principales du pays. Les raisins viennent de Gisborne, Hawke's Bay et Marlborough, ainsi que de vignobles en propre. Produisant surtout du Chardonnay, Nobilo offre une gamme complète comprenant l'un des rares vins de Pinotage (rouge) produits en Nouvelle-Zélande.

PALLISER ESTATE
L'un des nouveaux venus de Wairarapa (premier millésime en 1989) est aussi l'un des principaux. Le meilleur vin est un Pinot Noir.

C. J. PASK
Chris Pask possède 35 ha de vignes à Hawke's Bay. Avec la collaboration →

PRODUCTEURS ET NÉGOCIANTS

de Kate Radburn, responsable de vinification, il produit du Chardonnay, du Sauvignon, un assemblage de Cabernet et de Merlot et une gamme baptisée Roy's Hill.

SELAKS
Les raisins viennent des 45 ha entourant le chai de Kumeu (Auckland), de vignobles de Marlborough, Gisborne et Hawke's Bay. La marque haut de gamme, Founders, comprend un Sauvignon élevé sous bois, un Chardonnay, un Cabernet-Sauvignon et Mate I, un Mousseux.

STONYRIDGE
Le meilleur vin de ce domaine voué au rouge est Larose, un assemblage associant Cabernet-Sauvignon, Merlot, Cabernet Franc et Malbec. Il est réputé pour être l'un des plus beaux vins de Nouvelle-Zélande dans cette catégorie de style bordelais.

TE KAIRANGA
Vaste et ambitieux domaine à Wairarapa, Te Kairanga produit un Pinot Noir fruité, un Cabernet-Sauvignon, un Chardonnay vinifié en cuve, un Reserve Chardonnay et un Sauvignon fermentés en fût et un rouge léger baptisé Nouveau Rouge (Pinot Noir, Cabernet-Sauvignon et Durif).

TE MATA ESTATE
Te Mata, la plus fameuse exploitation vinicole de Hawke's Bay et la plus ancienne du pays, produit les vins les plus prestigieux de Nouvelle-Zélande. La vigne y a été plantée en 1892. Le chai et les dépendances, récemment restaurés, sont des exemples marquants d'architecture moderne. Les meilleurs vins sont le Coleraine (Cabernet-Sauvignon et Merlot), généreusement fruité, et l'ample Elston Chardonnay, deux vins de cru. Il y a aussi Awatea, un assemblage de Cabernet-Sauvignon et de Merlot, Te Mata, un autre assemblage des mêmes cépages, Castle Hill Sauvignon Blanc, un rosé et des blancs secs d'assemblage.

VIDAL
Fondée en 1905, cette exploitation vinicole de Hawke's Bay fait aujourd'hui partie du groupe Villa Maria. Le Reserve, issu de Cabernet-Sauvignon et de Merlot, est un vin robuste, mais toujours élégant. Le Reserve Cabernet-Sauvignon est également de bon niveau : tous deux bénéficient d'un élevage sous bois soigné. Le Reserve Chardonnay est également réputé. La gamme Private Bin est plus courante.

VILLA MARIA
George Fistonich est à l'origine du succès des vins rouges de ce groupe. Il présente une Cellar Selection ainsi que les gammes Reserve et Private Bin issues de raisins provenant de Hawke's Bay et de Marlborough : Cabernet-Sauvignon, assemblages de Cabernet et de Merlot, Chardonnay, Syrah, Riesling botrytisé, Sauvignon et Gewürztraminer.

WAIMARAMA
John Loughlin produit des rouges haut de gamme de « style bordelais » dans cette exploitation de Hawke's Bay. Les premiers vins, depuis le millésime 1991, ont été un assemblage de Cabernet-Sauvignon et de Merlot et un Cabernet-Sauvignon vinifié seul.

L'ÎLE DU SUD

Les vinificateurs n'ont vraiment commencé à apprécier le potentiel viticole de l'île du Sud que depuis les années 1970.

CELLIER LE BRUN
Cette entreprise de Marlborough, créée par Daniel Le Brun, continue à produire une série de grands vins effervescents, dont les meilleurs sont la cuvée millésimée, un Blanc de Blancs et un rosé.

CHARD FARM
Ce vignoble situé sur un coteau de Central Otago s'est spécialisé dans le Chardonnay et le Pinot Noir. On y cultive également du Riesling.

CLOUDY BAY
Le Sauvignon de Cloudy Bay est à l'origine de la

grande réputation de la Nouvelle-Zélande pour ce cépage. Avec sa plénitude et son ampleur, mais en conservant toujours ses notes végétales, ce vin est l'expression du climat frais qui caractérise la Nouvelle-Zélande et a retenu l'attention du monde du vin à la fin des années 1980. Un excellent Chardonnay montre lui aussi ce juste équilibre entre bois, fruit et acidité qui marque le style de Marlborough. Cette exploitation, qui comporte un vignoble de 32 ha, produit aussi depuis peu des vins rouges – un vin issu de Cabernet-Sauvignon et de Merlot, un Pinot Noir et un vin effervescent baptisé Pelorus.

GIBBSTON VALLEY
Ce vignoble situé près de la rivière Kawarau a été planté en 1981. Il produit toute une série de vins afin de déterminer les cépages convenant le mieux à la brève saison de croissance et au climat continental de Central Otago : Riesling, Müller-Thurgau, Gewürztraminer, Pinot Gris, Sauvignon, Chardonnay et Pinot Noir.

GIESEN
Le plus grand domaine viticole de Canterbury a été fondé en 1984 par les frères Giesen, venus d'Allemagne. Ils produisent de remarquables Rieslings de Vendanges tardives, ainsi que de bons Chardonnays et Sauvignons.

GROVE MILL
Grove Mill s'est rapidement fait une place à Marlborough, en particulier grâce à son onctueux Landsdowne Chardonnay. Parmi les autres vins, on trouve un Gewürztraminer, un Sauvignon et un Cabernet-Sauvignon délicieusement fruité.

HUNTER'S
Le Sauvignon est ici en vedette : dans sa version non boisée, il respecte le style vif et fruité propre à Marlborough. Le vignoble produit également un Chardonnay fermenté en fût, souple et doté d'arômes de fruits exotiques, un Gewürztraminer souple et légèrement doux, et un Cabernet-Sauvignon rond et poivré.

JACKSON
La famille Stitchbury, de Marlborough, a présenté son premier millésime en 1991. Le Sauvignon a immédiatement fait sensation, rivalisant avec celui de Cloudy Bay.

NEUDORF
Ce petit domaine à Nelson produit un Chardonnay ample, un Sauvignon aux arômes de fruits exotiques, du Riesling et du Pinot Noir.

OMIHI HILLS
Des vins de Pinot Noir et de Chardonnay haut de gamme, telle est l'ambition de ce vignoble au nord de Canterbury, qui a sorti son premier millésime de volume notable en 1992.

RIPPON
Rippon a commercialisé ses premiers vins en 1989 et s'est rapidement fait une réputation, surtout pour ses vins de Pinot Noir, Sauvignon et Chardonnay.

SAINT HELENA
Après avoir atteint un sommet en 1982, avec un Pinot Noir qui a valu à Canterbury sa réputation, Saint Helena a connu des hauts et des bas. Remis d'aplomb aujourd'hui, le domaine produit également des vins de Chardonnay, Pinot Blanc et Pinot Gris.

SEIFRIED/REDWOOD VALLEY
C'est le plus vaste domaine situé à Nelson. Ses 40 ha de vignes appartiennent à Hermann Seifried. Un Riesling botrytisé et un Riesling sec figurent parmi les meilleurs vins.

VAVASOUR
En établissant son vignoble loin du centre de la région de Marlborough (dans Awatere Valley), Peter Vavasour a pris des risques, mais cela en valait la peine. Son Cabernet-Sauvignon est considéré comme l'un des meilleurs rouges de l'île du Sud et rivalise avec ceux de Hawke's Bay.

WAIPARA SPRINGS
Les vins de Chardonnay, Pinot Noir et Sauvignon produits par cette nouvelle exploitation vinicole du nord de Canterbury ont remporté des médailles.

AFRIQUE DU SUD

Carte page XXXII

En 1652, Jan Van Riebeeck fonda la station de ravitaillement de la Compagnie des Indes au cap de Bonne-Espérance et, peu après, fit venir d'Europe des boutures de vignes, persuadé qu'en buvant du vin les marins souffriraient moins du scorbut. Le 2 février 1659, il écrit dans son journal intime : « Aujourd'hui, Dieu soit loué, du vin des raisins du Cap a coulé pour la première fois. » Simon Van der Stel, son successeur en tant que gouverneur, et, lui aussi, connaisseur en vins, planta ses propres vignes, à Constantia, avec l'aide de réfugiés huguenots français expérimentés en viticulture et vinification. L'industrie ne cessa alors de prospérer. Aujourd'hui les producteurs d'Afrique du Sud suivent les tendances et les techniques internationales. La vinification a changé radicalement depuis les années 1960, lorsque les vinificateurs du Cap ont conduit des fermentations à basse température pour obtenir des vins frais et aromatiques sous ce climat chaud. Soucieux de qualité, ils expérimentent l'élevage en barriques de chêne français. Enfin les normes de soins au moment des vendanges, celles de vinification, d'élevage et, d'une manière générale, d'hygiène se sont améliorées. Beaucoup de producteurs voyagent pour acquérir de l'expérience et, notamment, se former aux cépages européens classiques, aujourd'hui plantés à grande échelle. Certains font les vendanges en Europe ou en Californie, d'autres préparent des diplômes d'œnologie en France, en Allemagne, en Australie ou en Nouvelle-Zélande. Tous sont conscients de la nécessité commerciale de faire les styles de vin correspondant à la demande du consommateur.

L'industrie vinicole

La réduction des taxes sur le vin entre l'Angleterre et la France, en 1861, inaugure une longue période défavorable aux vignerons sud-africains, marquée par trois catastrophes successives : le phylloxéra (1886), la replantation des vignobles et la surproduction qui s'ensuivit (par manque de débouchés), puis la guerre des Boers (1899-1902). Cette tendance à la surproduction au début du XXe siècle est accentuée par le fait que, ironie du sort, le vignoble se remet finalement assez vite de la terrible maladie et attire les producteurs touchés par la dégringolade du marché des plumes d'autruche. Ces nombreux fermiers vendent leurs raisins à des coopératives et les prix subissent l'influence de puissants négociants. C'est ainsi qu'en 1918 est créée, à l'initiative des fermiers, la Ko-operatiewe Wynbouwers Vereniging (KWV), une coopérative subventionnée par l'État pour contrôler l'application de la législation, réduire la production (par un système de quotas), créer des produits susceptibles de trouver des débouchés commerciaux et stimuler la demande. La KWV garda longtemps les pleins pouvoirs que l'État lui avait confiés sur la filière viticole, depuis la production jusqu'à la commercialisation, en passant par le secteur œnologique, les droits de plantation et les statistiques propres à l'industrie viticole.

Aujourd'hui, le rôle de la KWV a évolué : elle administre toujours le secteur vitivinicole, mais ne dépend plus du gouvernement et ne contrôle plus la production, ce qui laisse toute latitude aux producteurs pour choisir leurs sites, planter les cépages qu'ils veulent et faire jouer la concurrence sur un marché libre. La KWV est également une société vinicole qui exploite des vignobles, élabore du vin et vend ses produits sur les marchés national et international.

Côté vignoble, l'industrie viticole a, dès les années 1960, mis en place un programme de détection des virus et de certification du matériel, après avoir connu, dans la première moitié du XXe siècle, de graves problèmes d'infection. En 1986, un comité d'amélioration de la vigne (Vine Improvement Board), représenté par les producteurs indépendants, la KWV, les négociants et les pépiniéristes, a été créé pour mettre sur le marché les meilleurs plants certifiés. Mais les problèmes de virus et de maladie, dont le vignoble sud-africain a souvent été victime, persistent, notamment l'enroulement.

Ouverture sur le monde

Après l'abolition de l'apartheid, en 1991, puis l'élection de Nelson Mandela, en 1994, l'industrie viticole, qui vivait en autarcie, s'est notamment employée à reconvertir sa production, jusque-là essentiellement vouée au Brandy, en raisins de cuve. Les

fermiers, autrefois concentrés sur la quantité, durent changer leur philosophie en s'efforçant de faire de la qualité. Pour cela, il fallut convertir une partie du vignoble en passant de cépages destinés au vrac et à la distillation à des cépages dits nobles, comme le Chardonnay, le Sauvignon, le Cabernet-Sauvignon, le Merlot, la Syrah et le Pinotage, plus prompts à plaire au goût international. Ces cépages ne représentaient en 1997 que 19 % de la totalité des plantations, contre une énorme majorité de Chenin Blanc, une variété passe-partout, capable de donner des vins blancs secs, des vins blancs doux comme du Brandy. Les grands vins existent pourtant, mais en quantité limitée, et sont souvent issus des mêmes zones : Constantia, Simonsberg, Helderberg. Le vignoble sud-africain suit en quelque sorte la mode internationale : en pleine mutation, il en est au stade de la recherche des terroirs intéressants pour y cultiver des raisins de qualité.

Les vins destinés à l'export sont soumis à un examen précis au sein du Wine and Spirit Board de Nietvoorbij, où ils sont analysés et dégustés. Chaque bouteille se voit attribuer un sceau officiel garantissant l'origine, le millésime et le cépage.

Certaines coopératives, pour échapper à l'image de « coop », veulent devenir des sociétés à capitaux privés. De nombreux producteurs se sont lancés à l'attaque de l'énorme marché international. Parmi eux, des *winemakers* auparavant salariés qui, propulsés par le boom de l'export, choisissent de monter leur propre structure et de commercialiser leur propre vin, sans être propriétaire pour autant de vignes ni de cave. Ils achètent les raisins et louent un bâtiment, n'ayant pour seuls investissements que la matière première et les fûts, et vendent dans les tarifs les plus élevés. On voit de cette façon apparaître des crus dits « de garage » (cuvées de très haute qualité produites en quantité extrêmement limitée) : Étienne Le Riche, Nico Vermeulen, Signal Hill, Kleinvallei ou encore David Trafford. La nouvelle situation politique, bien qu'encore très fragile, a attiré des investisseurs étrangers, suisses, allemands, belges, italiens ou américains, mais également français.

Une forte motivation nationale

Très marqué par le style anglo-saxon, le consommateur sud-africain de la région du Cap s'est vite pris au jeu. Il est fier de ses vins et, à l'instar des Anglais très studieux en matière de connaissances viticoles, fera tout ce qu'il faut pour devenir incollable. Des clubs de dégustation se montent, formels ou informels. On en distingue de différentes sortes : les clubs commerciaux, les clubs d'étudiants, les clubs de *winemakers* (œnologues-maîtres de chai) en herbe qui souhaitent échanger, au cours d'une séance, leurs questions et leurs connaissances techniques et œnologiques, et enfin les clubs d'amateurs. Le *winemaker* a en effet, en Afrique du Sud, un rôle prépondérant aux yeux du consommateur. À tel point qu'un concours interclubs est organisé chaque année, la *blending competition* : le jeu consiste à élaborer le meilleur assemblage à partir de cépages donnés, tout comme le ferait le *winemaker* lui-même.

Autre marque de sérieux : la Cape Wine Academy. Créée en 1979 par les acteurs de l'industrie viticole afin d'encourager les consommateurs à boire de manière intelligente, cette

LES CÉPAGES ET LES STYLES DE VIN

Au XIXe siècle, les vins du Cap jouissaient d'une bonne notoriété en Europe, en particulier le vin doux Constantia (issu de Muscat), très apprécié par Napoléon pendant son exil et par les tsars russes. Les vins mutés et les liqueurs s'inscrivent également dans la tradition sud-africaine.

Les principaux cépages blancs sont le Steen, nom local du Chenin Blanc (23,8 % de la superficie plantée), le Hanepoot, ou Muscat d'Alexandrie (4,3 %), le Colombard (11,2 %), le Sauvignon (5 %) et le Cape Riesling, qui est à l'origine le Crouchen Blanc du sud-ouest de la France (2,7 %). Le Chardonnay (5,7 %) connaît actuellement un grand essor.

Le Chenin Blanc est utilisé pour des styles de vin allant des blancs secs de caractère vif, fermentés à basse température, aux vins demi-secs, moelleux et, parfois, botrytisés.

Les principaux cépages rouges sont le Cinsaut (3,6 %), le Cabernet-Sauvignon (6,7 %) et le Pinotage, un croisement de Cinsaut et de Pinot Noir créé en 1926 (5,5 %). Les cépages Syrah (Shiraz), Merlot, Cabernet Franc et Pinot Noir connaissent une popularité grandissante.

C'est le Dr I. A. Perold de la KWV qui eut le premier l'idée de croiser le Pinot Noir et le Cinsaut, croisement qui fut ensuite développé par le professeur C. J. Theron. La première bouteille ne fut réellement commercialisée qu'en 1961, soit trente-six ans plus tard, par la Stellenbosch Farmers' Winery. Il existe cinq autres croisements, issus de cépages blancs et appelés Chenel, Weldra, Colomino, Grachen et Follet, mais seul le Pinotage a trouvé sa place au sein des cépages rouges internationaux et véhicule d'ailleurs à lui seul l'image du vin sud-africain.

Comme en Amérique et en Australie, les vins sont généralement commercialisés sous leur nom de cépage. Le nom du producteur occupe une place importante sur l'étiquette.

institution accueille plus de cinq mille élèves par an à travers le pays. Elle dispense des cours complets sanctionnés par des examens, dont le plus haut grade est le Cape Wine Master, calqué sur le Master of Wine britannique.

Le climat et le sol

Si la vie du vignoble est fortement comparable à celle du vignoble européen, l'année est, hémisphère Sud oblige, complètement inversée : lorsque l'on vendange en France, la vigne sud-africaine se réveille tout juste de sa léthargie hivernale. En janvier, c'est le début de l'été, les cépages précoces commencent à mûrir et les vendanges battent leur plein entre février et avril.

Le sud-ouest de la région du Cap jouit d'un climat plus frais qu'on ne pourrait le supposer à cette latitude de 35° au sud de l'équateur. Les océans Atlantique et Indien et le courant froid de Benguela, qui, venant de l'Antarctique, suit la côte vers le nord, exercent une influence modératrice. Le climat ressemble à celui des pays de la Méditerranée. Les précipitations annuelles, qui varient de moins de 100 mm à l'intérieur des terres à moins de 1 000 mm à proximité de la côte, tombent principalement entre mai et août. Les étés sont habituellement chauds, voire très chauds dans les régions centrales, les hivers doux, et les gelées rares. Les raisins des zones les plus chaudes du Cap ont tendance à souffrir de la chaleur ou à mûrir trop rapidement, mais, si l'eau arrive au bon moment et en quantité suffisante, tout problème peut être écarté. L'irrigation est ici vitale et justifiée.

Des années de recherche et d'expérimentation ont établi la meilleure adéquation entre les différents microclimats et les cépages spécifiques du riche héritage viticole du pays (Steen, Hanepoot, Syrah). La recherche continue sur les variétés de raisins importées plus récemment.

Les sols varient beaucoup, non seulement dans la partie sud-ouest du Cap, mais aussi entre les différents vignobles d'une même région. Généralement, les sols des plaines côtières varient du grès de Table Mountain, à l'ouest, aux roches de granite, à l'est. Les schistes dominent dans le Karroo, tandis que dans les vallées, là où se trouve la majorité des vignobles, les coteaux sont pierreux et les fonds des vallées sont composés de sables et de graviers.

Les régions vinicoles

La région de Worcester comporte le plus d'hectares de vignes (16,5 %). Suivent les régions de Paarl, Stellenbosch, Robertson, Olifants River, Orange River et Klein Karroo. En matière de production, c'est aussi Worcester qui arrive en tête (22,7 %), puis Robertson, Paarl, Olifants River, Stellenbosch, Orange River et Klein Karroo.

En 1973, l'introduction du système des vins d'origine (WO) a divisé les vignobles d'Afrique du Sud en plusieurs régions officielles, districts, zones *(wards)* et domaines *(estates)*, par ordre décroissant de superficie. La zone de production la plus concentrée, située dans un rayon de 50 à 80 km autour de la ville du Cap, est divisée en deux régions principales : Coastal et Breede River Valley. L'appellation Boberg Region est utilisée pour les vins mutés de certaines parties de la Coastal Region (voir p. 892). Huit districts sont situés en dehors des régions principales. Un vin peut porter l'appellation plus spécifique d'une zone classée (sous-district) s'il est élaboré à partir de raisins récoltés entièrement à l'intérieur de ladite zone.

Le système WO met l'accent sur la variété de raisin – 75 % au minimum si un seul cépage est mentionné sur l'étiquette ou 85 % si le vin est destiné à l'exportation – plutôt qu'il ne contrôle les facteurs de qualité de base comme les rendements.

Si le millésime figure sur l'étiquette, au moins 75 % du contenu de la bouteille provient de cette année-là (et 85 % si le vin est exporté vers l'Union européenne). De plus, il ne peut être mentionné que si le vin a été certifié par le Wine and Spirit Board. Chaque bouteille commercialisée porte un numéro de lot grâce auquel la traçabilité est assurée : il permet de remonter le processus d'élaboration jusqu'au pressurage du raisin.

Un aperçu du secteur viticole

Quelque 4 500 exploitants cultivent plus de 100 000 ha de vignes au sud-est du Cap. On compte trois types principaux de producteurs : les caves coopératives, les producteurs privés et les domaines. La plupart des 69 caves coopératives proposent des vins d'un bon rapport qualité/prix. Les producteurs privés, au nombre de 337, comprennent des sociétés prestigieuses comme Bellingham ou encore Distillers Corporation et Stellenbosch Farmers' Winery (qui ont fusionné en décembre 2001 sous le nom de Distell). Ces sociétés utilisent les raisins de leurs propres vignobles, mais achètent aussi des raisins et des vins jeunes pour élaborer des vins d'assemblage qu'elles commercialisent sous leurs marques. Les 92 domaines font uniquement du vin à partir des vignobles leur appartenant ou de parcelles proches.

L'Afrique du Sud est le sixième producteur de vin du monde, fournissant un peu plus de 3 % de la production mondiale. En 1999, la récolte était de 5 959 075 hectolitres. La consommation annuelle est de 9,5 litres par habitant. Traditionnellement, la plupart des vins étaient vendus par les négociants nationaux sur le marché intérieur, mais la levée des sanctions et la plus grande réceptivité des marchés étrangers entraînent une augmentation du pourcentage de vins exportés.

RÉGIONS ET PRODUCTEURS

Les principales zones viticoles d'Afrique du Sud se situent au sud-est de la ville du Cap. Plus au nord, il existe plusieurs zones isolées, le long du fleuve Orange. Les principaux producteurs sont énumérés par région WO.

COASTAL REGION WO

Appellation la plus importante, elle englobe les six districts du Cap les plus fréquemment rencontrés sur l'étiquette : Constantia, Durbanville, Stellenbosch, Paarl, Swartland et Tulbagh.

CONSTANTIA DISTRICT WO
Situés au sud-est de la péninsule du Cap, ce vignoble jouit d'un climat de type méditerranéen ne nécessitant pas d'irrigation et profite de l'ombre des montagnes l'après-midi et des brises fraîches venant de la mer. Constantia cultive principalement du Chardonnay, du Sauvignon et du Riesling pour les blancs, du Cabernet-Sauvignon et de la Syrah pour les rouges.
Le Sauvignon est riche et puissant.
Les principaux producteurs sont Buitenverwachting, Groot Constantia et Klein Constantia.

DURBANVILLE DISTRICT WO
Situés sur les coteaux de granite des montagnes Dorstberg, dans la banlieue nord de la ville du Cap, quatre domaines subsistent. Ils produisent des rouges, notamment du Pinotage et du Shiraz.

PAARL DISTRICT WO
Situé à 50 km au nord-est du Cap, ce grand district vinicole compte quelques-uns des producteurs et des coopératives les plus dynamiques du pays. Le climat est méditerranéen. L'irrigation n'est nécessaire que les années les plus sèches. Les sols varient du grès, dans la très fertile vallée Berg, au granite, autour de Paarl même, et à l'ardoise décomposée, à Malmesbury, dans le Nord-Est. Bien que le district soit surtout spécialisé dans les blancs, avec de bons Chenin Blanc, Sauvignon et Chardonnay, les vignobles plantés plus en altitude sont bien adaptés à la production de vins rouges de qualité (Cabernet-Sauvignon et Pinotage).
Le district englobe la zone de Franschhoek WO, qui a conservé son caractère français, illustré par des vins élevés dans du chêne et par le meilleur Mousseux du pays, Cap Classique (méthode traditionnelle) de Clos Cabrière.
Parmi les bons producteurs, on trouve Fairview, Glen Carlou, Simonsvlei, Villiera, et, dans la zone de Franschhoek, Bellingham, Boschendal, Cabrière, Chamonix, Dieu Donné, La Motte, La Provence et Mont Rochelle.

STELLENBOSCH DISTRICT WO
C'est dans la jolie ville de Stellenbosch, dont l'université abrite une faculté de viticulture et d'œnologie, que se concentre le plus grand nombre d'exploitations produisant des vins de qualité. Le district possède trois types de sol : grès de Table Mountain à l'ouest (parfait pour les vins blancs), alluvions autour du fleuve Eerste et granite à l'est (meilleur pour les rouges), où se situe la zone de Simonsberg-Stellenbosch WO, dans les contreforts des montagnes. Les cépages comprennent le Cabernet-Sauvignon, le Cabernet Franc, le Merlot et la Syrah. Le district produit également certains des meilleurs vins de Pinotage. Plusieurs vins prestigieux, comme la plupart des grands vins, sont des rouges d'assemblage, souvent élevés en barriques de chêne.
Parmi les meilleurs producteurs : Beyerskloof, Delheim, De Trafford, Kanonkop, Louisvale, Meerlust, Morgenhof, Mulderbosch, Neethlingshof (pour le Weisser Riesling Noble Vendange tardive), Overgaauw, Rustenberg, Rust-en-Vrede, Simonsig, Stellenzicht, Thelema, Vriesenhof, Warwick.

SWARTLAND DISTRICT WO

Swartland possède des vignobles autour des villes de Darling, Malmesbury et Riebeek. L'irrigation est généralement nécessaire. Cette région est une source traditionnelle de vins mutés de grande qualité issus de cépages comme le Hanepoot, de vins rouges robustes et corsés de Cinsaut, Tinta Barocca, Pinotage et Shiraz et de bons vins peu chers de Riesling, Colombard, Bukettraube et Fernão Pires.
Parmi les bons producteurs : Allesverloren (pour les vins de style Porto), la coopérative de Swartland et Spicefoute.

TULBAGH DISTRICT WO

Entourés de trois côtés par les montagnes Winterhoek (qui créent plusieurs microclimats), les vignobles de Tulbagh sont situés à la lisière est du Swartland. Le climat est chaud et relativement sec. Aussi l'irrigation est-elle nécessaire pour les vignobles situés sur les sols sableux du fond des vallées, mais moins pour ceux des coteaux, plus humides. Le producteur le plus connu est Twee Jongegezellen.

BOBERG REGION WO

Cette appellation ne fournit que des vins mutés élaborés dans les districts de Paarl et Tulbagh. →

ZIMBABWE

Le seul autre pays du sud du continent africain à faire des vins dignes d'intérêt est la République du Zimbabwe.

La viticulture du Zimbabwe commença par la plantation de treilles pour une production de raisins de table dans les années 1940. Des vignes furent plantées vingt-cinq ans plus tard et l'activité viticole connut son apogée au début des années 1980.

Aujourd'hui, environ 300 ha sont cultivés et deux grandes sociétés se partagent la production, African Distillers (140 ha) et Cairns Winery (120 ha); les autres producteurs vendent leurs raisins. Les hivers doux et les étés chauds ne favorisent pas la production d'un fruit de qualité.

Le Zimbabwe produit annuellement plus de 6,6 millions de bouteilles de vins tranquilles et de Mousseux. Les principaux cépages sont : Cabernet-Sauvignon, Cinsaut et Pinotage pour les rouges; Colombar(d), Steen (Chenin Blanc), Clairette Blanche et Hanepoot (Muscat d'Alexandrie) pour les blancs. Ces dix dernières années, le Zimbabwe a planté des cépages nobles (Merlot, Pinot Noir, Sauvignon Blanc, Syrah et Chardonnay) dans le but d'améliorer la production et d'exporter.

Les difficultés politiques et économiques rencontrées par le pays n'ont pas épargné la viticulture, secteur qui nécessite des produits d'importation, et ont notamment mis un frein aux projets d'investissements.

AFRICAN DISTILLERS (AFDIS). C'est la plus grande société de vins et spiritueux du Zimbabwe, créée dans les années 1940. Sa branche vin, Stapleford Wines, possède trois domaines : Green Valley Vineyards, Bertrams Vineyards et Worringham Vineyards. Elle achète aussi des vins élaborés sous le contrôle d'un *winemaker* maison.

CAIRNS WINERY. Appartenant à des investisseurs zimbabwéens, cette société possède 120 ha de vignes et produit 2 millions de litres : 75 % de blancs, dont 95 % de vins tranquilles secs et demi-secs et 5 % de Mousseux, et 25 % de rouges. Elle produit aussi un Porto Tawny. En 1979, Cairns acheta Mateppe Winery, fondée en 1965, et créa Mukuyu Winery avec du matériel et des techniques modernes. Le vignoble est situé dans la Ruzawi River Valley, au sud de Marondera. Avec sa marque Mukuyu, Cairns a remporté de nombreuses médailles ces quinze dernières années, en Angleterre, en Afrique du Sud et au Canada.

RÉGIONS ET PRODUCTEURS

BREEDE RIVER VALLEY REGION WO

Cette région recouvre les districts de Worcester, Robertson et Swellendam.

WORCESTER DISTRICT WO

Une vingtaine de coopératives fournissent du Riesling (Weisser Riesling), Sauvignon et Colombard, et des vins de dessert de Muscadel blanc et rouge. Worcester couvre la plupart des vallées du fleuve Breede et de ses affluents, dont chacun possède un microclimat très particulier. La coopérative Nuy est un bon producteur.

ROBERTSON DISTRICT WO

Les sols riches en calcaire de ce district sont particulièrement bien adaptés à la viticulture. Bordé au nord et au sud par des montagnes et doté d'un climat chaud et aride, le district n'a pu pratiquer la viticulture qu'après la construction d'un grand barrage, au début du XXe siècle. Aujourd'hui, les domaines et les caves coopératives de Robertson fournissent quelques-uns des Chardonnays et des Shiraz les plus appréciés du Cap, ainsi que des Mousseux et des vins de dessert mutés traditionnels. Parmi les meilleurs producteurs : Graham Beck Winery (Mousseux), Bon Courage, De Wetshof, Rietvallei, la coopérative Rooiberg et Weltevrede.

SWELLENDAM DISTRICT WO

Cette région est vouée à la production de gros volumes par des coopératives.

AUTRES DISTRICTS

KLEIN KARROO DISTRICT WO

Situé entre Montagu, à l'ouest, et Oudtshoorn, à l'est. ce vignoble, planté dans ou près des vallées fluviales, doit être irrigué. Le Chenin y prospère et produit une gamme de styles allant des blancs secs aux blancs doux. Les sols fertiles de schiste rouge et les alluvions riches et profondes, plus près des fleuves, conviennent mieux au Muscadel et aux autres vins de dessert, pour lesquels la région est réputée. Les caves coopératives fournissent la plupart de la production. Boplaas produit d'excellents vins mutés de style Porto.

OLIFANTS RIVER/ OLIFANTSRIVIER DISTRICT WO

Ce district s'étend du nord au sud le long de la vallée. Les vignes sont plantées sur des sols de grès ou de calcaire. Les étés peuvent être chauds et la pluviosité assez faible, mais une bonne conduite de la vigne privilégiant le feuillage permet aux raisins de mûrir à l'ombre. Olifants River devient une source importante de vins fins d'un bon rapport qualité/prix.

OVERBERG DISTRICT WO

Overberg, au sud de Paarl et Stellenbosch, devrait devenir l'un des districts les plus intéressants d'Afrique du Sud. De minuscules vignobles s'insèrent entre de grandes étendues de blé, surtout dans la zone Walker Bay WO. Ils bénéficient de brises fraîches de l'Atlantique et possèdent des sols de schiste décomposé, donnant d'excellents Chardonnays et du Pinot Noir. Parmi les meilleurs producteurs : Bouchard-Finlayson, Hamilton Russell, Vergelegen.

PIKETBERG DISTRICT WO

Dans ce vaste district au relief plat, entre Swartland et Tulbagh, au sud, et Olifants River, au nord, des caves-coopératives élaborent des rouges dans le style des Portos. Les investissements réalisés pour améliorer les techniques viticoles ont permis l'émergence de vins secs faciles à boire.

AUTRES DISTRICTS

Douglas et Andalusia sont les deux WO entourant Kimberley, au centre du pays. Chacune possède une coopérative. Benede-Oranje, WO proche d'Augrabies, dans la vallée du fleuve Orange, est situé dans la même région. Ces districts produisent surtout du vin en vrac et du vin de dessert.

Références

TABLEAU DES MILLÉSIMES

Chaque cépage, chaque parcelle de vigne, chaque cru, chaque appellation offre de telles différences, d'un millésime à l'autre, que toute généralisation est approximative (voir p. 169). Voici cependant quelques indications : la colonne « Garde » indique la maturité, où « B » signifie « à boire maintenant »; « D », « a probablement dépassé son apogée et est sur son déclin »; « G » signifie « à boire maintenant, mais peut encore être gardé »; « L » signifie « laisser en cave » (« L10 + » donne une estimation de l'époque vraisemblable de maturité du millésime). Les notes vont de 1 à 10.

BORDEAUX

ROUGES : MÉDOCS ET GRAVES

La cotation concerne les Grands Crus; les autres vins seront prêts à être bus plus tôt. Les millésimes récents ont un fruit qui semble se développer plus rapidement, sauf pour les années les plus mûres. Voir aussi p. 291.

	Note	Garde	Commentaires
2001	9	L	Proche de 2000 pour les vignerons sages.
2000	7	L	Belle maturité, tanins abondants.
1999	6	G	Irréguliers; meilleur au sud du Médoc et dans les Graves.
1998	7	G	Parfois délavés; quelques vins de garde.
1997	6	L7 +	Maturité relative, avec quelques vins de garde.
1996	8	L10 +	Beau millésime classique, avec de superbes Cabernets-Sauvignons. Très prometteur.
1995	9	L10 +	Année exceptionnelle, avec quelques vins brillants.
1994	7	B	Malgré les pluies en septembre, les vins promettent.
1993	6	B	Les pluies de septembre ont nui à la bonne maturité des Cabernets.
1992	6	D	Vendange importante, les vins sont légers mais bien équilibrés.
1991	5	B	Gel de printemps et pluies ont marqué ce petit millésime.
1990	9	L10 +	Superbes vins, bien construits avec des tanins concentrés d'une grande finesse.
1989	9	G	Année de vendange très mûre. Les vins sont opulents mais inégaux.
1988	8	G	Millésime classique fruité.

1987	6	D	Temps maussade, les raisins manquaient de maturité.
1986	8	G	Vendanges très mûres. Belle concentration de tanins.
1985	8	B	Très beau millésime classique, très fruité avec des tanins souples.

BORDEAUX

ROUGES : SAINT-ÉMILION ET POMEROL

Ces vins de la « Rive droite » se développent différemment de ceux de Médoc et des Graves. La plupart des vins parviennent plus vite à maturité. Voir aussi p. 327, 336.

	Note	Garde	Commentaires
2001	8	L	Incompatibilité entre rendement et maturité phénolique.
2000	9	L	Superbe maturité.
1999	9	L	Vins généreux, suaves complets.
1998	8	G	Belle maturité. Vins colorés, puissants.
1997	7	B	Merlots généreux, vins gracieux.
1996	7	L4 +	Plus inégal que pour les Médocs à cause des vendanges pluvieuses, mais quelques très bons vins.
1995	9	L10 +	Très belle maturité pour les Merlots. Excellents vins.
1994	8	B	L'été chaud a produit des vins mûrs, avec des Merlots très réussis.
1993	6	B	Très beaux Merlots, les Pomerols sont excellents.
1992	5	D	Année pluvieuse, vins moyens.
1991	5	D	Gel et pluie, très peu de bons vins.
1990	10	G	Superbe année de grande concentration.
1989	9	B	Année mûre avec des vins assez tanniques.
1988	9	G	Très bonne année qui reste sur une belle structure fruitée.
1987	6	D	Année moyenne avec de bons Merlots, meilleure qu'en Médoc.
1986	8	G	Millésime de grande maturité.
1985	8	B	Superbe millésime avec une belle extraction de fruit.

RÉFÉRENCES

BORDEAUX

BLANCS SECS

Les commentaires s'appliquent aux crus classés de Graves. Les meilleurs Graves blancs sont des vins très séduisants dans les premières années de vie pour devenir très complexes après 10 ans. Voir aussi p. 307.

	Note	Garde	Commentaires
2001	8	G	Nerveux, classique.
2000	8	G	Récolte précoce, raisins mûrs.
1999	7	B	Belle récolte, avec un rendement trop élevé.
1998	7	D	Vins souples, à boire rapidement.
1997	6	B	Petite récolte, vins réservés.
1996	8	G	Vins finement équilibrés, puissants, bien structurés.
1995	8	G	Vins puissants et très fins, comme en 1988.
1994	7	B	Vins bons, bien équilibrés.
1993	6	B	Très beaux vins très fruités.
1992	7	B	Un millésime inégal.
1990	9	B	Superbe année de blancs élégants.
1989	9	B	Année mûre avec des vins opulents.
1988	8	B	Millésime avec des vins amples.

BORDEAUX

LIQUOREUX

Le Sauternes et le Barsac ont connu une décennie faste à partir de 1980. Les millésimes diffèrent quant à la quantité et à la qualité de raisins botrytisés, qui augmentent la concentration et le caractère des vins. En fonction des caprices de la nature, les vins liquoreux sont excellents ou plus ou moins médiocres. Voir aussi p. 315.

	Note	Garde	Commentaires
2001	9	G	Botrytisé, riche, excellent.
2000	7	B	Automne contrasté.
1999	8	B	Vins riches, bien construits.
1998	7	B	Vins botrytisés, parfois faciles.
1997	8	B	Vins riches et souples.
1996	9	B	Millésime très fin. Octobre favorable au *botrytis*.

1995	9	B	Développement très rapide du botrytis dans la première quinzaine d'octobre.
1994	8	B	Encore une petite récolte, mais bonne là où la sélection a été rigoureuse.
1993	6	B	Petite récolte de bons vins.
1992	6	D	Toute petite année.
1990	10	B	Superbe millésime de vins très concentrés d'une rare élégance.
1989	10	B	Excellent millésime de vins classiques et racés.
1988	9	G	Très bon millésime.
1986	8	B	Très belle année.
1985	7	B	Année bien équilibrée.

BOURGOGNE

ROUGES

Dans cette région, de nombreux viticulteurs et négociants élaborent des vins très différents, et les variations du climat peuvent causer de grandes différences à l'intérieur même de la région. Les commentaires sont fondés sur les Premiers Crus de la Côte d'Or. Voir aussi p. 355.

	Note	Garde	Commentaires
2001	7	B	Beaucoup de raisins; maturité difficile.
2000	6	B	Récolte trop abondante, comme en 1999.
1999	6	D	Vins souvent délavés, faible garde.
1998	7	B	Maturité moyenne. Tanins rêches.
1997	7	B	Vins irréguliers, souples et d'un style aimable.
1996	9	B	Récolte irrégulière, mais les vins les plus fins sont remarquables.
1995	8	B	Bons vins, finement fruités, belle couleur.
1994	6	B	Vins variables à cause du mauvais temps, corrects, voire bons.
1993	7	G	Bon millésime.
1992	7	D	Une année moyenne.
1991	8	B	Beau millésime mais petite production (gel).
1990	9	B	Troisième grande année de suite.
1989	9	B	Excellents vins, très concentrés.

BOURGOGNE

BLANCS

Les notes concernent avant tout les crus de la Côte de Beaune. Les vins de Chablis font l'objet d'une mention en bas du tableau. Voir aussi p. 364.

	Note	Garde	Commentaires
2001	8	B	Frais, net.
2000	7	B	Raisins mûrs et sains.
1999	6	B	Vins légers, à boire rapidement.
1998	7	B	Vendanges pluvieuses. Un 1997 amélioré.
1997	7	B	Vins faciles et aimables. Moyenne garde.
1996	9	B	Millésime exceptionnel, très sucré et finement acide.
1995	9	B	Petite récolte, vins superbement bien équilibrés avec une concentration exceptionnelle, comme en 1990, mais plus forte en alcool.
1994	7	B	Meilleur millésime que 1993 et que les rouges de 1994.
1993	6	B	Un bon millésime fruité.
1992	8	B	Bonne année de vins classiques.
1991	7	B	Millésime de vins équilibrés.
1990	8	B	Troisième grande année de suite : vins amples, racés.
1989	9	B	Très grande année de vins très corsés.
1988	8	D	Beau millésime, vins légers et fruités.

Chablis : 1997, 1996 et 1995 sont des millésimes exceptionnels (surtout 1996), à garder. 1993 et 1994 sont de bons millésimes. 1992 est marqué par des vendanges importantes, des vins amples et gras. La récolte 1991 fut réduite par le gel, mais certains crus devraient être excellents. 1990 est une très bonne année pour les Grands Crus qui méritent d'être laissés quelques années en cave. À noter quelques excellents millésimes plus anciens de Premiers et Grands Crus : 1989, 1988, 1986, 1985 et 1983.

CHAMPAGNE

Les vins portant un millésime ne sont produits par les très grandes maisons que les très bonnes années. Le Champagne millésimé d'une grande année d'une grande marque mérite de passer une dizaine d'années en cave avant d'être commercialisé. Depuis l'excellent millésime 1996, équilibré, de garde, la Champagne a connu d'importantes récoltes. L'année 2001 était une petite année, sans millésime chez les producteurs sérieux. Rien qui vaille le 1996. Grands millésimes en 1988, 1989, 1990 et 1995. Voir aussi p. 390.

ALSACE

La plupart des vins d'Alsace de tous les jours peuvent être bus après 1 à 4 ans; les vins de Vendanges tardives et de Sélection de Grains nobles peuvent se garder plus longtemps. Voir aussi p. 403.

	Note	Garde	Commentaires
2001	8	B	Année sauvée par l'arrière-saison. Beaux liquoreux.
2000	7	B	Bons Rieslings chez les bons vignerons.
1999	4	B	Vins encore plus dilués qu'en 1998.
1998	5	B	Vins aussi dilués qu'en 1997.
1997	5	D	Vins dilués, souples.
1996	8	B	Vins secs classiques, fins et bien structurés, mais année passable pour le botrytis.
1995	7	B	Bon millésime, vins concentrés.
1994	6	D	Millésime gâché par la pluie.
1993	6	D	Une récolte plus petite et meilleure que 1992.
1992	5	D	Vendanges abondantes.
1991	7	D	Année de bons vins légers et fruités.
1990	8	B	Bon millésime de vins classiques.
1989	10	B	Très grand millésime.
1988	9	B	Année de grande maturation.
1985	8	B	Une grande année de vins riches, fruités et racés.
1983	10	B	Superbe millésime avec des vins très concentrés.

LOIRE

Les vins secs de Pouilly et de Sancerre, issus de Sauvignon, atteignent leur apogée, à de rares exceptions près, dans les deux années qui suivent leur vendange. Les grands millésimes des vins doux d'Anjou et de Touraine issus de Chenin Blanc peuvent se bonifier en bouteille des dizaines d'années. Voir aussi p. 415.

	Note	Garde	Commentaires
2001	8	B	Millésime classique.
2000	8	B	Souvent dilué. Vins blancs supérieurs aux rouges.
1999	5	B	Vendanges pluvieuses. Vins moyens.
1998	6	B	Vins rouges et blancs légers.

1997	8	B	Rouges avec une belle maturité ; grands liquoreux.
1996	9	B	Deuxième millésime excellent consécutif.
1995	9	B	Millésime superbe, vins blancs doux exceptionnels.
1994	7	D	Quelques bons rouges, quelques vins doux très fins.
1993	7	D	Année moyenne.
1990	9	B	Un grand millésime pour les grands vins moelleux ou liquoreux.
1989	10	B	Le millésime du siècle. Le summum pour les vins liquoreux issus de Chenin Blanc.

Parmi les grandes années des vins d'Anjou et de Vouvray qui méritent d'être gardés en cave, il faut citer : 1988, 1985, 1978, 1976, 1975, 1964 et 1959.

RHÔNE

ROUGES

Les conditions climatiques peuvent varier entre le nord et le sud du Rhône. Le tableau des millésimes concerne les vins du nord issus de Syrah, qui méritent d'être gardés ainsi que les vins comme le Châteauneuf-du-Pape et le Gigondas au sud. Voir aussi p. 435.

	Note	**Garde**	**Commentaires**
2001	7-8	G	Fruité et mûr. Sud supérieur au Nord.
2000	7	G	Belle maturité.
1999	7	G	Vins du Nord et rouges supérieurs à ceux du Sud et aux blancs.
1998	8	G	Beaux rouges (Nord et Sud), supérieurs aux blancs.
1997	5	B	Rouges et blancs très (trop ?) souples.
1996	7	D	Millésime banal, récolte abondante mais peu mûre. Excellents blancs.
1995	9	B	Très bon millésime, vins puissants et bien structurés.
1994	7	D	Variable, vendanges pluvieuses.
1993	6	B	Une meilleure année au sud qu'au nord, avec des vins blancs meilleurs que les rouges.
1992	7	D	Millésime sans gloire.
1991	6	D	Une année gâchée par la pluie, mais vins meilleurs, sinon grands, au nord.
1990	9	B	Excellent millésime.

TOSCANE

ROUGES

Les Chianti Classico (DOCG) et Rufina (DOC), les Brunello di Montalcino (DOCG) et les *«super vini da tavola»*, toujours plus nombreux, sont des vins à garder. Ce tableau les concerne. Voir aussi p. 556.

	Note	Garde	Commentaires
2001	7	L	Gel, peu de volume. Maturité double, «année de vigneron».
2000	7	L	Attendre...
1999	8	L	Équilibré.
1998	8	G	Bien construit.
1997	8	B	Belle maturité.
1996	7	B	Variable. Chianti bien mûrs, aux couleurs profondes.
1995	8	B	Très bon millésime.
1994	9	B	De bon à excellent pour les DOCG et les *vini da tavola.*

PIÉMONT

ROUGES

La plupart des rouges Barolo (DOCG) et Barbaresco (DOCG) du Piémont ont besoin d'un vieillissement en bouteille pouvant aller jusqu'à dix ans, bien que certains vignerons adoptent un style de vinification qui donne des vins à boire plus jeunes. Voir aussi p. 531.

	Note	Garde	Commentaires
2001	9	L	Quantité et qualité.
2000	8	L7 +	Excellent.
1999	9	L9 +	Complet.
1998	7	L7 +	Plus concentré que fruité.
1997	8	L8 +	Belle année.
1996	8	L8 +	Millésime de très bonne qualité.
1995	7	B	Les vendanges tardives du Nebbiolo ont produit des vins de très bonne qualité.
1994	7	B	Variable, meilleur dans le Barolo.
1993	7	D	Millésime inégal.
1992	6	D	Petite année avec des vins légers.

1990	9	B	Très bonne année.
1989	7	B	La quantité a été réduite par la grêle, mais la qualité est bonne.
1988	8	B	Très bon millésime pour les meilleurs crus.

Parmi les meilleurs millésimes antérieurs de Barolo, il faut citer : 1986, 1985, 1983, 1978, 1971 et 1964.

RIOJA

BLANCS ET ROUGES

Ces indications concernent plus particulièrement les *reservas* et les *gran reservas*. Ces vins ont déjà bénéficié d'un vieillissement en fût avant d'être commercialisés. Voir aussi p. 584.

	Note	Garde	Commentaires
2001	5-7	L	« Année de vigneron ».
2000	7	L	Bons si rendement limité.
1999	5	B	À oublier.
1998	8	G	Proche de l'excellence.
1997	6	B	Bon sans être grand.
1996	8	G	Belle maturité.
1995	9	G	Vins concentrés de grande garde.
1994	9	G	Vins concentrés de grande garde.
1993	5	D	Vins trop légers.
1992	6	D	Vins trop légers.
1991	8	B	Vins concentrés.
1990	6	B	Vins moyens. Irrégularités.
1989	6	B	Précocité et chaleur ont marqué ce millésime.
1988	6	D	Maturité insuffisante ?
1987	8	B	Vins complets ; « année de vigneron ».

Grandes années de garde antérieures : 1982, 1964, 1958, 1955, 1952, 1948.

PORTO VINTAGE (MILLÉSIMÉ)

Le millésime est d'une telle importance pour les marques de Porto qu'elles ne choisissent de le déclarer que pour des années exceptionnelles en sélectionnant les meilleurs vins des meilleurs crus. Le terme anglais « vintage », qui signifie à la fois la vendange et le millésime, a été adopté par les Portugais pour des raisons historiques qui datent de l'époque où le commerce des vins de Porto était dominé par les Anglais. Le Porto millésimé est destiné à vieillir longtemps en bouteille. Une note ne peut généralement être donnée avant que le vin ait été mis en bouteilles (après deux ans de vieillissement en fût) et vieilli pendant quelques années, car son caractère peut changer (voir 1975). Un point d'interrogation dans le tableau signifie qu'il est trop tôt pour estimer la qualité. Certaines maisons déclarent les vins d'une seule quinta les années non millésimées. Ceux-ci seront vraisemblablement à maturité au bout de 8 à 12 ans. Voir aussi p. 629.

	Note	Garde	Commentaires
2001	8	L	Supérieur à la moyenne. Vintages probables.
2000	8	L	Année de qualité justifiant des Vintages.
1999	8	L	Belle maturité. Beaux Vintages.
1998	8	L	Belle maturité. Vintages.
1997	9	L10 +	Superbes Vintages.
1996	7	L12 +	Récolte abondante de qualité relativement bonne.
1995	8	L12 +	Pas un Vintage sauf exception.
1994	9	L20 +	Petite récolte de vins excellents : Vintage.
1992	8	L12 +	Grand Vintage.
1991	7	L12 +	Vintage de grande extraction.
1985	7	B	Bon mais pas grand.
1983	7	B	Une bonne année.
1982	7	B	Excellent millésime pour certaines maisons, décevant pour d'autres.
1980	8	B	S'améliore en vieillissant.
1978	7	B	Millésime qui commence à révéler son fruit.

Les meilleurs Portos Vintages ont une telle concentration qu'ils ont une durée de vie étonnante. Les millésimes suivants sont tous excellents et devraient pouvoir survivre jusqu'à l'an 2002 : 1977, 1970, 1967, 1966, 1963, 1960, 1955, 1945.

MOSELLE

Ici, les millésimes diffèrent en qualité et aussi en style : traditionnellement, les années chaudes sont les meilleures, produisant beaucoup de vins moelleux ou liquoreux (vins de qualité *Auslese* ou de qualité supérieure). Les années plus fraîches, avec de bons vins *Kabinett*, ne sont pas à dédaigner. Voir aussi p. 666.

	Note	Garde	Commentaires
2001	5	G	Pluies, maturité faible. Année difficile.
2000	6	G	Vendanges pluvieuses. Bons liquoreux.
1999	8	B	Vins élégants, mûrs. Vendanges pluvieuses.
1998	5	G	De l'acidité. Beaux *Eisweine*.
1997	9	L6 +	Vins concentrés, de garde.
1996	7	B	Petite récolte de qualité inégale. Les meilleurs Rieslings ont été cueillis fin octobre ou novembre.
1995	8	B	Initialement trop acide, mais récolte bien mûre. Quelques *Eisweine*.
1994	9	B	De bons à excellents. Les Rieslings sont fins et équilibrés.

Parmi les meilleurs millésimes antérieurs de garde, il faut citer : 1990, 1988, 1985, 1983, 1976, 1975, 1971, 1964, 1959.

RÉGIONS DU RHIN

Des différences subtiles mais importantes existent entre la Moselle et le Rhin : les vins du Rhin, et surtout ceux du Rheingau, vieillissent normalement plus longtemps – disons 12 ans et plus pour les très grands millésimes ; en revanche, les vins de la Hesse rhénane se gardent rarement plus de 8 ans. Voir aussi p. 672.

	Note	Garde	Commentaires
2001	6	G	Année problématique et variable. Les vins sont de qualité moyenne.
2000	7	G	Assez bien.
1999	7	B	Récolte abondante.
1998	6	G	Irrégularités.
1997	8	B	Maturité, équilibre.
1996	8	G	Bons *Auslesen* et *Beerenauslesen* dans le Rheingau, moyenne qualité dans le Palatinat.

1995	7	D	Vins variables, vendanges précoces dues à la pourriture.
1994	7	D	Variables, très bons dans le Pfalz, peu de bons vins dans le Rheingau.

Parmi les millésimes antérieurs qui méritent notre attention, il faut citer : 1990, 1989, 1983, 1976, 1975, 1971, 1964, 1959.

CALIFORNIE

La taille immense des vignobles californiens et la grande variété des conditions climatiques rendent difficile une bonne appréciation des millésimes. Ces commentaires concernent surtout les régions de Napa et de Sonoma. Voir aussi p. 760.

	Note	Garde	Commentaires
2001	8	G	Légèrement supérieur à la moyenne.
2000	7	G	Vendanges pluvieuses.
1999	7	G	Irrégularités. Beaux Zinfandels.
1998	5	B	Vins légers ; temps instable.
1997	9	B	Vins complets et riches.
1996	7	B	Petite récolte de très bonne qualité.
1995	8	B	Bonne qualité mais les blancs sont un peu justes.
1994	8	B	Bons rouges provenant d'une petite récolte.
1993	7	D	Millésime de qualité inégale.
1992	6	D	Année de maturation précoce.
1991	9	D	Bons rouges à garder.
1990	8	B	Très beau temps.
1989	7	D	Bon millésime.
1988	6	D	Récolte modeste et précoce.

Parmi les millésimes antérieurs très réussis pour le Cabernet-Sauvignon, citons 1985, 1980, 1978 et 1974.

GLOSSAIRE

Ce glossaire définit des termes spécifiques au monde du vin sauf le vocabulaire de la dégustation, décrit p. 152, et renvoi aux passages où un terme est expliqué de façon plus détaillée. L'origine des mots de langue étrangère est indiquée sous la forme d'abréviations : Al. = Allemagne ; Esp. = Espagne ; It. = Italie ; P = Portugal ; US = USA. Les astérisques (*) marquent des mots qui font l'objet d'une entrée dans ce glossaire.

A

ABBOCCATO (It.) Vin légèrement sucré.

ACIDE ACÉTIQUE Acide que l'on trouve dans tous les vins en faible quantité. S'il se développe de façon excessive, le vin tourne en vinaigre. Voir p. 166.

ACIDE CITRIQUE Acide abondant dans les fruits et les agrumes ; le raisin n'échappe pas à sa présence, mais en quantité moindre. Les raisins blancs affichent des quantités plus importantes, notamment ceux atteints par la fameuse « pourriture noble ». L'acidification par adjonction d'acide citrique dans les vins est réglementée.

ACIDE LACTIQUE Cet acide apparaît lors de la fermentation malolactique* du vin. Voir p. 242.

ACIDE MALIQUE Lorsque le raisin mûrit, l'acide malique, contenu en forte teneur dans les raisins verts, s'atténue : il est instable. Il se reconnaît à son goût âpre de pomme verte. Une fois la fermentation alcoolique* achevée, il se transforme en acide lactique*. Voir p. 242.

ACIDE TARTRIQUE Acide le plus noble ayant le pouvoir le plus acidifiant dans le vin, c'est un acide peu rencontré dans le monde végétal. Sa teneur dans la baie du raisin diminue jusqu'à la véraison*, puis varie en fonction des conditions climatiques.

ACIDITÉ Le vin est riche en acides organiques : tartrique*, malique*, citrique*, lactique*, etc. L'acidité joue un rôle important lors de la dégustation (voir p. 50 et 135-144). Elle compense et éclipse partiellement les composantes de moelleux* du vin (sucre, alcool, glycérine), tandis qu'associée au tanin* elle crée une synergie qui aggrave à la fois la sensation acide et celle d'astringence. Lorsqu'elle est excessive ou mal compensée, elle se traduit successivement par de la vivacité, de la verdeur, puis de l'âcreté. Défaillante au contraire ou submergée par le moelleux du vin, elle engendre la mollesse ou la lourdeur. À dose légèrement émergente, elle crée la fraîcheur ; légèrement récessive, elle participe à la souplesse.

ADEGA (P) Centre de vinification au Portugal.

ALCOOL Un des éléments importants du vin, l'alcool éthylique résulte de la fermentation alcoolique : le métabolisme enzymatique des levures* transforme le sucre du jus de raisin en alcool, en gaz carbonique et en chaleur (voir p. 240). Le degré alcoolique* d'un vin peut varier de moins de 7 % vol. à plus de 15 % vol. en fonction de la teneur en sucres naturels* des moûts et en sucre ajouté : voir chaptalisation*. Au-delà de 15 % vol., il s'agit généralement de vins mutés. Rappelons enfin que, pour obtenir un degré d'alcool, il faut 17 g de sucre par litre pour les vins blancs et 18 g pour les vins rouges.

AMABILE (It.) Un vin plus sucré que l'*abboccato**.

AMERTUME Un des quatre composants du goût. Voir p. 135 et 152.

AMONTILLADO (Esp.) Xérès élaboré au-delà du stade du Fino en ayant développé une couleur ambre, du corps et un goût de noisette. Voir encadré p. 614.

AMPÉLOGRAPHIE Science de la vigne qui s'attache à l'étude et à la classification des cépages*. Voir encadré p. 218.

ANHYDRIDE SULFUREUX (SO_2) De tout temps, les vignerons ont utilisé l'anhydride sulfureux pour ses nombreuses vertus : il enraye des fermentations précoces sur les raisins vendangés, il inhibe et active des sélections de levures*, élimine microbes et bactéries, protège des oxydations*, a un pouvoir dissolvant, peut bloquer la fermentation malolactique* et s'avère être un précieux allié pour les vins blancs liquoreux* sujets à refermenter en bouteille. Voir p. 258.

ANTHOCYANES Pigments rouges du raisin qui donnent leur couleur aux vins rouges. Cette coloration rouge-violet des vins jeunes est presque exclusivement le fait des molécules d'anthocyanes (composés phénoliques), assez instables, qui vont se lier au cours du vieillissement avec les tanins* (autres éléments phénoliques) pour donner au vin sa couleur rouge rubis.

APPELLATION D'ORIGINE CONTRÔLÉE (AOC) L'Appellation d'Origine Contrôlée s'applique à des vins issus de régions et de cépages* bien déterminés, dans le cadre de règlements codifiés par l'INAO*. Les vins d'AOC doivent répondre à des règles bien précises en matière d'aire délimitée de production, d'encépagement*, de teneur minimale en sucre du moût à obtenir, de degré d'alcool*, de rendement maximal* à l'hectare, de taille de la vigne, de méthodes de culture et de vinification. Les vins d'AOC sont soumis à une dégustation d'agrément avant d'être commercialisés. Voir encadré p. 15 et p. 276.

APPELLATION D'ORIGINE VIN DÉLIMITÉ DE QUALITÉ SUPÉRIEURE (AOVDQS) Vin d'appellation d'origine dont les règles et les aires de production sont différentes de celles des AOC*. Ces vins sont produits dans des régions au potentiel qualificatif moins important que celui des AOC. Voir p. 278.

ARÔMES Ce terme désigne les parfums exhalés par un vin et, plus particulièrement, les sensations perçues tant au nez qu'en bouche. On distingue les arômes variétaux, les arômes fermentaires et les arômes post-fermentaires (ou d'évolution). Voir p. 127 et encadré p. 168.

ASSEMBLAGE Opération consistant à marier plusieurs vins. Les assemblages ont pour but d'élaborer un ensemble bien meilleur que chaque élément pris séparément.

AUSBRUCH (Al.) Type de vin autrichien plus sucré qu'un *Beerenauslese**, mais moins sucré qu'un *Trockenbeerenauslese.** Voir p. 721.

AUSLESE (Al.) Vin allemand élaboré avec des raisins récoltés en vendanges tardives (quelquefois botrytisés), contenant une forte concentration de sucre. Les *Auslesen* peuvent être secs ou sucrés. Voir p. 657.

B

BAG-IN-BOX Il s'agit d'une poche souple munie d'un robinet et enfermée dans un emballage carton, utilisée couramment pour la vente et la conservation (jusqu'à un an) du vin en vrac.

BAN DES VENDANGES Il s'agit de la date à laquelle commençaient les vendanges dans le passé. Actuellement, le ban des vendanges est la date à partir de laquelle la chaptalisation* est autorisée. Cette date est proposée par l'INAO et le syndicat de l'appellation, et décidée par le préfet de région.

BARRICA (Esp.) Barrique espagnole d'une contenance d'environ 225 l.

BARRIQUE Fût dont la contenance varie d'une région à l'autre ; dans le Pays nantais, une barrique équivaut à 228 l ; dans le Bordelais, elle en contient 225 (4 barriques font ici un tonneau) ; la barrique de la région de Touraine-Anjou contient 232 l.

BÂTONNAGE Opération qui consiste à remettre en suspension des lies* fines qui se déposent dans la partie basse d'une barrique ou d'une cuve lors de l'élevage, pour obtenir un vin plus complexe, plus souple et plus gras. Voir encadré p. 259.

BEERENAUSLESE (Al.) Vin autrichien ou allemand élaboré avec des raisins souvent botrytisés et très sucrés récoltés en vendanges tardives. Voir p. 657.

BEREICH (Al.) District viticole.

BLANC Vin issu de raisin blanc ou rouge à jus blanc après simple extraction du jus ou moût*, et fermentation alcoolique*. Pour les styles, voir p. 34 ; pour la vinification, voir p. 243.

BLANC DE BLANCS Vin blanc élaboré à partir de raisins blancs.

BLANC DE NOIRS Vin blanc élaboré à partir de raisins noirs.

BLUSH (US) Terme américain qui signifie rosé.

BODEGA (Esp.) Équivalent espagnol de cave ou de chai.

BOTRYTIS CINEREA Moisissure parasite qui attaque le raisin (voir encadré p. 236). Un peu de *botrytis,* que l'on appelle « pourriture grise »*, favorise les agents fermentaires au moment de la cuvaison ; beaucoup de *botrytis* compromet la vendange (au-delà de 10 ou 15 % pour les vins rouges, 20 % pour les vins blancs) ; trop de *botrytis,* sous certaines conditions atmosphériques, peut provoquer ce qu'on appelle la célèbre « pourriture noble* », qui concentre les jus dans les grappes dans une forme particulière de surmaturation. Ces raisins botrytisés donnent des vins liquoreux* fameux tels le Sauternes (voir p. 315) ou le Tokay de Hongrie (voir p. 729).

BOUCHON Cylindre de liège ou éventuellement de matière synthétique servant à obturer hermétiquement les bouteilles (voir p. 262). Les qualités de liège sont variables. Les lièges de moindre qualité sont colmatés avec de la pâte de liège.

BOUCHONNÉ Se dit d'un vin qui a une très forte odeur de bouchon. Le vin est généralement imbuvable. Ce phénomène, irréversible et assez rare, est dû à un développement de certaines moisissures spécifiques au liège. Voir encadré p. 135.

BOUILLIE BORDELAISE Préparation à base de sulfate de cuivre et de chaux, mise au point par Millardet au siècle dernier pour lutter contre le mildiou*. Elle est de plus en plus remplacée par des produits de synthèse associés à du cuivre. Voir encadré p. 233.

BOUQUET Ensemble d'arômes aussi complexe qu'agréable qui se dégage d'un vin et que l'on perçoit au nez. Voir arômes*.

BRANCO (P) Blanc.

BRUT Ce terme indique, pour les vins effervescents*, la présence très réduite de sucre (de 0 à 15 g/l) ; le « brut zéro », le « brut intégral » ne sont pas du tout édulcorés. Voir p. 113 et 252.

C

CAPSULE Coiffe de métal ou d'une autre manière constituant le surbouchage de la bouteille. La capsule, à l'origine en alliage d'étain, existe également en plastique. Ce terme désigne aussi le « bouchon couronne » que l'on utilise lors de la prise de mousse des vins effervescents*.

CAPSULE-CONGÉ Capsule représentative des droits (CRD) comportant un sceau indiquant que les droits de transport du vin ont été acquittés. Voir encadré p. 94.

CAUDALIES Unités de persistance temporelles équivalant aux secondes mesurées de façon très subjective par certains dégustateurs. Le mot est joli. Il provient du latin *cauda* (queue), mais, s'il est facile de parler de « queue de paon » en finale gustative, il est bien plus difficile d'en mesurer la longueur, l'intensité et la complexité. Voir p. 134.

CAVA (Esp.) Cave. Terme générique s'appliquant aux vins espagnols élaborés selon la méthode traditionnelle*. Voir encadré p. 602.

CENTRIFUGATION Opération de clarification* des moûts ou des vins au cours de laquelle on utilise la force centrifuge pour éliminer les particules lourdes. Ce procédé est utilisé pour débourber les moûts, clarifier les vins nouveaux ou pour éliminer les dépôts de collage*. Voir p. 244.

CEP Partie ligneuse de plus d'un an du pied de vigne.

CÉPAGE Variété du genre *Vitis vinifera*. On dénombre plusieurs milliers de cépages différents dans le monde. Voir p. 218.

CHAI Caves de vinification, d'élevage en barriques* ou en cuves* ou de stockage de bouteilles.

CHAMBRER À l'époque où les caves étaient fraîches, où l'on déjeunait dans les chambres, et où celles-ci n'étaient pas chauffées en permanence, chambrer un vin signifiait le sortir de la cave pour l'amener à la température de la chambre, qui excédait rarement 18 °C pendant la majeure partie de l'année. Aujourd'hui, il est plus judicieux de prendre les vins à leur température de garde et de les mettre progressivement à leur température de service. Voir encadré p. 201.

CHAPEAU Dans le cas d'une vinification en rouge, le chapeau est la partie flottante constituée par les éléments solides (pellicules, pépins, peau, rafles, pulpe) maintenus en surface du moût* en fermentation grâce au dégagement de gaz carbonique. Pour obtenir une bonne extraction (de couleur et d'arômes*), il est important de maîtriser la macération*. C'est pourquoi de nombreux systèmes agitent, brassent, plongent, piègent ce fameux chapeau afin de privilégier les échanges entre les matières solides et le liquide, c'est-à-dire le vin. Voir p. 247.

CHAPTALISATION Promue par le chimiste français Chaptal (d'où son nom), la chaptalisation est une technique qui consiste à ajouter du sucre (de canne, de betterave, ou du moût* concentré rectifié) aux moûts insuffisamment riches avant la fermentation afin d'obtenir un degré alcoolique* plus élevé dans les vins. Cette technique, strictement interdite dans de nombreux pays, est généralement très réglementée dans les pays qui la tolèrent. Voir p. 102 et encadré p. 241.

CHARMAT Méthode d'élaboration de vins effervescents* en cuve par adjonction de sucre et de levures*. La prise de mousse se fait en « cuve close ». Voir p. 252.

CHÂTEAU Désignation d'un vin provenant d'un domaine particulier. Il n'y a pas toujours un château-édifice correspondant à chaque domaine et on dénombre beaucoup plus de châteaux sur les étiquettes de vin que sur le cadastre des localités concernées. Pour le château bordelais, voir p. 292.

CLAIRET Vin de Bordeaux rouge/rosé léger obtenu par saignée*.

CLARIFICATION Ensemble des opérations qui permettent d'obtenir la limpidité du vin. Différents procédés peuvent être utilisés : centrifugation*, filtration*, collages*. La clarification doit être complétée par des procédés de stabilisation* physico-chimique et microbiologique du vin pour éviter la formation ultérieure de troubles et de dépôts*. Voir p. 244.

CLASSICO (It.) Vin provenant du cœur d'un vignoble.

CLAVELIN Bouteille utilisée pour les vins du Jura et notamment pour le Vin jaune. Sa contenance est de 62 centilitres. Voir encadré p. 458.

CLIMAT En Bourgogne, ce terme désigne non seulement les conditions atmosphériques qui règnent sur la région, mais aussi divers lieux-dits cadastraux dans chaque village, dont certains ont la qualité de Premiers Crus et d'autres sont restés non classés. Ces derniers peuvent néanmoins figurer dans l'étiquetage des vins sous l'appellation communale, sous réserve de ne pas prêter à confusion avec la classe « Premier Cru » à laquelle ils n'ont pas droit. Ainsi à Meursault, les Bouchères sont un climat de Premier Cru, étiqueté comme tel, tandis que les Narvaux sont un simple climat, classé sous l'appellation Meursault.

CLONE Plant obtenu à partir d'un seul pied par multiplication asexuée (bouturage ou greffage). Voir sélection clonale*. Voir aussi p. 220.

CLOS Parcelles de vignes entourées de murs. Ce mot est réservé aux vins d'appellation contrôlée pour lesquels il peut se justifier. Le vin, par exemple, doit provenir exclusivement des parcelles constituant le clos. Si les murs au cours des siècles ont disparu, le vin peut continuer à porter le nom de clos si cette désignation lui a toujours été donnée.

COLLAGE Procédé de clarification* des vins avant la mise en bouteilles. La méthode consiste à mélanger au vin un colloïde qui va s'accoler aux résidus en suspension (floculation colloïdale) et les faire tomber par gravité au fond du contenant. On a recours à des produits comme le blanc d'œuf battu, la colle de poisson, la caséine ou la bentonite (une argile). On soutire ensuite le vin, qui est le plus souvent filtré avant la mise en bouteilles. Voir p. 261.

COLLERETTE Étiquette placée à l'épaulement des bouteilles et portant souvent le millésime du vin.

COLORANTS Composés phénoliques constitués par des anthocyanes*, des tanins*, des polymères de tanin et d'anthocyanes. Dans les vins rouges jeunes, la couleur est due aux anthocyanes libres. Au cours du vieillissement, les anthocyanes s'associent aux tanins qui, eux-mêmes, se condensent, donnant ainsi au vin une teinte tuilée. Voir p. IV dans le cahier encarté entre les p. 512 et 513.

CONGÉ Document fiscal accompagnant les boissons alcooliques lors de leur transport. Ces documents sont retirés dans les recettes buralistes. Certains producteurs et négociants ont des registres de congé confiés par la recette buraliste. D'autres utilisent la capsule-congé* apposée sur le bouchage de chaque bouteille.

CONSERVATION DES VINS Le vin est un milieu instable pouvant évoluer défavorablement si des règles de conservation ne sont pas correctement appliquées. Ces règles tendent à le protéger contre des agressions microbiennes, des bactéries acétiques notamment, et contre les altérations physico-chimiques qui sont dues particulièrement à l'air et à la chaleur. Voir p. 166.

Une fois en bouteilles, la durée de conservation d'un vin dépend, bien entendu, des qualités de la cave (voir p. 182), mais aussi du vin lui-même (voir p. 169).

COULURE Absence de fécondation de l'ovaire des fleurs par le pollen causée par des conditions climatiques défavorables comme le froid, la pluie ou un printemps trop précoce. La coulure engendre des troubles de redistribution des sucres au sein de la plante ; les fleurs ou les raisins flétrissent ou se développent de façon inégale, voire pas du tout. Voir p. 231.

COUPAGE Synonyme d'assemblage*.

CRÉMANT Vin élaboré selon la méthode traditionnelle* et qui n'a pas autant de pression que le Champagne (2,5 à 3 kg contre 5 kg). Voir encadré p. 39 et p. 281.

CRIANZA (Esp.) Désignation des vins espagnols qui font l'objet d'un vieillissement en fût : *« con crianza »* signifie « vieilli », tandis que *« sin crianza »* signifie « non vieilli ». Voir encadré p. 583.

CRU Le sens premier de ce terme est celui d'une zone délimitée présentant une aptitude à produire un vin particulier, original. Ce sens est actuellement celui qu'a le mot « climat* » en Bourgogne (voir p. 342). En revanche, en Bordelais, il s'attache à une exploitation viticole particulière et, par conséquent, autant à l'encépagement* et au savoir-faire des hommes qu'au sol lui-même. C'est le domaine*, le château* avec tout ce qu'il comporte qui constitue le cru (voir p. 284). En Champagne, on parle d'échelle de crus* pour fixer les prix de la vendange. Ainsi, chaque zone est affectée d'un pourcentage par rapport aux « crus à 100 % » réputés les meilleurs (voir encadré p. 395). Diverses mentions, Grand Cru, Premier Cru, Cru classé, accompagnent le nom de certaines appellations. Les mentions sont définies par des décrets d'appellation et sont basées sur des conditions particulières de production (Grand Cru, Premier Cru) ou sur des classements homologués par le ministère de l'Agriculture. Ces classements ont été faits dans le Médoc (voir p. 288), le Pessac-Léognan (voir p. 309), le Sauternais (voir p. 317) ainsi qu'à Saint-Émilion (voir p. 328).

CRU BOURGEOIS Châteaux du Bordelais d'une notoriété moins grande que celle des Grands Crus. Voir p. 293.

CUBITAINER Récipient en plastique protégé par une enveloppe en carton utilisé couramment pour la vente du vin en vrac aux particuliers. Sa contenance va de 5 à 33 litres. La paroi étant légèrement poreuse à l'air, le Cubitainer ne peut être utilisé que pour une conservation transitoire du vin.

CUVAISON (OU CUVAGE) Phase essentielle de l'élaboration d'un vin, correspondant à la mise en cuve des moûts* provenant de la vendange, à la fermentation*, aux remontages* (dans le cas d'une vinification en rouge) et enfin à l'écoulage*. Voir décuvage*. Voir aussi p. 240-254.

CUVES Les cuves sont des récipients vinaires de capacité variable pouvant aller de 10 à plusieurs milliers d'hectolitres. Elles sont utilisées aussi bien pour les vinifications et l'élevage que pour la conservation des vins. De nombreux matériaux sont utilisés pour leur construction : bois, pierre, béton, acier revêtu, acier inoxydable, verre, fibre de verre, matière plastique (voir encadré p. 242). Les cuves de vinification peuvent être équipées de divers accessoires pour effectuer le pigeage*, ou le remontage* automatique.

CUVÉE Sélection correspondant à un vin bien particulier qui peut avoir fait l'objet d'assemblages ou non. En Champagne, « la cuvée » correspond au vin élaboré avec les moûts* de première presse. Voir p. 394.

D

DÉBOURBAGE Opération consistant à séparer la bourbe (les matières en suspension) des jus avant la fermentation des moûts*. Voir p. 244.

DÉBOURREMENT Moment du cycle végétatif correspondant au gonflement et à l'ouverture des bourgeons. Voir p. 231.

DÉCANTATION Action de séparer un liquide clair de ses sédiments, de ses lies. On décante un grand vin ou un Porto millésimé en le laissant s'écouler lentement de sa bouteille d'origine dans une aiguière ou dans une carafe. Voir p. 205, encadré p. 207 et p. IV du cahier encarté entre les p. 512 et 513.

DÉCLASSEMENT Décision consistant à retirer à un vin son appellation d'origine. Il peut être le fait d'un choix libre du producteur ou être décidé par les commissaires de la République après avis d'experts. Ces décisions sont prises à la suite d'altérations profondes du vin. Par ailleurs, un producteur peut pour son vin revendiquer une appellation plus générale que celle à laquelle il a droit, on parle alors de repli. Voir p. 104.

DÉCUVAGE (OU DÉCUVAISON) Opération qui suit la fin de la fermentation alcoolique*. Les vins blancs sont simplement transvasés dans d'autres contenants. Pour les vins rouges, qui ont subi leur fermentation en présence des peaux de raisin, des pépins et quelquefois des rafles, l'opération de décuvage est plus complexe : on procède tout d'abord à un écoulage*, c'est-à-dire que l'on soutire la partie la plus basse de la cuve, puis qu'on retire la partie supérieure moins liquide que l'on transporte jusqu'au pressoir afin d'obtenir un vin de presse*. Les matières les plus solides résultant de cette presse s'appellent les marcs*. Voir p. 248-249.

DÉGORGEMENT Phase importante et délicate de la méthode champenoise* où on élimine les dépôts des levures* accumulés lors de la seconde fermentation en bouteille. Voir p. 252.

DEGRÉ ALCOOLIQUE En calculant le pourcentage de volume d'alcool éthylique contenu dans le vin, on obtient le degré alcoolique* (exprimé en % vol.). Voir p. 105.

DEMI-SEC Catégorie de vin effervescent contenant conventionnellement entre 35 et 50 grammes de saccharose (plus ou moins hydrolysée) provenant de 7 à 10 % de liqueur d'expédition, ajoutée après dégorgement* (voir Dosage*). Voir p. 113.

DÉPÔT Particules solides que l'on rencontre dans le vin. Pour les vins blancs, il s'agit bien souvent de paillettes de cristaux d'acide tartrique* incolore ; pour les vins rouges, ce sont surtout des tanins* et le pigment*. Voir encadré p. 206.

DÉSHERBAGE Le désherbage de la vigne consiste à éliminer toute végétation adventice durant la période de croissance et de maturation des raisins. Voir p. 232-233.

DESSERT (VIN DE) On désigne par ce terme les mistelles*, les vins moelleux*, les vins liquoreux* et les Vins Doux Naturels*. Ces vins sont dégustés à l'apéritif ou en début de repas, mais leur place est au dessert.

DO (Esp.) La *Denominación de Origen* s'applique aux vins espagnols dont l'origine est certifiée.

DOC (Esp.) La *Denominación de Origen Calificada* représente la qualité supérieure des vins espagnols.

DOC (P) La *Denominação de Origem Controlada* est l'équivalent portugais de l'AOC* française.

DOC (It.) La *Denominazione di Origine Controllata* est l'équivalent italien de l'AOC* française.

DOCG (It.) La *Denominazione di Origine Controllata e Garantita* est une garantie qui s'ajoute à la DOC italienne et signifie que les vins ont été dégustés et ont reçu l'agrément.

DOMAINE Entité géographique et juridique correspondant à une exploitation viticole. Un domaine est donc composé de vignes, de bâtiments et de matériels destinés à la culture de la vigne et à l'élaboration du vin. Voir aussi p. 104.

DOSAGE Après le dégorgement* du Champagne, on ajoute à celui-ci une liqueur sucrée qu'on appelle «liqueur d'expédition»*, dont la teneur en sucre varie selon que le Champagne est dit «brut» (15 g/l au maximum), «extra dry» (de 12 à 20 g/l), «sec» (de 17 à 35 g/l), ou «demi-sec» (de 33 à 50 g/l). Voir p. 113 et 252.

DOUX Désignation s'appliquant à des vins dont la teneur en sucre est supérieure à 45 g par litre. Voir p. 113.

E

ÉCHELLE DES CRUS Classification des communes de Champagne qui permet de fixer chaque année le prix du raisin. Les meilleurs crus sont à 100 %. Les autres peuvent descendre jusqu'à 70 %. Voir p. 115 et surtout l'encadré p. 395.

ÉCOULAGE Phase de la vinification en rouge qui consiste à tirer le vin de goutte* au bas de la cuve*, laissant le marc* dans la cuve. Voir p. 248.

EDELZWICKER Mot alsacien désignant les vins obtenus par assemblage* de vins issus de différents cépages. Voir encadré p. 405.

EFFERVESCENT Ce qualificatif désigne un vin en bouteille contenant du gaz carbonique sous pression qui se détend avec effervescence au moment du débouchage. Le mot «effervescent» est destiné à remplacer le terme Mousseux*. Les vins effervescents peuvent être obtenus par divers procédés (voir p. 250).

Ces procédés sont :
– la seconde fermentation en bouteille, avec dégorgement* individuel, pour le Champagne, les Crémants* et divers Mousseux* des appellations traditionnelles ;
– la fermentation en cuve close sous pression, pour les produits de marque sans appellation ;
– la gazéification par saturation industrielle avec du gaz carbonique (sorte de limonade à base de vin) pour les produits très bon marché.
Un procédé intermédiaire entre les deux premiers effectue la fermentation en bouteille, mais remplace le dégorgement par un transvasement avec filtration sous pression. Les vins perlants* et pétillants*, d'une pression gazeuse inférieure à 2,5 bars, sont inclus dans la catégorie des effervescents, alors qu'ils étaient exclus de celle des Mousseux. La référence « méthode champenoise »* est uniquement réservée aux vins de Champagne.

ÉGRAPPAGE OU ÉRAFLAGE Opération consistant à séparer les raisins de la rafle, qui contient dans ses pédoncules de l'huile et des tanins* ayant tendance à rendre le vin amer et âpre. Voir p. 247.

EISWEIN (Al.) Vin élaboré en Autriche ou en Allemagne avec des grappes de raisin récoltées en vendanges tardives. Voir p. 657 et 721.

ÉLEVAGE Il s'agit de l'ensemble des opérations menées du décuvage* jusqu'à la mise en bouteilles. Voir p. 255-260.

ENCÉPAGEMENT Composition d'un territoire donné en différents cépages*. On peut parler d'encépagement d'un domaine ou d'une région. L'encépagement peut être monovariétal, quand les vins sont issus d'un seul cépage, ou plus complexe. L'utilisation de plusieurs cépages permet d'apporter au vin différentes nuances. En Champagne, le Chardonnay est utilisé pour sa finesse et sa légèreté, tandis que les Pinots, Noir et Meunier, apportent du corps et de la rondeur. Dans d'autres régions, telle l'Alsace, l'encépagement multiple permet d'obtenir une palette de vins différents. Voir p. 223.

ÉRAFLAGE Voir Égrappage.

ÉVENT Anomalie que l'on rencontre dans les vins laissés en contact avec l'air. Voir p. 157.

EXTRA-DRY Expression désignant un vin effervescent* très faiblement dosé en sucres résiduels (de 2 à 20 g par litre) et, également, un vin très sec. Voir p. 113.

F

FERMENTATION ALCOOLIQUE Étape dans l'élaboration du vin : lorsque les sucres contenus dans le moût* se transforment en alcool, en gaz carbonique et en chaleur sous l'influence des levures*, le jus de raisin devient du vin. Voir p. 240.

FERMENTATION MALOLACTIQUE Fermentation qui suit la fermentation alcoolique*. Sous l'action de certaines bactéries lactiques, l'acide malique* (au goût de pomme verte) se transforme en acide lactique* (au goût de yaourt) et en gaz carbonique. L'acide lactique ayant un goût moins âpre que l'acide malique, le vin devient plus souple. Voir p. 242 et 245.

FICHE DE DÉGUSTATION Document permettant au goûteur de vin de noter ses impressions avec méthode. Ces fiches reprennent en général l'ordre des stimulations visuelles, olfactives, gustatives et tactiles. Voir p. 148-151.

FILTRATION Procédé de clarification* qui consiste à arrêter les particules du trouble par une barrière physique qui peut être constituée d'une couche de Kieselguhr (terre d'infusoire), de plaques à base de cellulose, ou de membranes synthétiques. Voir p. 261.

FLORAISON Phase végétative de la vigne au cours de laquelle la fécondation des grappes se produit, ce qui va permettre la formation des baies. Voir p. 231.

FOUDRE Grand tonneau pouvant contenir de 200 à 300 hl.

FOULAGE Opération facultative qui consiste avant une fermentation à faire éclater les grains de raisins pour qu'ils libèrent leur jus. Voir p. 243 et 247.

G

GAZÉIFIÉ Terme qualifiant un vin effervescent* produit « en cuve close » par addition de gaz carbonique, au lieu d'une seconde fermentation par les levures* comme en champagnisation. Les vins d'appellation d'origine contrôlée ne peuvent être gazéifiés. Voir p. 252.

GÉNÉRIQUE Au sens le plus large, ce terme s'applique aux caractères concernant tout un genre d'êtres ou de produits. En matière d'appellations d'origine, on a pris l'habitude de désigner comme « appellations génériques » celles qui sont en fait des « appellations régionales ».

GLYCÉROL OU GLYCÉRINE Troisième constituant du vin après l'eau et l'alcool*. On attribue souvent au glycol la présence de « jambes » sur les parois du verre. Voir p. 122.

GRAN RESERVA (Esp.) Vins rouges espagnols des meilleurs millésimes ayant été élevés deux ans en barrique et trois ans en bouteille. Voir encadré p. 583.

GRAND VIN Premier vin d'assemblage des meilleures cuves d'un Grand Cru de Bordeaux. Voir encadré p. 294.

GRAPPE Fruit de la vigne qui se développe au printemps et qui résulte de la fécondation de l'inflorescence. La grappe porte ensuite des baies qui grossissent et arrivent à maturité* à la fin de l'été. La grappe est composée de baies, ou grains de raisin, et de la rafle* (partie ligneuse).

GRAVES Terme de géographie viticole désignant des zones, ou des lieux-dits plus restreints, dont le sol est constitué par des graviers. Cette texture pédologique donne souvent des vins de très grande qualité. Voir p. 16 et encadré p. 296.

GREFFAGE Après la terrible crise du phylloxéra*, l'Europe a dû utiliser des plants américains *(Vitis labrusca, Vitis riparia, Vitis rupestris)* comme porte-greffes*, leurs racines résistant à l'insecte. La vigne européenne *(Vitis vinifera)* subsiste donc, mais comme greffon. Voir p. 219.

GRÊLE Ennemi de la vigne : la grêle endommage les grappes, dont les pédoncules peuvent casser, et les baies, qui, lorsqu'elles sont à maturation, éclatent et laissent échapper leur jus. Ces dégâts sont généralement suivis de pourritures et de moisissures.

GRIS Vin obtenu lorsqu'on laisse peu de temps en contact pulpe et pellicule rouge du raisin. On récupère le jus légèrement rosé qui s'écoule et on opère une fermentation en phase liquide.

H-J

HYBRIDE Croisement de deux espèces de vigne. À la suite de la crise du phylloxéra*, des croisements entre des espèces américaines et des espèces européennes ont donné des hybrides qui résistent au phylloxéra, mais donnent des vins de médiocre qualité. Voir p. 222.

INAO L'Institut National des Appellations d'Origine est un organisme public qui a été créé en France, le 30 juillet 1935, afin de déterminer et contrôler les conditions de production des vins français d'appellation d'origine contrôlée*. Voir encadré p. 278.

IPR (P) *Indicação de Proveniencia Regulamentada,* seconde appellation d'origine au Portugal.

JOVEN (Esp.) Jeune.

KABINETT (Al.) Vins blancs secs allemands (QMP*) qui ne sont jamais chaptalisés. Voir p. 657.

L

LEVURES Champignons microscopiques unicellulaires que l'on peut trouver naturellement sur la pellicule du raisin. Les levures se multiplient dans le jus de raisin, provoquant ainsi la fermentation alcoolique* : ces levures sont dites « indigènes ». Les recherches ont permis de sélectionner des levures plus appropriées à certains types de fermentation, et on peut aujourd'hui utiliser des levures sèches pour faire son vin. Voir p. 241.

LIE Formée d'impuretés, de levures en état de vie latente, de tartres et de matières résiduelles de la vendange, la lie se dépose en un dépôt bourbeux au fond des fûts. On écarte généralement la lie (ou les lies) au moment du soutirage*. Voir p. 111, 245 et 255.

LIQUEUR (VIN DE) Vin ayant un degré alcoolique élevé, naturel ou enrichi, avec une teneur importante de sucre non fermenté, ou liqueur. Voir p. 40 et 281.

LIQUEUR D'EXPÉDITION Sirop à base de sucre de vin apporté après dégorgement des vins effervescents, Champagne ou Crémants*. Cet apport permet de compléter le niveau, de régler la dose de sucre finale du vin pour obtenir des vins extra-dry*, bruts*, secs* ou demi-secs*, et d'ajouter des produits stabilisants si nécessaire : acide citrique*, anhydride sulfureux*. Voir p. 252.

LIQUEUR DE TIRAGE Sirop de sucre de canne apporté aux vins de base au moment de leur tirage en bouteilles. Ce sucre, fermenté par les levures, produit jusqu'à 1,5 % vol. d'alcool et du gaz carbonique responsable de l'effervescence*. On ajoute environ 25 grammes de sucre par litre aux vins mousseux*. Les vins pétillants* en reçoivent une dose moitié moindre. Voir p. 251.

LIQUOREUX Vin produit avec des moûts très riches ou vin de liqueur* concentré par cuisson, ou enfin par mutage* des moûts à l'alcool sans fermentation (Vins Doux Naturels*). Voir p. 38 et 40.

M

MACÉRATION Phase de la vinification en rouge, et éventuellement en rosé, pendant laquelle les parties solides du raisin (pellicules et pépins) baignent dans le moût* avant ou pendant la fermentation alcoolique*, pour en extraire la couleur, les arômes*, les tanins* et des substances diverses. Cette macération est le principal souci des vinificateurs, et c'est autour d'elle que s'élaborent tous les procédés techniques visant à améliorer les vinifications en rouge. Voir p. 246 et encadré p. 259.

MACÉRATION CARBONIQUE Mode de vinification au cours de laquelle les raisins à vin rouge sont mis en cuve* sans être foulés. La cuve est ensuite fermée et saturée de gaz carbonique, ce qui provoque une dégradation de l'acide malique* et une fermentation intracellulaire (transformant une partie du sucre en alcool). Cette première phase, qui peut durer de quelques heures à quelques jours, s'effectue à des températures assez élevées (30-32 °C). On procède ensuite à deux fermentations séparées du vin de presse* et du vin de goutte* à des températures basses (20 °C) pendant une durée relativement courte. Grâce à cette méthode, on obtient un vin de presse de qualité supérieure au vin de goutte. Ce procédé a fait ses preuves pour les vins de cépage Gamay commercialisés jeunes, comme les Beaujolais primeurs. Voir encadrés p. 30 et 246 ainsi que p. 387.

MACÉRATION PELLICULAIRE (ou préfermentaire) Lorsqu'on opère une vinification en blanc, le pressurage* a lieu avant toute fermentation. Or il existe un grand nombre de composants aromatiques (arômes variétaux et précurseurs) emprisonnés dans les pellicules des raisins qui ne jouent donc aucun rôle dans la vinification. La macération pelliculaire consiste à laisser les jus en présence des pellicules, en macération, pendant quelques heures, avant de presser. Voir p. 243.

MADÉRISÉ Se dit d'un vin dont le goût rappelle celui du Madère. Il s'agit le plus souvent d'un vieillissement par oxydation* de vins blancs qui se reconnaissent par une couleur ambre foncé.

MAÎTRE DE CHAI Personne chargée de diriger les différentes opérations qui sont effectuées au chai, aussi bien au moment de la vinification qu'au cours de l'élevage*.

MALADIES CRYPTOGAMIQUES Maladies de la vigne dont l'agent est un champignon. Les plus connues sont l'oïdium*, le mildiou*, le black rot, l'excoriose, le brenner, la pourriture grise*. Voir p. 233.

MARC Après le pressurage, on obtient un « gâteau » constitué des éléments solides du raisin : c'est le marc. On peut distiller ce marc à l'aide d'alambics afin d'obtenir l'eau-de-vie du même nom.

MARQUE (VIN DE) Vin destiné généralement à une grande diffusion commerciale, et maintenu dans une typicité constante, dont l'étiquetage valorise principalement la marque commerciale sous laquelle il est vendu. Cette marque commerciale peut être un nom de fantaisie, ou la raison sociale de l'établissement. Les vins vendus dans ce système peuvent être soit un assemblage* de vins de table* sélectionnés, rehaussé par une petite proportion d'un cépage améliorateur, soit des coupages* très étudiés de vins de crus différents qui, de ce fait, perdent leurs appellations au bénéfice de la marque, mais qui correspondent au goût d'une large catégorie de consommateurs, soit encore des assemblages de grand volume de vin d'appellation régionale ou communale, pour lesquels l'appellation est jointe à la marque, mais passe au second plan. Voir p. 90 et 107.

MAS Désignation possible, dans le Sud-Ouest, d'un vin d'origine déterminée, provenant d'une exploitation autonome qui possède ses moyens propres de production.

MATURATION Période de la vie de la vigne allant de la véraison* à la maturité*. Au cours de cette période, les baies ne grossissent plus beaucoup. On assiste en revanche à l'accumulation des sucres et à la diminution des acides. Lorsque ces deux phénomènes tendent à se stabiliser, on parle de maturité physiologique. Au-delà de ce stade se produisent des phénomènes de surmaturation* : passerillage* et pourriture noble* recherchés dans certains vignobles. Voir p. 231.

MATURITÉ Stade physiologique de la vigne. On peut distinguer la maturité physiologique, correspondant au moment où les pépins sont susceptibles de germer. Cette maturité précède la maturité technologique, qui est celle que recherche le vigneron. Celle-ci correspond à un optimum de qualité qui dépend des cépages et des vins à produire. Voir p. 236.

MERCAPTAN Ce mot est constitué par la contraction de *mercurium captans*. Il désigne un composé résultant de la combinaison de l'alcool avec l'hydrogène sulfure à l'odeur très forte et très désagréable. Voir encadré p. 129.

MICROCLIMAT Appliqué à la viticulture, ce terme désigne un ensemble de conditions climatiques qui règnent en permanence sur un petit compartiment de terrain et qui sont légèrement différentes du climat général de la région, créant ainsi une situation privilégiée pour un cru* ou une partie du cru.

MÉTHODE CHAMPENOISE Mode d'élaboration des vins effervescents* dont l'originalité réside dans une prise de mousse réalisée en bouteille. Cette méthode est utilisée pour l'élaboration du Champagne (dont elle tire son nom), mais est également pratiquée dans d'autres régions viticoles, où elle est désignée par le terme de méthode traditionnelle*. Voir la description de cette méthode p. 250.

MÉTHODE RURALE Méthode d'élaboration de vins pétillants* par une mise en bouteilles avant la fin de la fermentation alcoolique*. Voir encadré p. 251.

MÉTHODE TRADITIONNELLE Nom autorisé (par les Champenois) pour désigner toute « méthode champenoise* » pratiquée sur des vins qui ne sont pas produits en Champagne. Synonymes : *Metodo Classico, Metodo tradizionale* (It.).

MILDIOU Champignon parasite d'origine américaine qui s'attaque aux organes verts de la vigne. On y remédiait autrefois par des sulfatages de sels de cuivre (bouillie bordelaise*), mais aujourd'hui on effectue des traitements par des produits de synthèse. Voir p. 233.

MILLÉSIME Année de vendange dont provient un vin. La qualité d'un millésime correspond à tout un ensemble de facteurs climatiques qui détermineront la qualité de ce vin et son potentiel de vieillissement. Les différences entre millésimes sont telles que le négoce assemble souvent des vins de millésimes différents afin d'obtenir un vin plus équilibré. Voir encadré p. 18 et p. 79, 107 et 169.

MISE EN BOUTEILLES Opération qui consiste à mettre le vin en bouteilles. Les mentions «mis en bouteilles au château» ou «mise d'origine» sont des mentions autorisées pour les vins d'AOC*. Les vins de pays peuvent porter la mention «mis en bouteilles à la propriété» ou «au domaine». Toutes ces mentions impliquent que le vin soit resté sur son lieu de production jusqu'à la mise en bouteilles. Les AOC portant la mention «mis en bouteilles dans la région de production» doivent être mises en bouteilles dans les départements de l'aire d'appellation la plus générale à laquelle ils ont droit. Voir p. 104 et 261.

MISTELLE On appelle mistelle *(Mistela,* en Espagne) le mélange obtenu par l'adjonction d'alcool à un jus de raisin avant toute fermentation.

MOELLEUX Qualifie les vins blancs doux compris entre les secs et les liquoreux* (entre 12 et 45 g/l de sucre). Voir p. 136.

MOUSSEUX Il existe plusieurs méthodes pour obtenir un vin effervescent* : la méthode traditionnelle* (ou méthode champenoise*), la méthode dite «rurale*» (Gaillac, Die…), lorsque l'effervescence est due à une seconde fermentation, et la méthode Charmat* (cuve close) lorsque la prise de mousse est effectuée en cuve pour éviter le remuage* et le dégorgement*. Voir p. 39, 113 et 250.

MOÛT Jus de raisin obtenu par foulage* ou pressurage*.

MUTAGE Opération qui consiste à «fixer» la fermentation alcoolique* par un apport d'alcool neutre ; une étape essentielle dans l'élaboration des Portos (voir p. 631) et des Vins Doux Naturels*. Voir p. 253.

N-O

NÉGOCIANT Personne achetant des vins pour en assurer la distribution. Les négociants-éleveurs assurent une partie du travail du vin. Ils procèdent notamment aux assemblages, à la clarification* et à la mise en bouteilles. Les négociants-manipulants, en Champagne, achètent des raisins, du moût ou du vin de base et en assurent la champagnisation.

NOBLE (CÉPAGE ET VIN) Ce qualificatif désigne des cépages* de qualité et des vins de cru*, par opposition d'une part aux vins de table* issus des cépages courants, d'autre part aux vins provenant d'hybrides vulgarisés après la crise phylloxérique.

NUIT (VIN D'UNE) Vin rosé foncé obtenu par une macération* en présence du marc de courte durée (entre 12 et 24 heures).

OÏDIUM Maladie de la vigne d'origine américaine ayant pour cause un champignon microscopique qui s'attaque aux fleurs, aux feuilles et aux raisins : les raisins se dessèchent et une poussière blanchâtre couvre la vigne. On y remédie avec un traitement par le soufre. Voir p. 233.

ORGANOLEPTIQUE L'odeur, la couleur et le goût du vin constituent l'ensemble des perceptions sensorielles dites « organoleptiques ».

OUILLAGE Opération qui consiste à contrôler le remplissage des récipients vinaires, afin que le vin ne reste pas en contact avec l'oxygène de l'air. Voir p. 166 et 255.

OXYDATION Lorsque l'oxygène de l'air est en contact direct avec le vin, celui-ci peut s'altérer en couleur et en goût par oxydation. Voir p. 166 et 255.

P

PALISSAGE La vigne moderne est le plus souvent palissée, c'est-à-dire fixée par un ensemble de piquets et de fils alignés.

PASSERILLAGE Surmaturation* de la vendange provoquant un dessèchement du raisin qui détermine un enrichissement en sucre : c'est ainsi que sont élaborés les vins de paille*, certains Muscats et le Jurançon moelleux, qu'il ne faut pas confondre avec les vins liquoreux* obtenus grâce à la pourriture noble*.

PASSETOUTGRAINS Vin de carafe élaboré en Bourgogne à partir du mélange en cuve avant fermentation de Gamay Noir à jus blanc et de Pinot Noir, ce dernier intervenant dans la proportion d'un tiers minimum.

PASSITO (It.) Vin italien issu de raisins passerillés.

PERLANT Se dit de vins contenant une légère effervescence gazeuse, moins prononcée que pour les pétillants*. Voir p. 113.

PERSISTANCE Caractéristique d'un grand vin qui se manifeste par la durée des sensations de ses qualités gustatives en bouche et par la rétro-olfaction. Certains dégustateurs mesurent cette persistance en utilisant leurs propres critères, en fonction d'unités qu'ils appellent caudalies*. Voir p. 134.

PÉTILLANT Catégorie de vin effervescent* préparé par méthode de seconde fermentation en bouteille (méthode traditionnelle*), mais ayant une pression moitié moindre de celle des vins effervescents habituels. Ces pétillants sont traditionnels dans certaines régions : Montlouis, Vouvray. Voir p. 113.

PHYLLOXÉRA En piquant la vigne à ses racines, un puceron nommé phylloxéra, importé par mégarde des États-Unis, fut à l'origine du ravage des vignobles de l'Europe entre 1860 et 1880. Voir greffage*. Voir aussi p. 219.

PIGEAGE Opération de vinification en rouge consistant à enfoncer dans la cuve* le chapeau* de marc qui s'accumule en surface. Le pigeage renouvelle le moût* au contact des pellicules, et favorise donc l'extraction des anthocyanes* et des tanins* responsables de la couleur. Il permet aussi de limiter les risques de piqûre du chapeau qui peuvent se produire lorsque celui-ci reste trop longtemps au contact de l'air. Autrefois pratiqué manuellement, le pigeage est maintenant mécanisé dans certaines cuves* dites « cuves à pigeage ». Voir p. 247.

PIGMENTS Matière colorante des végétaux. Dans la baie de raisin, ces pigments sont essentiellement des anthocyanes*.

POLYPHÉNOLS Ensemble des composés qui ont plusieurs fonctions phénol comme les tanins*, les anthocyanes* et les acides phénols, dont la combinaison détermine l'arôme* du vin, sa couleur et sa structure.

PORTE-GREFFE Partie souterraine d'un pied qui a été greffé. À la suite de l'invasion phylloxérique, les vignes européennes ont été greffées sur des porte-greffe résistants d'origine américaine. Voir p. 219.

POURRITURE GRISE Pourriture causée par le même champignon que la pourriture noble*. Le *Botrytis cinerea** peut affecter les grains de raisins endommagés par la grêle ou par le ver de la grappe. Son développement est favorisé par une forte humidité. La pourriture grise affecte la quantité et altère la qualité de la vendange. Voir encadré p. 236.

POURRITURE NOBLE Lorsque les conditions climatiques sont favorables, avec une combinaison d'alternance pluie/soleil et une belle arrière-saison, les raisins connaissent une dégradation exceptionnelle grâce au développement d'une moisissure qui porte le nom de *Botrytis cinerea**, ce fameux champignon qui « rôtit » les raisins du Sauternais en concentrant le jus et en le modifiant. Voir encadré p. 236 et p. 315.

PRESSURAGE 1. Action de serrer une vendange au moyen d'un pressoir pour en extraire le liquide.
2. Produit obtenu dans cette opération. Il y a deux modalités essentielles de pressurage : pour les vins blancs et rosés, on presse les raisins frais, foulés ou non, avant fermentation, et le liquide qui en sort est du moût*, ou jus ; pour les vins rouges, le pressurage a lieu après fermentation, uniquement sur les marcs issus de la cuvaison*. Voir p. 243, 248 et encadré p. 249.

PRIMEUR (VENTE EN) Mode de commercialisation des Grands Crus de Bordeaux cinq ou six mois après les vendanges. Les vins achetés sont gardés dans les châteaux jusqu'au moment de leur embouteillage, quelque deux ou trois ans plus tard. Voir p. 83.

PRIMEUR (VIN DE) Vins mis à la consommation aussitôt que possible après les vendanges. Le meilleur exemple est le Beaujolais primeur, commercialisé à la mi-novembre.

Q-R

QBA (Qualitätswein eines bestimmten Anbaugebietes). Catégorie de vins allemands qui ont été chaptalisés*. Voir p. 657.

QMP (Qualitätswein mit Prädikat). Cette désignation est réservée aux vins allemands de qualité qui ne font pas l'objet de chaptalisation*. Voir p. 657.

QUINTA (P) Équivalent portugais de domaine. Les vins de quinta peuvent souvent provenir d'autres domaines que celui qui est désigné.

RAFLE Squelette de la grappe de raisin. La rafle est constituée de tissus ligneux riches en composés phénoliques susceptibles de libérer des substances à goût herbacé dans le vin.

RAMEAU Tige de la vigne poussée dans l'année.

RANCIO Goût particulier (pruneau, etc.) obtenu en laissant de l'air dans la cuve ou le fût d'un vin muté. Le rancio se développe par oxydation*. Voir encadré p. 42.

RATAFIA Vin de liqueur* apéritif préparé en Champagne et en Bourgogne en mutant du moût de raisin frais par de l'eau-de-vie de marc dans la proportion approximative de deux tiers de moût et un tiers d'eau-de-vie.

RECIOTO Catégorie de vin rouge élaboré en Italie avec des raisins laissés un certain temps sur claies (ou suspendus), qui sont donc très concentrés. Ces vins sucrés sont des vins de dessert*.

RÉCOLTANT-MANIPULANT Ce terme désigne, en Champagne, le viticulteur qui produit du Champagne avec ses propres raisins.

RÉDUCTION Phénomène physicochimique qui est le contraire ou l'inverse de l'oxydation* tout en lui étant constamment associé. Dans les vins, la réduction est provoquée par une privation prolongée d'oxygène, le vin étant naturellement réducteur. Elle ne menace pas la conservation* du vin, au contraire, mais elle entraîne la formation d'odeurs animales fétides et de sulfures divers, ainsi que l'éclipse plus ou moins prononcée du bouquet* du vin. Ces inconvénients sont palliés facilement par une brève aération avant de consommer. Voir p. 167.

REFERMENTATION Nouveau départ d'une fermentation alcoolique*. Le phénomène peut se produire dans le cas de vins sucrés mal stabilisés.

REMONTAGE Phase de la vinification en rouge qui consiste à pomper du vin au bas de la cuve pour lessiver le chapeau* de marc et augmenter l'extraction de couleur. Voir p. 247.

REMUAGE Opération appliquée aux vins champagnisés consistant à rassembler le dépôt de levures* contre le bouchon, pour les dégorger*. Voir p. 252.

RENDEMENT DE BASE Quantité maximale de raisins ou l'équivalent en volume de vin récolté par hectare de vigne pour lequel est revendiquée une AOC*. Le rendement de base est exprimé en kilogrammes de raisins ou en hectolitres de vin, par hectare. Dans ce dernier cas, il inclut les lies* et les bourbes. Pour une récolte déterminée, en raison d'accidents climatiques, il peut être diminué par décision du Comité national des vins et eaux-de-vie. Selon la qualité et la quantité de la récolte, le Comité peut fixer un plafond limite supérieur au rendement de base, mais inférieur à un « rendement butoir » inscrit dans les décrets définissant chaque AOC. Voir encadré p. 232.

RESERVA (Esp.) Vins rouges qui sont gardés pendant une période de trois ans dans la *bodega**, dont au moins un an en fût. Cette période de garde est réduite à 2 ans pour les vins blancs et rosés, dont six mois en fût. Voir encadré p. 583.

RÉSERVE Les vins de réserve sont des vins gardés par des négociants* pour être utilisés dans des assemblages* ultérieurs.

RISERVA (It.) Vins italiens de DOC* ou DOCG* vieillis plus longtemps en fût ou en bouteille. Voir encadré p. 530.

ROGNAGE L'un des travaux en vert qui consiste à raccourcir la végétation d'été pour éviter la perte de sève occasionnée par la pousse de jeunes rameaux. L'absence de rognage au moment de la floraison* peut entraîner des phénomènes de coulure*, donc une perte de récolte. Voir p. 232.

ROSADO (Esp.), **ROSATO** (It.) Rosé.

ROSÉ (VIN) Vin de couleur rose plus ou moins soutenue, obtenu soit par pressurage* direct d'un cépage rouge, soit par foulage* et macération* à froid de quelques heures avant pressurage, soit par une macération* très courte et partielle avant passage au pressoir. Les rosés macérés ont un fruité plus intense que celui des vins de pressurage direct, mais ils perdent en finesse. Pour les styles, voir p. 33 ; pour la vinification, voir encadré p. 249.

RÔTI Caractéristique des vins liquoreux* qui présentent des arômes* de raisins confits par la pourriture noble*.

ROUGE (VIN) Vin obtenu par macération* du moût avec les parties solides du raisin, pellicules et pépins, pour en extraire la couleur, les arômes* et le tanin*. L'éraflage* est le plus souvent pratiqué. La période de macération peut aller de quelques jours à plusieurs semaines. La couleur dépend des facteurs génétiques (cépage*), des conditions climatiques et de la nature des sols. Pour les styles, voir p. 28 ; pour la vinification, voir p. 246.

S

SABLE (VIN DE) Vin récolté dans les sols sablonneux des bords de mer.

SARMENT Désigne le rameau de vigne aoûté. Il s'agit donc de bois de l'année et non du vieux bois de la souche.

SAIGNÉE Opération qui consiste à prélever, sur une cuve en cours de fermentation en rouge, une partie du jus. C'est ainsi que sont élaborés les Clairets* ainsi que certains rosés. Voir encadré p. 249.

SEC Terme qualifiant le vin dépourvu de sucre. En fait, la teneur en sucre doit être de 4 grammes par litre au maximum ou de 9 grammes par litre si l'acidité totale exprimée en grammes par litre d'acide tartrique* n'est pas inférieure de plus de 2 grammes au taux de sucres résiduels*. En ce qui concerne les vins mousseux*, cette teneur peut aller de 15 à 35 grammes par litre. Voir p. 113.

SECO (Esp. et P), **SECCO** (It.) Veut dire, en principe, sec.

SECOND VIN Assemblage* des cuves qui n'ont pas été retenues dans le premier assemblage du grand vin* d'un château bordelais. Voir encadrés p. 82 et 294.

SÉLECTION CLONALE Choix de plants rigoureusement identiques sélectionnés pour leur résistance aux maladies de la vigne, pour leur précocité ou pour leur rendement. Voir p. 220.

SÉLECTION MASSALE Choix de clones différents les uns des autres afin d'assurer une diversité de qualités dans une même parcelle en plantation. Voir p. 220.

SÉLECTION DE GRAINS NOBLES Cette expression concerne les vins issus de raisins botrytisés* ou passerillés*. Voir encadré p. 405.

SIN CRIANZA (Esp.) Vins qui n'ont pas été logés en fûts ou qui l'ont été pendant une période inférieure au minimum imposé pour porter la désignation *crianza**. Voir encadré p. 583.

SOLAR (P) Château ou maison de maître, au Portugal.

SOLERA (Esp.) Système, appliqué notamment au Xérès, de vieillissement de plusieurs récoltes dans une succession de fûts. Voir encadré p. 613.

SOUTIRAGE Opération consistant à séparer le vin de sa lie* par transvasement d'un récipient dans un autre. Voir p. 245.

SPÄTLESE (Al.) Vin allemand de vendanges tardives. Voir p. 657.

SPUMANTE (It.) Vins mousseux italiens.

STABILISATION On stabilise les vins au cours de leur élevage* pour éviter les précipitations, les réactions chimiques de dégradation ou le développement de micro-organismes pouvant intervenir au cours du transport ou de la conservation en bouteille. Voir p. 244.

SUCRES RÉSIDUELS Ensemble des sucres qui restent présents dans le vin après la fermentation alcoolique*.

SULFATAGE Traitement de la vigne contre les maladies cryptogamiques*. Le sulfatage consiste à pulvériser sur le feuillage de la bouillie bordelaise*. Celle-ci est composée de sulfate de cuivre. Ce terme désigne de nos jours un grand nombre de produits de synthèse dépourvus de sulfate de cuivre. Voir encadré p. 233 et p. 234.

SULFITAGE 1. Opération strictement réglementée consistant à ajouter au vin de l'anhydride sulfureux* (ou dioxyde de soufre) pour assurer sa stabilité microbienne et chimique. 2. Résultat de cette opération et teneur en anhydride sulfureux* du vin. Voir p. 244.

SUPERIORE (It.) Désigne un vin à taux d'alcool supérieur (ou ayant subi un plus long vieillissement) à celui de la DOC*.

SUR LIES Se dit de vins qui sont théoriquement mis en bouteilles sans soutirage*. Voir p. 111.

SURMATURATION Stade physiologique de la vigne intervenant après la maturité* normale du raisin. La surmaturation se caractérise par des phénomènes de concentration biologique engendrés par la pourriture noble. La surmaturation des raisins blancs permet d'obtenir des vins moelleux* ou liquoreux*. Voir p. 236.

T

TAFELWEIN (Al.) Vin de table allemand. Voir p. 657.

TAILLE La taille consiste à éliminer les bois de l'année tout en conservant une ou plusieurs belles branches bien situées afin de laisser bon nombre de bourgeons qui seront à l'origine de la pousse des fruits. Le raisin se forme sur « l'œil de l'année » qui pousse sur le bois de l'année précédente. La taille en gobelet (taille courte) rend la vigne moins vulnérable aux intempéries d'un pays chaud (vent, sécheresse). La taille en guyot (simple ou double) permet de ne conserver qu'une belle branche en hauteur (ou deux) en plus du tronc et convient mieux à un climat tempéré. Voir p. 232.

TANIN OU TANNIN Les rafles*, les pellicules des raisins, les pépins contiennent en eux ces tanins que le pressurage* et le cuvage* expriment ; ces produits organiques apportent au vin des arômes* et des goûts, ainsi qu'une capacité au vieillissement. Voir encadré p. 136, p. 170 et encadré p. 245.

TARTRE Cristallisation qui se forme sur les parois des cuves, des fûts et des bouteilles. Le tartre est constitué de sels d'acide tartrique*. Il ne présente pratiquement aucun goût. Voir encadré p. 123.

TASTEVIN Instrument de travail des cavistes, ayant la forme d'une petite coupelle métallique basse, destinée principalement à observer la couleur et la limpidité du vin, caractéristiques prises en compte pour son traitement ultérieur. S'agissant de vins en vrac dans les caves, son usage pour la dégustation était à l'origine tout à fait secondaire.

TENUTA (It.) Domaine italien.

TERROIR Ensemble des sols, des sous-sols, de leur exposition et de leur environnement, qui détermine le caractère d'un vin. Voir p. 16.

TINTO (Esp. et P) Rouge.

TIRAGE Opération de vidage d'une cuve de vin dans d'autres récipients : fûts ou bouteilles.

TITRE ALCOOMÉTRIQUE Voir Degré alcoolique*.

TONNEAU Terme souvent synonyme de fût. À Bordeaux, le tonneau est une unité de volume qui vaut 4 barriques*, soit 900 litres.

TRANQUILLE (VIN) Expression qui s'oppose à celle de vin effervescent*, et qui désigne un vin ne comportant pas de gaz carbonique perceptible.

TRIES OU TRIS On parle de tries pour les récoltes successives pratiquées pour les vendanges de raisins passerillés* ou atteints de pourriture noble*. Voir p. 237.

TROCKEN (Al.) Sec.

TROCKENBEERENAUSLESE (Al.) Vin allemand de type QmP* très sucré : le haut de gamme dans sa catégorie. Voir p. 657.

VDN Voir Vin Doux Naturel.

VDQS Voir Appellation d'origine vin de qualité supérieure.

VECCHIO (It.) Vin italien vieilli en fût ou en bouteille plus longtemps que la moyenne.

VENDANGES VERTES Opération qui consiste à supprimer quelques raisins encore verts au mois de juillet afin de réduire la quantité de la future récolte, pour en augmenter la qualité. Voir p. 231 et encadré p. 232.

VENDANGES TARDIVES Récolte tardive de raisins en surmaturité*, ayant pour objet d'obtenir une plus grande concentration en sucres et en arômes*. Voir aussi encadré p. 405.

VÉRAISON Étape de la maturité du raisin qui correspond au moment où les baies changent de couleur. Voir p. 231.

VIEILLISSEMENT Évolution que subit le vin en prenant de l'âge. Voir p. 166.

VIGNA (It.) Vignoble.

VIGNETO (It.) Vignoble.

VIN DE CÉPAGE Vin élaboré à partir d'une seule variété de raisin. En France, un vin de cépage* doit provenir à 100 % de ce cépage, mais dans de nombreux autres pays il existe des tolérances réglementaires, ou aucun règlement. Voir encadrés p. 17 et 110.

VIN DE GOUTTE Vin qui coule librement après la cuvaison* en rouge. On l'oppose au vin de presse*, issu du pressurage* des marcs* de vinification en rouge après le décuvage*. Voir p. 249.

VIN DE PAILLE Vin liquoreux* issu de raisins passerillés*. Ces raisins, laissés sur des lits de paille, se déshydratent. Leur concentration en sucre s'accroît sans que l'acidité augmente dans d'aussi fortes proportions. Ces vins titrant plus de 14 % vol. sont capables d'une conservation très prolongée. Ils sont principalement produits dans le Jura (p. 459) et dans les Côtes du Rhône.

VIN DE PAYS Vins de table réglementés, produits dans les conditions contrôlées d'encépagement*, de maturité* et de qualité, et vendus avec l'indication d'un département ou d'une zone de provenance. Ils ne peuvent faire l'objet d'aucun coupage* avec des vins de provenance différente. Voir p. 103 et 279.

VIN DE PRESSE Vin rouge obtenu par pressurage*, après la fermentation, des éléments solides, après écoulage* du vin de goutte*. Voir aussi décuvage*. Voir p. 249.

VIN DE QUALITÉ PRODUIT DANS UNE RÉGION DÉTERMINÉE (VQPRD) Définition européenne des vins appartenant aux AOC* et aux AOVDQS*.

VIN DE TABLE Vin destiné à la consommation quotidienne et ne bénéficiant d'aucune classification particulière. Voir p. 103 et 280.

VIN DOUX NATUREL (VDN) Vin dont la richesse initiale en sucre est au moins égale à 252 grammes par litre. En cours de fermentation alcoolique*, on le mute par addition d'alcool. Voir p. 40 et 254.

VINIFICATION Phase de l'élaboration du vin qui se situe entre la cueillette des raisins et la fin de la fermentation alcoolique*. Voir p. 239-254.

VIN JAUNE Vin blanc du Jura affecté par la *flor*. Voir encadré p. 458.

VIN SANTO (It.) Vin italien de passito*. Voir encadré p. 557.

VINO DE CRIANZA (Esp.) Vin de qualité qui doit être laissé à vieillir deux années pour les rouges, un an pour les blancs et les rosés (dont six mois en fûts), avant d'être commercialisé. Voir encadré p. 583.

VITIS LABRUSCA Variété de plant de vigne américain.

VITIS VINIFERA Variété de plant de vigne européen.

INDEX GÉNÉRAL

Les noms des appellations sont suivis d'une indication sur leur statut (par exemple, AOC pour Appellation d'origine contrôlée). Seuls les producteurs et négociants qui figurent dans le texte principal ont été indexés (Ch. = Château). Pour les mots techniques du vin, le lecteur pourra se référer également au Glossaire p. 908.

A

B

D

G

M

N

T

INDEX DES CÉPAGES

Cet index recense l'ensemble des cépages évoqués dans cet ouvrage. Les cépages les plus importants, dits parfois cépages internationaux, sont décrits de façon détaillée p. 223-226 pour les cépages rouges et p. 227-229 pour les cépages blancs.

A

B

C

N

O

P

R

T

Impression : Mame, Tours
Dépôt légal : septembre 2002 - 560278/01
Imprimé en France (Printed in France)
100 90158 (I) 26,5 (OSBS 80) août 2002

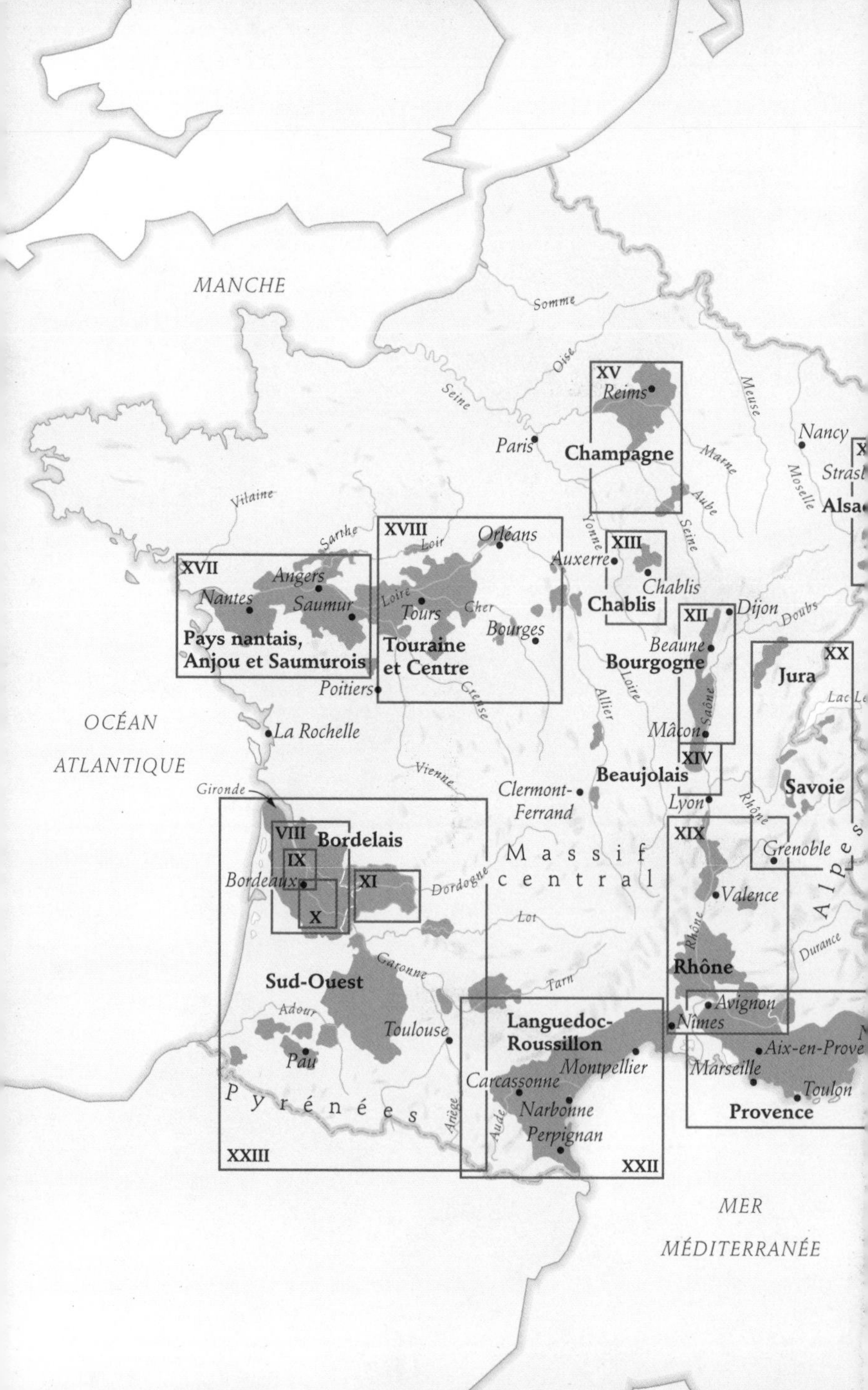
MANCHE
OCÉAN
ATLANTIQUE
MER
MÉDITERRANÉE
Somme
Oise
Seine
Meuse
Marne
Moselle
Aube
Yonne
Vilaine
Sarthe
Loir
Loire
Cher
Creuse
Allier
Doubs
Saône
Vienne
Gironde
Dordogne
Lot
Garonne
Tarn
Adour
Ariège
Aude
Rhône
Durance
Paris
Reims
Nancy
Orléans
Auxerre
Chablis
Dijon
Angers
Nantes
Saumur
Tours
Bourges
Beaune
Poitiers
Mâcon
La Rochelle
Clermont-
Ferrand
Lyon
Grenoble
Bordeaux
Valence
Toulouse
Pau
Avignon
Nîmes
Montpellier
Carcassonne
Narbonne
Perpignan
Aix-en-Prove
Marseille
Toulon
Massif
central
Pyrénées
Alpes
XV
Champagne
XIII
Chablis
XVII
Pays nantais,
Anjou et Saumurois
XVIII
Touraine
et Centre
XII
Bourgogne
XIV
Beaujolais
XX
Jura
Savoie
Alsa
VIII
Bordelais
IX
X
XI
XIX
Rhône
Sud-Ouest
Languedoc-
Roussillon
Provence
XXIII
XXII